LA COUR DE FRANCE

Dans la même série :

NOUVELLES ÉTUDES HISTORIQUES

Maurice AGULHON, *Pénitents et Francs-Maçons de l'ancienne Provence.*
Michel CARMONA, *la France de Richelieu.*
Roger CHARTIER (sous la direction de), *les Usages de l'imprimé.*
Pierre CHAUNU, *la Mort à Paris (XVIe, XVIIe, XVIIIe siècles).*
Louis CHEVALLIER, *les Relais de mer. Un village de la côte vendéenne de la veille de la Guerre de 14 aux lendemains de la Deuxième Guerre mondiale).*
Pierre CHEVALIER, *Histoire de la franc-maçonnerie française* (3 vol.).
Jean DELUMEAU, *la Peur en Occident, XIVe-XVIIIe siècle.*
– *le Péché et la peur, la culpabilisation en Occident, XIIIe-XVIIIe siècle.*
Daniel DESSERT, *Argent, pouvoir et société au Grand Siècle.*
Jacques GÉLIS, *l'Arbre et le Fruit. La naissance dans l'Occident moderne, XVIe-XIXe siècle.*
Jacques HEERS, *Esclaves et domestiques au Moyen Age dans le monde méditerranéen.*
– *Fêtes des fous et carnavals.*
Paul Murray KENDALL, *l'Angleterre au temps de la guerre des Deux Roses.*
Maurice LEVER, *les Bûchers de Sodome.*
– *le Sceptre et la marotte, Histoire des fous de cour.*
Victor LÉONTOVITCH, *Histoire du libéralisme en Russie.* Préface d'Alexandre Soljénitsyne.
Bernard LEWIS, *Sémites et antisémites.*
Isabel DE MADARIAGA, *La Russie au temps de la Grande Catherine.*
Georges MINOIS, *Histoire de la vieillesse. De l'Antiquité à la Renaissance.*
Marcel PACAUT, *l'Ordre de Cluny.*
Jean-Paul ROUX, *les Explorateurs au Moyen Age.*
Charles TILLON, *le Laboureur et la République, Michel Gérard, député paysan sous la Révolution française.*
Marc VIGIÉ, *les Galériens du roi, 1661-1715.*
Jean-Claude WAQUET, *De la corruption. Morale et pouvoir à Florence aux XVIIe et XVIIIe siècles.*
Eugen WEBER, *Fin de siècle, la France à la fin du XIXe siècle.*
– *la Fin des terroirs.*
– *l'Action française.*

JEAN-FRANÇOIS SOLNON

LA COUR DE FRANCE

FAYARD

DU MÊME AUTEUR

215 Bourgeois gentilshommes au XVIIIe *siècle. Les secrétaires du Roi à Besançon*, Paris, Les Belles Lettres, 1980.

Quand la Franche-Comté était espagnole, Paris, Fayard, 1983. (Prix du Livre comtois. Couronné par l'Académie française.)

La véritable hiérarchie sociale de l'ancienne France (en collaboration avec François Bluche), Genève, Droz, 1983.

J'en dirai ce qu'on ne lit point dans des livres composés par des écrivains trop éloignés de ce théâtre, ou par des furieux qui ont cru s'ennoblir en avilissant des grandeurs terrassées, ou enfin par des misérables qui ont rédigé des gazettes d'antichambre trop souvent prises pour la vérité.

Alexandre DE TILLY

Avant-propos

Cour, lieu où habite un Roi... Cour, signifie aussi le Roi et son Conseil... Cour, signifie encore tous les officiers et la suite du Prince... Cour, se dit encore des manières de vivre à la Cour.

FURETIÈRE

Les monarques aiment léguer à l'Histoire une image flatteuse. Aux poètes comme aux artistes ils confient le soin de perpétuer le souvenir de leur gloire, en attendent l'immortalité. Illustrée par les mosaïques, l'épopée d'Alexandre exalte le génie du nouvel Achille ; miniatures et vitraux magnifient les vertus de Saint Louis, roi de justice et de paix. Chefs de guerre ou administrateurs se plaisent aussi à figurer au milieu de leur cour dont l'éclat sert leur prestige. Ainsi aux murs de Saint-Vital de Ravenne, officiers et serviteurs rassemblés autour de Justinien et de Théodora confirment-ils la puissance du *basileus* et la grandeur de son règne. L'Orient, il est vrai, est la patrie du faste, des vastes palais, des cérémonies majestueuses qui rappellent aux peuples l'ascendance divine des rois. La cour y trouve naturellement sa place. De l'Égypte à la Perse, de l'Inde à la Chine, le prince — qu'il soit pharaon, empereur, Grand Roi ou Grand Moghol — aime à s'entourer d'une cour.

La monarchie appelle la cour. En Occident comme en Asie, l'affermissement du pouvoir royal s'accompagne de la constitution d'une *aula*[1]. En émergeant lentement de la féodalité, la royauté française des XIIe et XIIIe siècles a progressivement sécrété un embryon de cour. Membres de la famille royale, commensaux, familiers en constituent le noyau, grossi périodiquement de l'assemblée des vassaux tenus au devoir de conseil. Mais la cour des Capétiens n'est pas encore réunion permanente des premiers personnages du royaume. Elle demeure inachevée. Pour être accomplie, l'institution aulique doit compter plusieurs caractères : dans l'histoire du monde seuls quelques règnes ont su les réunir.

Cour signifie entourage du prince. Elle rassemble compagnons, dignitaires, serviteurs dont les fonctions domestiques sont soumises à un minutieux rituel. Au temps où le maître de l'État ne se distingue pas de l'homme privé, elle est aussi centre de gouvernement, siège des conseils, résidence des ministres. Ses intrigues la posent parfois en rivale du pouvoir souverain. Les querelles de clans, les coteries du harem, les révolutions de palais ont sans cesse menacé l'autorité du pharaon comme elles ont miné celle des médiocres princes Séleucides et précipité la décadence des Ming ou des Ottomans. Mais, dominée par un monarque soucieux d'affirmer sa puissance, la cour devient instrument de règne. Rassembler les grands dignitaires autour du prince et neutraliser leurs ambitions par le jeu des faveurs n'est privilège ni de l'Occident ni des temps modernes. Ses efforts pour confiner les puissants seigneurs de l'empire dans des fonctions honorifiques et les écarter de tout pouvoir réel ont valu à l'empereur Wou Ti (IIe siècle avant notre ère) le surnom de Louis XIV chinois.

La perfection de la cour ne tient pas seulement aux ors des palais ou aux nobles lignages qui en sont l'ornement. Elle doit être aussi brillant foyer de culture, rendez-vous des talents, lieu privilégié des innovations artistiques. Elle diffuse la langue du prince, invente les modes, inspire des manuels de civilité (songeons aux *Livres de Sagesse* de l'Égypte ancienne) destinés à plaire au maître en attirant ses bienfaits. Elle crée une civilisation, en assure le rayonnement.

Les monarchies réunissent rarement tous les éléments nécessaires à une cour achevée. Le raffinement des cours orientales voisine souvent avec les déchirements politiques nés à l'ombre des palais ; la *Curia regis* (la Cour-le-Roi) des Capétiens n'est encore ni véritable structure du gouvernement ni foyer de culture. L'histoire comparée des cours reste à faire[2]. Elle doit abolir frontières géographiques et limites chronologiques. Mesurer avec pertinence le degré d'évolution de la cour d'Agra ou de Pékin, celle de Dioclétien ou de Chah Abbas exigerait de larges compétences au service de minutieuses études. En limitant notre propos à l'exemple français, nous ne croyons pas céder à quelque tentation frileuse tant la cour de France est vivante et rayonnante. Elle n'est qu'une pièce d'un dossier que l'on souhaiterait à l'échelle du monde ; elle est aussi pierre angulaire, de celles qui étaient d'amples constructions.

De la Renaissance au siècle des Lumières, la cour des Valois et des Bourbons a fasciné l'Europe. Observée, imitée, elle a été modèle envié. Son style a rayonné au-delà des frontières du royaume, et on ne compte plus les répliques de Versailles. Des principautés allemandes à la péninsule ibérique, de l'Angleterre à la lointaine Russie, souverains et grands seigneurs ont nourri pour la cour de France une admiration, avouée ou secrète, que les querelles politiques avec le Très-Chrétien n'ont jamais réussi à ternir.

Prestigieuse, la cour reste paradoxalement mal connue. Longtemps l'Histoire officielle l'a ignorée. Si les chroniques de l'Œil-de-bœuf[3] ont séduit un public friand d'anecdotes, elles ont précipité la cour dans les oubliettes de la recherche. L'indifférence des écoles historiques tient à cette mauvaise réputation. Réduite à un lieu de plaisirs et de divertissements, peuplée de frivoles talons rouges et pervertie par le jeu érotico-politique des maîtresses royales, la cour ne méritait aucune attention. La fragilité du régime républicain créé après 1870 interdisait aux historiens radicaux une exploration susceptible de réveiller les souvenirs de l'Ancien Régime. L'histoire des résidences royales, les biographies princières étaient signées par des auteurs souvent nostalgiques de l'ancienne France. Aux préjugés hostiles ou au silence des uns répondaient les panégyriques des autres. La célébration du premier centenaire de la Révolution française (1889) ne fit qu'exacerber les passions. L'histoire de la cour était devenue enjeu politique.

Notre siècle est moins susceptible. Les historiens des arts, de la musique et de la littérature reconnaissent en la cour, dès le règne de François Ier, un brillant foyer de culture, le laboratoire d'un mécénat royal incomparable. Mais les légendes sont tenaces. En 1987 elles n'ont pas toutes disparu. On accorde plus de crédit à *La Dame de Monsoreau* d'Alexandre Dumas qu'aux travaux des historiens des Valois. Le talent littéraire de Saint-Simon continue à dissimuler ses rancœurs et ses haines, même si M. François Bluche nous enseigne de meilleurs guides pour comprendre la cour de Versailles. On préfère parfois la littérature scandaleuse de la fin du XVIIIe siècle et les mémoires apocryphes aux témoignages pudiques et sûrs d'un duc de Luynes ou d'un prince de Croÿ. Les alliés d'une noblesse rebelle à la monarchie absolue imaginent le roi-soleil déracinant, domestiquant, avilissant le second ordre ; d'autres attribuent à la construction des châteaux de la Loire et de Versailles, à la somptuosité de leurs fêtes les difficultés du trésor royal et le déficit des finances ; malgré M. Norbert Elias, beaucoup considèrent l'étiquette comme l'expression d'une vulgaire vanité ; les hommes de cour, enfin, sont promptement jugés oisifs et parasites.

Malice et ignorance ne sont pas seules responsables de ces préjugés. Trois siècles durant, la cour a dominé la société et les institutions françaises. Façonnée par les princes, elle offre des visages contrastés. Privilégier l'un d'eux sert peut-être la polémique mais nuit à la probité. La rusticité du Louvre de Henri IV ne doit pas dissimuler le raffinement de l'entourage des Valois ; les avantages politiques de la cour de Louis XIV, masquer ses entraves à l'autorité de successeurs moins talentueux. Comprendre la cour de France exige d'élargir son étude du règne de François Ier à celui de Louis XVI, suivre les étapes de sa création, analyser la force de son éclat, repérer les signes de son déclin. Si le détail de sa subtile mécanique mérite d'être observé au microscope, son ampleur doit être saisie au grand angle. Sans estomper la singularité de chaque époque, l'histoire de la cour à travers la longue durée permet de nuancer les jugements, souligner continuité et ruptures, dégager forces et faiblesses de l'institution la plus brillante des temps modernes.

Première partie

L'INVENTION DE LA COUR

C'était une très utile manière d'attirer par honneur et ambition les hommes à l'obéissance.

MONTAIGNE

CHAPITRE PREMIER

Un fourre-tout social

Quand serons-nous à la cour, n'appelant la cour là où était le roi, mais où étaient la reine et les dames.

BRANTÔME

Au Moyen Age les rois de France ne tenaient pas de cour. Grands vassaux et conseillers de la Couronne les assistaient dans leurs tâches administratives, officiers et serviteurs assuraient les besognes domestiques du palais, mais l'entourage du souverain restait modeste. La simplicité régnait en son Hôtel, le luxe n'était admis qu'à l'occasion des grandes fêtes et le cérémonial demeurait bon enfant. Médiocre, la maison royale ignorait toute vie mondaine. Le faste des ducs de Bourgogne, le raffinement des cours italiennes lui étaient étrangers. Les compagnons du roi n'étaient pas encore courtisans.

A feuilleter *Le Cérémonial français* [1], à parcourir les récits officiels des entrées et des sacres royaux, on imagine au contraire les souverains du XVIe siècle exclusivement entourés de grands dignitaires et de personnes titrées. La fréquence de ces cérémonies — le siècle a connu cinq sacres de rois Valois et des dizaines d'entrées —, l'assiduité de quelques lignages nobles suggèrent la présence permanente à la cour de tous les gentilshommes du royaume. Ces images sont trop tranchées pour être vraies. La cour est plus diverse, plus mouvante que ne le laissent croire les protocoles royaux. « C'est un pêle-mêle sans ordre et sans règle aucune [2] », répètent inlassablement les ambassadeurs vénitiens, observateurs privilégiés. « Notre cour se change souvent », proclame un édit, navré des incessantes allées et venues des courtisans dans les palais royaux. L'entourage des Valois rassemble princes du sang et marmitons, familiers des antichambres et gentilshommes de passage. Logés au palais ou à proximité, assidus à chaque lever de leur maître ou solliciteurs d'un jour, ensemble ils forment la cour.

Le dégradé officiel des rangs

La famille royale domine naturellement ce petit monde. Le souverain, la reine, le dauphin, fils aîné et héritier de la Couronne, les fils et filles de France, la reine mère la composent. Descendants du sixième fils de Saint Louis, les Bourbons sont leurs plus proches cousins. Si leur place hiérarchique n'est officiellement fixée qu'en 1576, ces princes du sang constituent un rang séparé des personnes titrées, pairs, ducs et princes étrangers qu'ils précèdent. Parmi ces derniers, la maison de Lorraine, possessionnée dans le royaume, est la plus puissante. L'érection à son profit de cinq duchés-pairies au cours du siècle dit assez sa force, qu'augmentent encore des alliances avec la famille royale. Partageant les privilèges honorifiques des princes du sang (depuis 1581, ils précèdent les pairs), les Lorrains ne négligent aucun avantage pour rivaliser avec les souverains Valois. L'assassinat à Blois de Henri de Guise mettra un terme à leurs ambitions.

Dans le dégradé officiel des rangs, la cour compte ensuite les grands officiers de la Couronne et les grands dignitaires de la maison du roi. Les premiers sont le connétable, le chancelier et garde des sceaux, le grand maître de France, le chambrier — supprimé en 1545 —, le grand chambellan, l'amiral, les maréchaux de France. Les secrétaires d'État, création du siècle, sont tacitement assimilés à cette catégorie qui compte encore sous Henri IV le grand maître de l'artillerie et le grand écuyer, faveurs accordées aux fidèles compagnons du roi, Sully et Bellegarde. Se mêlent ainsi responsables d'offices auliques et serviteurs de la monarchie. Les grands dignitaires de la cour, appelés encore commensaux du premier ordre, en sont proches. Tous portent le titre de grand. Ce sont le grand échanson, le grand panetier, le grand écuyer tranchant, le grand prévôt de l'Hôtel, le grand veneur, le grand fauconnier, le grand louvetier. Henri III leur joint le grand maître des cérémonies et le grand maréchal des logis. Entre officiers de la Couronne et chefs d'office, de trop subtiles distinctions paraissent factices. La capricieuse chronologie des créations et suppressions de charges, la prétention à des titres supérieurs, la volonté royale les interdisent [3].

Les maîtres d'hôtel et les gentilshommes servants inaugurent le rang des commensaux du deuxième ordre où, à côté de la noblesse, perce la roture. Les charges de valets de chambre et de garde-robe, portemanteaux et huissiers de la Chambre ne sont pas, en effet, réservées au second ordre. De même, les secrétaires de la Chambre se recrutent davantage parmi les magistrats en mal d'ascension sociale que chez les gentilshommes[4]. Les membres du conseil privé, maîtres des requêtes, notaires et secrétaires du roi, que leurs fonctions appellent à la cour sans appartenir à la maison du roi, sont indifféremment — à leur entrée en charge — nobles ou riches bourgeois.

Au bas de l'échelle, les petits emplois sont le fait des gens du commun, occupés aux tâches matérielles indispensables à l'entretien de la cour. Ils vivent de gages et de pourboires, et partagent le rang des commensaux du troisième ordre avec les marchands, artistes et gens de métier suivant la cour. Ces derniers jouissent de l'exemption de la réglementation corporative et des péages sur les routes et à l'entrée des villes quand ils accompagnent la cour dans ses déplacements. Les effectifs de ces privilégiés croissent avec l'importance de la cour. Cent au temps de Louis XII, ils sont cent soixante à la fin du règne de François Ier et près de cinq cents au début du XVIIe siècle. Avec les très officielles « filles de joie suivant la cour » s'achève un dégradé d'états inauguré par le roi.

La cour est tout en contrastes. Elle ne se réduit pas à la seule noblesse. Des offices sont réservés au second ordre, d'autres sont ouverts aux roturiers et font la joie et l'orgueil de riches bourgeois et de coqs de paroisse. Certaines charges anoblissent, d'autres pas. La qualification, seulement honorifique, d'*écuyer* attribuée aux commensaux de la deuxième classe suffit à satisfaire bien des vanités. Mais les privilèges fiscaux attachés aux fonctions de cette catégorie — exemption de taille, guet et garde, logement des gens de guerre... — ne laissent pas indifférent.

La noblesse du royaume dénonce volontiers cette confusion des rangs dans l'entourage royal. Confrontée aux difficultés matérielles du milieu du siècle, elle considère l'exercice des charges de la maison du roi, même modestes, comme un moyen de subsistance. Aux états généraux de 1560, ses députés demandent qu'elles lui soient réservées et suggèrent l'interdiction de tout cumul « afin qu'un plus grand nombre de personnes puisse obtenir quelque récompense[5] ». La commensalité est considérée comme un carrefour social. Par son canal, d'habiles roturiers réussissent à se faufiler dans les rangs de la noblesse. La dignité et le prestige de ses fonctions sont un moyen de jeter des passerelles entre les différents états de la société, d'échapper à son milieu d'origine. L'élément dynastique n'est jamais absent. Si les Cossé, seigneurs de Brissac, monopolisent l'office de grand panetier de 1495 au XVIIIe siècle, des familles modestes restent attachées, des générations durant, aux maisons royales. Les Chouaine, du pays chartrain, qui ont favorisé les débuts du poète Desportes à la cour, sont un exemple de ces fidèles commensaux, alternant le service de Catherine de Médicis avec celui de sa fille Marguerite de Valois.

« Notre cour se change souvent »

Si la cour ne se confond pas avec la noblesse du royaume, la noblesse *à* la cour n'est pas toujours une noblesse *de* cour. Au temps de la Renaissance, le second ordre conserve des attaches rurales très fortes. La ville lui répugne, il ignore cette double résidence — demeure aux champs et hôtel urbain — qu'il cultivera au siècle suivant. La cour est aussi objet de méfiance. Pour la plupart des gentilshommes, le métier militaire, noble entre tous, reste l'expression achevée du service. Leur présence à la cour n'y ajouterait rien. Entre deux campagnes, vivre chez soi, « retiré en sa maison », soigner ses chevaux, avoir bel équipage, surveiller ses manants, visiter voisins et amis est un idéal largement partagé. Les plus avisés, commandants de petites places, baillis ou sénéchaux, préfèrent conserver pouvoir et influence en province plutôt que de se perdre dans la foule des courtisans, d'abdiquer leur indépendance entre les mains de favoris et de soumettre leur fortune aux caprices d'une vie dispendieuse. La quête des faveurs paraît humiliante aux esprits orgueilleux.

L'attraction de la cour est sélective. Ceux qui succombent à son charme ne la fréquentent que par intermittence. Le train de pareille cour varie, gonfle ou se contracte au gré des circonstances. Les grands officiers en forment le noyau : ils ne quittent guère le souverain. En revanche, la plupart des fonctions auliques ne sont pas exercées continûment. Leurs titulaires servent par quartiers, c'est-à-dire trois mois dans l'année. Les gentilshommes affectionnent ce service partiel. Il leur permet, toutes obligations remplies, de retrouver manoir familial et affaires domestiques, de gérer leurs domaines, renouer avec les préoccupations du gentilhomme campagnard. « J'ai pris mon congé, écrit La Roche-Pozay à l'un de ses correspondants, avec commandement d'être de retour dedans la fin de ce mois-là par où sera le roi. Mais il me faut aller à Thouars pour l'affaire de ma fille et de là à Charroux pour l'affaire de mes foins. Nous pourrons retourner ensemble pour être à la cour[6]. » Même les grands seigneurs, les courtisans assidus aiment à se retirer dans leurs châteaux : Montmorency à Chantilly, les Bourbons à Vendôme, La Fère ou Nérac. « Je suis sur mon partement pour m'en aller chez moi où j'espère n'avoir point faute de plaisir[7] », écrit le duc de Guise, tout à la joie de retrouver Joinville. La nostalgie du terroir ou la surveillance des moissons ne sont pas les seules responsables de ces infidélités. La gêne financière de la noblesse exige parfois de rompre avec le train de vie exigé du courtisan. Quand les difficultés du trésor royal s'y ajoutent, l'entourage du souverain subit l'hémorragie. « Toute l'étude de maintenant, écrit un ambassadeur étranger en 1559, est de remettre le royaume en avant d'argent dont il est merveilleusement épuisé [la France, comme sa rivale espagnole, connaît la banqueroute] et toute la noblesse se retire, et se fait la cour de jour en jour plus petite, et ne passe le roi par aucune ville, afin que, pour ses entrées, l'on ne se mette en frais[8]. »

Avec régularité les événements militaires vident la cour. Les guerres d'Italie, puis la lutte contre la maison d'Autriche sont responsables, pendant près de trois quarts de siècle, de la désertion de la cour à la belle saison — celle des batailles — et de son repeuplement lors des quartiers d'hiver. A chaque reprise des hostilités, sa jeunesse impatiente se précipite aux combats, « les uns sans congé et les autres non ». Lorsque François Ier nomme en 1544 le comte d'Enghien, second fils du duc de Vendôme, lieutenant général en Piémont, « cette réponse publiée partout » enthousiasme les jeunes gentilshommes « se doutant bien, puisque l'on avait autorisé ce jeune prince d'en user à sa volonté, que le jeu ne se départirait pas sans qu'il eût de la mêlée [...] de sorte qu'il demeura bien peu de jeunesse à la cour[9] ». En 1552, c'est le duc de Guise qu'elle suit à Metz, laissant à Fontainebleau « le roi [...] fort peu accompagné ». Abandonnée de ses galants officiers, la cour, réduite aux conseillers du roi, aux ecclésiastiques et aux barbons, languit. Quand Henri II est en campagne, Catherine de Médicis prend le deuil et le fait prendre à son entourage. Les journées se passent en oraisons pour le retour victorieux des combattants. « Veux-tu savoir ce que nous devenons ?

mande Michel de l'Hôpital à l'un de ses correspondants au front. Ce que fait la reine [...], madame Marguerite et la dauphine ? Ce que fait ta belle-sœur Anne, et toute cette foule impropre à porter les armes ? Nous fatiguons le ciel de nos prières [10]. »

Lorsque à la guerre étrangère succède la guerre civile, la cour enregistre départs et arrivées des chefs de parti. Le duc de Guise s'annonce-t-il à Moulins où réside le roi ? Le connétable de Montmorency prend ostensiblement congé. Tous les contemporains ont observé ces chassés-croisés des seigneurs « en desdignance les uns des autres », ne résistant pas à les comparer au jeu de « boutte-hors [11] » !

La cour est une noria. Ses effectifs se renouvellent sans cesse. Elle accueille les nobles visiteurs qui, résidant en province, ne dédaignent pas occasionnellement de faire visite au roi, tenir, plusieurs jours ou quelques semaines, compagnie à leur souverain. Lorsque la cour se déplace, ses résidences temporaires sont, l'espace d'une étape, le rendez-vous des seigneurs du voisinage. Certains la rejoignent en curieux, d'autres en solliciteurs. Le sire de Gouberville est de ceux-là. Sédentaire, il ne s'est jamais beaucoup éloigné de son manoir normand du Mesnil-au-Val. Son voyage à Blois où réside la cour est d'autant plus exceptionnel. Il ne s'est pas mis en route pour devenir un familier de Sa Majesté ou quémander une charge de cour. Par ses silences, son *Journal* indique suffisamment que la curiosité n'a pas davantage motivé ce déplacement. S'il voit le roi, la reine, les princes, s'il assiste à un souper, à un bal, à une comédie, le spectacle ne délie pas sa plume. Gilles Picot de Gouberville est venu pour affaires. Lieutenant des eaux et forêts dans sa province, il convoite la charge de maître. Son ambition exige cette démarche. Six jours de chevauchée ont été nécessaires pour gagner le lieu où se font les carrières. Avec Cantepye, son homme de confiance, et son laquais Lajoye, il arrive à Blois le 28 janvier 1556. Ses rencontres illustrent les contrastes de la cour. Gouberville approche les plus grands comme les serviteurs les plus modestes. Ses goûts l'entraînent plutôt vers la fréquentation des seconds. C'est un écuyer de cuisine nommé Petit-Jean, normand comme lui, qu'il aime retrouver, ainsi guidé dans le labyrinthe de la cour. Au milieu de l'indifférence des courtisans, il obtient de lui quelque chaleur humaine. Mais Gouberville est venu pour rien. Sa requête n'a pas abouti. Il quitte Blois le 19 février. Dans toute sa vie de hobereau, notre gentilhomme aura séjourné vingt-deux jours à la cour [12].

Cette cour ne retient pas ses hôtes. Elle s'accommode de leurs allées et venues, de fréquentations épisodiques. Celles-ci expliquent l'instabilité de ses effectifs. Avec l'indifférence du temps pour les chiffres et les lacunes des états de la maison du roi, ces mouvements interdisent tout dénombrement précis. Les témoignages contemporains permettent au mieux une évaluation. Plus que le nombre de personnes, ils estiment le nombre de chevaux que la cour entretient ! Et leurs curieux calculs ne livrent pas la correspondance mathématique entre les hommes et les bêtes. Présent à l'arrivée de la caravane royale à Bordeaux en 1526, l'ambassadeur anglais Taylor rapporte que les écuries ont été prévues pour accueillir 22 500 chevaux et mules. Dans ses *Mémoires*, Benvenuto Cellini considère que 12 000 chevaux sont nécessaires aux déplacements de la cour qui, complète, compterait 18 000 hommes. Évaluation jugée fantaisiste par les historiens. Les ambassadeurs vénitiens semblent mieux informés. Encore que Marino Cavalli, dans sa *Relation* de 1546, hésite entre 6 000 et 12 000 chevaux entretenus dans les écuries royales. Lippomano, au temps de Henri III, réduit l'incertitude en estimant chevaux et hommes entre 6 000 et 8 000 [13].

Huit mille personnes ne signifient pas autant de courtisans ou de commensaux, pas davantage l'effectif de la noblesse de cour. La présence régulière auprès du roi est encore un phénomène peu répandu. Le souverain est cependant sensible à la fréquentation de sa cour. Il connaît les noms des gentilshommes qui l'entourent, leurs familles et l'ancienneté de celles-ci, leurs alliances, leurs services. Lorsque Catherine de Médicis les présente au jeune Charles IX, la régente manifeste une connaissance parfaite des familiers du Louvre : « " Un tel a fait service au roi votre grand-père, en tels et tels endroits, un tel à votre père ", et ainsi, poursuit Brantôme, de tous les autres [14]. » Pour l'opinion, la civilité, l'usage du monde distinguent le courtisan du hobereau. L'assiduité à la cour, la connaissance de ses usages hiérarchisent encore les gentilshommes. Est mauvais courtisan, dit un contemporain, celui qui « ne sait ni quand le roi se lève, ni quand il se couche ». La distraction en est peut-être responsable, mais l'irrégularité des séjours à la cour explique davantage cette coupable ignorance. S'éloigner de la cour signifie gagner son indépendance, préserver sa fortune, fuir les brigues, mais aussi tomber dans l'oubli et laisser échapper les faveurs. Les progrès de l'autorité des Valois semblent condamner les gentilshommes ambitieux à vivre à la cour. Au maréchal de Cossé-Brissac, comblé de grâces par François Ier et Henri II, mais fixé en Italie pendant six ans sans congé par le commandement de l'armée royale, son frère écrit : « Tâchez de vous en venir aux meilleures et plus grandes journées que vous pourrez afin de ne point laisser envieillir le bien et service que vous avez faits au roi duquel il est plus mémoratif et souvenant que personne qui soit près de lui[15]. » L'attraction de la cour n'est pas encore absolue, mais la réussite sociale oblige à s'y soumettre. Le maréchal de Cossé n'attend pas un mois pour suivre le conseil fraternel. La course aux honneurs ou le maintien de la faveur exige de plus en plus d'être sous le regard du prince. C'est la version anticipée de la formule chère à Louis XIV, refusant une grâce par un définitif : *Je ne le vois jamais*.

Les femmes a la cour

La cour est un monde d'hommes, capitaines et serviteurs du roi. Ceux qui la rejoignent, visiteurs ou solliciteurs, viennent seuls, laissant à leurs épouses la garde de leur demeure et l'éducation de leurs enfants. Dès le début du xvie siècle cependant, l'entourage des Valois s'est ouvert aux femmes. Brantôme, en connaisseur, l'assure : « Considérant que toute la décoration d'une cour était des dames, il [François Ier] l'en voulut peupler plus que de la coutume ancienne. Comme de vrai, une cour sans dames, c'est un jardin sans aucune belles fleurs[16]. » Le rappel de « la coutume ancienne » prive le roi-chevalier du rôle de précurseur. L'introduction des dames à la cour revient... à une femme, Anne de Bretagne qui, à deux reprises, aux côtés de Charles VIII puis de Louis XII, a présidé la cour. « Ce fut la première, reconnaît notre chroniqueur, qui commença à dresser la grande cour des dames, que nous avons vue depuis elle jusqu'à cette heure ; car elle en avait une très grande suite, et de dames et de filles, et n'en refusa jamais aucune ; tant s'en faut, qu'elle s'enquerrait des gentilshommes leurs pères qui étaient à la cour, s'ils avaient des filles, et quelles elles étaient, et les leur demandait[17]. » Sans doute les femmes, au Moyen Age, étaient-elles reçues à la cour, ornements des bals et spectatrices des combats courtois. Mais elles n'y résidaient pas constamment. Anne de Bretagne les fixa en créant une maison de la reine dont les charges étaient partagées entre une dizaine de dames et une quarantaine de filles d'honneur. François Ier suivit son exemple et l'amplifia. Reines et princesses eurent chacune désormais leur maison accueillante aux dames et demoiselles nobles. « Ce n'était que dames de maison, demoiselles de réputation qui paraissaient à la cour comme déesses au ciel[16] », s'enthousiasmait Brantôme. N'étaient-elles qu'un aimable décor ?

Leur présence permanente a transformé le caractère de la cour. Celle-ci y a gagné en élégance et politesse. On prétend volontiers qu'avant la Renaissance les dames étaient mal habillées. Anne de Bretagne avait lancé quelques nouveautés heureuses mais sévères. Coiffe « honnête » et cotte simple respiraient la vertu. François Ier veilla à la magnificence des habits. « Les dames eurent de lui de grandes livrées d'habillements. J'ai vu, note un témoin, des coffres et garde-robes d'aucunes dames de ce temps-là, si pleines de robes que le roi leur avait données en telles magnificences et fêtes, que c'était une très grande richesse[18]. » La comptabilité royale le prouve : au fil des années elle mentionne le paiement d'un nombre considérable d'aunes de velours noir, de taffetas blanc et noir, de toiles d'or et d'argent, de satin rouge cramoisi et autres tissus précieux. Après François Ier l'usage se maintient. Selon l'ambassadeur d'Angleterre, chaque fille d'honneur de Catherine de Médicis reçoit en 1564 de la reine mère cinq robes d'apparat, et une du roi[19]. La toile d'or utilisée laisse augurer de l'éclat de la prochaine rencontre diplomatique de Bayonne. L'entretien par la cour des dames et demoiselles d'honneur — toujours plus nombreuses avec le siècle : la maison de Catherine en compte 111 en 1585[20] — est une chance pour les grandes familles chargées d'enfants. Elles trouvent aussi dans les maisons des reines l'occasion de subvenir à moindres frais à leur éducation et, peut-être, de négocier un bon mariage.

En retour, les femmes de la cour contribuent à policer les mœurs des gentilshommes. Une coutume fait d'elles les institutrices des courtisans. Henri de la Tour, vicomte de Turenne, l'a rapporté dans ses *Mémoires*. Il n'a que douze ans lorsqu'il arrive à la cour. Selon l'usage, on lui choisit une maîtresse, Mlle de Châteauneuf. En tout bien tout honneur ! « J'étais soigneux de lui complaire et de la faire servir, autant que mon gouverneur me le permettait, de mes pages et laquais. Elle se rendit très soigneuse de moi, me reprenant de tout ce qui lui semblait que je faisais de malséant, d'indiscret ou d'incivil, et cela avec une gravité naturelle qui était née avec elle, que nulle autre personne ne m'a tant aidé à m'introduire dans le monde, et à me faire prendre l'air de la cour. » La force de cette coutume est telle, poursuit-il, « que ceux qui ne la suivaient étaient regardés comme mal appris, et n'ayant l'esprit capable d'honnête conversation[21] ». La sociabilité avait tout à gagner aux rencontres quotidiennes des gentilshommes et des dames dans les antichambres ou les galeries des palais. Ornements de la cour, les dames sont aussi les auxiliaires de la civilité.

Leur présence a-t-elle été prétexte à débordements, source de scandales ? On oppose généralement la légèreté des mœurs de la cour de François Ier à la bonne tenue de celle de son fils Henri II. Ce contraste mérite attention. Souvent cité, Brantôme n'est pas toujours fidèle témoin. L'auteur des *Dames galantes* affectionne l'anecdote scandaleuse, recherche davantage les bons mots et les contes divertissants que la vérité. Né à la fin du règne de François Ier (1540), il n'est spectateur de la vie de cour qu'après son retour d'Italie, en 1560. A défaut de choses vues, il répète beaucoup de potins invérifiables et nombre de lieux communs. Ses recueils de *Discours* sont pourtant indispensables. Quand leurs anecdotes sont confirmées par d'autres témoignages, elles prennent une valeur d'autant plus précieuse que les chroniques de la cour sont rares.

La plupart des observateurs ont noté la « complexion amoureuse » de François Ier. De son commerce féminin, Boisy prétend qu'il « en a perdu toute honte ». Le maréchal de Tavannes soutient qu'il consent à s'occuper des affaires de l'État quand il n'est pas avec des dames. Et un visiteur étranger répète que « le roi est grand amateur de femmes et fait volontiers irruption dans les jardins des autres et boit à plusieurs sources ». La cour est-elle à l'image de son roi ? Sensible à l'amour, François Ier n'est pas le Sardanapale qu'imaginait le pape Paul III. Séducteur impénitent, il ne tolère pas le scandale : « Le roi dit tout haut que qui toucherait à l'honneur des dames, sans rémission il serait pendu. » L'avènement de son fils prend toutefois l'apparence d'une réaction contre les habitudes passées. L'interdiction faite à tout gentilhomme « d'assister le matin au lever et le soir au coucher des filles [d'honneur] dans leur chambre » illustre, dès 1547, la plus grande attention de Henri II aux bienséances[22]. Nul n'ignore la liaison, déjà ancienne, du nouveau souverain avec la grande sénéchale, Diane de Poitiers, de vingt ans son aînée. Paradoxalement, le règne sans partage de la maîtresse royale est responsable du traitement sévère imposé aux courtisans. Sa revanche sur l'entourage frivole de François Ier, son goût affecté de la correction, sa volonté de dominer son jeune et royal amant invitent Diane à faire régner la décence à la cour. La discrétion en amour de Henri II, son souci de préserver les apparences font le reste. « En ses affaires amoureuses, il les tient si secrètes que personne ne peut en parler, note l'ambassadeur vénitien Contarini ; aussi la cour qui, du temps du feu roi, était très licencieuse, est aujourd'hui assez régulière[23]. » Par tempérament et réflexe de femme longtemps bafouée, Catherine de Médicis, reine puis reine mère, veille, avec plus de scrupules encore, à la bonne tenue de la cour. Sauf au temps de Henri III, où son attention s'est relâchée, rien n'est épargné pour faire respecter les règles de la bienséance. Brantôme en convient. Lorsque M. de Matha, écuyer d'écurie « que le roi aimait », traita Mlle de Méré, fille d'honneur de Catherine, de « grande courcière bardable », « la reine fut en telle colère, qu'il fallut que Matha vidât de la cour pour aucuns jours [...] et, d'un mois après son retour, n'entrât en la chambre de la reine et des filles[24] ».

Les intrigues politiques menées par la reine mère seraient-elles les seules bonnes raisons d'attenter à la vertu des demoiselles d'honneur ? Pour beaucoup, Catherine de Médicis porte la responsabilité d'avoir gâté les mœurs de certaines d'entre elles en soumettant leurs charmes à la raison d'État. L'« escadron volant », dont la plupart des biographes de Catherine minimisent le rôle, n'est pas un mythe. La reine n'a pas dédaigné la collaboration de dames de sa maison pour accélérer ou parfaire des négociations politiques. Elle place ainsi quelques belles filles sur le chemin de son fils Alençon — enfui du Louvre en septembre 1575 — et de ses conseillers dont l'alliance avec les protestants et l'appel aux reîtres d'Allemagne sont une menace mortelle pour le royaume. Ces manœuvres suspectes n'ont pas transformé cependant son entourage en école de débauche. Tout témoigne au contraire du contrôle rigoureux qu'elle a exercé. Rencontres et maintien sont soumis à des règles précises. Nul gentilhomme ne peut parler avec les filles de la reine en dehors de la présence de celle-ci ou de la première dame d'honneur, la princesse de la Roche-sur-Yon. Assises sur une chaise, elles peuvent, sans choquer la décence, inviter leurs compagnons à s'asseoir à leurs côtés. Assises au sol, elles acceptent qu'ils posent un genou à terre. Mais s'allonger auprès d'elles, comme cela était naguère la mode, est réprouvé.

Au temps où Brantôme disserte lestement « sur les dames qui font l'amour et leurs maris cocus » et s'interroge « sur les femmes mariées, les veuves et les filles, à savoir desquelles les unes sont plus chaudes à l'amour que les autres », on a relevé quatre scandales majeurs à la cour[25]. Toutes les femmes compromises ont été durement traitées.

Chassée, lady Flaming, gouvernante de la jeune Marie Stuart, accusée de déshonorer la cour pour avoir proclamé les faveurs reçues de Henri II. Exilée, la malheureuse Françoise de Rohan, enceinte du séduisant duc de Nemours qui, après s'être engagé à l'épouser, l'abandonna. Coupable, la belle Jeanne de Piennes séduite par François de Montmorency qui, reniant sa parole, épousa, en fils obéissant, Diane de France. Cloîtrée, Mlle de Limeuil après avoir accouché, dans la garde-robe de Catherine de Médicis, d'un fils dont on ne sut exactement s'il était du prince de Condé ou du secrétaire Robertet.

Le XVIe siècle n'a pas les pudeurs du XIXe. La verdeur du langage, la gaillardise des plaisanteries tiennent à la sensibilité d'une époque. Elles nous trompent sur le comportement réel des hommes et des femmes de ce temps. Elles ne signifient pas toujours dissolution des mœurs. Entre l'austérité régnant à Nérac auprès de Jeanne d'Albret et les débordements de quelques fêtes licencieuses à Chenonceaux existe un éventail de conduites que la cour s'est efforcée de moraliser. D'autres infractions à la morale allongent certainement le catalogue des scandales. Mais, débarrassée des calomnies, des réflexes misogynes des chroniqueurs et des invectives huguenotes contre la « nouvelle Babylone », la vie de la cour est moins dissolue qu'une lecture complaisante des *Dames galantes* le laisserait penser. Brantôme est vrai lorsqu'il bride sa verve gauloise : « Or, il faut que je dise une mauvaise opinion que plusieurs ont eue et ont encore de la cour de nos rois : que les filles et femmes y bronchent fort, voire coutumièrement. En quoi bien souvent sont-ils trompés, car il y en a de très chastes, honnêtes et vertueuses, voire plus qu'ailleurs ; et la vertu y habite aussi bien, voire mieux qu'en tous autres lieux, que l'on doit fort priser, pour être bien à preuve[26]. »

Phénomène nouveau, la présence permanente des femmes à la cour a suscité les réactions passionnées et contradictoires des contemporains. Certains, comme Tavannes ou Monluc, ont pesté contre leur rôle jugé excessif : « Dans cette cour [celle de Henri II], les femmes faisaient tout, même les généraux et les capitaines. » D'autres leur ont attribué toutes les turpitudes : « Ce ne sont pas les hommes ici qui prient les femmes, ce sont les femmes qui prient les hommes[27]. » Les plus avisés reconnaissent la part qu'elles ont prise aux progrès de la sociabilité. L'introduction du sentiment dans les relations amoureuses, garde-fou de comportements trop souvent dominés par l'instinct, est à mettre à leur crédit. Sur ce thème, poètes et auteurs de romans ont multiplié les variations. On a admiré aussi la délicatesse avec laquelle l'entourage féminin de Catherine de Médicis a affiné les manières. Parées, aimables, les filles de la reine ont été de charmantes hôtesses qui exigeaient en retour égards et respect des familiers du Louvre. Certains irréductibles ont raillé cette galanterie « honnête » et moqué ses sectateurs : « Le courtisan aujourd'hui ou autre tel faisant état de servir les dames ne sera estimé bien appris s'il ne sait, en déchiffrant par le menu ses fadaises, songes et folles passions, se passionner à l'italienne, soupirer à l'espagnole, frapper à la napolitaine et prier à la mode de cour[28]. » Sarcasme qui trahit en fait un profond désarroi devant la transformation des mentalités et des comportements. La cour a aidé à la promotion d'une élite féminine qui, en retour, l'a policée.

De la « petite bande » aux factions

Si elle rassemble ceux qui vivent auprès du roi, la cour est trop vaste et diverse pour ne compter que des familiers du prince. Le hobereau en visite ou l'ambassadeur accrédité doivent distinguer dans cette foule bigarrée, sous peine de ridicule et de faux pas, le tout-venant des courtisans de ceux qui ont l'oreille du roi. Pour qui fréquente la cour en solliciteur, rien de plus maladroit que frapper par ignorance à la mauvaise porte et lier sa fortune au courtisan sans crédit. On ne pardonne pas davantage à l'ambitieux d'ignorer les arcanes d'un milieu où clans et coteries sèment embûches et chausse-trapes sur le chemin de la faveur. La société de cour est un agrégat de groupes humains dont l'influence réelle exige d'être évaluée. La hiérarchie officielle des rangs n'est pas un étalon infaillible. Savoir sa cour, c'est reconnaître les premiers rôles dans la masse des figurants, se déplacer avec aisance dans le labyrinthe. Retrouvons le fil d'Ariane.

L'avènement de François Ier, le premier janvier 1515, est le triomphe de la jeunesse. La longévité de son prédécesseur avait étonné puis agacé. A cinquante-deux ans Louis XII s'était enfin décidé à mourir, alors que la maladie avait fait espérer son décès depuis plus de douze années. François d'Angoulême, héritier impatient, accède enfin au trône. Il a vingt ans. La confirmation du vieux et indispensable Florimond Robertet en qualité de conseiller politique souligne la continuité de l'État. Mais le renouvellement de la maison du roi récompense les amis de jeunesse et les compagnons fidèles. Beaucoup ont l'âge du souverain. Quelques-uns deviennent ses proches. A son ancien gouverneur Artus Gouffier, sire de Boisy, François confie la prestigieuse charge de grand maître. Bonnivet, son compagnon de plaisirs, est nommé à vingt-sept ans amiral de France et chambellan ordinaire ; Chabot, gentilhomme de la Chambre. Lautrec (il a trente ans), le duc de Vendôme (il en a vingt-six), Louis de la Trémoille, Jacques de Chabannes, seigneur de la Palice, François de Silly entrent dans sa familiarité. Dix ans après, la défaite de Pavie (1525) éclaircit les rangs de ce proche entourage. Au retour de sa captivité à Madrid, le roi réorganise sa Maison, renouvelle ceux qui jouissent de sa confiance. Galiot de Genouillac devient grand écuyer de France, Anne de Montmorency grand maître, l'ami Fleuranges maréchal de France, Philippe Chabot amiral[29].

Plus que les dignités de cour, l'invitation aux divertissements royaux permet de mesurer le degré d'intimité avec le roi. Les longues parties de chasse à l'ours ou au sanglier, la pêche dans l'étang des Carpes à Fontainebleau ou les jeux au jardin des Pins rassemblent une société choisie, nommée la « petite bande ». Le roi y admet quelques dames « des plus belles gentilles ». La reine n'en est pas, mais la dauphine Catherine, excellente cavalière, en fait partie. Mme de Canaples — dont Jean Clouet a fait le portrait —, Mme de Silly, Marie de Monchenu sont souvent invitées avec la duchesse d'Étampes, maîtresse du roi, la grande sénéchale de Normandie Diane de Poitiers, Françoise de Longwy, femme de Chabot.

Longtemps François Ier règne sur une cour relativement unie. Le roi est jeune, mais a le sens de l'autorité. Les charges de cour et de gouvernement sont entre les mains de serviteurs fidèles et d'hommes de confiance. La trahison du connétable de Bourbon n'est qu'une défection individuelle. Louise de Savoie, mère du roi, souvent en charge des affaires, sait contenir les partis et étouffer les rivalités. Mais à sa mort, en 1531, les divisions apparaissent. Au regard du siècle, celles qui opposent les fidèles du dauphin François, né en 1518, à ceux de son frère Henri, né l'année suivante, paraissent mineures. Le débat entre partisans et adversaires de la lutte contre Charles Quint — le parti de la paix est dirigé par Montmorency et la reine Éléonore — est plus sérieux. Il annonce les graves divisions qui empoisonnent les sept dernières années du règne où triomphent les factions[30]. François Ier est-il incapable de dominer sa cour ? Usé par sa captivité, c'est alors un homme affaibli. Son goût du mouvement

— il voyage jusqu'aux dernières années de sa vie —, sa passion de la chasse sont un défi à sa santé. On vante toujours « son bon sens et entendement », ses courtisans se soumettent à sa discipline, mais ses à-coups de santé répétés laissent deviner que ses jours sont comptés.

Chacun alors essaie de se placer. Mais auprès de qui ? Le dauphin François est mort en 1536, et si Henri est le nouveau dauphin, son frère cadet, Charles, est le fils préféré du roi. Leur rivalité s'envenime à l'occasion de la disgrâce d'Anne de Montmorency que son étroite amitié avec Henri a perdu (1541). Le dauphin reste fidèle au connétable, alors que Charles rassemble ses ennemis : la duchesse d'Étampes, l'amiral Chabot, Marguerite de Navarre. Lorsque la guerre étrangère reprend en 1542, la cour est attentive à la conduite des deux frères. Charles conquiert Luxembourg, mais Henri échoue devant Perpignan. La paix de Crépy (1544) accentue encore la brouille. Le dauphin n'a pas souhaité l'arrêt des combats. Signé, le traité l'a déçu. La crise est ouverte : Henri boude le conseil des affaires et proteste devant notaire contre l'abandon à Charles d'un apanage considérable dans le royaume.

Seule la mort de ce dernier, en septembre 1545, met fin à la rivalité. Henri est désormais le seul héritier de la Couronne. François Ier l'admet au Conseil, mais les vieilles blessures sont loin d'être cicatrisées. Au long de cette querelle, une femme a dominé chacun des partis. A Diane de Poitiers, sa maîtresse depuis 1538, Henri II écrira plus tard : « Je n'ai point crains, le temps passé [celui où il était dauphin], de perdre la bonne grâce du feu roi [son père] pour demeurer auprès de vous[31]. » La blonde duchesse d'Étampes, maîtresse du roi, dirige le parti opposé. Chacun s'entoure de fidèles, pousse ses créatures, intrigue pour ses amis. La condamnation et l'emprisonnement de l'amiral Chabot en février 1541 consacre le triomphe de Diane. La disgrâce du connétable, six mois plus tard, permet à la duchesse de marquer à son tour l'avantage. « Bien souvent femme varie. » L'aphorisme de François Ier trouve sa vérité dans l'inconstance de sa favorite. Ainsi l'amiral d'Annebault lui doit son avancement et son autorité sur le souverain. « Sans lui, remarquait l'ambassadeur de Florence, on ne peut ni parler au roi ni en rien obtenir[32]. » Mais aussitôt après sa réussite, elle cherche à le perdre. Il faut être très habile courtisan ou indispensable ministre — comme le cardinal de Tournon — pour conserver, dans la grisaille de la fin du règne, malgré la favorite, la confiance royale.

Vieille et nouvelle cour

Un des atouts reconnus au régime monarchique est la continuité. Malgré de fréquents soubresauts, la dynastie des Valois l'a longtemps assurée. Les changements de règne n'excluent pas pour autant le renouvellement des serviteurs zélés et des conseillers influents. L'avènement de Henri II prend à cet égard l'aspect d'une véritable révolution de palais. Trop longue et profonde avait été l'opposition entre le feu roi François et le dauphin, trop marquée la domination de la maîtresse royale, trop éclatante — et injuste à beaucoup — la disgrâce du connétable de Montmorency. Devenu le maître, Henri II bouleverse la « face de la cour ». Les officiers de la Chambre et de la garde-robe compromis avec Mme d'Étampes sont invités à se dessaisir de leurs charges. Mais c'est le côté « quenouille de la cour » qui subit le retournement le plus spectaculaire. Malgré ses efforts pour demeurer à Saint-Germain, la duchesse d'Étampes est, après bien des humiliations, contrainte à l'exil. Ses dames cherchent refuge auprès de la reine Éléonore, mais, sauf rares exceptions, sans succès. Beaucoup regagnent leurs châteaux en province pour y vivre dans la dévotion. Henri a à cœur de chasser ceux qu'il juge responsables des scandales passés. Tout prépare le triomphe de Diane. La maîtresse royale, créée duchesse de Valentinois, couverte de faveurs, comblée de cadeaux dont le plus somptueux est le château de Chenonceaux, devient la véritable souveraine de la nouvelle cour. De Catherine de Médicis, l'épouse légitime, on n'attend que réserve et obéissance. Encore sa Maison est-elle surveillée par la propre fille de Diane, Françoise de Brézé, nommée surintendante[33].

Nul ne peut s'étonner du pouvoir de la favorite, maîtresse du roi depuis dix ans, comme aucun courtisan ne doute du retour aux affaires du connétable. Dès le lendemain de la mort de François Ier, Montmorency est rappelé à Saint-Germain : Henri lui confie la direction du conseil privé. Confirmé dans ses fonctions de grand maître, réinvesti dans son gouvernement de Languedoc, créé duc et pair en 1551, le connétable est investi d'une autorité sans précédent. A la cour comme au gouvernement son influence est considérable. Le cérémonial imposé aux courtisans et aux diplomates accrédités au Louvre révèle son ascendant sur Henri II. Qui veut accéder auprès du roi doit « passer par la porte du connétable ». « Comme grand maître de France, [il fait] casser ou coucher sur l'état de la maison du roi qui bon lui [semble] [...] Il n'y avait ambassadeur, poursuit Vieilleville, de quelque prince qu'il fût, qui eût su avoir audience que par sa faveur : ce qui le faisait rechercher de tous les rois, princes et potentats de la Chrétienté, qui lui écrivaient comme au roi quand ils députaient quelqu'un pour exercer cette charge auprès de Sa Majesté, afin de le favoriser et rendre sa négociation favorable[34]. » Montmorency possède le roi et domine la cour qu'il reçoit avec faste à Chantilly ou Écouen.

Au vrai, les courtisans sont divisés. Montmorency triomphe, mais la maison de Lorraine, qui s'était attachée à Henri du vivant de son père, n'est pas sans crédit. Charles de Lorraine, archevêque de Reims, figurait alors comme « chef du conseil du dauphin, chargé de gouverner sa maison et toutes ses affaires » ; son frère François avait été le compagnon de jeu du prince. L'avènement de ce dernier récompense leur affection. Inquiet de leur faveur, Montmorency tente d'éloigner François de Guise en l'envoyant visiter les fortifications du Dauphiné et contrarie le retour de Rome du cardinal de Lorraine. En vain. Le nonce pronostique : « Les favoris et mignons du nouveau roi seront, soyez-en sûr, M. de Reims et M. d'Aumale [François de Guise] parce que Sa Majesté les aime cordialement. » Ricasoli confirme bientôt : « Le cardinal de Guise est le plus grand personnage de cette cour et il est en voie d'embrasser toutes les affaires[35]. »

De telles rivalités gâchent les nuits des courtisans. Auquel des deux partis s'attacher ? Montmorency a pour lui la vieille et profonde amitié du roi, l'ascendant donné par son âge, sa compétence, son prestige militaire, ses fonctions à la cour et sa prééminence au Conseil, son immense fortune qui attire les fidèles. Mais les Lorrains ne manquent pas d'atouts. Jeunes, intelligents, riches, ambitieux, ils entendent asseoir solidement leur faveur. Diane de Poitiers est l'enjeu des deux clans. Un frère d'Aumale, Claude de Lorraine, épouse-t-il Louise de Brézé, fille de Diane ? Le connétable rétablit l'équilibre en mariant son fils François avec la fille naturelle du roi, Diane de France, veuve d'Orazio Farnèse. Avec les années, la rivalité se fait plus acerbe. Chacun se surveille. La cour est le terrain d'une partie très serrée. Diane choisit les Lorrains. L'archevêque de Reims, un « des plus parfaits en l'art de courtiser », dîne à sa table. Dans son appartement, la maîtresse royale réunit en conseil intime le roi, Charles et François de Guise. « Quoique le connétable ait l'administration extérieure de toutes choses, note un observateur anglais en

1550, maintenant les Lorrains ont autant de crédit que lui[36]. » Au Conseil, à la cour, à la tête des armées, Anne et François de Montmorency se mesurent toujours aux Guise, mais les partis sont désormais équilibrés. Les Lorrains misent toutefois sur l'avenir : en 1558, le dauphin François épouse leur nièce Marie Stuart. La mort accidentelle de Henri II en fait les oncles du nouveau roi. Le règne de François II marque leur triomphe.

Montmorency doit quitter la cour et céder la grande maîtrise à son rival. La maison de Lorraine s'empare d'une fonction clé que trois générations vont exercer. Personne dans l'entourage royal — ni Antoine de Bourbon, premier prince du sang, invité par les neveux du connétable déchu à rééquilibrer les partis, ni son frère Condé, chef de la noblesse huguenote — ne peut empêcher les Guise de gouverner[37]. La rivalité entre Bourbons, Lorrains et Montmorency se confond avec l'histoire des guerres de religion. Arrivées et départs de la cour, oppositions déclarées et réconciliations tactiques, exils et retours en grâce, conjurations et tentatives répétées d'enlèvement du roi rythment la chronique politique. A la croisée des partis : Catherine de Médicis, contrainte par les circonstances à louvoyer entre les grandes familles. A la cour comme au gouvernement, elle joue « tantôt d'un parti, tantôt de l'autre, et ce pour faire balancer la puissance des grands[38] ». La conspiration d'Amboise compromet-elle Condé ? Elle s'efforce, contre les Lorrains, de sauver le prince. L'avènement de son fils Charles IX redonne-t-il leur chance aux Bourbons ? Elle refuse de déposséder Guise de son office de grand maître. L'obsession de la reine mère est d'équilibrer l'influence des clans opposés. Longtemps on a dénoncé sa duplicité, son machiavélisme, alors que ses manœuvres, imposées par les événements, cherchaient à rétablir ou à préserver l'égalité des forces entre les factions nobiliaires.

Le temps des « nouveaux rois »

Quiconque voudrait comprendre le ballet insensé et parfois tragique des coteries de cour au temps des derniers Valois devrait analyser avec soin chaque geste des acteurs principaux et des personnages secondaires. Un livre n'y suffirait pas. En s'élargissant aux dimensions du gouvernement du royaume, notre approche de la cour y perdrait sa spécificité. La stratégie de Henri III à l'égard d'une des plus importantes factions, celle des Guise, fournit un exemple des tensions qui règnent au Louvre.

Dans les premières années du règne du dernier Valois, la plupart des clans nobiliaires, jusque-là sur le devant de la scène, se sont effacés. Henri de Navarre s'est enfui de la cour en 1576 et son cousin Condé vit en rebelle loin de Paris. Les Châtillon ont tout perdu depuis l'assassinat de Coligny ; après la mort du connétable (1567), les Montmorency se tiennent à l'écart, François à Chantilly, Henri dans son gouvernement de Languedoc. Reste le frère du roi, François, duc d'Alençon puis d'Anjou, et le clan des Guise.

La réussite de ces derniers a été jusque-là exceptionnelle : quatre érections de seigneurie en duché (Guise en 1527, Aumale en 1547, Mercœur en 1569 et Mayenne en 1573), l'exercice sans partage du pouvoir sous François II, l'influence politique au temps de Charles IX auréolée de gloire militaire. Les Lorrains convoitent davantage. A la cérémonie du sacre de Henri III, ils tiennent tous les rôles : Louis, archevêque de Reims, officie ; les ducs de Guise, de Mayenne, d'Aumale, le marquis d'Elbeuf remplissent les fonctions des trois pairs laïcs et celle de grand chambellan [39]. Deux jours plus tard, le roi épouse Louise de Vaudemont, leur cousine. Vont-ils dominer le souverain, confisquer à nouveau l'autorité ? Les grandes dignités de la maison du roi leur sont déjà acquises. Guise est grand maître, son frère Mayenne grand chambellan et amiral, leur cousin Aumale grand veneur, et Elbeuf espère de son beau-père l'office de grand écuyer.

Mais Henri III se méfie des Lorrains. En 1569 déjà, il avait contrarié le projet de mariage de Henri de Guise avec sa sœur Marguerite, dénonçant « l'ambition de cette maison-là et combien elle avait toujours traversé » celle des Valois [40]. Roi, il n'a de cesse de diminuer l'influence du clan à la cour. La nomination de François de Richelieu, indépendant des Guise, comme prévôt de l'Hôtel, est une première étape (1578). Le règlement de 1585, amoindrissant, en les précisant, les fonctions du grand maître, la seconde. La nomination aux offices de la Maison n'appartient désormais qu'au souverain. La création de la charge de grand maître des cérémonies, confiée à Guillaume Pot, anti-ligueur notoire, va dans le même sens. La séparation de la grande et de la petite Écurie, le rachat de l'office de grand écuyer au comte de Charny ruinent enfin les espérances de succession chez Elbeuf (1589). Les Guise ont conscience de l'offensive et s'en plaignent. L'un d'eux reproche un jour au roi de ne leur laisser que le loisir de « branler les jambes sur les coffres de l'antichambre[41] ».

N'imaginons pas cependant, avant la tragédie de Blois (23 et 24 décembre 1588), une volonté délibérée de ruiner d'un coup les Lorrains si populaires dans la noblesse. Henri III n'en a pas le pouvoir. Mais il n'entend pas être leur prisonnier. Tout en bridant leur ambition à la cour, le souverain sait doser ses faveurs. Si ses dons et pensions sont irréguliers, c'est pour mieux régler leur fidélité. S'il les invite à participer à la vie de cour, les convie dans sa demeure privée d'Ollainville ou crée en leur faveur deux duchés nouveaux (Mercœur, officialisé en 1576, et Elbeuf, en 1581), c'est pour mieux les séduire, parer aux ruptures définitives, gagner des membres de leur clientèle. Les leçons de Catherine de Médicis n'ont pas été perdues, même si la reine mère avait ménagé les Guise plus que son fils. Ne nommait-elle pas le Balafré (le duc Henri) son « contrepoison » ?

L'équilibre des clans est la règle d'or d'une politique conduite dans des circonstances difficiles. La recherche de serviteurs loyaux, attachés au prince et à lui seul, est une autre nécessité. Les Valois ont rarement trouvé appui et soutien auprès de leurs proches. Si les Guise forment un clan uni, la famille royale nourrit ses propres factions en se déchirant. Anjou, frère du roi, est prompt à monter des complots et rêver d'un destin royal. Sa sœur Marguerite, femme de Henri de Navarre, lui ménage son appui. Henri III les déteste. Plusieurs fois il tente de les discipliner. Ses échecs minent encore davantage son autorité. « Monsieur de Guise n'était pas marri de la division qu'il voyait arriver en notre maison, écrit Marguerite de Navarre, espérant bien que du vaisseau brisé il en recueillerait les pièces[42]. » Pour s'affranchir de la tutelle familiale, Henri préfère s'entourer d'hommes sûrs, de serviteurs dévoués.

Son choix se porte sur des hommes de sa génération, souvent de moyenne noblesse, issus de familles nouvelles, étrangères à la vieille noblesse de cour. L'opinion les nomme ses « mignons ». L'Histoire en a retenu le portrait brossé par Pierre de L'Estoile, scandalisé par leur apparence, moquant leurs cheveux « longuets, frisés et refrisés par artifice, par-dessus leurs petits bonnets de velours, comme font les putains du bordeau ». Le Guast, Saint-Luc, Caylus, Villequier, d'O sont en fait des hommes de guerre redoutables, fines lames indispensables à la sécurité royale. Leur fidélité est totale : ils ne connaissent que le roi, ne saluent même pas son frère, prêts à poignarder ceux que leur maître leur désigne. Henri les protège, mais sait aussi les chasser si leur « mauvaise conduite » les fait « déchoir de sa privauté ». Gardes du souverain, conseillers politiques, agents d'exécution, ils valent plus que leur légende[43]. Leur rapide ascension sociale, leur insolence, leur intimité avec le roi les ont rendus scandaleux. Pourtant leurs incessantes querelles avec les grands et leurs duels avec les hommes de Monsieur, frère du roi, ou des Guise ne sont pas que gratuites provocations. Les faveurs inouïes prodiguées à Épernon, cadet de Gascogne, ou à Joyeuse, placés au-dessus des ducs et pairs, ne sont pas que caprice. Catherine de Médicis avait suggéré à son fils que « les vieux s'en vont, et il faut dresser des jeunes : autrement vous trouverez que ne saurez de qui vous servir, ni à qui commander qui le sache bien faire[44] ». Les intrigues de cour sont moins superficielles, l'octroi des grâces moins frivole que l'opinion ne l'imagine. Au temps où le pouvoir monarchique doit compter avec les factions nobiliaires, user de tels moyens est aussi faire œuvre politique.

CHAPITRE II

La maison du roi

Soit le mot domestique entendu de ceux qui sont couchés en l'état de leurs maisons, autrement appelés commensaux, parce que anciennement ils avaient bouche à la cour et robes de livrée.

DU TILLET

Lorsque dans chaque manoir du royaume le tout-venant des gentilshommes entretient une nombreuse domesticité, le premier d'entre eux se doit de régner sur une vaste Maison. Les Valois n'ont pas créé leur service domestique. Ils en ont hérité. Si les origines de l'Hôtel, ancêtre médiéval de la maison du roi, demeurent obscures, les ordonnances des Capétiens, dont la première connue date de Saint Louis (1261), distinguaient en son sein six « métiers » : la paneterie, l'échansonnerie, la cuisine, la fruiterie, l'écurie et la fourrière. Ce n'étaient pas les seuls services de l'Hôtel. La chambre, la chapelle, la vénerie, l'argenterie, la fauconnerie les complétaient. Au fil des siècles, certains ont été considérés comme départements propres, d'autres comme annexes [1]. L'imprécision, le désordre sont la règle dans la Maison chargée d'assurer la vie quotidienne du souverain. Comme presque toutes les institutions de l'Ancien Régime, l'Hôtel s'est constitué progressivement, par ajouts successifs de services nouveaux sans suppression brutale des plus anachroniques. En outre, certaines fonctions se réduisent au domestique du prince, d'autres s'étendent aux dimensions mêmes du royaume. Ainsi le grand aumônier de France, chef de la chapelle royale dont dépendent chapelains, clercs et musiciens, est aussi responsable de tous les établissements hospitaliers et charitables du royaume. La volonté du souverain, la fantaisie et la négligence de la tenue des rôles d'offices interdisent tout classement ordonné. La routine n'est pas moins étrangère aux bizarreries et aux incohérences qui font de la Maison une construction baroque. Les contemporains savent toutefois reconnaître dans la *bouche* le service du roi (d'où le nom de cuisine-bouche, paneterie et échansonnerie-bouche appelées encore *gobelet* du roi) et dans le *commun* celui de son entourage. Chacun distingue aussi la maison civile et la garde en armes. Toutes deux forment le noyau de la cour.

Les services de l'Hôtel

« Messieurs, le roi est mort, vous n'avez plus de charges. » Son bâton de commandement rompu, l'officier laisse passer un moment, prend un nouveau bâton, signe de son autorité, et s'écrie : « Messieurs, le roi vit et vous rend vos charges. »

Comme celle d'un particulier, la mort du roi de France disperse officiellement sa Maison, mais beaucoup de serviteurs demeurent fidèles à son successeur. Le bâton rompu et renouvelé du grand maître symbolise la dissolution et l'immédiate reconstitution de la maison du roi. Seul un officier de la Couronne peut présider une telle cérémonie. Après le connétable et le chancelier, le grand maître de l'Hôtel ou grand maître de France est l'un d'eux. Lointain successeur des maires du palais, il en a perdu les pouvoirs démesurés, mais les services de la Maison étant placés sous son autorité, celle-ci reste considérable. Chaque année il fait dresser l'état de la maison du roi et des princes, établir la liste des officiers qui doivent y servir. Ceux-ci prêtent serment entre ses mains. Maître des nominations, il s'assure une vaste clientèle ; chargé de surveiller la dépense des services, il est maître du budget ; gardien des clefs du logis royal, responsable de la police de la cour, il est garant de la sécurité du roi. Le service intérieur de la cour lui est subordonné.

On comprend que les souverains aient attribué cette charge, qui donne à son titulaire l'accès direct et permanent à leurs personnes, à des serviteurs intimes et fidèles. François Ier l'a confiée à son ancien gouverneur Boisy, puis à son oncle René de Savoie. Mais le plus célèbre de ses titulaires est Anne de Montmorency : il exerce pendant plus de trente années. Entre les mains du principal conseiller du roi et connétable de France, la fonction gagne encore en prestige. Comme le maître de la cour est l'arbitre des factions, les grandes maisons convoitent la place. Dès son avènement François II contraint Montmorency à résigner au profit du duc de Guise[2]. Jusqu'à la fin du siècle, la charge demeure aux mains des Lorrains. Henri III, qui les redoute, s'efforce d'amoindrir ses attributions, repoussant dès 1574 la prétention du duc Henri de dresser l'état entier de sa Maison. Le monarque ne tient pas à être servi, entouré, peut-être dominé, par les créatures de son rival. Chef des services de l'Hôtel, le grand maître détient une charge éminemment politique. Surintendant du domaine royal qui se confond souvent avec le royaume, il est comme un ministre de l'Intérieur.

Au festin du sacre, le grand maître se tient debout à la droite du roi. Les jours ordinaires, il délègue ses pouvoirs à un premier maître d'hôtel, assisté de nombreux adjoints dont l'attribution principale est le service de la table royale, partagé avec le grand panetier, le grand échanson, le grand écuyer tranchant et leurs subordonnés. Avec les innombrables commensaux du troisième ordre — sommiers, hâteurs de rôts, verduriers, galopins... — la *bouche* est un département considérable de la maison du roi. La Chambre ne lui cède en rien. Une foule de gentilshommes, de valets, de pages, d'huissiers, d'enfants d'honneur est dirigée par le grand chambellan, officier de la Couronne, qui prend la place du grand chambrier. Longtemps ce dernier a été un Bourbon. Mais après la trahison du connétable Charles duc de Bourbon (1527), François Ier a nommé ses propres fils, Henri d'Orléans puis Charles d'Angoulême dont la mort en 1545 a fait disparaître la charge. Seul maître de la Chambre, le grand chambellan augmente son crédit. Depuis le milieu du siècle, c'est un Lorrain.

La direction des Écuries appartient au grand écuyer. Les déplacements continuels de la cour n'en font pas une sinécure. Le personnel de l'Écurie est nombreux. La centaine de « chevaucheurs » lui ajoute le service de la poste royale. Les fils de gentilshommes se préparant à la carrière militaire y trouvent aussi une école d'équitation, « école de tous bons et vertueux exercices ». Un règlement de 1582 sépare la grande de la petite Écurie. La première comprend les chevaux de bataille et de cérémonie, la seconde assure au roi et à son proche entourage les déplacements quotidiens. Un des privilèges enviés du grand écuyer de France est d'hériter à la mort du roi les chevaux de la grande Écurie. Le marquis de Boisy, fils du grand maître, grand écuyer de 1546 à 1570, eut ainsi les dépouilles de trois rois[3]. Son gendre, Léonor Chabot, comte de Charny, lui succède. C'est pour Bellegarde que Henri IV érige la charge en grand office de la Couronne. Simple et guerrière au début du siècle, l'Écurie, Henri II aidant, est gagnée par le luxe : les éperons dorés, les coffres peints par François Clouet, les selles rembourrées à la mantouane, les panaches, les houppes d'argent traduisent l'intérêt constant que les Valois lui portent.

La chasse est aussi une de leurs passions. Quatre services s'y consacrent : la vénerie dirigée par le grand veneur, la louveterie par le grand louvetier, la fauconnerie par le grand fauconnier et les toiles de chasse. François Ier donne à ce service une grande extension. La capitainerie des toiles — filets pour rabattre le gibier — confiée à M. d'Annebault, futur maréchal de France, ne comprend pas moins de cent archers, cinquante chariots, douze veneurs à cheval, cinquante limiers et six valets de limiers, cinquante chiens courants et six valets de chien. On a calculé que la dépense atteignait 18 000 livres par an. La fauconnerie, qui réunissait cinquante gentilshommes, autant d'aides et trois cents oiseaux de proie, exigeait le double[4].

La gestion et la comptabilité des dépenses de la maison du roi appartiennent à une caisse nommée chambre aux deniers. Le maître qui la dirige établit chaque année un projet de budget envoyé au Conseil pour approbation. L'entretien de l'Hôtel ne saurait se confondre avec l'administration financière du royaume. En fait la pénurie des ressources fixes contraint les chefs de service à recourir à d'autres caisses que celle qui leur est affectée. Fleurissent ainsi des budgets annexes, ceux des « menues affaires de la chambre » ou de « l'argenterie » qui assure les dépenses ordinaires de matériel et de vêtements pour la maison de Sa Majesté.

Une sécurité mal assurée

Le 15 février 1515, les Parisiens assistent à l'entrée de leur nouveau roi[5]. Les maréchaux de France, les officiers de la Couronne, les dignitaires de la cour, les princes du sang défilent en alternance avec la garde du souverain. Le prévôt de l'Hôtel inaugure le cortège avec ses archers, « la pertuisane au poing et la salade en la tête ». Le prévôt est « un personnage qui suit partout le roi, note Machiavel, sa charge est une vraie puissance. Partout où se rend la cour, son tribunal fait loi, et les gens du lieu peuvent porter plainte auprès de lui, comme auprès de son propre lieutenant[6] ». Chargé de maintenir l'ordre à la cour, c'est aussi un magistrat. Il juge au civil ce qui regarde le logement et l'entretien de la cour ainsi que les causes personnelles des officiers qui y sont attachés ; et au criminel, souverainement, tous les crimes et délits commis dans un rayon de dix lieues autour de la résidence royale. Sa compétence s'étend aussi à l'administration que l'époque rattache à l'exercice de la justice. La surveillance des prix des vivres, la taxation éventuelle des denrées de première nécessité, le soin du ravitaillement de la cour, voire les réquisitions, constituent ce qu'on appelle alors ses attributions de police.

Suivent les cinquante archers de la garde du roi qui sont « ceux que le roi avait devant qu'il fût roi » ; puis les gardes de la porte (ils sont trente-six archers) et les cent-Suisses « tous accoutrés de pourpoints de damas d'un côté tout rouge, et de l'autre demi-blanc et demi-jaune, les chausses et leurs plumails sur le bonnet de mêmes couleurs, chacun la hallebarde sur l'épaule ». Les grands dignitaires entourent le roi, séparé des princes du sang par les vingt-quatre archers de la garde écossaise conduits par leur capitaine, M. d'Aubigny. Ces « archers du corps » sont « les plus prochains de la personne du roi [...] et couchent les plus près de la chambre » de Sa Majesté. En fin de cortège, après les princes et seigneurs, marchent les deux « bandes » de cent gentilshommes commandée chacune par M. de Saint-Vallier et par le grand sénéchal de Normandie, puis les quatre cents archers du roi, dont la compagnie des cent archers écossais.

Dans cette débauche d'« accoutrements » colorés, la garde royale paraît peu homogène. Elle est davantage la juxtaposition de compagnies qu'un véritable service d'ordre. Suffit-elle à la sécurité du monarque ? Le large consensus autour de la personne royale, l'origine divine de son autorité, le sacre assimilé à un huitième sacrement n'excluent pas les atteintes à la liberté ou à la vie du roi de France. Si les guerres civiles de la seconde moitié du XVIe siècle ont rendu la cour vulnérable aux coups de main, sa sécurité a été déjà la préoccupation des contemporains de François Ier et de Henri II. Le vol est un mal permanent et redouté. La facilité d'accès aux logis royaux le favorise. La demeure du Très-Chrétien n'est pas une forteresse. Un édit de novembre 1530 reconnaît qu'il suffit d'être bien vêtu ou de prétendre connaître un familier du palais pour entrer partout[7]. Le flot des gentilshommes, des domestiques ou des simples curieux, les changements de résidence de la cour encouragent les larrons. Il arrive que les ornements de la chapelle royale, des pièces de la vaisselle d'argent soient dérobés. Le luxe des vêtements, la richesse de leurs accessoires font la joie des tire-laine. Les cérémonies, les fêtes, où la presse est grande, sont les occasions rêvées des vide-goussets. La crainte d'être volé est constante. Il arrive parfois que l'on redoute davantage. La disette de 1531-1532 a multiplié les mendiants. Paris, dit-on, devient inhabitable et le roi s'en plaint au Parlement et à l'Hôtel de Ville. Au cœur de la capitale, le Louvre n'est pas à l'abri des vagabonds affamés. Un jour, le prévôt de l'Hôtel exige du Parlement de faire cesser les tapages nocturnes autour du palais royal et rapporte que ses archers ont arrêté dans la chambre même du roi trois inconnus porteurs d'armes cachées sous leurs capes[8].

Au temps des guerres de religion, la cour frôle le drame. En mars 1560, les espions des Guise, qui gouvernent François II, ont informé leurs maîtres du projet huguenot de se saisir des Lorrains pour « libérer » le jeune roi de leur tutelle. Avertie, la cour quitte Blois, jugée trop ouverte, pour s'installer à Amboise, plus sûre. L'attente accroît la terreur des courtisans. « C'est merveille, écrit l'ambassadeur anglais, de voir dans quel état de crainte et de confusion ils sont, eux qui, en d'autres temps, n'ont pas eu peur de grandes armées de cavaliers, de fantassins et de la furie tonnante des canons. Je n'ai jamais vu des gens plus terrifiés et qui, de moment en moment, s'abandonnent davantage. Ils ne savent sur qui ils peuvent compter, ou de qui ils doivent se défier. Ils envoient, puis ils rappellent ; ils haïssent tous ceux auxquels ils montrent de la confiance aujourd'hui et qu'ils suspecteront demain[9]. » Les Guise ne restent pas inactifs. Au château, on arme jusqu'aux domestiques. Les moindres serviteurs sont postés aux remparts. Dans le plat pays on se saisit des conjurés convergeant par petits groupes vers la demeure royale. La terrible répression qui suit, baignant du sang des suppliciés les grilles du château, est à la mesure de l'effroi passé.

L'année suivante la cour est encore la cible d'une conspiration. Hostiles à la politique modérée de Catherine de Médicis, les Guise projettent d'enlever son troisième fils, Alexandre-Édouard (futur Henri III), âgé de dix ans, pour lui donner, en Lorraine ou en Savoie, une éducation sincèrement catholique et l'opposer, le moment venu, à Charles IX. Désormais la cour ignore la quiétude. En mars 1562, ramenée sous escorte de Fontainebleau à Paris, la famille royale tombe sous la coupe des triumvirs catholiques, Guise, Montmorency et Saint-André. Quelques années plus tard (1567), c'est à la protection des Suisses qu'elle doit d'échapper aux armées protestantes de

Condé. Les guerres de religion ne cessent de menacer les personnes royales et obligent la cour à se transformer en camp retranché. La folie meurtrière qui s'empare de Paris le jour de la Saint-Barthélemy et déborde, trois jours durant, le massacre politique des protestants, contraint la famille royale, tremblant pour sa vie, à se terrer au Louvre. Henri III enfin a été souvent menacé d'enlèvement par les ultra-catholiques avant d'expirer, assassiné au camp de Saint-Cloud, le 1er août 1589.

Les affrontements des factions nobiliaires ont rendu l'insécurité permanente à la cour. Chaque allée et venue de grands seigneurs, chaque rassemblement de cabales suscitent la méfiance, énervent les sensibilités. Un chef de clan ne paraît au Louvre que sous la protection d'une escorte. Si celle-ci semble redoutable, ses rivaux jouent les offensés, se plaignent au souverain et doublent leur protection. Bien des meurtres commis à la cour restent impunis. Même réfugiés auprès du roi de France, les émigrés florentins n'échappent pas aux assassinats télécommandés par le grand-duc de Toscane. Dans une lettre de janvier 1576, Henri de Navarre résume : « La cour est la plus étrange que vous l'ayez jamais vue. Nous sommes presque toujours prêts à nous couper la gorge les uns aux autres. Nous portons dagues, jaques de mailles et bien souvent la cuirassine sous la cape. [...] Le Roi est aussi bien menacé que moi [10]. »

Les Valois s'efforcent de lutter contre cette course aux armes sous leur toit. Des édits prohibent le port de pistolets et armes à feu, interdisent les manteaux longs et sans manches, et les bottes évasées qui cachent les poignards. Leur renouvellement démontre leur inefficacité. On surveille le recrutement des commensaux du roi et des domestiques des princes : chacun devra s'inscrire à la prévôté de l'Hôtel avant d'être admis dans la demeure royale. Mais cette mesure est mal appliquée. Le recours à une protection militaire doit pallier les insuffisances de la garde. Un danger menace-t-il la cour ? Elle est aussitôt mise en défense. En 1565 Charles IX fait ainsi creuser un fossé à travers la cour du Cheval blanc, mettant Fontainebleau à l'abri d'un coup de main. Les déplacements de la cour exigent le renforcement de la garde par la troupe. Lors du tour de France de 1564-1566, le souverain et son entourage sont protégés par une véritable armée : un régiment de gens de pied, quinze compagnies d'hommes d'armes et une de chevau-légers. Souvent insuffisante, la maison militaire est-elle sûre ? A deux reprises au moins la garde écossaise a été soupçonnée. En 1550, un de ses archers a été convaincu de tentative d'assassinat sur Marie Stuart, fiancée au dauphin. En 1559, suspects de sympathie pour la révolte d'Écosse et de complaisance envers les espions d'Élisabeth d'Angleterre à la cour de France, ses hommes ont été doublés par des gardes français et son capitaine, le sieur de Lorges, privé des clefs de la grande porte du palais royal. La création par Henri III des Quarante-cinq, prétoriens popularisés par Alexandre Dumas, doit renforcer la protection rapprochée du souverain que la garde traditionnelle ne garantit plus. Tenus d'effectuer du lever au coucher du roi un service dans son antichambre, les Gascons qui la composent, célibataires, bien payés, engagés pour deux ans, assurent une présence permanente au palais et non plus un service par quartier[11]. En 1589 encore, un règlement requiert quatre gentilshommes, sous le commandement du grand écuyer, pour demeurer près du roi, ne jamais le perdre de vue. Henri III n'en sera pas moins assassiné quelques mois plus tard.

La chambre du roi, un modèle

François Ier, qui transforma profondément l'administration financière du royaume, modifia peu l'organisation de sa Maison. Sous son règne, l'absence de grandes ordonnances concernant l'Hôtel l'atteste. Un changement notable est cependant à mettre à son crédit : l'institution des gentilshommes de la Chambre.

Au temps de Charles VIII, les plus intimes compagnons du roi portaient le titre de valet de chambre. Hommes de confiance, ils couchaient par roulement près du lit royal et, écuyers du prince, approchaient en permanence le souverain. Ces gentilshommes de bonne maison, officiers de l'Hôtel, s'accommodaient de leur titre. Mais le sens de celui-ci évolua. A l'aube du XVIe siècle, il désigna le domestique, s'« adapta aux serviteurs », passa à la plèbe. Les gentilshommes le récusèrent. Sensible à leurs préjugés, François Ier créa un titre plus adapté à leur statut social. Ainsi naquirent les gentilshommes de la Chambre. Rien dans leur fonction ne changea : proches du roi, ils conservèrent leur accès direct à sa personne. Le siècle les multiplia. « Il y en a d'autant plus aujourd'hui, rapporte Lippomano en 1579, que cette charge est devenue très estimée, ceux qui en sont pourvus portant tous une clef d'or attachée à la ceinture, tandis qu'autrefois ils étaient tous désignés sous le nom de valets[12]. »

Placés sous l'autorité du premier gentilhomme de la Chambre, « un des plus grands honneurs qui soit en la maison du roi », ils servaient par roulement. Leur connaissance des usages du monde les fit souvent employer comme ambassadeurs. Un gentilhomme de la Chambre pouvait ainsi s'éloigner longtemps de la cour : Guillaume du Bellay, seigneur de Langey, fut chargé de nombreuses missions diplomatiques en Angleterre, en Italie, auprès des cantons suisses et en Allemagne.

Le prestige de la maison du roi de France passa les frontières. Prince de la Renaissance, Henri VIII fit de nombreux emprunts à la cour de son rival. Un jour, le séjour à Londres d'une ambassade française composée de six gentilshommes de la Chambre créa un problème de protocole. Les familiers de Henri VIII chargés de recevoir leurs homologues français ne détenaient aucun office dans la maison de leur roi. L'inégalité des appellations était détestable aux Anglais. Henri VIII y remédia en leur donnant le titre français, anglicisé en *gentlemen of the privy chamber*. En 1539, le ministre Thomas Cromwell créa aussi l'équivalent des deux cents gentilshommes de l'Hôtel, et l'un des trois grands dignitaires de la cour de Londres reçut le titre de *Greate Maister of his household or* (dit le bill royal) *Grand Maistre Dhostel du Roy*. Ces imitations rapprochèrent les deux cours. Les relations diplomatiques y gagnèrent. Lorsque les souverains souhaitaient renforcer leur amitié, ils échangeaient leurs gentilshommes de la Chambre, négligeant le canal des ambassadeurs ordinaires.

Outre son exceptionnel manque de tact, c'était son inaptitude à fréquenter l'entourage royal qui faisait de l'évêque de Londres, Bonner, un médiocre diplomate en France. A l'inverse, Sir Thomas Cheyney, gentilhomme de la Chambre de Henri VIII, maîtrisait assez les pratiques mondaines pour s'introduire avec aisance et être accepté dans l'entourage du roi de France. Pour marquer sa gratitude envers Henri VIII pendant sa captivité à Madrid, François Ier invita Cheyney à pénétrer dans sa chambre aussi librement que ce dernier le faisait à Londres. Le grand maître lui présenta ensuite la serviette du roi, privilège justifié par son appartenance à la maison de Henri VIII [13]. Admis ainsi sans préjugé dans l'intimité du Très-Chrétien, les gentilshommes anglais ne manquèrent aucune occasion de comparer le style des deux cours, suggérant d'autres imitations, empruntant des idées. Le rayonnement de la cour de France en fut amplifié.

L'INFLATION DES OFFICES

Aux états généraux de Blois (1576-1577), les représentants du Tiers, invités par Henri III à voter de nouveaux subsides, ne manquèrent pas, pour justifier leur refus, de censurer le train de vie de la cour. La croissance des effectifs de la maison du roi leur paraissait responsable de trop fortes dépenses. Le souverain promit de réduire le nombre de ses officiers. Mais l'état de 1584 prouva que son engagement s'était limité aux bonnes intentions. Si, en 1576, les services de l'Hôtel étaient jugés pléthoriques, l'inflation des offices était ancienne [14].

Longtemps modeste, la maison du roi enregistra sous les Valois deux poussées de croissance. A la fin du XVe siècle, Anne de Bretagne, sollicitée par les gentilshommes de sa province, trouva dans la création d'offices à la cour de Charles VIII et de Louis XII le moyen de soulager leur pauvreté. Contemporaines, les premières expéditions françaises en Italie favorisèrent, pour la nécessité du voyage, le développement des offices domestiques. L'aventure italienne achevée, ils furent maintenus. Ainsi avec ses 366 officiers en 1495, la maison royale était quatre fois plus nombreuse que sous Louis XI. En 1523, elle comptait 540 officiers, 622 en 1535. Le début des guerres civiles, vers 1560, marqua une seconde et forte augmentation. On a attribué trop rapidement ce gonflement à Henri III. C'est dès la mort de Henri II que le millier de serviteurs a été atteint et dépassé. En excluant la garde en armes et les départements annexes, Mme Jacqueline Boucher a compté 1049 officiers en 1560, 1064 à l'avènement de Henri III, 1096 en 1584. Discontinue, cette croissance ne concerne pas tous les services. Quelques-uns déclinèrent, d'autres s'étoffèrent [15].

Les services domestiques de la cour ne se réduisent pas à l'hôtel du roi. Chaque membre de la famille royale a sa Maison, organisée sur le modèle de celle de Sa Majesté. Si le souverain a de nombreux enfants, si sa mère, ses frères et sœurs tiennent un rang à la cour, le nombre des officiers gonfle démesurément. L'état de 1523 révèle que 240 personnes, dirigées par l'amiral de Bonnivet, constituaient la maison des enfants de France. En 1536, elle en comptait 358, dont 330 rémunérées. La maison des enfants de Henri II fut organisée plus largement. Son accroissement fut si rapide qu'à la fin de l'année 1547 le roi défendit à Jean d'Humières, leur gouverneur, d'engager de nouveaux serviteurs. Mais le roi transgressa lui-même ses ordres. L'arrivée à la cour de la jeune Marie Stuart (1548) fut « l'occasion d'une forte crue ». Déjà reine d'Écosse, Marie, promise au dauphin, ayant obtenu la préséance sur les filles du roi, devait être traitée avec magnificence. Bien que très jeunes, les enfants de Catherine de Médicis avaient une suite nombreuse. A partir de 1555, le dauphin François fut pourvu d'une Maison de cinquante personnes et près de soixante-dix domestiques. Et les sollicitations répétées des courtisans pour figurer sur l'état des serviteurs du futur roi la développèrent encore. A son avènement en 1559, François II dota chacun de ses cadets, Charles-Maximilien (futur Charles IX), Alexandre-Édouard (futur Henri III) et Hercule, *alias* François d'Alençon, d'un Hôtel particulier. Ses sœurs ne furent pas oubliées. A sept ans, Marguerite fut entourée de plus de cent personnes. Henri III régnant, son frère reçut une Maison digne du roi. Ses effectifs — 925 officiers — avaient été triplés. Si l'on ajoute la maison des reines (290 dames et serviteurs autour de Marie Stuart en 1560, 331 près d'Élisabeth d'Autriche, épouse de Charles IX, 297 au service de Louise de Lorraine, femme de Henri III) et celle de Catherine de Médicis, reine mère (entre 700 et 800 personnes), on comprend l'âpreté des critiques des états invités à consentir de nouveaux impôts [16].

Les avantages que la monarchie retirait de l'inflation des offices domestiques échappaient toutefois aux représentants du Tiers. Pouvait-on attirer et retenir à la cour la noblesse du royaume sans lui confier des charges ? Celles-ci ne multipliaient-elles pas les occasions de servir ? Le souverain cultivait aussi les préjugés et les ambitions des gentilshommes. Appartenir à la maison du roi ou de sa famille était faveur recherchée. Les gages souvent faibles et mal payés séduisaient peu, mais les privilèges attachés aux charges excitaient les convoitises. Sans trop espérer l'application d'un anoblissement collectif au premier degré — que Henri IV en 1594, Louis XIII et Mazarin leur accordèrent généreusement — les valets de chambre et de garde-robe, portemanteaux et huissiers de la chambre du roi jouissent, par exemple, de l'exemption des emprunts royaux et municipaux, « de toutes tailles, aides » et autres taxes, de « guet et garde des portes et murailles », « de logis et garnison de gendarmes, tant de pied que de cheval [17] ». De quoi satisfaire (à condition de figurer sur les rôles annuels des officiers commensaux, d'être retenu à gages d'au moins vingt écus et ne pas faire marchandise) les intérêts bien compris de quelques postulants. En couchant sur les états de sa

Maison de nombreux candidats à la commensalité, le souverain apaisait une soif de dignités que l'Ancien Régime honorait. En 1584, Henri III, partagé entre de nécessaires économies et la pression des solliciteurs, choisit d'inscrire 216 officiers sans gages en supplément des autres. L'honneur de servir le prince y gagnait sans que le trésor royal soit mis à contribution.

En accueillant des enfants nobles dans sa Maison, le roi subvenait aux besoins du second ordre. Les services domestiques étaient aussi foyers d'éducation. Les demoiselles d'honneur s'initiaient aux usages du monde, enfants d'honneur et pages de l'Écurie complétaient leur formation de chevalier. C'est parce qu'ils furent recueillis à la cour que René et Claude de Rohan, orphelins d'un père tué à Pavie, échappèrent à une vie médiocre. Henri II ne cachait pas la fierté qu'il tirait de l'entretien de ses pages. « Ce sont tous gentilshommes de bonne part de mon royaume, déclare-t-il au grand écuyer de Charles Quint, lesquels je nourris ; et tous les ans j'en sors hors de page une cinquantaine que j'envoie soudain aux guerres [...] ; lesquels en tournemain, étant ainsi gentilshommes et bien nourris, avec les beaux exemples qu'ils voient devant eux, se façonnent et se font bons soldats et bonnes gens de guerre [...] d'autant qu'aussi à même temps et aussitôt j'y en remets d'autres et les renouvelle ainsi, de sorte que [je] n'en perds jamais la race de cet haras, non plus que de mes chevaux [18]. »

Le bon sens politique n'est pas étranger au développement de la maison du roi. Les Valois ont compris que les guerres civiles qui déchiraient le royaume et menaçaient leur autorité exigeaient de requérir toutes les fidélités. Multiplier les offices commensaux rassemblait les élites autour du prince, excitait les dévouements à la cause royale. L'instabilité de la maison du duc d'Anjou en fournit la preuve *a contrario*. La paix de Beaulieu dite de « Monsieur », concluant en mai 1576 la cinquième guerre de religion, avait procuré d'immenses avantages au frère de Henri III : un énorme apanage et une maison digne d'un souverain. La réconciliation familiale semblait à ce prix. Les frasques et les infidélités du duc d'Anjou modifièrent cependant les effectifs de ses officiers, ramenés de 925 à 520 personnes. Pour brider son indépendance, diminuer son influence, Henri, en réduisant le train de sa maison, détachait de son frère des gentilshommes jusque-là dévoués à sa cause.

L'inflation des offices commensaux traduit parfois la satisfaction des vanités princières ou la faiblesse de souverains prisonniers de leur entourage. Au temps des Valois, elle constitue aussi une réponse à une conjoncture politique difficile. Par hérédité et vénalité, la transmission des charges de cour tend à s'affranchir de l'autorité royale. Mais en imposant aux dignitaires de la cour son droit de nommer aux emplois même modestes, de gonfler ou diminuer leurs effectifs, le roi entend rester maître en sa maison.

CHAPITRE III

Une cour nomade

Durant toute mon ambassade, jamais la cour n'est restée au même endroit plus de quinze jours consécutifs.

Marino GIUSTINIANO

Les Français entre tous veulent presser leur prince, aussi bien en la paix, comme en la guerre ; et se plaisent de voir le magnifique appareil de sa Maison, et le bel ordre de sa suite.

André DU CHESNE

Si la monarchie a élu Paris capitale du royaume depuis le début du XIIIe siècle, la cour a longtemps répugné à s'y fixer. Paris est au Moyen Age ville plus administrative que royale. Philippe le Bel n'y a guère passé plus d'un trimestre par an ; en vingt-huit années de règne, Philippe VI n'y a séjourné que cinq à six mois et la guerre de Cent Ans l'a souvent soustraite à l'autorité du roi de France [1]. Si Paris ne la retient pas, la cour ne privilégie aucune autre résidence. On oublie souvent — tant elle s'est identifiée au château de Versailles — le caractère migrateur de la cour avant la seconde moitié du règne de Louis XIV. Alors que les Tudors résident à Londres, que Philippe II d'Espagne édifie l'Escurial, la cour des Valois reste nomade.

ITINÉRAIRES ROYAUX

« Peu de temps après mon arrivée à Paris, le roi partit pour Marseille : nous traversâmes par des chaleurs excessives le Bourbonnais, le Lyonnais, l'Auvergne et le Languedoc et nous parvînmes en Provence [...]. De Marseille, nous allâmes par [...] le Dauphiné, le Lyonnais, la Bourgogne et la Champagne, jusqu'en Lorraine [...] et de là nous retournâmes à Paris [...]. Peu de temps après mon arrivée à Paris [...], le roi voulut de nouveau partir[2]. » Le nomadisme de la cour épuise Marino Giustiniano, envoyé de Venise. Être ambassadeur accrédité auprès du roi de France n'est pas de tout repos. La fonction dérange les habitudes casanières. François Ier n'a cessé de voyager, moins que Charles Quint dont les États sont aux dimensions d'un empire, mais plus que n'importe quel prince de son temps. Son itinéraire donne le vertige. Les premières années du règne ont été occupées à visiter une partie de son nouveau royaume : la Provence (1516), au retour d'Italie, auréolé de la gloire de Marignan ; la Picardie, l'Anjou, la Bretagne, la Normandie en 1517-1518. Les rencontres diplomatiques, comme celle du camp du Drap d'or en juin 1520, la préparation des campagnes militaires en Italie ou la défense du territoire ont été prétextes à d'autres déplacements. Exceptionnelles sont les années où Sa Majesté demeure plusieurs mois en Val de Loire ou en Ile-de-France. 1519 le voit en Poitou et Angoumois, 1520 en Picardie, 1521 en Bourgogne et Champagne. La cour est à Lyon en 1522 et 1523, en Provence en 1524. Au retour de sa douloureuse captivité à Madrid (février 1525-mars 1526), le souverain, souvent malade, tempère sont goût pour l'errance. Mais la démangeaison du voyage le saisit à nouveau en 1529. Le plus grand périple de son règne mobilise la cour de novembre 1531 à février 1534. La reine Éléonore, le dauphin François, le Conseil, la chancellerie, les commensaux, les ambassadeurs étrangers l'accompagnent dans ce « grand voyage de France ».

La présence du souverain doit réchauffer le cœur des sujets. Leur promptitude à s'acquitter du paiement de l'énorme rançon exigée par l'empereur mérite bien un remerciement. Si Sa Majesté se plaît à découvrir la beauté de ses provinces — à Nîmes elle se fait archéologue —, si elle ne manque aucun sanctuaire, l'autorité royale gagne à être imposée physiquement à tous les sujets, mais surtout aux juges et administrateurs locaux. Le Trésor y trouve son compte. On rechigne moins, le roi présent, à lui accorder quelques nouveaux subsides. La prospérité générale d'ailleurs le permet. En 1532, le cortège parcourt la Picardie, la Haute et Basse-Normandie, la Bretagne, la vallée de la Loire, soit le quart nord-ouest du royaume. Le Centre et le Sud voient défiler la caravane royale en 1533 (Berry,

Bourbonnais, Lyonnais, Auvergne, Haut et Bas-Languedoc, Marseille, Dauphiné, Bourgogne), l'Est achève le voyage en 1534 (Langres, Joinville, Bar-le-Duc, Troyes). La cour retrouve les mêmes chemins en 1535, 1537, 1542. En 1546 encore — il a cinquante-deux ans et une santé délabrée — François Ier sillonne, quatre mois durant, ses « marches », de la Bresse à la frontière des Flandres. Il lui reste moins de cinq mois à vivre. Si les déplacements courts ne mobilisent pas la totalité des services, la cour a été néanmoins presque toujours en voyage[3].

Sous le règne suivant, elle est plus casanière. Sacrifiant à l'usage, Henri II, dès son avènement, entreprend la visite de quelques provinces. La cour l'accompagne en Champagne et en Bourgogne, mais l'attend sur les bords de la Saône quand il franchit les Alpes pour inspecter le Piémont occupé (été 1548). A son retour, il la retrouve à Lyon, occasion d'une « entrée » fastueuse, puis, par le Bourbonnais, rentre mi-novembre à Saint-Germain. En 1550 la Normandie le reçoit. Après Lyon et Paris, Rouen célèbre ses récentes victoires. La cour rejoint la capitale, puis gagne le Val de Loire qu'elle sillonne l'année suivante. Aucun autre périple ne l'a jetée sur les chemins du royaume. Henri II a souvent entraîné ses armées vers les provinces frontières : Picardie et Boulogne en mai 1550, Champagne et Lorraine en 1552, à nouveau Picardie en 1553, 1554 et 1557, Calais en 1558. Mais la cour ne suit pas. Avec la reine, nommée régente le temps des campagnes militaires, elle reste à Châlons ou à Reims, plus souvent à Villers-Cotterêts ou Compiègne. Rares ont été les provinces étrangères aux déplacements de François Ier. Les guerres contre la maison d'Autriche ont limité ceux de la cour de Henri II au nord et à l'est du royaume.

La paix revenue, Henri II mort (1559), la cour séjourne en Val de Loire — dont le « gracieux air » a été recommandé à François II — ou près de Paris. Les guerres civiles la ramènent sur les grands chemins. En 1531-1534 le voyage de François Ier avait ménagé entre deux déplacements un repos en Touraine et une étape hivernale à Paris. Le grand tour de Charles IX et Catherine de Médicis ignore en revanche complètement la capitale du 24 janvier 1564 au 1er mai 1566 et traverse les provinces du Sud-Ouest jusqu'ici absentes des itinéraires royaux. De l'Ile-de-France à la Champagne, de Bourgogne en Provence, du Languedoc à Bayonne, de Gascogne en Bretagne, de la Loire en Auvergne, le roi, sa mère, le Conseil et la cour ont passé vingt-sept mois en voyage, parcouru environ neuf cents lieues, près de quatre mille de nos kilomètres. Ce vaste mouvement périphérique a occupé deux cents jours de déplacements et six cent vingt-huit de séjours, car la cour fait halte parfois : trente-neuf jours à Bayonne en juin 1565, quatre-vingt-dix à Moulins d'où sont datés les articles de la fameuse ordonnance de février 1566[4]. Seuls le littoral de la Manche — familier à François Ier — et le Massif central peu accessible (sauf la vallée de l'Allier) n'ont pas attiré la cour. C'est l'ultime grand voyage des Valois, mais ce n'est pas le dernier déplacement de la cour. Celle-ci suit encore Catherine de Médicis en Champagne et Lorraine (1569 et 1573), en Bretagne et Normandie (1570), sans négliger la vallée de la Loire. A Lyon elle accueille Henri III, de retour de Pologne (septembre 1574), l'accompagne en Avignon, puis, *via* la Bourgogne, à Reims pour le sacre. Le dernier Valois est un sédentaire. La cour ignore désormais les grandes migrations. Sa résidence prolongée à Paris n'exclut pas de courts voyages en Normandie ou à Lyon et un séjour d'un an dans le Val de Loire (1576-1577). Une suite nombreuse accompagne enfin la reine mère dans le Midi en 1578-1579 et dans l'Ouest en 1586-1587.

Pour de longs périples ou de courts déplacements, la cour ne cesse de bouger. On a calculé que Charles IX s'est déplacé une trentaine de fois chaque année, soit un changement de lieu tous les douze jours. Quand l'Ile-de-France ou les pays de Loire, qui abritent les résidences royales, sont parcourus en tous sens, la cour ne voyage pas, elle vibrionne.

Plaisir et nécessité du voyage

Nobles et communes raisons expliquent ces migrations. Vivre sur la richesse des provinces, dispenser la justice aux vassaux sont au XVIe siècle de bien lointaines traditions. Le poids de l'État et les guerres civiles sont de plus modernes contraintes. Pour forger l'unité nationale, favoriser la centralisation, le souverain doit connaître son royaume et ses sujets. Or les serviteurs de l'État sont encore peu nombreux. Ils quadrillent mal le royaume. Cinq mille officiers dans la France de 1515 signifient une moyenne — théorique — d'un officier pour 155 km² et pour trois mille habitants[5]. L'envoi de commissaires du conseil privé en « chevauchées » dans les provinces, la tenue de grands jours, manifestations de la justice du souverain, sont quelques-uns des moyens de contrôle et d'information de la monarchie.

Rien ne remplace le contact personnel du roi et de ses sujets. Les contemporains le jugent indispensable au bonheur du peuple et à la popularité du monarque. Ils le justifient par d'abondantes références historiques. Les Mérovingiens sont ainsi l'exemple à ne pas suivre : « Voulant demeurer retirés, sans se faire voir qu'une fois l'an, comme les Assyriens, [ils] furent incontinent méprisés de leurs sujets, et tôt dépouillés de leur royaume[6]. » Le roi doit voir et être vu. Chaque avènement exige la visite de quelques provinces. Les Valois remplissent avec scrupule ce devoir régalien, sans oublier de l'associer à des demandes d'argent (fréquemment visitée, la riche Normandie est non moins souvent sollicitée) et aux encouragements accordés à leurs représentants locaux. La confirmation de leurs charges comme de leurs privilèges par le nouveau souverain rend sensible, jusque dans les provinces lointaines, la continuité monarchique. L'amour des sujets pour leur prince doit être stimulé par sa présence. Voir le roi, apercevoir son Conseil, être ébloui par le faste de sa cour réveille le loyalisme. En se faisant accompagner de son fils aîné en 1532, François Ier entend le mieux faire connaître des populations : à Rennes le dauphin joue ainsi son rôle de duc de Bretagne. C'est un roi majeur que Catherine de Médicis, libérée de toute tutelle princière, escorte dans le royaume pendant deux années (1564-1566). La présence de Charles IX à ses côtés légitime la nouvelle politique modérée qu'elle inspire. Après la première guerre de religion, ce grand tour rappelle l'autorité de l'État, raffermit la volonté souveraine. Le respect pour la monarchie en est renouvelé. On comprend alors que gouverner, c'est souvent voyager et voyager est toujours gouverner.

Chaque déplacement ménage des entrées solennelles dans les villes traversées. A l'inverse du sacre, des lits de justice ou des funérailles à Saint-Denis, elles mobilisent un grand concours de peuple. Elles sont comme le sommet de la ferveur populaire. Aucun souverain ne les a négligées. Celles de Henri II à Lyon (1548), Paris (1549), Rouen (1550) ont laissé dans les cœurs un durable souvenir. Charles IX a émaillé son tour de France de cent huit entrées dans une centaine de villes[7]. Si leur magnificence est inégale, elles suivent un rituel immuable. La présentation de cadeaux, l'échange de serments, les processions, l'action de grâces dans l'église majeure de la cité, suivis d'un festin et de divertissements variés en sont les principales étapes. Le siècle y a imposé l'imitation du triomphe romain et intégré un répertoire mythologique. L'hommage au roi hors l'enceinte urbaine mue les bourgeois en acteurs d'un premier et interminable cortège. Corps de ville, gens de métier, université, cours et tribunaux, somptueusement vêtus, défilent gravement devant le souverain et sa cour. Les prouesses équestres des Rouennais en 1550 ont provoqué l'admiration des courtisans, ébahis « de voir gens de ville, non duits [= entraînés] et moins appelés à cela, être si adroits[8] ». Le roi et sa suite pénètrent dans la cité. Les rôles s'inversent. Bourgeois et habitants se font spectateurs ; princes, gentilshommes, officiers de la Couronne et de la maison du roi deviennent les héros d'une procession qui les conduit jusqu'à la cathédrale. Après la ville, la cour se donne en spectacle. Escorte du souverain, elle partage l'hommage de ses sujets et participe de sa gloire.

On sait que la surveillance des frontières, l'inspection des forteresses et des ports ont entraîné la cour loin des bords de la Loire. Les campagnes militaires l'ont attirée à Lyon ou à Villers-Cotterêts. Ce sont aussi les obligations diplomatiques qui expliquent le voyage de Bayonne en juin 1565 où Catherine de Médicis rencontre sa fille Élisabeth, femme de Philippe II d'Espagne, et le duc d'Albe, ministre du roi catholique.

Ces grands voyages coexistent avec de brefs et incessants changements de résidence aux raisons plus futiles. Au printemps 1538, François Ier passe plusieurs semaines à l'abbaye de Vauluisant, entre Troyes et Fontainebleau. « Mais quels tours et retours ! note l'un de ses biographes. De Nogent-sur-Seine à Vauluisant, huit lieues au sud, de Vauluisant à Romilly, neuf lieues au nord un peu vers l'est, de Romilly à Fleurigny, dix ou douze lieues au sud [...]. Assurément, le roi obéit aux fantaisies des cerfs[9]. » François Ier a la bougeotte. Son goût pour la chasse n'y est pas étranger. Le passage des sangliers entraîne des déplacements que la logique condamne. Toute la cour ne suit pas son roi dans les forêts. Mais sa « petite bande », ses compagnons ne rechignent pas à cheminer à travers bois, dîner sous un arbre, faire étape dans les villages les plus maussades. Les ambassadeurs étrangers s'irritent volontiers de disparitions dommageables à la conduite des affaires. « Ici, écrit l'évêque de Saluces, l'on ne pense qu'aux chasses. Et quand on tombe sur un de ces gîtes, on y reste tant que durent les hérons qui sont dans le pays et les milans, lesquels, si nombreux qu'ils soient, durent peu, parce qu'entre le roi et les grands de la cour il y a plus de cinq cents faucons... Ensuite on court le cerf deux fois [le jour], quelquefois plus, on chasse une fois avec les toiles, et puis on change de gîte[10]. » Quand la cour passe de

Blois à Amboise, de Chambord au Plessis, elle suit généralement les traces du gibier. Des événements extérieurs peuvent aussi l'inviter au mouvement. La belle saison la pousse sur les chemins, alors que l'hiver la retient à l'abri. Elle reste ainsi à Amboise du 25 octobre 1516 à la mi-janvier 1517 et ne se met en route que pour gagner Paris et y demeurer jusqu'à la mi-mai. Alors débute le voyage de Picardie. Le 10 décembre elle fait retour à Amboise qu'elle habite jusqu'en juin suivant. La cour ne dédaigne pas de séjourner l'hiver dans le Val de Loire. On y dit la mauvaise saison plus courte, le printemps plus précoce.

Si la cour change de lieu, c'est encore pour permettre le grand nettoyage de ses résidences. On cure les fossés, on aide à l'évacuation des eaux sales. Les cours sont débarrassées de leurs immondices, les écuries nettoyées, les cheminées ramonées. Les frotteurs s'affairent aux parquets et les maçons aux bâtiments. Ce n'est pas une sinécure tant les châteaux royaux, sans cesse remaniés, mêlant le neuf à l'ancien, marient quelques commodités à un grand inconfort. Mais il faut veiller à la salubrité des lieux car l'épidémie est une menace permanente. La cour n'échappe pas à la peste. Antichambres et galeries des châteaux ne sont pas épargnées. La reconnaissance de ses signes impose un rapide déménagement. Parce que le mal progresse à Lyon, Catherine de Médicis et sa suite quittent la ville le 8 juillet 1564, la première année du grand tour. Quand, après le choléra, il se répand à Paris dans l'été 1580, la cour comme les notables ne trouvent leur salut que dans la fuite : Catherine se retire à Saint-Maur, Henri III se replie à Fontainebleau, la reine en Lorraine, les grands dans leur province. Se déplaçant sans cesse, la cour multiplie les risques de rencontrer une épidémie endémique. Identifié, le mal la contraint aussi au nomadisme.

Les aléas du ravitaillement l'obligent souvent à changer de gîte. Le séjour de la cour épuise une province. Il faut chercher ailleurs les ressources indispensables au train royal. « Le 19 mars [1565], note un observateur, les vivres venant à manquer, la cour a quitté Toulouse [où elle est restée quarante-six jours] et pris la route de Bordeaux[11]. Mais la capitale de la Guyenne, fréquentée pendant plus d'un mois, subvient difficilement à son tour aux besoins de la cour. Celle-ci doit partir et « trouver des villes pour nourrir son camp ».

La caravane royale

Une des huit tapisseries du musée des Offices consacrées aux fêtes des Valois représente *Une promenade au château d'Anet*. Elle est en fait l'image colorée d'un déplacement de la cour. Gardes, chevaux de selle et d'attelage, seigneurs et nobles dames montées en amazone, coches et litières, fauves de la ménagerie royale sont en marche, tandis qu'au loin des domestiques démontent les tentes, chargent des chariots, rassemblent des bagages. La gigantesque caravane « entraîne un si grand nombre de courtisans, de serviteurs et de boutiquiers qu'on dirait une cité entière qui s'en va [12] ». La cour en voyage transporte tout son nécessaire. D'immenses coffres renferment linges, vêtements, vaisselle, tapisseries. Tables, tréteaux, bancs, lits, escabelles font craquer les chariots, épuisent les bêtes de somme. Car les résidences royales sont vides en l'absence de leurs hôtes. Les meubles sont donc du voyage. Les grands déplacements entraînent encore sur les routes le conseil du roi, sa chancellerie, ses archives, son trésor. Les soldats de l'escorte font une véritable « armée en campagne » et le train des grands ou des ambassadeurs — quarante-trois chevaux et plus de cinquante personnes forment la suite du seul représentant de Venise — grossit ses effectifs, alourdit ses bagages. Hommes et bêtes ne peuvent voyager de front sur les médiocres chemins d'alors. Le flot impose au cortège de s'étirer sur quatre ou cinq lieues, de se fractionner entre plusieurs itinéraires.

Harassés, les voyageurs se rassemblent tant bien que mal à l'étape. Il faut alors se loger. « Cheminer immédiatement derrière la cour est presque impossible, gémit un contemporain, à cause de l'insuffisance des logements [13]. » Un service particulier est chargé de cette tâche. Trente-deux fourriers, quatre maréchaux des logis, d'innombrables tapissiers œuvrent ensemble pour loger au mieux les courtisans. « Un quart d'entre eux demeure [...] dans le lieu que vient de quitter la cour, afin de donner leur dû aux logeurs ; un quart accompagne la personne du roi, tandis qu'un autre le devance au lieu où il doit arriver ce jour-là ; le dernier quart se rend sur les lieux où on logera le lendemain [14]. » En écrivant ces lignes, Machiavel s'est laissé abuser par les nombreux règlements sur le droit et le prix du gîte. Sa description vaut pour une cour modeste, elle n'est pas conforme à la réalité du siècle. Les usagers se plaignent au contraire de l'insuffisance des logements, les logeurs de l'insolence des logés.

Quand la cour fait halte dans une grande ville, dans le château d'un gentilhomme ou à proximité d'une abbaye, la famille royale est décemment logée. Il lui arrive cependant de passer la nuit dans de modestes hameaux éloignés de tout, et lorsque l'auberge du lieu se révèle inconfortable, Sa Majesté se résigne à faire dresser des tentes. « Parfois, nous campions dans des endroits où il y avait à peine deux maisons, raconte Cellini ; on dressait alors des baraques en toiles, à l'instar des gitans, et souvent on avait beaucoup à souffrir[15]. » Loger le roi n'est rien, mais la place manque pour sa nombreuse suite. Les premiers arrivés retirent leurs billets de logement, prennent possession de leurs chambres et installent leurs officiers. Les domestiques s'entassent au hasard. Lorsque les meilleures maisons sont occupées, les hôtelleries sont prises d'assaut. Malheur aux traînards ! Les laissés-pour-compte doivent mendier un abri dans le voisinage ou dormir à la belle étoile. Les jalousies, les querelles de préséance fleurissent à chaque étape. Les mal logés ne sont pas toujours les plus humbles. En Bretagne, le cardinal de Lorraine déclare être « aux crottes et au froid jusques aux yeux ». Les ambassadeurs ne sont pas plus favorisés. A Bar-le-Duc, le nonce apostolique excuse les lamentations de ses compagnons d'infortune : « Les autres, qui sont plus nouveaux, ressentent [l'inconfort] plus que moi, qui ai désormais habitué mes os[15]. » Si les incommodités malmènent la santé des courtisans, certains redoutent de perdre leur âme. A Blois un cardinal est épouvanté d'apprendre l'hérésie de sa logeuse. Les relations avec les protestants sont sévèrement condamnées par Rome !

Le nomadisme de la cour lasse les courtisans les plus zélés. Princes et gentilshommes, épuisés par le périple de Charles IX et ruinés par ses fêtes, cherchent après Bayonne « à se retirer chez eux ». Les ambassadeurs italiens, habitués à une vie de cour plus sédentaire, se plaignent des frais imposés par ces migrations. Giustiniano prétend que le périple de 1532 lui a coûté « six cents écus au-dessus de [sa] pension ». L'hiver qui le surprend loin de Paris l'oblige à payer des fourrures « moitié au-dessus de leur valeur ». Il lui faut acheter dix chevaux au moment où le roi convoque « son arrière-ban pour le passer en revue [...], ce qui fit hausser de beaucoup le prix des chevaux[2]. » Le malheureux doit vendre son argenterie pour payer ses créanciers.

Les populations visitées ont des sentiments mélangés. Les réquisitions les exaspèrent, même si le prévôt de l'Hôtel veille à ce que « le peuple ne soit foulé ni pillé ». La cour peut être un fardeau. Mais les marchands locaux y gagnent des clients nouveaux, les artisans des commandes. Curieux, le bon peuple ne boude pas son plaisir d'apercevoir la cour et d'applaudir son prince, même si, la caravane passée, il s'en prend aux fourriers et autres officiers chargés du ravitaillement.

DES CHÂTEAUX « SEMÉS COMME DES REPOSOIRS »

Décembre 1539. Pour ceux que le destin du royaume ne laisse pas indifférents, la nouvelle paraît incroyable, le spectacle insolite : du Val de Loire à la Picardie cheminent côte à côte les deux ennemis les plus irréductibles que la Chrétienté eût connus. Hier encore, les armées de l'un avaient envahi le royaume de l'autre et l'on chuchotait que le poison avait paru le dernier recours pour vider leur querelle. Mais en cet hiver de l'an de grâce 1539, de Loches à Amboise, d'Orléans à Fontainebleau, de Paris à Saint-Quentin, l'empereur et le roi de France semblent oublier leurs rivalités. Charles Quint est l'hôte de François Ier.

Heureuse France ayant vu en sa terre
Les deux Césars qu'on doit plus estimer.
Hardis en guerre et en paix débonnaires[16].

Cette visite pouvait surprendre. Depuis vingt ans Valois et Habsbourg rivalisaient. Charles d'Espagne et François Ier n'avaient-ils pas été concurrents dans l'élection impériale ? Chacun se rappelait la captivité du roi de France à Madrid, durement traité par celui qu'aujourd'hui l'on reçoit. Mais la lutte séculaire entre France et maison d'Autriche ménageait quelques trêves : l'année 1539 en était une. Pour châtier sans retard les révoltés de Gand, Charles Quint, alors en Castille, avait sollicité de François Ier l'autorisation de traverser son royaume comme « bon frère et ami ». Le roi-chevalier avait accepté. Les chancelleries avaient œuvré à la réussite de cet étonnant voyage. L'itinéraire avait été fixé, les résidences royales préparées pour accueillir le prestigieux visiteur. Le 8 décembre, après avoir traversé Bordeaux et Poitiers, Charles rencontrait à Loches François et sa cour. Pendant quarante-trois jours l'empereur fut honoré, festoyé, ébloui. Héritier d'une puissante maison, le maître de la moitié du monde était loin de régner sur une cour aussi brillante.

Des observateurs attentifs l'avaient noté : « Les dépenses effectuées par Sa Majesté pour la décoration de ses palais, les livrées de sa cour et les festins ne correspondaient nullement à la dignité d'un empereur [17]. » A Amboise, Blois, Chambord, Fontainebleau, Charles Quint découvrait les plaisirs et le luxe d'une cour qui était déjà la plus fastueuse du monde. Hôte pressé d'éblouir, François Ier faisait les honneurs de ses résidences. Découvrons-les à sa suite.

Les Valois n'ont pas inventé le Val de Loire. Il avait déjà attiré leurs prédécesseurs. A Chinon Charles VII avait reçu Jeanne d'Arc, à Loches il aima Agnès Sorel, et Mehun-sur-Yèvre fut sa dernière demeure. En Touraine, Louis XI avait mené une existence quasi provinciale : Tours avait été la véritable capitale du royaume et Plessis, la résidence champêtre du souverain. Lorsque en décembre 1539 Charles Quint pénètre dans Amboise, le château est celui de la Belle au bois dormant : il n'est plus guère fréquenté. Charles VIII en avait fait sa résidence, élevant deux corps de bâtiment parallèles, le « logis du roi » face à la Loire et celui de la reine au sud, flanqués chacun d'une imposante tour. Les artisans ramenés d'Italie en 1495 s'étaient contentés d'enjoliver de détails renaissants le robuste château gothique. La mort du roi avait interrompu les travaux. Dès les premières années de son règne, François Ier réside à Amboise. Il le fait agrandir en édifiant, dans le goût du temps, un corps de logis perpendiculaire à l'aile nord. Il y donne ses premières fêtes, rustique comme cette course au sanglier dont il sort vainqueur, fastueuse à l'occasion du baptême du dauphin et des noces du duc d'Urbin en avril 1518. Louise de Savoie y habite et l'on sait que Léonard de Vinci fut installé par son protecteur à proximité du château, au Clos-Lucé. Mais après 1520, Amboise est délaissé. François Ier s'est épris de Blois, déjà chargée d'Histoire. Charles d'Orléans, le prince-poète, et plus récemment Louis XII y avaient fait travailler. Pour plaire à la reine Claude, héritière du château, et pour loger une cour nombreuse, François Ier ordonne dès 1515 une grande construction de pierre, nouvelle, originale : l'aile qui porte son nom. La façade sur cour, dont la décoration en damier est riche d'avenir, est édifiée en premier. Un imposant escalier à claire-voie en rompt la monotonie. Les appartements royaux paraissant insuffisants, on double le bâtiment en élevant la façade dite des Loges. Le roi occupe le second étage, son entourage s'installe au premier. Jusqu'en 1524 la cour réside souvent au château. Mais après la mort de la reine et la captivité de François à Madrid, elle le délaisse. Lorsque Charles Quint y fait halte, ses plus beaux meubles et ses tapisseries ont été enlevés. Il ne reste que la bibliothèque royale, bientôt transférée à Fontainebleau. Blois n'est plus qu'une grande maison vide.

François Ier s'était passionné pour Chambord. Délaissant le gros de la cour, accompagné de sa « petite bande », il aimait à s'enfoncer dans de vastes et profondes forêts. Au terme d'une harassante partie, retrouver les charges de l'État lui pesait. La construction, à quelques lieues de Blois, d'une retraite pour se détendre après la chasse fut décidée dès 1519. Conçu comme un simple pavillon, le château va devenir le plus vaste de la région. François Ier avait hérité jusque-là les résidences de ses prédécesseurs. Avec Chambord l'occasion se présente de créer de toutes pièces sa propre demeure dont la splendeur doit éclipser les autres châteaux royaux. Après une première campagne de travaux interrompue par la défaite de Pavie, la construction commence vraiment en 1526. Elle est rapide : en 1537 on achève les finitions des parties hautes. Le chantier, qui avait occupé mille huit cents ouvriers pendant douze années, avait été très actif. Le relais de chasse se révèle d'une extraordinaire ampleur : un donjon puissant de quarante-quatre mètres de côté qui est un château à lui seul, une enceinte de cent dix-sept mètres sur cent cinquante-six, quatre cent quarante pièces. La distribution des logis princiers présente une nouveauté. Le donjon est divisé en quatre parties par une croix grecque dont les bras relient les entrées à l'escalier central. Chaque angle détermine un espace carré, recoupé pour former une grande pièce, deux plus petites et un cabinet, c'est-à-dire un *appartement*, « unité de base de la distribution civile française pour les deux siècles à venir [18] ».

De la vaste terrasse à l'italienne où se pressent autour d'une lanterne les toitures coniques des tours, les innombrables lucarnes et les souches de cheminée, la cour peut suivre de loin la chasse royale. Elle y séjourne en 1530, 1532, 1534. Puis, à peine achevé, le château est délaissé pendant cinq ans. En 1539 François Ier y accueille Charles Quint qui y reconnaît « un abrégé de l'industrie humaine ». Les séjours royaux sont cependant toujours brefs : février 1541, janvier 1543, trois semaines en mars 1545 qui sont, dit-on, le plus long séjour du roi. Malgré ses imposantes dimensions, Chambord reste fidèle à sa vocation de halte de chasse. Les gouvernements de la Cinquième République en font encore le même usage.

Sans vraiment bouder les résidences du Val de Loire, Henri II y vient peu. Il ne construit aucune nouvelle demeure, se contente d'apporter quelques aménagements aux châteaux de son père. Ses séjours d'hiver en 1551, 1552 et 1556 privilégient Blois et Amboise dont la salubrité de l'air convient à ses enfants. Avec Chenonceaux, que Diane de Poitiers a cédé à Catherine de Médicis, et Plessis-lez-Tours, jamais oublié, ce sont les résidences fréquentées par la cour en 1560, 1563, 1569, et surtout, la paix de Saint-Germain signée, pendant les années 1571 et 1572. Chambord est laissé à l'abandon. Presque chaque année, les intrigues politiques, la surveillance de son domaine de Chenonceaux ou la simple douceur du climat ramènent Catherine de Médicis et sa suite en Touraine. La réunion des états généraux attire encore la cour à Blois en 1576-1577 et 1588. Après l'assassinat des Guise, c'est à Tours que Henri III installe son éphémère gouvernement contre Paris révolté. Le Val de Loire, tant aimé des Valois, est ainsi le témoin des derniers drames de leur règne.

Paris négligé

François Ier est l'enfant prodigue des Parisiens. Par affection pour les pays de Loire il a délaissé Paris. Pendant plus d'un an sa captivité l'a privé de sa capitale et de son royaume. Au printemps 1527, Paris retrouve son roi. Le 14 avril il y fait son entrée, un mois plus tard, le 15 mai, il annonce son intention d'établir sa demeure dans la ville et « alentour ». Gardons-nous d'imaginer d'heureuses retrouvailles et de croire à une décision irrévocable.

A son retour de Madrid, François n'est guère pressé de regagner Paris. Libéré le 17 mars 1526, il musarde en Guyenne, séjourne deux semaines à Bordeaux, un mois à Cognac, un autre à Angoulême. L'été le retient dans le Val de Loire. Quand il rejoint à l'automne l'Ile-de-France, il s'installe, non à Paris que son itinéraire contourne, mais à Nantouillet chez le chancelier Duprat, puis à Vincennes et Saint-Germain. La capitale du royaume a-t-elle démérité ? Jusqu'en 1525, chaque année, François Ier a vécu à Paris, mais sans jamais s'y attarder. La nécessité, plus que le plaisir, explique sa présence. Pour contrarier l'opposition du Parlement à ses ordonnances, le roi ne doit-il pas présider les lits de justice dans l'enceinte de la première cour souveraine ? Quand les difficultés du Trésor imposent un recours pressant aux expédients, le roi comprend qu'il ne peut solliciter la générosité des bourgeois depuis les forêts de Touraine. Le séjour de la cour stimule enfin l'économie urbaine. L'entourage du souverain forme une clientèle riche et nombreuse qui fait la joie des artisans de luxe. Les blanchisseuses comme les joailliers applaudissent à son installation sur les bords de la Seine.

Tous les Parisiens cependant n'y trouvent pas leur compte. La fierté d'accueillir dans leurs murs le roi et sa suite ne résiste pas à l'augmentation du prix des denrées de première nécessité et à l'insolence des jeunes *muguets* de la cour. Mépriser le bourgeois est alors de bon ton. Les gentilshommes se divertissent aux dépens des Parisiens. François Ier donne le mauvais exemple. Encore comte d'Angoulême, il s'amusait à parcourir les rues, la nuit, déguisé, se livrant avec ses familiers à mille impertinences. Devenu roi, il persiste dans ses folies. Après Louis XII le « Père du peuple », le premier Valois n'est-il qu'un souverain frivole ? Des esprits complaisants lui trouvent l'excuse de la jeunesse et célèbrent cet intense appétit de vivre alors exalté par Rabelais. Les contemporains ne sont pas moins choqués par les mauvaises manières de la « petite bande ». Le bourgeois de Paris ne décolère pas en comparant la gravité des affaires politiques traitées entre le 26 janvier et le 19 mai 1516 — dates du séjour de la cour — et les enfantillages royaux : « Le Roy et aucuns jeunes gentilshommes de ses mignons et privés ne faisaient quasi tous les jours que d'être en habits dissimulés et bigarrés, ayant masques devant leurs visages, allant à cheval parmi la ville et allaient en aucunes maisons jouer et gaudir ; ce que le populaire prenait mal à gré[19]. »

Pas plus qu'à ses exigences fiscales la popularité du souverain ne résiste à ses excentricités. Aux remontrances succèdent les critiques. L'absence de François Ier de Paris quand les Anglais envahissent le nord du royaume et menacent la capitale (1523) est-elle digne du vainqueur de Marignan ? « Délaissés de tout confort et aide parce que lors la grande puissance de France était envoyée en Italie pour recouvrer Milan[20] », les Parisiens démoralisés murmurent. Lorsque à l'automne le roi quitte enfin Lyon où la maladie l'a retenu, il néglige de réconforter sa capitale pour gagner le Val de Loire dans l'attente des nouvelles du Milanais. Désormais les malheurs du souverain — trahison du connétable de Bourbon, défaite de Pavie et captivité en Espagne — n'émeuvent plus les Parisiens. Quand ils ne chicanent pas le gouvernement de la régente Louise de Savoie, Parlement et Hôtel de Ville rendent au roi son indifférence d'autrefois. On comprend le manque d'empressement de François Ier à retrouver Paris. Sa décision de « dorénavant [y] faire la plupart de [sa] demeure et séjour » ne signifie pas la stabilité de la cour. Après 1527, le roi et sa suite continuent à voyager. La cour fréquente toujours le Val de Loire, mais s'y fixe moins souvent et moins longtemps. Les résidences de l'Ile-de-France ont désormais toute sa faveur.

LES « DÉLICIEUX DÉSERTS DE FONTAINEBLEAU »

A l'orée de la forêt, princes, seigneurs et dames attendent l'empereur. A l'annonce du cortège, une troupe d'hommes et de femmes déguisés en dieux et déesses composent une danse rustique au son des hautbois avant de disparaître dans les fourrés. Charles Quint arrive à Fontainebleau. Depuis Bayonne et Loches, chaque journée avait eu sa part de divertissements. Tournois, joutes, festins n'avaient pas manqué. Mais, ici plus qu'ailleurs, François tient à éblouir son hôte. En choisissant Amboise, Blois et Chambord comme étapes du voyage, le roi de France avait voulu démontrer la richesse de son royaume et le luxe de sa cour. Mais ces résidences ne recueillaient plus ses suffrages. François était tout à Fontainebleau, « où il se plaisait tant, écrit Du Cerceau, que y voulant aller, il disait qu'il allait chez soi ». En ce mois de décembre 1539, le château n'est pas achevé. Il y avait onze ans que le roi avait décidé d'en faire « la plupart du temps » sa résidence. Le plaisir de la chasse « des bêtes rousses et noires qui sont en la forêt de Bière et aux environs » n'était pas le seul motif de son installation. A défaut d'habiter longuement Paris, le roi s'en approchait. Au moment où les frontières du Nord et de l'Est étaient menacées par les armées ennemies, Fontainebleau — à moins de vingt lieues de la capitale — permettait de les atteindre assez rapidement. Anne de Montmorency encouragea le projet. Le grand maître, bientôt connétable, résidait à Chantilly et à Écouen où il recevait la cour. Plus proche, le roi pouvait commodément se rendre à ses invitations.

François Ier se plaisait à Fontainebleau. Il y passa plus de temps que partout ailleurs. Une foule d'ouvriers dirigés par Gilles le Breton, maître maçon parisien, s'était affairée aux travaux. Ils avaient transformé la vieille demeure médiévale, tombant en ruine et inhabitée, en un vaste château dont la construction avait été assez avancée pour permettre dès 1531 sa décoration intérieure. Le roi attachait du prix à ce qu'il considérait comme son grand œuvre. Comme Louis XIV à Versailles, François vivait au milieu d'un gigantesque chantier, sale, bruyant, encombré d'échafaudages. Son caractère inachevé n'en fit pas moins « la plus belle maison de la Chrétienté ».

Charles Quint arriva par la grande allée rectiligne de la Chaussée, entrée officielle jusqu'au temps de Henri IV. On avait dressé là un arc de triomphe orné de trophées et enrichi de peintures. Le roi et l'empereur étaient représentés, vêtus à l'antique, accompagnés de la Paix et de la Concorde. Après un bref concert de musique, Charles Quint pénétra dans le château par le pavillon de la Porte dorée. Trompettes et tambours précédaient le prince dans la cour du donjon, nommée plus tard « cour ovale ». Cœur du château, c'était le rendez-vous des courtisans, le théâtre des fêtes et des cérémonies. Le plan et l'élévation des bâtiments qui la bordaient lui donnaient un caractère composite. Le donjon était la pièce la plus vénérable. La légende de Saint Louis y était attachée. Par fidélité on l'avait conservé. Au premier étage, la chambre du roi, que François Ier occupait depuis la mort de sa mère, était un véritable sanctuaire. Sa sœur Marguerite d'Angoulême habitait le rez-de-chaussée, le premier gentilhomme de la Chambre logeait au deuxième étage. Les corps d'hôtel voisins, construits sur les fondations du château médiéval, prenaient jour sur la cour et sur le jardin du roi, appelé au XVIIIe siècle jardin de Diane. La domesticité s'entassait au second étage. Le premier abritait l'appartement royal. Outre la chambre, il comprenait la salle où le roi prenait ses repas, occasion de conversations relevées et sans façon, et le cabinet. En reconstruisant Fontainebleau, François Ier aurait pu exiger un vaste appartement. Une salle, une chambre et un grand cabinet lui suffisaient. Leur disposition ne ménageait aucune intimité. Le cabinet situé derrière la chambre transformait celle-ci en antichambre, lui donnait un caractère plus public que privé, accentué par l'ouverture sur la galerie. Les pièces suivantes composaient l'appartement de la reine Éléonore. Le pavillon des enfants achevait l'arc de cercle des bâtiments sur la cour. L'ensemble, au sobre décor et aux toitures compliquées, était bordé par un péristyle portant terrasse, interrompu par un perron promis à d'infinies transformations[21].

L'empereur emprunta le grand escalier à vis desservant l'appartement royal. Les deux princes se rencontrèrent et François fit les honneurs de sa galerie. C'était le sommet de la visite, la raison même de la longue étape de Fontainebleau. A parcourir cette salle longue de plus de soixante mètres en compagnie de son rival, le maître de maison retirait une légitime fierté. Il ne manquait aucune occasion de vanter sa merveille. « J'ai entendu, dit-il un jour à l'ambassadeur d'Angleterre, que le roi Henry use de beaucoup d'or dans ses maisons, et surtout dans les lambris. Pour ma part je préfère le bois naturel, comme l'ébène, le bois du Brésil, qui est plus durable. Je vous montrerai Fontainebleau, et particulièrement ma galerie[22]. » A l'intention de Charles Quint, la visite ajoutait une leçon politique. La splendeur de la galerie n'était-elle pas le signe éclatant de la restauration du royaume ? Œuvre de prestige, elle était (et reste) une œuvre d'art à nulle autre pareille. En arrivant au château, l'empereur avait sans doute aperçu ce bâtiment allongé fermant au nord la cour de la Fontaine. On ignore si, à cette date, le rez-de-chaussée à arcades permettait encore aux gens du bourg, par un passage public, d'accéder à l'étang. Lorsqu'il l'eut fermé — en 1534 ou 1540 — François Ier y installa son appartement des bains, série de pièces voûtées affectées aux étuves et salles de repos, richement décorées par le Primatice de sujets mythologiques et érotiques. Le roi y conservait la plupart des tableaux de sa collection. En hors-d'œuvre, longeant la façade, une terrasse abritait plus prosaïquement six cuisines et autant de garde-manger.

Devant la richesse des lambris sculptés, des stucs et des tableaux peints à fresque par le Rosso, les réactions de Charles Quint restent inconnues. L'ensemble était plus éclairé qu'aujourd'hui, recevant la lumière de deux rangées de fenêtres. Sur sept travées, il offrait au regard un programme iconographique à la gloire du roi et de la monarchie. Tous les thèmes y étaient subordonnés. Ici le monarque, couronné de lauriers et entouré de ses sujets, tient une grenade symbolisant l'unité de l'État. Là un éléphant revêtu d'un manteau fleurdelisé traduit la force, la mémoire et la bonté du prince[23].

La galerie unissait le vieux donjon à la cour ouverte sur l'emplacement du couvent des Mathurins qui avait logé François Ier et sa suite lors des premiers travaux entrepris au château. Vaste terrain, la basse cour de l'abbaye — future cour du Cheval blanc — servait aux tournois et aux exercices de cavalerie. Elle était entourée par des corps de bâtiments dont subsiste aujourd'hui l'aile nord. On les avait édifiés sans hâte, le logis des religieux n'étant pas encore démoli. L'aile orientale mêlait ainsi les bâtiments conventuels aux plus récentes constructions. Le pignon de la galerie était masqué par la vieille église gothique. Suivait un corps d'hôtel réservé naguère aux cuisines, simple rez-de-chaussée surmonté d'un galetas. Aux extrémités de cette aile disparate, le roi avait fait élever deux pavillons. Celui des Armes abritait au rez-de-chaussée les collections d'antiquités rapportées d'Italie, des logements à l'étage noble, l'armurerie au deuxième. Son pendant, le pavillon des Poêles, tirait son nom des gros calorifères situés en sous-sol. L'aile méridionale, qui avait accueilli l'écurie du roi, rassemblait les marchands suivant la cour. A l'étage se déployait la galerie d'Ulysse.

Quittant la galerie dite de François Ier, Charles Quint fut conduit au pavillon des Poêles où il logea. Situé au coin de l'étang, il s'ouvrait aussi sur la cour de la Fontaine. Orienté au midi, c'était le logement le plus agréable du château. Sous ses fenêtres, on dressa en l'honneur de l'empereur une haute fontaine lumineuse. « C'était une grande colonne [...] artistement faite, dorée de fin or, laquelle jetait une flamme de feu par le haut et sommet d'icelle, nuit et jour, et par le milieu jetait par petits canaux, du vin et de l'eau continuellement [24]. »

Entre deux offices religieux — c'était l'avent —, festins, chasses, tournois occupèrent les princes. Ceux-ci avaient convenu de taire leurs différends politiques. Chacun avait tenu parole. Le 30 décembre au matin, François Ier et Charles Quint s'apprêtèrent à gagner Paris. Les visiteurs partis, Fontainebleau restait un chantier inachevé. François Ier confia au Primatice, tout-puissant depuis la mort du Rosso, la décoration de la chambre de la duchesse d'Étampes, dans le pavillon voisin de la Porte dorée (1541-1544), l'appartement des Bains (1541-1547), la galerie d'Ulysse (1541-1570). Henri II, qui séjourna régulièrement à Fontainebleau, au début et à l'automne de chaque année, poursuivit l'œuvre de son père dans la galerie d'Ulysse, un des lieux les plus fréquentés du château, observatoire privilégié des jeux équestres, et dans la salle de bal dont l'achèvement fut confié à Philibert de l'Orme. Au sud de la cour du donjon, François Ier avait fait construire entre le pavillon de l'escalier et la chapelle Saint-Saturnin une grande salle voûtée conçue comme une loggia ouverte. L'architecte de Henri II couvrit l'édifice d'un plafond et ferma la salle. Sur des dessins du Primatice, Nicolo dell'Abate la décora de fresques dont le programme mythologique était un délicat hommage rendu à Diane de Poitiers. Comme dans la galerie François Ier, les lambris étaient l'œuvre de Scibec de Carpi, responsable du magnifique plafond à caissons — peut-être le premier en France — et du parquet aux bois précieux.

Par sa richesse et ses dimensions (trente mètres sur dix), elle était le lieu idéal des grandes fêtes de la cour. A l'une de ses extrémités (l'autre était occupée par une cheminée monumentale), une tribune de menuiserie était réservée aux musiciens. On y donnait la comédie, des festins et des bals. Philibert de l'Orme entreprit enfin la régularisation de la façade orientale de la basse cour, travaillant depuis 1551 à la chapelle de la Trinité et au premier escalier en fer à cheval. Vers 1554, le roi décida d'abandonner son appartement de la cour du donjon pour le pavillon des Poêles. Un indéniable goût du confort lui avait fait préférer ce corps de logis bien exposé, baigné de lumière, à l'obscure chambre dite de Saint Louis dont la décoration était passée de mode. La grande pièce du premier étage fut alors divisée pour créer une petite salle et la nouvelle chambre du roi que le Primatice décora. Mais sa réalisation tardive interdit à Henri II de l'habiter.

L'admiration qu'elle portait à François Ier attacha Catherine de Médicis à Fontainebleau. Selon les événements familiaux, elle logeait soit dans le pavillon des Poêles soit dans l'appartement traditionnel des reines. Sa régence fut pour le château une période d'intense activité. Dès 1561, on doubla sur le jardin de la reine les bâtiments de la cour ovale, en ajoutant quatre pièces entre la salle du Conseil et le cabinet de la reine. En 1565, on éleva le pavillon central de l'aile orientale dont le premier étage conduisait à la tribune de l'église voisine, à la galerie François Ier, et au corps d'hôtel alors en construction destiné aux appartements de Catherine et de Charles IX. Le second étage était occupé par les dames d'honneur de la reine mère. L'aile dite de la Belle cheminée fut la dernière réalisation des Valois (1568). Elle fermait à l'est la cour de la Fontaine. On ignore l'affectation de sa grande salle que Henri IV fit décorer.

L'âpreté des guerres civiles ne favorisait pas les longs séjours de la cour dans un château peu défendable, malgré le fossé creusé en 1565. Les brillantes fêtes de février-mars 1564, prélude au grand tour de France, furent ses dernières riches heures. L'itinéraire de Catherine mentionne encore de brèves visites en 1567, 1571, 1573. Le château semblait abandonné. Henri III y fit de rares apparitions. On ne construisait plus. Les bâtiments anciens n'étaient plus entretenus, « que sera cause, déplorait Du Cerceau, que ce lieu ira avec le temps en ruine[25] ».

LE « GRAND DESSEIN DU LOUVRE »

L'entrée de Charles Quint à Paris eut lieu le 1er janvier 1540. L'empereur s'était assombri. La répétition des cérémonies officielles, les excès de table, la fatigue du voyage avaient eu raison de sa santé. Les seigneurs espagnols grelottaient de froid et trouvaient ruineuse la vie à la cour. Le voyage s'éternisait. Le séjour à Paris en souffrit. La capitale était en outre incapable d'effacer le souvenir laissé par Fontainebleau. En 1540, elle ne possédait ni palais assez vaste pour accueillir dignement ses visiteurs ni résidence assez somptueuse pour les émerveiller. Le Louvre, forteresse décrépite, faite de pièces et de morceaux, était en si mauvais état qu'il exigea, avant l'arrivée de l'empereur, quantité de réparations. On dora les girouettes et on peignit les armes de France en plusieurs endroits. Contre les murs on fixa des chandeliers de laiton. Des fenêtres furent agrandies, de nouveaux appartements préparés. Ces aménagements hâtifs révélaient une cruelle évidence : Paris était dépourvue d'une véritable demeure royale. Le palais de la Cité, résidence des Capétiens, avait été abandonné aux cours et tribunaux, l'hôtel des Tournelles, vieillot, n'attirait que les amateurs de la ménagerie du roi. Faute d'espace suffisant, les grands divertissements à la mode italienne étaient exclus. Pour donner un festin à l'empereur, il avait fallu réquisitionner la grande salle du Parlement [26] !

Proches de Paris, les châteaux de Madrid (à Boulogne) et de Saint-Germain-en-Laye offraient à la cour d'aimables résidences, un complément champêtre aux demeures parisiennes. Le premier, en construction depuis 1527, reçut la visite de Charles Quint, mais resta longtemps inachevé. Le second nécessitait d'importants travaux. Ils furent entrepris en 1539. La cour dut attendre cinq ans pour s'y loger. Attaché à Fontainebleau, passionné de chasse, François Ier était néanmoins acquis à l'idée de posséder un palais à Paris. Malgré la précoce démolition du donjon en 1528, il tarda à reconstruire le Louvre. Moins d'un an avant sa mort, il confia à Pierre Lescot la tâche de rebâtir l'aile occidentale. Henri II confirma la commande mais fit modifier le projet. Pour disposer de vastes salles destinées aux fêtes et au rassemblement des courtisans, il fit rejeter l'escalier prévu au centre du bâtiment dans l'avant-corps du nord. Au rez-de-chaussée, la salle de bal était ornée à ses deux extrémités d'une tribune de musiciens portée par quatre cariatides dues à Jean Goujon et d'un « tribunal » pouvant accueillir le trône royal. Au premier étage, la salle des pas perdus était desservie par un escalier droit, couvert d'une voûte en berceau à caissons. L'ensemble fut achevé en 1555. Le Louvre possédait désormais un espace grandiose, adapté aux cérémonies de la cour, digne des palais italiens. Au souverain et à sa famille il devait offrir un logis non moins fastueux[27].

A cet effet on jeta à terre la tour d'angle du sud-ouest pour élever un pavillon carré, éclairé sur la Seine et la basse cour où François Ier avait réuni les services domestiques de sa Maison. Il comptait quatre niveaux. Le rez-de-chaussée était occupé par la salle du Conseil et son antichambre ; l'étage noble abritait la chambre de parade du roi et sa petite chambre ; le deuxième étage les appartements des princes. Le grand cabinet du roi était logé, au dernier étage, dans une très belle salle éclairée par cinq fenêtres. Le Louvre était un curieux mélange de bâtiments somptueux et modernes et de « vieux corps d'hôtel » démodés et sans grâce. C'est pourquoi Henri II voulut rebâtir le palais entier. Ainsi s'amorça le remplacement du corps de logis gothique du sud par une aile semblable à celle déjà élevée. Le roi ne vit achever que le premier avant-corps, mais sa veuve poursuivit son œuvre. En 1574, le nouveau bâtiment se raccordait à la tour sud-est. Catherine de Médicis logeait au rez-de-chaussée, abandonnant le premier étage aux jeunes reines, Marie Stuart et Élisabeth d'Autriche. Un quart de siècle avait été nécessaire pour reconstruire la moitié de la citadelle de Philippe Auguste et de Charles V. La cour y gagnait un cadre que les contemporains jugeaient unique ; les familiers du roi, un logis au goût du jour. « J'ai vu, note Jérôme Lippomano en 1577, commodément logés au Louvre le roi et ses frères, trois reines, deux cardinaux, deux ducs avec leurs femmes, trois princesses de sang, maints favoris et dames, enfin une partie du conseil[28]. »

Les souverains Valois, à l'exception de Henri III, ont voulu laisser le souvenir de bâtisseurs. Catherine de Médicis ne résista pas davantage au désir de posséder une résidence qui lui soit propre. Vers 1563, elle acheta à proximité du Louvre, mais en dehors de l'enceinte de la ville, un terrain nommé « thuileries ». Avant d'y élever sa demeure elle fit aménager un jardin « où les arbres et les plantes sont distribués dans un ordre admirable, où l'on trouve non seulement des labyrinthes, des bosquets, des ruisseaux, des fontaines, mais où l'on voit reproduits les saisons de l'année et les signes du zodiaque, ce qui est une chose merveilleuse »[28]. Philibert de l'Orme dessina le plan ambitieux d'un château complexe, inscrit dans un vaste quadrilatère, autour de cinq cours intérieures. Le chantier s'ouvrit en 1564 par l'édification de l'aile occidentale, comportant un pavillon d'entrée entre deux logis symétriques abondamment décorés. L'escalier ovale du corps central qui semblait suspendu dans les airs faisait l'admiration : ses « marches, observe un contemporain, ne sont pas plus hautes que quatre doigts, et sont portées merveilleusement par une légère aiguille de marbre[28] ». A la mort de Philibert de l'Orme, Jean Bullant éleva le pavillon situé au sud. Dès 1565, Catherine imagina une liaison entre le Louvre et ses Tuileries. L'amorce en fut un passage de trois arches enjambant le fossé du Louvre, conduisant à un bâtiment, la petite galerie, dont la façade sur la Seine ne comptait qu'une travée.

La reine mère ne résida pas aux Tuileries mais vint souvent se promener dans le jardin, donna banquets et fêtes. Celles qui accompagnèrent l'ambassade polonaise en 1574 enchantèrent Brantôme. Une tapisserie du musée des Offices en garde le souvenir. A cette date le chantier avait été interrompu. Le projet avait dépassé les ressources du Trésor. La galerie de liaison avec le Louvre ne fut pas réalisée. En outre le climat politique condamnait le château, trop ouvert, sans protection, où des conjurés audacieux eussent pu aisément se rendre maîtres de la famille royale. Les troupes huguenotes l'avaient d'ailleurs cerné la veille de la Saint-Barthélemy.

Le nomadisme de la monarchie comme l'intérêt des souverains pour la bâtisse ont multiplié les résidences royales. Les logis légués par les prédécesseurs des Valois n'étaient ni assez spacieux pour loger une cour nombreuse ni adaptés aux modes nouvelles. L'exemple italien impose alors des constructions fastueuses où les galeries et les salles répondent aux exigences des grandes fêtes. Le souci, accentué à la fin du siècle, d'être en perpétuelle représentation y trouve son compte. La fréquentation capricieuse de ces résidences tient à mille causes où dominent, diversement combinés, leur charme ou leur utilité, la salubrité de l'air ou la douceur du climat, les contraintes politiques ou le besoin d'évasion. Privilégier une demeure puis l'abandonner à l'oubli n'est pas rare. Tel agrément d'un lieu se transforme parfois en imperfection. Ainsi la situation naturelle de Saint-Germain-en-Laye à proximité de Paris, ses nombreuses dépendances accueillantes aux courtisans ont longtemps attiré et retenu la cour. Après 1562 on juge au contraire que la facilité d'accès met le roi à la merci des importuns, prive la famille royale de toute intimité et les affaires de leur secret. Catherine de Médicis fatiguée par la cohue, n'y vint presque plus. Le rythme des saisons guide la cour, l'automne à Fontainebleau, l'hiver dans le Val de Loire ; la guerre aux frontières la rassemble à Villers-Cotterêts ou à Compiègne ; les guerres civiles la rapprochent de Paris. L'attrait de la vie champêtre attire la reine mère à Monceaux ou à Saint-Maur. La beauté du site et le talent de Philibert de l'Orme font du « château neuf » de Saint-Germain un délicieux lieu de plaisance, sur le modèle des villas italiennes. Le goût de la retraite conduit Henri III à Ollainville où il vit comme un simple gentilhomme, sans cérémonie, se donnant « du bon temps avec peu de compagnie ». Sérieuses ou futiles, ces raisons ont aidé à l'augmentation du nombre des résidences.

Longtemps la prospérité et la quiétude du royaume ont permis d'édifier ou d'adapter châteaux et maisons de plaisance. Les difficultés économiques au temps des derniers Valois ont ralenti les chantiers, contrarié les projets ambitieux. « Le roi n'aime pas à bâtir, dit-on de Henri III ; d'abord les guerres lui ont trop coûté, puis il préfère prodiguer l'argent à ses serviteurs, afin qu'ils bâtissent eux-mêmes[29]. » A l'imitation du prince, les gentilshommes transforment leurs demeures, édifient de nouveaux logis. L'honneur de recevoir le roi et la cour compensent bien des sacrifices. A Chantilly et Écouen, Montmorency reçoit son roi, à Chenonceaux puis à Anet, Diane de Poitiers accueille son amant.

La multiplication et les embellissements des résidences royales démontrent le prestige de la cour et la richesse du royaume. Les étapes du voyage de Charles Quint en témoignent. Le va-et-vient des ambassadeurs diffuse à l'étranger le modèle français. Les cours européennes vivent dans une continuelle émulation. Les princes se surveillent, s'imitent, rivalisent. Devant un diplomate anglais, François Ier ne manque pas de comparer les boiseries de Fontainebleau aux dorures de Hampton Court. Il se fait conseiller artistique : « Voilà telles choses qui conviendraient bien à la galerie de Saint-James. » Les migrations d'artistes ayant travaillé sur les chantiers royaux diffusent en Angleterre l'influence française. Le palais de Henri VIII à Nonsuch est ainsi l'écho outre-Manche de la manière bellifontaine[30]. Nombreuses, les résidences de la cour ont été le laboratoire privilégié des innovations artistiques. Leur diversité en est le signe. Neuves ou restaurées, fidèles à la décoration traditionnelle ou italianisées, elles ont contribué à la richesse de la Renaissance française. Le rayonnement de la cour leur doit beaucoup.

CHAPITRE IV

La mode italienne

> PHILAUSONE : — *Il se faudrait bien garder d'user en la cour de ce mot* danse, *ni de* danser, *ni de* danseur.
> CELTOPHILE : — *Pourquoi ?*
> PHILAUSONE : — *Parce qu'il y a longtemps que tout cela a été banni et qu'on a fait venir d'Italie* bal *et* baller *et* balladin, *lesquels trois on a mis à la place de ces trois autres ; non pas toutefois sans quelque changement, comme vous pouvez voir, car de* ballo *on a fait* bal *et* ballare *a été changé en* baller ; *de* ballarino *ou* balladino *a été fait* balladin. *Mais notez qu'on a fait venir les personnes avec les noms, voire non seulement des balladins, mais aussi des balladines.*
>
> Henri ESTIENNE

Méconnaître le sens de la formule *il est en bon conche* ou *il est bien inconche* (il est bien en point) est à la cour preuve d'ignorance. Si *bastant* (suffisant), *blandisse* (caresse), *pallestrine* (escrime), *acaser* (établir) paraissent abscons à un familier du Louvre, il est jugé ridicule. On le loue en revanche de truffer ses compliments de *bellesse* et *haultesse*. Dire *grandissime* et *bellissime* à tout propos n'est pas moins estimé [1]. On admire son habit s'il est d'étoffes précieuses, brodé d'or et d'argent, saturé de galons. Sa chamarre doit rappeler les mantelets italiens, sa toque à bord relevé celles qu'on porte à Florence, ses chausses longues et étroites, la mode vénitienne. Qu'il affecte des airs langoureux avec les dames, passe des heures à analyser subtilement mille sentiments amoureux et sa fortune est faite !

La mode est à l'Italie. Son emprise sur la cour n'a pas eu la soudaineté de la découverte des Amériques. Au temps de Charles VI, Christine de Pisan traduisait les auteurs italiens ; Valentine Visconti, femme de Louis d'Orléans, était entourée de compatriotes ; la reine Isabeau suivait le style d'outre-monts. Au XVIe siècle, la cour de France est italianisée, comme l'Europe des Lumières sera dévorée de francomanie et d'anglomanie et le Vieux Monde d'aujourd'hui américanisé. La fin des campagnes militaires dans le Milanais et le royaume de Naples n'a pas borné cette influence aux règnes de François Ier et Henri II. Elle s'exerce longtemps après la paix du Cateau-Cambrésis (1559) qui a ruiné les prétentions françaises dans la péninsule. L'Italie a conquis son vainqueur. Le royaume ne manque pas de Catons pour dénoncer ses effets pervers. Beaucoup redoutent que la cour y perde son âme. Pour éviter la contagion, le plus urgent n'est-il pas d'éloigner les contagieux ?

> *Il faut chasser quelques Italiens,*
> *Les vrays corbeaux ravisseurs de nos biens*[2].

LA FRANCE, « GIBIER D'ITALIE » ?

L'influence italienne se dessine en France avec netteté depuis les guerres d'Italie. Aux compagnons de Charles VIII et de Louis XII la vie raffinée des cours est une révélation. Fêtes, bals, festins, entrées donnés en leur honneur les éblouissent. Diplomates et administrateurs royaux, grands seigneurs et prélats en mission s'ouvrent à la culture de la péninsule. Les lettrés de leur entourage, secrétaires ou intendants, comme Magny, Du Bellay, Desportes ou Régnier, aident à sa diffusion. Les alliances princières sont d'autres occasions de contact. Arrivé en France pour épouser Madeleine de la Tour d'Auvergne, Laurent de Médicis, duc d'Urbin, glisse dans ses bagages quelques superbes toiles de Raphaël, cadeaux du pape Léon X à François Ier. La *Grande Sainte Famille* et le *Saint Michel* sont ainsi entrés dans les collections royales. En 1527 la sœur de la reine Claude, Renée de France, épouse Hercule d'Este, duc de Ferrare, protecteur de l'Arioste ; en 1533, on célèbre les noces d'Henri d'Orléans, deuxième fils du roi, avec Catherine de Médicis, en 1548 celles de François de Lorraine avec Anne d'Este, fille du duc de Ferrare. Les deux femmes exercent à la cour une influence artistique inspirée de leur patrie d'origine. Très tôt Catherine collectionne les tableaux, commande des toilettes à Milan ou Mantoue, s'entoure de compatriotes. Ses enfants sont instruits dans la culture italienne. Pierre Danès, d'origine napolitaine, est précepteur du dauphin François, Virgilio Bracesco lui enseigne la danse et le maintien, Hector de Mantoue l'escrime. Anne d'Este, jeune duchesse d'Aumale, crée un autre foyer italianisant, protège comédiens et artistes : le Primatice entre alors au service des Lorrains. La mode est au voyage en Italie. Tout gentilhomme soucieux de parfaire ses études fréquente les universités de la péninsule. Son éducation mondaine ne peut ignorer les écoles d'escrime, d'équitation et de danse qui fleurissent au-delà des Alpes. On s'arrache les livres italiens : les trois quarts des courtisans sont bilingues. Pour les autres les traductions se répandent. *Il Libro del Cortegiano (Le Livre du Courtisan)* de Baldassar Castiglione est publié en français en 1537, le *Décaméron* de Boccace, en 1545. L'Arioste, Sannazar, Le Tasse ont grand succès à la cour.

« Pour quarante ou cinquante Italiens que l'on voyait autrefois à la cour, maintenant on y voit une petite Italie[3]. » Les contemporains ne cessent de dénoncer leur présence, jugée envahissante. A Lyon, capitale économique du royaume, les Italiens jouent le premier rôle. Ils fréquentent d'autres villes, mais la cité rhodanienne reste « le lieu où se fait tout le gain qu'ils réalisent en France[4] ». Tous ne sont pas hommes d'affaires. Beaucoup appartiennent à l'entourage des princes et princesses venus résider à la cour. Certains font carrière au service du monarque : Jean-Jacques Trivulce est nommé maréchal de France ; Galeas de San Severin, grand écuyer. La maison de Sa Majesté compte des écuyers — ce n'est pas étonnant chez ces maîtres de l'équitation — et des valets de chambre italiens, auxquels François Ier confie parfois d'importantes et périlleuses missions. Le roi n'hésite pas davantage à octroyer des bénéfices ecclésiastiques à des clercs italiens, à leur confier des évêchés[5]. Il invite enfin des artistes à embellir ses résidences. Si leurs noms francisés ne les laissent pas facilement dénombrer, si beaucoup (pour échapper au droit d'aubaine qui attribuait au roi la succession des étrangers morts dans le royaume) sollicitent des lettres de naturalisation, les Italiens ne représentent encore qu'une minorité à la cour de François Ier.

Après 1547, ils reçoivent le renfort de compatriotes chassés de leur pays, en quête d'un refuge et de protection. Catherine de Médicis aidant, la cour de Henri II s'ouvre aux *fuorusciti* (bannis). Les comptables royaux qui distribuent leurs pensions distinguent Florentins et Napolitains. Les premiers sont les plus nombreux, influents, remuants. La haine de Cosme de Médicis, « tyran » de Florence, cimente leur union. Les quatre frères Strozzi, cousins de la reine, les dirigent. L'un d'eux, Piero, jouit à la cour d'une grande faveur : gentilhomme ordinaire de la Chambre, capitaine général de l'infanterie italienne, il est seul avec Coligny à avoir reçu au sacre du roi le collier de Saint-Michel. Catherine le fait nommer maréchal de France en 1554. Ses frères, parents, alliés bénéficient de son crédit. Tous sont étroitement mêlés aux intrigues de cour, jouant subtilement entre Montmorency (Roberto Strozzi expédie en 1550 au connétable les fameux *Esclaves* de Michel-Ange) et Lorrains, tour à tour adversaires et alliés. Leur porte-parole est un poète, Luigi Alamanni, dont la comédie *Flora* est applaudie à la cour. Ses relations avec la reine — il est son maître d'hôtel et son agent — renforcent l'audience de la faction. Parmi les meneurs de la rébellion napolitaine de 1547, nombre de grands seigneurs ont aussi trouvé refuge auprès de Henri II[6]. D'autres personnages plus obscurs, officiers de fortune, créatures des grands, se glissent à la cour, à la recherche de faveurs et de pensions. Catherine de Médicis écoute leurs suppliques et leurs projets. Beaucoup trouvent une place parmi ses filles d'honneur, ses aumôniers, ses astrologues. Comme une poupée russe, l'entourage italien de la reine s'emboîte tant bien que mal dans la cour de France.

L'immigration s'épanouit à la fin du siècle. La politique pro-espagnole des grands-ducs de Florence en est responsable. Les descendants de familles déjà établies dans le royaume aident à l'installation des proscrits. Henri III, dont le passage à Venise, au retour de Pologne, a aiguisé le goût pour la culture italienne, leur est favorable. Bartolomeo del Bene est l'un de ses poètes, membre de son académie et familier d'Ollainville. L'érudit florentin Jacopo Corbinelli, lecteur du roi, lui commente Machiavel. La présence d'Italiens à la cour suscite réprobation et xénophobie. Leur participation aux faveurs royales paraît dommageable aux seigneurs français contraints au partage. Henri III pensionne trois fois plus d'Italiens que son père[7]. Certains accèdent au Conseil étroit, deviennent les conseillers écoutés du prince. Gondi, Nevers-Gonzague, le chancelier Birague sont les plus influents. L'opinion leur attribue la responsabilité de la Saint-Barthélemy.

La protection des Valois n'est pas caprice. Elle est sage politique. En accueillant des Italiens à la cour, en distribuant pensions et faveurs, le souverain entretient un « parti français » capable de rivaliser dans la péninsule avec le nouveau maître espagnol. Les places qu'il leur accorde récompensent souvent des services rendus ou une compétence reconnue. Les exilés ayant sacrifié leurs biens à la cause française obtiennent ainsi réparation. Les Valois récompensent leurs harkis. Le souci de se ménager d'indispensables prêteurs n'est pas étranger à l'entrée de manieurs d'argent de la péninsule dans la maison du roi. Tenant davantage à s'attacher des hommes que s'allier officiellement aux États, le roi y trouve son compte. Au contraire de l'opinion commune, la cour n'est pas prisonnière de ses hôtes d'outre-monts.

L'ÉCORCHEMENT DU LANGAGE

A la fin du siècle, on prétend que si la cour de François Ier a donné « loi à la France touchant le beau langage », huit courtisans sur dix ne peuvent désormais prononcer vingt mots « sains et entiers et sans aucune dépravation[8] ». Le responsable de cet appauvrissement est connu : l'influence italienne, coupable de tous les néologismes et de toutes les extravagances du langage. La cour, qui devrait être un modèle, a été la première contaminée. Une nouvelle croisade s'impose. Il faut chasser les italianismes, restaurer le « naïf langage français ». La cause ne manque pas de croisés. Leur chef est Henri Estienne, de la célèbre famille d'imprimeurs humanistes. Il en fait le combat de sa vie. Ses *Dialogues du nouveau langage français italianisé, et autrement déguisé principalement entre les courtisans de ce temps*, publiés en 1578, dénoncent la reddition de la cour au langage de la péninsule. Si l'italien souille le français, la cour — qui a pour la langue de Dante une faiblesse coupable — fait figure d'accusée. Beaucoup d'écrivains, il est vrai, usent d'italianismes. On l'a reproché à Olivier de Magny et à Mellin de Saint-Gelais, introducteur du sonnet et du madrigal. Mais Du Bellay qui les fustige, Ronsard, Brantôme, d'Aubigné et Montaigne n'y échappent pas. Le grave jurisconsulte Étienne Pasquier, dans le *Monophile*, œuvre de jeunesse, abuse de formules hyperboliques à la mode. Quand La Croix du Maine traduit les lettres amoureuses de Girolamo Parabosco, le tout-venant des épistoliers dispose de modèles d'un style au goût du jour[9]. L'italianisation du langage est indéniable. Ses adversaires admettent cependant quelques emprunts à l'italien quand la pauvreté du vocabulaire national est patente. *Page, camériste, bouffon, carrousel, intermède* sont ainsi les bienvenus. Estienne a-t-il mesuré avec précision l'ampleur de ces emprunts ? Son ardeur à convaincre transforme volontiers en invasion ce qui est seulement infiltration. Ses exemples sont d'une telle outrance qu'ils paraissent inventés. Dans son livre, Philausone, gagné par la mode, dialogue ainsi avec Celtophile, attaché aux traditions nationales : « Prenons un autre chemin, de grâce. Car ce serait une discortesie de passer par la contrade où est la case des dames que sçavez, sans y faire une petite stanse [10]. » Ce sabir est moins le reflet d'une conversation de cour que le produit de l'imagination du critique. Estienne excelle dans l'ironie. Il admet l'italianisme pour parler de choses visibles seulement dans la péninsule. Cette concession cache une malice. Ainsi ne juge-t-il pas scandaleux d'adopter le mot *charlatan*, métier typiquement italien ! Enfin l'auteur n'est pas témoin des usages de la cour. Il écrit son livre loin de Paris, à Genève. L'entourage de Henri III lui est inconnu. Qui devinera dans les *Dialogues* la part de la culture livresque, des témoignages indirects et des chimères ?

L'italien est alors connu de tous les courtisans, marque d'une éducation soignée. Les puristes ne le condamnent pas. Ils dénoncent les ignorants qui truffent leur vocabulaire de mots étrangers déformés. Le péché est double : aux barbarismes français s'ajoute l'écorchement de l'italien. Le langage bâtard qui en procède est fait de « paroles italico-galliques ou [...] gallico-italiques ». Malheur à ceux qui « entrelardent » ainsi le français ! Leur ridicule perce parfois dans les mémoires du temps. Vieilleville raconte qu'un jour de 1549, au camp de Boulogne, le comte de Mirande, consterné par la trahison de son fils passé aux Anglais, se précipite aux genoux du roi en s'écriant : « Corps di Dio, Sire, je son ruynat. Mon forfante de bastardin m'a robat trente mille escouz in oro, et tout ce que j'avia de riche et precioulx en quatre coffres ; et s'en est andat con les coffres et miei muletti rendre Anglais. Il n'i a pas mon colliero et mantello de l'ordre qu'il ne m'a habbia emportat, dispeto di Dio : que feray-je [11] ? » Malgré les circonstances, ce style macaronique fit rire Henri II. Le roi réprouve cette mode ridicule et défend la « précellence du langage français ». Brantôme affirme qu'il « ne parlait jamais que son français avec les Espagnols, même quand il y allait d'affaires importantes ». Catherine de Médicis s'efforce de ne point user de sa langue maternelle. Au début, si elle dicte ses lettres en français, il lui arrive d'ajouter un mot ou deux en italien. Ensuite elle écrit toujours dans la langue de Ronsard. Même avec ses compatriotes, elle parle fort peu toscan, « portant en cela l'honneur qu'elle devait au royaume où elle avait pris sa grandeur et bonne fortune ». Scaliger prétend qu'elle « parlait aussi bien [...] qu'une revendeuse de la place Maubert, et l'on n'eût point dit qu'elle était italienne [12] ».

Le jargon prisé à la cour est snobisme. Se distinguer du commun, faire parade de son pseudo-savoir ou rappeler par quelques tournures choisies ses campagnes dans la péninsule motivent son usage. « Les courtisans, estime-t-on, ne se soucient que d'amasser quelques mots nouveaux desquels, ou bien ou mal, ils puissent faire la piaffe [éclat] [13]. » L'excès, le ridicule, les contresens ne les troublent pas. L'emphase et l'affectation des formules trahissent l'influence italienne, comme l'usage des superlatifs en *-issime* ou l'emploi systématique du pluriel quand le singulier suffit. La prononciation des gens de cour subit, selon Estienne, la même déformation. L'italien n'en est pas seul responsable. Il existe cependant un « parler courtisan ». Il remplace *e* par *a :* on dit *sarment, guari; p* par *b,* dans *accoubler, Constantinoble.* Le *i* s'élide devant *e* dans le pronom *qui (leurs maris qu'étant là-bas),* mais dans *il* ou *ilz, l* ne se prononce pas. *Eu* a le son *u, g* varie entre *j* et *g,* remplace parfois *q* (*guet* pour quai) ou *ch* (*revange* pour revanche). A la cour, on prononce *è,* ce qui s'écrit *oi* (et non *oué*) : « On n'oserait dire François ni Françoise, sur peine d'être appelé pédant; mais faut dire Francès et Francèses [...] pareillement : j'estès, je faisès [...] non pas : j'estois, je faisois [14]. »

Henri Estienne fait œuvre de pamphlétaire. Il stigmatise, grossit le trait. On a montré qu'il dépassait la vérité. Trois ans après les *Dialogues,* son édition d'un recueil de lettres en style cicéronien s'efforce de prouver que celui-ci a été pratiqué avec éclat par les Français, maîtres et non imitateurs des Italiens. Contemporaine, l'édition du *De Vulgari Eloquentia* de Dante par Jacques Corbinelli, lecteur du roi, ne fait aucune allusion à l'hégémonie italienne sur le langage de la cour. Corbinelli informe au contraire ses correspondants de la péninsule des nouveautés publiées en France. Pour Henri III il commente Machiavel, mais aussi Tacite et Polybe. Il soutient que sa langue maternelle n'est qu'une dérivation du français, *il primo volgare.* On s'accorde à penser que la seule langue capable de haute poésie doit être langue de cour, fixée dans l'entourage royal. Or Dante comme Machiavel constataient avec amertume l'incapacité des États italiens, privés d'une cour centrale, à transformer leurs dialectes en langue nationale. Le langage « courtisanesque » est non seulement absous de tout emprunt, il s'élève au rang de norme. Il devient référence [15].

Même écorchée ou « entrelardée », la langue française n'est pas, n'en déplaise à Estienne, tout italianisée. Cet engouement peut agacer. Superficiel, sacrifiant à la mode, il n'est jamais servile. Accueillante aux influences étrangères, la cour reste, selon les auteurs du temps, le creuset d'une langue classique. La « réforme » de Malherbe et la théorie du « bon usage » de Vaugelas procèdent d'une telle conviction.

La cour, atelier d'Italie

« Je me souviens bien, déclare un jour François Ier, évoquant ses voyages dans la péninsule, d'avoir vu toutes les meilleures œuvres et faites par les meilleurs maîtres de toute l'Italie [16]. » François est sans doute le premier souverain conscient de la supériorité de l'art italien. Ses prédécesseurs n'avaient pas su en discerner la nouveauté. De Naples, Charles VIII avait ramené en 1495 « vingt-deux gens de métier ». Leur spécialité étonne. Aux côtés du sculpteur Mazzoni, des architectes Fra Giocondo et Dominique de Cortone, les ornemanistes — tourneurs d'albâtre, orfèvres — étaient les plus nombreux d'une liste comptant aussi des tailleurs et un gardien de perroquet. Le plus apprécié avait été un jardinier, tant les parterres fleuris de la villa de Poggio Reale avaient enchanté le roi et ses compagnons. Les artisans de l'art de vivre italien avaient davantage séduit que les véritables artistes. Dans le Milanais conquis par Louis XII, les gentilshommes français avaient découvert une architecture séduisante. La chartreuse de Pavie, au décor exubérant, comblait leur goût formé au gothique flamboyant. Mais ils étaient restés aveugles aux réalisations inspirées de l'architecture florentine. Négligeant la structure des édifices, ils n'avaient d'yeux que pour leur décoration.

Le goût de François Ier est plus aigu. Il se révèle dès son avènement. Formé par l'exemple familial et le décor d'une jeunesse passée à Amboise, son intérêt pour la beauté est profond. François aime bavarder avec les artistes, discuter les projets, s'informer des travaux réalisés dans la péninsule. Sa réputation est telle que l'un de ses courtisans, Jean de Laval, lui demande un jour de présider une assemblée de « grands ouvriers » réunis pour dresser le plan de sa demeure de Châteaubriant. Très tôt le roi est persuadé de l'excellence de l'Italie, invitant ses artistes, important leurs œuvres. Les artisans ramenés par Charles VIII avaient, pour la plupart, regagné leur patrie. Mais Louis XII avait fait des acquisitions notables. De

Léonard de Vinci, il possédait la *Vierge aux rochers,* de Fra Bartolomeo, le *Noli me tangere,* quelques ouvrages de Pérugin. Sa collection passe à son successeur qui l'enrichit. François Ier se hâte d'introduire à la cour le vieux Léonard (1516), mais le maître, logé près d'Amboise jusqu'à sa mort en 1519, occupé à des projets d'architecture ou de décors de fêtes, ne peint rien. Le souverain fait, en revanche, l'acquisition de huit ou neuf de ses tableaux, *Mona Lisa, Sainte Anne, la Vierge et l'Enfant, Saint Jean-Baptiste...*

A la même époque, Andrea del Sarto passe une année en France (1518-1519) où il peint pour le roi la célèbre *Charité.* En 1515 Fra Bartolomeo refuse de se rendre à la cour : François ne fait pas moins l'acquisition de deux de ses œuvres. D'autres artistes déclinent les invitations royales. Leurs ouvrages achetés ou reçus par le prince sont cependant leurs meilleurs ambassadeurs. Ainsi le pape Léon X refuse de se séparer de Raphaël. Mais François Ier reçoit en cadeau le *Saint Michel terrassant le dragon,* la *Grande Sainte Famille,* la *Sainte Marguerite* et le portrait par Jules Romain, disciple du maître, de *Jeanne d'Aragon,* épouse du vice-roi de Naples. Titien, pressé à son tour, « ne voulut jamais abandonner Venise ». Le duc d'Urbin, élevé en France, lui commande le portrait du roi, peint d'après la médaille de Cellini. Michel-Ange a été tenté par le voyage de France. « Le Roi, lui écrit un de ses amis, s'exprima à votre sujet avec tant de gracieuseté et de sympathie que la chose m'en parut presque incroyable. Il montra qu'il était très connaisseur de votre grand talent[17]. »

Dès les premières années du règne, François Ier fait œuvre de mécène. La cour est un foyer artistique tourné vers l'Italie. La collection royale compte une notable quantité de peintures de la haute Renaissance florentine et romaine, conservées alors à Amboise, Blois et peut-être au Louvre. Les peintres flamands sont aussi nombreux dans l'entourage du roi. François apprécie le Bruxellois Jean Clouet, son peintre ordinaire, qu'il comble de faveurs. A son retour de captivité, l'éclectisme royal se renforce. Le Flamand Joos van Cleeve vient peindre à Fontainebleau un portrait du roi et des membres de sa famille. François achète des tableaux de maîtres « drôles », dans la suite de Bosch, pour son cabinet du Louvre, acquiert des tapisseries à Anvers, adresse des commandes aux liciers de Bruxelles : la *Cène* qu'il offre au pape, les *Actes des Apôtres,* la très importante tenture de *Scipion l'Africain* sur un carton du Primatice. Sa passion pour l'art ultramontain ne se dément pas. Elle est servie par des démarcheurs comme Giovanni Battista della Palla, noble florentin un temps en exil à la cour, qui dépouille pour lui les palais toscans et achète, selon Vasari, « des œuvres choisies », « pourvu qu'elles fussent de la main de bons maîtres ». Par son intermédiaire, deux tableaux de Fra Bartolomeo entrent dans la collection royale ainsi qu'une *Résurrection de Lazare*, une des meilleures œuvres de Pontormo [18]. Il dote enfin les résidences de la cour de sculptures anciennes et modernes peu nombreuses jusqu'ici. Avec l'ardeur du néophyte, François invite une seconde fois Michel-Ange, acquiert son *Hercule*, placé au bord de l'étang de Fontainebleau, et protège l'un de ses disciples, Rustici, auteur d'un cheval de bronze colossal. Peu avant sa mort, le roi demande au maître l'autorisation d'exécuter des moulages de la *Pieta* de Saint-Pierre et du *Christ ressuscité*. Haï de ses compatriotes, accusé de vol, della Palla finit ses jours dans les prisons florentines. François trouve un autre pourvoyeur, le Vénitien Pietro Aretino.

Vers 1530 le goût italien triomphe à la cour. Après le sac de Rome et une vie errante, le peintre Rosso est à Venise l'hôte de l'Arétin. A sa demande il dessine pour François Ier une allégorie, *Mars et Vénus*, célébrant le mariage du roi avec Éléonore d'Autriche, sœur de Charles Quint : « Le Roi, comme Mars, abandonnait les armes pour Vénus », allusion à la récente paix des Dames. François remercie et invite l'artiste à se fixer en France. En octobre 1530, Rosso arrive à Paris. Cultivé, musicien, il sait plaire au roi qui en fait son premier peintre, le nomme chanoine de la Sainte-Chapelle, le couvre de faveurs. Jusqu'à sa mort en 1540, Rosso dirige toute la décoration de Fontainebleau et crée aussi des œuvres indépendantes. Son succès engage le roi à recruter d'autres artistes. Un élève de Jules Romain, le Bolonais Primatice, rejoint Rosso en 1532. Les deux peintres et décorateurs œuvrent ensemble, puis après 1540 Primatice prend seul la direction du chantier bellifontain. Son autorité paraît annoncer celle de Le Brun régentant les beaux-arts au temps de Louis XIV. Envoyé à Rome chercher « toutes sortes d'antiquités », il rapporte, dit-on, cent trente-trois caisses de marbres anciens et moulages de statues antiques. Les bronzes sont coulés à Fontainebleau par Vignole, alors en France. En 1543, le roi inspecte les statues dressées sur des piédestals dans sa galerie.

Fontainebleau, « trésor des merveilles », abrite la collection royale. « Tout ce que le Roi pouvait recouvrer d'excellent, écrit Du Cerceau, c'était pour son Fontainebleau [19]. » Les peintures sont placées dans l'appartement des bains, au rez-de-chaussée de l'aile dont la galerie

François Ier occupe l'étage noble. Le jardin de la Reine, la cour de la Fontaine s'ornent de l'*Ariane,* du *Laocoon,* de la *Vénus de Cnide,* de l'*Apollon du Belvédère.* A la suite de Rosso et du Primatice, une foule d'artistes italiens travaillent à la cour. L'architecte et sculpteur Serlio, l'orfèvre et médailleur Benvenuto Cellini sont invités en 1541. Le premier, protégé par l'Arétin, avait dédié à François Ier le livre III de son traité d'architecture publié en 1540. Le second travaille à d'importantes commandes, réalise la fameuse salière en or, mais repart précipitamment pour Florence en 1545.

Dans la seconde moitié du siècle, l'immigration d'artistes se tarit. Nicolo dell'Abate se fixe à la cour en 1552, mais les maîtres morts en France — Girolamo della Robbia en 1564, le Primatice en 1570 — ne sont pas remplacés. Architectes et sculpteurs français prennent le relais. Déjà l'entrée à Paris de Henri II en 1549, à laquelle avaient collaboré Pierre Lescot et Jean Goujon, avait marqué la victoire du « parti français ». L'imitation de l'art antique fait désormais l'économie de l'intermédiaire italien. Les artistes du royaume se rendent dans la péninsule pour découvrir directement le legs de l'Antiquité. Philibert de l'Orme avait séjourné à Rome dans sa jeunesse (1533-1536), l'architecte Jean Bullant fait le voyage d'Italie comme Du Cerceau et, probablement, Jean Goujon. Le grand sculpteur des derniers Valois est Germain Pilon, un Parisien. La mode italienne ne lâche pas son emprise, le maniérisme domine, mais ce sont des artistes français — Androuet du Cerceau, Antoine Caron — qui le traduisent [20]

Les résidences royales à l'école de l'Italie

Au temps de Charles VIII et Louis XII, la mode italienne ne s'attache guère à l'architecture. Elle se limite à la sculpture décorative, réalisée par des artistes de la péninsule — les frères Giusti par exemple — ou importée d'outre-monts, comme la grande fontaine de Gaillon ramenée de Gênes en 1508. Les châteaux royaux ne sont pas seuls à accueillir les nouveautés. Ils sont même en retard sur les initiatives des particuliers. Le décor italianisant apparaît timidement, juxtaposé aux motifs gothiques, à Gaillon, résidence normande du cardinal d'Amboise, grand admirateur de l'Italie, aux châteaux d'Oiron et de Bonnivet, propriétés des Gouffier, dans ceux du Verger construits pour le maréchal de Gié ou de Bury pour le conseiller

Robertet. Mais dès son avènement François Ier se fait architecte, rénove, agrandit, reconstruit les résidences traditionnelles de la cour.

L'influence italienne devient plus sensible. A Blois elle affecte l'aile nord-ouest édifiée dès 1515. L'élévation sur cour n'est pas nouvelle : le croisement des pilastres superposés et des corps de moulure horizontaux dessine une ordonnance en damier déjà visible à Bury. La disposition des fenêtres est irrégulière. L'escalier, de structure gothique mais au décor italianisant, donne cependant pour la première fois une impression de monumentalité. La façade dominant la ville est aussi dissymétrique mais profondément originale. Amateur averti, François Ier n'était pas resté étranger à la nouvelle mode romaine du retour à l'antique. La façade de Blois s'inspire des Loges du Vatican, œuvre de Bramante. Au-dessus d'un soubassement massif imposé par la raideur de la pente, sont superposés deux étages de loggias en plein cintre. Elles sont en fait de très profondes embrasures. Dans l'épaisseur du mur, les maîtres maçons français ont creusé de larges baies formant loge devant chaque croisée. Le parement extérieur donne ainsi l'illusion de se détacher du mur. Le contresens est flagrant. Ces maladresses, et d'autres irrégularités qui entravent l'alternance rythmique entre baies et trumeaux, rattachent Blois au passé. Par sa monumentalité et sa richesse décorative, le château prend toutefois une allure nouvelle. S'il trahit le modèle romain, son architecte s'est ouvert à la Renaissance, alors que son confrère anglais de Hampton Court conserve un esprit fondamentalement gothique.

Délibérément inspirée par l'Italie, la demeure royale est pourtant distancée par le style d'une résidence privée. Le nouveau château de Chenonceaux, propriété du financier Thomas Bohier, est contemporain de Blois (1515-1522), mais nullement influencé par lui. Sa conception est différente. Grâce à son plan massé traversé par un vestibule débouchant sur la rivière à la manière d'un palais vénitien, à son escalier à rampes droites — un des premiers en France —, au caractère géométrique de ses façades, sa structure d'inspiration italienne (et non seulement son décor) est plus novatrice.

Avec Chambord et Madrid (au bois de Boulogne), créations *ex nihilo,* les résidences de la cour rivalisent de modernité. La conception de la première doit beaucoup à Léonard de Vinci : le projet élaboré avant 1519 était tout italien. Si la construction entamée véritablement en 1526 conserve un plan gothique, l'élévation est nouvelle. Les pilastres ne servent plus à encadrer les ouvertures. Ils sont disposés à intervalles réguliers sur les façades, sans souci de la structure. L'« ordonnance chambourcine », qui confère au décor d'une façade une existence propre, est le premier pas vers la symétrie classique. Madrid, élevé à partir de 1527, rompt davantage avec la tradition française. Sans douve, de plan massé, doté de deux niveaux de loggias faisant le tour du bâtiment et de logements distribués symétriquement, c'est un palais italien dont le décor de terre cuite émaillée dû à Girolamo della Robbia accentue le caractère florentin. On ignore son auteur mais Léonard de Vinci a pu transmettre à François Ier les idées qui ont présidé à sa réalisation. L'inspiration toscane du château, éprise de régularité et de symétrie, est d'autant plus remarquable que le roi fait alors travailler à Fontainebleau. Composite, désordonnée, rustique, la vieille maison royale, même agrandie, est très en retard sur Chambord et Madrid. Comme si la reconstruction de châteaux anciens contrariait la fidèle transposition de modèles italiens ! Ainsi la couverture en terrasse de Saint-Germain-en-Laye ne suffit pas à en faire un palais méditerranéen. L'irrégularité du plan, les contreforts saillants sont héritage de l'ancien château. En revanche, le pavillon de la Muette, élevé à proximité de 1542 à 1549, offre un nouvel exemple de plan massé.

Modernes ou sensibles au style national, nouvelles ou remaniées, les résidences de la cour font école. A l'image du prince, les courtisans sont gagnés par la fureur de bâtir. A proximité des châteaux royaux du Val de Loire ou de l'Ile-de-France comme dans leurs provinces d'origine, ils font élever des demeures inspirées par le goût nouveau. Au Lude, Jacques de Daillon, chambellan de François Ier, transforme l'ancien château féodal en demeure de plaisance dont le style est directement inspiré de Blois. A La Rochefoucauld, le seigneur du lieu reconstruit les ailes sud et est : les façades extérieures répètent l'ordonnance blésoise, mais l'élévation sur cour est un pastiche de palais romain, offrant une régularité encore inconnue des châteaux royaux. Le chancelier Duprat à Nantouillet, le grand écuyer Galiot de Genouillac à Assier, inspiré de Madrid, le grand maître Montmorency à Chantilly partagent la même passion pour la bâtisse. Le royaume se couvre de châteaux. S'adressant à Henri II, un contemporain affirme : « Dorénavant vos sujets n'auront occasion de voyager en pays étrangers pour en voir de mieux composés[21]. »

Vers le milieu du siècle, la mode italienne évolue. Son adaptation avait souffert des maladresses. Désormais les leçons de la haute Renaissance sont mieux assimilées. Les architectes français vont eux-mêmes aux sources de l'art. L'inspiration de l'Antiquité est plus directe. A cette nouvelle vague d'italianisme Serlio, « architecte ordinaire du roi » en 1541, n'est pas étranger. S'il ne construit rien pour François Ier, il est fréquemment consulté et son traité d'architecture jouit d'une grande autorité. On reconnaît au théoricien de l'art classique le génie de la synthèse entre la tradition française, le style de Bramante et les règles antiques. Les maisons royales ne donnent cependant plus le ton. Les œuvres d'avant-garde appartiennent aux résidences privées. Saint-Maur, propriété du cardinal Du Bellay, « paradis de salubrité » selon Rabelais, Ancy-le-Franc, construit par Serlio pour Antoine de Clermont, Écouen, élevé pour Montmorency, le prouvent. Le château du connétable illustre l'évolution de la mode. Sa disposition rectangulaire, ses pavillons carrés à chaque angle étaient d'une régularité moderne. Mais à la différence des palais italiens, les quatre corps de logis n'étaient pas identiques et le style restait composite. A partir de 1553, les retouches apportées par Jean Bullant lui donnent un caractère classique. Les portiques des ailes nord et sud sont inspirés de l'antique, et l'ordre colossal, introduit pour la première fois en France au portique de l'aile méridionale, témoigne d'une interprétation personnelle de l'exemple romain.

Les demeures royales doivent reconquérir la première place, retrouver leur rôle de précurseur. La maturité et la capacité d'invention des architectes français vont les servir. A l'aile sud-ouest du Louvre, Pierre Lescot mêle les solutions à l'antique (respect des ordres et des proportions) et celles à la française (principe des avant-corps à colonnes superposées). La nomination de Philibert de l'Orme à la surintendance des bâtiments royaux en 1547 inaugure une ère nouvelle : l'architecture s'affranchit de la tutelle italienne. Ce n'est pas pour déplaire à Henri II. « Votre Majesté, écrit Du Cerceau en 1559, prenant plaisir et délectation à l'entretènement de si excellents ouvriers de votre nation, il ne sera plus besoin avoir recours aux étrangers[21]. » Ceux-ci abandonnent le devant de la scène : Serlio vit dans une demi-retraite avant de mourir en 1554. Sa maîtrise du savoir ancien comme des derniers raffinements de l'architecture moderne permet à De l'Orme d'imaginer un style nouveau. Au château d'Anet, œuvre de maturité, où Diane de Poitiers reçoit la cour, le portique a un caractère monumental qui dépasse les modèles romains. Le plan centré de la chapelle est conforme aux recherches de Bramante, mais plus complexe. Le portail d'entrée est totalement original comme les souches de cheminée voisines en forme de sarcophages. Philibert de l'Orme ne réfute-t-il pas dans son traité *Architecture* (1567) l'aveugle imitation des modèles antiques ou italiens ? La commande du palais des Tuileries par Catherine de Médicis le fait évoluer vers un style plus ornemental. Il crée un ordre français où les fûts des colonnes sont scandés de bagues. L'attique perd sa pureté classique. De l'Orme commence à la fin de sa vie (il meurt en 1570) « à explorer les chemins de la génération suivante[22] ».

La fin du siècle est dominée par le maniérisme. La sobriété et la froideur, inspirées peut-être par Vignole, de l'aile de la Belle cheminée, élevée par le Primatice à Fontainebleau, paraissent anachroniques en 1568. Elles contrastent avec l'exubérance décorative des Tuileries, les créations de Bullant et les projets de Jacques Androuet du Cerceau. Au petit château de Chantilly, à la Fère-en-Tardenois et à la galerie sur le Cher de Chenonceaux, Jean Bullant introduit une forme insolite de décor : lucarnes et fenêtres interrompent les entablements. A la simplicité se substitue l'ingéniosité, à l'alternance rythmique le rythme syncopé, dont Anthony Blunt a retrouvé les origines dans quelques ordonnances enchevêtrées de Palladio. Le maniérisme de Bullant est proche de celui de Du Cerceau. Ce dernier jouit depuis 1559 d'une grande faveur à la cour. Charles IX l'emploie. Catherine de Médicis le protège. Ses *Plus excellents bâtiments de France*, publiés en 1576 et 1579 et dédiés à la reine mère, contribuent davantage à sa réputation que ses talents d'architecte. Après Verneuil, son grand projet de Charleval, résidence de chasse pour Charles IX (1570), le montre attaché aux formes complexes et enchevêtrées. Désormais le modèle italien est englouti dans un jeu débridé[23]. La rupture avec l'esprit classique est consommée. Les architectes français s'étaient affranchis des modèles italiens pour redécouvrir directement l'Antiquité. Au temps des guerres de religion, ce sont les règles de l'art antique qu'ils se refusent à imiter servilement.

CHAPITRE V

Le premier foyer littéraire

Ce n'est rien, mon grand Roi, d'avoir Boulogne prise,
D'avoir jusques au Rhin l'Allemagne conquise,
Si la Muse te fuit, et d'un vers solennel
Ne te fait d'âge en âge aux peuples éternel [...]
Sans les Muses deux fois les Rois ne vivent pas.

RONSARD

Courage, donc, Ronsard, la victoire est à toi
Puisque de ton côté est la faveur du Roi[1].

Au temps de la Renaissance, la cour est-elle pour les hommes de lettres le seul foyer de réussite ? Du Bellay le pense et sa conviction est partagée par ses contemporains, car la poésie — premier genre littéraire — sans être toujours une poésie de cour, est étroitement liée à celle-ci. Ces liens étroits, renforcés par les aristocratiques compagnies parisiennes et le rôle pionnier des académies royales, font de la cour le premier foyer littéraire du temps. Toute vie des lettres est au XVIe siècle dépendante d'elle. C'est elle qui crée la mode, suscite des modèles, fait ou détruit les célébrités, attire les talents, affine le goût. Elle n'est encombrée d'aucune rivalité.

Troublée, médiocre, l'Église n'a ni force ni désir de jouer un rôle autonome dans la promotion des lettres. A l'exception de celui de Coqueret qui enfanta la Pléiade, les collèges s'ouvrent paresseusement à l'esprit de la Renaissance. Trop souvent « geôles de jeunesse captive » ou centres de création érudite et pédante à l'usage d'un étroit public d'étudiants et de maîtres, ils n'ont guère été ferment d'une vie littéraire véritable. La bourgeoisie enfin, en quête de profit dans un monde économique en mouvement et de charges dans un État d'offices en construction, est encore peu séduite par le mécénat. Reste la cour dont l'importance grandit au rythme de la centralisation monarchique. Sans concurrent notable, elle est le seul centre intellectuel important dans la France du temps[2].

« La muse demande la faveur des rois »

Bien avant *Le Siècle de Louis XIV* de Voltaire, on devine au temps de Marot et de Ronsard que la gloire des armes ne suffit pas à faire la grandeur des rois. La protection des lettres est indispensable à leur renommée car les princes

> *Vivent après leur mort, pour n'avoir été chiches*
> *Vers les bons écrivains et les avoir fait riches*[3].

Étonnant précurseur, Anne de Bretagne avait déjà groupé autour d'elle, par souci de prestige et amour des arts, hommes de lettres, panégyristes, traducteurs et poètes « amants de rhétorique ». François Ier en hérite, mais doué d'une vive curiosité et d'un goût particulier pour la poésie, s'ouvre largement aux courants intellectuels de son temps. Plus que quiconque, il est protecteur des écrivains. Clément Marot, Mellin de Saint-Gelais, Victor Brodeau, Hugues Salel résident en sa cour et vivent dans son intimité. Le ton des poèmes où Marot s'adresse à son maître indique la familiarité unissant parfois deux pairs en littérature. La création du collège des Lecteurs royaux (notre collège de France), l'avide recherche de manuscrits anciens, le choix de Guillaume Budé comme grand maître de la Librairie témoignent de l'intérêt du souverain aux œuvres de l'esprit. Sur son ordre des érudits entreprennent les premières traductions de *L'Iliade,* de Virgile, Ovide, Plutarque, Diodore de Sicile. La France est alors « enceinte des lettres et des arts ». Pourtant l'éducation de François d'Angoulême semble avoir été négligée : « Il n'avait pas été nourri aux études en premier âge[4]. » Sa réputation de lettré, il la doit à cette aptitude à parler de toutes choses avec chacun. Marino Cavalli l'assure : « Il n'en est point sur lesquelles il ne puisse raisonner très pertinemment et qu'il ne juge d'une manière aussi assurée que ceux-là même qui y sont spécialement adonnés[5]. » Curieux de tout, il se fait lire les œuvres nouvelles ; sa table est, selon

Brantôme, « vraie école, car là il s'y traitait de toutes matières[6] ». Amateur distingué, poète badin et superficiel, brillant causeur, François Ier est un passionné de culture ; il est vrai, par intermittence.

Sa sœur Marguerite est plus constante. A Paris comme à Nérac, Marot trouve chez elle refuge et protection. Sa vie durant, Charles de Sainte-Marthe lui voue un véritable culte, la décrivant comme « une poule qui soigneusement appelle et rassemble ses petits poulets [les poètes] et les couve de ses ailes[7] ». L'influence de la « Marguerite des princesses », poétesse et auteur de l'*Heptameron*, s'exerce plus profondément et plus sûrement sur la vie littéraire. Les écrivains de la cour lui doivent cet air de bonne société qui leur gagne le public des courtisans.

La « restauration des lettres » ne s'achève pas avec le règne de François Ier. Le mouvement encouragé par le roi épouse trop l'esprit du siècle pour s'effacer à sa mort. Installés à la cour, les poètes savent s'y maintenir. Rien ne doit compromettre l'œuvre commencée, les successeurs de François sont tenus de la poursuivre. Les épreuves du temps parfois la menacent : il arrive que la France, « autrefois pleine de l'esprit d'Apollon, ne l'est plus que de Mars ». La guerre achevée, remettre en usage « les Muses et Phébus » est de première urgence. Les souverains manqueraient à leur devoir s'ils négligeaient la protection des écrivains. Ainsi se fait l'éducation des rois et s'élabore le mythe du prince poète. Ronsard y contribue en adressant à Charles IX son *Institution pour l'adolescence du Roi* (1562). Savoir l'art de la guerre en est le premier précepte, mais puisque les princes « les plus brutaux » ne l'ignorent pas, il convient que les « mieux nés » y ajoutent l'étude des « beaux métiers » des muses. N'enseignent-elles pas à « ordonner » l'équité parmi les peuples[8] ? Deux siècles avant l'échange de flatteries entre despotes éclairés et philosophes, le souverain est devenu Auguste ; Virgile est son poète. Ainsi exhortés, les successeurs de François Ier ont-ils démérité ?

Henri II n'est pas poète. Ses goûts ont suscité des témoignages contradictoires. Tout en le reconnaissant inférieur à son père, Brantôme prétend qu'il « aimait fort les lettres et gens savants ». Mais l'ambassadeur de Venise note au contraire qu'il les tient « en petite considération », et d'autres le disent « maussade » et « point beau diseur en ses reparties[9] ». Sa sœur, la savante Marguerite de France, est en revanche une des premières à se déclarer pour la Pléiade. Sa femme, la reine Catherine de Médicis, préfère l'architecture à la poésie, mais aime les livres et fait rechercher des manuscrits anciens qu'elle sait acheter à bon compte. Elle a ses poètes préférés : Ronsard, vers qui elle conduit le jeune Charles IX à son retour de Bayonne, Remy Belleau, Baïf, Dorat. La compagnie des gens doctes lui convient et elle bavarde volontiers avec eux.

Avec Charles IX et Henri III, la poésie retrouve de puissants protecteurs. Quand il ne sort pas pour chasser, le premier envoie chercher « messieurs ses poètes en son cabinet », voulant « toujours qu'ils [composent] quelque chose ; et, quand ils la lui apportaient, il se plaisait fort à la lire ou se la faire lire ». Exigeant, il sait encourager l'émulation et réveiller l'inspiration. Ses récompenses sont mesurées, non par esprit d'économie, mais afin que les poètes « fussent contraints toujours de bien faire, disant [qu'ils] ressemblaient aux chevaux qu'il fallait nourrir et non pas trop soûler ni engraisser, car après ils ne valent plus rien [10] ». Ronsard ne cessa de valoir ! Le jeune monarque est son élève, passant « une grande partie de la nuit à lire ou faire réciter ses vers ». Il sollicite constamment ses multiples talents, encourage le poète (moralement et matériellement) à reprendre la *Franciade*, épopée manquée que Henri II avait tant négligée. Avec Ronsard, la Pléiade est consacrée par la volonté royale [11]. Après la mort de Charles, son influence s'estompe. Une génération nouvelle apparaît sous le règne de Henri III, mais la protection des lettres ne se dément pas. Plus que ses prédécesseurs, Henri est un intellectuel. Naturellement éloquent, cultivé, l'ancien élève d'Amyot a le goût de l'étude, de la philosophie comme de la poésie nouvelle. Philippe Desportes est à Henri III ce que Ronsard avait été à Charles IX : son poète favori. Jean Bertaut est lecteur de Sa Majesté et secrétaire ; Vauquelin écrit sur sa demande un *Art poétique*.

Parce que la monarchie française s'achemine vers la centralisation, que la cour grandit et accroît son influence, le rôle des souverains est devenu déterminant. Vrais amoureux des lettres, ou spectateurs désabusés comme Henri II, les Valois font de leur cour un brillant foyer de culture. Sans Virgile le règne d'Auguste ne serait pas devenu un *Siècle*, sans Auguste la renommée n'aurait pas couronné Virgile. Entre princes et poètes l'alliance repose sur des avantages réciproques.

ÊTRE « NOURRI » EN LA COUR

Le mécénat est une nécessité des âges anciens. Au XVIe siècle, l'homme de lettres n'a ni les moyens ni parfois le goût d'être indépendant. Tous, même Rabelais dont le style pouvait indisposer les cercles mondains, recherchent la protection des puissants. La cour est le lieu privilégié de leur quête. Montaigne avoue avoir été sensible à sa séduction : « J'y ai passé partie de la vie, et suis fait à me porter allègrement aux grandes compagnies, pourvu que ce soit par intervalles et à mon point [12]. » Au temps où nul ne peut vivre de sa plume, courtiser s'impose. Pour quels profits ?

Recevoir une commande de la cour est la reconnaissance officielle du talent, la certitude d'être lu dans l'entourage du souverain, peut-être devant le prince, l'assurance d'une récompense, seul moyen de subsister. Sous le règne de François Ier nul n'est plus quémandeur que Marot. Sa bonne humeur à solliciter ne réussit pas à masquer sa position d'obligé :

Si vous supply qu'à ce jeune rithmeur
Faciez avoir un jour par sa rithme heur,
Affin qu'on die, en prose ou en rithmant :
Ce rithmailleur qui s'allait enrimant,
Tant rithmassa, rithma et rithmonna,
Qu'il a connu quel bien par rithme on a [13].

Tous les auteurs n'ont pas accepté sans broncher cette sujétion. La dignité conférée au poète par la génération de la Pléiade vers le milieu du siècle ne peut s'accommoder de la « domesticité » qui contentait Marot. La certitude d'appartenir à l'aristocratie de l'esprit fait désormais mépriser ces flatteries de bouffon. Tenir la plume ou manier l'épée sont deux états également honorables. Pourtant, si les hommes de la Pléiade sont moins dépendants de la cour que les poètes de François Ier, aucun n'a rechigné à devenir *poète courtisan*. Joachim du Bellay a mille fois tenté de s'insinuer à la cour, flattant les puissants, chantant les louanges de Henri II [14]. Du Bellay ou l'éternel solliciteur !

Tous ne deviennent pas poètes officiels comme Marot, Ronsard ou Desportes, mais peu ont trouvé dans la cour une ingrate. Les comptes de dépenses et les états de l'Hôtel sont un véritable répertoire de serviteurs des muses, commensaux ou pensionnés. Parmi les charges de la Maison accessibles aux talents, celle de valet de chambre est recherchée. Après sa spirituelle ballade *Il n'est que d'être bien couché,* Marot l'exerce auprès de Marguerite d'Alençon, puis de François Ier. Le service de la sœur du souverain est souvent l'antichambre de la commensalité royale. Victor Brodeau, secrétaire-confident-contrôleur des finances de Marguerite, devient en 1536 valet de chambre de François Ier. Secrétaire de la Chambre est une fonction voisine, cumulée parfois avec la précédente. Ses gages garantissent l'avenir. Parmi ses titulaires on découvre Baïf, Desportes, Amadis Jamyn et Jean Bertaut, aussi lecteurs du roi. Le préceptorat des enfants de France ménage des loisirs pour se livrer à la poésie. Jean Dorat auprès des enfants de Henri II, Bertaut aux côtés du duc d'Angoulême et Charles de Sainte-Marthe de Jeanne d'Albret en tirent avantage. Si les écrivains sont clercs, une charge à la chapelle royale est leur espoir. Saint-Gelais est aumônier du roi comme Lancelot de Carle; en devenant homme d'Église, Hugues Salel obtient le titre d'aumônier de la reine. Les plus chanceux et les mieux en cour y ajoutent des bénéfices ecclésiastiques aux revenus plus réguliers que les gages des commensaux[15]. Espoirs, intrigues, rivalités (on songe à la violente querelle opposant Sagon à Marot, querelle de *sagouin* à *maraud*) animent la quête de sinécures qui permettent de versifier sans souci du lendemain. Les longues carrières de Ronsard et Desportes sont les plus achevées.

Le poète vendômois est gentilhomme et fier de sa vieille noblesse. Son père Louis exerçait le traditionnel métier des armes — il avait fait les campagnes d'Italie — et les fonctions de maître d'hôtel des enfants de François Ier. Membre de la cour, il plaça son jeune fils Pierre comme page du dauphin François qu'il vit mourir en 1536, puis de son frère Charles d'Orléans, enfin de sa sœur Madeleine en route pour son éphémère mariage écossais. Attaché à la maison de France, Ronsard fut donc homme de cour avant d'être poète. Serait-il officier comme son père ou diplomate comme son cousin Baïf ? Une « âpre maladie » dissipe ses rêves d'adolescent. Mais la surdité n'émousse pas son ambition : elle l'oriente vers le culte des muses. Il leur sacrifie son emploi à la cour. Comme la poésie ne peut le faire vivre, alors que le service du roi lui est désormais interdit, il reçoit la tonsure, non pour devenir prêtre, mais pour prétendre aux bénéfices ecclésiastiques. Si la poésie lui donne la célébrité, la cléricature lui assure une solide situation matérielle. Pour l'affirmer, Ronsard ne cesse de convoiter cure, abbaye ou prieuré. Jusqu'en 1560 il obtient une demi-douzaine de prébendes. Pourtant Henri II ne s'est pas montré toujours généreux, en dépit des dédicaces du poète :

Me blâme qui voudra d'importuner le Roi
Pour me donner du bien...,

et des appels sans détour aux libéralités royales. Comme la commande de la *Franciade* n'a été assortie d'aucune avance, le poète rappelle que le récit des aventures de son héros mérite salaire :

Mais il te faut payer les frais de son arroi.

Cependant Ronsard remplace Saint-Gelais comme aumônier ordinaire, à mille deux cents livres de gages. L'avenir est assuré mais le « poète des princes », désormais commensal, poursuit sans relâche la chasse aux bénéfices.

Puisque les fols, les sots, les jeunes courtisans,
Sont poussés en crédit devant les mieux disans.

Pour obtenir les bienfaits du prince, il se fait courtisan :

Je conçus évêchés, prieurés, abbayes,
Soudain abandonnant les muses, ébahies
De me voir transformer d'un écolier content
En nouveau courtisan demandeur inconstant.
Ô que malaisément l'ambition se couvre !
Lors j'appris le chemin d'aller souvent au Louvre,
Contre mon naturel j'appris de me trouver
Et à votre coucher et à votre lever,
A me tenir debout dessus la terre dure,
A suivre vos talons, à forcer ma nature ;
Et bref, en moins d'un an je devins tout changé[16].

Les interventions répétées de Marguerite de France auprès de Charles IX et de Catherine de Médicis avancent encore ses affaires. En 1564, il obtient l'abbaye de Bellozane au diocèse de Rouen, augmentant ainsi ses revenus de cinq mille livres ; en 1565, le prieuré de Saint-Cosme-lez-Tours qu'il conserve jusqu'à sa mort ; en 1566, par échange, un canonicat à la collégiale Saint-Martin de Tours, un nouveau prieuré, et deux ou trois autres les années suivantes. Il est devenu poète renté. S'y ajoutent diverses gratifications. Sa collaboration à l'entrée solennelle du roi et de la reine à Paris en 1571 lui vaut par exemple la coquette somme de deux cent soixante-dix livres [17]. Ces libéralités lui redonnent courage. Il « s'échauffe » de nouveau à la poésie. A la mort de Charles IX, Ronsard perd le plus dévoué des protecteurs. Henri III lui maintient sa pension et le vieux poète perçoit toujours ses gages d'aumônier. Sa collaboration aux fêtes du mariage de Joyeuse lui procure deux mille écus, la plus généreuse de ses récompenses [18]. Mais Ronsard plaît moins au nouveau roi. Il finit par déplaire. Grâce à ses nombreux bénéfices, il peut achever sa vie dans l'aisance mais doit s'éloigner de la cour où brille une nouvelle célébrité, Philippe Desportes.

Une origine bourgeoise : son père était marchand à Chartres. Une carrière précoce et rapide : c'est à vingt et un ans qu'il apparaît officiellement dans la littérature. Des revenus considérables tirés des largesses de Henri III : on le nomme « le mieux renté de tous les beaux esprits ». Matériellement, aucun poète n'a aussi bien réussi. Servi par la chance et une belle mine, Philippe Desportes fut doué d'une prescience confondante à se ranger très tôt derrière de puissants protecteurs. Son habileté à manœuvrer entre les écueils de la cour était sans pareille. Il y ajouta une souplesse de talent propre à s'adapter aux goûts changeants du public. De la famille chartraine des Chouaine, modestes serviteurs de la reine mère, aux Laubespine-Villeroy, en passant par Antoine de Senecterre, évêque du Puy, dont il fut le très jeune secrétaire, Desportes usa à merveille des relations, protections, clientèles pour s'introduire à la cour. Il y réussit. Dès 1567 il côtoie Ronsard, Baïf, Belleau, Filleul, talents consacrés, auteurs des intermèdes donnés entre les actes du *Brave* à l'hôtel de Guise. Rapidement il acquiert la notoriété et de riches gratifications. Ce n'est pas pour Charles IX que Desportes écrit, mais pour le duc d'Anjou son frère dont il chante les amours. Lorsque Henri gagne la Pologne le poète le suit, intégré à la maison du nouveau roi comme secrétaire de sa chancellerie. Après son retour en France, Henri III lui manifeste une faveur éclatante.

Desportes sait bien arracher
Abbayes commme Ronsard.

Ce parallèle est approximatif. En dépit de ses sollicitations, Ronsard n'a jamais pu obtenir d'abbaye (celle de Bellozane ne fut sa propriété que quelques mois) et sa fortune fut moindre que celle du « bien aimé poète » de Henri III, pourtant rarement quémandeur. A croire que les libéralités royales s'offraient d'elles-mêmes à Desportes ! Les nombreuses gratifications qui récompensaient ses poésies étaient en fait aléatoires. La charge de secrétaire de la Chambre, aux gages irréguliers, ne lui assurait pas une existence en rapport avec sa position à la cour. La véritable aisance, la sécurité financière requéraient en quelque sorte une abbaye. En 1579, celle de Saint-Aubin-des-Bois, puissante et riche, lui avait échappé. Trois ans plus tard la chance lui sourit. Deux abbayes au diocèse de Chartres, Tiron (7 000 livres de revenu) et Notre-Dame de Josaphat (6 000 livres) lui échoient. Pour l'occasion le poète reçoit les ordres mineurs. Sa fortune alors s'emballe : en 1583 il obtient encore deux canonicats (à la cathédrale de Chartres et à la Sainte-Chapelle de Paris), puis l'abbaye de Saint-Géraud d'Aurillac qu'il échange en 1588 contre celle de Vaux-de-Cernay (4 000 livres de rente). Si l'on ajoute celle de Bonport en 1594 (5 000 livres), on comprend que le train de vie du poète excite l'admiration et l'envie. « Il n'y avait point d'homme à la cour, écrit un de ses confrères, qui tînt meilleure table que lui, ni où les honnêtes gens fussent mieux reçus ; point d'homme qui employât plus d'argent, et plus de soin à dresser une ample et magnifique bibliothèque. » Comme on ne prête qu'aux riches, on lui attribue ces dernières paroles : « J'ai trente mille livres de rente et je meurs. » C'est sans doute huit mille livres de trop, mais cette fortune lui permit d'achever sa vie loin du Louvre [19]. Les libéralités du prince sont le salut des gens de lettres.

« Le mieux qu'on fasse, c'est de plaire aux rois »

La protection accordée aux écrivains n'est pas désintéressée. Les bienfaits royaux exigent en retour quelques services. Accueilli à la cour, le poète doit collaborer aux divertissements, séduire l'entourage du monarque, chanter ses louanges. Il versifie cartels, devises, inscriptions et étrennes, compose les livrets de ballet et de mascarade. Ronsard excelle dans le genre [20]. Passionné de musique et de danse, il est à la suite de Saint-Gelais associé à toutes les fêtes : à Fontainebleau pour le carnaval de 1564 dont il a sans doute rédigé le programme, à

Bar-le-Duc où il écrit le dialogue des Planètes et des Éléments. Il collabore à la préparation des fêtes de Bayonne (juin 1565), rime cartels et « stances à chanter sur la lyre » tandis que Baïf compose la mascarade dite du duc de Longueville. Les fêtes du mariage de Marguerite de Valois (1572), la réception des ambassadeurs polonais où il fait parler la nymphe France dans le *Ballet des Provinces* (1573), les magnificences des noces de Joyeuse (1581) réclament son concours. Longuement préparées, ces réjouissances exigent cependant d'autres collaborateurs. A la fin du siècle, on fait appel à des techniciens de la mise en scène, ordonnateurs de spectacle d'où les écrivains sont exclus. Ni Baïf, souvent sollicité, ni Ronsard ou Desportes n'ont été ainsi conviés à la réalisation du *Ballet comique de la reine*.

On commande au poète d'innombrables pièces de circonstance. Marot s'en est fait une spécialité, rimant ballades ou élégies imposées par les succès militaires, épithalames, complaintes ou déplorations, épitaphes ou « cimetières », étrennes ou épigrammes. Ces pièces font le succès de Mellin de Saint-Gelais, « grand faiseur de petits vers » sur les sujets les plus minces. Ses poèmes, parfois fort lestes, inscrits sur des bracelets, des éventails, des miroirs et jusque sur les psautiers des filles d'honneur de la reine, n'ont qu'un but : plaire[21]. C'est aussi le propos de Desportes, plus à l'aise dans la composition de petites pièces de commande que dans les divertissements grandioses. Ses sonnets, complaintes, chansons ou élégies, poèmes d'amour que ses mécènes offrent à leur maîtresse en font le porte-parole des seigneurs de la cour.

Faire l'éloge du roi, flatter les grands est une autre tâche imposée aux versificateurs, héritiers des grands rhétoriqueurs du Moyen Age. Aucun n'y a manqué. Si la flatterie est lourde et répétitive, les contemporains la jugent nécessaire. « C'est le vrai but d'un poète lyrique, prétend Ronsard, de célébrer jusqu'à l'extrémité celui qu'il entreprend de louer. » L'exaltation du monarque, la célébration du règne doivent encourager le prince à accueillir les poètes. Aussi Ronsard recommande-t-il à Henri II

.... de chercher quelqu'un pour célébrer vos faits ;
Car il voudrait autant ne les avoir point faits,
Si la postérité n'en avait connaissance[22].

Quand le roi incarne la France, rendre hommage à son pouvoir, à sa famille, à ses entours paraît naturel. Entre le respect et l'amour du monarque, les sujets du royaume (au moins jusqu'à la Ligue) distinguent mal la différence. Chanter la gloire du roi est œuvre patriotique : les *Discours* de Ronsard, vigoureux pamphlets anti-protestants, sont de cette veine. C'est aussi subtil calcul. Pour attirer l'attention, s'assurer la protection de Sa Majesté, les poètes ne sont pas chiches de pièces louangeuses. Sonnets, odes, hymnes exaltent vertus et mérites des princes. Innombrables vers conventionnels que les plus grands auteurs n'ont pas dédaigné écrire ! Songeons aux huit cents vers de l'*Hymne du Très-Chrétien Roi de France Henri II* de Ronsard ou aux *Regrets*, dont le quart des sonnets célèbre les grands au moment où Du Bellay espère devenir poète officiel[23]. Selon l'esprit du temps la mythologie, mise au service de la flatterie, renouvelle un genre qui s'essouffle. La cour se transforme ainsi en nouvel Olympe, en Olympe terrestre où les courtisans n'ont aucune peine à reconnaître derrière les grands dieux les membres de la famille royale. Jupiter est le roi, Junon Catherine de Médicis, Minerve Marguerite de France. Nul n'ignore qui se cache sous les traits de Diane. D'autres dieux peuvent, en revanche, prendre plusieurs visages. A qui décerner le nom de Mars ? Au connétable de Montmorency ou au duc de Guise, à Nemours ou Nevers ? A ce jeu les courtisans sont rois et les poètes, accoucheurs de divinités, « jupitrizent » avec entrain[24].

La cour, « maîtresse d'école »

Longtemps la critique littéraire a méprisé ou négligé ces pièces de circonstance. Beaucoup ne suscitent aujourd'hui aucune émotion, paraissent factices et insipides. A l'époque déjà on dénonçait les « mignardises » de Saint-Gelais qui « produisait de petites fleurs et non fruits d'aucune durée[25] ». Les poésies de Desportes sont parfois impersonnelles et froides. Les poèmes d'éloge tournent souvent à la flagornerie. Quand des auteurs reconnaissent l'Hercule gaulois dans les corps débiles de Charles IX ou de François d'Alençon, les contemporains, même loyaux sujets, regrettent que les poètes fassent « si bon marché de [leur] plume[26] ». La poésie de cour a mauvaise réputation. Des critiques avertis lui reconnaissent cependant quelque vertu. Tout en classant Desportes premier des poètes mineurs de son temps, M. Robert Sabatier admet l'excellence de ses vers. L'historien n'a pas qualité pour être censeur du goût. Saint-Gelais ou Desportes, quelques odes de Ronsard et sa *Franciade* n'ont plus guère aujourd'hui de lecteurs. Mais le public néglige autant l'œuvre de Maurice Scève dont la carrière s'est déroulée loin de la cour. En revanche, les épîtres de Marot, les *Regrets* de Joachim du Bellay, quelques pièces de la Pléiade et les *Amours* de Ronsard enchantent encore nos contemporains. Le destin d'une œuvre n'est pas fixé à jamais. La postérité a aussi ses modes, ses enthousiasmes et ses exclusives. En littérature comme ailleurs on redécouvre périodiquement des œuvres jusque-là jugées mineures. On ne doit ni dédaigner cette poésie de circonstance, importante en son temps, ni confondre cette poésie de cour avec la poésie à la cour. Saint-Gelais, aujourd'hui oublié, a connu un succès égal et peut-être supérieur à celui de Marot. Chaque courtisan savait alors ses vers par cœur. On reste stupéfait de la gloire de Desportes, qu'on ne lit plus mais dont les œuvres n'ont cessé d'être rééditées de son vivant.

La cour mêle dans ses applaudissements compliments galants, petits riens, aux œuvres plus ambitieuses. Elle oriente aussi le goût, guide l'évolution du style poétique. Elle a littéralement créé Marot, célébré à la cour avant de s'imposer dans les milieux littéraires. A l'entourage de François Ier et de Marguerite d'Angoulême il doit de s'être évadé de la rhétorique. A leurs côtés, il a respiré l'air de l'humanisme. Mort à la fleur de l'âge, on en aurait fait « le dernier des rhétoriqueurs ». Vivant dans un milieu mondain et lettré, il a conquis peu à peu tous les domaines et troqué les longs éloges allégoriques contre des pièces courtes, spirituelles et proches de la vie. La cour a renouvelé et rafraîchi son inspiration. Il sait ce qu'il lui doit quand il regrette le non-conformisme de François Villon : « Je ne fais doute qu'il n'eût emporté le chapeau de laurier sur tous les poètes de son temps s'il eût été nourri en la cour des rois et des princes, là où les jugements s'amendent et les langages se polissent[27]. »

Son indifférence au milieu mondain est en revanche responsable de l'audience limitée de Maurice Scève, un des rares esprits indépendants du siècle. Fidèle à son école lyonnaise, il délaisse l'entourage royal sauf Marguerite de Navarre dont il fait l'éloge. Replié sur son quant-à-soi, il refuse l'influence de la cour. Son œuvre en souffre. S'il reçoit d'innombrables témoignages d'admiration de ses pairs, son influence ne franchit pas les limites étroites d'un cercle, et ses pièces, à l'exception de *Délie*, sont médiocrement accueillies. On respecte de loin le haut et pur poète, mais on néglige le contenu de son œuvre.

L'abus de termes techniques — si nombreux dans le *Microcosme* —, la langue encore engluée dans la scolastique, l'érudition pesante lui valent la réputation d'être peu accessible, sinon illisible. Il y manque l'élégance, l'aisance de l'expression que donne la cour et qui aurait pu en faire une œuvre de tous les temps[28].

Pierre de Ronsard sait au contraire s'adapter à l'influence du milieu aulique. Ses premiers *Livres d'Odes* (1550), dans lesquels les savants avaient reconnu un « Pindare français », avaient été froidement accueillis par la cour, habituée au léger badinage de Marot. Sept années passées à l'étude de l'Antiquité avaient engendré une poésie surchargée de métaphores étranges et de périphrases érudites (« la fille du neveu d'Atlas »). Selon un mot célèbre, le poète s'était avisé de parler français en grec ! Le public boude ces exercices d'écolier. Affecté, Ronsard dénonce les courtisans « dédaignant mordre comme les mâtins la pierre qu'ils ne peuvent digérer ». Puis, réconforté par Marguerite de France qui déjoue une manœuvre de Saint-Gelais détracteur de ses vers devant le roi, il « délibéra d'écrire en style plus facile[29] ». L'hostilité première de la cour a ainsi d'heureux effets. Ronsard fait retour à la simplicité dans les recueils de 1554-1556. Il écrit encore pour les disciples des anciens et les dévots des dieux antiques, mais montre, en s'adaptant au goût du Louvre, la richesse et la souplesse de son génie. La cour est gagnée : elle le reconnaît « prince des poètes » avant qu'il ne devienne « poète des princes ». Son succès est bientôt celui de la Pléiade entière. La *Défense et illustration de la langue française* ne propose-t-elle pas un style élevé, des modèles nobles ? Ne se destine-t-elle pas autant au public des courtisans qu'à celui des doctes ?

L'évolution du goût et de la sensibilité à la fin du règne est aussi œuvre de cour. Dans l'atmosphère italianisée du Louvre, apparaît vers 1570 une poésie amoureuse inspirée de Pétrarque. Les *Amours* de 1552 paraissent archaïques : la mode est désormais à un style nouveau, précieux, mondain. Philippe Desportes est son champion. Nous avons dit son succès. Rarement œuvre a autant coïncidé avec l'attente du public. Son premier recueil publié en 1573, mais déjà connu en manuscrit, est un événement littéraire. L'agrément de Henri III consacre le nouveau pétrarquisme[30]. Une fois encore la cour oriente le goût.

Le sanctuaire des muses

Le rayonnement des lettres a son centre à la cour, mais celle-ci n'est pas seul foyer de fermentation intellectuelle. Quelques cercles mondains lui disputent ce rôle. Aucun ne se substitue à l'entourage royal comme au temps des Précieuses, aucun ne s'érige en rival comme au siècle des Lumières. La cour est leur modèle, ils en sont le discret complément. Leurs membres parlent même langage, cultivent mêmes goûts, diffusent même politesse. Ces compagnies, ancêtres des salons, sont le rendez-vous des habitués du Louvre.

Jean de Morel accueille ainsi vers le milieu du siècle poètes, humanistes et grands seigneurs dans son hôtel de la rive gauche, rue Pavée (aujourd'hui rue Séguier)[31]. Ce gentilhomme dauphinois est commensal de la reine mère et du roi ; par sa femme, Antoinette de Loynes, aussi érudite que belle, il est lié à la bourgeoisie parlementaire. Sa demeure rassemble la bonne société. Accrue par le charme et l'esprit de ses trois filles, sa réputation lui vaut l'estime de la cour. Il en fait profiter ses hôtes, notamment Ronsard. Peu après la publication de ses *Quatre Premiers Livres des Odes* (1550), une querelle littéraire oppose le poète à Saint-Gelais soutenu par les plus célèbres écrivains et le gros des courtisans fidèles à l'ancienne poésie. Les Anciens contre les Modernes ! A grand renfort de satires et d'injures, les deux écoles s'affrontent longuement. Lassés, les plus modérés des combattants tentent une réconciliation. Michel de l'Hôpital, pourtant engagé aux côtés de la Pléiade, suggère à Morel d'inciter Ronsard à faire la paix. Que Morel obtienne de son hôte quelques vers où il accepterait d'être défendu à la cour par... Saint-Gelais lui-même ! Ronsard y consent et rédige une ode adressée à son rival. La querelle s'apaise. Les deux champions multiplient les protestations d'amitié et quelques éloges pompeux. L'harmonie règne à nouveau à la cour. On avait compris que le vieux Saint-Gelais comptait trop de partisans. Ronsard ne pouvait s'épuiser dans un combat incertain. Pour conclure la réconciliation, on avait songé à Morel, proche de la cour par ses fonctions, familier des milieux littéraires par son cercle.

D'autres compagnies s'ouvrent aux poètes et, en complicité avec l'entourage royal, créent les modes. Le nouvel italianisme des années 70 naît ainsi conjointement à la cour et dans les cercles liés à elle comme celui de Villeroy ou l'hôtel de la maréchale de Retz. Nicolas de Neufville, seigneur de Villeroy, est ministre de Charles IX ; sa femme, Madeleine de Laubespine, appartient à une famille de serviteurs de l'État. Ils reçoivent à Paris et dans leur beau domaine de Conflans, entre Seine et Marne. Ronsard tient la maîtresse de maison pour sa fille d'alliance et la célèbre sous le nom de Rhodente. Desportes l'appelle plus familièrement Rozette. Il est vrai qu'il est son amant. Moins savant que sa femme mais passionné de poésie, Villeroy fait transcrire dans un album les poèmes de ses hôtes, Ronsard, Desportes, Passerat et Jamyn[32].

Beaux esprits et grands seigneurs lettrés ne sont pas moins assidus auprès de la maréchale de Retz, dans son célèbre « cabinet vert », modèle de la « chambre bleue » de Mme de Rambouillet. L'hiver à l'hôtel de Dampierre au faubourg Saint-Honoré, l'été au château de Noisy-le-Roi à l'entrée de la forêt de Marly, la maréchale réunit ce que Paris compte de plus brillant. Par sa famille, elle fréquente le Louvre. Veuve du baron de Retz, Claude Catherine de Clermont-Dampierre s'est remariée avec Albert de Gondi à qui elle a apporté en dot la terre de Retz. Favori de Charles IX, celui-ci cumule les honneurs et entasse une prodigieuse fortune. Maréchal de France en 1573, il reçoit le gouvernement de Nantes, celui de Provence et le généralat des galères. En 1581 sa terre est érigée en duché-pairie. Cette brillante situation fait du cercle de sa femme l'annexe de la cour. Le tout-venant lettré y est reçu sans façons, mais seul un petit groupe d'élus est admis dans le cabinet vert, rendez-vous de « mille déités ». Y trônent les neuf nymphes : la maréchale est Dictynne, Marguerite de Valois Callipante, la duchesse de Nevers Pistère... La plupart appartiennent à la maison de la reine, beaucoup se flattent d'être les amies de la sœur du roi. Mlle de Piennes, Hélène de Surgères chantée par Ronsard, Gilonne de Goyon, fille du maréchal de Matignon, Madeleine de Bourdeille, sœur de Brantôme, en sont les plus beaux ornements. On y rencontre artistes et écrivains appartenant à la cour : la génération de la Pléiade et celle, montante, de Desportes ; les musiciens du roi comme Guillaume Costeley, organiste et valet de chambre de Charles IX ; le peintre Jean de Court, successeur de François Clouet.

Cette société revit dans le recueil de cent cinquante poésies composées par ses familiers et reliées en un volume, ancêtre de *La Guirlande de Julie*. Un des cousins de la maréchale sera d'ailleurs le père de la marquise de Rambouillet. Des œuvres importantes sont issues de ce sanctuaire du néo-pétrarquisme : celles de Pontus de Tyard (publiée à Paris en 1573 et non dans son milieu lyonnais),

Desportes, Jodelle, Amadis Jamyn. Élégies, complaintes, sonnets célèbrent les faits les plus futiles de la compagnie. Le respect de la femme y est poussé jusqu'à l'adulation. Le cabinet vert a suscité les principaux ouvrages littéraires de la fin du règne de Charles IX[33].

L'académie du Palais

Ses relations avec les cercles mondains confirment la cour comme foyer littéraire. La création par Henri III de l'académie du Palais achève d'en faire, à la fin du siècle, le premier foyer de culture. De janvier 1576 à juin 1579, le dernier Valois s'enferme deux fois par semaine après son dîner avec un petit nombre de seigneurs « doctes hommes » et quelques dames. Si le duc d'Alençon et Henri de Navarre y participent davantage en raison de leur rang que par goût, Henri d'Angoulême, le maréchal de Retz, les Guise, le duc de Nevers sont les plus fidèles. Les favoris sont aussi conviés. Les grands noms des lettres s'y rencontrent : le vieux Ronsard, Pibrac et Doron, Pontus de Tyard, Baïf, Jamyn, Bertaut et Desportes, l'éloquent Davy du Perron, Miron et Cavriana, médecins, à l'occasion Jean Bodin. Avec Mmes de Retz et de Lignerolles, Mlles de Morel, de Surgères et de Brissac, on retrouve les familiers des compagnies parisiennes.

Selon son plus récent historien[34], la création de Henri III est entièrement originale, ne continuant en rien l'académie de musique et de poésie de Baïf (1567), officiellement patronnée par Charles IX en 1571. La première tient ses assises au Louvre, la seconde dans la maison de Baïf, rue des Fossés-Saint-Victor, voire au collège de Boncourt. L'académie du Palais est présidée par Sa Majesté qui choisit les sujets traités et désigne les orateurs, l'autre — société de concerts — n'était fréquentée qu'à l'occasion par Charles IX pour entendre les plus habiles musiciens. Baïf rêvait « d'accorder le son mélodieux de leurs instruments à cette nouvelle cadence des vers mesurés à l'antique ». L'objectif de Henri III est autre. Conscient des insuffisances de son éducation, son intention est de parcourir un cycle d'études encyclopédiques. Sans doute veut-il aussi retrouver le souvenir des académies italiennes ; et, au-delà de sa propre instruction, songe-t-il à parfaire celle des courtisans. Les débats ouverts pendant son dîner, autour de sa table (après s'être tenus à huis clos), le suggèrent. Les conférences, où le monarque est auditeur et orateur, traitent de la supériorité comparée des vertus intellectuelles et morales, des grandes émotions, colère, joie, tristesse... L'esprit est à la philosophie. Les catégories de la logique, les quatre éléments, la nature ajoutent un tour scientifique. La cour a ainsi ressenti la nécessité d'une réflexion plus intellectuelle que littéraire, embryon d'une réforme culturelle et morale exigée par la France du temps.

CHAPITRE VI

Fêtes et divertissements

Quand voirrons-nous quelque tournoy nouveau ?
Quand voirrons-nous par tout Fontainebleau
De chambre en chambre aller les mascarades ?
Quand oirrons-nous au matin les aubades
De divers luths mariés à la voix,
Et les cornets, les fifres, les hautbois,
Les tambourins, les flûtes, épinettes
Sonner ensemble avecque les trompettes ?
Quand voirrons-nous comme balles voler
Par artifice un grand feu dedans l'air ?
Quand voirrons-nous, sur le haut d'une scène,
Quelque Janin ayant la joue pleine
Ou de farine ou d'encre, qui dira
Quelque bon mot qui vous réjouira ?

RONSARD

Les Français ont tant accoutumé, s'il n'est guerre, de s'exercer, que si on ne le leur fait faire, ils s'emploient à d'autres choses plus dangereuses.

Catherine DE MÉDICIS

On reconnaît un grand roi à ses glorieux faits d'armes ou à la qualité de son administration, mais aussi aux fêtes données à son entourage et qu'il fait parfois partager à son peuple. Comme l'exercice des droits régaliens, la magnificence des fêtes de cour est devoir royal. Sans doute reproche-t-on à Henri III le luxe et le coût de ses fêtes. Mais le paradoxe n'est qu'apparent. Mêlée aux grands débats politiques et religieux du temps, la réprobation paraît dérisoire. C'est davantage la personne du souverain qui suscite la condamnation. Plus que sa passion des fêtes, son « amour de la vie molle et paisible [...] lui a fait beaucoup perdre dans l'opinion de son peuple [1] ». Le roi eût-il aimé la vie des camps, les exercices physiques, les divertissements de plein air si appréciés de sa noblesse, on eût oublié ses dépenses et conservé intacte l'image du duc d'Anjou, vainqueur de Jarnac et de Moncontour, « favori de Mars ». Quand un souverain met son énergie et sa vaillance au service de la gloire, quand sa vertu apparaît sans tache, quand la sagesse seconde l'esprit politique, ses fêtes lui sont pardonnées. Mieux, on les juge indispensables. L'excessif raffinement du dernier Valois est, aux yeux de ses sujets, aveu de faiblesse : les divertissements de sa cour ont mauvaise réputation. François Ier, Henri II, Catherine de Médicis sont des rois forts : leurs fêtes sont l'ornement de leur politique. Ainsi se forment les jugements !

Nous imaginons mal, de nos jours, l'importance et le rôle des fêtes de la Renaissance. Loin d'être attraction exceptionnelle, elles sont, dans l'esprit du temps, élément de vie dont les contemporains attendent des effets puissants, comparables à ceux de la magie et de l'astrologie. La fête n'est pas vulgaire délassement, détente banale ou frivole récréation, c'est l'indispensable partenaire de l'existence humaine et de la vie collective. Elle doit exprimer le souci de plaire, mais aussi d'instruire, exalter et « agir sur les diverses facultés de l'âme et sur les plus nobles des sens [2] ».

La cour offre au XVIe siècle mille occasions de réjouissances. Brantôme rappelle que Catherine de Médicis « prenait plaisir de donner toujours quelque récréation à son peuple ou à sa cour, comme en festins, bals, danses, combats, couremens [courses] de bagues [3] ». Lippomano, ambassadeur vénitien, assure en 1577 que « la cour s'occupa tout l'hiver de fêtes et de tournois, auxquels prit part le roi lui-même [4] ». Tout est prétexte à divertissements : « entrées » urbaines, signature de traités, réception d'ambassadeurs, visites princières, événements familiaux... « Il n'y avait, dit-on, noces grandes qui se fissent en la cour qui ne fussent solemnisées, ou de tournois, ou de combats, ou de mascarades [5]. »

Brillantes, répétées, les fêtes des Valois ont émerveillé les contemporains et séduit l'étranger. Les trois grandes séries de tentures qu'elles ont inspirées (conservées à Paris et Florence) attestent leur rayonnement et contribuent aujourd'hui encore à en perpétuer l'éclatant souvenir [6]. Les fêtes de la cour sont le centre de créations artistiques. Leur prestige tient à ce rôle novateur, à cet esprit inventif. Elles n'étaient pas toutefois sans précédent.

L'influence de la cour de Louis XI, trop « bourgeoise », ou celles de Charles VIII et Louis XII, encore modestes, est négligeable. La Bourgogne et l'Italie du *Quattrocento* avaient en revanche fourni des modèles. La cérémonie lilloise du repas du Faisan en 1454 comme les fêtes du mariage de Charles le Téméraire à Bruges en 1468, dans une débauche d'entremets, momeries et joutes, sont longtemps restées célèbres. On ignore cependant ce que les ordonnateurs des fêtes de François Ier en ont retenu. Dès leur première campagne, la découverte de l'Italie a ébloui les gentilshommes français. Florentins, Ferrarais, Mantouans étaient, il est vrai, passés maîtres dans l'art des spectacles et dans les mises en scène fastueuses, nourries de souvenirs antiques. Leurs leçons n'ont pas été perdues sur les bords de la Loire.

Le spectacle chevaleresque

Avril 1518. Trois ans après sa première expédition dans le Milanais, François Ier accueille à Amboise Laurent de Médicis, duc d'Urbin. Le neveu du pape Léon X doit y épouser Madeleine de la Tour d'Auvergne, riche princesse de sang royal. Pièce essentielle dans le jeu diplomatique du temps, ce mariage est politique. Il est donc l'occasion de fêtes superbes (suivant de peu celles du baptême du dauphin) et célébrées avec la magnificence ordinairement réservée aux filles du roi. On avait dressé une immense tenture dans la cour du château dont les façades étaient tendues de tapisseries. Les réjouissances commencèrent par un banquet où les plats arrivaient annoncés par des sonneries de trompettes. Il y eut des danses et un ballet où figuraient soixante-douze dames réparties en six groupes diversement déguisés, l'un à l'italienne, l'autre à l'allemande. La soirée se prolongea jusqu'à deux heures après minuit, mais, grâce à quantité de flambeaux et torches, il y faisait aussi clair qu'en plein jour.

Le lendemain se donnèrent les joutes et tournois qui divertirent la cour pendant une semaine. Un des sommets des épreuves fut la simulation du siège d'une place forte construite en bois, à l'identique. Tous les chevaliers invités y participèrent : ils se comptaient par centaines. Cent hommes d'armes à cheval commandés par le duc d'Alençon jouaient les assiégés, une centaine de cavaliers avec le connétable de Bourbon et autant de fantassins dirigés par le duc de

Vendôme mimaient les assiégeants. Le seigneur de Fleuranges, dit l'Aventureux, feignait avec quatre cents hommes d'armes à pied de secourir la ville, aidé par le roi qui n'hésita pas à se jeter dans la mêlée. La reconstitution du combat était minutieuse. L'artillerie même n'avait pas été oubliée. De gros canons de bois cerclés de fer crachaient des boulets, « grosses balles pleines de vent et aussi grosses que le cul d'un tonneau qui frappaient au travers de ceux qui tenaient le siège et les ruaient par terre, sans leur faire aucun mal ». Ce fut un beau combat, « le plus approchant du naturel de la guerre ». Le chroniqueur est toutefois contraint de reconnaître qu'il ne plut pas à tous, car « il y eut beaucoup de tués et affolés », ajoutant cependant qu'il y en aurait eu davantage si les « chevaux et les gens eussent été hors d'haleine car tant que haleine leur dura ils combattirent[7] ».

Le goût médiéval des exercices physiques, des tournois, joutes et combats feints ne se dément pas. François Ier, dans la jeunesse de ses vingt ans, débordant d'énergie comme les seigneurs de son entourage, y prend un réel plaisir. L'époque aime les jeux violents, ou plutôt le cocktail de la rudesse et du raffinement. Les courtisans applaudissent également un combat entre un molosse et une bête fauve, voire entre un mulet (*sic*) et un lion, et la déclamation poétique la plus élégiaque qui accompagne la mêlée. De même la solennité d'une « entrée » s'accommode parfaitement de l'horreur de la décapitation d'un condamné « en présence de plusieurs princes et gentilshommes, dames et demoiselles de la cour[8] ». François rivalise de faste avec Henri VIII au camp du Drap d'or où les querelles d'étiquette risquent à tout instant de compromettre la rencontre. Mais les susceptibilités protocolaires n'empêchent nullement le fameux *Mon frère, je veux lutter avec vous* lancé par Henri et le combat à mains nues des deux souverains les plus puissants de la Chrétienté ! La passion des jeux brutaux, exutoires d'une violence mal contenue, n'est pas sans danger. C'est l'attaque simulée du château de la Roche-Guyon le 18 février 1546 et non une campagne militaire qui eut raison du comte d'Enghien. Blessé à la tête par un coffre précipité d'une fenêtre par les pseudo-assiégés, le vainqueur de Cérisoles mourut le lendemain.

Au temps de François Ier et de Henri II, le tournoi, à l'origine conçu comme sport et entraînement militaire, demeure le divertissement favori. Donné avec régularité, il a toutefois évolué depuis le Moyen Age. Dès le xve siècle, l'introduction de la barrière en avait émoussé les dangers : courir à la barrière était devenu un exercice presque sans risques, la hampe de la lance ayant désormais beaucoup plus de chances de se briser que de pénétrer l'armure[9]. L'accident mortel dont Henri II est victime le 30 juin 1559 accélère sa transformation. Éplorée, Catherine de Médicis jura « de n'en permettre jamais depuis qu'elle en vit mourir le roi son mari[10] ». En fait les tournois demeurent mais perdent l'aspect sanglant de leurs origines. D'exercices militaires ils se transforment en spectacle.

La mode des parades guerrières sans combat, des ballets à cheval s'impose. Les carrousels font défiler devant les tribunes — nommées échafauds — des compagnies de cavaliers conduits par de grands seigneurs richement costumés en Turcs, en Indiens, en Maures et autres barbares pittoresques. On affecte de montrer l'élégance des chevaux caparaçonnés, la ciselure et le damasquinage des armures, la richesse des livrées des serviteurs. L'habileté, l'adresse succèdent à la force, les courses de bague aux tournois de lances. Celles données à Bayonne le 19 juin 1565 émerveillent les spectateurs. Six trompettes et six cornets à cheval pénètrent dans le champ clos suivis de douze maîtres de camp, « casaques [...] de tabis d'or sur soie rouge cramoisie [...], pourpoint de taffetas blanc rayé d'or, chausses de satin blanc rayé d'or, enrichies de frange d'or et bouillonnées de satin blanc rayé d'or et de soie incarnate, chapeau de velours cramoisi[11] ». Un nain richement vêtu, conduit par un géant, récite un cartel devant Leurs Majestés. Ces défis sont de règle. Tournés en vers par les poètes de cour, imprimés et distribués à l'assistance, ils constituent un genre littéraire considéré. Ce sont ensuite les entrées de six bandes conduites par le roi, le prince dauphin, les ducs de Guise, de Longueville, de Nemours et de Nevers. Les coureurs, masqués, sont « accoûtrés à l'égyptienne, à la moresque, à la vieille française, à l'espagnole, à la turque ». Les livrées rivalisent d'invention et de fantaisie. Les chevaliers du duc de Guise portent « morion en tête et grande targue en main gauche d'où sortait feu artificiel, tellement qu'entrant en lice ils semblaient être tous en feu ». Ceux de la cinquième bande sont déguisés en « nymphes vêtues à l'italienne de fort beau drap d'argent et portant scoffions et bonnets de velours blanc sur la tête ». Les courses animent encore ce spectacle déjà coloré. Les maîtres du camp adjugent enfin le prix — un diamant de six cents ducats — à un gentilhomme de la Chambre qui en fait hommage à une demoiselle de la reine d'Espagne.

Renouvelés, les tournois s'enrichissent d'une véritable mise en scène, se transforment en spectacle dramatique. Les combats de

Fontainebleau où s'affrontent le 14 février 1564 Grecs et Troyens comme ceux de Bayonne sont bien les contemporains des grands tournois à thème d'Italie. Musique et poésie se mêlent à ce qui était rudes mêlées. Un argument plus développé anime les tournois en forme de combats simulés. Les châteaux à prendre ou à défendre ne sont plus des forteresses modernes, mais des demeures enchantées gardées par des diables, nains ou géants. Des dames déguisées en nymphes sont l'enjeu de l'affrontement. On s'escrime mais on fait surtout assaut d'élégance et de galanterie. Nourris de mythologie et de romans de chevalerie, les courtisans rêvent d'amours et d'aventures qu'ils miment dans les cours pacifiées des châteaux. Le succès du *Roland furieux* de l'Arioste et de l'*Amadis de Gaule* (douze volumes in-folio !) révèle la permanence des idées chevaleresques [12]. Ces best-sellers inspirent les thèmes des rencontres, suggèrent les décors. Lorsque le prince de Condé et le duc de Nemours offrent un jour le combat à qui veut l'affronter, ils transforment le chenil du château, où ils attendent les défis, en palais merveilleux d'Apollidion, souvenir d'*Amadis*. Le temps d'un spectacle, les gentilshommes de la cour deviennent Roland, Tancrède, Roger ou Galaor. L'imagination s'enflamme. Le merveilleux est entré dans les fêtes, les divertissements violents se sont policés.

De la mascarade au ballet de cour

Un bois peint d'Antoine Caron, le *Carrousel à l'éléphant*, représente jeux et combats équestres donnés lors d'une fête nocturne à la cour. On y voit des assiégeants décidés à s'emparer d'une tour fortifiée, des quadrilles prêtes à combattre, deux cavaliers se livrant au jeu de dard. Ces scènes paraissent étranges. La tour est surmontée d'un podium rond sur lequel trône un éléphant de fantaisie défendu par des Turcs habillés de rouge. Les assiégeants — de petits sauvages verts — jonglent avec leurs lances et mènent le combat à la façon d'une danse vigoureusement rythmée. Le chef de quadrille du premier plan est vêtu en amazone couleur jaune paille et coiffé d'une toque rouge empanachée de blanc. Tous les acteurs sont masqués. Au spectacle d'inspiration chevaleresque s'est ajoutée la mascarade [13].

C'est une des réjouissances les plus prisées à la cour. Les seigneurs français ont découvert en Italie cette mode des masques. Séduits, ils l'adoptèrent.

L'accort Italien quand il ne veut bâtir
Un théâtre pompeux, un coûteux repentir,
La longue tragédie en mascarade change.
Il en est l'inventeur ; nous suivons ses leçons,
Comme ses vêtements, ses mœurs et ses façons,
Tant l'ardeur des Français aime la chose étrange[14].

Les masqueries font alors fureur sans exclure les traditionnelles momeries où le burlesque le peut disputer au mauvais goût. De François Ier à Henri III, les souverains et leur suite ne manquent jamais, le jour de carême-prenant, de « faire des momons à travers Paris », multipliant les insolences. A l'intérieur du palais, les pantalonnades les plus extravagantes amusent. A soixante-six ans, Catherine de Médicis se réjouit avec son amie la duchesse d'Uzès d'une farce où figurent, déguisés en femmes et « coiffés de rideaux de lit », l'austère surintendant des finances Bellièvre et le vieux cardinal de Bourbon ! Raffiné ou vulgaire, le déguisement est une passion largement partagée. Mais c'est l'aptitude à s'adapter à tous les types de divertissements qui explique l'immense succès des mascarades. Les unes accompagnent de grandes fêtes de plein air, tournois, courses de bague, entrées. Accommodées au grand spectacle, elles privilégient la richesse des costumes et l'ingéniosité des machines au détriment de la musique ou de la poésie. D'autres, réservées aux salles ou aux jardins intérieurs des châteaux, sont appelées mascarades de palais. Pour rehausser l'éclat d'un repas et divertir les invités, un cortège de masques entre dans la salle du festin et danse au son des violons, accompagné parfois de sirènes et de nymphes juchées sur un char, à la mode italienne. Le *Triomphe de l'été* d'Antoine Caron est le reflet de l'une d'elles : dieux et déesses précèdent un char où trône une femme élégante, allégorie de la saison estivale. Simples, ces mascarades peuvent être aussi très élaborées. Des relations imprimées en gardent alors le souvenir. Le 6 mai 1564, à Bar-le-Duc, étape du tour royal, s'affrontent dans un dialogue chanté (ou déclamé) écrit par Ronsard des personnages allégoriques. Les quatre éléments et les quatre planètes revendiquent l'honneur d'avoir fait de Charles IX le plus grand roi du monde. Jupiter les départage en s'attribuant la gloire d'avoir « mis en ce Roi tant de vertus parfaites[15] ».

Mellin de Saint-Gelais, Baïf, Passerat, Jodelle et Ronsard collaborent à ces divertissements. Si la cour sollicite les poètes, c'est qu'elle saisit toutes les occasions pour agrémenter de masques les cérémonies. Baptême ou mariage, retour de voyage, réception d'ambassadeur, intermède au milieu d'un bal ou d'une pièce de théâtre, les mascarades accompagnent tout événement. Aucun courtisan n'a oublié la mascarade sur l'Adour donnée par Catherine de Médicis à Bayonne le 23 juin 1565. Successivement sont apparus, comme sortis des eaux, une énorme baleine mécanique lançant des jets d'eau par ses évents, Neptune accourant de la haute mer sur un char tiré par trois chevaux marins, Arion sur un dauphin entouré de sirènes. C'était le triomphe des machines. Poésie et musique n'avaient pas été négligées : Neptune adressait des vers flatteurs à Charles IX et chacune des trois strophes se terminait par de la musique de cornet joué par six tritons assis sur une tortue de mer [16]. Les mascarades deviennent ainsi les magnifiques et indispensables accessoires des divertissements. Susceptibles d'infinies adaptations, elles évoluent, se transforment, s'enrichissent sans cesse. A la fin du siècle, elles contribuent à la naissance du ballet de cour.

Fruit de nombreuses recherches, synthèse d'idées dispersées, la gestation du ballet de cour est longue [17]. Le succès des danses figurées d'origine italienne y a sa part. L'ardent désir de mêler intimement poésie et musique est déterminant. Le rêve caressé par l'académie de Baïf et Thibault de Courville d'un art nouveau, fusion de tous les arts, fait le reste. Avant sa naissance officielle en 1581, on s'accorde à trouver au ballet de cour quelques précédents imparfaits mais prometteurs. Les éblouissantes fêtes célébrant le mariage du roi de Navarre et de Marguerite de Valois en août 1572 s'étaient achevées par une mascarade allégorique, *Le Paradis d'Amour*. Joute romanesque et ballet, dans un décor simultané où voisinaient les Champs Élysées et l'Enfer, associaient, à grand renfort de machinerie et d'effets d'éclairage, pantomime, musique et danse. Les fêtes données l'année suivante aux Tuileries en l'honneur des ambassadeurs polonais s'étaient ornées d'un ballet où poésie, musique, danse et décor étaient associés. Mais c'est au cours des réjouissances organisées pour le mariage du duc de Joyeuse avec Mlle de Vaudemont, sœur de la reine, que l'on donne le premier ballet de cour. On en possède une description détaillée et d'importants fragments de la partition. Le 15 octobre 1581, près de six heures durant, cent vingt acteurs représentent *Circé* ou le *Ballet comique de la reine*. C'était une première.

Dans la salle oblongue du Petit-Bourbon, proche du Louvre, le roi et sa mère sont assis sur une estrade surmontée d'un dais. A leur droite s'ouvrent le bocage de Pan et une grotte entourée d'arbres illuminés ; à leur gauche, la voûte dorée groupe les chantres. Le palais et le jardin de Circé occupent le fond de la salle, ménageant sur les côtés un passage pour les entrées et sorties des acteurs et des chars. Depuis les galeries et les gradins, les invités découvrent « d'en haut » les figures géométriques des danseurs. On voit entrer sirènes et tritons ainsi qu'une machine en forme de fontaine portant des divinités marines. Dans les naïades il est aisé de reconnaître les dames de la cour : la reine, les duchesses de Guise, de Nevers, de Joyeuse, de Mercœur, d'Aumale. Mercure, descendu sur un nuage du haut de la salle, Minerve, apparue sur un char traîné par un dragon, Jupiter monté sur un aigle, Pan et ses satyres ont raison de la terrible magicienne. Des nymphes célèbrent la victoire finale par un grand ballet dansé au son des violons.

On pourrait croire à une fête banale, encombrée des traditionnels personnages mythologiques, de machines compliquées, bourrée d'allusions politiques. C'est en fait la première représentation dramatique en musique. Poésie, musique, décor et danse ont été unis par le génie de l'Italien Baldassarino da Belgiojoso, dit Balthazar de Beaujoyeulx, « le meilleur violon de la Chrétienté » et — Catherine de Médicis aidant — valet de chambre du roi. Tous les créateurs sont des commensaux. Le poète La Chesnaye (Nicolas Filleul) appartient à l'aumônerie ; Jacques Salmon, qui a signé la musique avec Lambert de Beaulieu, est chantre et valet de chambre du roi ; le peintre de Sa Majesté Jacques Patin a créé le décor et les costumes. A la différence essentielle du ballet de 1573, monté déjà par Beaujoyeulx, l'action est désormais ininterrompue, « scéniquement cohérente ». Détruire le pouvoir maléfique de Circé afin de rétablir l'harmonie, l'ordre et la raison est le fil d'Ariane qui commande l'ouverture et les entrées, suscite les interventions divines, le jeu des machines, les chants solistes ou dialogués, les danses et le grand ballet final. Désormais musique et danse n'interrompent l'action que pour y participer, et la poésie est servante de l'argument. L'harmonie entre les arts, la participation des spectateurs à l'intrigue (dès l'ouverture le roi est invité par l'un des artistes à ruiner le pouvoir de la magicienne) ajoutent une signification politique délibérée. Exprimant la nouveauté de la continuité dramatique, l'œuvre se voit attribuer une « valeur universelle », devient modèle de « bon goût ». Éblouis, les spectateurs s'enthousiasment ; les lettrés y voient une résurrection de la tragédie antique. Les historiens d'aujourd'hui en font le premier exemple d'une longue série de représentations dramatiques dont le dernier avatar est l'opéra.

LE THÉÂTRE À LA COUR

La cour est le lieu privilégié des innovations artistiques. La transformation du tournoi de lances en spectacle chevaleresque, la richesse inventive des mascarades, la naissance du ballet y ont trouvé un cadre favorable. Sans connaître l'engouement du siècle suivant, le théâtre ne lui est pas étranger[18]. Les Valois n'ont cependant pas construit de salle de spectacle. La cour ne possède pas l'équivalent de celle de Vicence : elle se satisfait des représentations données dans les salles des résidences royales ou des hôtels particuliers. Jusqu'au dernier quart du siècle, elle ne compte pas davantage de troupes régulières à son service. Enfin jusqu'à Henri II, comédie et tragédie ne semblent pas avoir de place dans ses programmes. L'absence de représentations théâtrales dans les tapisseries consacrées aux fêtes montre qu'elles ne sont pas élément régulier des divertissements[19]. François Ier ou Henri II n'ont eu ni leur Molière ni leur Racine. La famille royale et quelques grands seigneurs comptent pourtant des amateurs comme Charles IX, Catherine de Médicis, Henri III, Joyeuse, Nevers ou la duchesse de Nemours. Les auteurs attendent beaucoup de la cour, convaincus que la magnificence d'une représentation consacrerait le théâtre, en reconnaissant leur talent. Du Bellay demande le secours des « rois et des républiques » pour restituer à « la comédie et à la tragédie » leur ancienne dignité. Enfin, le goût du public s'affine. Si François Ier applaudit le *Sacrifice d'Abraham* en 1539 ou la *Conception et annonciation de Marie* en 1543, la désaffection à l'égard du théâtre traditionnel se généralise sous son règne. On apprécie toujours les moralités et la farce, en espérant la mise en scène de genres nouveaux.

La tragédie ne séduit guère la cour. Elle l'abandonne aux collèges. Buchanan, Muret, professeurs férus d'Antiquité, sont les auteurs ; leurs élèves, les acteurs. La diffusion de ces drames est restreinte : ils sentent trop la salle de classe pour conquérir le public des courtisans. Malgré une documentation lacunaire et des sources imprécises (on ignore si toutes les pièces imprimées furent jouées), on admet que deux tragédies ont eu l'audience de la cour. *Cléopâtre captive* d'Étienne Jodelle, notre première tragédie moderne, est donnée devant Henri II en février 1553 chez le cardinal de Lorraine. Répétée quelques semaines plus tard au collège de Boncourt devant un parterre d'étudiants et d'humanistes, elle connaît un grand retentissement. Catherine de Médicis commande ensuite à Saint-Gelais et Amyot une traduction de Trissino, *Sophonisbe,* représentée en avril 1556 devant la cour, réunie à Blois pour célébrer la trêve de Vaucelles. Jouée par des amateurs, dont les filles du roi, cette tragédie ménageait quatre intermèdes à la mode italienne[20].

Convaincue que cette représentation « avait porté malheur aux affaires du royaume » (quelques années avant l'accident mortel de Henri II et l'ouverture des guerres de religion), la reine mère décida de n'en plus faire jouer. En vérité Nicolas Filleul donne encore *Lucrèce* devant le roi au château de Gaillon : le suicide qui achève la pièce n'est pas d'un meilleur augure que les infortunes de Sophonisbe. La rareté des tragédies à la cour tient sans doute à notre ignorance. Aucun texte ne permet d'affirmer la représentation devant Charles IX ou Henri III des lugubres tragédies de Cosme la Gambe, dit Châteauvieux, valet de chambre du roi. On sait en revanche que Robert Garnier n'a pu obtenir du dernier Valois l'autorisation de faire jouer ses pièces au Louvre, malgré l'appui de Joyeuse. Érudites, dépourvues d'action, ses œuvres ne pouvaient plaire aux courtisans. Dans les *Juives* (1583), le châtiment divin infligé au roi de Jérusalem pour manquement à la fois jurée suggérait trop l'accusation d'infidélité de Henri III à la cause catholique pour faire admettre la pièce à la cour[21]. Courtisans, régents de collège, magistrats cultivent des goûts différents. Aux drames lugubres la cour préfère les pièces à dénouement heureux.

Catherine de Médicis aurait ainsi inspiré un nouveau genre littéraire en honneur en Italie : la pastorale. Ces idylles rustiques ont été œuvres de cour, jouées par les courtisans histrions. L'*Aminta* du Tasse reçu à Paris en 1571, *Il Pastor fido* de son rival Guarini ont été des modèles suivis. A Fontainebleau est jouée en février 1564 la première pastorale française, *Genièvre,* adaptée d'un épisode du *Roland furieux*. Les « plus honnêtes et belles princesses et dames et filles de [la] cour » et quelques seigneurs en sont les interprètes[22]. Le succès est total. Un contemporain y reconnaît « la plus belle [pièce] et aussi bien et artistement représentée que l'on pourrait imaginer[23] ». A la musique de Nicolas de la Grotte, organiste du roi, et à la richesse du décor Ronsard a ajouté des vers en intermède. Deux années plus tard, le cardinal de Bourbon offre à Charles IX une autre pastorale, les *Ombres* de Nicolas Filleul. Les fêtes de cour prennent souvent l'allure d'événements littéraires. Si chacune de ces « premières » est suivie d'une mascarade, c'est que l'ensemble traduit l'art nouveau dont la galanterie et l'entrain flattent le goût du public.

La séduction du divertissement plaisant explique le vif succès de la comédie. Jusqu'au milieu du siècle, affirme Brantôme, les Français ne connaissent que « des farceurs, des conards de Rouen, des joueurs de la basoche et autres sortes de badins et joueurs de badinages, farces, mommeries et sotteries[24] ». La cour ne dédaigne ni les unes ni les autres. En février 1580 encore, lorsque le seigneur d'O veut donner à Henri III « nouveau passe-temps », il amène de Rouen « une compagnie de farceurs ». La comédie italienne remporte bientôt un succès sans pareil[25]. Son influence l'emporte sur celle de la comédie antique, même si Catherine commande à Baïf une adaptation du *Brave* de Plaute. La cour permet à la comédie italienne de s'implanter et triompher en France.

Sa réputation était déjà bien établie. Des voyageurs comme Rabelais, Du Bellay ou Montaigne avaient découvert et apprécié les comédiens de la péninsule dont quelques-uns avaient fréquenté la cour à la fin du siècle précédent : en 1492, Anne de Bretagne avait appelé un bateleur florentin. En 1530, un certain maître André, Italien au service de François Ier, est chargé de composer farces et moralités pour l'entrée de la reine Éléonore ; et vers 1544, Giovanni Antonio Romano (dit Valfrenière), avec cinq « joueurs d'antiques, moralités, farces, et autres jeux romains et français », suit la cour. L'événement essentiel est en 1548 la représentation à Lyon devant la cour de *La Calendria* du cardinal Bibbiena. Organisateurs, décorateurs, compositeurs, acteurs, tout était italien. On admira le décor et la machinerie ; le spectacle fit grande impression. D'autres pièces suivirent, la plupart accompagnées d'intermèdes musicaux : en 1554 ce fut *I Lucidi* de Firenzuola, l'année suivante *La Flora* d'Alamanni. Ces comédies rédigées et construites (*sostenuta*) furent vite concurrencées par la *commedia dell'arte* qui connut un tel triomphe à la cour qu'elle chassa le théâtre sérieux. Assidue aux « comédies et tragi-comédies, et même celles des Zani et Pantalons », Catherine de Médicis y prend « grand plaisir et en [rit] son saoul comme une autre ». Les spectacles de cour n'ont alors rien de compassé. La comédie s'intègre sans façons aux divertissements et aux relations mondaines. « Aller chez les Italiens » devient l'expression à la mode.

L'immense succès de la *commedia* tient aux qualités de vie, d'action, aux jeux de scène et bouffonneries qui font défaut au théâtre sérieux. Il dépend aussi du talent des comédiens. Dans les années 1570, des troupes italiennes sont régulièrement invitées à la cour. En 1571, les Gelosi se font appeler « comédiens du Roi » ; en 1572, la troupe de Ganassa donne plusieurs comédies pour le mariage de Henri de Navarre. Les Gelosi sont les plus célèbres. Lors de son passage à Venise, Henri III les avait applaudis. Devenu roi, il les invite en France, payant même la rançon exigée par les huguenots qui les ont capturés. L'envoyé du duc de Mantoue raconte leur arrivée à Blois en février 1577 : « On les attendait et désirait vivement, aussi ont-ils été reçus fort joyeusement. On les a logés aussitôt et bien traités. Le soir même ils ont joué une de leurs comédies devant Sa Majesté dans la salle où se sont tenus les états. Il y avait la plus grande foule. Ils ont fort diverti le roi et toute la cour[26]. » Protégés contre l'hostilité du parlement de Paris qui considère leurs jeux comme « paillardises et adultères [...] école de débauche à la jeunesse[27] », les Gelosi enchantent le souverain. La comédie italienne triomphe. Les auteurs français s'empressent alors d'imiter un genre qui a la faveur royale, les acteurs copient les pantomimes des Italiens. Le royaume entier connaît bientôt Zani et Pantalon.

La cour est laboratoire et creuset d'un art nouveau. Son goût ne contredit pas le goût populaire : la *commedia dell'arte* est applaudie au Louvre comme sur les tréteaux de foire. Le rire qui éclate à la Cour reçoit en écho celui de la Ville. En faisant le succès de la comédie italienne, le Louvre manifeste une sensibilité artistique tournée vers l'avenir.

« Sonner et baller »

Musique et danse qui accompagnent souvent les fêtes sont aussi données pour elles-mêmes. Plus poète que musicien, François Ier a su toutefois rassembler autour de lui instrumentistes et compositeurs de talent et réorganiser, sinon créer, la musique de la cour. Ses prédécesseurs ne l'avaient pas ignorée. En 1502 Louis XII avait ramené de Milan un orchestre de six musiciens. Amateur de chansons d'Antoine de Févin, il aimait, durant ses campagnes, les faire entendre aux dames italiennes. Le compositeur Jean Mouton a été à son service et à celui de la reine Anne dont l'intérêt pour la musique était ancien. A la fin du xve siècle, la cour (où les musiciens du Nord sont nombreux) était sensible à la musique profane, à la chanson à trois voix qui s'imposait même à l'Italie[28].

Souhaitant, à l'imitation des princes d'outre-monts, étourdir sa cour de fêtes et de divertissements, François Ier recrute des instrumentistes plus nombreux à Mantoue, Milan, Venise, Florence, Ferrare. Le plus fameux est le Mantouan Alberto da Ripa, meilleur luthiste du siècle. Compositeur de premier plan et virtuose, il répond en 1528 aux sollicitations du cardinal de Lorraine et demeure dans l'entourage royal jusqu'à sa mort en 1551. Il est le type accompli du musicien de cour comblé d'honneurs et d'argent. Le roi se plaît à le faire entendre à ses hôtes : il joue ainsi devant Paul III et Charles Quint lors de l'entrevue de Nice. Seul luthiste de la cour dont l'œuvre soit aujourd'hui presque entièrement conservée, son rôle est décisif dans la diffusion de la musique italienne dans le royaume. Ses compositions sont toutes chaleureusement accueillies par les courtisans[29].

Les musiciens du roi sont répartis en trois groupes : la Chambre, l'Écurie et la Chapelle[30]. Le premier est le domaine des solistes, chantres, luthistes, joueurs de cornet, organistes ; le deuxième réunit les musiciens d'orchestre, soit une vingtaine d'instruments pour les vents (hautbois et saqueboutes[31]), une dizaine pour les cordes qui constituent déjà la « bande française » et, selon les circonstances, fifres et tambourins. Les musiciens de l'Écurie ne se produisent jamais devant un auditoire attentif, mais participent en troupe aux fêtes royales, sonnent festins, bals, joutes et défilés. Au camp du Drap d'or, le 7 juin 1520, ils solennisent si bien la rencontre de François Ier et Henri VIII « qu'il semblait que ce fût un paradis ». Le festin qui suit et dure plusieurs heures est accompagné d'un concert permanent de danses et chansons. Au cours de la messe célébrée le 23, les chantres de la Chapelle font merveille. Français et Anglais chantent en alternance, et les instruments à vent du Très-Chrétien soutiennent les chanteurs dans le *Credo*. Un témoin rapporte qu'il « les faisait si bon ouïr qu'il est impossible de ouïr plus grande mélodie[32] ». La Chapelle constitue le troisième département. Sous la direction théorique d'un premier maître œuvrent « deux sous-maîtres, six enfants, un joueur de cornet ordinaire, un autre joueur de cornet, deux dessus mués, huit bas contre, huit tailles, huit haut contre[33] ». Avec les chapelains, clercs et précepteurs pour les enfants, elle compte une cinquantaine d'officiers en 1543. Ils étaient vingt-trois en 1515. L'organisation due à François Ier dura jusqu'à la Révolution. Seule la translation par Charles IX des violons de l'Écurie à la Chambre modifie ce schéma.

Un tel recrutement suppose une intense vie musicale. Rares sont les documents qui la décrivent. Un chœur de musique de la Chambre interprète chansons polyphoniques et madrigaux. Deux chantres et compositeurs jouissent de la faveur du prince : le Flamand Antoine Le Riche, auteur de motets, et Jean de Bouchefort. Après Louis XII, François Ier s'attache Jean Mouton qu'il tient en haute estime et Claudin de Sermisy. Reconnu comme le « père aux musiciens », celui-ci fréquente assidûment la cour comme sous-maître de chapelle. Maître incontesté de la chanson galante, il met en musique des poèmes de Marot et du roi[34]. Ses fonctions lui valent de participer aux grandes rencontres diplomatiques du règne. Paradoxalement il a sous ses ordres Clément Janequin qui, longtemps provincial, à Bordeaux puis à Angers, n'occupe qu'à la fin de sa vie le modeste poste de chantre puis de compositeur ordinaire du roi. La Chapelle compte aussi Pierre Sandrin, « composeur » assez célèbre pour figurer dans le *Discours de la Court* (1543).

Grâce à Brantôme et aux relations d'ambassadeurs, la vie musicale au temps des derniers Valois est mieux connue. Charles IX est réel amateur, chantant parfois au lutrin soit la taille soit le dessus. Pour attirer les meilleurs exécutants, il dépense d'importantes sommes, accordant par exemple soixante-quinze livres en 1572 pour frais de mission à Baptiste Delphinon, violon de la Chambre, « s'en allant présentement à Milan [...] pour faire venir des musiciens pour son service et plaisir[35] ». Vaumesnil, luthiste, l'organiste Guillaume Costeley sont ses instrumentistes préférés. Mais le roi n'a pu s'attacher Roland de Lassus, le plus grand compositeur du temps. A la cour de Bavière depuis 1556, l'artiste séjourne à Paris en 1571. Adrian Le Roy, son éditeur et ami, le présente à Sa Majesté. Mais en dépit des sollicitations, le maître, qui parcourt l'Europe à la recherche de belles voix, préfère rentrer à Munich et retrouver la chapelle ducale et ses quatre-vingt-dix musiciens. Charles IX ne manquera pas cependant de porter intérêt à ses savantes recherches et d'encourager l'édition parisienne des œuvres du « plus que divin Orlande ».

Catherine de Médicis paraît autant soucieuse de la qualité de sa musique. On vante « ses messes et ses vêpres qu'elle rendait fort agréables autant que dévotes, par les bons chantres de sa chapelle, qu'elle avait été curieuse de recouvrer des plus exquis[36] ». Bals, mascarades, tournois font place à la musique, mais Catherine donne souvent des concerts dans sa chambre. On joue les œuvres de Lassus et Goudimel, des pièces du Flamand Arcadelt et de Janequin : *La Guerre de Renty, La Prise de Boulogne, La Bataille de Metz,* succès militaires du roi et de Guise. La chanson à quatre voix, galante ou rustique, est plaisir partagé des courtisans. La disposition des recueils où les quatre parties sont disposées deux à deux en vis-à-vis, illustre la pratique sociale de la chanson. A l'exemple de la famille royale, princes et seigneurs donnent des auditions musicales. Les concerts du cardinal de Lorraine sont excellents et Henri de Guise et sa femme sont des mélomanes avertis. Fabrice Marin, leur protégé, compose un volume d'« airs, chansons et villanelles qui se récitent journellement en leur chambre [37] ».

Depuis le milieu du siècle, la chanson « parisienne » évolue sous l'influence du goût italien et de la production poétique. L'union de la poésie et de la musique est la préoccupation de ceux qui, à la cour, cultivent les arts. Faire revivre « l'usage de la lyre aujourd'hui ressuscitée en Italie », « mesurer l'ode à la lyre » est rêve et mot d'ordre. Car, prétend Ronsard, « les vers saphiques ne sont, ni ne furent, ni ne seront jamais agréables, s'ils ne sont chantés de voix vive, ou pour le moins accordés aux instruments qui sont la vie et l'âme de la poésie [38] ». Y exceller le premier est digne de louanges.

Premier j'ai dit la façon
D'accorder le luth aux odes,

assure Ronsard qui associe à l'hommage son rival Saint-Gelais, capable de « chatouiller les oreilles du roi »,

Par un luth marié aux accents de la voix,
Qui au ciel égalait sa divine harmonie [39].

Le programme est tracé : musique et poésie doivent cheminer ensemble. La publication en 1552 du supplément musical des *Amours* de Ronsard, dû à Certon, Goudimel, Muret et Janequin, est la première manifestation de leur étroite et nécessaire collaboration. Le texte doit être compris de tous. Il devient maître d'œuvre ; la musique est sa servante. Ainsi sont encouragés les essais de monodie. Mis en musique, les vers de Ronsard ont un tel succès que la cour « ne résonnait plus rien [d']autre chose ». L'habitude de chanter à voix seule en réduisant les parties sur le luth aboutit à la naissance de l'air de cour dont le nom apparaît en 1571 lorsque Adrian Le Roy dédie à la baronne de Retz son *Livre d'airs de cour mis sur le luth*. Ainsi naît ce qui allait devenir la principale manifestation de la musique vocale pendant près de deux siècles.

Le luth est au XVIe siècle l'instrument à la mode[40]. Les poètes chantent ses louanges. Saint-Gelais, Dorat en touchent ; Ronsard, Baïf, Pontus de Tyard lui manifestent un attachement particulier. Assimilé à la lyre des Grecs, il symbolise la musique entière et se pratique surtout à la cour. Celle-ci accueille les luthistes professionnels de plus en plus nombreux. Leurs services sont régulièrement rétribués. Un joueur de luth ordinaire du roi reçoit vers le milieu du siècle une pension voisine de celle d'un chantre ou d'un organiste, soit deux cents à deux cent cinquante livres. La musique vocale n'est plus seule à être honorée. Les luthistes sont aussi estimés que les compositeurs et mieux considérés que les joueurs d'instruments à vent et les violonistes, encore très dépréciés. A l'image du roi, les seigneurs de la cour emploient des « joueurs de lucs » (l'orthographe est peu fixée). Mais « toucher le luth » n'est pas réservé aux seuls professionnels : les amateurs sont nombreux. Ainsi les courtisans ne se contentent-ils plus de vivre dans un décor musical créé par les hommes de l'art : ils deviennent instrumentistes. Jouer des transcriptions de motets, airs de danse, chansons, chanter en s'accompagnant du luth est la marque d'une éducation soignée, noble exercice de la vie mondaine. L'exemple vient de haut. Diane de France, fille légitimée de Henri II, Marie Stuart, Marguerite de Valois chantent en s'accompagnant du luth. Dans ses *Dames galantes,* Brantôme ne manque jamais d'évoquer les aptitudes musicales des dames de la cour. Ses *Grands Capitaines français* comptent autant de luthistes masculins.

La danse n'est pas moins art de cour. Répandue dans la société, elle est à l'honneur dans les divertissements royaux. « A la cour, soupire l'ambassadeur d'Angleterre, il n'y a rien d'autre que des bals » et Pierre de l'Estoile confirme qu'en la salle du Louvre, il y a bal tous les soirs[41]. Agrément de la vie, la danse est aussi éducatrice du corps. Les plus graves des *danceries* inspirent un air de noblesse et assurent l'élégance du maintien, soulignée par la richesse du costume et l'éclat de la parure. Ainsi, écrit Thoinot Arbeau dans son *Orchesographie* (1588), la pavane « sert aux rois, princes et seigneurs graves pour se montrer en quelque jour de festin solennel avec leurs grands manteaux et robes de parade. Et lors, les reines, princesses et dames les accompagnent, les grandes queues de leurs robes abaissées et traînantes, quelquefois portées par demoiselles. Et sont lesdites pavanes jouées par les hautbois et saqueboutes qui l'appellent le grand bal, et le fait durer jusqu'à ce que ceux qui dansent aient circuit deux ou trois tours la salle[42]. »

Ce n'est point blesser le sentiment national que souligner là encore l'influence italienne. Les compagnons de Charles VIII, Louis XII et François Ier, fascinés par les fêtes données en leur honneur, éblouis par les habits de drap d'or et de soie, ont découvert « une infinité de pas, de gestes, d'attitudes qui les confondaient par leur grâce et leur harmonie. A Sienne ils avaient vu baller [...] cinquante dames choisies parmi les plus belles et les mieux nées de la ville ; elles avaient exécuté sous leurs yeux émerveillés des évolutions savamment cadencées[43]. » François Ier et Henri II se plaisent à la danse et Catherine de Médicis y a « très belle grâce et majesté ». Comme il avait recruté des violons en Piémont, le maréchal de Brissac fait venir en France le célèbre baladin Pompeo Diobono qui resta comme valet de chambre au service des Valois jusqu'à Henri III. D'autres Milanais suivent. Leurs danses étant parfois compliquées, la collaboration de ces chorégraphes professionnels se révèle nécessaire. Aux côtés des courtisans amateurs, ils exécutent les parties difficiles, donnent des leçons, rédigent des manuels. Grâce à eux, la courante, d'allure encore animée, la pavane (dite aussi « espagnole »), la gaillarde relaient les danses populaires en usage à la cour comme la volte ou les branles. L'usage veut bientôt qu'on fasse succéder ces danses en suites : le couple pavane (lente et glissée) et gaillarde (dite de « sauterie ») devient un modèle à multiples variantes[44].

C'est une volte que montrent les quatre répliques d'un tableau aujourd'hui perdu titré *Bal à la cour des Valois*[45]. Au centre d'une salle aux murs ornés d'une riche cheminée, un couple se détache parmi les danseurs. Le partenaire enlace sa cavalière dont la vertugade gonfle la jupe et l'élève au-dessus du sol. Les hommes portent pendants d'oreilles et coiffures chargées d'aigrettes et de bijoux ; les femmes, des collerettes démesurées, un corsage très ajusté accusant la finesse de la taille et des manches ballonnées à crevées. Le peintre a voulu conserver l'anonymat des figurants. Ceux qui peuplent le tableau représentant le bal du mariage du duc de Joyeuse sont en revanche identifiables. C'est une galerie de portraits. La salle haute du Louvre rassemble invités et musiciens. Les hallebardes rappellent la présence de la garde. Au centre les époux avancent d'un pas lent. La pavane convient parfaitement à la cérémonie qu'ennoblit la présence du roi. Henri préside, sa mère et la reine Louise à ses côtés. Derrière eux, debout, le clan lorrain : Guise qui porte le collier du Saint-Esprit obtenu l'année précédente, Mayenne au visage poupin, Aumale et le duc de Piney, son beau-frère. A la droite de Sa Majesté, Mercœur, frère de la reine, dont le cordon bleu fait éclater la blancheur de son pourpoint, et la jolie Christine de Lorraine. A droite se tiennent les musiciens, trois joueurs de luth, un violiste et une chanteuse. Rare illustration d'un divertissement répété !

Les danses de société ont été renouvelées au contact de l'Italie, mais celle-ci a lancé à la cour la mode de la danse horizontale où les interprètes dessinent sur le sol des figures géométriques compliquées, à signification allégorique[46]. Le succès est considérable. L'ambition de créer par de savantes évolutions le règne de l'harmonie, d'exprimer les mouvements de l'âme est bien dans l'esprit du temps. Le plaisir esthétique n'y est pas étranger. Ronsard a traduit avec bonheur le mouvement gracieux de ces subtiles figures :

Le ballet fut divin, qui se voulait reprendre,
Se rompre, se refaire, et tour dessus retour
Se mêler, s'écarter, se tourner à l'entour,
Contre-imitant le cours du fleuve de Méandre.
Ores il était rond, ores long, or'étroit,
Or'en pointe, en triangle en la façon qu'on voit
L'escadron de la grue évitant la froidure[47].

Tenir les Français « joyeux et occupés »

Déterminer sans préjugé le coût des fêtes et divertissements est aussi tentant que décevant. Longtemps les auteurs en ont dénoncé les dépenses sans les évaluer et sans comprendre leur signification. Les contemporains soulignaient déjà le scandale des réjouissances royales en période de difficultés voire de crise. Ronsard lui-même oppose en 1573 le faste dévorant de la cour à la pauvreté des sujets du roi.

La cour qui est comme un homme hydropique,
Que plus il boit, plus la soif domestique
Le fait reboire, et si n'en est nourri[48].

Conviction partagée par Henri Estienne et le sévère François de la Noue, pourfendeur des dépenses extravagantes des courtisans. S'y ajoutent ceux qui, par tradition ou par goût, accordent plus de prix à la vie rustique qu'ils exaltent qu'à la vie de cour qu'ils ne cessent de brocarder. Les poètes s'associent aux moralistes pour dénoncer la folle prodigalité des fêtes, oubliant qu'ils ont été souvent associés aux plaisirs des rois. Si Agrippa d'Aubigné est l'auteur du livret du ballet *Circé,* refusé par Catherine de Médicis pour son coût trop élevé, aucun divertissement des Valois (pas même les traditionnelles mascarades du carnaval) ne trouve grâce à ses yeux. C'est pourtant « son savoir en choses agréables » — il le reconnaît lui-même — qui l'a fait remarquer par Henri III. S'il a été « aimé des deux frères Guisards », c'est « pour la danse, pour les ballets qu'il inventait et les entreprises qu'il leur dressait à cheval et à pied, comme aussi il leur servait d'un des meilleurs hommes de barrière, de tournoi et de bague de son temps[49] ».

A eux seuls ces témoignages ont suffi à accréditer l'idée d'une cour dispendieuse. Même si l'humeur, la jalousie, les souffrances de l'exil, les passions religieuses, politiques ou xénophobes qui les motivent atténuent leur pertinence. On ne saurait être assez attentif aux vraies raisons de ces critiques. Ainsi les violentes diatribes de l'auteur des *Tragiques* sont-elles moins une dénonciation des dépenses de la cour qu'une attaque en règle contre les Valois.

Des observateurs attentifs se sont essayés aux précisions chiffrées. Les ambassadeurs étrangers ont parfois estimé en livres ou en écus les dépenses de la cour. Mais rares sont les évaluations du seul coût des fêtes, car les paiements « dépendent toujours de la volonté de beaucoup trop de monde et [sont] si embrouillés qu'il serait impossible d'y voir clair ». Qui devinera le sens de l'expression *menus plaisirs* (évalués en 1535 entre 96 000 et 150 000 écus) quand elle signifie aussi « achats de bijoux, notamment de diamants, présents publics faits aux dames de la cour » ? Quand ils sont comptabilisés en 1552 dans les dépenses ordinaires, les menus se confondent avec les dons royaux et atteignent 100 000 livres ; placés dans la colonne des dépenses extraordinaires, ils ne désignent plus que les fêtes estimées au double ! Plus précis, Marino Cavalli détaille : « banquets, mascarades et autres ébattements » exigent à la fin du règne de François Ier 50 000 écus par an[50]. Mais on ignore la part des divertissements ordinaires et celle des grandes fêtes. Sous le règne de Henri III, Pierre de L'Estoile ajuste parfois ses évaluations aux types de réjouissances, sans excès de précision. Le carnaval de 1577 aurait coûté — si le décès du père de la reine n'en avait réduit la dépense — cent *ou* deux cent mille francs [51] ! L'estimation s'affine lorsqu'elle porte sur des détails. Pour la course de bague disputée à Bayonne, les costumes sont revenus au double des dépenses quotidiennes de bouche de la maison du roi [52]. Le festin de Plessis-lez-Tours du 15 mai 1577, où les invités étaient vêtus de vert, nécessita « pour 60 000 francs de drap de soie verte », et pour payer le banquet de Chenonceaux, on leva 100 000 livres « comme par forme d'emprunt sur les plus aisés serviteurs du roi, et même de quelques Italiens qui, ajoute malicieusement le chroniqueur, s'en surent bien rembourser au double ». Le scandale du fastueux mariage de Joyeuse tient moins à la profusion de ses divertissements qu'à leur coût évalué à 1 200 000 écus, « énorme et superflue dépense » en un temps médiocre qui interdira longtemps toute création de même éclat [53].

Ces chiffres difficilement vérifiables, ces témoignages partiaux, les estimations lacunaires des historiens ont toutefois permis d'affirmer que les fêtes des Valois ont été proportionnellement plus dispendieuses que celles de Louis XIV ou Louis XVI. François Ier a laissé le souvenir unanime d'un souverain dépensier qui « employait des sommes considérables en constructions, en joyaux, en menus plaisirs et en autres choses [54] ». Débarrassée des critiques injustes, l'image de Henri III reste celle d'un ordonnateur de fêtes dont le luxe a un tenace parfum de décadence.

Comme celles de Versailles, les fêtes des Valois ne sont pas sans signification. La soif du plaisir, le goût du faste n'auraient pas suffi à les créer et les répéter. La volonté royale d'occuper la noblesse, de réconcilier les factions, d'éblouir l'étranger est déterminante. « J'ai ouï dire du Roi votre grand-père, écrit Catherine de Médicis à son fils, qu'il fallait deux choses pour vivre en repos avec les Français et qu'ils aimassent leur Roi : les tenir joyeux et occupés en quelque exercice [55]. » Les fêtes de la cour sont exercice de pacification. La noblesse de France a été trop menaçante pour que le souverain ne tente pas de se l'attacher ; elle est encore trop volontiers querelleuse, remuante, violente, pour qu'il ne sache pas la retenir auprès de lui. La pratique de la guerre répond à ses goûts : l'Italie, les marches de l'Empire sont alors le théâtre du défoulement guerrier. Mais après le choc des armées, il est nécessaire d'assurer le repos du militaire. Entre deux campagnes dans le Milanais ou le royaume de Naples, les quartiers d'hiver sont destinés à la reconstitution des forces, à la restauration des fortunes. Ils doivent aussi occuper les gentilshommes auxquels l'inaction pèse et à qui la rudesse des camps fait vite oublier les règles de la vie de société. Convier la noblesse aux fêtes de la cour, c'est la divertir, canaliser et discipliner son goût de la violence, la reciviliser par intérim. Car « les Français ont tant accoutumé, s'il n'est guerre, de s'exercer, que si on ne leur fait faire, ils s'emploient à autres choses plus dangereuses[55] ». Étourdir le second ordre, toujours suspect, est devoir monarchique.

Les hommes de la Renaissance croyaient en la fonction sociale et presque magique des arts : peinture, danse, musique, poésie (les ingrédients du spectacle de cour le plus achevé) avaient vocation à rétablir l'unité et l'harmonie compromises par les querelles et les luttes. Ronsard compose *Les joutes, tournois, combats, cartels et mascarades, représentés en divers lieux par le commandement de Sa Majesté,* « pour joindre et unir davantage, par tel artifice de plaisir, nos princes de France qui étaient aucunement en discorde[56] ». Tel est le sens profond des fêtes de Fontainebleau de février 1564 où Catherine réunit les ennemis qu'elle tente de réconcilier, ou celle de Bar-le-Duc, chez les Guise, en mai suivant. Voir « tous les soirs à la salle de bal [danser] huguenots et papistes ensemble[57] » est pour la reine mère satisfaction d'amour-propre et premier effet de sa politique d'accommodement. La Florentine n'est pas l'inventeur d'une telle méthode de gouvernement. Saisir l'occasion des fêtes de mariage pour raccommoder les factions opposées est traditionnel à la cour. Au temps des guerres civiles, l'usage devient règle. Ces intentions président aux noces de Henri de Navarre et de Marguerite de Valois, quatre jours avant la Saint-Barthélemy. La mascarade du 20 août 1572 a été longuement préparée. Pour les besoins de l'action, le décor de la salle du Petit-Bourbon mêle deux constructions : le paradis, assailli par des chevaliers errants voulant y ravir les nymphes, et l'enfer, où le roi et ses frères réussissent à les repousser. Catholiques et protestants participent au divertissement. Curieusement, les huguenots conduits par Navarre ne figurent que dans le camp des réprouvés. Agrippa d'Aubigné y a reconnu la menace du massacre proche : à tort. La maladresse eût éveillé les soupçons. D'ailleurs les prisonniers de l'enfer sont bientôt délivrés et, les dames aidant, conduits aux Champs Élysées. Ballet final et feu d'artifice symbolisent le retour (on le sait éphémère) de l'union et de la paix scellées par le mariage princier.

Malgré cette coïncidence dramatique, la valeur pédagogique des fêtes de cour reste entière. N'est-elle pas une des intentions avouées par Balthazar de Beaujoyeulx dans la préface du *Ballet comique de la reine ?* « Ainsi après plusieurs désordres advenus [...] cela servira de vraie et infaillible marque de bon et solide établissement de votre royaume[58]. » De la supplique faite au roi de ramener la paix au final où le souverain triomphe de Circé, tout plaide pour l'éminente signification politique du spectacle de cour. A chaque divertissement la gloire du monarque trouve son compte. Exalter la monarchie, louer, flagorner celui qui l'incarne ne manquent pas de prétextes, Ballets de cour, intermèdes, mascarades comptent des couplets à la louange du roi, comme les opéras en trufferont leur prologue. Spectacle offert à tous, les entrées répandent l'image du prince, héros de l'Antiquité, Hercule gaulois sage et puissant, pilote et capitaine de la nef France. Tournois et jeux sportifs flattent le souverain en lui donnant l'occasion de montrer sa prouesses aux armes. François Ier et Henri II ont su en tirer prestige et combler les goûts d'une noblesse avide d'exploits. Les tournois en forme dramatique contribuent enfin à distinguer le prince de la masse des gentilshommes et à en faire le restaurateur de l'ordre. Avant Louis XIV, Charles IX est ainsi comparé au soleil :

Le soleil et notre roi
Sont semblables de puissance,

et le poète d'imaginer entre eux une unique différence :

C'est que le soleil mourra
Après quelque temps d'espace,
Et Charles au ciel ira
Du soleil prendre la place[59].

La réconciliation (toujours recommencée) des factions nobiliaires et l'exaltation du monarque obsèdent davantage les ordonnateurs que les dépenses. Si les plaisirs sont la manière ordinaire d'échapper à la politique, les fêtes sont le moyen privilégié pour la servir.

Instrument de gouvernement, elles sont aussi la vitrine de la France pour la Chrétienté. Leur coûteuse splendeur trouve alors sa pleine justification. Le faste de quelques-unes risque de choquer au temps des guerres civiles, mais ne s'agit-il pas, demande Brantôme, de « montrer à l'étranger que la France n'était si totalement ruinée et pauvre, à cause des guerres passées, comme il l'estimait[60] » ? Les fêtes de Bayonne, les plus somptueuses du siècle, sont destinées à éblouir les Espagnols. Elles remplissent leur rôle à merveille : les Castillans, « qui sont fort dédaigneux de toutes autres [choses], fors des leurs, jurèrent n'avoir rien vu de plus beau, et que le roi [Philippe II] n'y saurait pas approcher[60] ». Tous « furent moult émerveillés ». Les chroniques prouvent qu'il ne s'agissait pas d'une démonstration de vulgaire vanité. Au temps où prodigalité et puissance sont liées dans les esprits, la réputation du royaume est en jeu. Le faste déployé doit conjurer la « gueuserie » dont les Espagnols gratifient aimablement les Français ; l'invention festive, démontrer la maîtrise des grandes cérémonies ; la participation active de la noblesse catholique et protestante, être le symbole vivant de l'unité de la nation. Rares sont les Espagnols à se mêler aux divertissements de Bayonne : la noblesse de France est seule mise en scène. A travers la fête, chacun a quelque chose à démontrer : Catherine, la force du royaume face au roi catholique ; le jeune Charles IX, la supériorité du principe monarchique à l'égard du second ordre. Rien n'a été négligé pour établir aux yeux de tous la puissance du Très-Chrétien[61].

Bourgeois de Paris et huguenots ont dénoncé le caractère parfois licencieux des fêtes. Dès l'avènement de Henri II, la cavalcade de Blois, où des courtisanes nues étaient juchées sur des bœufs, suscita les critiques. Cette caricature de fête païenne fut tournée en gaudriole par le bon peuple. Mais vingt ans plus tard les protestants criaient encore au scandale et Henri Estienne dans son *Apologie pour Hérodote* s'en souvient comme d'une abomination[62]. Les fêtes données par Henri III et sa mère au Plessis et à Chenonceaux en mai-juin 1577 n'ont pas meilleure réputation. Le banquet travesti du 15 mai resta longtemps dans les mémoires : en 1605, l'*Ile des Hermaphrodites* rappelle cette orgie. Le repas nocturne de Chenonceaux du 9 juin suivant fut jugé plus scandaleux. Le service était assuré par de jeunes filles de la cour, à « demi nues et les cheveux épars comme des épousées ». Henri III se présenta habillé en femme, fardé, frisé, couvert de bijoux, comme ses mignons que quelques beautés faciles tentaient de séduire[63]. Ces dérèglements ne sont pas la norme. Occasionnels, ils sont liés à la sensibilité fantasque de Henri III, au nécessaire repos du guerrier, voire aux tentatives de séduction exercées sur les chefs des factions hostiles à la politique royale : le banquet de Chenonceaux cherchait ainsi à satisfaire le duc d'Anjou dont la paillardise était notoire. Ces saturnales ne résument pas l'esprit de la cour.

Débauche et distinction coexistent dans un siècle contrasté, mais la cour offre le plus souvent à ses hôtes des « plaisirs honnêtes ». Décence, vertu, amour sentimental sont aussi des idéaux que les fêtes, comme les romans, sont chargées d'exalter. Catherine de Médicis y veille. On raconte qu'un jour, tandis qu'on célébrait devant elle les sonnets de Pétrarque, elle « excita » Ronsard, qui ne cessait de chanter « l'amour, le vin et les banquets dissolus », à « écrire de pareil style comme plus conforme à son âge et à la gravité de son savoir[64] ». Ainsi naquirent les cents douze sonnets à Hélène de Surgères, fille d'honneur de la reine mère. Gaillards, les divertissements ne sombrent pas dans la débauche. S'ils imitent parfois les fêtes antiques, ils s'efforcent — Catherine de Médicis aidant — de « fuir [les] lascivetés en propos » des Anciens. C'est de chasteté et d'amour pur dont parlent les « entremets » de Fontainebleau (1564), les cartels et mascarades de Bayonne. L'amour sentimental l'emporte sur l'amour brutal dans les pastorales à la mode. Les nymphes, symbole de pureté et d'idéalisme, triomphent des satyres, images grimaçantes de l'instinct non contrôlé. L'allégorie est mise au service des bienséances. En divertissant, les fêtes enseignent une civilisation des mœurs.

CHAPITRE VII

Le style de la cour

A la cour, c'est toujours de la faveur du prince que tout dépend.

LIPPOMANO

Le roi est le distributeur d'un nombre infini de places, de dignités, de charges, de biens ecclésiastiques, d'appointements, de présents et d'autres émoluments et honneurs dont ce pays-là abonde plus que tout autre.

SURIANO

L'idéal de l'époque, c'est d'être à la fois fort et délicat, rude et cultivé, exercé au combat et versé dans les arts.

Stefan ZWEIG

Pour affirmer leur autorité sur les féodaux, les souverains du Moyen Age ne songeaient pas à les attirer auprès d'eux. Les séduire par une vie brillante, les étourdir de fêtes, les transformer en solliciteurs ne paraissaient pas indispensables pour réduire l'indiscipline des grands. L'impécuniosité des Capétiens l'aurait d'ailleurs interdit. L'usage politique de la cour leur échappait alors que leurs contemporains italiens subordonnaient leur entourage aux intérêts de l'État. A Ferrare par exemple, de la banale activité quotidienne aux cérémonies les plus pompeuses, la cour des Este ne se détachait jamais de la politique. Toute manifestation aulique devait concourir au prestige de la dynastie et à l'affirmation de l'autorité du prince. A l'inverse de leurs prédécesseurs, les Valois s'inspirent de cet exemple. La cour devient un moyen de gouvernement.

La cour, instrument de règne

Au XVIe siècle, cour et gouvernement sont mêlés. Magistrats et longues robes ne règnent pas seuls dans les conseils royaux. Si le conseil des parties, ou privé, est le domaine des techniciens de la justice et de l'administration (chancelier, secrétaires et conseillers d'État, maîtres des requêtes), le conseil étroit réunit ceux qui jouissent de la faveur royale. Chaque matin après son lever, le monarque fait appeler « ceux des affaires de Sa Majesté », conseillers intimes pour la haute politique. Au temps de François Ier on y rencontre le chancelier Duprat, issu de la bourgeoisie auvergnate, le premier président Poyet, Bochetel et Laubespine, mais aussi les ducs d'Alençon et de Guise, le roi de Navarre, Anne de Montmorency — premier baron chrétien —, les amiraux d'Annebault et Chabot, les cardinaux de Tournon et de Lorraine. Les dignitaires de la cour l'emportent sur les robins. A son avènement, Henri II s'entoure de princes du sang comme Albret et Vendôme, de membres de la maison de Lorraine, des Saint-André père et fils et du connétable rentré en grâce. Le Conseil, toutes sections confondues, est davantage peuplé de membres de la famille royale, de ducs et pairs, d'officiers de la Couronne et d'hommes d'épée que de magistrats [1]. Les guerres de religion, qui mobilisent les factions à la conquête du pouvoir, renforcent encore la présence des gentilshommes au Conseil. Tenir le premier rôle dans la maison du roi s'accompagne alors de responsabilités politiques.

Si la cour associe les grands à l'exercice du pouvoir, elle doit les dissuader de rivaliser avec l'autorité monarchique. Les Valois comprennent que la cour est le moyen de prévenir toute opposition nobiliaire, de détourner le second ordre de la tentation féodale. Tenir sa cour, c'est tenir sa noblesse. Comme les nominations de gouverneurs ou de baillis, l'octroi de charges de commensaux doit stimuler les fidélités, récompenser les serviteurs zélés. Au temps où les grands grossissent leur clientèle, attirer et retenir des gentilshommes à la cour renforce l'autorité monarchique. Le second ordre répugne encore à se déraciner, l'attraction des palais royaux reste modéré, mais il suffit de convaincre les plus puissants lignages pour s'assurer la fidélité des membres de leurs « partis » attachés à leurs manoirs.

En gagnant quelques grands seigneurs, le souverain capte le loyalisme des hobereaux.

La noblesse y trouve avantage. Quelle famille rechignera à confier ses fils à l'école des pages, classe préparatoire à la carrière des armes, à placer ses filles dans les maisons de la reine et des princesses pour parachever une éducation mondaine et réaliser un bon mariage ? Servir le roi procure honneur et dignité. Le gentilhomme ambitieux rêve de partager l'intimité de Sa Majesté, convoite la place de favori. Le monarque joue de ces grandes espérances. Le jeu, toujours renouvelé, des faveurs et des grâces mobilise sans cesse de nouveaux serviteurs. Les mignons dont s'entoure Henri III dès son avènement comme la création des Quarante-cinq, nouvelle garde chargée de sa protection rapprochée, répondent au souci royal d'élargir le cercle de ses fidèles, en marge des grands lignages traditionnels. Épernon a été ainsi choisi par le dernier Valois pour briser les intrigues et affaiblir les principales coteries de cour. La fondation de l'ordre du Saint-Esprit (1578), créant le club très fermé des *cordons bleus*, est de même nature. Pierre de l'Estoile devine que le roi a inventé « cet ordre pour adjoindre à soi, d'un nouvel et plus étroit lien, ceux qu'il y voulait honorer ». Le serment exigé des chevaliers est destiné à « les rendre plus loyaux et affectionnés serviteurs[2] ». Le déchaînement des rivalités à chaque nomination révèle la pertinence du calcul.

Charges et honneurs n'épuisent pas les attraits de la cour. Dons et pensions ne laissent pas la noblesse insensible. Affectés par l'insuffisance des rentes et des droits seigneuriaux, ses revenus souffrent d'une diminution que l'inflation des prix rend insupportable. Dans ses *Discours politiques et militaires* François de la Noue constate cet appauvrissement et analyse ses causes. Contrairement à l'idée reçue, les campagnes militaires ne lui semblent pas responsables. Si les dépenses des guerres d'Italie n'ont pas entamé sa prospérité, c'est que la noblesse « qui servait, n'était mal payée ni destituée d'honnêtes récompenses, provenantes de la libéralité du Roy[3] ». Celle-ci est la sauvegarde du second ordre. Mieux que les gages, modestes et mal payés, les pensions rétablissent souvent des situations compromises. Pierre de Saint-Feyre, gentilhomme limousin, en convient : « Mon frère avait relevé sa maison de grande pauvreté, et si n'eût été sa maladie, eût acquis de grands biens, car était bien en grâce du Roy[4]. » C'est aussi mille livres de pension royale — l'essentiel de ses revenus — qui permettent à Jean d'Estouteville, comte de Créances, d'équilibrer ses comptes[5]. Le montant des pensions varie à l'infini. Si

Jean-Jacques Trivulce, maréchal de France, reçoit dix mille livres[6], le duc de Guise seize mille, cinq ou six cents francs sont, au temps de François Ier, les dons les plus répandus. Certains gentilshommes se contentent aussi de véritables aumônes, de cinquante ou cent sous, pour nourrir leurs enfants ou aider à les marier. L'état du Trésor et les impératifs politiques orientent les libéralités royales.

Vers la fin du règne de Henri II le paiement des pensions est suspendu. L'avènement de François II n'y change rien : le Trésor ne paie ni les arriérés ni l'année en cours. On maintient les subsides royaux aux réfugiés italiens, que l'exil prive de tout autre revenu, mais on les supprime provisoirement aux régnicoles. De quoi exciter les jalousies ! Les difficultés financières compromettent en effet tous les dons royaux. L'édit de Saint-Germain du 18 août 1559 révoque les aliénations du domaine royal faites à titre gratuit pour récompense de services rendus[7]. On espère récupérer ainsi trois cent mille livres. Cette décision, qui rétablit quelque respect des lois fondamentales, manque de sens politique. Ingrate, la monarchie ne risque-t-elle pas de perdre ses plus fidèles soutiens ? Sevré des libéralités royales, le courtisan trouvera moins d'attraits à la cour. Conscient du danger, le gouvernement des Guise accorde tant de dérogations que l'édit perd toute efficacité. La politique a ses raisons qu'une comptabilité rigoureuse ignore.

Si la cour n'avait été qu'un bureau de placement ou un réservoir d'écus, son rôle politique eût été fragile. Considérer les courtisans comme des solliciteurs impécunieux ou des assistés permanents est méconnaître la mystique royale. La cour peut être un instrument de règne parce que la fréquentation quotidienne de celui qui incarne la monarchie impose à ses familiers un respect déférent. Selon leurs tempéraments, les Valois se sont efforcés de ritualiser les gestes ordinaires de leur service domestique, de transformer leurs compagnons en courtisans.

La naissance de l'étiquette

Au milieu du XVIe siècle, écrit Voltaire, « la simplicité des mœurs antiques était encore dans le palais des rois[8] ». Rude et familière, la cour de François Ier est souvent considérée comme le dernier reflet de l'âge de la chevalerie. Le roi est le premier des gentilshommes. On le craint, mais son air affable, sa cordialité, sa franchise ne le rejettent pas dans un Olympe inaccessible. Le cérémonial de la cour n'est jamais compliqué. Le souverain l'eût-il voulu, ses déplacements incessants l'en auraient empêché. Les longues parties de chasse, les nuits à la belle étoile contrarient toute liturgie royale. Le style de la cour reste simple. François aime à vivre en brillante assemblée, mais dames et gentilshommes invités à sa table ou conviés à ses fêtes sont davantage des compagnons de société que des spectateurs gourmés. La stupéfaction du maréchal de Vieilleville devant l'étiquette de la cour d'Angleterre révèle *a contrario* le naturel de celle de Fontainebleau. Convié à un festin royal donné à Londres, le maréchal note que « les milords chevaliers de l'ordre de la Jarretière, portant les plats après le grand maître, [servaient] les têtes nues ; mais, approchant de la table, ils se mettaient à genoux, et venait le grand maître prendre le service de leurs mains, étant ainsi agenouillés ; [...] nous trouvâmes fort étrange de voir de si anciens chevaliers, gens de valeur et grands capitaines des plus illustres maisons d'Angleterre, faire l'état que font les enfants d'honneur et pages de la chambre devant notre Roy, qui ont seulement les têtes nues portant le service, mais ne s'agenouillent nullement, et en sont quittes pour une révérence d'entrée et d'issue de la salle où se fait le festin[9]. » Les usages de la cour de France ignorent cette « rigueur turquesque » d'outre-Manche.

La cour de Henri II est plus organisée que celle de son père. Nous savons qu'elle se déplace moins. L'observation du cérémonial est plus régulière[10]. Le lever du roi n'est plus un acte ordinaire de la vie, mais une solennité qui se renouvelle chaque matin à la même heure. Au Louvre, à l'étage de l'aile Lescot, la grande salle rassemble « princes, seigneurs, capitaines, chevaliers de l'ordre, gentilshommes de la chambre, maîtres d'hôtel, gentilshommes servants ». Quand Sa Majesté prend la chemise, tous tentent de s'introduire dans la chambre d'apparat. Les plus chanceux sont honorés d'une parole pendant que le souverain achève de s'habiller. Les affaires de l'État — lecture des dépêches et présidence du conseil étroit — obligent le gros des courtisans à se retirer. Après dix heures, ils accompagnent le roi à la messe. Au dîner (notre déjeuner) quelques privilégiés partagent son repas. Les cuisines sont éloignées de l'appartement royal : à Fontainebleau, elles occupent le rez-de-chaussée de la galerie François Ier ; au Louvre, la basse-cour située à l'ouest de l'aile neuve. Chaque déplacement du grand écuyer tranchant portant la nef et les couteaux, du maître d'hôtel chargé d'aller quérir la viande, du panetier et de l'échanson est précédé d'un huissier de salle. Enfants d'honneur, pages, officiers ferment la marche. Henri tient ensuite chez la reine ou les dames « une façon de cour » où chacun s'essaie à briller. Promenades et jeux réunissent à nouveau roi et courtisans. On sait les Valois sportifs. A la paume, Henri II n'est plus qu'un joueur ordinaire. « Quand on le voit ainsi à son jeu, note un témoin, on n'imaginerait pas qu'il est le roi car on n'observe ni cérémonie ni étiquette à son égard, si ce n'est que lorsqu'il passe sous la corde on la lui lève et qu'on ne se sert que d'une balle par raquette ; autrement, personne ne saurait distinguer si c'est le roi qui joue. On discute même des fautes, et j'ai vu plusieurs fois qu'il lui fut donné tort. Vient le voir qui veut [11]. »

Se montrer aux courtisans, les tenir occupés sont les premiers devoirs du souverain. Dans une lettre fameuse adressée à l'un de ses fils, Catherine de Médicis rappelle cette règle d'or répétée six fois en quelques lignes : « contenter » la noblesse. Fêtes, bals et jeux — « deux fois la semaine, après souper » — sont, on le sait, distractions obligées. Le roi ne doit vivre retiré à son étude que le temps nécessaire aux affaires de l'État. Être en représentation est un élément essentiel de sa vie. Les courtisans y sont à chaque instant associés. Ordre et règle doivent donc présider à la tenue de la cour. Si celle-ci n'est pas aussi disciplinée que Catherine de Médicis le prétend — dans la maison du roi les altercations n'ont jamais manqué et l'insolence des pages est proverbiale —, la cour des deux premiers Valois est policée. Son style bon enfant admet les prémices d'un protocole promis à durer. Ainsi, seuls les fils et filles de France entrent « en coche, à cheval et litière » dans la cour du Louvre ; princes et princesses « descendaient dessous la porte ; les autres, hors la porte [12] ».

Les guerres civiles dérèglent une machine qui se perfectionnait. La simplicité devient trop souvent privautés. L'impudence des courtisans, peut-être favorisée par la jeunesse des rois, choque les ambassadeurs étrangers. « Les laquais eux-mêmes et les gens de la plus basse condition, écrit l'un d'eux en 1561, osent pénétrer dans le cabinet du roi, pour voir tout ce qui s'y passe, pour entendre tout ce dont on parle [13]. » On lit les dépêches par-dessus l'épaule du souverain, on se couvre et on s'assied en sa présence. Les plus insolents s'emparent du siège qui lui est réservé. Les impertinences que Concini multipliera envers le jeune Louis XIII sont alors manières communes. La cour s'abandonne au débraillé.

Par tempérament, Henri III déteste le laisser-aller. Par souci de la dignité royale, il réprouve la désinvolture des courtisans. Ses premières initiatives tendent à préserver le monarque des familiarités. Elles sont mal accueillies. Dès son retour de Pologne, écrit de Thou, « on ne le voyait qu'enfermé avec quelques favoris dans un petit bateau peint qui se promenait sur la Saône ; il ne mangeait plus qu'avec une balustrade qui ne permettait pas de l'approcher ; et si on avait quelques placets à lui présenter, il fallait se trouver à l'issue de son dîner où il les recevait en courant [14] ». Cette répugnance à se montrer disponible et attentif à la noblesse choque son entourage. Henri doit en revenir « à l'ancien usage de ses devanciers [15] ». Ce retour est provisoire. Jamais Henri III n'abandonna le projet de borner la liberté des courtisans.

Plusieurs règlements précisent l'étiquette jugée indispensable à sa cour. Leur répétition cependant — 1578, 1582, 1585 — dit assez le poids des habitudes. Les règles prescrites sont un mélange de bon sens, d'hygiène et de raffinement protocolaire. Exiger le nettoyage quotidien des cours, escaliers et salles du palais est saine mesure qui ne rencontre aucune hostilité [16]. La barrière protégeant la table du roi de la presse des courtisans les plus audacieux répond à de naturelles exigences de confort et à la préservation de la dignité du monarque. L'accès sélectif à l'appartement royal choque davantage. La salle est ouverte à tous, mais les huissiers postés devant la chambre et le cabinet filtrent les entrées et fondent les préséances. Ni duc ni prince du sang ne pénètre dans le cabinet royal s'il n'y est appelé. En dispensant du règlement Joyeuse et Épernon, Henri III indispose les familiers du Louvre. La faveur royale se mesure aux quelques pas autorisés au gentilhomme vers le sanctuaire réservé aux élus. N'y être plus admis est signe de disgrâce. « Voyez-vous ce Monsieur quelque bonne mine qu'il fasse, dit-on en désignant Laugnac, maître de la garde-robe, il est du tout déferré ; car entrant devant le monde dans le cabinet du roi pour se maintenir en bonne opinion envers le peuple, il sort tout aussitôt par la porte de derrière et se retire dans sa chambre, laissant la place à monsieur de Bellegarde [17]. »

L'existence quotidienne du souverain est soumise à un cérémonial qui ne laisse place à aucune fantaisie. Henri III adore légiférer. Nul détail n'échappe à son zèle. Ses serviteurs ordinaires reçoivent ainsi en 1585 un costume dont il a décidé lui-même la couleur et le style : « Il [les] vêtit de velours noir, leur fit quitter les chapeaux qu'ils voulaient porter et les astreignit à porter barrettes ou bonnets de velours noir, et une chaîne d'or au col, pendant qu'ils sont en quartier[18]. » Les attributions de chaque « métier » de l'Hôtel sont fixées avec soin. Des assemblées tenues dès les premiers jours de chaque quartier rappellent les commandements royaux. Ainsi le grand maître doit réunir « le premier maître d'hôtel et les maîtres d'hôtel, gentilshommes servants, conseillers maîtres de la chambre aux deniers, clercs d'office, officiers de bouche et commun d'échansonnerie, paneterie, fruiterie, et fourrière qui seront en quartier, pour leur faire lire ce que Sa Majesté entend être observé par chacun d'iceux, comme il s'ensuit, à ce que nul n'en prétende cause d'ignorance[19] ». La discipline la plus exigeante paraît régner. Si fidélité, intégrité et diligence font défaut, le roi casse les coupables ou use de « punition plus grande ». La lecture des règlements laisse l'impression d'une surveillance tatillonne. Les officiers domestiques sont soumis à de minutieuses obligations, contraints à rendre régulièrement des comptes. « Voulant connaître dorénavant tous ceux desquels elle doit être servie par chaque quartier[19] », Sa Majesté fait remplir des rôles où sont inscrits les noms de ses commensaux. Par souci d'équité et de bonne gestion, on ne paie que ceux dont l'assiduité au service est constatée par un chef de service. Rapports écrits, certificats d'exercice, serments, réunions d'information, autorisations de congé, cahiers des charges transforment la cour en une machine administrative d'où toute improvisation semble désormais bannie. La qualité du service domestique est à ce prix ; la tenue de la maison du roi en est renforcée. Mais beaucoup ne voient dans les règlements royaux que tracasserie excessive, reflet d'une méticulosité indigne d'un souverain.

La tâche de chaque commensal est soigneusement définie. Les maîtres d'hôtel président ainsi au repas du prince. Chaque jour, l'officier en service s'enquiert auprès du roi ou du grand maître de l'heure à laquelle Sa Majesté désire manger. Il en avertit les cuisines qui tiennent prêt le déjeuner à partir de neuf heures et demie et le dîner depuis dix-sept heures. Le cortège chargé de servir la viande du roi est placé sous son autorité. Deux archers de la garde, un huissier de salle ouvrent la marche. Le maître d'hôtel, son bâton à la main, et un gentilhomme servant précèdent les pages de la Chambre qui portent la viande. Deux autres archers empêchent quiconque d'approcher. Devant le roi tous se découvrent. Le maître d'hôtel a le privilège de « bailler la serviette » au grand maître ou, en son absence, à celui des princes du sang, cardinaux ou autres princes présents, voire à Joyeuse ou Épernon. A défaut, « ledit maître d'hôtel servant la baillera lui-même à Sa Majesté ». Les gentilshommes de la Chambre sont soumis à de semblables obligations. Du lever au coucher, ils accompagnent leur maître, ne l'abandonnant qu'au moment des repas. Encore l'escortent-ils jusque dans la salle avant de gagner leur propre table « qui sera aussitôt servie que celle de Sa Majesté », afin « qu'ils puissent avoir dîné à temps pour la revenir trouver, et l'accompagner jusqu'à ce qu'elle entre en son cabinet ». Un bref moment de liberté leur est octroyé jusqu'à deux heures de relevée. Ils remettent ensuite leurs pas dans ceux du monarque. Les neuf officiers de quartier ne le quittent jamais. Deux d'entre eux lui tendent cape et épée à son lever et le soir le déchaussent ; deux autres présentent au repas le pain et le vin ; deux surveillent l'ordonnance de la chambre royale, les trois derniers doivent toujours être prêts à recevoir ses ordres. Chefs d'office et commensaux ordinaires ont ainsi leur service réglé et codifié[20].

Il n'est pas sûr que ces règlements furent scrupuleusement appliqués. Peut-être leur manque-t-il la durée qui transforme les nouveautés en traditions : quatre années seulement séparent la rédaction du livret du protocole distribué aux courtisans de la mort du roi. En outre Henri tente précocement d'échapper au cérémonial dont il est l'auteur responsable. Ollainville est au dernier Valois ce que Marly sera à Louis XIV : l'aimable résidence indispensable à celui qui vit en perpétuelle représentation. Mais Henri III y ajoute un goût renouvelé pour les soirées privées dans les maisons et hôtels de Paris « où il sait y avoir bonne compagnie [...] avec ses mignons [...] et avec les dames de la cour et de la ville, entre autres chez Combaud, son maître d'hôtel, chez le comte de Châteauvillain, chez la présidente de Boullancourt[21] ». Henri IV l'imitera.

S'il ne se rend pas totalement inaccessible aux courtisans, Henri III réussit à donner de la majesté à la personne royale. Ses efforts pour canaliser ou réduire les sollicitations n'ont pas tous été couronnés. Mais tous ont été sévèrement jugés. On lui pardonne mal son refus d'être apostrophé quand il est à table. L'obligation de respecter les règlements pour l'approcher, l'usage des audiences réglées irritent les susceptibilités des grands. L'interdiction de présenter directement une requête pour un tiers alarme les gentilshommes soucieux d'élargir leur clientèle. L'étiquette, dont les contemporains ignorent si elle est d'origine vénitienne, anglaise, espagnole, ou « charroyée *ab ultimis sarmatis* », distingue le roi de son entourage. Mais fraises empesées et attitudes révérentes n'éteignent pas les querelles de préséance et les vifs propos échangés jusque dans le cabinet du roi. La discipline imposée aux solliciteurs ne tarit pas toutes formes de recommandations : les favoris du prince contrôlent désormais le canal des grâces jusque-là entre les mains d'innombrables intermédiaires. Jugées étranges ou scandaleuses, les prescriptions royales font l'unanimité contre elles. Les esprits chagrins y dénoncent l'encouragement à l'idolâtrie. Les grands seigneurs chatouilleux sur l'honneur préfèrent quitter la cour. Les moins sévères font circuler des épigrammes complaisamment recueillies par L'Estoile.

On ne parle en la cour que de Sa Majesté ;
Elle va, Elle vient, Elle est, Elle a été ;
N'est-ce pas faire tomber le royaume en quenouille[22] ?

L'étiquette transforme les habitudes de la cour. Son invention ne se réduit ni au caprice ni à la vanité. Elle est un aspect des relations de la monarchie avec la noblesse. L'hostilité qu'elle suscite tient pour beaucoup à l'impopularité de Henri III. Un souverain affaibli par les guerres civiles et l'indiscipline des grands, victime d'une volonté à éclipses et d'un « malheureux penchant à la dissipation », réussit difficilement à préserver et grandir par le protocole la dignité du prince. Des efforts continus, une autorité indiscutée, de fermes décisions sont nécessaires. Louis XIV y parviendra. Henri III a cependant montré la voie. A défaut de régler la vie de la cour comme un ballet, l'étiquette contribue à discipliner les gestes, impose la retenue dans les attitudes. Elle est un maillon d'une civilisation des mœurs.

La stratégie de la réussite

« Espérer à la Cour est aussi décevant que désespérer y est stupide et oser incertain », écrit à la fin du siècle Charles Paschal, familier de Henri III[23]. Devant tant d'écueils, bien des esprits s'abandonneraient à l'abattement. La réussite exige des âmes robustes et des caractères trempés. Tous les courtisans n'ont pas cette force. Peu échappent à la corrosion des intrigues, beaucoup sont engloutis sans délai parmi les laissés-pour-compte de la faveur. Nécessaires, les qualités psychologiques sont insuffisantes pour réussir. Le savoir-faire et le mérite doivent s'y ajouter. Les circonstances y ont aussi leur part. Rassemblés en bouquet, ces éléments contribuent au succès. Vouloir préciser la part de chacun est illusoire. Les recettes pour réussir à la cour ne sont pas les meilleurs guides pour les découvrir. Compilées par des courtisans préoccupés d'instruire leurs enfants, elles mêlent à l'expérience trop d'intentions moralisatrices pour être d'authentiques témoignages. Le manuel du parfait courtisan est souvent un recueil de clichés, un banal code de conduite. Il peint le courtisan tel qu'il doit être, non tel qu'il est. Au portrait-robot on préférera le portrait à la mode flamande, réaliste. Les biographies de quelques familiers des palais royaux nous y aideront. Toutes sont uniques et peu exemplaires car l'Histoire ne retient souvent que les ascensions réussies ou les disgrâces retentissantes ; elle ignore le destin du tout-venant. Mais quelques carrières réelles renseignent mieux sur le métier de courtisan que bien des théoriciens de la cour.

Se distinguer est le premier commandement qui s'impose aux candidats à la faveur. Certains tirent profit de situations acquises par leurs ancêtres, d'autres inaugurent seuls le chemin de la réussite. Appartenir à une famille installée à la cour aplanit bien des obstacles, augure d'un rapide succès. Charles de Cossé, comte de Brissac (1507-1563) est l'un de ces héritiers. Assez ancienne, la maison de Cossé sert depuis la fin du Moyen Age dans l'hôtel du roi. Premier panetier de Charles VIII puis chambellan de Louis XII, René de Cossé, dit le Gros Brissac, a obtenu du crédit de ses beaux-frères — le grand maître Boisy et l'amiral de Bonnivet — les gouvernements d'Anjou et du Maine et, en 1516, la charge de grand fauconnier. La formation de la maison des enfants de France permet de placer toute sa famille. René est, après Bonnivet, gouverneur des princes, sa femme gouvernante du dauphin, leur fils Charles enfant d'honneur, leurs filles demoiselles d'honneur. Grâce à son parent Montmorency, devenu grand maître, Charles reçoit à vingt-trois ans la survivance des charges paternelles. Premier écuyer du dauphin François, il a l'oreille du prince. Tout paraît lui sourire. Excellent cavalier, vaillant combattant, sa beauté lui vaut le surnom de Beau Brissac, « faveur de laquelle [les femmes] lui firent payer depuis de forts grands et délicieux intérêts[24] ». La mort du dauphin ruine ses espérances. C'est compter sans l'appui de Montmorency, nommé à l'automne 1537 lieutenant général en Piémont : Brissac y reçoit le commandement de deux cents chevau-légers. Aux côtés du grand maître et du nouveau dauphin Henri, il fait une très belle campagne. Pour récompense, Montmorency reçoit la connétablie, Brissac la charge de gentilhomme de la Chambre. Malgré la disgrâce de son protecteur, il reste à la fin du règne de François Ier un personnage de premier plan aux armées comme à la cour où il hérite de son père les charges de grand panetier et grand fauconnier. L'estime du souverain lui vaut le collier de Saint-Michel. A son avènement, Henri II, dont l'amitié lui avait été acquise au temps des campagnes d'Italie, le confirme dans tous ses emplois et le nomme grand maître de l'artillerie. L'influence retrouvée du connétable, l'appui de Diane de Poitiers lui assurent encore de belles promotions. Maréchal de France, il reçoit le commandement de l'armée d'Italie où il sert dix années durant. Gouverneur de Piémont, il fait figure de vice-roi, donnant bals et concerts dont la réputation passe les monts. Le crédit de sa famille et son propre mérite — « si je n'étais dauphin, je voudrais être Brissac », disait le futur Henri II [25] — lui ont permis de surmonter bien des intrigues de cour.

Son contemporain, Jacques d'Albon de Saint-André (1512-1563), sans être un parvenu, est à l'inverse de Brissac le principal auteur de sa fortune [26]. Son père, hobereau du Roannais, était déjà entré à la cour, mais la réussite de Jacques dépasse la carrière commensale classique. Lié à Henri II dont il est premier gentilhomme de la Chambre et principal confident, il a l'honneur de vivre dans sa familiarité. L'amitié de jeunesse du roi explique sa faveur, ses qualités d'homme de guerre et de diplomate font le reste. « Ceux qui ne [l']ont bien connu [...] par ses faits de guerre et qui n'ont ouï que parler de sa vie délicieuse, n'ont pu jamais bien juger ni croire qu'il fût si grand capitaine qu'il a été [27]. » Cet homme de cour — « le plus galant de son temps et qui avait le plus de goût et d'intelligence pour les fêtes [28] » — fait merveille aux combats. Il n'est de campagne où le maréchal de Saint-André ne fasse parade de sa bravoure. Ses états de service ne comptent aucune défaite qui puisse lui être imputée.

Jointes à ces talents, sa finesse et son habileté l'ont maintenu dans la constante faveur du prince. Il sait jouer à merveille de l'influence que lui donne sa fonction au Louvre. « Le roi n'admet personne en sa chambre du matin et jusqu'à ce qu'il soit habillé, sinon le jeune Saint-André », remarque l'ambassadeur impérial [29]. Au milieu des intrigues et des rivalités, il sait plaire à tous, flattant Diane de Poitiers, gagnant Antoine de Bourbon, entourant Montmorency sans mécontenter les Guise. Éviter de donner jalousie à autrui est sa règle de conduite : elle lui permet de se maintenir après la mort de Henri II. C'est « l'un des plus fins et rusés courtisans de son temps [27] ». Lui-même se fait protecteur, entretenant une foule de gentilshommes, assurant la promotion de sa famille. Sa sœur est dame d'honneur de la reine, son beau-frère gentilhomme de la Chambre et chevalier de l'ordre, son neveu enfant d'honneur du dauphin François. Il prend sous sa protection ses cousins paternels, leur fait obtenir pensions et charges.

De la faveur royale il tire d'immenses profits. Si beaucoup de courtisans n'obtiennent guère que de modestes gratifications, Jacques d'Albon s'enrichit à la cour où il mène grand train. Brantôme prétend qu'il vivait au milieu de « la plus grande magnificence qu'on eût jamais vue en un particulier[27] ». Cette existence dorée est don royal. On sait la prodigalité de Henri II : en 1560 les états généraux d'Orléans en ont fait reproche à sa veuve. Si les revenus des charges sont tarifés — mille deux cents livres de gages pour celle de premier gentilhomme de la Chambre, trois mille pour le commandement d'une compagnie de cent lances — la pension est à la discrétion du prince. A son favori le souverain accorde vingt, puis trente-deux mille livres. Dons d'argent et de terres, dont « on peut dire qu'ils ne se comptent pas », élèvent sa fortune au-dessus de celles de ses pairs. Parts des ventes d'offices royaux, produits de confiscation sous prétexte de dérogation au droit féodal ou d'hérésie, successions d'aubaine, deniers tirés de taxes fiscales lui sont régulièrement octroyés. Son père lui avait légué une fortune solide mais moyenne. En dix années, le maréchal de Saint-André s'est fait riche à millions, à l'égal des plus grands. Ainsi doté, il ne cesse d'augmenter son patrimoine : hôtels à Fontainebleau ou Saint-Germain, proches des résidences royales, multiples seigneuries dont l'une est érigée en marquisat. Le domaine de Fronsac, en Guyenne, acquis en 1549, donne à sa fortune récente un lustre féodal. Vallery, en Senonais, est sa résidence favorite. Philibert de l'Orme y travaille. Le maréchal y tient une petite cour et reçoit le roi. Le luxe qu'il déploie est digne d'un prince, quand il n'éclipse pas celui du Louvre !

Jacques d'Albon a mis beaucoup d'acharnement et de cupidité à construire une telle fortune qui, d'ailleurs, n'exclut pas, à la mode du temps, d'énormes dettes. La cour l'a enrichi. Mais les grâces royales n'ont pas été investies en vain. Elles récompensent une amitié ancienne et un mérite incontestable. Le maréchal de Saint-André, « l'un des plus magnifiques seigneurs de la cour[30] », est un favori, mais un favori talentueux.

Tous les courtisans se sont essayés à plaire, peu ont connu une faveur aussi éclatante. La naissance, des alliances choisies, la complicité de parents bien en cour, le service du roi permettent à quelques-uns de se distinguer. Il est aussi des circonstances favorables. La guerre, où la mort fauche quantité de gentilshommes, permet le renouvellement des serviteurs. Pavie a ainsi fait le vide dans l'entourage royal et beaucoup ont vu dans la Saint-Barthélemy l'occasion inespérée de solliciter des charges devenues vacantes. Appartenir à la maison du dauphin est aussi promesse d'avenir. Les confidents du futur Henri II en ont tiré profit dès 1547. Villequier, Le Guast, Caylus, Saint-Sulpice, Bellegarde, Entragues avaient accompagné le duc d'Anjou en Pologne (1574). Sûr de leur dévouement, Henri III, de retour en France, fait leur fortune. « Je ne les honore, déclare-t-il, que parce qu'ils m'ont paru se distinguer par leurs mérites et je ne me suis jamais arrêté à la bassesse de leur naissance[31]. » La faveur cependant va et vient. Il est des disgrâces célèbres. Les favorites y contribuent parfois. Si Françoise de Châteaubriant ne peut être créditée d'aucune influence (pas même en faveur de ses frères Lautrec ou Lescun), Mme d'Etampes, qui a le génie de l'intrigue, s'est plue à rivaliser avec le connétable de Montmorency et a contribué à sa disgrâce. A l'amitié royale peut succéder la défiance. Pour avoir déplu à Diane de Poitiers, Dampierre, grand favori du roi, est chassé de la cour. Les mignons de Henri III ne sont pas à l'abri d'une telle infortune. C'est « la larme à l'œil » que Bellegarde, longtemps « torrent de la faveur », révèle sa disgrâce à son entourage. Il « nous faisait pitié », écrit Brantôme, compatissant. L'avidité de Saint-Luc provoque sa chute ; la jalousie de François d'O pour Joyeuse et Épernon le fait un temps écarter[32].

Conserver la faveur royale est l'obsession des courtisans. « Tous ceux que j'ai vu de mon temps les plus élevés, écrit Beauvais-Nangis, avaient telle crainte de déchoir de leur fortune, qu'ils n'avaient point de repos[33]. » La présence régulière à la cour paraît le plus sûr moyen de déjouer les intrigues. Par crainte de voir leur fortune compromise, Montmorency et Saint-André, prisonniers des Espagnols après la défaite de Saint-Quentin, hâtent la signature de la paix pour rentrer au Louvre. Même au faîte de sa gloire, Joyeuse constate avec amertume le terrain perdu au profit de son rival Épernon pendant une mission romaine de quatre mois (1583). Fuir les « brouilleries de cour », ne pas s'engager trop dans les luttes de clans n'est pas conduite aisée. Les grands pressent les gentilshommes de choisir leur camp et se compromettre. Les réseaux de clientèle y poussent. Saint-André doit la constance de sa faveur à son souci de ménager les puissants. Donner « jalousie aux gens, écrit à son propos le cardinal du Bellay, [est] chose qu'il a toujours évitée et a très bien fait[34] ». Les guerres civiles balaient ces prudentes attitudes. Les oppositions religieuses, les rivalités entre maisons des princes contrarient l'attentisme et la neutralité. Se maintenir à la cour tient alors de la prouesse.

Rudesse des mœurs et belles manières

A la cour des Valois, le vieil idéal chevaleresque demeure vivant. Il est même remis à l'honneur. François Ier aime à se présenter en preux chevalier, dans les lices Henri II défend les couleurs de sa dame. Les fêtes s'inspirent de l'ancienne chevalerie ; le langage, l'éducation nobles sont fidèles à ses traditions. Cette permanence explique le succès à la cour des aventures d'*Amadis* publiées en français à la fin du règne de François Ier. La traduction par Nicolas de Herberay, gentilhomme picard, aurait été commandée par le roi[35]. François a compris que la fidélité au prince, l'obéissance au souverain — antithèse de l'anarchie féodale — sont des *leitmotive* qui servent son autorité. L'ouvrage a aussi une vertu pédagogique : même conventionnel, le culte des dames forme les jeunes seigneurs à la délicatesse des sentiments, voire aux belles manières. Mais le familier de Fontainebleau ou du Louvre ne règle pas sa conduite à l'imitation des seuls compagnons du roi Arthur. Il exige d'autres modèles, plus complets, plus actuels que les chevaliers de la Table ronde. *Le Courtisan* va devenir sa bible. L'essor de la vie de société dans les principautés italiennes avait inspiré au comte Baldassar Castiglione (1478-1529), attaché à la cour d'Urbin et de Rome, un « code de politesse et d'élégance », *Il Libro del Cortegiano, Le Courtisan.* Sa publication à Venise en 1528 couronnait trois rédactions successives dont la plus ancienne datait de 1514, écrite à la requête de François d'Angoulême à la veille de son accession au trône. Le succès fut immédiat et considérable en Italie comme en France. Traduit en français par Jacques Colin en 1537 à la demande de François Ier — d'autres éditions suivent jusqu'en 1690 —, il devint le livre d'or de la noblesse. « Savoir *Le Courtisan* » passa en proverbe[36].

L'ouvrage se présente sous la forme de dialogues où d'illustres personnages esquissent en quatre soirées le portrait du courtisan idéal. Celui-ci doit être « né gentilhomme et de bonne maison », avoir « belle présentation et forme de visage [...] certaine grâce et, comme on dit, une propriété qui de prime face le rende agréable et aimé de tous ceux qui le voient ». Les armes doivent être sa « principale et vraie » profession, « vivement exercée afin qu'il soit connu entre les autres pour hardi, fort et loyal à celui qu'il sert ». Ses qualités morales le distinguent du soudard. « Qu'il soit fier et courageux quand il sera devant les ennemis [...] mais en tout autre lieu qu'il soit humain, modeste et posé, fuyant toute vantardise et sotte louange de lui-même. » Castiglione réprouve le préjugé de la noblesse française contre la « science des lettres ». L'ornement de l'esprit distingue l'homme de cour du compagnon d'armes d'autrefois. Le premier cultive l'art de la parole : « Sa voix doit être bonne, et non trop déliée ou molle, semblable à celle d'une femme, ni aussi tant austère ni âpre qu'elle tienne du paysan, mais sonnante, claire, douce et bien composée, avec la prononciation franche et nette, contenance et gestes convenables. » Il doit non seulement respecter les dames, mais rechercher leur fréquentation pour affiner ses manières, polir sa conversation, tout en fuyant l'affectation[37].

Si *Le Courtisan* peint l'image embellie d'une vie de cour dont il tait les défauts et les insuffisances, il crée un idéal de politesse sociale, relayé par une foule de traités pratiques d'éducation dont le *Discours de la Court* de Claude Chappuys (1543) ou le *Galateo* de Giovanni della Casa (1552-1555) sont les plus lus. Comme Érasme fixant le type des manuels de civilité, Castiglione invente un genre promis à une belle postérité. Non sans maladresse, l'entourage des Valois tend vers cet idéal que Mme de la Fayette, dans les premières pages de *La Princesse de Clèves* (1678), croyait atteint : « La magnificence et la galanterie n'ont jamais paru en France avec tant d'éclat que dans les dernières années du règne de Henri second[38]. »

La réalité est plus contrastée et il suffit de la méditer pour comprendre combien opportunes avaient été les modes chevaleresques et polies, seules capables de canaliser la violence. « Cette politesse brillait même au milieu des crimes, écrira Voltaire. C'était une robe d'or et de soie ensanglantée[39]. » Les guerres étrangères et civiles ont, il est vrai, davantage transposé à la cour la rudesse de la vie des camps que d'aimables manières, contrariant ainsi les progrès de la civilisation. La liberté des mœurs alors ne se dissimule pas : elle est naturelle. Le goût du temps est aussi à la violence. Le lecteur l'a rencontrée dans les jeux et les fêtes. Elle s'affiche dans les antichambres des palais royaux où la vie mondaine, l'hiver, prend le relais des combats. L'usage, toléré en temps de guerre, de se faire justice soi-même franchit les portes du Louvre. Les vengeances familiales, les crimes passionnels et les meurtres politiques, les affaires d'honneur réglées dans le sang et les duels collectifs ne sont pas rares. La cour de Charles IX et de Henri III où s'affrontent clans nobiliaires et factions religieuses en est spécialement souillée. « Nous sommes presque toujours prêts à nous couper la gorge les uns aux autres, écrit Henri de Navarre. Nous portons dagues, jaques de mailles, et bien souvent la cuirassine sous la cape[40]. » Mignons du roi et des princes sont toujours impatients d'en découdre.

Octobre 1575 : Le Guast, favori de Henri III, est assassiné par le baron de Vitteaux sur ordre de Marguerite de Navarre. Décembre 1576 : Saint-Sulpice, capitaine des chevau-légers de la garde, est laissé pour mort après une querelle au palemail avec Jean de Beaune. Septembre 1577 : Villequier, premier gentilhomme de la Chambre, poignarde sa femme infidèle en pleine cour. « Il poursuit sa carrière, écrit un ambassadeur, comme s'il eût tué cinq bêtes fauves à la chasse[41]. » Juillet 1578 : Saint-Mégrin, empressé auprès de la duchesse de Guise, est assassiné par des tueurs à gages de son mari. Alexandre Dumas n'a pas flatté le portrait de Bussy d'Amboise, « homme jeune, beau et brave jusqu'à la folie ». Il dégainait, dit-on, « pour la gloire seule de complaire à sa dame[42] » et pratiquait la provocation comme un art.

De minces querelles sont prétexte à combat singulier. Un jour de 1575 un jeune noble fait compliment à une dame de son manchon dont la broderie lui paraît dessiner des X. Bussy l'interrompt et soutient que les motifs représentent des Y. Le premier maintient son avis, Bussy insiste, le ton monte. La querelle cache en fait une rivalité amoureuse. Elle reprend les jours suivants. Le roi fait surveiller les protagonistes et exige une réconciliation publique. Bussy se rend alors au Louvre. La troupe de plus de deux cents gentilshommes qui l'accompagne est une bravade supplémentaire. Quelques jours plus tard il échappe de peu à une embuscade. Elle ne fait pas taire son insolence. « Il commença, raconte Brantôme, à braver, à menacer fendre naseaux, et qu'il tuerait tout[43]. » Comprenant que Henri III a accordé la permission de le tuer, il quitte la cour. Quelques années plus tard, sa mort tragique suscite encore des passions. Deux grands seigneurs convoitent ses charges auprès de Monsieur. Comme le prince ne sait qui préférer, les deux candidats veulent trancher le différend par l'épée. « Mais comme cela partageait la cour en deux factions, on y mit tel ordre que chacun fut content[41]. »

Duels, batailles rangées, réconciliations éphémères, bagarres entre domestiques imitant leurs maîtres font de la cour de Henri III une sanglante pétaudière. Si elles apaisent provisoirement les factions, les amnisties proclamées à l'occasion des trêves assurent l'impunité dont beaucoup abusent. Catherine de Médicis suggère de redonner à la cour de son fils « honneur et police ». « Du temps du roi votre grand-père [François Ier], lui écrit-elle, il n'y eut homme si hardi d'oser dire dans sa cour injure à un autre, car, s'il eût été ouï, il eût été mené au prévôt de l'Hôtel[12]. » L'entourage de François Ier n'était pas irréprochable, mais l'autorité du prince s'imposait à ses proches. Les duels semblent avoir été peu fréquents et le roi a rarement accordé le champ clos[44]. Si son fils permet à La Châtaigneraie et Jarnac de combattre (10 juillet 1547), ce duel autorisé est le dernier du genre. La cour n'ignore pas les duellistes clandestins, mais, avant les guerres civiles, n'est pas éclaboussée par eux. En revanche l'entourage des derniers Valois bruisse de leurs exploits sanglants. « Chose grandement déplorable en ce malheureux siècle de voir les maisons des rois et des princes servir d'asile et retraite aux meurtriers et assassins[45] », gémit Pierre de L'Estoile, scandalisé par le fameux duel des mignons du 27 avril 1578, opposant favoris du roi et des Guise. 1579 est encore une année fertile en duels : « Ainsi sont secrets les jugements de Dieu, qui s'exécutaient journellement sur cette pauvre noblesse de France, qui se défaisait ainsi d'elle-même par ses propres mains[46]. »

Les courtisans sont capables de tous les excès, des mœurs les plus grossières, des plaisanteries du plus mauvais goût. Chroniques et mémoires livrent complaisamment d'innombrables anecdotes souvent invérifiables. L'époque ignore la pruderie, mais la vulgarité du vicomte de Martigues (de la maison de Luxembourg), faisant par jeu déshabiller sa femme devant ses compagnons, choque les contemporains. On reste confondu devant les bouffonneries appréciées par l'entourage royal et par les plaisanteries paillardes, scatologiques (mais aussi piquantes) des fous de cour.

La cour manque parfois de retenue. Elle peut, à l'occasion, être Sodome. Elle se rapproche aussi de l'*abbaye de Thélème,* accueillante aux « nobles chevaliers » et « dames de haut parage, fleurs de beauté, à céleste visage, à maintien prude et sage ». Bien des familiers du roi ont le visage de Janus. Piero Strozzi, gentilhomme de la Chambre et maréchal de France († 1558) est à la fois amateur de facéties, querelleur, mécréant, homme de culture et humaniste. La cour cultive ces contrastes. Il serait injuste de nier son rôle civilisateur. « Grâce à elle, écrit M. Jean Delumeau, la civilisation occidentale monta d'un degré[47]. » Le raffinement, les propos délicats, les « faits vertueux » coexistent avec une grande liberté de comportement.

L'entourage des Valois est foyer de sociabilité. A la différence de leurs prédécesseurs, les souverains consacrent une partie de leur temps à la vie de société. La table de François Ier est, d'après Brantôme, « *une vraie école,* où il y avait toujours de grands capitaines qui en savaient très bien discourir avec lui, et ramentevoir [= rappeler] toujours les combats et guerres passés, que des sciences hautes et basses ». « Aussitôt qu'il avait dîné » (déjeuné), et le soir après souper, Henri II préside la cour chez la reine où « chaque seigneur et gentilhomme entretenait [la dame] qu'il aimait le mieux ». Veuve, Catherine de Médicis maintient l'usage, « aussi sa chambre était tout le plaisir de la cour ». Enthousiaste, le chroniqueur, qui est aussi témoin, la juge « nullement fermée aux honnêtes dames et honnêtes gens, voire à tous et à toutes », et en souligne ainsi la supériorité. « Ne la voulant resserrer à la mode d'Espagne, ni d'Italie son pays, ni même comme nos autres reines Élisabeth d'Autriche [épouse de Charles IX] et Louise de Lorraine [femme de Henri III] ont fait [...] elle la vouloit ainsi entretenir à la vraie française. » Une telle compagnie où « tous les jours [...] on conversait, on discourait et devisait [...] était un vrai paradis du monde et *école de toute honnêteté*[48] ».

Les portraits dessinés par Jean et François Clouet, peintres et valets de chambre du roi, attestent l'intérêt porté à la vie de société. On s'empresse à se faire peindre. Les recueils de dessins qui circulent à la cour et en province sont prétexte à conversation, évocation de souvenirs et jeux badins[49]. Le goût des lettres et des arts renforce cet art de vivre. Versifier, toucher du luth sont divertissements largement partagés. Les relations courtoises y gagnent. Le courtisan ne peut se contenter de briller au maniement des armes, il doit, par la lecture, la conversation et la musique, affiner son esprit et ses manières, « satisfaire aux dames ». Le duc de Nemours y réussit à merveille : « Il a été un très beau prince et de très bonne grâce, brave, vaillant, agréable, aimable et accostable, bien disant, bien écrivant [...], s'habillant des mieux, si que toute la cour en son temps (au moins la jeunesse) prenait tout son patron de bien s'habiller sur lui ; et quand on portait un habillement sur sa façon, il n'y avait non plus à redire que quand on se façonnait en tous ses gestes et actions[50]. » Arbitre des élégances, Nemours est, avec d'autres, éducateur d'une société polie.

Par la vertu de l'exemple et de l'émulation, la cour s'affine par degrés et diffuse ses manières et sa politesse. Sa renommée passe les frontières. A l'étranger elle est devenue un modèle. En 1559, M. de Guise se rend à Naples, entouré d'une brillante escorte de gentilshommes. Une grande dame d'origine espagnole, depuis longtemps installée dans la péninsule, les accueille. Ses paroles de bienvenue dépassent les banales formules de courtoisie. Elle promet de leur « *tenir compagnie à la française,* comme de rire, danser, jouer, causer librement, modestement et honnêtement, *comme vous faîtes,* dit-elle, *à la cour de France*[51] ». Sous l'écorce polie s'agitent, on le sait, bien des instincts incontrôlés. Mais chemin faisant la cour devient école de bon ton, « lime et rabot des hommes mal polis ».

La cible de toutes les critiques

La cour et les courtisans ont cependant mauvaise réputation. Des œuvres littéraires aux doléances des états généraux, il est aisé de découvrir critique et blâme. On dénonce l'attraction de l'entourage royal sur la gentilhommerie : « A présent, la noblesse tant grande que petite, veut être à votre suite et à la suite des grands seigneurs qui sont autour de vous, prétend le tiers état en 1576, par le moyen de quoi votre cour est si grande et si remplie de tant de gens qu'elle est insupportable. » On condamne le marché aux charges offertes aux ambitions : « Il y a une infinité de courtisans qui ne sont à votre suite que pour pratiquer des dons, confiscations, nominations de bénéfices et offices, ce qui vient finalement à la foule de votre État et retombe sur votre pauvre peuple[52]. » Mais ce sont ses « superflues dépenses » qui irritent le plus. A la fin du règne de François Ier, Marino Cavalli les estime à un million cinq cent mille écus, dont cent cinquante mille pour la chasse, deux cent mille pour l'entretien des gardes, trois cent mille consacrés aux pensions versées aux dames, cent mille aux bâtiments.

A dire vrai le train de la cour peut difficilement être évalué. Ses dépenses se distinguent mal de celles de l'État. Les estimations globales sont rares, le budget inexistant, la comptabilité fantaisiste. Nous savons les gages des commensaux faibles et mal payés, les pensions variables. Les voyages de la cour doublent ou triplent les coûts. Toute comparaison d'un règne à l'autre, d'un métier de l'Hôtel à un autre est illusoire.

Les contemporains sont toutefois persuadés de la prodigalité des souverains. François Ier « semble toujours empressé de donner ». Évoquant Henri II, Jean Michel renchérit : « On ne se souvient pas d'un roi qui dépensât autant pour ses commodités et ses plaisirs, et qui tînt une plus riche cour. Deux millions et demi de francs ne lui suffisaient pas pour cela, somme énorme et telle qu'aucun autre roi ne l'atteint, pas même peut-être plusieurs rois ensemble. » Lippomano enfin reconnaît dans la « libéralité déréglée » de Henri III la raison des jalousies et discordes de sa cour[53]. En revanche nul n'évoque l'utilité politique de la maison du roi, le rôle civilisateur de la cour, les services rendus par des courtisans vaillants au combat. Bien peu soulignent comme Philibert de l'Orme les bénéfices économiques et sociaux tirés de la construction des résidences royales créatrices d'emplois. Pierre de L'Estoile, souvent critique, remarque cependant la redistribution d'argent que suscitent les libéralités du souverain. « Ne pouvant subsister en leur épargne [celle des favoris] un seul moment, [elles] étaient aussitôt transmises au peuple, [comme] est l'eau par un conduit[54]. »

Les Valois ne restent pas insensibles aux critiques, mais leurs tentatives d'économie font souvent long feu. Malgré quelques réductions d'effectifs à la mort de François Ier, Catherine de Médicis retient à son service « plus de femmes qu'il n'y avait du vivant du feu Roy que l'on dit excéder d'un tiers[55] ». Veuve, elle annonce en décembre 1560 de grands retranchements dans l'Hôtel. Elle se borne en fait à « casser » la chapelle du roi, sacrifie chevaux, chiens et faucons du roi défunt. Les états généraux réunis une semaine plus tard l'invitent fermement à des économies moins timides. Un arrêt du Conseil réduit alors la vénerie et une partie des officiers domestiques, retranche un tiers sur les pensions et un quartier sur les gages. « Le plus grand des subsides, note un témoin malicieux, c'est l'extrême économie que la Cour s'impose en toutes choses[56]. »

Ces mesures dissimulent en fait bien des arrière-pensées. Catherine entend démontrer sa bonne volonté et se concilier les états, tandis que les exigences de ceux-ci visent les Guise, maîtres du moment. Contraindre les favoris de Henri II et de son successeur à restituer les dons reçus est aussi dangereux qu'inefficace. Comment choisir entre les récompenses des mérites et les faveurs imméritées ? L'usage s'oppose aux mesures rétroactives. Le souverain n'est-il pas seul maître des pensions ? Quand celles-ci ont été octroyées à des étrangers, les supprimer risque de compromettre le secret des affaires extérieures.

A défaut d'obtenir la réduction du train de la cour, on dénonce la prodigalité des courtisans. Leur passion du luxe, leur soif de paraître en sont responsables. « Les nobles, rapporte l'ambassadeur Michel Suriano, dont la plupart ne sont pas riches, venant à la cour, où tout est cher, se ruinent par les frais excessifs des serviteurs, des chevaux, de l'habillement et de la nourriture. » Lippomano précise : « Un homme de la cour n'est pas estimé riche s'il n'a pas vingt-cinq à trente habillements de différentes façons, et il doit en changer tous les jours[57]. » Le service par quartier permet à tout commensal d'être alternativement cigale et fourmi, dépensant à la cour ce qu'il a épargné sur ses terres. Mais à lire les chroniqueurs, peu réussissent à « se refaire en leurs maisons ». Leur appauvrissement attriste les moralistes. Leurs extravagances les exaspèrent davantage.

La seconde moitié du XVIe siècle voit s'enfler la critique de la cour[58]. La faiblesse de l'autorité royale multiplie les pamphlets. Ils dénoncent, accusent, diffament. Le génie littéraire d'Agrippa d'Aubigné aggrave la légende noire. La cour paraît le repaire de tous les vices. Les catholiques dénoncent sa tentation des « nouveautés » (comprenez : l'hérésie), les huguenots, tel l'auteur des *Tragiques*, condamnent les superstitions romaines et l'hypocrisie bigote. Idolâtrie, cynisme, hédonisme, athéisme s'ajoutent aux charges classiques contre la flatterie, la duplicité et la servitude. Henri Estienne, prenant soin de distinguer celui qui *suit* la cour de celui qui *sait* la cour, enseigne en raillant la médication pour devenir courtisan accompli :

> *Recipé* [= *prenez*] *trois livres d'impudence, deux livres d'hypocrisie, une livre de dissimulation, trois livres de la science de flatter, deux livres de bonne mine. Le tout cuit au jus de bonne grâce par l'espace d'un jour et d'une nuit.* [...] *Après il faut passer cette décoction par un estamine de large conscience.* [...] *Voilà un breuvage souverain, pour devenir courtisan en toute perfection de courtisianisme*[59].

Tous les contemporains devinent qu'une telle formule a été mitonnée dans les officines d'Italie. L'influence ultramontaine, responsable de tous les maux, est depuis le début du siècle la cible privilégiée des critiques. *Le Courtisan* de Castiglione, pur produit de l'italianisme, n'y échappe pas. Son immense succès irrite. On parodie sa conception de l'amour, on sape sa doctrine de la « politesse sociale ». La maîtrise de soi, le savoir-vivre qu'il enseigne sont passés au tamis des esprits chagrins. Comme l'or de la fable transformé en feuilles mortes, les bienséances deviennent artifice, la courtoisie dissimulation. « Vivre à la mode de Cour, prétend Philibert de Vienne, ne gît qu'en petites civilités et mines extérieures[60]. » Le courtisan cultive, dit-on, les apparences de la vertu plutôt que la vertu elle-même. Il n'a qu'un mot en bouche : « s'accommoder » qui, pour Estienne, ne signifie pas seulement *suivre la mode,* mais *renoncer à ses convictions.* Il peut « passer par tout, d'autant que [sa] conscience aussi passe par tout[61] ». Vivre à la cour ne serait qu'une diabolique contrefaçon de la vie.

Les raisons d'une condamnation

La violence et l'injustice des critiques surprennent. La part que les poètes de l'entourage royal y ont prise étonne. On constate aujourd'hui l'hostilité ou l'indifférence des intellectuels au pouvoir. Le lecteur a noté au contraire avec quelle allégresse les hommes de lettres ont courtisé les Valois, avec quel appétit ils ont sollicité leurs bienfaits. Bien peu ont refusé de dépendre de la cour. Tous ont critiqué le milieu qui les a comblés, comme si la sévérité était l'indispensable contrepartie de leurs obligations. Il serait vain d'y chercher le portrait fidèle des courtisans ou le compte rendu serein des usages de la cour[62]. Les auteurs ont préféré la caricature et grossi le trait. L'outrance des critiques pourrait les faire négliger. Leur nombre et la qualité des signataires méritent attention. La légende noire a ses raisons. Découvrons-les.

Le siècle des Valois n'a pas inventé le courant d'hostilité à la cour. La tradition satirique de l'Antiquité fournissait des modèles. L'éloge de la campagne et l'hostilité à la ville chers à Horace inspirent les auteurs de la Renaissance, charmés par la vie rustique, sévères pour la vie de cour.

En bref, j'aime trop mieux cette vie champêtre,
Semer, enter, planter, franc d'usure et d'émoi,
Que me vendre moi-même au service d'un roi[63],

n'hésite pas à écrire Ronsard, familier du Louvre, poète officiel et grand courtisan ! La satire de l'entourage de Domitien par Juvénal n'est pas étrangère aux plus mordantes descriptions de celui des Valois. La littérature étrangère est aussi mise à contribution. Mieux que les épigrammes italiennes ou les pièces de l'Arétin, deux ouvrages espagnols d'Antonio de Guevara ont enrichi la tradition satirique. *Du Mépris de Court et de la Louange de Vie rustique* (Valladolid 1539, Lyon 1542) insiste sur la dégénérescence de la cour. Le livre connaît vingt-six éditions en vingt-six ans. *Le Favory de Court* (1556) se présente comme un guide pour rester soi-même en milieu aulique.

La critique française répète ces lieux communs. Elle y ajoute l'anti-italianisme, fait ses délices de l'extravagance des proches de Henri III. La transformation du gentilhomme en courtisan professionnel la stimule. Mais la vigueur de l'attaque dissimule des motivations plus profondes que la simple condamnation des mœurs. On critique l'entourage royal quand on craint de s'opposer directement au prince. Jusqu'aux guerres civiles, personne ne doute de l'autorité des Valois. On vante l'obéissance de leurs sujets, le bon rendement des impôts, la soumission des nobles. La puissance du roi décourage l'esprit d'opposition. Il se dédommage en rabaissant ses entours. L'hostilité des poètes a d'autres raisons. Certaines sont élevées. La Pléiade a ainsi ennobli le métier d'écrivain. L'ignorance relative des gentilshommes lui a donné quelque raison de railler cette noblesse qui « ne sait et ne veut rien savoir : et qui pis est se moque de ceux qui savent[64] ». Elle a fait du poète l'égal des grands. La critique a aussi des accents plus personnels. Beaucoup d'auteurs se contentent de sacrifier à la mode. Les antiféministes ne cessent de brocarder la place réservée aux dames dans les palais royaux. « Le roi, écrit Monluc, devrait clore la bouche aux dames qui se mêlent de parler en sa cour, car de là viennent tous les rapports, toutes les calomnies[65]. » Plus généralement l'hostilité des hommes de plume exprime l'amertume, les rancœurs longtemps ressassées, les espoirs déçus. Du Bellay fustige

Ces vieux singes de cour, qui ne savent rien faire,
Sinon en leur marcher les princes contrefaire[66],

mais exprime ailleurs sa nostalgie d'un milieu qu'il espérait conquérir :

Cependant que la cour mes ouvrages lisoit[67].

La satire est souvent une revanche sur les humiliations. Méprisé de la cour, Étienne du Tronchet, dans ses *Lettres missives* (1568), se fait méprisant. La retraite champêtre qu'il exalte lui a été en fait imposée, sa croisade contre la « superfluité et cérémonie » trahit son échec de courtisan[68]. Épigrammes, railleries dissimulent mal les blessures d'amour-propre. La cour ne mérite ni l'excès d'honneur dispensé par Castiglione ni l'indignité déversée par les satires. Du Bellay est vrai quand il en montre les contrastes :

Je te diray qu'icy le bon heur, et malheur,
Le vice, la vertu, le plaisir, la douleur,
La science honorable, et l'ignorance abonde.
Bref, je dirai qu'icy, comme en ce vieil Chaos,
Se trouve, Peletier, confusément enclos
Tout ce qu'on voit de bien et de mal en ce monde[69].

Deuxième partie

LA COUR BALBUTIANTE

Je trouve la cour si sauvage et si rustique, qu'à comparaison nos bois et nos champs ont des civilités et des justesses toutes autres.

GOMBERVILLE

CHAPITRE VIII

La rusticité de la cour

A la cour, on ne parle que de duels, puteries et maquerellage.

Pierre DE L'ESTOILE

Esclater en cliquant, gorrièrement vestu,
Piaffer en un bal, gausser, dire sornettes,
Se faire chicaner tous les jours pour ses debtes [...]
Sont les perfections dont aujourd'hui se couvre
La noblesse française, exemptant toutesfois
Ceux qui versent leur sang au service des rois!

Jean AUVRAY

ENAY : *Vous ne trouverez pas mauvais que je vous demande pourquoi vous vous donnez tant de peines.*
FAENESTE : *Pour parestre.*
ENAY : *Comment paroist-on aujourd'hui à la Cour?*

Agrippa D'AUBIGNÉ

« La cour, écrit François de la Noue, est à l'image du prince [1] », elle l'imite en tout point. Celle des Valois avait trouvé dans le roi un modèle à suivre, et parmi ses familiers des animateurs exemplaires. Ilot mondain, brillant et raffiné, elle était le couronnement de la société. Elle laissa le souvenir durable de l'éclat. Henri de Navarre, dans sa jeunesse, en avait goûté les charmes. Nouveau souverain du royaume, il songea parfois à tailler sa cour sur ce modèle. Un jour, il se flatta devant le maréchal de Biron de la faire « plantureuse, belle et du tout semblable » à celle de ses prédécesseurs. Audacieux, le maréchal lui répondit : « Il n'est pas en votre puissance, ni de roi qui viendra jamais, si ce n'est que vous fissiez tant avec Dieu qu'il vous fît ressusciter la reine mère [Catherine de Médicis], pour la vous ramener telle[2]. » La cour des Valois était-elle inimitable ? Beaucoup alors en sont convaincus. Quand Brantôme, mort en 1614, écrit « notre cour », c'est celle de Henri III qu'il désigne, refusant de la confondre avec celle des Bourbons. Tant il est vrai que, au début du XVIIe siècle, la cour de France manque singulièrement de prestige. Elle n'est plus modèle de la société polie. Rien dans son style ne paraît la distinguer de la société qui l'entoure. Elle tend à se confondre avec elle. Elle en accuse même les travers. Raffinée sous Henri III, elle semble désormais se complaire dans la rusticité.

Des goûts de particuliers

Roi de France, Henri IV conserve ses manières de roi de Navarre. Pacificateur du royaume et restaurateur de l'État, le premier Bourbon demeure en pensées, en paroles et en allures, un gentilhomme béarnais. Sous le manteau fleurdelisé perce le Gascon. Alors que les historiens multiplient les portraits contraires de Henri III ou de Louis XIII, Henri IV décourage les analyses psychologiques raffinées. Il échappe à la controverse. L'homme apparaît sans fard, tout d'une pièce. La simplicité de ses goûts contribue à bâtir sa légende. Débarrassé de son sceptre, il est semblable à un particulier. Le maître du Louvre cache mal le provincial. Mais ce qui est devenu vertu était de son temps tenu pour imperfection. « J'ai vu le Roi, note une dame de la cour, je n'ai pas vu Sa Majesté[3]. » Mlle de Scudéry grossit le trait en attribuant à Henri IV « autant l'air d'un soldat que d'un Roi ». Tous les observateurs ont remarqué la simplicité de ses manières. Beaucoup l'ont montré insoucieux des bienséances. Le successeur de Saint Louis est-il autorisé à se déguiser en paysan, en blouse et sabots, sac de paille sur la tête, pour apercevoir et plaire (*sic*) à une belle ? Le Très-Chrétien doit-il souffrir les insolences publiques de la marquise de Verneuil, sa maîtresse, accoutumée à lui parler « comme elle ferait à son valet[4] » ? L'ardeur amoureuse du Vert-galant ne s'encombre pas de délicatesse. La simplicité qu'il affiche, si elle correspond à son tempérament, n'est pas innocente. Par elle, il cherche à conquérir les cœurs, soigner sa popularité, consolider son trône, aimant à répéter qu'il n'est que le premier gentilhomme du royaume. Sa bonhomie naturelle est affaire de volonté. Mais il tolère aussi les familiarités superflues. Un jour un officier de bouche, nommé Parfait, lui apporte son plat préféré — des melons — en disant : « Sire, embrassez-moi la cuisse [le salut le plus humble entre hommes], car j'en ai quantité et de forts bons ! » « Voilà Parfait bien réjoui, répond le roi, cela lui fera faire un doigt de lard sur les côtes[5]. » On blâme ces privautés. Elles « ne conviennent pas à la majesté d'un grand roi, remarque un Anglais, cela est du moins l'opinion de nous autres étrangers[6] ». A la cour de France il se trouve quelques bons esprits pour partager ce sentiment.

Louis XIII ne donne guère plus l'exemple de la majesté. Ses goûts sont simples. Avare comme son père ou, au mieux, « bon ménager », il s'habille comme lui, simplement. Vêtu de drap modeste comme un soldat, un castor gris sur la tête, il moque les courtisans occupés « à se peigner et gauffrer [les] cheveux », rabroue ces « muguets » ou « marjolets de cour », « riolés, piolés, dorés et empanachés ». Comme son père, il tolère les propos vifs. « Sire, lui dit un jour Bassompierre, me faites-vous la mine à bon escient ou si vous vous moquez de moi[7] ? » Avec ses proches, il admet une certaine liberté d'allure. Le roi est d'ailleurs plus à l'aise avec le personnel domestique qu'avec les grands.

La rude existence de Henri IV, longtemps monarque sans royaume ni fortune, les campagnes militaires de Louis XIII expliquent la simplicité de leurs goûts. Souverains et gentilshommes conservent les habitudes du soldat en campagne. Le bivouac est responsable de leurs manières rustiques. Lorsque le gros des compagnons de combat entre au Louvre, accède aux antichambres, fréquente les galeries, la vie de cour si raffinée des Valois paraît menacée de naufrage.

La simplification des usages

On ne bouleverse pas d'un coup le cérémonial de la cour. Au temps de Henri IV l'étiquette demeure, mais souffre quelques manquements. Elle subsiste, à condition de ne pas contrarier les goûts royaux. Les règlements du XVIe siècle sont respectés, mais leur esprit semble avoir déserté le Louvre.

Henri III avait réglé la cérémonie du lever du roi. Pièce en plusieurs actes, elle ménageait une gradation d'entrées de nobles personnages dans la chambre royale. Son successeur n'est pas prisonnier de cette règle. Il n'est pas rare que ses proches pénètrent dès la première heure dans la chambre où Henri IV et Marie de Médicis sont encore enfermés derrière les rideaux de leur lit. Ces familiers sont d'anciens compagnons de luttes, Roquelaure, Lavardin, Monglat, Bassompierre ou Sully. Très vite la conversation roule sur un ton vif, sans façon. La Varenne, homme des missions discrètes, s'amuse à des mots lestes. Dès que le bouillon est servi à Leurs Majestés — elles le prennent au lit — le cérémonial reprend ses droits : gentilshommes de la Chambre, écuyers, médecins, accèdent à la chambre. Si quelque personnage entre à son tour, il s'incline devant le lit et, pour parler au roi, s'agenouille sur un « carreau ». Louis XIII simplifie encore ce lever officiel, refusant l'entrée des gentilshommes de sa suite quand il se lève, n'acceptant la présence que d'un petit nombre de privilégiés. L'un d'eux lui donne la chemise, mais le roi a reçu sa robe de chambre des mains d'un simple valet. Une innovation de Louis XIII — le bain pris dans sa chambre — trouble encore l'ordonnancement prévu par Henri III [8].

Henri IV adore bouleverser le cérémonial du repas. Celui-ci est rarement servi à heures régulières. La reine, qui se lève tard et volontiers musarde dans sa chambre, impatiente le roi affamé après une longue partie de chasse. « Je meurs de faim, et en attendant mieux, je m'en vais commencer à manger mes melons et boire un trait de muscat. » Le roi et la reine mangent en public : un personnel spécialisé fait le service. Mais aux festins solennels Henri IV préfère les repas improvisés. Une demi-douzaine de gentilshommes sont ses invités. Le roi établit le menu, souvent produit de sa chasse. Louis XIII, lui, mange seul, moins par habitude royale que par goût. Mais hors du Louvre, il ne se prive, pas plus que son père, d'inviter à sa table, « faisant boire les autres de la compagnie aux santés ». Fantaisie qu'un responsable de la maison du roi ne tarde pas à appeler « débauche » ! En voyage, il lui arrive de cuire son repas. Un jour de 1621, près de Tonneins, le personnel de la bouche demeure introuvable. « Chacun mit [alors] la main à la cuisine [...], Sa Majesté voulut que ce qui avait été préparé en commun fût mangé en même table [9]. » Les campagnes contraignent le roi de France à vivre comme un officier. Rien ne laisse présager les fastueux voyages aux armées de la cour de Louis XIV.

La négligence de l'apparat perce même au cours des audiences de Sa Majesté. Beaucoup sont données au pas de charge, et des incidents en contrarient parfois la solennité. S'avisant un jour que son fauteuil est mal placé, Henri IV se lève, l'ajuste lui-même puis se rassied devant ses visiteurs interdits. Chacun connaît l'ébahissement de l'ambassadeur d'Espagne découvrant à Saint-Germain le souverain couché par terre et jouant avec ses enfants. Familier, le roi est accessible à tous. Sa bonhomie le conduit, envers « ceux qui avaient quelque affaire à traiter avec lui », à les recevoir « avec infinies caresses, leur [venant] au devant, les [embrassant] souvent [10] ». Une fois, le maître du royaume souffre l'insistante et indiscrète requête d'une tenancière d'auberge impatiente de faire nommer son mari... marmiton au Louvre ! Il est plus aisé d'aborder le roi que de pénétrer dans ses cuisines.

Si la foule est dense dans le palais, c'est que le Louvre accueille chaque jour un flot de courtisans. Dès cinq heures le matin, la grande porte de la rue d'Autriche s'ouvre. Un petit personnel d'huissiers, valets, garçons, s'affaire aux tâches domestiques avant l'arrivée des courtisans dont l'immense majorité réside en ville, à proximité, mais en dehors du château. Seuls les princes et princesses de la famille royale, le capitaine du Louvre — ce sera le cas de Luynes sous Louis XIII —, le grand maître, le premier gentilhomme de la Chambre, le capitaine des gardes et le maître de la garde-robe y passent la nuit. Loger sous le même toit que son souverain est un honneur recherché, parcimonieusement accordé. Peu d'hommes en bénéficient. Au faîte de sa puissance, Concini n'habite qu'une petite maison proche du palais qui le contraint d'emprunter chaque matin le même itinéraire pour gagner la cour carrée, son royaume diurne. Sous le passage qui y conduit, Vitry l'attendra pour l'assassiner le 24 avril 1617. En revanche, sa femme, Leonora Galigaï, parce qu'elle est dame d'atour de la reine, loge au Louvre.

Le palais s'ouvre à d'autres visiteurs que les familiers des antichambres. Nouvellistes, solliciteurs, élégants, petits métiers, mendiants ou simples curieux s'y pressent. La résidence du roi de France n'est pas une forteresse. Son entrée est à peu près libre. Héroard, dans son *Journal*, en donne des exemples vivants. Le lundi 27 mai 1602, le dauphin s'amuse à voir danser devant lui une vieille femme de Paris. Mais le mercredi 3 août 1605 il est effrayé par un estropié, joueur de flageolet. « Il ne faut pas que les pauvres viennent ici », ordonne-t-il à son entourage [11]. Si le Louvre est ainsi fréquenté, c'est qu'il n'est pas seulement la demeure du roi. C'est aussi une sorte de cité administrative. Chaque jour, dans la vieille aile du Nord, diverses opérations financières, signatures d'actes, adjudications attirent Parisiens et provinciaux. En outre, le palais est rendez-vous de la bonne société, promenade à la mode. Ainsi gentilshommes, bourgeois et portefaix se côtoient, mais en s'ignorant. Tous sont à pied comme le veut le règlement. L'entrée à cheval dans la cour est interdite. Seuls quelques privilégiés peuvent y pénétrer en carrosse : ce sont les bénéficiaires des « honneurs du Louvre ». Mais ces derniers ne sont plus réservés aux enfants de France et aux princes du sang. Henri III avait souffert quelques entorses à la règle primitive. Sous Henri IV, celle-ci est encore moins respectée. Ainsi seuls l'âge avancé du connétable de Montmorency ou la goutte qui tourmente Mayenne les ont autorisés à entrer dans la cour en voiture. Louis XIV, en 1672, devra rappeler les contraintes du règlement [12].

En dehors de son palais, il ne faut pas imaginer le roi de France entouré d'une garde prétorienne. Les circonstances de l'assassinat de Henri IV, comme les attentats qui l'ont précédé, prouvent l'insuffisance du dispositif de sécurité. Quand il sort, aucune garde à cheval n'escorte le carrosse royal. Traverser la ville est source d'embarras. Rien ne contraint les particuliers de s'arrêter ou s'effacer quand ils croisent Sa Majesté. Il est arrivé à Henri IV d'être bousculé sous la porte du palais, tant il sortait en petit équipage.

Peu soucieuse du strict respect des usages ou des règlements, la cour de Henri IV et de Louis XIII ne s'est guère préoccupée d'élaborer un code d'organisation semblable à celui de Henri III. Elle a hérité les belles institutions auliques des Valois, mais a peu fait pour les développer. Comme par le passé, la maison militaire se compose des gardes du corps, des Suisses — dont le colonel général est Bassompierre —, des gardes françaises, des cent-mousquetaires créés en 1622, des gendarmes et des chevau-légers, auxquels s'ajoutent, pour les défilés, les cérémonies et le service d'ordre du palais, les cent-Suisses, les gentilshommes à bec-de-corbin et les archers de la porte. Mais elle est ouverte aux bretteurs, aux spadassins, aux gentilshommes de fortune. Quand on songe à faire assassiner Concini, on ne cherche pas loin l'épée qui doit délivrer Louis XIII. Le capitaine des gardes, Nicolas de l'Hôpital, marquis de Vitry, toujours prêt à dégainer, « hardi jusqu'à la témérité », accepte la tâche sans hésiter. Il y gagnera son bâton de maréchal et un duché-pairie !

Reconstituée avec la renaissance de la cour, la maison du roi est moins étoffée que sous les Valois. Henri IV diminue les effectifs de ses officiers. Son successeur dénonce aussi l'inutilité de nombreuses charges, réduisant de 252 à 10 ses aumôniers, de 316 à 11 les secrétaires de la Chambre. Il tente de limiter leurs privilèges en révoquant leur exemption de taille en 1641[13].

Tous les services ne subissent pas ces retranchements. Les Écuries accueillent de nouveaux venus. Lorsque Malherbe, arrivé à la cour en 1605, devient le protégé de Bellegarde, le grand écuyer le fait émarger au budget de la grande Écurie. L'évolution des effectifs n'est pas linéaire. Après l'assassinat de Henri IV, elle subit une croissance momentanée. En temps de régence, il est nécessaire d'apaiser les mécontentements, récompenser les ralliements, s'assurer des alliés. La maison du roi doit être accueillante. Mais, dans l'ensemble, le personnel est moins nombreux. De 1725 officiers sous Henri III, Henri IV n'en garde que 1062 et Louis XIII, 1142. La maison de Marie de Médicis — 465 commensaux en 1609 — est plus modeste que celle de Catherine de Médicis (600)[14]. Un souci d'économie a présidé à ces diminutions.

Les familiarités de la cour

La cour de Henri IV a souvent refusé la contrainte des règlements dus aux Valois. Son caractère peu cérémonieux a frappé les observateurs. Il a inspiré la formule, forgée plus tard, des « familiarités des vieux siècles ». Le mauvais exemple vient de haut.

Un couple royal uni ou sachant préserver les apparences aurait pu donner le ton, polir les mœurs, contraindre les gentilshommes à la tenue. Or, jusqu'en 1600, aucune reine de France ne préside la cour. Le roi vit séparé de sa femme, Marguerite de Valois, réfugiée depuis 1586 à Usson en Bourbonnais, sans grandes ressources, à moitié prisonnière. En accordant à Gabrielle d'Estrées, sa maîtresse, un rang de quasi-souveraine, il choque l'opinion sans donner de l'éclat à sa cour. Celle qu'il fera duchesse de Beaufort est à ses côtés comme une reine : à Saint-Denis lors de l'abjuration, à Chartres pour le sacre. Un diplomate prétend que le roi ne peut la quitter plus d'une heure. Elle l'accompagne dans ses campagnes. Elle est à Fontainebleau lorsque Henri décide d'y ramener la cour. Le 15 septembre 1594, jour de l'entrée solennelle dans Paris, elle précède le cortège royal, ruisselante de perles et de diamants. Henri IV n'a pas l'art de la discrétion. Ne reçoit-il pas les courtisans couché dans son lit avec elle ? Au Louvre, Gabrielle occupe, la nuit, la chambre des reines de France ; elle se fait coiffer et habiller par Mmes de Guise ; on lui présente la chemise, on lui constitue une Maison comme à une souveraine [15]. L'opinion, qui pardonne au roi ses amours, refuse de le voir bafouer les usages, sacrifier les bienséances. Élever sa maîtresse au rang, et peut-être au titre, de reine de France la scandalise.

Le remariage du souverain avec Marie de Médicis (décembre 1600) redonne-t-il de la tenue à la cour ? Neuf années de vie commune ne sont en fait que fâcheries, brouilles, criailleries, colère. A son entourage le couple royal n'offre que le spectacle de scènes de ménage. La reine, que la nouvelle favorite, Henriette d'Entragues, marquise de Verneuil, traite publiquement de « grosse banquière », dénonce sans ménagements la « poutane » du roi. Elle reproche à Henri ses maîtresses, il lui jette à la figure ses favoris florentins. Richelieu prétend que le ménage royal n'a jamais passé huit jours sans se quereller. Pendant ces gros orages, chacun mange chez soi, boude, s'enferme dans ses appartements. La vie de la cour est suspendue à ces mouvements d'humeur. Le Louvre n'est plus le palais du roi de France, c'est une scène de vaudeville. Mais on ne pratique pas de tels jeux sans risque. En mars 1604, les chancelleries étrangères frémissent à l'idée du renvoi prochain de Marie de Médicis à Florence. Elles se scandalisent de l'impunité dont bénéficie la marquise de Verneuil compromise dans la conspiration de Biron. En 1606, la cour commente sans complaisance la scène violente où la reine s'est précipitée sur le roi, poing tendu.

Ces désordres ternissent l'image de la cour, déjà altérée par le laisser-aller de l'éducation des enfants royaux. En 1604, le souverain a la curieuse idée de faire élever ensemble tous ses enfants, légitimes et naturels. La reine, scandalisée, tente de s'y opposer. Henriette d'Entragues, forte d'une ancienne promesse de mariage signée du roi, y est également hostile : elle refuse de mêler ses enfants aux « bâtards » (*sic*) de la reine. Toutes deux doivent cependant s'incliner devant la volonté royale. César, Catherine-Henriette et Alexandre, issus des amours avec Gabrielle, Gaston-Henri et Gabrielle-Angélique, fils et fille de la marquise de Verneuil, sont élevés pêle-mêle avec « moncheu Dauphin » — le futur Louis XIII — et sa sœur Élisabeth. Tous appellent le roi « papa », alors que l'étiquette voudrait qu'ils lui disent « monsieur ». La cour, sans façon, les nomme « le troupeau ». Saint-Germain-en-Laye s'apparente à une nursery.

L'opinion condamne ces désordres. Mais s'il lui arrive de pardonner les dissipations du souverain ou les excès des gentilshommes de haute naissance, elle se montre impitoyable aux travers des parvenus de la faveur royale. Or Marie de Médicis puis Louis XIII lui ont donné des motifs d'irritation. Aucun ne s'est soucié du respect des rangs. La régente, superficielle et paresseuse, a le jugement court. Elle est ainsi la proie rêvée des coteries. « Impérieuse, jalouse, bornée à l'excès, elle est, écrit Saint-Simon, toujours gouvernée par la lie de la cour et de ce qu'elle avait amené d'Italie[16]. » Dépourvue de tout sens de l'étiquette, elle sacrifie les usages ancestraux du royaume à sa camarilla italienne. De sa sœur de lait, Leonora Dori dite Galigaï, elle fait la première dame de la cour, lui accordant malgré Henri IV le titre envié de dame d'atour. Leonora dispose alors au Louvre d'un appartement de trois pièces communiquant directement avec celui de la reine. C'est le cadre de leurs tête-à-tête quotidiens. La fille d'un charpentier et d'une blanchisseuse dirige ainsi l'esprit de la souveraine et dispose des charges du royaume. Chacun comprend que le don de l'abbaye de Marmoutier à son frère, menuisier de son état et illettré, inaugure son immense crédit. Concino Concini, auquel on l'a mariée, est, lui, un gentilhomme dissolu, perdu de dettes à son arrivée à Paris. Son ascension dans les charges de la maison de la reine scandalise. Il est successivement premier maître d'hôtel, premier majordome, premier écuyer, premier gentilhomme de sa Chambre et surintendant de sa Maison. Marquis d'Ancre en août 1610, il est nommé en septembre gouverneur de Péronne, puis d'Amiens, et accède en février 1614 à la dignité de maréchal de France[17]. Le couple Concini est maître du gouvernement et entasse les millions arrachés à la faveur royale.

Pas plus que sa mère, Louis XIII ne se soucie de la confusion des rangs. L'amitié qu'il porte à Baradas, page de la petite Écurie, selon Richelieu « jeune homme de nul mérite », nommé pourtant capitaine de Saint-Germain et lieutenant général en Champagne, choque et irrite les grands[18]. Luynes, gentilhomme de sa fauconnerie, est presque d'aussi simple extraction que Concini, auquel il succède comme favori en 1617. Les honneurs, les libéralités pleuvent sur la tête de l'oiseleur. En mars 1621, sans avoir été officier, il devient connétable de France !

Ces fâcheux exemples excitent les ambitions. Petits nobles et cadets de famille affluent à la cour pour trouver semblable fortune et se faire remarquer de Sa Majesté. Au temps où triomphe le « roi Luynes », Héroard écrit que Louis XIII « n'avait jamais vu tant de parents ; qu'ils arrivaient à batelées à la cour, qu'il n'y en avait pas un habillé de soie[19] ». Que de Gascons audacieux comme le baron de Faeneste ont ainsi tenté de « paraître » ! S'il a forcé le trait et cumulé les ridicules, d'Aubigné a brossé, à travers son héros, leur portrait collectif. L'espoir d'être remarqué du maître commande leurs actes. Le mérite n'y a pas de part : la toilette, le comportement, l'assiduité au Louvre y suppléent.

Notre Gascon s'habille sur le modèle de trois ou quatre « raffinés » qui font la mode. Un pourpoint de quatre ou cinq taffetas superposés et recouvert d'une rotonde à double rang de dentelles, des chausses qui ont exigé huit aunes d'étoffe, des bottes à hauts talons et éperons dorés, une débauche de rubans lui permettent d'accéder aux antichambres sans être moqué comme un hobereau égaré. Il y glane les nouvelles, commente les événements du jour, évalue gains et pertes au jeu, rapporte le dernier duel, s'informe des pensions à venir et des faveurs à quémander. Aperçoit-il une connaissance ? Il échange avec affectation de vifs propos : « Frère, que tu es brave, épanoui comme une rose, tu es bien traité de ta maîtresse. Cette cruelle, cette rebelle, rend-elle point les armes à ce beau front, à cette moustache bien troussée, et puis cette belle grève [= jambe], c'est pour en mourir[20]. » Il fait l'important, agite les bras, branle la tête, change de pied. L'essentiel est de passer pour un familier des lieux. Le roi apparaît-il par hasard dans la grande salle ? L'ambitieux se faufile à la suite de quelque puissant personnage dans la chambre royale. Il n'est pas sûr que le souverain le remarque. Il est bien improbable qu'il lui parle : Louis XIII, peu disert, n'aime guère les visages inconnus. Même infructueuse, cette visite comble notre « muguet ». Redescendre dans la cour du Louvre par le *petit degré,* et non par l'escalier Henri II, signifie que l'on sort de chez le roi. Ce bonheur vaut bien un brevet.

Les « grabuges » de la cour

« Ôtez [de la cour] les dames, les duels et les ballets, dit Faeneste, je n'y voudrais pas vivre[21]. » Galant, belliqueux, assoiffé de plaisirs quand il n'est pas au combat, le portrait-robot qu'Agrippa d'Aubigné brosse du courtisan moyen s'accorde à tous les autres témoignages. Il ne paraît point différent de l'image laissée par les favoris de Henri III. L'esquisse est la même. Seule l'attention portée aux détails révèle ce qui les sépare. S'il faut se garder d'ennoblir l'entourage des Valois et prévenir ainsi une comparaison trop défavorable à la cour des Bourbons, il reste que le comportement des courtisans de Henri IV et de Louis XIII traduit un déclin de la vie de cour.

Brutaux ? Les familiers du Louvre ne peuvent guère échapper au climat de leur époque. Les guerres civiles, la fréquence des campagnes, la renaissance des pouvoirs féodaux ont excité l'ardeur de la noblesse. Le retour de la paix ne l'a pas émoussée, mais transformée en violence personnelle, une violence que les règles du duel s'efforcent de canaliser et d'humaniser. Longtemps guerrier, le gentilhomme devient un peu gladiateur. Tout lui est occasion de se battre : un salut équivoque, une froideur, une parole méprisante. Le frôlement d'un manteau étranger, un crachat qui tombe à quatre pieds suffisent pour mettre « pourpoint bas ». La susceptibilité est extrême, l'agressivité toujours à fleur de peau. La cour, milieu propice aux conflits d'ambition, rassemblement de gentilshommes séduits par la violence, rend le mal plus visible et plus aigu. Réputés « brutaux et tempestatifs », les Gascons ne sont cependant pas les seuls à chercher noise. Les Mémoires du temps sont pleins de querelles qui satisfont la vanité. Sans être querelleur, Henri de Campion admet qu'il était « bien aise que [ses] amis eussent des démêlés pour le servir, pensant, selon la coutume de ce temps-là, [se] faire valoir par le duel et les procédés auxquels il donne lieu[22] ». Cette fringale de combat est si partagée qu'on dut ajourner le duel opposant le sieur de Richelieu, frère aîné du futur cardinal, au marquis de Thémines, « à cause de la pluralité des seconds qui se trouvèrent de part et d'autre[23] ».

Rien ne peut freiner cette passion, pas même les édits royaux. Rien ne peut brider ce goût de la violence, pas même le respect dû à la demeure du prince. Il est vrai que les lourdes peines prévues pour réprimer les incidents dans les appartements royaux, jugés crimes de lèse-majesté (dégainer dans les antichambres ou donner un démenti violent dans la chambre du monarque méritent la mort ; frapper quelqu'un dans le logis du roi vaut d'avoir le poing coupé), ces peines excessives ne sont pas appliquées. Envoyer La Châtaigneraie quelques heures à la Bastille pour avoir pris violemment à partie Bellegarde et d'Épernon dans l'antichambre de la reine, prier ce même Épernon de sortir de la cour après avoir souffleté une dame dans la chambre de Marie de Médicis encouragent presque à la récidive[24] !

Le laxisme royal date surtout de la régence. La grâce accordée par

Concini à M. de Montalbène, qui avait blessé à mort un gentilhomme de la cour, inaugure la reprise des duels. Le plus retentissant fit du chevalier de Guise le meurtrier des barons de Luz, père et fils. Il fut néanmoins, raconte Fontenay-Mareuil, « loué comme un Mars » et parvint à se poser en victime. La reine, dont l'autorité avait été bafouée, consentit même à négocier un « raccommodement » avec sa famille ! Le duel envoûte tant l'opinion, que le pouvoir, tiraillé par des influences contraires, hésite à sévir. L'impunité dont jouissent les grands, assimilés aux héros de l'Antiquité, la cote d'amour dont ils bénéficient à la cour enhardissent jusqu'au moindre gentilhomme. Les édits de Henri IV (1602, 1609) et de Louis XIII (1623, 1626), la spectaculaire exécution d'un Montmorency, le comte de Bouteville, en 1627 n'y changent rien. La violence ne désarme pas. Malgré Richelieu, on se bat jusque dans les fossés du Louvre. Les bons esprits, qui redoutent les duels mais estiment les duellistes, ne songent qu'à « apprendre de bonne heure l'intelligence des querelles dont on a fait une espèce de science à force de les raffiner [23] ». Seule la guerre étrangère, exutoire de violence, diminue la fréquence et la gravité des combats. Ceux-ci ont cependant un mérite. En s'opposant aux vendettas sans fin et aux guet-apens, en désamorçant les guerres privées, le duel est aussi une étape — encore timide — vers la canalisation de la violence.

Un tel état d'esprit ne s'embarrasse pas de sentiments raffinés. L'amour paraît ainsi indigne du soldat. Il ne convient à aucun gentilhomme de se laisser gagner par la passion amoureuse, cette faiblesse. Si la présence des femmes à la cour des Valois avait contribué à polir les mœurs et initier les courtisans à la véritable galanterie, les guerres civiles ont compromis ces efforts. Une génération marquée par la vie des camps, moins préoccupée de morale que de la satisfaction de ses instincts, a introduit dans l'entourage des Bourbons grande liberté de mœurs. Henri IV vivant publiquement entre sa femme et ses maîtresses, ses enfants légitimes et ses bâtards, offrait un exemple peu édifiant. Ses lettres à Henriette d'Entragues ne sont pas des modèles de poésie amoureuse, délicate et allusive. Sa correspondance intime comme sa conversation se pimentent de termes des plus crus. Les courtisans sont à son image. La cour est le théâtre de tous les excès ; sa réputation en souffre. « On n'a jamais rien vu qui ressemble à un b... que cette cour », écrit l'envoyé du duc de Toscane [25].

Quand le roman utilise des enlèvements comme ressort dramatique, il ne fait que reproduire un aspect de la galanterie du temps. Enlever une femme pour satisfaire une passion ou conquérir une fortune, et trancher ainsi les oppositions familiales, est fréquent. Les conquêtes féminines suscitent tant de récits colorés et flatteurs, égayant les antichambres du Louvre, que l'on ne tombe amoureux que pour s'en vanter. L'amour véritable, candide, fidèle, n'est que vertu bourgeoise. Amoureux de Mlle de Montmorency, Bassompierre déclare : « Comme c'était un amour réglé de mariage, je ne le ressentais pas si fort que je devais[26]. » La discrétion, la civilité, la vraie galanterie, bannies de la cour, ne trouvent asile qu'auprès des survivants du temps de Henri III, comme Bellegarde, « le plus poli de tous les hommes ». Mais ceux-ci ne sont plus à la mode. Rendre désormais quelque civilité aux dames est tenu pour honte. L'esprit ne joue plus aucun rôle en amour.

Il est juste de reconnaître que certaines dames de la cour n'ont pas les manières les plus délicates. La conversation de Mme de Luynes, future duchesse de Chevreuse, n'était, d'après Chalais, qu' « actions licencieuses, riottes, coquetteries et jurer Dieu[27] ». Les dames du cabinet de la jeune reine Anne d'Autriche lisaient avec volupté l'obscène *Cabinet satyrique*, l'accompagnant de plaisanteries vulgaires.

Autant que la vertu des dames ou la décence des propos, la piété est malmenée. La mode est alors de jurer : jadis on blasphémait par colère, note un témoin, « à présent l'on blasphème en riant[28] ». Et Pierre de L'Estoile, bourgeois parisien sans bienveillance pour le Louvre, prétend qu'à la cour « toute piété et crainte de Dieu est éteinte[29] ». Les contemporains sont unanimes à reconnaître la racine du mal dans les guerres passées. Mais loin de refermer une longue parenthèse d'excès, la paix retrouvée encourage encore la corruption des esprits. A la cour comme à l'armée, les gentilshommes se détachent de la religion. Ils tirent gloire de leur impiété comme si elle devait passer pour marque de courage. Le choix contestable de quelques commensaux du roi semble être leur meilleure garantie. Le premier médecin de Henri IV, Janus de la Rivière, n'est-il pas « athée en religion », autant que « déréglé en ses mœurs[28] » ? Le monarque n'a-t-il pas confié l'éducation du dauphin à Des Yveteaux, vieux libertin décrié ? Et les entours de Leonora Galigaï sont aussi suspects. Louis XIII et Richelieu tentent, par l'exemple et la fermeté, d'endiguer les « grabuges » de la cour hérités d'un proche passé. Le roi a pourtant été élevé dans un milieu où la liberté de paroles et les gestes équivoques — rapportés candidement par Héroard — choquent aujourd'hui notre sensibilité. Louis marque cependant une répugnance à tout ce qui est relâché. Il ne goûte guère les plaisanteries osées qui enchantaient les Gascons proches de son père. Un brutal : « Je ne veux point que l'on dise des saletés et des vilénies[30] », interrompt les audacieux. On sait que la hardiesse de certaines dames de la cour le laissait de marbre, quand il ne les rudoyait pas dans l'instant. Balzac prétend qu'il parvint à imposer à ses courtisans une certaine retenue, à les contraindre à quelque réserve. Il entreprit aussi de corriger la liberté de ton du cercle d'Anne d'Autriche. Mais rompre avec le temps, si proche, où

La douce erreur ne s'appelait point crime,
Les Vices délicats se nommaient des Plaisirs[31]

exige de la ténacité.

Une vie de cour intermittente

Un contemporain a reconnu à Louis XIII le mérite d'avoir purifié la cour par son exemple et résisté par sa vertu à ses délices. Si la première proposition pèche par une bienveillance excessive, la seconde est en deçà de la vérité. Pas plus que son père, Louis n'a vraiment tenu de cour. Il n'en avait ni le goût ni le talent. Celle-ci ne s'est éveillée à la vie sociale que par intermittence.

Dispersée par Henri III en 1589, elle n'a guère été réunie avant 1593, lors du premier voyage d'automne à Fontainebleau. La conquête du royaume occupait alors à elle seule celui que la succession monarchique nommait Henri IV, mais que l'on tenait encore seulement pour le Navarrais. Le successeur des Valois était démuni de tout. La frugalité de son train de maison contrastait douloureusement avec les habitudes fastueuses des grands seigneurs de l'ancienne cour chez qui le nouveau roi de France était souvent contraint de s'inviter. Tenir une cour alors que l'on mène une dure vie de combats, que la pénurie financière oblige à emprunter, que les privations sont le pain quotidien, est le cadet de ses soucis. S'il presse la noblesse de le rejoindre, ce n'est pas pour l'associer à une quelconque vie de société, mais pour s'assurer son loyalisme et la jeter dans la bataille.

Ce souverain sans majesté ni élégance, à la tenue négligée, peu enclin aux libéralités, est aux antipodes de son prédécesseur. « Les compagnons et serviteurs du feu Roi, écrit d'Aubigné, déclaraient qu'ils avaient changé un maître d'or en un de fer[32]. » Son mariage avec Marie de Médicis donne cependant quelque relief à sa cour. La chasse, le jeu — un jeu effréné où en 1608 « il ne se passait journée qu'il n'y eût vingt mille pistoles, pour le moins, de perte et de gain[33] » —, les ballets en sont les principaux divertissements. Mais le Louvre ne retrouve pas la somptuosité du temps de Henri III. Il n'est plus seul centre de plaisirs et de fêtes. La vie de cour souffre de l'inexpérience de la plupart des courtisans. « On parle de faire quelques galanteries à ce carême-prenant, et l'on se vantait de carrousels, écrit un contemporain, mais il s'est trouvé que personne de nos courtisans n'en savait la mesure[34]. » Le retour de la reine Margot à Paris en 1605 va aider à leur éducation. Son hôtel de la rue de Seine conserve le parfum de la cour des Valois. Le cérémonial y est strict. Ses réceptions attirent ceux qui aspirent à la politesse des mœurs et aux plaisirs délicats. Nul mieux qu'elle ne sait l'étiquette, les traditions, les rites de la vie monarchique. Sa cour est un modèle de tenue pour le Louvre trop souvent débraillé. Marie de Médicis la consulte fréquemment. Ses conseils aident à corriger la gaucherie de la seconde femme de Henri IV, donnent de l'éclat à ses réceptions. C'est elle, par exemple, qui règle le ballet dansé à l'Arsenal le 6 janvier 1609 à l'occasion de la visite de l'ambassadeur d'Espagne. Le succès est tel qu'elle le fait reprendre en son hôtel le 31.

Après l'assassinat de Henri IV, les premiers troubles de la régence interrompent cette brève renaissance de la vie mondaine. Bals et comédies sont supprimés. Comme on ne peut transformer le palais en couvent, la reine autorise quelques familiers à recevoir chez eux. La princesse de Conti, Mmes de Guise et de Guercheville organisent ainsi des soupers, donnent des bals auxquels Marie de Médicis accepte parfois de participer. La vie de cour renaît depuis 1612 ; la paix retrouvée le permet. L'annonce des mariages espagnols, devant unir le jeune Louis XIII à l'infante Anne d'Autriche et Élisabeth de France à l'héritier de Madrid, est accompagnée d'un somptueux carrousel donné place Royale au mois d'avril. Il impressionna fortement les contemporains et apparaît encore comme l'apogée de la régence. L'année 1613 est riche en divertissements. A ses correspondants Malherbe, sans se lasser, annonce leurs préparatifs, relate leur déroulement. Le 11 février, faute de nouvelles politiques à rapporter, il regrette qu'à la cour « il ne s'y parle que de comédies et de ballets ».

La reine a fait aménager une petite salle dans l'entresol de son appartement — « le plus agréable théâtre qui se puisse voir, avec des sièges pour environ quatre-vingts personnes » — où se produisent les comédiens italiens qu'elle apprécie tant [35]. Elle préside la cour avec plus de tenue que sous le feu roi, créant un « cercle » très fréquenté. Il est vrai qu'on en attend bien des complaisances. Chaque après-midi elle reçoit largement dans son cabinet, puis le soir, jusqu'au souper, rassemble quelques privilégiés, intimes dont les nouvellistes se plaisent à rapporter les noms. Les intrigues des grands, la révolte de Condé interrompent à nouveau cette heureuse période. La paix de Loudun la ranime un court instant. Mais après 1617 Marie de Médicis ne mène plus qu'une vie aventureuse. Louis XIII et Anne d'Autriche ont la charge de la cour.

Le nouveau roi est peu fait pour la représentation. Plus à l'aise au grand air, à la chasse ou en campagne que dans la grande salle du Louvre, il conçoit à peine l'utilité d'une cour. A dire vrai il n'en tient pas. Les épreuves politiques et sa maladie précoce lui interdisent de comprendre que son entourage aspire à vivre dans l'animation et la joie. Les leçons de Catherine de Médicis lui sont étrangères. Il ignore, ou feint d'ignorer, que les distractions sont l'antidote des complots. Richelieu doit même lui conseiller de faire plus souvent « bonne chère » aux grands [36]. Sa très haute idée du métier de roi ne dépasse pas les limites de son cabinet de travail. Il ressemble si peu à son frère Gaston, plus doué que lui pour la vie sociale et dont il moque les « cérémonies » ! Ses relations avec la reine Anne d'Autriche n'encouragent pas davantage l'animation de la cour. Deux ans durant il a ignoré sa jeune femme. Quand il s'éprend d'elle en 1619 — le mariage est alors consommé — la vie renaît au Louvre. Louis veut que la joie règne dans son entourage. Bals, comédies, festins, promenades se succèdent. Las ! l'euphorie dure peu. Il délaisse à nouveau la reine, ne lui accordant que les deux visites quotidiennes que le protocole impose. Or Anne d'Autriche aime la vie de cour. Le cercle qu'elle anime, sans le roi, joue gros jeu, donne des concerts, applaudit aux comédies. Il devient vite foyer d'intrigues. A partir de simples « intérêts de charges de palais, de dépits et de rivalités féminines [37] », quelques habiles montent de véritables complots. Le roi suspecte alors tout ceux qui approchent le cabinet de la reine. Il l'espionne, la querelle, l'humilie. Après l'indifférence et les malentendus, la haine s'installe dans le couple. Quelle brillante vie de cour pourrait naître auprès d'un souverain hypocondriaque et d'une jeune reine rieuse mais imprudente ? La cour ne retrouve joie et charme que par éclipses. En 1637, Mlle de Montpensier confie que « la cour était fort agréable alors ; les amours du roi pour Mme de Hautefort, qu'il tâchait de divertir tous les jours, y contribuaient beaucoup[38] ». Mais ces instants de bonheur durent peu. Et les difficultés de la fin du règne sont peu faites pour les multiplier.

La cour des deux premiers Bourbons, simple, familière, sans éclat, est capable de cérémonial, mais à certaines occasions seulement. Henri IV, quand il le veut, sait se montrer majestueux. Il accepte alors de quitter sa jaquette grise pour se glisser dans une tenue d'apparat. Il sait faire respecter l'étiquette. C'est avec solennité qu'en octobre 1602 il reçoit les ambassadeurs des cantons suisses. Toute la cour est mobilisée pour l'événement. Le duc d'Aiguillon, grand chambellan, entouré de soixante gentilshommes, conduit les diplomates de l'hôtel de Longueville au palais. Les gardes françaises font la haie le long du trajet. L'itinéraire est ponctué d'arrêts où officient les principaux commensaux de la maison du roi. A la porte du Louvre, un prince du sang, le duc de Montpensier, escorté de chevaliers du Saint-Esprit, reçoit les hôtes ; au bas du grand escalier, le comte de Soissons, cousin du roi et grand maître de France, accompagné de gouverneurs de province et de vieux chevaliers, les conduit, entre deux haies de cent-Suisses, au premier étage. Là, dans la chambre royale, sur un trône doré, le roi, richement vêtu, une aigrette de diamant à son chapeau, les accueille. La famille royale et les dignitaires de la Couronne forment autour de lui un cercle brillant. Henri IV a imaginé lui-même cette mise en scène. Quand il juge l'apparat utile à ses desseins, le Navarrais sait faire le roi de France. Il est vrai qu'à la fin de la cérémonie il invitait les ambassadeurs à défiler devant lui et serrait la main à chacun[39] ! Le baptême du dauphin à Fontainebleau le 14 septembre 1606, le mariage de César, duc de Vendôme, fils légitimé du roi avec Françoise de Mercœur, le 7 juillet 1609, sont encore occasion de cérémonies qui, par leur magnificence et leur tenue, tranchent sur le train ordinaire de la cour.

Ces fastes se raréfient au temps de Louis XIII. On garde alors en mémoire le grandiose carrousel offert par Marie de Médicis en 1612, où trois jours de fête — les 5, 6 et 7 avril — ont rassemblé la cour autour du « château de la Félicité ». Rien de comparable n'a été donné par la suite. Le souverain réduit même la pompe des « entrées » royales, au risque de décevoir ses gentilshommes qui, au retour d'une campagne victorieuse, aiment caracoler dans les villes devant les bourgeois admiratifs. On se borne à célébrer les événements familiaux, parfois avec solennité comme le mariage de la sœur du roi, Henriette-Marie, avec Charles d'Angleterre (8 et 11 mai 1625), mais souvent sans grands frais. En janvier 1619, les noces de Mlle de Vendôme avec le duc d'Elbeuf ont été magnifiques. Mais les finances royales ne permettent guère, le mois suivant, de donner même éclat à celles de Madame Chrétienne avec Victor Amédée de Savoie. Selon la volonté du roi, la cérémonie est dépourvue d'apparat. Au long d'un règne effectif d'un quart de siècle, Louis XIII, par tempérament et manque de moyens, a négligé les fêtes qui donnent de l'éclat à la cour.

Celle-ci peut être majestueuse, mais on ne lui demande pas de l'être tous les jours. Les cérémonies qu'elle offre avec parcimonie manquent souvent d'une grande finesse de goût. Ainsi l'ostentation manifestée dans les costumes traduit une lourdeur de style à laquelle sont condamnés des courtisans obsédés par le « paraître », mais mal dégrossis. Au baptême du dauphin, Bassompierre a dépensé 14 000 écus pour un habit de toile d'or constellé de perles. Le duc d'Épernon y arbore une épée dont la garde est enrichie de 800 diamants. Marie de Médicis ruisselle de pierreries : écrasée sous une robe où l'on a cousu 32 000 perles et 3 000 diamants, elle ressemble à une grosse tour et ne se déplace qu'avec difficulté[40]. Les portraits officiels de Pourbus témoignent de cette passion exagérée pour la joaillerie. A la sobriété on substitue l'excès, au bon ton les débordements. Les rares fêtes de la cour ont un aspect tapageur et tape-à-l'œil : elles n'ont pas encore atteint la distinction.

La rudesse des divertissements trahit la même imperfection du goût. Au début du XVIIe siècle, la nouvelle génération — Bassompierre est de vingt ans le cadet du roi — ne connaît de la guerre que les récits embellis des conflits religieux. Elle rêve d'exploits, de joutes, de jeux équestres. Pour elle la cour de Henri IV renoue avec les combats de lances. Leur brutalité paraît un retour fâcheux au passé. Lors du tournoi donné au Louvre le 27 février 1605, Bassompierre ne faillit-il pas avoir le sort de Henri II aux Tournelles ? On a décelé aussi dans les sujets des ballets de cour — les revues à grand spectacle du temps — le reflet d'une certaine vulgarité. Les déguisements ridicules des danseurs, en pots de fleurs ou en chats-huants, leurs contorsions bouffonnes indiquent que le grotesque l'emporte souvent sur le raffinement.

Ni Henri IV ni Louis XIII n'ont exercé d'influence sur la politesse des mœurs, même si la décence est mieux partagée dans l'entourage du second Bourbon. La cour de France est loin d'être modèle et lieu de rassemblement de la véritable « société polie ». La reprise de la vie mondaine s'est produite en dehors d'elle. Ce n'est pas la cour qui donne le ton, mais des sociétés extérieures en réaction contre le laisser-aller, la dissolution, la rusticité qui règnent au Louvre. C'est à l'hôtel de Rambouillet, puis dans les « ruelles » des Précieuses que l'on retrouve le bon ton, codifié, affecté, parfois exagéré. Rue Saint-Thomas-du-Louvre siège ce que Saint-Simon a nommé « un tribunal avec qui il fallait compter et dont la décision avait un grand poids dans le monde, sur la conduite et sur la réputation des personnes de la cour et du grand monde[41] ». La noblesse de cour y est représentée sans y dominer. Elle côtoie les gens du monde poli de la capitale et les beaux esprits, même roturiers, surtout s'ils sont gens de lettres et de bonnes manières. La conversation devient le principal attrait de ces ancêtres des salons des Lumières. Seule la bienséance du langage a droit de cité. Les correspondances en diffusent le ton. Les femmes retrouvent un rôle que le Louvre ne leur accorde plus. La décence y règne, toute familiarité est bannie. Certes, à la fin du règne de Louis XIII, la cour ne reste pas complètement insensible à l'influence du cercle de Catherine de Vivonne, marquise de Rambouillet, l'« incomparable Arthénice ». Mais elle n'en ressent les effets qu'à doses homéopathiques. Il faut attendre le temps de Louis XIV pour que la politesse raffinée émigre des ruelles vers la cour de France.

La reprise de la vie mondaine

Louis XIII n'a cessé de décevoir ses courtisans. Pis, il les a ennuyés. Mme de Motteville, qui ne l'aimait guère, note qu'« il vivait comme un particulier », « réduit à la vie la plus mélancolique et la plus misérable du monde, sans suite, sans cour, sans pouvoir [ce qui est inexact] et par conséquent sans plaisir [ce qui n'est pas loin d'être vrai][42] ». A sa mort il ne fut pas regretté. « Pour l'affliction à la Cour, écrit Turenne au lendemain du 14 mai 1643, elle y a été très médiocre[43]. » Par réaction, les premières semaines de la régence d'Anne d'Autriche furent une explosion de gaieté. « Jamais la cour ne fut si belle que dans ce commencement », note Monglat[44]. « Il ne se passait presque point de jour, qu'il n'y eût des sérénades aux Tuileries ou dans la place Royale [...]. Il n'y eut jamais tant de bals », répond en écho Mlle de Montpensier[45]. Trop longtemps sevrés de plaisirs, les familiers du Louvre se hâtent d'en jouir, parfois sans modération. A cet appétit de divertissements la poursuite de la guerre ne constitue pas un obstacle. Les courtisans partagent alors leur temps entre les combats aux frontières à la belle saison et les fêtes à Paris en hiver quand s'interrompent les opérations militaires. Ce semestre froid est « fertile en collations, en bals, en assemblées, en veilles, en divertissements, qui nourrissent bien tendrement l'amour[46] ». La moralité est souvent bousculée. Les habitudes des camps puis les troubles de la Fronde expliquent les désordres des jeunes nobles et leur goût pour les plaisirs immédiats. Les façons « vieille cour » qu'affecte Bassompierre les font sourire. L'heure est désormais aux bravades, au libertinage, à la licence. On prétend que les femmes sont « un peu moins modestes qu'autrefois », on assure qu'en amour elles font maintenant « plus de la moitié du chemin[47] ». Mme de Montbazon ne compte plus ses amants, Mmes de Châtillon et de Longueville se disputent âprement M. de Nemours. Avec le consentement de la belle, Gaspard de Coligny enlève Mlle de Montmorency. Les scandales ne manquent pas. Ils nourrissent les potins de la cour et réjouissent les amateurs de vers burlesques et chansons gaillardes. Il y a dans ce brutal changement moral la réaction, voire la revanche, contre la discipline imposée naguère par Richelieu et Louis XIII. Il faut y ajouter le goût de l'insolence propre aux « petits-maîtres » alors à la mode et une once de provocation destinée aux bourgeois. Les événements politiques ne permettent guère à la régente de discipliner les mœurs. Les jeunes gens tapageurs à Paris ne sont-ils pas aussi d'héroïques combattants et d'heureux capitaines ?

Les victoires de Rocroi, Fribourg, Nordlingen, Lens, prétextes à de joyeuses célébrations, mettent la cour en joie, auréolant de gloire les vainqueurs. Chantilly, demeure retrouvée de M. le Prince, fête son héros, le duc d'Enghien, et réunit à ses côtés une jeune et galante société dont Voiture et Sarasin chantent les intrigues amoureuses. « Si la cour de Fontainebleau surpassait celle de Chantilly en nombre, confie un contemporain, celle-ci ne lui cédait nullement en galanterie et en divertissement [...]. Outre la beauté du site, la chasse, le jeu, la musique, la comédie, les promenades avec une extrême liberté et généralement tout ce qui rend la campagne agréable, se trouvaient en ce lieu en abondance [...]. On passait insensiblement d'un divertissement à un autre. Ainsi le temps s'écoulait insensiblement, sans qu'on s'en aperçût ni que personne pût s'en ennuyer[48]. » A la belle saison la cour fréquente le domaine des Condés, comme elle se divertit aux fêtes données par Gaston d'Orléans en son palais du Luxembourg. Mais c'est au Palais-Royal, qu'elle préfère au Louvre, qu'Anne d'Autriche préside avec bonheur à la vie mondaine. Désormais maîtresse de la puissance souveraine, libérée de tutelle, elle exerce pour la cour entière ses talents de société que l'humeur chagrine du feu roi avait confinés dans un petit cercle toujours surveillé.

La vie de cour que la guerre étrangère n'a pas étouffée résiste-t-elle aux épreuves de la guerre civile ? Longtemps Anne d'Autriche s'est efforcée de remplir ses obligations mondaines. Mais la fuite du Palais-Royal dans la nuit du 5 au 6 janvier 1649, et la précaire installation du roi, de la reine et de la cour à Saint-Germain-en-Laye, loin des émeutiers, interrompent toute vie mondaine. Dans ce château démeublé, se loger est la première préoccupation. On se dispute lits de camp et bottes de paille. A peine établie, la cour grossit de ceux qui sont attachés à son service, suivis des gentilshommes qui, par loyalisme ou peur de la « canaille », fuient Paris révolté et assiégé. A tous la régente offre un visage serein, balayant les pleurnicheries des courtisans incommodés par l'inconfort et la cherté des vivres. Pourtant la maison du roi est dans un pitoyable état. « Elle était mal entretenue, sa table était souvent renversée ; une partie des pierreries de la couronne était en gage, les armées étaient sans solde [...] les pages de la Chambre étaient renvoyés chez leurs parents, parce que les premiers gentilshommes de la Chambre n'avaient pas de quoi les entretenir[49]. » La mère de Louis XIV sait surmonter l'épreuve. La paix de Saint-Germain signée avec les frondeurs (1er avril 1649), elle retarde encore son retour à Paris pour suivre, depuis Compiègne et Amiens, la campagne militaire contre les Espagnols. Le 18 août 1649, après sept mois et demi d'absence, la cour regagne le Palais-Royal.

Parce que les princes en sont les acteurs principaux, la seconde Fronde vide la cour, ou plutôt la pulvérise. La pacification des provinces soulevées l'entraîne pendant l'année 1650 sur les chemins de Normandie, de Bourgogne, de Champagne et de Guyenne. Puis, du 30 septembre 1651 au 21 octobre 1652, pour combattre l'armée condéenne, elle passe à nouveau treize mois loin de Paris. A la différence de la première Fronde, la vie mondaine ne semble pas souffrir de cette errance à travers le royaume. Chaque période d'accalmie, même brève, voit renaître les plaisirs. Au début de 1650, on applaudit au Petit-Bourbon *Andromède,* pièce à machines de Pierre

Corneille et Torelli. En 1651, la cour, à demi prisonnière au Palais-Royal, s'enthousiasme aux brillants débuts sur scène du jeune Louis XIV, passionné de ballet. Au cœur des deux campagnes militaires de 1651-1652, elle ne néglige jamais les fêtes : ainsi à Poitiers, sa résidence provisoire,

> *où des courtisans les deux tiers,*
> *nonobstant les malheurs de France,*
> *se divertissent d'importance ;*
> *on y voit, presque tous les jours,*
> *l'aimable et charmant concours*
> *d'hommes et de dames parées,*
> *qui dansent toutes les soirées*[50].

L'entourage du roi n'est cependant plus seul foyer de mondanités. Au gré de leurs choix politiques, ses familiers se sont dispersés. Dans leurs gouvernements et seigneuries, les frondeurs reconstituent de petites cours rivales du Palais-Royal. Chantilly, Saint-Maur, Montrond (en Berry), Bordeaux, domaine des Condés, Turenne, fief des La Tour, Limours, manoir de Gaston d'Orléans, sont à la fois bases stratégiques et refuges. Fidèles des princes et visiteurs y affluent. Malgré la dureté des temps, on s'y amuse et on y fait bonne chère. De grandes dames entrecroisent intrigues amoureuses et machinations politiques. Les prétentions et les coups de cœur de ces ardentes frondeuses nommées Chevreuse, Longueville, Nemours ou Montbazon entraînent dans un tourbillon de plaisirs et d'exploits une jeunesse passionnée. A Paris, déserté par la famille royale, on mène aussi joyeuse vie. Mlle de Montpensier réunit au Luxembourg la bonne société. « Tout ce qu'il y avait de jeunes gens et de jolies personnes à Paris y venaient ; il n'y avait de cour à faire à personne qu'à moi, note-t-elle avec satisfaction. La Reine n'était pas à Paris, et Madame avait une santé si incertaine que cela l'empêcha d'aimer à voir le monde ni aucun plaisirs. Nos assemblées étaient assez jolies pour les nommer ainsi ; elles commençaient à cinq ou six heures et finissaient à neuf[51]. »

La Fronde vaincue, l'autorité souveraine progressivement restaurée, plaisirs et divertissements, qui n'avaient pas cessé, prennent un plus vif éclat. Mais c'est la cour — installée désormais au Louvre, plus sûr que le Palais-Royal trop accessible aux émeutiers — qui seule donne le ton. Gaston d'Orléans, exilé à Blois, est entré en dévotion.

Mademoiselle s'est réfugiée à Saint-Fargeau. Condé, passé à l'ennemi, vit, entre deux campagnes, à la cour de Bruxelles dans une « continuelle gueuserie[52] ». Son hôtel parisien, longtemps « temple de la galanterie et des beaux esprits », et le domaine de Chantilly ont été saisis. Par sincère attachement ou soucieux de faire oublier leurs infidélités, les courtisans s'empressent auprès du roi, « jeune, vigoureux, ardent aux plaisirs[53] ». Sa personnalité est déjà assez affirmée pour présider effectivement la cour. Séduisant, naturellement aimable, Louis a grande prestance. Il danse à ravir, est habile « à tous les jeux d'exercice ». Toutes qualités qui augurent favorablement d'une brillante vie de cour.

Le jeune roi lui donne rapidement un tour galant et enjoué, suscitant autour de lui une délicate familiarité. Plus rien au Louvre ne rappelle le style de l'ancienne cour, remarque avec étonnement Mademoiselle, rentrée en grâce en 1657. Si l'année 1661 marque un tournant dans l'histoire du règne, la jeune cour de Louis XIV, celle de Saint-Germain, des heureuses conquêtes et des grandes fêtes, est déjà en germe au lendemain de la Fronde.

CHAPITRE IX

Les « brouilleries » de la cour

Il y a quelques brouilleries en cette cour ; mais ce n'est que la coutume ; tout aura bonne fin, Dieu aidant.

MALHERBE

Il n'est pas croyable comme la fortune tourne continuellement et diligemment sa roue en cette cour : les faveurs n'y sont guère en un même lieu ; c'est raison aussi que tout le monde s'en sente.

MALHERBE

Chacun mesurait son mérite à son audace.

RICHELIEU

Aucune cour n'échappe aux intrigues. Sous un prince jaloux de son autorité, appliqué aux tâches gouvernementales, elles ne regardent que les affaires domestiques. La quête des honneurs et des places, les stratégies matrimoniales, les rivalités dans les faveurs du roi occupent les courtisans manœuvriers. Elles ne menacent guère l'État. Cour et gouvernement se côtoient sans se confondre. Mais en un temps de construction monarchique où le pouvoir royal doit encore composer avec la noblesse, récompenser les fidélités, négocier les ralliements, les intrigues de cour prennent alors un sens politique. Les coteries prospèrent, les clans pullulent, les camarillas s'agitent. On ne saurait sous-estimer leur importance. Au temps de Henri IV et de Louis XIII, elles se confondent avec l'histoire intérieure du royaume. Les gentilshommes responsables sont semblables à ces enfants gâtés, d'autant plus turbulents qu'ils sont choyés sans mesure, et les souverains pareils aux parents navrés de l'indiscipline de leur progéniture mais toujours prêts à pardonner ses écarts. Henri IV lui-même avait un souci jaloux de la conservation de sa noblesse, au combat (« Épargnez la noblesse de France ! » crie-t-il à ses officiers lors de la bataille d'Ivry) comme à la cour. Deux graves complots nobiliaires ont pourtant menacé son trône et sa vie. S'il se décide à condamner le duc de Biron en 1602, après lui avoir pardonné une première fois l'année précédente, il hésite jusqu'à la dernière minute à ordonner son arrestation. La conspiration d'Entragues, dont Épernon, Montmorency et Bellegarde sont les complices, s'achève par une amnistie qui indigne l'opinion (1605). La régence de Marie de Médicis réveille les ambitions, et l'esprit d'indécision du jeune Louis XIII persuade les factieux de la vacance du pouvoir. « Tout le mal vient de ce que le Roi ne veut pas être Roi, qu'il ne s'y applique pas autant qu'il le faudrait, note le nonce Bentivoglio le 18 juillet 1620. Cette couronne est comme une abbaye vacante : Luynes, qui en jouit, veut la conserver ; la Reine mère la veut, les princes la veulent, les Parlements la veulent. Il est certain que si le Roi ne se réveille pas, chacun de tous ces gens pourra en prendre un morceau [1]. » La monarchie est alors à l'encan, et la cour le théâtre des enchères.

Le temps des ambitions

« Le temps des Rois est fini, celui des princes et des grands commence [2]. » Condé n'a guère attendu plus de deux mois après l'assassinat de Henri IV pour traduire par cette déclaration définitive l'appétit des princes du sang. A la fin du règne du Vert-galant, tous semblaient pourtant avoir apaisé leur ambition. C'était une illusion. Condé, le premier, rompt cette apparente fidélité monarchique. L'affrontement des princes avec le souverain n'est pas seul à diviser la cour. En ce temps de régence, où le pouvoir est exercé par une reine d'origine étrangère au nom d'un monarque de dix ans, le Louvre est partagé en trois cercles d'inégale influence : la coalition des grands, l'entourage de Marie de Médicis et le petit conseil de Louis XIII.

Toujours prêts à ressusciter les formes traditionnelles de la féodalité, les grands sont incapables de constituer un front soudé. La division règne en leur sein. Ils ne sont unis par rien. Ainsi les puissantes maisons de Bourbon-Condé et de Lorraine vivent en constante rivalité. La première est issue de Louis, prince de Condé,

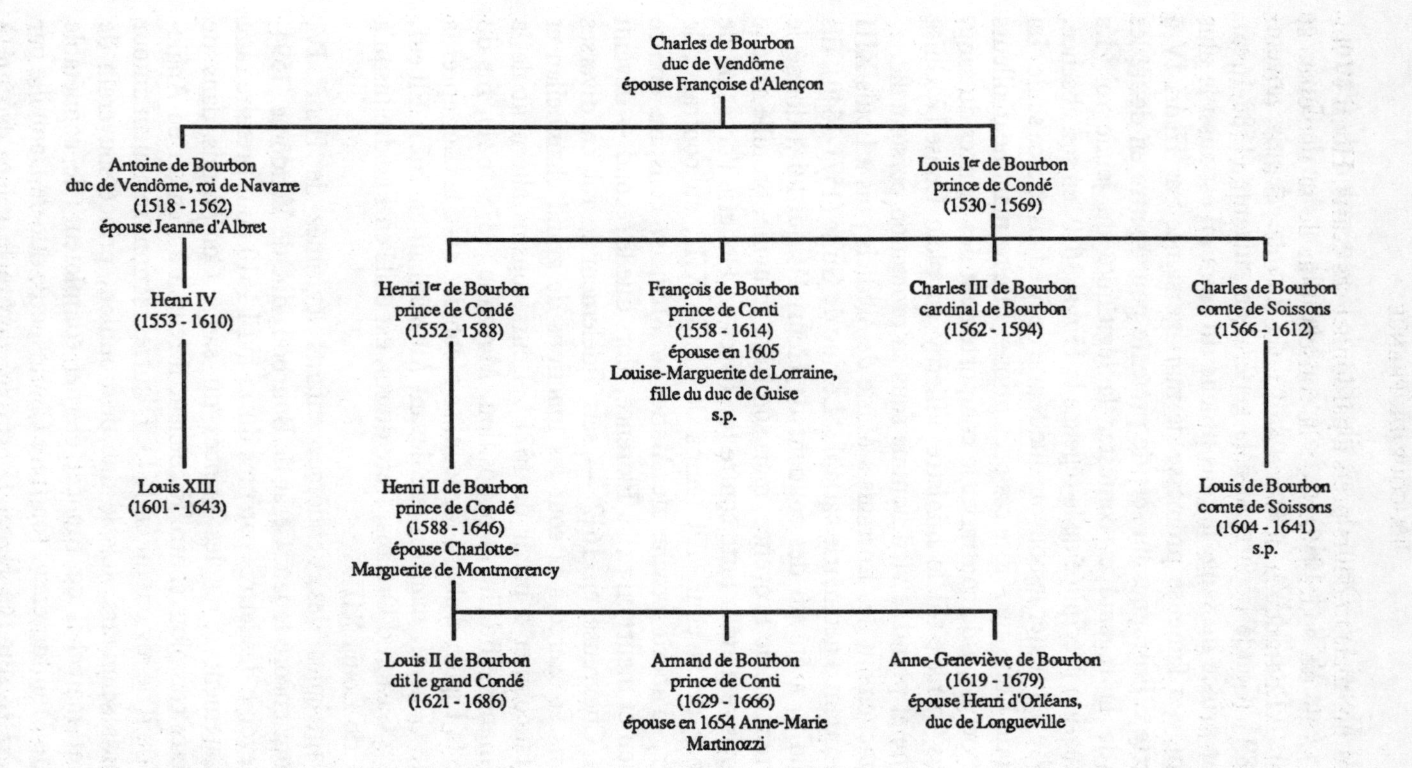
Charles de Bourbon
duc de Vendôme
épouse Françoise d'Alençon
Antoine de Bourbon
duc de Vendôme, roi de Navarre
(1518 - 1562)
épouse Jeanne d'Albret
Louis Ier de Bourbon
prince de Condé
(1530 - 1569)
Henri IV
(1553 - 1610)
Henri Ier de Bourbon
prince de Condé
(1552 - 1588)
François de Bourbon
prince de Conti
(1558 - 1614)
épouse en 1605
Louise-Marguerite de Lorraine,
fille du duc de Guise
s.p.
Charles III de Bourbon
cardinal de Bourbon
(1562 - 1594)
Charles de Bourbon
comte de Soissons
(1566 - 1612)
Louis XIII
(1601 - 1643)
Henri II de Bourbon
prince de Condé
(1588 - 1646)
épouse Charlotte-
Marguerite de Montmorency
Louis de Bourbon
comte de Soissons
(1604 - 1641)
s.p.
Louis II de Bourbon
dit le grand Condé
(1621 - 1686)
Armand de Bourbon
prince de Conti
(1629 - 1666)
épouse en 1654 Anne-Marie
Martinozzi
Anne-Geneviève de Bourbon
(1619 - 1679)
épouse Henri d'Orléans,
duc de Longueville

GÉNÉALOGIE SIMPLIFIÉE DE LA MAISON DE BOURBON-CONDÉ

oncle de Henri IV. Deux de ses fils sont de la génération du feu roi : Conti, né en 1558 († 1614), qui a épousé la fille du duc de Guise, et Soissons (1566-1612), grand maître de France depuis novembre 1589[3]. Condé appartient à la génération suivante (1588-1646). Premier prince du sang, le plus proche du trône, il est aussi le plus remuant. La fameuse promesse de mariage signée par Henri IV à Henriette d'Entragues lui sert de prétexte pour mettre en doute les droits de la régente et contester la légitimité du jeune roi. La proclamation précipitée de la régence le 15 mai 1610, en son absence, l'autorise à discuter le pouvoir que Marie de Médicis exerce seule. La maison de Lorraine réfute ces prétentions. Elle ne manque d'ailleurs aucune occasion de contrarier le comportement des princes du sang. Soissons menace-t-il le ministre Villeroy en plein Conseil ? Guise s'indigne et prend le vieil homme sous sa protection personnelle.

L'attachement des Lorrains à Marie de Médicis puis à Louis XIII est cependant à géométrie variable. Le duc de Guise (1571-1640), fils du Balafré, a été un des soutiens de Henri IV qui lui a donné le gouvernement de Provence, mais son frère Joinville, brouillé avec le roi, a trouvé dans la lutte contre les Turcs en Hongrie l'occasion de s'éloigner de la cour. Au temps de Louis XIII, au contraire, le premier, d'abord proche de Marie de Médicis, conspire contre Richelieu et meurt en exil à Florence, alors que le second — devenu duc de Chevreuse en 1612 — sert fidèlement le roi en diverses occasions et exerce à la cour les fonctions de grand chambellan et grand fauconnier à partir de 1621[4]. Leurs cousins alternent de la même manière fidélité et opposition. Mayenne (1578-1621), fils du chef de la Ligue, d'abord factieux, se réconcilie avec la cour après la mort de Concini, mais est tué devant Montauban en 1621. Elbeuf, attaché à Gaston d'Orléans, frère du roi, est exilé en Flandre jusqu'à la mort de Louis XIII.

Les intrigues des Vendôme, enfants légitimés de Henri IV, brouillent encore le jeu. César de Bourbon, duc de Vendôme (1594-1665), excipe des lettres patentes du 15 avril 1610 pour prendre rang immédiatement après les princes du sang. Compromis dans de nombreux complots contre Richelieu, il réussit à s'enfuir en Angleterre d'où il ne revient qu'en 1643. D'autres factions se nouent autour de grands seigneurs, tels le duc de Bouillon, prince souverain de Sedan et maréchal de France, éternel comploteur ; le connétable Henri de Montmorency, son frère Charles, créé duc de Damville par Louis XIII, son fils Henri II, révolté contre le roi et exécuté à

Toulouse en 1632 ; Épernon — en crédit auprès de Marie de Médicis mais qui meurt disgracié — et son fils Candale, poursuivi par la haine de Richelieu.

Les observateurs du temps prétendent que la froideur de la régente envers les princes est responsable de leurs éclats et de leurs départs de la cour[5]. Tant il est vrai que la susceptibilité des grands ne s'encombre pas de graves motifs pour nourrir leurs cabales. La puissance du couple Concini suffit pour attiser les haines.

Princes et grands forment à la cour une nébuleuse mouvante et tumultueuse. Leonora Galigaï, le maréchal d'Ancre et la régente constituent à eux trois une deuxième source de pouvoir. L'influence de la dame d'atour de la reine est à la fois discrète et considérable. « Elle ne savait pas son monde, écrit Tallemant, elle ne savait point vivre à la mode de la cour[6]. » Elle ne se montre pas, ne reçoit pas. Son univers matériel se réduit à son appartement du Louvre, mais son pouvoir est à l'échelle de la cour et du gouvernement. Dans la quête des faveurs, elle est l'intermédiaire inévitable. Quiconque désire obtenir de la régente une charge, un bénéfice, une pension, doit s'adresser à elle. Son avis prime. Aussi la ménage-t-on. Chaque courtisan important est, une fois ou l'autre, son obligé. Elle est visitée, écrit son écuyer, « par toutes sortes de personnes, princes, princesses, officiers du conseil et des cours souveraines[7] ». Rien de ce qui concerne la vie de la cour ne lui est étranger. Souhaite-t-on renouveler le personnel domestique de la reine, monter la maison du jeune duc d'Orléans, constituer celle d'Anne d'Autriche ? L'intervention de Leonora est décisive. Richelieu lui doit sa charge d'aumônier de la reine régnante : il omettra de le signaler dans ses Mémoires. Son entrée au ministère est aussi à son crédit. Leonora, qui a fortement contribué à la disgrâce des anciens ministres de Henri IV (Sillery, Villeroy, Jeannin), place ses créatures : Barbin, déjà surintendant de la maison de la reine mère, aux finances (mai 1616), Mangot, comme secrétaire d'État aux étrangers puis garde des sceaux, et l'évêque de Luçon à la guerre et aux affaires étrangères (25 novembre 1616). Il faut reconnaître l'excellence de ses choix. Ses tête-à-tête avec Marie de Médicis au deuxième étage de l'aile méridionale du Louvre ont fait et défait bien des carrières. Un homme partage son pouvoir : Concini, son mari. L'équipe Barbin, Mangot, Richelieu est d'ailleurs qualifiée de « ministère Concini ». Le règne de celui qui est devenu l'égal des princes dure sept années (1610-1617). La cour s'est donné un maire du palais puissant, fastueux, insolent. « Il voulut, écrit Richelieu, que tout le monde eût opinion que le gouvernement universel du royaume dépendait de sa volonté[8]. » Il y parvint. Beaucoup se mirent à adorer le veau d'or, au comportement quasi royal. Il se déplaçait entouré d'une milice privée. « A la barbe des princes et seigneurs étonnés de son impudence », il arrivait au Louvre entouré de cent à deux cents gentilshommes « piaffant, morgant tout le monde et faisant fiente de toutes choses[9] ». Le palais ne vivait que par lui. Était-il présent ? Les courtisans s'y pressaient. En sortait-il ? « Ce n'était plus qu'un désert, qu'une solitude. » Richelieu a finement noté qu'aucun autre étranger n'a été associé à sa fortune. A l'inverse du roi Jacques Ier d'Angleterre, qui gouverne entouré d'Écossais, ses anciens compatriotes, Concini s'est gardé de placer à ses côtés des Italiens. L'homme est exclusif, trop ambitieux pour diriger un clan. La courtisanerie des familiers du Louvre lui suffit. Maître des faveurs et des grâces, riche de six à huit millions de livres, il est la manne qui entretient toutes les fidélités. Sa domination satisfait bien des gentilshommes fascinés par le pouvoir, mais excède princes et grands. Sa monstrueuse puissance fait du roi son prisonnier. Délivrer le jeune Louis XIII, dont la majesté est quotidiennement insolentée, devient le mot d'ordre de ses ennemis qui, à coup de manifestes, prennent la France à témoin. Songe-t-on à une nouvelle conjuration d'Amboise ? Les grands ne pensent en fait qu'à substituer leur influence à celle de l'Italien détesté. La liberté du roi n'est que le prétexte de leur prise d'armes : leur loyalisme s'accommoderait d'un nouveau « roi fainéant ».

Écarté de la connaissance des affaires, Louis XIII n'accorde sa confiance qu'à un cercle d'intimes où n'entre aucun grand seigneur. Par tempérament, il n'est à l'aise qu'auprès de modestes officiers. Ils forment son petit conseil, le troisième cercle, dont l'influence paraît bien réduite. Luynes en est le centre. La faveur du roi l'a pourvu des charges de gentilhomme ordinaire de la Chambre, grand fauconnier et capitaine des Tuileries. Son appartement au palais, où le roi dîne et soupe plus souvent que chez sa femme, rassemble la cabale. Un secrétaire ordinaire de la reine mère, Déageant, un juriste, Louis Tronson, Marsillac, gentilhomme ordinaire de la maison du roi, Modène encouragent Louis XIII à exercer lui-même l'autorité, à se débarrasser *du Conchine*. Le complot ne prend forme qu'en 1617. En 1610, nul n'y songe encore : le petit roi est un enfant ignoré et méprisé. Les premières années de la régence sont davantage occupées par l'indiscipline des grands.

LES « CHANGEMENTS DE LA FACE DE LA COUR » (1610-1617)

Sur la foi des contemporains, l'Histoire a retenu de la régence de Marie de Médicis l'image de la faiblesse et de l'abandon. Le caractère de la veuve de Henri IV l'explique. Si on reconnaît qu'en « magnificence et générosité, [elle dépasse] toutes les autres princesses du monde[10] », on sait que ses libéralités ruinent le trésor amassé par Sully et sapent à terme l'autorité royale restaurée par Henri IV. L'appétit des grands est insatiable. Faveurs, places, argent, pouvoir, tout leur semble à portée de main. Le manque de discernement de la régente fait le reste.

Les grands n'ont pas l'exclusivité des largesses de Marie de Médicis. Tous les courtisans les convoitent, et leurs esprits s'enflamment dès que l'on arrête la liste des pensions. La correspondance de Malherbe restitue le climat de cette quête impatiente :

4 mars 1611. « Pour la cour, elle est si calme qu'elle ne le fut jamais plus. Tout le bruit qui y est, c'est l'attente de l'état des pensions. »

8 mars 1611. « Le Roi et la Reine allèrent hier à Saint-Germain [...] on attend leur retour vendredi. Jusque-là nous ne saurons rien de l'état [des pensions]. Un qui voit fort privément M. le président Janin me dit vendredi qu'il était fait, et qu'il ne restait qu'à le faire signer à la reine. »

5 avril 1611. « [Malherbe se rend à Fontainebleau] sur la fin de cette semaine pour me ramentevoir en la clôture de l'état des pensions qui se va faire la semaine prochaine. Il y a longtemps que l'on n'y peut donner de fin ; mais si faudra-t-il qu'on mette en repos les craintes et les espérances où cette suspension tient la plus grande partie de la cour[11]. »

L'argent désamorce les ambitions politiques dangereuses. Henri IV avait naguère reconquis son royaume et pacifié la France à coup d'écus. Une régente, étrangère de surcroît, doit plus encore se prêter aux marchandages. L'attitude provocante des princes l'y oblige. Dès la mort du roi, Marie de Médicis ouvre le ballet des libéralités. Au comte de Soissons elle offre le gouvernement de Normandie, 600 000 livres et la promesse d'une rente annuelle de 150 000 livres ; à son frère Conti, le gouvernement de Lyon et de Forez, au duc de Guise, une considérable indemnité...

Les grands se surveillent. Une faveur accordée à l'un aiguise la convoitise de l'autre. La cour est le théâtre d'une surenchère perpétuelle. Les exigences se font pressantes. Elles n'excluent pas la menace. Marie de Médicis pouvait-elle échapper à ces prétentions toujours renouvelées ? Ses largesses semblent intarissables : en 1611, les pensions s'élèvent à quatre millions de livres, l'année suivante elles atteignent, avec cinq millions, le cinquième du budget de l'État ! En 1617, Richelieu détaille les sommes énormes encaissées par les grands — Condé aurait reçu en six ans trois millions — et calcule que leur total s'élève à dix-sept millions de livres [12]. Dans ses Mémoires, le cardinal admet toutefois leur nécessité et justifie ce contestable moyen de gouvernement : « Beaucoup ont pensé qu'elle [la régente] eût mieux fait de n'en user pas ainsi, et que la sévérité eût été meilleure, parce qu'on perd plutôt la mémoire des bienfaits que des châtiments, et que la crainte retient plus que l'amour. Mais ce n'est pas un mauvais conseil de retenir, en certaines occasions semblables à celles de la régence, les esprits remuants avec des chaînes d'or ; il y a quelquefois du gain à perdre en cette sorte, et il ne se trouve point de rentes plus assurées aux rois que celles que leur libéralité se constitue sur les affections de leurs sujets ; les gratifications portent leurs intérêts en temps et lieux, et l'on peut dire qu'il est des mains du prince comme des artères du corps qui s'emplissent en se dilatant [13]. »

Il est vrai que la marge de manœuvre de la régente est étroite quand Condé est attendu à son retour de Flandre par deux cents cavaliers (16 juillet 1610), quand Guise ne se déplace qu'escorté de soixante gentilshommes, quand chacun va et vient dans la ville et entre au Louvre accompagné de milices privées. Si elle fait parfois doubler la garde du palais, la régente n'a guère les moyens d'une politique ferme et soutenue. Ses largesses ne sont cependant pas inspirées par un sens politique affiné. Elle distribue inconsidérément, sans mesurer le véritable rapport de forces. Ses dons — les moins justifiables sont dispensés au couple Concini — sont le produit d'un chantage universel. Ils ne l'assurent pas de la fidélité des grands. Ils ne l'exposent qu'à une fuite en avant, car elle est menacée par l'épuisement des finances royales et par les caprices des princes.

Les occasions ne manquent point à ces derniers pour nouer intrigue sur intrigue. Elles ne mobilisent presque jamais les mêmes hommes, rassemblent rarement les mêmes complices. Les alliances se font et se défont au gré des circonstances, à la convenance des intérêts. Concini excelle à diviser les grands, à brouiller les cartes : ici, Condé est choyé au détriment de Vendôme, là, Bouillon n'est soutenu que pour être opposé à Condé. Si les Guise triomphent en 1612, quelques vexations répétées leur rappellent qu'ils ne doivent pas abuser de leur victoire. Une négociation officielle en cache d'autres, secrètes, qui contredisent la première. Les promesses deviennent moyen de gouvernement. Comme au siècle précédent, le mécontentement des grands s'exprime par leur départ de la cour. Il équivaut à un acte d'hostilité, préface à la constitution d'un parti. Quitter la cour, c'est faire acte d'indépendance, c'est outrager l'autorité royale. Sous Louis XIV, ce sera une disgrâce.

Condé, le principal trublion, affectionne ces allées et venues. Leur chronologie donne le vertige. De retour à Paris le 16 juillet 1610, il ressent comme une offense la faveur naissante de Concini et, en septembre, préfère lui abandonner le terrain. Apaisé, il rentre au Louvre au début de décembre, mais l'échec de ses prétentions le persuade de se retirer dès le 17 du même mois dans ses terres de Bourgogne. Son retour, exigé par Marie de Médicis, a lieu le 29. Comblé de faveurs au début de l'année 1611 — ce qui contrarie Conti — il est cette fois aux côtés de Concini et de Soissons contre les Guise. Sa fidélité ne dure pas. L'annonce, le 26 janvier 1612, des mariages espagnols ouvre les hostilités avec la régente : Condé quitte la cour, suivi par Soissons. Leur absence profite aux Lorrains. Le prince le comprend et, moyennant quelques concessions de la reine mère, rentre à Paris le 31 mai pour donner son accord aux mariages. Sa signature obtenue, Marie de Médicis fait alors la sourde oreille à ses exigences. Il se réfugie à nouveau (1613) en Bourgogne, attendant un prompt rappel qui a lieu le 28 mai. Lorsque ses vues sur l'intervention de la France dans la succession de Mantoue déplaisent à la régente, il quitte la cour en juillet 1613. Son retour est bref. L'élévation de Concini à la dignité de maréchal de France, la diminution des pensions imposée par un Trésor désormais épuisé provoquent un nouveau départ, le 13 janvier 1614, imité par nombre de grands seigneurs.

Il ne s'agit plus cette fois de bouderie. La guerre civile menace. Les princes exigent la convocation des états généraux, la rupture avec la politique pro-espagnole, le désarmement de l'armée royale. Le traité de Sainte-Menehould (15 mai 1614) met un terme à cette fronde, moyennant d'énormes indemnités. Condé reçoit 400 000 livres et le gouvernement d'Amboise. La mort de son oncle Conti (13 août 1614), après celle de Soissons (31 octobre 1612), le laisse seul face à la régente. Son échec aux états généraux, qui ont approuvé les mariages espagnols et confirmé les pouvoirs de Marie de Médicis, ne lui laisse plus que la solution de la révolte armée. Elle lui est favorable. La cour, à Bordeaux pour célébrer les noces de Louis XIII avec Anne d'Autriche, ne peut rejoindre Paris qu'après avoir négocié avec le prince. A Loudun, Condé accueille les grands, volant au secours de sa victoire, alors que la suite royale est désertée.

A la signature de la paix (mai 1616), jamais les exigences des rebelles n'ont été aussi pleinement satisfaites : les indemnités reçues équivalent à une année de recettes normales de l'État, soit vingt millions de livres. Condé rentre à la cour le 29 juillet 1616. Avec son entourage et ses alliés, il tient le haut du pavé : les hommages des ambassadeurs étrangers ne trompent pas. En quelques semaines, le Louvre, selon Richelieu, devient une solitude, et la maison du prince le Louvre ancien [14]. Marolles confirme : « On ne pense plus qu'à faire des réjouissances et les princes et grands seigneurs se traitaient magnifiquement les uns après les autres [15]. » Le régime caresse l'oligarchie nobiliaire. Concini est désormais l'homme à abattre sans tarder. Mais le triomphe de Condé dure peu. Le 1er septembre 1616, Marie de Médicis fait arrêter ce rival de son autorité. La cour est à nouveau en effervescence. Le front des princes se lézarde. Alors que les Guise et les Rohan restent fidèles à la régente, le duc de Nevers rallie les autres princes et ouvre les hostilités (31 janvier 1617). Le royaume ne sortira-t-il jamais des troubles ? La cour de France est-elle condamnée à rester le champ clos des ambitions contraires ?

Le coup d'État du 24 avril 1617

Dans un régime livré aux partis, nul ne s'étonne de l'alternance des élévations et des disgrâces. La précarité du pouvoir et de la faveur est la règle. Les gentilshommes attachés à Condé, à Soissons ou au duc de Nevers ont été souvent ballottés entre la puissance et l'exil, l'éloignement du Louvre et le retour aux affaires. Ainsi va la cour ! Le coup de théâtre de l'assassinat du maréchal d'Ancre (24 avril 1617) ne serait qu'une péripétie supplémentaire si le roi n'en avait été l'ordonnateur et s'il n'avait mis un terme à la régence de Marie de Médicis. L'importance du petit conseil de Louis XIII, jusque-là aussi discret que les grands étaient turbulents, apparaît alors aux yeux de tous. Les compagnons de Luynes ont délivré le roi de l'insolente dictature de Concini. Condé emprisonné, le maréchal assassiné, Marie de Médicis exilée, Louis XIII peut être roi. Il le proclame à l'instant même où

Vitry abat Concini : « Je suis vraiment roi maintenant. » Le règne des favoris n'est pourtant pas clos. « La taverne est toujours la même, ironise Bouillon, le bouchon seul a changé [16]. » Ceux qui, la veille, se croyaient tout-puissants, sont chassés de leurs charges, menacés dans leur liberté et dans leur vie. Les ennemis de Concini relèvent la tête. Et le tout-venant des courtisans s'attache à la fortune de Luynes, le nouveau maître, dont les habiles cherchent à se ménager la bienveillance.

Il n'existait pas vraiment de « clan Concini ». Autour de Charles d'Albert de Luynes s'étoffe, en revanche, une camarilla dont les membres influents se poussent sans scrupule au premier rang de la cour. Déageant est promu contrôleur général des finances, Modène, grand prévôt de l'Hôtel, Vitry, maréchal de France et son frère, capitaine des gardes. Mais la réussite des frères du favori tient de la performance. Cadenet, l'aîné, chevalier du Saint-Esprit et maréchal de France la même année (1619), est titré duc et pair de Chaulnes en 1621. Être gentilhomme ordinaire de la chambre du roi et capitaine aux gardes françaises ne semble pas contenter Brantes, le cadet. Nommé chevalier des ordres du roi (1619), il est créé duc de Luxembourg et de Piney et pair de France par lettres du 10 juillet 1620 [17]. L'un et l'autre reçoivent du Trésor un à deux millions de livres à l'occasion de leur mariage.

La fortune de Luynes après 1617 est d'autant plus éblouissante que le favori ne survit que cinq ans à Concini. Les faveurs se pressent sur sa tête, rivalisant de vitesse avec la mort prochaine. Louis XIII le nomme successivement premier gentilhomme de la Chambre, gouverneur de Normandie, capitaine de cent hommes d'armes et de la Bastille, chevalier de ses ordres, duc et pair (1619) et connétable de France (1621). Dès l'été 1617, il s'est fait attribuer « pour les signalés services » rendus à Sa Majesté les biens du couple Concini, soit quinze millions de livres, l'équivalent des trois quarts du budget de l'État. Cette immense fortune, alimentée sans cesse par les libéralités royales, permet la constitution d'un parti. « Tout ce qui vaquait de charges, biens ecclésiastiques et pensions, écrit le duc de Rohan, [étaient] distribués à de petits parents qui venaient du côté d'Avignon, à une nuée de parents pauvres qui s'était abattue sur le Louvre [18]. » En une formule, Richelieu a stigmatisé l'appétit des trois frères : « Si la France était tout entière à vendre, ils achèteraient la France de la France même [19]. » Ainsi se forment les clientèles. C'est le triomphe du « roi Luynes » dont on moque les manières souveraines. A la cour, sa position s'affermit encore lorsqu'il épouse en septembre 1617 — alors qu'il n'est pas encore duc et pair et que chacun connaît la médiocrité de sa noblesse — Marie de Rohan, fille du duc de Montbazon. Et personne ne proteste lorsqu'il décide que celle-ci bénéficiera désormais du même privilège que les autres Rohan, c'est-à-dire du *tabouret*. La future duchesse de Chevreuse, « la dame du royaume la plus convaincue de factions[20] », jouit en outre de la confiance d'Anne d'Autriche dont elle est surintendante de la maison. Luynes « vit en Régent du Royaume avec le Roi, et sa femme en princesse du sang avec la Reine[21] ». « Ceux de la faveur », qui, comme des potirons, sont venus en une nuit, dirigent l'esprit de Leurs Majestés, gouvernent la cour et le royaume.

Ambitieux et arriviste comme le maréchal d'Ancre, Luynes prend politiquement le contre-pied de son prédécesseur. Les barbons, anciens ministres de Henri IV, sont rappelés et les princes invités à regagner la cour. Pour Marie de Médicis, le Louvre s'est transformé en prison. Sur ordre du roi on a abattu, dès le 24 avril au soir, le pont donnant accès au jardin en bordure de Seine. Deux portes sur trois de son appartement ont été murées. Le 3 mai elle part pour Blois, la résidence que lui a attribuée son fils. Elle n'est pas sans alliés. Le duc d'Épernon, gouverneur d'Angoulême et de Metz, même éloigné, lui reste fidèle. Mais les grands s'empressent auprès du nouveau maître : l'assassinat de Concini les a sauvés d'une défaite militaire. Contrairement à l'usage, leur retour n'est accompagné d'aucune libéralité royale. Leur réconciliation avec la monarchie n'est assortie d'aucune largesse. Nevers est bien en cour, mais Condé reste à la Bastille. S'ils n'ont rien obtenu, les princes n'ont pas abdiqué leur esprit frondeur. Le Louvre semble condamné aux intrigues. Marie de Médicis, victime de Luynes, cristallise leur déception.

Les deux guerres de la reine mère et de son fils partagent une fois encore la cour en deux clans. Condé, libéré le 20 octobre 1619, Guise et Lesdiguières restent fidèles au roi alors que Marie de Médicis a l'appui d'un grand parti où d'Épernon, Mayenne, Longueville, Soissons, Rohan, les Vendôme lui offrent les moyens de soulever la moitié du royaume. La *drôlerie* des Ponts-de-Cé (7 août 1620) disperse cependant l'armée des princes et met fin à la querelle. Louis XIII se réconcilie avec sa mère, le parti de Luynes se fond avec celui de Marie de Médicis. Richelieu, chef de son conseil, s'emploie au raccommodement. Les grands, il en est désormais convaincu, ne doivent plus mettre en cause l'autorité monarchique : « Tout parti composé de plusieurs corps qui n'ont aucune liaison que celle que leur donne la légèreté de leurs esprits, qui, leur faisant toujours improuver le gouvernement présent, leur fait désirer du changement sans savoir pourquoi, n'a pas grande subsistance ; que ce qui ne se maintient que par une autorité précaire n'est pas de grande durée[22]. » Entré au Conseil en 1624, le cardinal va lutter sa vie durant contre cette hydre de Lerne : le parti des mécontents dont la cour est le berceau privilégié.

« Nettoyer la cour des esprits malintentionnés »

La mort de Luynes devant Montauban en 1621 a réjoui Marie de Médicis et Richelieu. Mais la reine mère, réconciliée avec son fils, s'impatiente d'être encore écartée des affaires. Anne d'Autriche, reine régnante, paraît la supplanter. Dans les cérémonies, le roi lui donne le pas sur sa mère, et, lors de son expédition en Béarn, lui confie la régence du royaume. Mais dès 1622, les courtisans clairvoyants devinent la brouille dans le ménage royal et évaluent les chances retrouvées de Marie de Médicis. Lorsqu'en septembre Richelieu est promu cardinal, lorsqu'elle-même retrouve une autorité politique, on sait à la cour où va désormais la faveur.

Dix-huit années durant, l'homme rouge a, dit-on, terrorisé la cour, sans empêcher la renaissance des complots. On sait aujourd'hui que l'autorité du cardinal est restée subordonnée à celle du roi, que Louis XIII n'a pas été son esclave couronné, mais son collaborateur actif et son ami. Mais l'amitié que le monarque lui accorde a toujours été soupçonneuse. Aux côtés du sphinx, le puissant ministre n'a cessé de connaître l'angoisse. Celle de l'échec de l'œuvre entreprise, celle de la disgrâce. La crainte d'être abandonné par le roi à ses ennemis l'a même une fois douloureusement tenaillé. Son attention aux cabales de la cour s'explique par une volonté de défendre l'autorité monarchique toujours menacée, mais aussi par un réel souci de conservation. Le souvenir du corps déchiqueté de Concini a dû tourmenter ses nuits. La haine de la famille royale et des princes fondait ses craintes. A l'intérieur du royaume comme au-dehors, le cardinal-ministre n'a pas manqué d'ennemis. Les protestants français, les magistrats des parlements, les croquants des provinces, les Habsbourg se sont efforcés de ruiner son action. Mais si les uns sont à La Rochelle, les autres en Périgord, l'hostilité des grands devient familière au ministre. Le Louvre abrite ces opposants qui jamais ne désarment. Ils se nomment Anne d'Autriche, reine de France, Gaston d'Orléans, frère du roi, Marie de Médicis, mère du roi, Cinq-Mars, grand écuyer... que les exigences de la vie de cour lui font côtoyer sans cesse.

Comme son ministre, Louis XIII vit dans l'obsession des complots. L'un et l'autre n'ont cessé de surveiller la cour et de la truffer d'espions. Une immense toile d'araignée, incarnée par les créatures du cardinal, s'est abattue sur elle. Des réseaux de renseignements sont mis en place, de nobles personnages « travaillent » pour lui. Auprès d'Anne d'Autriche par exemple, M. et Mme de Brassac sont ses informateurs privilégiés : grâce à leurs rapports chiffrés, rien de la vie quotidienne de la reine ne lui est étranger[23]. Il n'est pas jusqu'à des femmes de chambre ou des frotteurs qui ne le servent, modestement, toujours avec efficacité. Le cardinal tient à être informé de tout. Il a la passion du détail. Sa police semble infaillible, débauchant des informateurs, utilisant des transfuges, manipulant les naïfs. Ébloui par l'échec des complots, l'évêque de Mende s'interroge : « Il faut que le cardinal soit un ange ou un diable pour avoir démêlé toutes ces fusées[24]. »

Même garantie par le soutien royal, l'autorité de Richelieu n'est pourtant pas absolue. Cet homme orgueilleux, volontiers cassant, doit faire preuve de souplesse, de ménagement, de courtisanerie pour se concilier l'appui ou la neutralité de grands seigneurs. Car contrairement à la légende, il n'a pas conduit une politique anti-nobiliaire. Son programme exclut l'abaissement systématique des grands, mais condamne toute tentative de rébellion. Ni ruine ni impunité : tous doivent concourir à la gloire du souverain. Richelieu rêve de mettre la noblesse au service du roi quand celle-ci ne songe encore qu'à défendre ses intérêts particuliers ou se donner à ceux qui flattent son ambition. Les « fusées » n'ont donc pas manqué.

Au printemps 1625, la cour de France fleure le scandale. Anne d'Autriche, encouragée par la duchesse de Chevreuse, a noué une intrigue sentimentale avec le favori du roi d'Angleterre, Buckingham. Celui-ci, venu en France chercher la nouvelle épouse de Charles Ier, a tenté de séduire la reine. Ses assiduités sont rapidement connues de tous. Anne d'Autriche est compromise. Louis XIII, qui a déjà tant à se plaindre du cercle frivole et galant de sa jeune femme, l'épure, tandis que Richelieu y place ses espions. Ces derniers n'empêchent pas la reine de s'engager l'année suivante dans un complot plus sérieux. L'occasion est fournie par le projet de mariage de Gaston, frère du roi, avec Mlle de Montpensier. Il divise la cour entre partisans — le roi, sa mère, son ministre — et adversaires : Anne d'Autriche, toujours sans enfants et inquiète à l'idée d'avoir un neveu, Soissons, songeant à son propre mariage avec la riche héritière, Condé, soucieux de rester le plus longtemps possible près du trône. Monsieur ne déteste pas d'être au cœur de l'intrigue. Jeune — il a dix-huit ans —, il mène une existence dissipée. Vaniteux, il est une proie facile pour les manipulations. Sa qualité d'héritier du trône le place au centre des mécontentements. En l'absence d'un dauphin, que la reine ne se résout pas à donner au royaume, il peut être un recours. « Sa trop facile Altesse », comme l'appelle Richelieu, est — et sera — le foyer des entreprises de contestations contre le pouvoir de son royal frère. Le parti de l' « aversion au mariage », auquel il donne des gages, s'enrichit encore des ducs de Nevers et de Longueville et des deux Vendôme. Tous les ennemis du cardinal s'y retrouvent. Ils ne dédaignent pas l'appui de l'étranger. La querelle matrimoniale s'est transformée en complot politique. On songe à éliminer Richelieu. Le titulaire d'un poste de confiance dans la maison du roi, le jeune marquis de Chalais, maître de la garde-robe, est chargé de cette tâche. Dans l'hypothèse où le roi disparaîtrait, sa veuve épouserait Gaston. Il importe donc que ce dernier reste libre de tous liens. Mais la conspiration est découverte et révélée au cardinal. Des arrestations — celles des Vendôme —, un exil, celui de la duchesse de Chevreuse qui ne cesse d'exciter la reine contre le cardinal, l'exécution de Chalais y mettent fin. Pour avoir dénoncé tous ses complices, Gaston est assuré d'une totale impunité. En signant avec son frère un engagement à vivre désormais dans l'union, aussi éphémère que les promesses d'amitié qu'échangeaient les Valois entre deux guerres de religion, il gagne, en outre, le duché d'Orléans. Richelieu a triomphé. Une nouvelle preuve de confiance du roi, la garde de trente hommes pour assurer sa sécurité, a affermi son autorité[25]. L'espace de quelques années, la cour s'apaise.

Ce que les contemporains ont appelé dès l'événement la « journée des Dupes », décisive pour le destin personnel de Richelieu et la continuité de son œuvre, est moins une intrigue de cour qu'un important débat politique. Le renvoi du cardinal, que Marie de Médicis exige — et semble obtenir — de Louis XIII le 10 novembre 1630 au matin, se change dans la soirée en nouvelle investiture du ministre. « Demeurez auprès de moi, lui déclare le roi, et je vous protégerai contre tous vos ennemis[26]. » Au cours de ces heures troublées, les courtisans n'ont été que des figurants, au mieux des observateurs attentifs, mais passifs. La controverse, dont l'enjeu est l'entrée de la France dans la guerre contre l'Espagne, accompagnée de l'abandon de toute réforme à l'intérieur du royaume, est l'affaire des hommes du gouvernement. Mais l'issue de cette journée est fatale aux ennemis du ministre. Marillac doit rendre les sceaux avant d'être interné, son frère le maréchal est condamné à mort et exécuté, Bassompierre, compromis avec eux, embastillé, Marie de Médicis exilée. Des Pays-Bas où elle s'est réfugiée (juillet 1631), elle anime encore l'opposition au cardinal. Les ducs de Guise, d'Épernon, de Bouillon l'assurent de leur fidélité. La cour de France vit au Louvre des intrigues nouées à Bruxelles. Là s'échafaude par exemple le complot dont le duc de Montmorency, gouverneur du Languedoc, prendra la tête (1632). Bien qu'en exil, les membres influents de la famille royale sont un prestigieux porte-drapeau pour les conspirateurs. Au Louvre Anne d'Autriche se laisse entraîner dans des intrigues qui conduisent à la trahison. C'est le cas en 1633, lors de l'affaire Châteauneuf qui, pour les yeux de l'incorrigible duchesse de Chevreuse, trahit les secrets d'État qui lui sont confiés. C'est encore le cas lorsqu'elle échange, *via* le Val-de-Grâce, une correspondance politique avec l'Espagne en guerre contre son pays. Dans les dernières années du règne de Louis XIII, la cour est à nouveau le théâtre de deux conspirations qui visent à ruiner le cardinal dans la confiance royale. Complexes, elles mêlent les sentiments intimes du souverain aux ambitions politiques les plus folles.

Dès 1630, Louis XIII s'était épris d'une fille d'honneur de la reine mère, nommée Marie de Hautefort. La cour, étonnée des élans platoniques de son maître, est attentive. Louis renouerait-il avec le comportement du Vert-galant ? La jeune fille ne songe en fait qu'à desservir Richelieu et à réconcilier le roi avec Anne d'Autriche qui, complice amusée, l'accueille dans sa Maison. Informé, le cardinal trouve la parade en suscitant l'attachement de Louis — déjà lassé par la hauteur de Mlle de Hautefort — pour une autre demoiselle d'honneur de la reine que l'on espère docile, la pieuse Louise-Angélique de la Fayette (février 1635). Mais celle-ci, par conviction sincère, est persuadée de la nocivité de la politique de Richelieu qu'elle juge contraire aux intérêts de l'Église catholique et au bonheur des peuples. Elle le dit au roi. Là où le cardinal espérait une alliée, une complice, il hérite d'une ennemie. Pressée par Richelieu, guidée par des confesseurs aux ordres du prélat, Mlle de la Fayette finit par accepter de se retirer au couvent. Comme dans les copieux romans du temps, l'intrigue rebondit. Louis XIII, qui s'était tant efforcé de retenir Louise, retombe sous l'influence de Marie. Et celle-ci est restée fidèle à sa mission : abattre Richelieu. Le complot s'étend. Gaston d'Orléans, le comte de Soissons y sont associés. Le confesseur du roi, le P. Caussin, sous le masque de la dévotion, en est la cheville ouvrière. Pour Richelieu le danger peut être mortel. La perte de Corbie, les difficultés en Lorraine lui sont attribuées. Ses relations avec le souverain se dégradent. La cour chuchote que l'hostilité du cardinal envers la reine n'est due qu'à un froissement de vanité ; elle insinue même l'ambiguïté condamnable de son attitude envers la femme de Louis XIII. Au cours de ses entretiens avec le roi en décembre 1637, le P. Caussin suggère son renvoi. Renseigné, le cardinal informe Louis XIII de la manœuvre, justifie son action, offre sa démission... et l'emporte une fois encore sur ses adversaires.

Le complot a échoué. Mais déjà un autre se noue. Pour tenter d'écarter Marie de Hautefort, Richelieu avait placé aux côtés du roi un des membres de sa maison, Henri d'Effiat, marquis de Cinq-Mars. Sa promotion — commandant d'une compagnie de gardes du roi en 1636, grand maître de la garde-robe en 1638 — est la rançon des services que le cardinal attend. D'abord indifférent, Louis XIII finit par remarquer son jeune commensal, subit son charme, en fait son favori. Mais la faveur du jeune homme, que le roi appelle devant toute la cour « cher ami », repousse sans cesse les bornes de son ambition. En mars 1639, il n'a de cesse d'obtenir la renonciation de Bellegarde à la charge de grand écuyer. Elle lui est attribuée. M. le Grand a vingt ans. Richelieu comprend que sa « créature » lui échappe. Pis, elle se retourne contre lui et attire ses adversaires comme un aimant : Bouillon, Fontrailles, de Thou, Anne d'Autriche et l'inévitable Gaston d'Orléans. Madrid encourage les conspirateurs. Leur projet est d'assassiner Richelieu lors de son passage à Lyon. Malade, presque moribond, le cardinal échappe à l'attentat. Le complot est découvert. Anne d'Autriche trahit les conjurés. Cinq-Mars est arrêté, jugé et exécuté à Lyon avec de Thou, le 12 décembre 1642. Bouillon est arrêté, Gaston une nouvelle fois pardonné. Il reste au cardinal de Richelieu onze semaines à vivre.

Les « esprits malintentionnés » n'ont pas réussi à abattre le ministre de Louis XIII. Jamais serviteur de la monarchie n'a été aussi constamment menacé. Gaston d'Orléans se targuait de pouvoir l'enlever : il tenta de le faire assassiner. Vendôme fut accusé d'avoir voulu l'empoisonner. Le comte de Soissons, par deux fois, commandita un attentat. La fréquence et la gravité de ces menaces sont à la mesure de son impopularité. Les brouilleries de la cour de Louis XIII ne s'apparentent pas à des intrigues d'antichambre. Elles divisent, jusqu'à l'exil et la mort, les familiers du Louvre. Elles exhalent un parfum de trahison, ne reculent devant aucun moyen pour ruiner l'action politique du ministre du roi. Pour atteindre pareille ampleur, elles ont fait jouer à fond les réseaux de fidélité qui structurent la noblesse française. « Se donner à quelqu'un » prend alors un relief incomparable. « Être au roi » ou « être à M. le cardinal », être à tel prince ou tel grand, suppose un contrat où le service total du client s'échange contre la protection absolue du maître. Les clientèles permettent ainsi de ramifier jusque dans les provinces les partis formés à la cour. Le succès de Richelieu et de Louis XIII sur les complots qui ont obsédé leur vie et usé leurs nerfs est d'autant plus remarquable. L'évêque de Mende y voyait la main de Dieu ou du diable. Mme de Motteville, elle, reconnaissait au cardinal, triomphant des conjurations, le mérite d'avoir sauvé l'État : « Sa grande attention à découvrir les cabales qui se faisaient dans la cour, et sa diligence à les étouffer dans le commencement, lui a fait maintenir le royaume[27]. »

« D'une étincelle s'allume un grand feu »

La fin d'un règne (ou d'un régime) excite, on le sait, les ambitions. Entre la mort, tant attendue, de Richelieu et celle, si proche, de Louis XIII, les courtisans préparent l'avenir. A défaut de s'attacher le futur roi, un enfant de quatre ans, princes et seigneurs évaluent leurs chances d'appartenir au futur conseil de régence et convoitent les principales dignités de la Couronne. Condé espère la charge de grand maître de la maison du roi, vacante depuis la mort du comte de Soissons. Beaufort et Saint-Simon se disputent celle de grand écuyer que Cinq-Mars a naguère exercée.

Durant l'agonie de Louis XIII, la cour vit dans l'attente et l'insécurité. Dès la mort du cardinal, les ennemis de Richelieu sont revenus nombreux : Gaston d'Orléans et les Vendôme, rentrés d'exil, Bassompierre et Vitry, libérés, « et ceux qui n'avaient osé jusqu'à cette heure retourner, en eurent aisément la liberté, comme les ducs de Guise, d'Elbeuf et d'Épernon, lesquels furent déclarés innocents, par arrêt du Parlement, des crimes dont ils étaient accusés[28] ». Au Louvre comme à Saint-Germain, le moindre gentilhomme se promène armé ; les plus notables ont rassemblé leur clientèle. Le rôle politique que Louis XIII a confié officiellement à Monsieur et à Condé dans l'organisation de la régence stimule leurs prétentions. Dès la syncope du roi du 22 avril 1643, Anne d'Autriche, inquiète, fait mettre Saint-Germain en état de défense et prendre les armes aux Suisses de la garde. Craignant qu'on s'empare de ses enfants, le dauphin Louis et son frère Philippe, elle sollicite la protection du duc de Beaufort. Cette décision et ce choix, jugés offensants pour Monsieur et Condé, n'apaisent guère les esprits. Si, après la mort du roi, la reine retrouve, grâce au lit de justice du 18 mai, toute la puissance souveraine, les exigences des grands hypothèquent l'avenir. La cour paraît faire un bond en arrière de trente ans. Le gouvernement de Marie de Médicis semble renaître. La comparaison n'échappe pas aux contemporains. « On dit ici, écrit Guy Patin dès juin 1643, que, depuis un mois, elle [Anne d'Autriche] a donné la valeur de six millions. Je souhaite qu'il lui en prenne mieux qu'à la feue reine mère [Marie de Médicis], laquelle, au commencement de la régence, donna prodigieusement à tous les grands, la plupart desquels l'abandonnèrent quand elle n'eut plus rien. Elle a affaire à d'étranges gens, qui sont les courtisans[29]. »

Comme Marie de Médicis, Anne d'Autriche négocie la tranquillité des seigneurs de la cour à grand renfort de pensions et de faveurs. Il n'y a plus, dit-on, que cinq petits mots dans la langue française : « La reine est si bonne. » Mais en 1643, le royaume, en guerre depuis huit ans, ne peut compter sur les réserves d'or que Sully avait entassées en 1610 à la Bastille.

Comme au début du siècle, l'inconstance des grands brouille les cartes. Est-on jamais sûr de leur engagement ? « M. le Prince [Condé], note Olivier d'Ormesson en avril 1643, prend le parti des ministres, parce que [...] s'il se tenait du côté de la Reine, il ne serait pas considéré [...], mais je ne crois pas que son parti soit considéré ; aussi le quittera-t-il, lorsqu'il n'y sera plus rien[30]. »

Comme au temps de Concini et de Luynes, la moindre bagatelle risque de se transformer en affaire d'État. Mme de Montbazon offense-t-elle la duchesse de Longueville, fille de Mme la Princesse ? « Toute la cour était partagée [...] : la maison de Guise prenait le parti de Mme de Montbazon à cause de Mme de Chevreuse [née Rohan] ;

toute la maison de Bourbon, de Vendôme, de Longueville était contre ; le cardinal Mazarin avait hier toute la journée été employé à aller et venir pour tâcher d'accommoder cette affaire[31]. » L'opinion déplore et redoute ces brigues, tant elles peuvent menacer la paix publique. On prétend alors, sans être contredit, que « ce sont les intrigues de cabinet qui travaillent [...] autant l'esprit de M. le cardinal que les affaires du dehors[32] ».

Comme au temps de Richelieu, les grands conspirent pour écarter, par l'assassinat, le ministre d'Anne d'Autriche. La *cabale des Importants* rassemble à cette fin une étrange coalition. Les ambitieux y dominent : le duc de Beaufort est leur chef. Les anciens ennemis de Richelieu, nombreux dans l'entourage de la reine — Mme de Hautefort, le valet de chambre La Porte, le commandeur de Jars —, s'associent au complot contre Mazarin qui paraît la réincarnation de leur persécuteur.

Il n'est pas mort ; il n'a que changé d'âge,
Ce cardinal, dont chacun en enrage[33].

Si l'on ajoute un prélat, assez naïf pour espérer introduire une réforme morale à la cour, mais assez ambitieux pour guigner la place de Mazarin, quelques magistrats du Parlement, ainsi que l'inévitable duchesse de Chevreuse, rentrée à Paris en juin 1643, on mesure le caractère hétérogène de cette remuante opposition. La conspiration est découverte — les espions de Mazarin ne le cèdent en rien à ceux de Richelieu —, Beaufort emprisonné (septembre 1643), Mme de Chevreuse exilée. Mais si Mazarin a ruiné la cabale des Importants, nul n'imagine pour autant la cour pacifiée. Comme son prédécesseur après la conjuration de Chalais, le ministre de la reine reçoit le privilège d'une garde personnelle et, dans un souci de sécurité, s'installe à proximité du Palais-Royal puis dans un de ses appartements. Nommé surintendant de la maison d'Anne d'Autriche, il contrôle en outre le recrutement de ses commensaux, surveille ses familiers, car les mécontents n'ont pas désarmé. A la cour, le duc de Guise, petit-fils du Balafré, en est un temps le chef. Mais Vendôme, retiré à Anet, et Bouillon, à l'étranger, sont aussi redoutables qu'à Paris.

La rivalité quotidienne, lancinante, des Orléans et des Condés n'est pas sans rappeler celle des Bourbons et des Lorrains au début du siècle. A chaque instant elle peut mettre le feu aux poudres. Mazarin souffle le froid et le chaud. La récente gloire du duc d'Enghien à Rocroi l'aggrave ; la réputation de Gaston d'Orléans, lieutenant général du royaume, étant sur les champs de bataille loin d'être aussi éclatante. Chacune de ces puissantes maisons rivalise d'exigences auprès de la régente, chacune tâche de se fortifier en accumulant gouvernements et bénéfices. Lorsque le duc de Longueville, beau-frère de Condé, convoite la charge de colonel des Suisses, vacante par la mort de Bassompierre, Monsieur fait savoir qu' « il ne souffrirait pas que M. le Prince, qui était déjà grand maître de la maison du Roi, eût un beau-frère colonel des Suisses : au moyen desquelles deux charges jointes ensemble il serait tout à fait maître de la maison et même de la personne du roi [34] ». Chacun songe à gagner des alliés, à stimuler les tièdes. C'est le temps des marchandages. Pour attirer dans son camp le futur duc de Verneuil, M. le Prince travaille à son mariage avec Mlle de Longueville et l'étourdit avec la promesse de la charge de grand maître ! A la cour, il n'est bruit que de cette rivalité [35]. A l'intention de leurs correspondants, les épistoliers du temps font et défont sans cesse l'état des deux partis. De page en page, avec un souci méticuleux, les mémorialistes notent leurs différends, soulignent leurs brouilleries. L'opinion suit avec le même intérêt les contestations de préséance dans les cérémonies. On sait ainsi, en novembre 1645, la raison pour laquelle le mariage de Marie de Gonzague avec le roi de Pologne ne se célébrera pas à Notre-Dame de Paris : « Parce que Monsieur prétendait avoir un prie-Dieu, M. le Prince le voulait aussi, enfin il demandait les mêmes honneurs que Monsieur, ne lui cédant que le pas. Mme la Princesse faisait la même chose à l'égard de Mademoiselle [36]. »

Les événements de la Fronde accentuent ces antagonismes. Ils révèlent avec force le climat délétère de la cour. Les intrigues de cabinet se muent alors, selon le mot de Louis XIV, en « agitations terribles ». Marie de Médicis et Richelieu avaient, au milieu des brouilleries et des complots de la cour de Louis XIII, conservé le pouvoir et maintenu leur autorité. Mazarin venait de triompher de la cabale des Importants. De 1648 à 1653, en revanche, la souveraineté royale a failli sombrer. La Fronde, phénomène d'abord parisien, a mobilisé dans la révolte toute une partie de la noblesse de cour.

Même dans ce qu'il est convenu d'appeler la Fronde parlementaire (mai 1648-mars 1649), les grands seigneurs ne sont pas absents. Si Condé, encore fidèle, soutient Mazarin, son frère Conti, Beaufort, Bouillon et Longueville encadrent militairement les frondeurs. Le serment d'exécuter l'arrêt du Parlement déclarant Mazarin perturbateur du repos public porte aussi les signatures de Jean-François-Paul de Gondi, du duc d'Elbeuf (un Lorrain), de Durfort de Duras (un neveu de Bouillon), de François de la Rochefoucauld, des maréchaux de la Mothe et de l'Hôpital [37]. La paix de Rueil qui achève ce premier acte est loin de les satisfaire : leurs intérêts n'ont pas été pris en compte par les négociateurs. « Vous savez le naturel des princes, écrit Guy Patin, ils aiment mieux la guerre que la paix [38]. »

Le 18 août 1649, M. le Prince ramène le roi à Paris après sept mois et demi d'absence. Ce service rendu à la monarchie le gonfle d'orgueil et de prétention. Il se croit désormais le maître de la cour. Mais ses exigences, qu'il estime être le prix de son loyalisme, sont exorbitantes. Elles irritent. Ses provocations, ses railleries, ses hauteurs — dont Mazarin fait les frais — lui suscitent de nombreux ennemis. Le ministre, à son habitude, feint de plier. La reine consent à solliciter son approbation pour toute nomination importante à la cour comme dans le royaume. Condé accède ainsi à la direction des affaires. Puis le cardinal frappe : le 19 janvier suivant, il fait arrêter Condé, Conti et le duc de Longueville. Ce coup d'éclat inaugure la Fronde condéenne.

Pendant trois années, les grands sont en révolte ouverte contre la monarchie. La rébellion s'insinue jusque dans les rangs de la famille royale. Un fils de France, Gaston d'Orléans, frère du souverain défunt, oncle du roi régnant, balance en permanence entre un loyalisme douteux et une insoumission retenue. « M. le duc d'Orléans, écrit Mme de Nemours, était toujours pour les frondeurs quand il était avec eux : mais dès qu'il parlait à la Reine, ce n'était plus cela; et il changeait si fort qu'il était presque impossible qu'aucun des partis pût faire un fond certain sur lui [39]. » Le 3 juillet 1650, il signe l'engagement formel de ne pas libérer les princes. Six mois plus tard, par un accord négocié avec leurs représentants, il consent à leur libération ! De même c'est à lui que la régente, avant son départ pour la Guyenne soulevée, confie la garde de Paris. Mais, poussé par Gondi, Gaston prend la tête des frondeurs ! La proclamation de la majorité de Louis XIV, le 7 septembre 1651, met fin à l'équivoque. Privé désormais du droit, que lui valait son rang, d'intervenir dans le gouvernement, Gaston d'Orléans choisit alors le camp de l'ennemi. Il fait alliance avec Condé (24 janvier 1652), au lendemain du retour d'exil du cardinal, et, lors du siège de Paris, ordonne de tirer sur les troupes royales. Des tours de la Bastille, sa fille, Mademoiselle, exécute son ordre et ouvre aux Condéens les portes de la capitale. Proclamé illégalement lieutenant général de l'État et couronne de France, le duc d'Orléans jouit encore pour quelques semaines, dans un climat d'anarchie, d'un pouvoir de plus en plus fictif. Las des troubles, il rompt avec Condé. Le retour de Louis XIV à Paris (21 octobre 1652) ruine ses ambitions. Le 25 octobre, il se soumet, donne ses troupes au roi, et prend la route de Blois, le chemin de l'exil.

L'attitude de Condé est, elle, plus tranchée. Après la libération des princes, Anne d'Autriche réussit à briser leur union. M. le Prince quitte alors la cour (juillet 1651) et rompt avec la reine. Pour gagner l'opinion, celle-ci dresse, dans une déclaration officielle, la liste des manquements du cousin du roi absent depuis deux mois des conseils et excitant ses partisans au combat. Condé ouvre la guerre civile, et bascule dans la trahison : en novembre 1651, deux mois après la majorité de Louis XIV, il s'allie avec le roi d'Espagne. Avec Nemours, La Rochefoucauld, Conti et la duchesse de Longueville, il est reconnu coupable de lèse-majesté. Ses troupes désolent la Guyenne, battent l'armée royale à Bléneau, pénètrent dans Paris (11 avril 1652). Là, le jusqu'au-boutisme du prince lui attire la haine de tous. La restauration du pouvoir légitime ne fléchit pas sa rébellion. Il remporte même des succès militaires en Champagne en octobre et novembre 1652. A défaut de le vaincre, le roi le destitue de tous offices, dignités, pensions, gouvernements. Ses biens sont confisqués. Les lettres de cachet pleuvent sur ses partisans. La destruction de son château de Montrond est le symbole de son échec. Passé à l'étranger, le cousin du roi de France va servir désormais officiellement les ennemis du royaume.

A l'image des plus notables d'entre eux, les seigneurs de la cour se sont partagés entre la fidélité sans état d'âme et la révolte sans compromis. Les plus nombreux ont préféré l'équivoque, comme le duc d'Orléans. Certains ont choisi de ne pas choisir. Nombre de gentilshommes, moins décidés que Condé, se sont laissé porter par les événements. La plupart n'ont eu que l'ambition pour guide. On le sait de Gondi, coadjuteur de l'archevêque de Paris, convaincu de sa capacité à gouverner le royaume plus heureusement que Mazarin. Pourtant il « n'avait jamais eu aucun sujet de se plaindre de la cour, reconnaît la duchesse de Nemours, au contraire il devait à la Reine sa coadjutorerie de Paris. Mais il avait une ambition sans bornes, et à quelque prix que ce fût il voulait être cardinal [40] » et... ministre ! De même, c'est l'espoir d'obtenir de la cour « des conditions qui leur paraissaient meilleures et plus sûres que celles que M. le Prince leur pouvait faire[41] » qui pousse le maréchal de Turenne puis son frère le duc de Bouillon à changer de camp.

Certains ont cultivé la révolte par passion. Le prince de Marsillac, enrôlé naguère par la duchesse de Chevreuse dans un complot contre Richelieu, se précipite à nouveau, pour les beaux yeux de Mme de Longueville, parmi les frondeurs. Pour d'autres, de mauvaises fées ont déposé dans leur berceau le germe de la rébellion. Le Condé de la Fronde n'est pas celui de 1610, le Turenne de la Fronde n'est plus le duc de Bouillon de la régence de Marie de Médicis, le Vendôme de la Fronde n'est plus celui qui fut complice de Chalais[42]. Dans ces maisons princières, la conspiration semble héréditaire.

Dresser la liste des nobles frondeurs relève de la gageure. L'écheveau parfois inextricable des fidélités rend la tâche complexe. La chronologie des engagements est un guide trop capricieux. Les retournements, trahisons, louvoiements, enfin, l'interdisent. L'absence d'un tel *carnet de fronde* ne peut masquer la participation de tous les rangs des familiers du Louvre à la révolte : des simples gentilshommes anonymes aux ducs et pairs — dont François de la Rochefoucauld, le futur auteur des *Maximes*, est le plus célèbre —, des princes étrangers comme Bouillon, légitimés tels Longueville et les Vendôme, aux princes du sang et aux fils et petits-fils de France.

La rébellion ne s'achève pas brutalement en 1653. Des bastions subsistent en province. Mais à la cour, le jeune roi n'accueille que ses anciens fidèles et les nouveaux ralliés. Car si la pacification exige le pardon (Turenne l'a obtenu le 6 mars 1651), l'exil ou l'emprisonnement (Retz est arrêté le 19 décembre 1652), elle s'accommode, comme au temps de la Ligue, de ralliements négociés. Ainsi Louis Foucault, comte de Daugnon, d'abord condéen, ne se soumet qu'avec la promesse, signée du roi et de la reine, d'obtenir cinq cent trente mille livres, le titre de duc et pair, le bâton de maréchal et l'amnistie pour ses fidèles. Louis XIV consent à ce sacrifice pour recouvrer Brouage et la maîtrise du littoral[43]. Comment, à l'inverse, ne pas voir dans le mariage du prince de Conti avec Anne-Marie Martinozzi, nièce de Mazarin (22 février 1654), une des conditions de sa rentrée en grâce, marquée par l'obtention du gouvernement de Guyenne (1654), le commandement des armées en Catalogne (1655), et la charge de grand maître de la maison du roi vacante depuis la fuite de Condé ? Sa présence aux côté de Leurs Majestés lors de la solennelle entrée dans Paris, le 26 août 1660, est le symbole du pardon accordé aux frondeurs repentants, désormais fidèles serviteurs du roi. En revanche, la mort à Blois de Gaston d'Orléans, six mois plus tôt, loin de la cour et du gouvernement, marque le terme de la puissance longtemps redoutable de la grande noblesse.

Louis XIV a l'âge de méditer les « leçons de la Fronde[44] », dernier et dramatique avatar des brouilleries de cour inaugurées avec le siècle. Henri IV avait tardé à condamner le maréchal duc de Biron et pardonné aux complices d'Entragues. Louis XIV sait plus subtilement pardonner et punir. L'État moderne que lui ont légué Richelieu et Mazarin, et qu'il va parfaire, ne peut plus s'accommoder des caprices des grands. Leur fronde vaincue, il sait que la structuration de sa cour doit être l'instrument de leur fidélité et de leur service.

aux tendances espagnoles, [illegible] [illegible] [illegible]. En revanche, le parti [illegible] de Gaston d'Orléans, [illegible] [illegible] de la cour et qui [illegible] marque la [illegible] de la [illegible] longtemps, [illegible] [illegible] de [illegible] politique.

Louis XIV a gardé de [illegible] de la Fronde [illegible] [illegible] avant de [illegible] pour [illegible] avec les [illegible] Henri IV avait [illegible] à [illegible] [illegible] de [illegible] et [illegible] aux complots [illegible]. Louis XIII [illegible] [illegible] ment par [illegible] et [illegible] [illegible] que [illegible] de Richelieu et Mazarin, et qu'il [illegible], ne [illegible] [illegible] [illegible] [illegible] grands [illegible] [illegible], il [illegible] que [illegible] de se [illegible] [illegible] et de leur [illegible] de leur [illegible].

[illegible]

CHAPITRE X

La redécouverte des muses

Quant à la magnificence de ses bâtiments [ceux de Henri IV], *nul de ses devanciers ne l'a égalée, aussi était-ce ce qu'il affectionnait le plus.*

Le Mercure français

Sa Majesté [Louis XIII] *voulut que Vouet lui apprît à dessiner et à peindre de cette manière afin de pouvoir se divertir à faire les portraits de ses plus familiers courtisans.*

FÉLIBIEN

Savoir bien la musique n'est pas aujourd'hui peu de chose, puisque notre puissant monarque la met au rang de ses plus agréables divertissements.

GANTEZ

La cour des deux premiers Bourbons vit dans la nostalgie, sinon dans l'obsession, de celle des Valois. Elle n'a d'autre référence qu'elle. Si les mœurs policées du XVIe siècle n'inspirent plus une cour désormais dominée par le laisser-aller, si les manières délicates des survivants du temps de Henri III paraissent d'un autre âge, le souvenir, diffus, sans doute embelli, de la vie de société au temps de la Renaissance ne s'est pas dissipé ; tandis que demeurent les témoignages matériels de ce proche passé. Les résidences des Valois abritent les nouveaux souverains, et leur décoration intérieure — dont celle, éblouissante, de Fontainebleau — est un précieux héritage qui inspire, pour longtemps encore, peintres et sculpteurs. En matière artistique la nouvelle dynastie ne peut moins faire que celle qui l'a immédiatement précédée. Il y va de son crédit, et le bon sens politique l'exige. Même si les goûts de ses maîtres sont inégaux, la cour de Henri IV et de Louis XIII se doit de redevenir un foyer d'art privilégié.

Le prestige de la bâtisse

François Ier, Henri II et Catherine de Médicis ont beaucoup construit. Seul des Valois, Henri III n'aimait point à bâtir, laissant même à l'abandon un certain nombre de châteaux royaux comme Chambord ou Madrid. Les guerres civiles, il est vrai, n'encourageaient pas l'ouverture de chantiers. Sous les premiers Bourbons, la reconstruction matérielle de la France exige que le souverain entreprenne de relever et d'agrandir ses propres résidences. La cour renoue avec l'effort architectural de la Renaissance. Mais, ici comme ailleurs, Henri IV et Louis XIII marchent rarement du même pas.

Le premier cultive un goût très vif pour « les bâtiments et les riches ouvrages ». « On dit que je suis chiche, écrit-il, mais je fais trois choses bien éloignées d'avarice car je fais la guerre, je fais l'amour et je bâtis [1]. » Cette passion, si vive, suscite parfois la réprobation de ses sujets, mais rarement celle des historiens, plus prompts à blâmer la démesure de Louis XIV. Or, « la masse bâtie [par le bon roi] excède probablement celle qui fut élevée sous François Ier et le dispute à celle qu'élèvera Louis XIV [2] ». La tradition familiale — celle des Albret à Nérac et à Pau — et une heureuse finesse politique motivent entre autres le goût du Béarnais pour la bâtisse. Le premier Bourbon, qui a dû surmonter tant d'obstacles pour conquérir son royaume, entend assurer dans la pierre la pérennité de son œuvre et de sa renommée. Démontrer aussi de son vivant sa puissance et sa force à l'étranger n'est pas pour lui déplaire.

Aucun château nouveau n'est entrepris sous son règne, mais il achève, de 1594 à 1610, les chantiers ouverts par ses prédécesseurs et remet en état ceux qui avaient été délaissés. Tout cela exige un effort soutenu jusqu'à la fin du règne, une gestion que Sully veut efficace et des crédits considérables. On a calculé que sur dix années, de 1597 à 1606, le coût des travaux effectués atteint 4 786 275 livres [3]. Or, tout n'est pas achevé à cette date !

Employer en même temps des maçons en plusieurs lieux parut

alors digne d'admiration. Trois résidences royales ont longuement occupé les hommes de l'art. Au Louvre — palais inachevé, inconfortable, gâté par les troubles de la Ligue — Henri IV reprend en partie le dessein de Henri II. Il fait couvrir la petite galerie de Catherine de Médicis et élever la grande galerie, dite du Bord de l'eau, qui relie le palais aux Tuileries (1595-1606). L'étage, vaste promenoir de 450 mètres, accueille fêtes et divertissements de la cour ; au rez-de-chaussée, on loge les artistes et artisans privilégiés. Mais la demeure reste incommode et sinistre. C'est cette fâcheuse impression que ressent Marie de Médicis à son arrivée en février 1601. « La reine, dit-on, y étant venue descendre un soir assez tard [...], elle trouva par toute cette grande maison une si grande solitude et obscurité, et si mauvais meubles et réception partout, n'y ayant été rien mis que les vieux meubles qui y sont d'ordinaire, que je lui ai ouï dire plusieurs fois, depuis, qu'elle ne fut jamais presque en toute sa vie si étonnée et effrayée, croyant que ce n'était le Louvre et que l'on faisait cela pour se moquer d'elle[4]. » La première dame de la cour — une Médicis de surcroît — pouvait espérer un accueil moins chiche !

A Saint-Germain-en-Laye, le premier Bourbon parachève encore l'œuvre des Valois. Sur un site exceptionnel, il transforme le *casino* de Philibert de l'Orme en une vaste construction : le château neuf, que six étages de jardins en terrasses descendant jusqu'à la Seine transforment en un véritable château-jardin (1594-1604). Mais c'est à Fontainebleau que l'œuvre de Henri IV est la plus ample et la plus variée[5]. Les travaux qu'il confie, à partir de 1594, à Métezeau et Du Cerceau agrandissent le château presque au double. Trois ailes nouvelles en brique et pierre sont élevées autour du jardin de la reine : une volière, la galerie des cerfs et celle des chevreuils. S'y ajoutent la conciergerie et deux jeux de paume contigus, une des passions du roi. La cour ovale reste le lieu de rencontre des courtisans : « Ce que je sais, écrit Malherbe, je le puise dans la cour ovale[6]. » Elle est élargie encore vers l'est, les pavillons qui la bordent sont reconstruits et l'on dresse une entrée monumentale, le baptistère. Le roi, qui aime le grand air, les jardins et la chasse, est conquis par Fontainebleau. Aussi la cour y réside-t-elle souvent, même en hiver. Le souverain ne fait alors que de brèves et indispensables apparitions à Paris : « Je suis venu faire un tour ici. Je m'en retourne coucher à Fontainebleau[7]. » Quatre de ses enfants légitimes y naissent et le dauphin est baptisé avec ses sœurs dans la cour ovale le 14 septembre 1606. La présence fréquente du roi et de ses services impose la construction de nouveaux bâtiments. Après l'aménagement de la chapelle de la Trinité, on édifie les trois corps de logis de la cour des offices qui devient la nouvelle entrée du château. Les jardins ne sont pas négligés. Ils se couvrent de plantations, s'ornent de fontaines et de sculptures. Le roi aime tant les montrer aux visiteurs ! Au milieu de l'étang des carpes on élève un pavillon, on dessine des parterres, on creuse un canal à travers le parc, grande nouveauté dont le monarque surveille l'achèvement des matinées entières. Renaît à la vie de cour Fontainebleau, « cette royale maison la plus superbe qui soit au monde ».

Veuve, Marie de Médicis — à qui Henri IV a fait partager son goût pour le château — reste toutefois fidèle à Paris, sans beaucoup aimer le Louvre. Elle n'y achève pas le projet de son mari : dégager l'espace encombré de maisons et d'hôtels entre le palais et les Tuileries, et joindre ceux-ci au nord, comme la grande galerie les unissait déjà au sud. Mais, comme Henri IV, elle est attachée aux constructions des Valois. Elle fait ainsi travailler en 1609 Salomon de Brosse au château de Catherine de Médicis à Montceaux-en-Brie. Elle y vient souvent, quelquefois pour de longues semaines, entourée d'une cour choisie. Régente, elle a le désir d'avoir une demeure à elle. Catherine n'a-t-elle pas élevé les Tuileries ? Alors elle loue, puis achète en 1611 l'hôtel du duc François de Luxembourg, rue de Vaugirard. Là, sur la rive gauche, à la lisière de la ville, dans un site agréable, elle charge Salomon de Brosse de construire *sa* demeure qu'elle souhaite à l'imitation du palais Pitti. Les travaux, inaugurés en 1615 et qui, à l'exception des bossages, ne tiennent pas compte du modèle florentin, sont désespérément longs. L'exil à Blois, les obstacles à l'acquisition de terrains, bientôt le manque d'argent, puis les rapports difficiles avec l'architecte accompagnés d'expertises, contre-expertises, interruptions de chantier, transactions nouvelles, expliquent que, si la grande galerie de l'aile droite est inaugurée en 1625, le tout n'est achevé qu'en 1631, l'année de l'exil définitif de la reine[8].

Louis XIII se rend fréquemment au Luxembourg : il tient souvent conseil dans la chambre de sa mère. Là eut lieu l'entrevue orageuse du 10 novembre 1630, prélude à la journée des Dupes. Le roi et Richelieu étaient alors logés dans le voisinage, le ministre au Petit Luxembourg, Louis XIII à l'hôtel des Ambassadeurs, rue de Tournon, le Louvre étant alors en travaux. Ce dernier, légué par les Valois et agrandi par son père, est la résidence principale de Louis XIII. Le cadre lui convient. Il ne l'a enrichi que par l'achèvement de l'aile nord-ouest de la cour carrée (1624-1627) et l'élévation du pavillon de l'Horloge, dus à Jacques Lemercier. Louis XIII est peu bâtisseur. Manque d'intérêt ou, dans un royaume en guerre, insuffisance de moyens ? Ses contemporains lui ont reproché de n'avoir construit qu'un minuscule château, un relais de chasse, une *picciola casa* écrit l'ambassadeur de Venise, sur le site ingrat d'un obscur village, Versailles (1624). On y a vu le symbole de la vie étriquée du souverain — « chétif château » dont « un simple gentilhomme ne voudrait pas prendre vanité » — et le refuge idéal d'un hypocondriaque soucieux de « n'être point troublé dans le repos qu'il y cherchait loin des importunités de la cour[9] ».

Si la bâtisse a peu séduit le roi, les événements politiques et militaires de son règne n'y sont pas étrangers. A la vérité, Louis XIII a beaucoup voyagé : non pas comme les Valois, de château de plaisance en relais de chasse entre Seine et Loire, mais pour conduire presque chaque année quelque longue campagne[10]. Les deux premières années de son règne effectif (1617-1618) l'ont retenu à Paris et c'est généralement entre la capitale, Saint-Germain-en-Laye et Fontainebleau que se passent les années 1623 à 1625, 1631, 1634, 1637 et 1638. Saint-Germain est très fréquenté. L'année de la naissance du dauphin (1638), la cour y séjourne depuis janvier jusqu'en juin de l'année suivante. L'automne est plutôt réservé à Fontainebleau, et cet usage se maintiendra sous Louis XIV. La grande joie de Louis XIII est de s'installer à Chantilly, récemment confisqué à Henri de Montmorency. Il en prend possession en 1633, et dans l'année qui suit, la cour y passe la belle saison. Elle y séjourne ensuite fréquemment et, à l'image du roi veneur, s'y plaît. Mais les autres années du règne sont occupées par de longues chevauchées : dans l'Ouest, à l'occasion des deux guerres contre Marie de Médicis (1619-1620), dans le Sud-Ouest et le Midi, pour châtier les rebelles protestants (1621-1622) et prendre La Rochelle (1627-1628), sur les frontières du Piémont (en 1629 et 1630), du Saint-Empire (1632, 1633, 1635, 1636, 1639-1641), de l'Espagne (1642). Aucun roi n'a mieux connu son royaume, mais le temps et l'argent lui ont manqué pour songer à des travaux d'architecture. A Chantilly, pas plus qu'à Fontainebleau — à l'exception de l'escalier en fer à cheval de Jean du Cerceau —, Louis XIII ne s'est soucié de l'embellissement du château ni de l'accroissement du domaine.

Si l'architecture française de la première moitié du XVIIe siècle apparaît inventive et variée, exubérante et retenue, ce n'est pas à

Louis XIII qu'elle le doit. Faute d'initiative royale, elle a toutefois trouvé dans l'entourage du souverain quelques mécènes. Ainsi, à la différence de son maître, Richelieu a la passion des bâtiments. Son château éponyme en Poitou, Rueil et le palais Cardinal l'occupent surtout. Ils sont l'œuvre de Jacques Lemercier dont le ministre a pratiquement fait la carrière. Quant au frère du roi, Gaston d'Orléans, il a choisi François Mansart pour la reconstruction de son château de Blois. Mais ce très grand architecte n'a jamais trouvé le succès à la cour. La commande est alors davantage le fait de particuliers. Riches bourgeois souvent au service de l'État ou gens de finance élèvent hôtels à Paris et maisons de plaisance à la campagne [11]. Entre les chantiers royaux de la Renaissance qui ont inspiré tant de constructions seigneuriales et la création de Versailles, si souvent copié, la cour de France au temps de Louis XIII n'est pas un modèle.

La renaissance picturale

On l'ignore trop : au début du XVIIe siècle, la peinture est un art mal aimé. L'opinion commune, sévère, soupçonneuse, cultive à son égard bien des préjugés : aristocratique contre « les arts de la main », érudit en faveur de la poésie et de la musique, religieux contre les arts de « délectation » scandaleusement représentés par l'érotisme bellifontain. La peinture suscite la défiance, au mieux l'indifférence. Ainsi Tallemant des Réaux, chroniqueur de la société parisienne sous Louis XIII et Anne d'Autriche, n'accorde dans ses *Historiettes* aucun intérêt à la peinture. La culture qui compte est littéraire, les belles-lettres sont privilégiées aux dépens des beaux-arts. La chronologie des créations institutionnelles — d'où l'intérêt politique n'est pas absent — en est d'ailleurs la preuve. Treize années séparent la fondation de l'Académie française (1635) de l'Académie de peinture (1648) [12].

Ce discrédit s'explique aussi par la faiblesse de l'éducation esthétique des gentilshommes. Les soudards des guerres de religion, qui ont tant détruit dans le royaume et appauvri son patrimoine, ne sont guère capables d'apprécier, comprendre et respecter les œuvres d'art. Le raffinement artistique de la cour des Valois leur est devenu étranger. Le retour à la paix n'a pas d'un coup bousculé ces préjugés ; la renaissance de la vie de cour sous les premiers Bourbons n'a pas brutalement chassé l'ignorance et transformé les nouveaux courtisans en mécènes. L'action décisive des souverains, relayée par les membres de leur entourage, a toutefois progressivement levé les obstacles et ennobli l'art de peindre.

Sans être insensible à la peinture, Henri IV n'est pas François Ier [13]. Mais sa décision de ramener la cour à Fontainebleau a des conséquences considérables. Elle signifie la reprise presque immédiate des grands travaux décoratifs. Avec les œuvres de Rosso, du Primatice ou de Nicolo dell'Abate, les nouvelles générations d'artistes sont en continuité. La première école de Fontainebleau reste un modèle, ses leçons s'imposent toujours. D'ailleurs la restauration des fresques, gâtées par l'abandon du château pendant les guerres civiles, ne manque pas d'influencer le style des nouveaux artistes bellifontains, tout en suscitant leur réaction. Car il « n'est guère de peintre qui ne veuille s'affirmer contre la génération précédente [14] ».

La peinture monumentale avait été imprégnée de mythologie et d'allégorie. Désormais l'aventure romanesque l'inspire. Ses thèmes sont empruntés aux œuvres de l'Antiquité tardive ou de l'Italie contemporaine, à Héliodore ou au Tasse. Plus qu'à la galerie d'Ulysse, le récit, la mise en scène sont privilégiés. Ils annoncent les formules d'Eustache Le Sueur au Louvre et de Charles Le Brun à Versailles. Ainsi les *Amours de Théagène et Chariclée*, d'Ambroise Dubois, animent-ils, en quinze tableaux encadrés d'un riche décor de stuc, les murs et le plafond de la chambre ovale ou cabinet du roi, baptisé aujourd'hui salon Louis XIII. Pour orner le cabinet de la reine, l'artiste a choisi un épisode de la *Jérusalem délivrée*, l'histoire de *Tancrède et Clorinde*. Délicate attention : c'est dans ce livre que Marie de Médicis s'était initiée à la langue française.

Toussaint Dubreuil, peintre favori de Henri IV qui avait remarqué ses talents de dessinateur, est lui aussi à la tête d'un vaste atelier, présent sur tous les chantiers du temps : Fontainebleau, où il peint avec son beau-père, Ruggiero de Ruggieri, disciple du Primatice, les *Travaux d'Hercule* dans le pavillon des Poêles ; Saint-Germain-en-Laye, qu'il décore de soixante-dix-huit tableaux. Aux Tuileries, il exécute des fresques, et à la petite galerie du Louvre il peint, avec le célèbre coloriste Jacob Bunel, aux murs des portraits, à la voûte une gigantomachie mêlant thèmes mythologiques à ceux de l'Ancien Testament [15].

A l'exception de l'œuvre de Martin Fréminet — successeur de Dubreuil comme premier peintre — à la chapelle de la Trinité, la plupart des grands travaux décoratifs de ce temps ont disparu. La seconde école de Fontainebleau est ainsi mal connue[16]. On y a cependant deviné la collaboration d'artistes du Nord. L'un d'eux, Jean de Hoey, joue un rôle essentiel, envoyé par le roi en Flandre à la recherche de nouveaux talents. Après 1600 il collabore avec Ambroise Dubois à la décoration de la galerie de la reine, qui déroulait un cycle consacré aux aventures et aux amours de Diane et d'Apollon, curieusement intercalé entre dix panneaux illustrant les *Batailles et victoires de Henri le Grand.* Ainsi par la volonté de Henri IV (ne négligeant aucune occasion d'apparaître comme le successeur des Valois), Fontainebleau redevient un immense chantier servi par des talents originaux, ouvert aux influences étrangères, nordiques et ultramontaines. Fréminet, obsédé par Michel-Ange, ne s'est-il pas longtemps formé en Italie avant d'être nommé peintre et valet de chambre ? La renaissance picturale à la cour du premier Bourbon n'est pas une parenthèse, imitation édulcorée de la « nouvelle Rome » de François Ier. Elle est nourrie du conflit d'influences entre un art intellectuel (tradition bellifontaine) et un retour au réalisme, éclatant dans les portraits guindés de François Pourbus, ce peintre d'origine flamande invité à la cour en 1609. Elle reflète, après les épreuves de la fin du XVIe siècle, le renouveau timide d'une vie aulique encore indisciplinée et la redécouverte d'un luxe parfois ostentatoire. Elle prélude au foisonnement pictural des années 1620-1630.

La cour de Henri IV semble avoir été le seul grand centre artistique du royaume. S'il encourage, de façon pressante parfois, la noblesse à bâtir sur ses terres, la commande est alors le seul fait du prince. Avec Louis XIII, celle-ci n'est plus uniquement royale. Gentilshommes, robins, serviteurs de l'État, financiers forment une clientèle riche, nombreuse et exigeante. Les fondations récentes de la contre-Réforme ouvrent des chantiers nouveaux. Mais c'est le roi, dont le goût artistique est reconnu, qui catalyse l'engouement pour la peinture.

En tenant les artistes en estime, Louis XIII renverse bien des préjugés. Il fait évoluer une opinion souvent hostile aux « arts de la main » et n'est pas étranger à l'apprentissage esthétique des gentilshommes, jusque-là peu sensibles — la bâtisse exceptée — aux choses de l'art. Le roi reconnaît le talent des créateurs en leur accordant des pensions et en leur décernant des brevets de « peintre du roi » ou de « premier peintre ». Simon Vouet en bénéficia, comme Jacques Blanchard ou Poussin. Mais il fait davantage en élevant quelques artistes jusqu'à l'ordre de Saint-Michel. Martin Fréminet, le premier, en a reçu le collier, Stella et Deruet suivent[17]. En se faisant initier publiquement par Vouet à l'art du pastel, Louis XIII ajoute au plaisir personnel de peindre la démonstration de la noblesse de cet art[18]. Sa pratique, loin d'être caprice éphémère, est durable divertissement et pédagogie par l'exemple. Si tous les courtisans ne manient pas, comme leur maître, le pinceau ou la pierre noire, beaucoup aiment se faire portraiturer. On se presse chez Nicolas Quesnel ou chez Daniel Dumoustier dont Peiresc prétend, en avril 1622, qu'il n'a guère bougé du Louvre durant deux mois, occupé « à portraire des reines, princesses et dames de la cour avec tant d'assiduité qu'il faillit à mourir[19] ». Félibien rapporte que Vouet, « bien qu'il s'occupât encore à d'autres grands ouvrages, ne laissa pas d'employer un temps considérable à faire des portraits, parce que le Roi, prenant plaisir à le voir travailler, lui faisait faire ceux de plusieurs seigneurs de la cour, et des officiers de sa Maison, lesquels il représentait au pastel[18] ». La cour n'ignore plus la peinture. Il est vrai qu'elle est servie par une foule d'artistes attirés par la nouvelle considération portée à leur art.

La fin du règne de Henri IV avait souffert une véritable hémorragie de créateurs. Rome, la Rome du Caravage, du cavalier d'Arpin et des Carrache, avait exercé sur la génération née entre 1590 et 1600 une véritable fascination, réduisant le prestige récent de la seconde école de Fontainebleau. Les artistes, très jeunes, avaient gagné la péninsule. Les années vingt et trente du siècle en ramenèrent beaucoup en France. Une clientèle nouvelle les attendait et Paris devint à nouveau marché de l'art. La monarchie encouragea ces retours. Louis XIII, qui payait depuis plusieurs années son entretien à Rome, rappela ainsi Simon Vouet en 1627. Pour l'artiste, pour la peinture française du XVIIe siècle, cette date est capitale. Logé au Louvre dans un appartement cossu, pensionné par le roi, Vouet commence une nouvelle et brillante carrière. Il impose alors « à tout l'art de son temps, estime M. Jacques Thuillier, une emprise qui n'a guère d'équivalent en France que celle du Primatice avant lui, après lui de Le Brun et de David[20] ». Sa rapide conquête de la cour, la faveur déclarée de Louis XIII et de la reine mère lui sont facilitées par l'absence de concurrent notable. La place était à prendre, Vouet l'occupa pleinement. D'autres artistes, comme Blanchard (1628), François Perrier (1629) ou Claude Mellan (1636), se hâtèrent ensuite de rentrer d'Italie.

Louis XIII et Richelieu pensèrent avoir remporté grand succès en obtenant le retour à Paris de Nicolas Poussin. Après deux ans d'hésitations, l'artiste avait cédé aux appels les plus pressants. Depuis seize années il vivait à Rome où il connaissait la gloire, même s'il préférait désormais les « tableaux de cabinet », appréciés de riches connaisseurs, aux grandes commandes des princes de l'Église. Sa renommée avait franchi les Alpes et des amateurs français étaient devenus ses clients. Les propositions du roi étaient séduisantes. Poussin finit par accepter et gagna Paris en décembre 1640. L'accueil fut magnifique. Louis XIII le nomma premier peintre ordinaire avec la pension de mille écus par an et lui confia la « direction générale de tous les ouvrages de peinture et d'ornements » des résidences royales. Le roi, son ministre Richelieu, le surintendant des bâtiments Sublet de Noyers lui passèrent des commandes, dont un projet de décoration de la grande galerie du Louvre. « Voilà Vouet bien attrapé ! » déclara Louis XIII. Mais ce traitement royal ne fit pas de Poussin un artiste parisien. Dix-huit mois plus tard il regagnait Rome. La cour de France, suffisamment pressante pour obtenir sa venue, ne sut pas le retenir.

Sous le règne d'un monarque aussi éclairé — il privilégie dans sa chambre l'œuvre de Georges de La Tour —, la cour offre-t-elle à l'admiration les grandes réalisations picturales attendues dans les palais royaux et imitées dans les châteaux ? Existe-t-il au temps de Louis XIII une école du Louvre comme il y eut sous François Ier celle de Fontainebleau ? Paradoxalement, le souverain, qui a tant fait pour ennoblir la peinture, n'a pas orienté le goût comme le fera son fils, ni même suscité dans ses résidences des ensembles décoratifs majeurs. Il est vrai que, à la différence de François Ier et de Henri IV, Louis XIII a peu bâti. L'initiative en matière picturale appartient à ses proches, à son ministre, à des milieux plus ou moins éloignés de la cour.

Marie de Médicis maintient au Luxembourg la tradition des grands décors. Lorsqu'elle regagne Paris à l'automne 1620, réconciliée avec son fils, elle ne songe qu'à faire poursuivre les travaux de son palais, commencés en 1615, et décorer les galeries qui occupent les deux ailes. Quel artiste recevra la prestigieuse commande ? Les peintres confirmés au service du feu roi ont tous disparu. Fréminet vient de mourir. La génération suivante est en Italie. Et la reine mère désire employer un artiste illustre. Rubens est pressenti. Il arrive à Paris au début de l'année 1622. Son contrat précise qu'avec la représentation des *histoires de la vie très illustre et gestes héroïques de la dame Reine* et de toutes les *batailles du défunt Roi Henry le Grand*, il devra suivre « la vérité de l'Histoire », écarter la fable et les figures vaines, user de procédés allégoriques simples et évocateurs. L'artiste et les conseillers de la reine s'accordent sur un compromis mêlant allégorie et vérité afin de glorifier Marie de Médicis et illustrer, non sans acrobaties politiques, les grands moments de sa régence. Cette œuvre gigantesque, inaugurée en mai 1625 pour les fêtes du mariage d'Henriette de France, sœur du roi, avec Charles Ier d'Angleterre, impressionna les contemporains. Mais ce fut en son temps la seule et, pour longtemps, la dernière entreprise royale d'envergure[21].

C'est Richelieu qui reprit, de 1630 à 1635-1637, les grands travaux de décoration dans son palais de la rue Saint-Honoré. S'il n'est plus strictement royal, le mécénat du principal ministre de Louis XIII intéresse trop la vie de la cour et des courtisans pour ne pas y être rattaché. Comme son maître, le cardinal encourage les artistes, tient en estime Claude Vignon, rentré d'Italie en 1623, retient à Paris Jacques Stella, sollicité en 1634 par le roi d'Espagne, presse le retour de Poussin en France, fait travailler Blanchard, Laurent de La Hyre et un jeune débutant nommé Le Brun, confie à Vouet et à Philippe de Champaigne la décoration de l'hôtel parisien où il reçoit la cour. De la galerie dite des Objets d'art, Champaigne couvre la voûte de divinités et d'allégories, tandis que dans celle des Hommes illustres il peint, avec Simon Vouet, des « héros qui par leurs conseils et par leur courage ont maintenu de tout temps la Couronne[22] ».

Le dessein est politique. La fidélité monarchique, les services rendus à la cause catholique, la défense de la maison de France contre les prétentions des Habsbourg ont présidé au choix des personnages admis au « panthéon » du palais Cardinal. Mais l'ouvrage ne répond pas seulement à d'étroites préoccupations d'antiquaire. Il s'insère dans l'actualité, exprime à l'égard des grands une tentative de séduction, une manière de *captatio benevolentiae*. Flatter les puissantes familles nobles en introduisant leurs ancêtres dans cette prestigieuse fresque offerte au regard de tous est le but recherché. La politique nobiliaire de Richelieu n'est pas tout d'une pièce. L'Histoire n'a trop souvent retenu que l'exécution de Montmorency ou l'exil du duc de Guise ; elle a oublié les ménagements dont l'homme rouge a usé envers d'ambitieuses familles. Si le connétable de Montmorency trouve place dans la galerie, c'est qu'il importe de se concilier ses petites-filles et leurs maris, le prince de Condé, les ducs d'Angoulême et de Ventadour. Si le cardinal célèbre dans son palais François de Guise et son frère, il espère complaire à son petit-fils le duc de Chevreuse et à l'intrigante duchesse, comme à ses petits-neveux, le duc d'Elbeuf et le comte d'Harcourt. L'art n'est pas ici au seul service de la gloire du prince : Louis XIII n'occupe qu'une place modeste dans une galerie plus accueillante aux hommes de guerre qu'aux membres de la famille royale. La monarchie est célébrée dans sa continuité. Tous ceux qui l'ont servie et la servent sont à l'honneur. Mieux que les portraits d'apparat signés Philippe de Champaigne, cette œuvre traduit l'art de cour dans la première moitié du XVIIe siècle : aux murs de cet espace privilégié de rencontre qu'est la galerie, une grande composition doit servir à la formation du goût et à l'édification politique des courtisans.

LE TRIOMPHE DE LA MUSIQUE DE COUR

La passion de Henri IV et de Richelieu pour l'architecture, l'intérêt manifesté par Louis XIII pour la peinture renouent, après la déchirure des guerres civiles, avec le mécénat des premiers Valois. En matière musicale et chorégraphique, la cour se contente de prolonger l'action entreprise au siècle précédent. Sous le règne de Henri III était apparu le premier ballet de cour. Le succès du genre n'a été contrarié ni par la Ligue, ni par la reconquête du royaume sur l'Espagne. Seul l'éclat de la mise en scène a été affecté par les difficultés financières du temps et la fréquence des campagnes militaires. C'est aussi dans les dernières décennies du XVIe siècle que l'air de cour supplanta définitivement la chanson pour devenir une forme musicale privilégiée. Au temps de Henri IV et de Louis XIII, on danse et on chante au Louvre comme aimaient à le faire les courtisans de Henri III ; mais, tandis qu'à la Renaissance la société tout entière cultivait la musique, désormais celle-ci est pratiquée surtout par un groupe restreint de privilégiés. Apparaît ainsi un véritable art de cour.

Le succès de l'air de cour est le signe de cette évolution[23]. Au XVIe siècle, malgré son nom, il n'appartenait pas exclusivement au milieu aulique. Dans les premières années du XVIIe siècle, il rompt ses attaches avec la « voix de ville » (ou vaudeville) pour devenir œuvre plus sérieuse et précieuse. Les textes adoptent un ton sentimental et recherché, les images sont empruntées à Pétrarque et Desportes. Malherbe, Racan, Saint-Amant et autres poètes mondains versifient à l'envi. Les musiciens sont tous attachés à la cour. Pierre Guédron, qui domine la production au début du siècle, est compositeur de la musique de la Chambre (1601), puis intendant des musiques de la chambre du roi (1609) et de la reine mère. Ses œuvres sont si célèbres que l'une d'elles est citée dans l'*Histoire comique de Francion*. Son gendre, Antoine Boësset, sieur de Villedieu, « fin mélodiste » dont Louis XIII fait chanter les airs dans sa chambre, hérite à sa mort de toutes ses charges. A Gabriel Bataille, maître de musique de Marie de Médicis puis d'Anne d'Autriche, revient l'honneur de publier le premier recueil d'airs de cour en 1608. Quant à Étienne Moulinié, le cadet du groupe, il reçoit de Gaston d'Orléans, frère du roi et son rival en matière de mécénat, la charge de chef de sa musique.

On a parfois moqué la « douceur perpétuelle » des airs de cour, on en a brocardé les « doux martyrs », les « cruels tourments », les « tendres soupirs ». Il faut cependant reconnaître le vif succès d'une forme musicale passionnément cultivée et admettre que ces lieux communs forment un véritable rituel de bonnes manières. Quelques contemporains ont reproché aux compositeurs leur timidité, leur impuissance à exprimer les passions de l'âme, vantant à l'inverse l'interprétation plus expressive de l'art vocal italien. Or celui-ci n'a pas manqué d'influencer les artistes français. La cour de Henri IV a invité et reçu les deux principaux protagonistes de la réforme poétique et musicale de Florence. Après les fréquentes visites du poète Ottavio Rinuccini, auteur de nombreux livrets, auquel le roi décerne le titre de gentilhomme de la Chambre, Marie de Médicis accueille le célèbre compositeur et chanteur Giulio Caccini. Avec sa femme et ses filles il donne, pendant l'hiver 1604-1605, des « concerts en musique » dont le style dramatique séduit les amateurs. C'est le plus souvent aux Tuileries que la reine, accompagnée de ses dames, assiste, masquée, à ces auditions. Elle y entend aussi Villars, recommandé par Marguerite de Valois, Isabelle de la Camere, une Espagnole de passage, et encore des Italiens, comme Julio Romano et ses filles, qu'elle a « empruntés pour quelques mois » au grand-duc de Toscane. C'est enfin un commensal de Louis XIII, Pierre de Nyert, chanteur préféré du souverain, qui, après avoir étudié à Rome, réussit la synthèse du chant français et de la « manière » italienne. Sa considérable autorité sur les milieux artistiques de son temps explique l'évolution de l'air de cour vers une manière plus expressive de chanter, ainsi que l'introduction de l'ornement. La cour, avide de nouveautés, est donc ouverte à la musique italienne. En retour, l'air de cour, pur produit du milieu aulique, est apprécié à l'étranger — en Angleterre comme en Italie ou dans les pays germaniques — et reconnu comme l'expression la plus authentique de l'art musical français.

Si elle contribue à la substitution des récits chantés aux scènes déclamées, et introduit dans la mise en scène des machines qui séduisent le public, l'influence ultramontaine est moins sensible dans le ballet de cour, le divertissement à la mode[24]. Son succès est éclatant. Nul n'y est indifférent. La foule des courtisans se presse au spectacle, causant parfois tant de désordre que la représentation doit être reportée dans la soirée, voire au petit matin — on danse *La Délivrance de Renaud* de deux heures et demie à cinq heures — ou dans les jours suivants. Il faut alors canaliser les spectateurs, garder les voies d'accès à la salle, qu'elle soit au Louvre ou au Petit-Bourbon. Le succès en dépend. « La Reine commanda à M. d'Épernon et à moi, écrit Bassompierre, de ne laisser passer que ceux qui auraient des méreaux pour marque de pouvoir entrer. Ainsi l'ordre fut très bon[25]. » Toute la cour se passionne pour un tel spectacle ; c'est que les courtisans en sont les interprètes. Aucun divertissement n'accapare autant la noblesse[26]. La distribution des ballets s'apparente à l'armorial. Et les rôles tenus par les gentilshommes sont loin de toujours correspondre à leur dignité. Interpréter un paysan ivre, un gueux ou une vieille femme ne leur répugne pas. Danser trois fois de suite dans la même nuit n'incommode guère. L'essentiel est de plaire au souverain. Or pour Henri IV, Marie de Médicis ou Louis XIII, le ballet reste le spectacle privilégié. Malgré son deuil et celui que l'assassinat du roi impose à la cour, la régente exige de ses proches des créations fréquentes. Et Louis XIII, s'il danse peu lui-même, ne trouve pas indigne de la majesté royale de composer en 1635 le *Ballet de la Merlaison*, inventant « les pas, les airs et la façon des habits ». Mieux qu'aucun divertissement, la minutieuse préparation du spectacle permet d'approcher le roi, et d'ainsi partager son intimité. Le *Ballet de Tancrède* a nécessité trente répétitions. Louis y participe tous les soirs du 6 au 11 janvier, et répète le mois suivant deux fois par jour. Le 12 février 1619, soir de la représentation, « il soupe chez M. de Luynes et donne le souper à tous ceux qui étaient de son ballet[27] », avant de le danser au milieu de la cour.

On comprend l'engouement pour un aussi royal divertissement. Si le grand et luxueux ballet du roi n'est donné qu'une fois l'an, les gentilshommes se font un devoir d'en offrir de plus modestes, mais plus fréquents, à leur souverain. La danse est ainsi mieux qu'un futile passe-temps. C'est à la fois le fruit d'une éducation, à côté de l'escrime et de l'équitation, et un atout majeur dans le jeu du courtisan, prêt à sacrifier au ballet d'autres intérêts ou obligations privées. Bassompierre, dont la mère est moribonde, consent, sur ordre de la reine, à attendre la fin de la représentation pour la rejoindre. Chacun sait à la cour que la goutte n'arrête pas le vieux duc de Nemours, passionnément épris de danse. On en fait un ballet, celui des *Goutteux !* Rien, pas même l'ambition politique, ne résiste à cette passion. Parce qu'il est engagé dans un ballet, le comte de la Rochefoucauld retarde puis annule sa mission en Espagne « pour chercher un accord sur les troubles du Montferrat[28] ».

Les divertissements de cour ne sont jamais exclusivement de l'art pour l'art. Le ballet n'échappe pas à cette règle. Déjà les trois représentations, données à Pau et à Tours au temps des guerres civiles, prétendaient exprimer les vœux des Français : réconciliation religieuse et pacification du royaume. La gloire du roi doit aussi y trouver son compte. Libérer ses compagnons des sortilèges d'Alcine (*Ballet de Mgr de Vendôme*, 17 janvier 1610) est un rôle qui convient admirablement à Henri IV. Évoquer les complots fomentés à la cour et réduits par le talent du prince dans le *Ballet de Madame* (19 mars 1615) conforte l'image pacificatrice et bienfaisante de la régente. Dans le *Ballet de la délivrance de Renaud* (1617) et dans celui de *Tancrède* (1619) chacun devine, derrière la fiction romanesque, la monarchie triomphant des malheurs de l'État. Voir le roi, nouveau Godefroy de Bouillon, combattre les monstres de la forêt enchantée, ou, démon du feu, purger ses sujets de « tous prétextes de désobéissance », a valeur d'avertissement destiné aux princes factieux, toujours prêts à quitter la cour. Il est vrai qu'à trop vouloir prouver... Les prétentions de Luynes à figurer dans deux ballets au-dessus des grands, pour rendre visible à toute la cour sa récente gloire — le roi ne jouant qu'un rôle secondaire —, durent exaspérer les courtisans hostiles au grand fauconnier. Richelieu a trop de sens politique pour commettre pareille faute. Les ballets qu'il inspire doivent servir la grandeur de son maître et vanter la prospérité du royaume. Encourager sa passion pour la danse, n'est-ce pas un sûr moyen d'occuper la noblesse, la retenir à la cour et distraire son attention des affaires de l'État ? Admettre tel seigneur dans un ballet royal, n'est-ce pas lui témoigner une faveur recherchée et le détourner d'autres ambitions ? Lorsqu'il projette en 1635 de se débarrasser du comte de Puylaurens, favori de Gaston d'Orléans, le cardinal le fait élever à la dignité de duc, recherche son alliance et l'admet comme danseur au grand ballet du roi... avant de le faire arrêter ! Art d'agrément, la danse est aussi moyen de gouvernement[29].

Les leçons politiques assignées au ballet de cour exigent une fastueuse mise en scène capable de frapper les imaginations. Le triomphe du roi dans *La Délivrance de Renaud* a rassemblé des effectifs musicaux considérables — 92 voix et 45 instruments —, un décor sophistiqué dû à l'Italien Francini, des costumes somptueux. Celui du souverain, représentant le démon du feu, était orné de « flammes [...] émaillées et faites avec un tel artifice, que le feu même se rendait plus éclatant par elles, lorsque les rayons des flambeaux innombrables de la salle étaient adressés dessus, et que ceux qui les regardaient en recevaient la réflexion[30] ». Les changements incessants du décor dans le *Ballet de la Marine* (1635) ou dans celui de *La Prospérité des armes de la France* (1641), décidés par Richelieu, devaient aussi étonner (au sens ancien et fort du mot) le spectateur et rendre sensible le pouvoir du roi.

Voir dans le ballet de cour une forme artistique figée serait réduire la richesse et la souplesse du genre. Les goûts changeants des courtisans, le rôle déterminant de l'intendant des plaisirs de la cour, comme les dépenses nécessaires pour la mise en scène, lui ont fait subir de nombreuses transformations. Il oscille ainsi entre le genre sérieux, noble, où la puissance de l'allégorie est étayée par une impressionnante recherche des effets, et la manière burlesque faite d'abord pour divertir. Et il lui arrive de mêler les deux aspects à l'intérieur d'une même création. La simplicité de goût de Henri IV, jointe aux indispensables économies qu'impose Sully, est responsable des ballets-mascarades. Souvent improvisés, dépourvus d'action dramatique, ils sont montés à peu de frais et mêlent aimablement danses, pantomimes et figures acrobatiques qui enchantent le roi. Avec le début du règne de Louis XIII, le ballet mélodramatique reprend ses droits. *Alcine* (1610) renoue avec le *Ballet comique de la Reine* (1581). La musique qui y tient une place de plus en plus importante et l'unité d'action semblent annoncer l'opéra. Mais ce genre dure peu. Vers 1620, le ballet à entrées lui succède. Spectacle essentiellement chorégraphique, c'est une succession de tableaux ponctuée par d'interminables défilés de personnages costumés. La mort du duc de Luynes, amateur de grands sujets, n'est pas étrangère à cette transformation, pas plus que l'absence, après la mort de Guédron (1621), d'un compositeur doué de sens dramatique. Mais surtout la concurrence de la tragédie, réglée, codifiée, soumise par

Richelieu au contrôle de l'Académie française, relègue le ballet au rang de récréation agréable. « La tragédie et la comédie sont pour les mœurs et pour l'instruction, note plus tard le P. Ménestrier, le ballet pour le divertissement et le plaisir[31]. » La participation de danseurs amateurs recrutés parmi les courtisans, dont l'enthousiasme n'exclut pas la maladresse, explique la réduction du ballet à un simple défilé d'entrées. Avec délectation, la cour se donne ainsi en spectacle à elle-même ; mais elle manque alors la naissance de l'opéra.

La tentation italienne

Quand, en 1639, André Maugars invite les compositeurs du royaume à « s'émanciper de leurs règles pédantesques et faire quelques voyages pour observer les musiques étrangères[32] », le célèbre instrumentiste est à la fois injuste et clairvoyant. Déjà sous ses yeux, l'art vocal s'enrichissait de l'expressivité italienne. Mais il est vrai que l'opéra italien, né vers 1600, laisse encore indifférents les compositeurs français. La cour ignore cette forme illustrée ailleurs par Monteverdi ou Cavalli. Les courtisans français envoyés à Florence assister au mariage de Henri IV et de Marie de Médicis ne semblent pas avoir été suffisamment charmés par l'*Euridice* de Peri pour encourager l'introduction en France du théâtre chanté. Entichée de ballets à entrées, la cour est davantage captivée par le spectacle, le décor, les costumes que par la musique elle-même. Mazarin, ministre de la régente Anne d'Autriche, s'efforce de vaincre ces préjugés. Il a pour cela de bonnes raisons. Romain, il garde à Paris la nostalgie de ses jeunes années passées auprès du cardinal Barberini, ordonnateur de fêtes somptueuses. Italien au service de la France, il doit s'employer à séduire une opinion irritée d'être gouvernée par un étranger. Principal ministre, il croit nécessaire, à grand renfort de musiciens, décorateurs, poètes italiens, d'étourdir la cour jamais rassasiée de nouveautés. Avec des artistes qu'il associe à ses intrigues, il espère aussi mieux dissimuler ses propres machinations politiques.

Pour réussir, il ne manque ni de moyens ni d'appuis. Le trésor royal lui est ouvert et Anne d'Autriche est bienveillante. L'argent n'a jamais été un obstacle. Pour monter un spectacle de grande qualité, il ne répugne pas — il le confie dans une lettre — à jeter l'argent par les fenêtres afin d'éblouir l'Europe[33]. Le recrutement des artistes ne doit pas davantage s'embarrasser d'économie. « Je voudrais avoir plutôt des personnes insignes et augmenter la dépense, écrit-il en 1659, que non pas des personnes d'un talent ordinaire et à bon marché[34]. » Avec ténacité, et grâce à son immense réseau de relations, il s'efforce personnellement — sa correspondance en témoigne — d'attirer en France ces « insignes personnes » chargées d'imposer à la cour l'esthétique italienne. Aucune troupe ultramontaine ne se fixe au Louvre, mais des artistes célèbres y font des séjours prolongés : le compositeur Marazzoli, la chanteuse Leonora Baroni (avril 1644-avril 1645), le castrat Atto Melani, Jacopo Torelli, fameux machiniste (1645). Francesco Buti, poète, y accompagne son maître, le cardinal Barberini, réfugié en France en 1646. La Baroni ou la Costa, *divas* romaines, sont à la cour mieux traitées que des duchesses. Le cardinal les fait servir par ses propres officiers. Elles partagent l'intimité de la régente. A Leonora Baroni, Anne d'Autriche accorde l'entrée de ses appartements à toute heure, l'admet parmi ses femmes de chambre, la couvre de bijoux. Atto Melani est l'idole de la cour : « Que cet incommodé chante bien », écrit à son propos Mme de Motteville. On ne sait trop si sa nomination comme gentilhomme de la Chambre en 1657 récompense ses talents ou ses activités d'agent secret du cardinal. L'abbé Buti, passé au service de Mazarin, remplit, après 1654, les fonctions d'intendant des menus plaisirs. Il est devenu le maître d'œuvre des spectacles de la cour[35].

La *Finta Pazza* est, après un spectacle mal identifié, la première œuvre lyrique représentée devant la cour (14 décembre 1645). Son succès tient moins à la qualité du livret et de la musique qu'aux étonnants décors de Torelli et aux ballets d'animaux destinés à amuser le petit Louis XIV — il a alors sept ans — « qui vraisemblablement demandait des choses proportionnées à son âge[36] ». L'échec de l'*Egisto* de Cavalli, l'année suivante au Palais-Royal (février 1646), révèle à Mazarin la nécessité de conquérir le public français par des effets de mise en scène, dont on avait fait ici à tort l'économie. La somptuosité des décors, l'ingéniosité des machines sont les partenaires nécessaires d'un spectacle chargé d'affiner le goût musical des courtisans. L'*Orfeo* de Luigi Rossi répond à cette exigence. C'est un véritable opéra où les ballets n'ont qu'un rôle décoratif et sont dansés par des professionnels. Sa préparation a occupé toute la cour. Les représentations répétées au Palais-Royal les 2, 3 et 5 mars 1647, puis le 25 avril et les 6 et 8 mai semblent attester son succès. Mais succès sans lendemain, car une cabale conduite par le Parlement et le clergé, puis le déclenchement de la Fronde ont raison de l'opéra. Le faste dont était paré le spectacle se retourne contre son ordonnateur, devient prétexte à dénoncer la prodigalité de Mazarin. Les dévots, M. Vincent en tête, reprochent à la reine son goût pour des œuvres aussi diaboliques. *Orfeo* apparaît dans les mazarinades comme le symbole de la perversité de la cour. Les musiciens ultramontains, leur contrat achevé, regagnent leur patrie. Malheur à ceux qui restent à Paris ! La Fronde les contraint de se cacher. Chanteuses, castrats, artistes italiens sont associés à l'entourage domestique du « gredin de Sicile » dans la même réprobation populaire. Tous sont accusés de se « saouler du sang du peuple ». La précaution prise par Torelli, naguère adulé, de franciser son nom, ne lui épargne pas l'emprisonnement. Les frondeurs ont à cœur d'assassiner la musique italienne.

Après la Fronde et le retour du cardinal, les spectacles de la cour renouent avec les œuvres lyriques, mais les mêlent — prudence exige — aux grands ballets aimés des courtisans et interprétés par le roi. En 1651 déjà, Louis XIV avait fait admirer ses talents dans le *Ballet de Cassandre*, et même incarné Apollon dans celui des *Fêtes de Bacchus*. Dans le *Ballet de la nuit*, donné le 23 février 1653 pour célébrer le retour de Mazarin, il revêt pour la première fois l'aspect du soleil, escorté dans le ballet final par vingt-deux danseurs, tous gentilshommes[37]. Fin politique, le cardinal admet l'heureuse influence de ces spectacles sur les courtisans, volontiers rebelles, mais séduits par la grâce et la jeunesse de leur maître. Il ne renonce pas pour autant à leur faire apprécier le charme de la musique italienne. Le goût serait-il aussi versatile que l'opinion ? Le 14 avril 1654 dans l'immense salle du Petit-Bourbon sont représentées *Le Nozze di Peleo e di Teti*. Le livret est de Buti, la musique de Caproli. Ce n'est pas une nouvelle offensive lyrique, mais plutôt un compromis entre l'opéra et le ballet de cour. La page de titre du livret précise : « comédie italienne en musique entremêlée d'un ballet sur le même sujet ». Cet œcuménisme est le gage du succès. Le nombre de représentations en témoigne. Après la cour, les magistrats du Parlement, les officiers de la Ville sont invités. La foule même est conviée, « Sa Majesté voulant que tout le peuple pût avoir sa part de ce rare divertissement[38] ». Tous applaudissent. « Chaque scène de l'opéra était ponctuée par une entrée de ballet, vers de Benserade, musique de Lully et d'autres compositeurs de la cour. Le jeune Louis XIV dansa six de ces entrées ; dans l'une d'entre elles, où il évoluait dans un costume surchargé et totalement imaginaire d'“ Indien ”, il avait à ses côtés Jean-Baptiste Lully, à son service depuis un an[39]. » Grâce à cette habile concession au genre national du ballet de cour, Mazarin peut espérer le succès de son entreprise. Les chanteurs français de la Chambre n'ont-ils pas uni leur voix dans les *Noces* à celle des Italiens du « Cabinet » ? Sept ans plus tôt, aucun musicien de la cour n'avait pris part à *Orfeo*. Désormais nos artistes pratiquent la musique italienne[38].

La fusion des genres, exigée du public, est vivement encouragée par le roi. Mazarin, toujours habile, s'y résout. D'ailleurs les frais entraînés par ces fastueuses représentations sont trop élevés pour être souvent répétés. Le ballet de cour, moins onéreux, redevient le spectacle de chaque saison pour la joie des courtisans. Le jeune roi participe non seulement au grand ballet du carnaval, mais aussi aux innombrables ballets et mascarades qui l'accompagnent. Pendant l'hiver 1655-1656, il ne se produit ainsi pas moins de sept fois devant la cour, entre autres dans le *Ballet de Psyché* dont Lully a écrit la musique.

La signature de la paix des Pyrénées en 1659, les noces de Louis XIV avec l'infante Marie-Thérèse sont l'occasion d'offrir à la cour un spectacle dépassant les divertissements traditionnels. Il faut pour cela une scène digne de l'événement : Vigarani et ses fils entreprennent l'édification du théâtre des Tuileries, capable d'accueillir sept mille spectateurs. Sa machinerie permet d'élever dans les airs près de cent personnes à la fois. Le recrutement d'une troupe brillante s'impose : Mazarin mobilise à cette fin les chancelleries de l'Europe, et parvient à décider le prestigieux Cavalli de se rendre à Paris en 1660. On travaille à *Ercole amante*, mais l'importance des préparatifs retarde la création. La partition est prête, mais la salle est loin d'être achevée. Pour faire patienter la cour, on monte le 22 novembre 1660 *Xerse* du même Cavalli. Sa musique est moins appréciée que les six entrées de ballet intercalées par Lully entre les actes. Pour le carnaval de l'année suivante, à défaut du grand spectacle toujours retardé, on donne le *Ballet de l'Impatience* — dont le titre est un clin d'œil — où triomphe encore Lully, désormais champion de la tradition musicale française. Mazarin meurt le 9 mars sans avoir vu son projet réalisé. *Ercole amante* est enfin joué le 7 février 1662 dans la nouvelle salle des Tuileries. Le spectacle dure six heures. Comme pour les *Noces*, on lui a cousu des entrées de ballet à la française. Le roi, la reine, Condé dansent. Le succès est considérable mais repose sur une équivoque. C'est l'aspect visuel, celui des danses, des costumes de Henri de Gissey, de la mise en scène, qui a été applaudi. Les effets vocaux et orchestraux, desservis par l'acoustique déplorable de la nouvelle scène, sont passés inaperçus du public. Les comptes rendus du spectacle ne citent même pas le nom du compositeur ! « La musique qui était la raison même de la fête, écrit le résident de Toscane, se perd tout entière au milieu du vacarme de ceux qui ne comprennent point et ce sont les trois quarts[40]. » Ces derniers ont triomphé. L'échec de l'opéra italien, dont Mazarin s'était fait l'ardent imprésario, est la seconde mort du cardinal. Cavalli regagne Venise, les chanteurs rentrent en Italie. Seul Vigarani demeure en France où il va s'imposer comme décorateur. Le triomphateur reste Jean-Baptiste Lully, nommé depuis mai 1661 surintendant de la musique de la Chambre. Le *Ballet des Arts,* formule traditionnelle du grand ballet de cour à entrées, marque, le 8 janvier 1663, la victoire définitive de la musique française sur la musique italienne.

UNE « OFFENSIVE BAROQUE »

Attentive depuis la fin du Moyen Age aux créations ultramontaines, la cour de France s'est refusée à toute imitation servile. Malgré Mazarin, l'opéra italien n'a pu s'y enraciner, mais le cardinal n'a pas borné ses efforts à l'art lyrique. Dans le domaine des arts plastiques, il a aussi tenté de substituer au dialogue des muses françaises et italiennes, selon la formule de François Couperin, un soliloque d'outre-monts. Son palais et les résidences parisiennes de la cour sont alors comme la cible privilégiée de cette « offensive baroque[41] ».

Déjà au temps de Louis XIII et de Richelieu, quelques grands artistes français, comme Simon Vouet, ont servi la cause de l'italianisme. Après 1643, Anne d'Autriche confie encore à celui-ci la décoration de son appartement au Palais-Royal. Mais parallèlement la France sécrète ses anticorps : avec Champaigne, La Hyre, Stella, elle résiste aux influences étrangères[42]. Les deux courants se contrarient. Bien avant son accession au pouvoir, Mazarin avait entrepris de susciter la curiosité pour les créations de la péninsule. Capter l'intérêt des milieux de cour, toujours avides de nouveautés, s'imposait. Une politique de cadeaux, la distribution de « bagatelles », de « galanteries », qui servaient aussi l'ambition du jeune *monsignore,* ont fait pénétrer en France quantité d'objets d'art baroques. Installé à Paris en 1639, Mazarin devient le conseiller artistique de Richelieu et son pourvoyeur en œuvres d'art. Des tableaux du Guerchin, d'Annibale Carrache, de Romanelli, des copies de maîtres de la Renaissance viennent enrichir les collections françaises. Louis XIII et son ministre semblent gagnés par cette nouvelle tentation italienne. Certes, Fréart de Chantelou, envoyé en mission par Sublet de Noyers, surintendant des bâtiments, pour ramener de Rome Nicolas Poussin et débaucher d'autres artistes, s'intéresse davantage à l'art antique qu'aux créations contemporaines. Il est vrai aussi que le buste de Richelieu envoyé par le Bernin en août 1641 n'eut pas, « parce qu'il n'était pas ressemblant », le succès escompté. Rien ne décourage Mazarin. Avec l'accord du roi, il multiplie les démarches pour attirer à la cour l'architecte, peintre et décorateur Pierre de Cortone. L'art national, Richelieu en est convaincu, doit s'enrichir au contact de l'art baroque contemporain[43]. Son accession au pouvoir permet à Mazarin d'accélérer semblables projets, tout en montrant aux esprits réticents leur filiation avec les goûts du feu roi et de son défunt ministre.

A défaut de Pierre de Cortone, Romanelli — un de ses brillants élèves — accepte l'invitation à Paris. Grimaldi l'y suivra en 1648. Au premier Mazarin demande la réalisation d'un vaste décor à fresques selon la mode la plus récente d'Italie. Sans perdre un instant, il lui fait rencontrer dès son arrivée, en juin 1646, la cour alors à Amiens. Mais, prudent, c'est la galerie haute de son propre hôtel qu'il confie au maître, préférant aux histoires romaines que celui-ci lui suggère le thème « plus gai et mieux adapté au goût du pays » des *Métamorphoses* d'Ovide. Son palais devient ainsi une sorte d'exposition permanente de l'art italien ; sa mission est d'apprivoiser le goût français. L'opinion est en fait partagée. Si les riches bourgeois parisiens et les magistrats des cours, qui peuplent le quartier depuis Richelieu, manifestent déjà un vif intérêt, les courtisans paraissent indifférents. « Les gens de la cour, note Romanelli, où, je le vois, chacun pense à soi, n'ont pas cet amour-là[44]. » Mais à la veille de la Fronde, la nouveauté décorative les a conquis. Grimaldi est sollicité par Mme de Guébriant, le maréchal de Gramont, le marquis de Fontenay-Mareuil. Le 4 septembre 1649, Gaston d'Orléans, « voulant favorablement traiter le sieur Jean-François Grimaldi peintre romain en raison de la connaissance qu'il a de la grande réputation qu'il s'est acquise dans son art », le retient « en la charge de peintre servant en sa maison[44] ». L'art baroque commence à séduire les amateurs du royaume. Il a pour lui l'appui officiel. Mazarin ne manque aucune occasion de l'imposer. La mort de Vouet (1649) laisse-t-elle vacant son logement au Louvre ? Le cardinal écarte la candidature de Le Brun, proposée par le chancelier Séguier, au profit du gendre du défunt, Michel Dorigny. « La lutte entre les tenants de la réserve subtile à la française et la libre exubérance à l'italienne paraît inégale[45]. » Mais la Fronde interrompt cet élan. La peinture, comme la musique, est enveloppée dans la même vague xénophobe.

N'imaginons pas pour autant la victoire soudaine du classicisme français. Les aménagements du Louvre, après les épreuves, démontrent le contraire. Louis XIV ayant « éprouvé, par les fâcheuses aventures qu'il avait eues au Palais-Royal, que ces maisons particulières et sans fossé ne sont pas propres pour lui[46] », s'installe au Louvre dès son retour à Paris, le 21 octobre 1652. Après neuf années d'absence, la cour retrouve le traditionnel palais des rois. Il a peu changé, demeure aussi incommode. Même augmenté des Tuileries, elles aussi inachevées, il ne peut accueillir toute la suite royale, dont une partie s'entasse sous les combles de l'aile méridionale. La place manque pour la famille du souverain. Pour loger Philippe d'Orléans, appelé « le petit Monsieur » afin de le distinguer de Gaston d'Orléans, frère du roi défunt, Louis XIV contraint Mademoiselle de Montpensier à lui abandonner les Tuileries, « dont elle ne reçut pas une petite mortification ». Le roi s'installe dans le pavillon de ses prédécesseurs, Anne d'Autriche loge au rez-de-chaussée de l'aile donnant sur la Seine. On aménage dans les étages des logements pour Mazarin, Fouquet et les officiers domestiques. La régente, qui souffre de la chaleur dans l'aile exposée au midi, fait aménager en appartement d'été le rez-de-chaussée de la petite galerie perpendiculaire au fleuve. Sa décoration marque l'apogée du style italianisant. L'inspiration vient de la galerie du palais Mazarin. Les paysages sont peints par Bozoni, la composition du décor des voûtes et l'exécution des fresques sont dues à Romanelli, qui séjourne à nouveau en France de 1655 à 1657. Les thèmes iconographiques restent traditionnels — la paix, les vertus —, mais l'artiste a réussi à imposer des sujets d'histoire romaine que le cardinal avait naguère jugé prudent d'écarter : Romulus, Cincinnatus, Scipion l'Africain sont désormais les compagnons du roi de France[47]

CHAPITRE XI

La culture des « ignorants »

Je ne me mêlais pas de bien dire et moins de bien écrire, l'un et l'autre n'étant point de ma profession.

BASSOMPIERRE

Je sais bien le goût du collège, mais je m'arrête à celui du Louvre.

MALHERBE

Dialectes sont en usage ès-États populaires et aristocratiques, et l'on s'y doit accommoder ; mais aux États monarchiques, il faut s'étudier à parler le seul langage de cour en laquelle se trouve tout ce qu'il y a de politesse dans le royaume, ce qui n'est pas aux républiques et aux démocraties.

DU PERRON

Lorsque Francion, le héros de Charles Sorel, se présente au Louvre un recueil de vers sous le bras, les hôtes du palais lui réservent un bien rude accueil. Les poésies qu'il vient de composer pour le ballet royal provoquent leurs méprisantes railleries. C'est que, explique l'auteur, « les sciences leur étaient si fort en horreur qu'ils avaient mal au cœur quand ils voyaient seulement un papier, et ils en tiraient le sujet de leurs moqueries [1] ». Le jugement est outré car la poésie est un genre apprécié des courtisans. Mais l'anecdote traduit une réalité que la plupart des sources du temps confirment : l'ignorance des gens de cour. Au temps de Henri IV et de Louis XIII, ce n'est pas une nouveauté. François de la Noue ou Agrippa d'Aubigné l'avaient dénoncée avec la tentation, chez l'auteur des *Tragiques*, de ne l'imputer qu'aux gentilshommes catholiques. Cette inculture nobiliaire est-elle véritable ou seulement affectée, réelle absence de curiosité intellectuelle ou apparente concession à un préjugé social ? On se rappelle en effet le regret manifesté par d'Aubigné d'avoir jeté ses « livres au feu devant [ses] compagnons pour faire le bravache à la mode » quand il surprit Bussy d'Amboise, « grand maître des braveries de la cour », corrigeant quelques vers de sa composition[2]. Or la cour était alors présidée par des souverains lettrés, et en créant l'académie du Palais, Henri III ne sous-estimait pas la valeur pédagogique de cette institution. Sous le règne du Béarnais, au contraire, le souverain, peu sensible aux lettres, ne peut servir d'exemple à son entourage ou stimuler chez les courtisans un appétit de savoir. La culture de cour est en crise. Les épreuves du temps mais aussi l'indifférence du prince en sont cause.

La crise de la culture de cour

Les guerres civiles de la seconde moitié du XVIe siècle qui ont requis de très jeunes nobles au combat — si jeunes que l'apprentissage des armes leur a interdit toute autre formation —, la crise dynastique qui les a accompagnées ne sont pas étrangères à l'ignorance de la noblesse et à l'inculture des courtisans. Homme d'action entouré de soldats, Henri IV n'a aucun goût relevé à imposer à ses proches. « Le Roi, note un contemporain, n'entendait rien ni en musique, ni en la poésie et par cela de son temps, il n'y eut personne qui y excellât. Ceux qui y sont, sont des restes du règne de Charles IX et Henri III[3]. » Desportes, Bertaut ou Du Perron ont été, il est vrai, consacrés par les Valois : Henri IV n'a fait qu'en hériter. Et lorsque Malherbe, pourtant chaudement recommandé, se présente au Louvre, le roi se contente de confier son entretien à son grand écuyer[4]. Le mécénat royal s'est évanoui. Nombreux sont ceux qui, comme Régnier, gardent la nostalgie du règne précédent : « Motin, la Muse est morte, ou la faveur pour elle[5]. » Provincial, le Béarnais a toléré, encouragé une véritable invasion de la cour par la mode littéraire gasconne, rompant ainsi avec la tradition des Valois. Stimulée par le cercle de la reine Marguerite, de retour à Paris en 1605, la cour se contente alors de répéter des formes littéraires depuis longtemps périmées. Elle semble incapable d'inventer un style qui lui soit propre, éloigné de celui de l'ancienne cour de Nérac. Sans être totalement « gasconnisée » comme le laisse croire le *Baron de Faeneste*, ou réduite à n'être qu'un carrefour de dialectes, pour reprendre la formule de Du Perron, elle apparaît impuissante à créer sa propre langue[6].

Ces insuffisances n'échappent pas aux observateurs. Ressusciter un milieu imaginatif et créateur est la préoccupation de beaucoup. *Le dessein d'une Académie et l'introduction d'icelle en la Cour*, publié en 1612 par David de Flurance-Rivault, suggère la création d'un collège propre à dégrossir les gentilshommes et former les courtisans à l'éloquence[7]. Rêve pieux d'une académie des Bourbons qui ne vit pas le jour. La cour reste le domaine des « ignorants », au sens humaniste du mot, alors que les « savants » peuplent les institutions judiciaires du royaume. Le Louvre n'ignore pas la culture, mais elle est si éloignée de celle des magistrats que l'opinion la tient pour inférieure. Elle est en fait le versant mondain d'une culture française contrastée à laquelle répond et s'oppose une culture érudite, savante, latine. Le côté de l'épée et le côté de la robe ! L'une et l'autre rivalisent pour orienter le goût du public. Qui de l'humanisme érudit, de l'éloquence des robins, ou du style et du langage de la cour l'emportera ?

Le décalage entre les deux cultures est déjà sensible dans l'éducation du jeune militaire et du jeune clerc. « Je vous dirai, écrit Tristan L'Hermite dans *Le Page disgracié*, que je n'avais guère plus de quatre ans que je savais lire et que je commençai à prendre plaisir à la lecture des romans que je débitais agréablement à mon aïeule et à mon grand-père, lorsque pour me détourner de cette lecture inutile, ils m'envoyèrent aux écoles pour apprendre les éléments de la langue latine [...]. On m'avait laissé goûter avec trop de licence les choses agréables[8]. » Genres d'agrément et langue française sont les signes visibles de l' « ignorance » des courtisans dont le péché est d'échapper à la culture scolaire. Le divorce s'accentue dès que l'on confronte les bibliothèques. Celles-ci ne tapissent pas les murs des châteaux. « Comment messieurs, il a donc des livres, je croyais qu'il fut gentilhomme ! » L'étonnement du hobereau, rapporté par Antoine de Laval, n'exprime pas seulement un préjugé ; il traduit le manque d'intérêt réel du second ordre pour la culture livresque. Chez les hommes de cour, les grandes collections dépassant trois ou quatre mille volumes sont rares. Les contemporains ne citent que celles du maréchal de Bassompierre, de Gaston d'Orléans ou de Richelieu, alors que les amateurs de livres se rencontrent davantage parmi les membres des cours souveraines, les Mesmes, les de Thou, les Bignon.

Authentiques érudits, certains, comme les Dupuy, règnent sur des bibliothèques plus importantes que celle du roi. Chez les courtisans, elles sont, quand elles existent, de taille moyenne, guère supérieures à la centaine de titres. Elles révèlent des curiosités différentes de celles des robins. Ainsi l'homme de cour n'accumule pas les ouvrages religieux savants : il ignore, à l'inverse des magistrats, les œuvres patrologiques et conciliaires. L'Antiquité grecque et latine ne trouve pas davantage grâce à ses yeux, alors que ses auteurs sont familiers des gens de robe. En revanche, l'intérêt du courtisan va aux ouvrages historiques et littéraires, étrangers ou nationaux[9]. La modeste bibliothèque du duc de Luynes est taillée sur ce modèle. Pas de patrologie ou d'exégèse, peu de textes classiques, mais davantage d'histoire et un assez bon nombre de livres de spiritualité[10]. Infiniment moins rassembleur d'ouvrages, le courtisan est, plus que le robin, curieux de modernité : à l'étude d'un lointain passé il substitue la spiritualité contemporaine et l'histoire récente. L'homme de cour préfère le roman et la poésie galante aux éditions critiques et aux poésies néo-latines. Ignorant la « science de bien dire » — l'éloquence professionnelle des magistrats —, il cultive la conversation élégante, cet « art de parler qui semble devoir autant à la musique qu'à la grammaire[11] ». Si, pour les robins humanistes, les courtisans sont « ignorants », les « savants », vus du Louvre, ne sont guère que pédants de collège.

Le prince alors est incapable d'imposer un modèle. Médiocrement inspirée par un souverain rétif aux belles-lettres ou un roi (Louis XIII) encore trop jeune, la mode de cour est dictée par quelques grands. Ceux qui comptent ont à leur service des hommes de plume, les rivalités politiques l'exigent. Balzac est d'abord le secrétaire à tout faire du duc d'Épernon, et c'est pour s'attaquer à Luynes que Mayenne engage Tristan[12]. Beaucoup ressemblent à Francion qui, devenu le serviteur de Clérante, répond avec enthousiasme aux satires dirigées contre son nouveau maître, aiguisant ses griffes contre ses ennemis. Le poète est alors publiciste. Des gentilshommes amateurs de vers, de « pensées les plus belles », de « langage le plus poli » et « pointes les plus vives » l'admettent aussi comme écrivain[13]. Ainsi le mécène du temps est le jeune, brave et galant Henri de Montmorency, puissant gouverneur de Languedoc où il entretient une académie chargée d'éduquer la noblesse. Son faste royal, le vif intérêt qu'il porte aux belles-lettres séduisent la jeunesse de la cour et attirent les écrivains en mal de protecteur. Son poète est Théophile de Viau, naguère au service du duc de Candale, et qui connaît un immense succès auprès de la jeune génération toujours prête à recueillir « les fruits de ses discours comme oracles d'une divinité [14] ». Il protège aussi Mainard, Saint-Amant, le vieux Hardy, le dramaturge Mairet. Tous ne respirent pas l'orthodoxie, beaucoup sentent le fagot. Comme celles de son lieutenant et prosateur le comte de Cramail, un des *dix-sept seigneurs* de la cour, les fréquentations de Montmorency cultivent l'opposition à la pensée officielle et à l'Église établie [15]. Le ton libertin qui y règne, la prose que l'on affectionne, dominée par la recherche du trait, de la pointe, de la subtilité, creusent encore l'écart avec la culture savante pénétrée de la piété du siècle des saints. Avec les clercs, les doctes dénoncent cette littérature pour « ignorants », « mignons pétris en eau de rose et en sucre [16] », et la condamnent. *La Doctrine curieuse des beaux-esprits de ce temps* du P. Garasse et le réquisitoire du procureur général Molé ont ainsi eu raison de Théophile. Cependant, dans ces petites cours dispersées, fréquentées par une noblesse jeune, aventureuse, brillante, sont nées les belles-lettres. La cour de Henri IV et du jeune Louis XIII, restée indifférente aux écrivains, y eut peu de part. Il fallut attendre la restauration du pouvoir monarchique et la quête toujours recommencée de l'unité par Richelieu, pour voir substituer au mécénat nobiliaire celui du souverain (ou de son principal ministre), réconcilier culture savante et culture mondaine, davantage engager le Louvre dans la restauration des belles-lettres.

La pédagogie de la cour

L'Histoire est souvent faite de paradoxes. Henri IV, que la littérature rebute, rappelle en 1603 les jésuites dans le royaume et les autorise à rouvrir leurs collèges, exhortant même ses courtisans à envoyer leurs fils dans les meilleurs établissements. La Flèche puis le collège de Clermont attirent ainsi la fine fleur du second ordre. Si la noblesse de cour reste attachée à la formule du gouverneur, si elle trouve dans les académies, nombreuses à l'aube du XVIIe siècle, le style éducatif qui lui convient, elle se laisse gagner progressivement par l'enseignement des jésuites et par le modèle pédagogique qu'ils diffusent. Séduits au Louvre par les talentueux prédicateurs de la Compagnie, les courtisans hésitent moins à confier leurs fils à des maîtres aussi réputés dans l'art oratoire et dans l'enseignement des humanités. Les Pères ne ménagent pas moins leurs efforts pour conquérir les enfants des magistrats déçus par une université de Paris en déclin. Le dialogue entre les deux versants de la culture française est ainsi renoué. Entre l'humanisme solide mais sans grâce des régents latineurs et la culture romanesque de tradition courtoise, leur enseignement, écrit M. Marc Fumaroli, offre un moyen terme séduisant [17]. Dans son livre, *Vacationes autumnales,* paru en 1620, le P. de Cressoles suggérait ainsi, par l'abandon de l'ignorance et du pédantisme, la réunion des deux noblesses — celle du Louvre et celle du Parlement — en une véritable aristocratie royale [18].

On comprend que la formule ait séduit Richelieu. Détourner la noblesse de cour des clans féodaux et des complots contre l'autorité de l'État, intégrer dans les conseils de la monarchie les robins des parlements, au total mettre au service du roi une noblesse docile, n'est-ce pas l'ambition du cardinal ? S'y ajoute le vif désir de promouvoir une culture homogène, dénominateur commun d'une élite fidèle. Faute d'une académie comme en rêvait Flurance-Rivault, la pédagogie de la cour conduite par Richelieu suit des voies multiples mais convergentes. Le préalable doit être la disparition du mécénat « féodal » où s'étaient réfugiées les belles-lettres. Bassompierre embastillé, Montmorency décapité, Gaston d'Orléans en fuite ou en exil, Guise retiré en Italie et Vendôme en Angleterre : autant de petites cours jusque-là indépendantes, rivales de celle du roi, désormais réduites ! Les doctes n'avaient-ils pas insinué le rapport malsain entre la frivolité de leurs goûts littéraires et les troubles nobiliaires ? Privés de la protection des grands, les écrivains cherchent nécessairement refuge auprès du roi et du cardinal. Les louanges qu'ils doivent décerner à leur nouveau maître sont le prix à payer pour échapper aux assauts de l'Église et du Parlement. Clercs et érudits regarderont désormais à deux fois avant de pourfendre une culture prisée au Louvre [19].

En taillant la cour à la mesure royale, le cardinal légitime le goût de celle-ci. En 1624, l'année même de son entrée au Conseil, il accorde, nouveau Mécène, son patronage aux *Lettres* de Balzac dont le succès est immense et immédiat. Richelieu protège nombre d'écrivains, accorde pensions et gratifications. Sans doute le « principal ministre » attend-il de ses obligés reconnaissance et fidélité. Mais sa tutelle n'exclut pas de sincères et profondes préoccupations culturelles, et parmi les « lévriers » du cardinal, beaucoup sont des hommes de lettres estimables. Il a cependant « de plus en plus tendance à faire de la cour un collège pour adultes, avec ses leçons de civisme et de propagande politique, dispensées par un Silhon, un Hay du Chastelet, un Sirmond, les leçons de morale, dispensées par un La Mothe le Vayer et un jésuite comme Antoine Sirmond, les leçons de bonnes manières dispensées par Nicolas Faret et de beau style par l'Académie[20] ». La cour, qui prescrit l'ordre et la soumission politique, ne saurait en effet s'accommoder de la confusion des langues ou de l'anarchie stylistique. Elle doit imposer un véritable « langage de cour », norme commune et manifestation éclatante de l'autorité royale. Déjà sous le règne de Henri IV, Malherbe, « vieux pédagogue », avait ouvert la voie : la langue littéraire à réglementer et à épurer doit être celle du Louvre[21]. Ainsi s'est élaborée la théorie du bon usage qui tourne le dos à la langue des savants. Tout écrivain qui « n'épousait pas la suite de la cour ou son goût » n'est qu'un pédant, que Racan juge capable d'écrire en prose comme les impotents se promènent au Cours et aux Tuileries[22]. Parce que le pouvoir royal raffermi l'emporte sur les parlements, la langue du palais de justice, au vocabulaire « vieux » et « bas », est devenue incapable de concurrencer celle de la cour. Pour Richelieu, le royaume doit posséder une langue douée d'un grand rayonnement. Afin de la mieux fixer, il fonde en 1635 l'Académie française, chargée d'établir une grammaire, un dictionnaire, une poétique et une rhétorique. Adopter le langage de la cour est devenu, pour l'élite polie, un devoir.

LES « SIRÈNES DU LOUVRE »

Le style littéraire en honneur à la cour séduit. Il n'est plus le monopole de ceux que Mlle de Gournay appelait sans complaisance les « courtisans de l'aigrette et de la moustache relevée[23] ». Il attire les talents issus de la robe et surtout les avocats. Le phénomène n'est pas entièrement nouveau. Au temps des Valois, Étienne Pasquier, l'érudit compilateur des *Recherches de la France*, avait composé dans sa jeunesse des écrits moins graves comme le *Monophile* et les *Lettres amoureuses*. Humanisme de cour et humanisme érudit se côtoyaient. Mais désormais la séduction du « style » de la cour sur les avocats semble irrésistible. On a remarqué que les grands, amateurs de belles-lettres, ont accueilli de nombreux transfuges du clan robin mués en poètes, romanciers ou auteurs de ballets de cour[24]. Théophile de Viau était fils d'avocat, Colletet et Frenicle — éditeurs du scandaleux

Parnasse des poètes satyriques — appartenaient au barreau comme Charles Sorel, André Mareschal ou, plus tard, Pierre Corneille. La brillante scène du Louvre, la liberté de ses mœurs, le goût du luxe et l'appétit de fêtes de ses jeunes gens avaient de quoi fasciner les robins talentueux, impatients de tromper la grisaille de la chicane. Séduction de la vie sociale et attrait pour les belles-lettres et le beau langage conspirent pour entraîner la fleur du palais de justice à « trahir », au moins pour un temps, l'humanisme parlementaire[25]. Ainsi s'estompe la frontière apparue au début du siècle entre culture savante et culture mondaine.

L'immense intérêt suscité par les querelles littéraires du siècle fait le reste. Non plus réservées au monde des « doctes », mais ouvertes à un public jusque-là étranger aux grandes controverses, elles contribuent à mêler les deux cultures et obligent à compter avec le goût des « ignorants » de la cour[26]. L'une d'elles suit la publication du premier recueil des *Lettres* de Balzac. L'auteur prétend écrire pour les « cavaliers et les dames »; ses préférences vont au « monde ». La prose dont il se fait le champion doit sacrifier à l'élégance, être « pure, libre, naturelle », et non pas conserver « l'odeur et la teinture des livres et des sciences[27] ». Sensible à l'hommage, la cour fait le succès de l'œuvre. Les savants, qui affectaient jusque-là d'ignorer la culture mondaine, relèvent le défi. Or, polémiquer comme le fit Dom Goulu, grand adversaire de Balzac, non pas sur un point de doctrine ou d'érudition, mais sur le meilleur style en langue française, était déjà reconnaître l'adversaire. Choisir le genre de la lettre, prisé de la société polie, pour accabler le prosateur *(Lettres de Phyllarque à Ariste)*, était accepter la cour comme public averti, l'admettre comme arbitre. La culture des « ignorants » recevait ainsi une once de légitimité. Dix ans plus tard, la querelle du *Cid* la renforce. La polémique provoquée par les attaques de Scudéry contre Corneille obtient une audience infiniment plus large que celle réservée d'ordinaire aux hommes de théâtre. Elle contraint le poète à proclamer fièrement dans l'*Excuse à Ariste :*

Je satisfais ensemble et peuple et courtisan,
Et mes vers en tous lieux sont mes seuls partisans;
Par leur seule beauté ma plume est estimée :
Je ne dois qu'à moi seul toute ma renommée[28].

L'ancien élève des jésuites de Rouen ne paraît songer qu'à gagner le public mondain. Il est vrai qu'il s'est jusque-là employé à flatter le goût des jeunes « lions » de la cour :

Charmé de deux beaux yeux, mon vers charma la cour[29].

La crise du *Cid* le pousse cependant à redécouvrir la culture savante, familière aux robins appelés par Richelieu au service de l'État. Il en nourrit désormais ses tragédies, *Horace, Cinna, Polyeucte.* Cette maîtrise des deux registres de la culture du temps est le signe du dialogue noué entre humanistes et gens du monde[30]. Préparée par l'enseignement des jésuites, la réconciliation de l'agrément et du savoir est scellée par les écrivains. En 1637, Descartes ne s'adresse-t-il pas, en français, aux honnêtes gens ? La publication des *Provinciales* (1656-1657) signifie aussi l'échec des discussions théologiques confinées dans le milieu des spécialistes. Chargé de convaincre, Pascal doit savoir plaire. « On me demande pourquoi j'ai employé un style agréable, railleur et divertissant. Je réponds que si j'avais écrit d'un style dogmatique, il n'y aurait eu que les savants qui l'auraient lu [...] ; j'ai vu qu'il fallait écrire d'une manière qui pût être lue avec plaisir par les femmes et les gens du monde[31]. » Là où la lourde plume d'Arnauld avait échoué, l'ancien mondain, l'ami du duc de Roannez, sut réussir.

Mêlés aux grands débats du temps, courtisés par les écrivains en quête de consécration, les familiers du Louvre font triompher leur goût et imposent leurs genres littéraires. Ainsi la culture romanesque, méprisée des doctes, est au XVIIe siècle le domaine des femmes et des courtisans. Le genre connaît un engouement sans précédent, attesté par la multiplication des titres, interrompue seulement par les difficultés politiques de 1636-1637 et de la Fronde[32]. Les romans de chevalerie survivent au temps de Henri IV, mais la noblesse fait surtout le succès du roman sentimental, pastoral et, plus tard, héroïque. Genre aristocratique, le roman est à la fois reflet embelli de la vie de cour et manuel de civilité. La délicatesse, la politesse qu'il exalte traduisent les aspirations de la société mondaine. Celle-ci y trouve aussi un art d'aimer et d'écrire. *L'Astrée,* best-seller du temps, sert « de bréviaire aux dames et galants de la cour[33] ». Savoir son *Astrée* est, dans la société polie, signe de reconnaissance. Tel « muguet de cour » désireux d'engager un dialogue amoureux avec une demoiselle d'honneur trouve dans les lettres, conversations, poèmes qui en parsèment le texte, le modèle, le ton, la langue de la séduction. Nul genre ne traduit mieux l'active complicité de la culture féminine et de la société de cour. Il marque aussi la sensibilité de toute une époque. Dès 1620-1630, son public s'élargit. Il rallie des lecteurs bourgeois préoccupés d'imiter les goûts et l'art de vivre des gentilshommes. Du Louvre qui l'a imposé, le roman gagne la Ville. « Ce n'être pas du monde, note Sorel, que de n'avoir point lu de tels livres[34]. » Ce constat démontre l'autorité désormais acquise par les « ignorants » sur les belles-lettres.

Le renouveau du théâtre doit autant à la faveur et à l'influence de la cour. Celle de Henri IV et du jeune Louis XIII n'est pas indifférente à la comédie. Des troupes étrangères, italiennes et anglaises, sont invitées à Paris, des comédiens français se produisent au Louvre. Le roi et son entourage fréquentent sans préjugé l'hôtel de Bourgogne pour les applaudir. Mais le théâtre n'est pas encore le divertissement favori de la cour : Bassompierre et Malherbe, si diserts à propos des ballets royaux, n'évoquent qu'avec discrétion les représentations dramatiques. De plus, rien ne distingue le goût du Louvre de celui du public populaire[35]. Le bon roi Henri et ses proches rient aux larmes des farces les plus grossières, s'amusent sans se lasser des bouffonneries d'Arlequin ou de Gros-Guillaume. L'éducation du dauphin s'accommode de la représentation de comédies un peu lestes où un « badin mari », une « femme garce » et un « amoureux qui la débauche » font tout le sujet[36]. Les bateleurs égaient également courtisans et portefaix, public des loges et familiers du parterre. Le théâtre n'innove guère et une cour au goût peu raffiné se soucie peu de le stimuler.

Faute d'initiative royale, quelques grands seigneurs se font les protecteurs des écrivains de théâtre. Les dédicaces qu'ils acceptent produisent en retour pensions ou gratifications. Gagner la faveur du comte de Fiesque, de Vendôme, Soissons ou Longueville, c'est espérer voir son œuvre jouée devant le roi, la certitude d'accéder à la notoriété. « Il avait beaucoup d'amis à la cour et entre autres M. le duc de Liancourt et M. de Belin, écrit un biographe de Rotrou. Il ne faisait paraître aucun ouvrage qu'il ne leur en eût fait la lecture[37]. » On sait que ce sont ses nobles protecteurs, dédicataires de *Mélite* et de *Clitandre*, qui firent connaître au Louvre le jeune Corneille.

Peu à peu, l'exemple des grands aidant, la cour redevient pour les auteurs un milieu à conquérir. Dès 1621, elle renoue avec la tragédie en applaudissant *Pyrame et Thisbé*, écrite pour elle par Théophile de Viau. « Excepté ceux qui n'ont point de mémoire, il n'est personne qui ne [la] sache par cœur », note Scudéry[38]. Le raffinement, la délicatesse des *Bergeries* de Racan, de la *Sylvie* de Mairet et autres pastorales répondent aussi aux exigences nouvelles et relevées d'un public mondain las du théâtre de Hardy. Tous les courtisans ne sont pas de « délicats esprits [...] qui désirent voir une tragédie aussi polie qu'une ode ou quelque élégie[39] ». Tous ne versent pas de complaisantes larmes aux récits amoureux des bergères. Beaucoup ne fréquentent le théâtre que pour s'y faire admirer, multiplier sur scène les polissonneries ou séduire les comédiennes. C'est cependant pour la cour qu'écrivent les auteurs à la mode. Ils flattent ses goûts, son jugement leur importe. Saint-Évremond ne trouve d'autre raison au succès de la *Sophonisbe* de Mairet que d' « avoir rencontré le goût des dames et le vrai esprit des gens de la cour[40] ». Aveu supplémentaire de la complicité entre culture féminine et culture aulique.

A ce public mieux éduqué et plus exigeant Richelieu s'efforce, vers 1630, de « donner un nouvel entretien ». En faisant représenter toute une série de pièces devant le roi, en stimulant lui-même la production théâtrale, le cardinal s'emploie à accroître l'influence de la cour. Protecteur de Boisrobert et de Rotrou, il pousse Des Marets à écrire, constitue la fameuse société des cinq auteurs, fait anoblir et pensionne Pierre Corneille. Pour orner d'une scène son palais de la rue Saint-Honoré, il dépense cent mille écus dont un tiers pour les machines. La plus belle salle de Paris est inaugurée avec *Mirame,* qui est peut-être son œuvre, le 14 janvier 1641 devant toute la cour. Le Louvre est moins bien loti. Mais contrairement à la légende, Louis XIII ne se désintéresse pas du théâtre. L'exemple de son ministre le stimule. Il agrée quelques dédicaces, protège l'hôtel de Bourgogne où la *Troupe royale des comédiens* s'est fixée en 1628 — alors que Richelieu préfère le théâtre du Marais —, fait jouer trois fois de suite *Le Cid* au Louvre avant sa reprise au palais Cardinal[41]. La cour, Corneille le proclame à la fin de *L'Illusion comique,* redonne ainsi sa dignité sociale au théâtre, reconnu à nouveau divertissement royal.

« Le grand livre du monde »

Le mécénat littéraire de Louis XIV, l'étroite intimité unissant les écrivains « classiques » à la cour de Saint-Germain et de Versailles font souvent négliger par comparaison l'influence du Louvre de

Louis XIII sur les belles-lettres. De même le prestige des études érudites au temps des frères Dupuy ou de Peiresc rend-il suspecte la qualité de la culture mondaine, jugée frivole et superficielle. Entre la cour raffinée des Valois et celle du roi-soleil, la cour de Louis XIII paraît médiocre. Nous en avons dit les défauts. Il serait injuste de l'accabler.

Si fréquenter le collège ou l'université, rassembler livres et manuscrits, disserter en latin, est la voie privilégiée de l'apprentissage des connaissances, les gentilshommes sont des ignorants. S'il n'y a de littérature que dans la décence des pensées et de l'expression, et de vie littéraire qu'auprès de Malherbe, Chapelain et Conrart rassemblés autour de Mme de Rambouillet, la cour est restée étrangère aux belles-lettres. La réalité est en fait plus complexe. Elle contraint à nuancer ces jugements.

Sur le plan littéraire, il est vain d'opposer le monde des salons à l'entourage du roi. A l'hôtel de la rue Saint-Thomas-du-Louvre, chez Mme du Vigean ou auprès de Mme de Sablé, se mêlent poètes, érudits et beaux esprits, bourgeois et gens de cour. Ensemble ils forment la bonne compagnie. Familiers des ruelles et courtisans travaillent ensemble à la naissance de la littérature. Le succès du roman doit aux uns comme aux autres. Les premiers sont encore étrangers au théâtre quand le Louvre et le palais Cardinal contribuent déjà à son renouveau. Au temps de Richelieu la cour n'a plus à rougir de ses goûts littéraires. Elle sait même les faire partager : si le jeune courtisan joue les illettrés, il n'est pas dépourvu de culture. Il ignore l'étude mais connaît le monde. Descartes même, élève appliqué au collège de La Flèche, admet les limites du savoir scolaire. Pour devenir pleinement homme, il choisit de « voyager, voir des cours et des armées [42] ». Même réduite à un lieu de divertissement comme le veulent ses adversaires, la cour ne tarit pas la curiosité de ses hôtes. Ses ballets enseignent aux courtisans, spectateurs ou danseurs quelques éléments de mythologie. Les grands livres illustrés comme *Le Temple des muses*, présents dans leurs bibliothèques, doivent y pourvoir. De même les petits jeux de société, la mode des emblèmes et des devises exigent quelque clarté empruntée aussi à des ouvrages spécialisés. Avec les recueils de blason, les traités d'équitation, les histoires généalogiques, ils forment un bagage culturel rudimentaire mais qu'il serait injuste de négliger [43]. Les contacts mondains, le prestige des grands seigneurs cultivés, la fréquentation des dames obligent le tout-venant des courtisans d'acquérir une certaine culture romanesque et poétique. En imposant ces genres littéraires qui ont traversé les siècles, la cour a fait preuve de plus de finesse et de jugement que clercs et robins érudits, fidèles à ces poésies néo-latines que le temps a enterrées.

Troisième partie

LA COUR RAYONNANTE

Il aima en tout la splendeur, la magnificence, la profusion. Ce goût il le tourna en maxime par politique, et l'inspira en tout à sa cour.

SAINT-SIMON

CHAPITRE XII

La cour galante

Madame marque le plus beau ou du moins le plus gracieux moment de la cour de Louis XIV. Il y eut après elle, dans cette cour, plus de splendeur et de grandeur imposante peut-être, mais moins de distinction et de finesse.

SAINTE-BEUVE

Ce berger n'est jamais sans quelque chose à faire
Et jamais rien de bas n'occupe son loisir,
Soit plaisir, soit affaire ;
Mais l'affaire toujours va devant le plaisir.

BENSERADE

Il est parfois à la cour des moments chargés de symboles. Son long séjour à Fontainebleau pendant l'été 1661 n'en est pas avare. Mazarin mort, Louis XIV vient d'annoncer aux grands sa décision de gouverner lui-même. Soucieux d'assurer à la reine Marie-Thérèse une grossesse paisible, il a décidé de quitter le Louvre. Le 22 avril la cour s'installe à Fontainebleau, Anne d'Autriche la rejoint le 25, puis le 30, Monsieur, frère du roi, et Madame. Libérée de son mentor, souhaitant « respirer en repos », Sa Majesté veut offrir à son entourage un séjour agréable. « Je n'avais jamais vu la cour plus belle qu'elle me parut alors [1] », constate Mme de Motteville. L'ardeur des courtisans à participer à ses « honnêtes plaisirs » lui suggère même quelques réflexions amusées. « Plusieurs fois le roi, les reines, Monsieur et Madame, étant sur le canal dans un bateau doré en forme de galère, où, prenant le frais, leurs Majestés faisaient la collation, M. le Prince [Condé] les servit en qualité de grand maître avec tant de respect et d'un air si libre, qu'il était impossible de le voir agir de cette manière et se souvenir des choses passées sans louer Dieu de la chose présente[1]. » Les agitations d'hier ont, il est vrai, cédé le pas à l'ordre retrouvé. Condé le frondeur allié du roi d'Espagne, désormais soumis et pardonné, remplit avec exactitude les devoirs de sa charge ; le duc de Beaufort, « roi de la halle du temps jadis », cherche autant à plaire à son jeune maître. La paix est revenue. Grands seigneurs et gentilshommes, frais émoulus de la rébellion, sont rentrés dans le rang. En ce bel été, bal, comédie, promenade et chasse les retiennent au palais du prince. Les divertissements de Fontainebleau inaugurent la nouvelle manière de la cour. Dans un tourbillon de plaisirs, chacun s'emploie à faire oublier le passé et séduire le monarque. Nul ne peut alors préjuger de la réussite de Louis, mais beaucoup sentent confusément l'aube d'une autorité nouvelle. Dans le ballet des *Saisons*, donné le 23 juillet au bord de l'étang, le roi, escorté des Jeux, des Ris, de la Joie et de l'Abondance qui sont les attraits de la cour, n'incarne-t-il pas le Printemps, c'est-à-dire le renouveau ? Il danse avec grâce, sans se départir d'un air de majesté qui en impose. Rythmée comme les entrées d'un ballet, l'année 1661 ouvre le règne personnel de Louis XIV : en mars, après la mort de Mazarin, c'est la volonté du roi de conduire lui-même l'État ; en été abondent les plaisirs offerts à la noblesse naguère frondeuse ; l'automne voit l'arrestation du surintendant Fouquet et la disparition de la cour de Vaux. Chaque quartier de cette année exceptionnelle est un nouveau défi : Louis gouvernera seul, soumettra ses serviteurs à son autorité, présidera la plus brillante cour du royaume.

Le règne des amours

Après les épreuves de la Fronde et les souffrances de la guerre étrangère, le retour de la paix, salué par tous, autorise la reprise de la vie mondaine. Le royaume n'a d'yeux que pour son jeune roi. Si son père avait ennuyé les familiers du Louvre, si Mazarin avait été trop détesté pour se voir reconnaître quelque mérite, Louis XIV aussitôt capte l'affection de ses sujets. Il a vingt-trois ans, un maintien noble, des attitudes mêlant subtilement grâce, élégance et majesté. Avec Mlle de Montpensier, son entourage est sensible à son « air haut, relevé, hardi, fier et agréable, quelque chose de fort doux et de majestueux dans le visage ». C'est assurément « le plus bel homme et le mieux fait de son royaume[2] ». Comme François Ier à son avènement, Louis incarne un prodigieux appétit de vivre, alors largement partagé. La jeunesse l'entoure. Philippe de France, duc d'Orléans, son frère, est son cadet de deux ans ; le 31 mars 1661 il a épousé Henriette d'Angleterre, fille de Charles Ier et petite-fille de Henri IV : Madame a dix-sept ans. Leurs compagnons de plaisirs sont de jeunes gens : le comte de Guiche, fils du maréchal de Gramont, a l'âge du roi, Lauzun qui porte le titre de marquis de Puyguilhem a vingt-huit ans, Vivonne vingt-cinq. L'extraordinaire entrain du duc de Saint-Aignan, ordonnateur des fêtes de la cour, fait oublier qu'il a atteint la cinquantaine. Son fils Beauvillier, l'ami du roi, est premier gentilhomme de la Chambre à dix-huit ans. Les filles d'honneur des deux reines et de Madame sont l'ornement de cette société. « Parmi elles, reconnaît un observateur, il y en [a] de très belles[1] » qui font tourner bien des têtes. Beaucoup espèrent plaire au roi, cherchent à être de ses divertissements. Quelle jeune femme ne rêve d'être distinguée par Louis, quel courtisan ne souhaite devenir le favori de Sa Majesté ?

La cour de Louis XIV est jeune, joyeuse, galante. Les plaisirs de la vie et de l'amour lui sont généreusement offerts. Seigneurs et dames y mordent à belles dents. C'est que la paix retrouvée change les esprits et les cœurs, modifie les sensibilités, substitue aux combats guerriers les jeux de l'amour. Messagère des temps nouveaux, Mlle de Scudéry l'annonce aux familiers de la cour :

Vous qui faisiez les insensibles,
Et qui par vanité pensiez l'être toujours,
Vous ne serez plus invincibles,
Voicy le règne des Amours.
La paix s'en va bientôt rétablir son empire
Et l'on ne verra plus de cœur qui ne soupire[3].

Il n'est pas un ballet, une comédie, quelque œuvrette qui ne chante Cupidon. Les courtisans ne se lassent pas de danser *La Puissance de l'amour*, *La Galanterie du temps*, *L'Amour malade*, *Le Triomphe de l'amour*. Les prologues des comédies-ballets célèbrent conjointement retour de la paix et joies de l'amour. La sérénade qui ouvre *Monsieur de Pourceaugnac*, donné à Chambord en septembre 1669, mêle trois voix sur ce thème :

Que soupirer d'amour
Est une chose douce
Quand rien à nos vœux ne s'oppose[4] *!*

L'opéra enchaîne et exalte à son tour le noble sentiment dont poètes, musiciens et chorégraphes font le lieu commun des divertissements. Chemin faisant ils rendent hommage à Louis, jugé « fort propre à être galant ». Ainsi « le culte de l'amour se confond avec le culte monarchique et il n'est pas de manière plus délicate de louer le prince que de célébrer son aptitude à aimer[5] ». Celle-ci n'est pas faiblesse mais présage de sage gouvernement. Dans *La Princesse d'Élide* donnée devant la cour en 1664, la passion d'Euryale, roi d'Ithaque, mérite l'indulgence de son gouverneur, interprète de la pensée commune.

Je dirai que l'amour sied bien à vos pareils, [...]
Et qu'il est malaisé que sans être amoureux
Un jeune prince soit et grand et généreux.
C'est une qualité que j'aime en un monarque ;
La tendresse du cœur est une grande marque
Que d'un prince à votre âge on peut tout présumer,
Dès qu'on voit que son âme est capable d'aimer[6].

L'âme royale montre vite ses aptitudes à l'amour. Le jeune Louis XIV est empressé auprès des dames. Comme François Ier, il recherche leur compagnie : « Outre le plaisir qu'il trouve auprès d'elles, leur conversation lui sert d'un grand amusement[7]. » Spectatrices attentives de sa récente passion pour Marie Mancini, les plus jolies femmes espèrent succéder dans son cœur à la nièce de Mazarin. « Beaucoup, écrit Mme de la Fayette, prenaient pour modèle de leur fortune celui de la duchesse de Beaufort », Gabrielle d'Estrées, maîtresse de Henri IV. Hortense Mancini, « la plus belle des nièces du cardinal [et] l'une des plus parfaites beautés de la cour[8] », Catherine de Villeroy, bientôt comtesse d'Armagnac, Mlle de Tonnay-Charente sont sur les rangs. Le mariage de Louis avec l'infante Marie-Thérèse n'en décourage aucune. Car chacun sait que la reine ne voit son mari qu'au lit et à table, vit solitaire, occupée à prier, jouer, applaudir quelque comédie espagnole. Si le roi est plein d'attentions pour la reine de France, le cœur, l'esprit et les sens de Louis sont ailleurs. Avant comme après son mariage il aime à fréquenter quotidiennement la société de la comtesse de Soissons, surintendante de la maison de la reine, « maîtresse de la cour, des fêtes et des grâces ». « Là, écrira Saint-Simon, le roi commença à se former à cette galanterie et à cette politesse qu'il a conservées toute sa vie au plus haut point, le plus délicat, le plus distinctif, et qu'il a toujours su parfaitement joindre avec toute la majesté d'un grand roi et toutes les grâces d'un homme qui sait plaire [9]. » Le cercle qu'anime sa belle-sœur, Henriette d'Angleterre, sait aussi le retenir. Madame n'est pas vraiment belle mais pleine de charme. « Par ses manières et ses agréments », elle est « tout à fait aimable ». La cour ne parle que d'elle, les hommes s'empressent, les femmes recherchent sa compagnie. La princesse de Monaco, les duchesses de Créqui et de Châtillon, Mlle de la Trémoille et Mme de la Fayette sont de ses plaisirs. Ce petit monde se divertit « avec tout l'agrément imaginable et, ajoute-t-on, sans aucun mélange de chagrin [10] ».

Louis est conquis, tombe sous le charme de Madame, s'attache à elle. Le séjour de la cour à Fontainebleau en 1661 offre à cette société galante toutes les séductions. « C'était, raconte Mme de la Fayette, dans le milieu de l'été : Madame s'allait baigner tous les jours ; elle partait en carrosse, à cause de la chaleur, et revenait à cheval, suivie de toutes les dames habillées galamment avec mille plumes sur leur tête, accompagnées du roi et de la jeunesse de la cour ; après souper on montait dans des calèches et, au bruit des violons, on s'allait promener une partie de la nuit autour du canal [10]. » Partout, au bal comme à la comédie, au festin comme à la chasse, le roi et Madame tiennent les premiers rôles. A Paris leurs occupations autorisaient des rencontres protocolaires ; à Fontainebleau, ils se voient tous les jours, vivent dans des appartements voisins, occupés aux mêmes divertissements, partageant les mêmes plaisirs. L'un et l'autre sont, il est vrai, « infiniment aimables et tous deux nés avec des dispositions galantes ». Leur conduite cependant chagrine et inquiète la reine mère. Leur complicité fait jaser. Il n'en faut pas davantage pour que la cour soit aux aguets, épie les rumeurs, tente de percer les secrets ; « tout cela faisait un cercle de [...] démêlés qui ne donnait pas un moment de repos ni aux uns ni aux autres [11] ». Pour faire cesser les bavardages, on convient que Louis ferait l'amoureux d'une fille d'honneur de Madame. Le choix se porte sur Mlle de la Vallière, « fort douce et fort naïve ». Mais le roi se prend au jeu et s'attache véritablement à la jeune beauté qui, indifférente à son crédit, « ne songeait qu'à être aimée du roi et à l'aimer ». Elle inaugure le temps des maîtresses. Quatre enfants naîtront de ses amours, mais après

1667 elle est délaissée pour la piquante Mme de Montespan qui enfantera à son tour huit fois. Cette longue, prolifique et orageuse liaison (1667-1681) n'interdit pas à Louis de séduire d'autres belles, Mme de Ludres ou Mlle de Fontanges. Au temps de la campagne de Flandre, la cour peut apercevoir dans le carrosse royal Sa Majesté entourée de la reine et de ses deux favorites !

Quand le roi donne ainsi l'exemple de la galanterie, les jeunes courtisans n'ont aucune peine à devenir des disciples appliqués. La cour aime l'amour : l'amour gai, aimable, sans contrainte. Un homme malheureux en amour est ridicule. La mode est aux conquêtes féminines, non aux soupirs, aux intrigues de cœur, non à la résignation morose. Les frasques de quelques grands seigneurs défraient alors la chronique mondaine. Quand elles compromettent la famille royale, elles n'évitent pas les sanctions. Pour l'ignorer, Armand de Gramont, comte de Guiche, est deux fois exilé. Beau et brave, aimable malgré son air méprisant, il est favori de Monsieur non sans faire « grand ravage parmi les femmes ». En 1661 il lève les yeux jusqu'à Henriette d'Angleterre. Familier de son palais, il use de sa liberté pour badiner avec elle : il lui demandait, raconte Mme de la Fayette, « des nouvelles de son cœur et si rien ne l'avait jamais touchée ; elle lui répondait avec beaucoup de bonté et d'agrément, et il s'émancipait quelquefois à crier, en s'enfuyant d'auprès d'elle, qu'il était en grand péril [12] ». Instruit, Monsieur se fâche, mais Guiche fait l'insolent, traitant en égal le frère de Sa Majesté. Louis XIV met fin au scandale en l'obligeant à quitter momentanément la cour. Guiche est incorrigible : de retour à Paris, il entre en 1662 dans le complot, noué par la comtesse de Soissons et son ami le marquis de Vardes, destiné à révéler à la reine la liaison du roi avec Mlle de la Vallière. Tous trois écrivent une lettre à Marie-Thérèse pour l'instruire des écarts de conduite du Très-Chrétien. Guiche, qui sait l'espagnol, met la lettre en cette langue. Bientôt informé, le roi entre dans une violente colère sans toutefois découvrir les coupables. Ceux-ci déjà se déchirent. Vardes, tentant à son tour de compromettre Madame, éloigne Guiche en lui faisant donner un commandement en Lorraine et s'emploie à le brouiller avec la duchesse d'Orléans. Mais lui-même, pour une insolence nouvelle, est un instant mis à la Bastille, « où tout le monde l'alla voir » (décembre 1664). En mars 1665, après des manœuvres embrouillées, le roi découvre les auteurs de la lettre anonyme. La comtesse de Soissons est exilée, Vardes arrêté, Guiche contraint de gagner l'étranger.

La vie galante de la cour hésite entre roman et comédie : elle paraît utiliser tous les ressorts qui font alors leur succès. D'innombrables chassés-croisés amoureux l'animent. Un jeune seigneur mène conjointement plusieurs aventures. La fidélité à l'être aimé est rare, l'inconstance la règle. Il suffit que l'on persuade le roi de l'ardente passion nourrie envers lui par Mlle de la Mothe-Houdancourt pour que Louis, pourtant amoureux de Mlle de la Vallière, s'attache à la jeune intrigante. L'opposition de Mme de Navailles à ses ardeurs (elle a fait murer les portes et griller les croisées de l'appartement des filles d'honneur) vaut à celle-ci une brutale et longue disgrâce. Dans l'entourage du souverain, tout hasarder est érigé en idéal de vie. La fuite de Mlle de la Vallière à Chaillot et sa recherche par son royal amant sont parées de romanesque, comme le destin du comte de Guiche, sauvé au combat par le portrait pare-balles de Madame attaché à sa poitrine. Amants et maîtresses, complices ou adversaires échangent quantité de lettres. Réussir une intrigue exige que ces missives soient volées ou brûlées, cachées ou falsifiées. Après l'arrestation de Nicolas Fouquet, homme à bonnes fortunes, Colbert confisque ses papiers et ses lettres qu'il remet au roi. « On en trouva de plusieurs personnes de la cour, écrit Mme de Motteville, les unes pleines de beaucoup d'intrigues politiques, et les autres de beaucoup de galanteries. Par elles, on vit qu'il y avait des femmes et des filles qui passaient pour sages et honnêtes qui ne l'étaient pas [13]. » Sans espions ni déguisement il n'est pas d'aventures. Habile à capter la confiance de Madame, de Mlle de la Vallière, de Guiche, de Mlle de Tonnay-Charente, Mme de Montalais, demoiselle d'honneur de la duchesse d'Orléans, trahit tout son monde. « Une seule de ces confidences, écrit Mme de la Fayette, eût pu occuper une personne entière, et Montalais seule suffisait à toutes [14]. » Les bals masqués servent les amants, la foule bigarrée des antichambres et des galeries permet à Lauzun, travesti en marchand ou en postillon, d'approcher Mme de Monaco, à Guiche, grimé en diseuse de bonne aventure, d'entrevoir Madame.

Jeunes et turbulents, les courtisans forment derrière leur souverain un cortège coloré, impertinent et séduisant comme des héros de roman. Les plus brillants amusent le roi : ils sont ses compagnons de plaisir. Mais franchir les limites des bienséances, se laisser gagner par les excès est une tentation à laquelle certains ne savent pas résister. Sa Majesté ne peut l'admettre. Le jeune monarque veut tenir sa cour à mi-distance de la dévotion austère qui règne autour de la reine mère et de la licence de quelques courtisans intempérants. Anne d'Autriche et les cagots qui blâment la « délicate sensualité des fêtes » de Fontainebleau ou de Versailles et murmurent contre les amours royales agacent le souverain. Ils sont la vieille cour qui, dans *Amphitryon,* prend le visage de la Nuit effarouchée, à laquelle Mercure lance : « Vous êtes bien du bon temps ! » La mère et le fils ne se parlent plus guère. « L'aigreur, écrit un contemporain, était grande de toutes parts[12]. » Déjà exaspérée de sentir Louis échapper à son influence, Anne d'Autriche, gardienne de la politesse, des mœurs et de la piété anciennes, est scandalisée en mai 1664 par la représentation devant la cour de *Tartuffe* que Louis XIV avait jugé « fort divertissant ». Familiers de la reine mère et membres de la confrérie du Saint-Sacrement travaillent à la suppression de « cette méchante comédie ». Leurs remontrances contraignent le roi à interdire la pièce tout en affirmant se priver « d'un plaisir, pour complaire à ceux qui sont moins capables d'un juste discernement[15] ». Le roi ne veut ni heurter de front son clergé, ni persécuter sa mère malade. Mais il comble Molière et autorise les représentations privées de la pièce. Il réserve ainsi l'avenir : demi-concession aux dévots.

« Le règne des amours » qui heurte tant la vieille cour n'est pas celui du libertinage ; la cour est galante, elle ne doit pas s'abandonner au scandale. Louis XIV réprime sans faiblesse les débordements de son entourage. Le péché contre l'Esprit, ranimé au temps de la régence et de la Fronde, lui fait horreur. L'impiété militante, ostentatoire, de quelques grands seigneurs mérite et reçoit châtiment. Le renouvellement des édits royaux contre les jurements et les blasphèmes, sans cesse réclamés par les prédicateurs, quelques condamnations publiques contribuent à réduire les dérèglements dont la cour, estime le roi, est « plus exempte qu'elle ne l'a été durant plusieurs siècles sous les rois mes prédécesseurs[16] ». Il a la sodomie en aversion. Or Guiche, Vivonne, le comte de Manicamp, le chevalier de Lorraine favori de Monsieur, gens d'esprit, courageux et brillants, enseignent ouvertement « le blasphème et d'autres vices alors plus florentins que français[17] ». Exil et disgrâce tentent d'enrayer la contagion. On éloigne aussi les dames « pitoyables et effrontées » dont le libertinage cause le scandale. En 1671 par exemple, les sanctions s'abattent sur deux d'entre elles. Mme la Princesse, femme du grand Condé, qui « avait des commerces infâmes avec ses valets », est exilée à Châteauroux, *ad multos annos*, écrit Mme de Sévigné. Mme de Lionne dont la « malhonnêteté était une infamie scandaleuse » est enfermée au couvent. Le roi « n'a aucune considération quand il faut mortifier les jeunes gens qui n'ont pas une bonne conduite [18] ». La publicité que l'*Histoire amoureuse des Gaules* accorde à leurs exploits vaut à son auteur, Bussy-Rabutin, lui-même compromis, un « pourpoint de pierre » (la Bastille) puis un long exil.

Aux esprits puritains la jeune cour de Louis XIV paraît l'antichambre de l'enfer. Elle est seulement de son temps. Si quelques grands seigneurs méchants hommes se sont risqués à l'entraîner vers la luxure, le roi s'est hâté de contrarier leurs desseins. Louis a le goût de la vie, pas celui de la débauche. La cour ne doit pas offrir l'image déformante d'une élite corrompue; elle doit être à sa ressemblance, joyeuse et galante.

LA COUR EN VOYAGE

Ni austère ni scandaleux, l'entourage du roi s'efforce à la bonne tenue. Il n'a rien de gourmé, il est même parfois sans façons. A son retour d'exil, Mlle de Montpensier — la grande Mademoiselle —, habituée à des usages plus sévères, en montre quelque étonnement. « Après avoir dansé, nous allâmes dans une chambre magnifiquement ornée faire la collation et il n'y avait qu'un couvert et une chaise à bras ; le roi me dit : " Ma cousine, mettez-vous là, c'est votre place. " Je m'écriai sur cela comme d'une raillerie. La comtesse de Soissons riait et dit : " Ce sera moi. " En effet, elle allait s'y mettre. Monsieur lui dit : " N'y allez pas. " Cette familiarité avec le roi me surprit. On n'en prenait pas tant quand je partis de la cour [...] Pour moi qui ai été nourrie dans un grand respect, cela m'étonnait. La reine me dit un jour que le roi n'aimait pas les cérémonies [19]. »

Au regard de la rigoureuse étiquette espagnole, la jeune cour de Louis XIV paraît certes moins solennelle. Quand l'occasion l'exige, le roi sait être grave et faire respecter les usages, mais à Saint-Germain comme à Versailles la vie garde encore une fraîcheur, une spontanéité, une élégance naturelle que l'image majestueuse du roi vieillissant fait parfois oublier. *Leste* est alors le mot à la mode, merveilleusement adapté aux manières des jeunes courtisans [20]. Il évoque l'aisance des attitudes, un brin de désinvolture aussi. Il s'oppose à la pompe des solennités et au roide maintien. Nul mieux que Molière n'a croqué, dans son *Remerciement au roi*, l'aimable liberté, le charme délicat de la vie de cour. Le poète courtisan va, au lever de Sa

Majesté, la remercier de ses bienfaits. Son habit est celui des familiers du prince : *un chapeau chargé de trente plumes sur une perruque de prix*, un grand rabat et un petit pourpoint, un manteau *d'un ruban sur le dos retroussé*. Dans ce leste appareil, il traverse la salle des gardes, se *peigne galamment*, porte ses regards de tous côtés, salue avec familiarité. A la porte de la chambre, la foule l'arrête. Agiter son chapeau pour se faire reconnaître, crier son nom à l'huissier ouvrent la voie. Mais il faut encore presser, pousser, jouer des coudes, gagner avec effort quelques pouces de terrain pour, au premier rang, être vu du maître. Le moment est venu de lui parler, brièvement :

Dès que vous ouvrirez la bouche [...]
Il comprendra d'abord ce que vous voudrez dire,
Et se mettant doucement à sourire
D'un air qui sur les cœurs fait un charmant effet,
Il passera comme un trait,
Et cela vous doit suffire :
Voilà votre compliment fait[21].

Cette simplicité tient probablement à la jeunesse du prince (mais on voit à Madrid des souverains compassés au sortir du berceau) ; elle exprime sans doute une réaction contre la vieille cour ; elle s'explique aussi par l'incessante mobilité du roi et de son entourage. Trop influencés par sa longue résidence à Versailles, nous oublions parfois que, vingt ans durant, Louis XIV n'a cessé de voyager. Par goût du changement et passion de la chasse ; mais aussi contraint par l'ouverture de nouveaux chantiers au Louvre, aux Tuileries, à Vincennes, Saint-Germain ou Versailles, qui transforment les résidences royales en refuges provisoires de la cour. Lorsque les travaux contrarient trop sa vie quotidienne, elle déménage pour gagner une demeure plus paisible loin du bruit, des gravats, de l'odeur forte des peintures. Aussi les châteaux offrent-ils un visage très contrasté : « Un jour, pour la réception d'un ambassadeur, sont étalés les meubles d'argent, les plus riches tapisseries de la Couronne, les cabinets rehaussés de pierres fines ; un autre jour, le Louvre est tout encombré, jusque dans l'appartement du roi, de coffres entassés et rangés comme des barrières[22]. »

Mazarin mort, la cour quitte Paris pour Fontainebleau. Son séjour est toutefois interrompu par le voyage de Bretagne où Fouquet est arrêté. De 1662 à 1665 la cour est surtout à Paris, les huit années suivantes elle fréquente Saint-Germain, donne en 1674 et 1675 la préférence à Versailles, réside à nouveau à Saint-Germain en 1676, à Versailles en 1677, renoue avec Saint-Germain de 1678 à 1682[23]. Commodes, ces dates sont aussi trompeuses : elles suggèrent l'idée d'une stabilité au moins annuelle de la cour. Rien n'est plus faux : la cour a sans cesse la bougeotte. L'année 1671 peut servir d'exemple. Janvier retient le roi à Paris mais Sa Majesté ne s'interdit pas de passer les fêtes de carnaval à Vincennes (du 21 au 24) et de fréquenter Versailles du 28 janvier au 1er février. Du 10 au 23 la cour prend « le divertissement de la chasse » dans le petit château de cartes de Louis XIII, puis, jusqu'à la fin mars, alterne résidence à Versailles et Saint-Germain. Le 1er avril elle s'établit à Versailles pour une quinzaine de jours, regagne Saint-Germain le 19 pour préparer le voyage des Flandres. Le 23, Leurs Majestés partent pour Chantilly où elles couchent deux nuits : Louis courre le cerf dans la forêt proche. Le voyage se poursuit : Lieucourt (le 26), Breteuil (le 27), Amiens (le 28), Abbeville (le 29), Montreuil (le 30) en sont les premières étapes. Une partie de chasse près de Boulogne récompense des fatigues de la route. La tournée d'inspection des villes frontières dure plus de deux mois. Du 3 au 24 mai Louis XIV surveille à Dunkerque l'avancement des travaux de fortification qui doivent en faire une place imprenable. Le 25 il visite le « Fort Saint-Louis situé sur le chemin de Bergues ». Armentières l'accueille le lendemain, Lille le retient les 27 et 28, Audenarde les 29 et 30. Quinze jours à Tournai (31 mai-14 juin) permettent d'ouvrir le chantier de défense, dix à Ath (15-24 juin) d'examiner avec satisfaction les travaux entrepris. Binche le 24, Charleroi le 25, Philippeville le 26, à nouveau Charleroi le 27 achèvent la visite de quelques places acquises au récent traité d'Aix-la-Chapelle. Le roi rejoint la cour à Ath le 28. Neuf jours suffisent à reprendre des forces pour le retour ponctué par de courtes haltes au Quesnoy (7 juillet), Saint-Quentin (le 8), Compiègne (le 9), Luzarches (le 10), Maisons (le 11). Un détour par Versailles le 12, et la cour s'installe le 13 à Saint-Germain pour y apprendre la mort, trois jours plus tôt, de Philippe, duc d'Anjou, second fils du roi. La fin du mois de juillet se passe dans ce château, lieu de naissance et de décès de deux autres enfants de France. On prépare le voyage de Fontainebleau : une invitation à Saint-Cloud chez Monsieur (le 22) et cinq jours à Versailles (29 juillet-2 août) le précèdent. Un mois dans le château de François Ier (3-31 août), un autre à Versailles (1er-30 septembre) sont, cette année-là, les plus longs séjours de la cour qui a annulé le voyage de Chambord. Le 30 septembre elle retrouve Saint-Germain et y demeure jusqu'au début de 1672, non sans se divertir de quelques parties de chasse à Versailles (les 15 et 21 octobre, du 2 au 18 novembre, du 26 au 31 décembre), accueillir à Villers-Cotterêts, le 28 novembre, la seconde femme de Monsieur, rendre visite au couple à Saint-Cloud le 17 décembre[24].

Toutes les années précédant l'installation définitive à Versailles ne sont pas aussi animées que 1671. Mais presque toutes ajoutent aux déplacements de château en château tournées d'inspection et campagnes militaires[25]. Les six premiers jours de décembre 1662 sont occupés à l'entrée dans Dunkerque récemment acquise, la fin de l'été 1663 à la reddition de Marsal. La campagne de Flandre éloigne le roi du 16 mai au 6 septembre 1667, la première conquête de la Franche-Comté du 2 au 24 février 1668. Les tournées d'inspection dans le Nord en 1670 et 1671 préparent la guerre de Hollande qui, de 1672 à 1678, retient plusieurs mois le souverain aux frontières du royaume.

Jusque dans ses déplacements les plus lointains, le roi entraîne sa cour. Il n'est guère que devant Dole et Gray (1668) que sa suite est réduite. Généralement « toute la cour marche ». Chaque printemps la rumeur court les antichambres : qui accompagnera Sa Majesté ? Si Marie-Thérèse est conviée à voir de près la gloire couronner son royal époux devant les villes assiégées, c'est que sa Maison compte la maîtresse de Louis, qu'une longue séparation attriste. Ces voyages aux armées sont prétexte à grand déploiement de luxe. Courtisans, officiers, volontaires rivalisent de faste. « On ne voit passer par les rues, écrit le comte de Coligny en mai 1667, que panaches, habits dorés, chariots, mulets superbement harnachés, chevaux de parade, housses brodées de fin or[26]. » Les tentes du roi, doublées de damas ou de satinade, sont « les plus superbes et les plus spacieuses que l'on puisse voir [...] il y a dans chacune trois ou quatre chandeliers de bois doré qui pendent[27] ». Les campagnes militaires ne sont pas seulement ostentation ou parade. Avant même d'affronter l'ennemi, elles accumulent les désagréments. « La dépense est horrible, soit pour la table soit pour l'écurie. » En 1667 Louis XIV couche de bonne grâce sur la paille, « son armée et ses conquêtes l'occupent entièrement ». Mais la cour n'est pas aussi impassible. « Il est vrai, écrit un ambassadeur, que jamais il n'y a eu de si grandes incommodités dans une armée ; l'on ne peut dans les marches jamais avoir ni les carrosses ni les bagages ; je mange et dors comme je peux, je fais gloire de ne pas me plaindre ; j'ai fait la sottise de ne pas amener des mulets qui sont les seuls secours dans une armée comme celle-ci mais j'ai aussi la consolation qu'il y a peu de monde qui en ait[27]. » La renommée précède les armées de Sa Majesté, la cour suit cahin-caha. Tandis que les citadelles tombent aux mains des généraux, les dames s'ennuient dans les camps. Les longues marches, la chaleur, la poussière les fatiguent « horriblement ». Éclate un orage ? Les carrosses s'embourbent et les bagages n'arrivent pas à temps. Les « dames de la faveur » sont alors « fort défaites et laides ». Elles ne songent qu'à regagner Saint-Germain.

De château en château

Louis se plaît à Saint-Germain. Il en apprécie les attraits. Les « merveilles de la vue », le voisinage d'une grande forêt et de la Seine, la pureté de l'air, « les agréments admirables des jardins, des hauteurs et des terrasses », tout concourt à l'attirer dans le château où il est né. Il y passe ses plus belles années. Pour plaire à Mlle de la Vallière qui aime à se promener au milieu de beaux jardins, il fait entreprendre dans le parc les premières transformations. Le Nôtre dessine les grands parterres à broderies agrémentés de bassins, aménage le boulingrin et la grande terrasse. Dès 1665 l'architecte Le Vau travaille aux appartements nécessaires au séjour de la cour. Presque abandonné jusque-là, le château retrouve la faveur du prince. A la mort d'Anne d'Autriche (1666), Louis XIV s'y installe. Les pièces de l'étage noble reçoivent alors une disposition nouvelle : les « petits appartements du roi ». Pour Mme de Montespan dont le règne commence, François d'Orbay décore un magnifique appartement et crée « au milieu du jardin de l'un des balcons de sa chambre » une fontaine avec un jet d'eau que la favorite aime faire jouer. Ces travaux restent cependant insuffisants. Saint-Simon jugera les logements « petits et fort rares ». Les grands seigneurs se logent dans la ville où ils font « bâtir quantité de belles maisons », mais le tout-venant des courtisans doit plusieurs fois par semaine faire le voyage de Paris. Les ministres sont sans cesse sur la route, s'efforçant de concilier travail de bureau dans la capitale et présence au Conseil[28].

Paris n'est pas déserté mais plaît moins au jeune roi. On sait que, la Fronde achevée, la famille royale avait regagné le Louvre. En septembre 1660, à leur retour de Saint-Jean-de-Luz où avaient été célébrées leurs noces, Louis XIV et Marie-Thérèse s'installent au palais. De somptueux aménagements réalisés pour les appartements d'Anne d'Autriche, ceux du roi et de la reine doivent rendre leur résidence agréable. Le Louvre n'en demeure pas moins inachevé. Le chantier est permanent : Le Vau agrandit la cour carrée, reconstruit et double la petite galerie incendiée en février 1661 dont Le Brun fait, à l'étage, « un des plus beaux ensembles décoratifs de l'époque ». Mais la cour de Louis ne cesse de grandir et le château se révèle fâcheusement incommode. Les logements sont trop peu nombreux, les pièces de réception trop petites, les services trop dispersés. Les cuisines sont situées au-delà des fossés, écuries et magasins sont enkystés dans les bâtiments voisins de l'hôtel du Petit-Bourbon, les gardes n'habitent pas le palais [29].

Nouveau surintendant des bâtiments, Colbert veut achever le Louvre. « Il s'agit, écrit-il à Poussin en 1664, de mettre en sa perfection le plus bel édifice du monde, et de le rendre digne, s'il se peut, de la grandeur et de la magnificence du prince qui le doit habiter [30]. » L'achèvement de l'aile orientale — entrée principale du palais — fait l'objet de plusieurs projets. On sollicite l'avis d'architectes italiens ; l'un d'eux, le cavalier Bernin, accepte de venir en France voir le bâtiment qu'il doit « parfaire » (juin-octobre 1665). Ses grands projets ne réussissent pas à convaincre le ministre de Louis XIV. « Le cavalier, note Charles Perrault, n'entrait dans aucun détail, ne songeait qu'à faire de grandes salles de comédie et de festins, et ne se mettait point en peine de toutes les commodités, de toutes les sujétions et de toutes les distributions de logements nécessaires, choses qui sont sans nombre [30]. » Ce sont elles qui préoccupent Colbert. Celui-ci « voulait de la précision, et savoir où et comment le roi serait logé, comment le service se pourrait faire commodément. Il croyait, et avec raison, qu'il fallait parvenir non seulement à bien loger la personne du roi et toutes les personnes royales, mais donner des logements commodes à tous les officiers, jusqu'aux plus petits ». Où, demande Colbert, logera-t-on la bouche du roi, le gobelet et les autres offices, les bureaux, les salles pour la table du grand maître et du chambellan ? Quelle place retenir pour le réservoir en cas d'incendie et le magasin d'ustensiles pour combattre le feu ? « Discours inutiles sur des privés et des conduits sous terre [30] ! » réplique Bernin, jugeant ces minuties indignes de son génie. L'architecte accorde « trop au décor et pas assez à la fonction [31] ». Après son retour à Rome, chacun devine qu'aucun de ses plans ne sera exécuté. Au printemps 1667, Colbert crée un petit conseil des bâtiments, composé de Le Vau, Le Brun et Claude Perrault, chargé « de travailler [...] à former un plan et une élévation de la façade de l'entrée [32] ». Le chantier de la célèbre colonnade s'ouvre.

A cette date la cour a délaissé le Louvre sans toutefois abandonner Paris. Elle réside à Saint-Germain mais, l'hiver, fréquente les Tuileries. Comme le Louvre, le palais de Catherine de Médicis demeure inachevé. Sauf la fameuse salle des Machines contenue dans l'aile élevée par Le Vau (1659-1662), il est en l'état où l'avait laissé Henri IV. Pendant que Le Nôtre redessine le jardin, Colbert entame en 1664 les indispensables travaux de réfection. Pour dégager la cour, il ordonne la démolition des bâtiments « adossés aux murs des Tuileries ou construits sur ses murs ». Jusqu'en 1667, Le Vau et d'Orbay reconstruisent l'aile de Philibert de l'Orme, doublent le bâtiment d'Androuet du Cerceau au sud, élèvent le pavillon de Marsan. Pour gagner la place nécessaire aux logements, ils transforment la disposition intérieure du palais. Le célèbre escalier du XVIe siècle cède la place à un vaste vestibule. Le pavillon de Flore abrite les logements des officiers; l'aile sud, pièces de réception et appartements des souverains (le roi dans le pavillon Bullant, la reine et le dauphin dans celui de Du Cerceau). Mais les courtisans doivent s'entasser dans le pavillon de Marsan et les combles ou « galetas » des autres ailes. « Messieurs Le Tellier et de Louvois qui habitaient au Marais, pour être plus proches, ont pris un logis tout contre Saint-Roch ; ainsi, conclut le marquis de Saint-Maurice, tous les ministres logeront au même quartier [33]. » Mais pas au château ! En 1667 les aménagements sont assez avancés pour que le roi s'installe. Cependant les séjours de la cour sont de brève durée : limités aux hivers 1668-1669 et 1670-1671, ils n'excèdent guère deux mois. C'est que Louis XIV réside davantage à Saint-Germain d'où il peut s'échapper facilement pour Versailles.

Sa vie durant, Louis a recherché grand air et intimité. Versailles, pavillon de chasse de son père, le comble. Sa première visite remonte au 18 avril 1651, le coup de foudre date de l'automne 1660. Le roi a découvert le lieu rêvé pour abriter ses amours avec Mlle de la Vallière. Le petit château de Louis XIII exige cependant quelques aménagements. Les familiers du jeune roi sont plus nombreux que la suite de son père. Dès 1661 Le Vau reconstruit les communs, deux longues ailes parallèles, abritant au nord les cuisines, au sud les écuries, tandis que Charles Errard et Noël Coypel décorent quelques pièces des appartements. Le roi et la jeunesse qui l'entoure aiment-ils les jardins ? Parterres de verdure et de fleurs sortent du sol. Les grandes perspectives du parc sont déjà dessinées par Le Nôtre, la ménagerie et la première orangerie créées.

Qu'elles soient simples promenades ou parties de chasse, les visites de plus en plus fréquentes de Louis XIV montrent sa prédilection pour Versailles. Le lieu, jugeait Bernin, mérite bien que Sa Majesté y vienne « au moins deux fois » la semaine[34] ! L'assiduité de Louis irrite Colbert, alors occupé au Louvre et hostile à cette dispersion des efforts. A ses yeux Versailles n'est que caprice du prince dont « le plaisir et le divertissement » risquent de le détourner du souci de sa gloire. « Si Votre Majesté, demande-t-il dans une lettre célèbre, veut bien chercher dans Versailles où sont plus de cinq cent mille écus qui y ont été dépensés depuis deux ans, elle aura assurément peine à les trouver [...]. Pendant le temps qu'elle a dépensé de si grandes sommes en cette maison, elle a négligé le Louvre, qui est assurément le plus superbe palais qu'il y ait au monde [...]. Ô quelle pitié que le plus grand roi [...] fût mesuré à l'aune de Versailles[35] ! » Les jardins sont responsables de ces lourdes dépenses et Colbert devine en Le Nôtre le « mauvais génie » du souverain. Le premier Versailles est celui des jardins dont les aménagements sont nécessaires aux fêtes. Les travaux d'architecture restent encore modestes.

C'est que le château n'accueille pas toute la cour : seuls les familiers et le service suivent le roi. Versailles est une grâce, les exclus patientent à Saint-Germain. Invitée en 1661, Mlle de Montpensier montre sa joie d'avoir été distinguée : « On fit un petit voyage de cinq à six jours à Versailles, où il y avait très peu de monde, qui fut fort agréable. On était depuis le matin jusqu'au soir avec le roi [...]. Pour moi j'étais fort aise, ne m'ennuyant point où il est. Jamais il n'y eut rien de si honnête [...]. On allait souvent à Versailles, comme il y avait peu de logement il n'y allait que les personnes que l'on nommait. Ainsi cela faisait de grandes intrigues pour y aller[36]. »

La réussite et l'éclat des fêtes de 1664 et 1668 incitent le roi à fréquenter davantage son « palais enchanté ». Il « prit la résolution, note Charles Perrault, de l'augmenter de plusieurs bâtiments pour y pouvoir loger commodément avec son Conseil pendant un séjour de quelques jours[37] ». De grands travaux commencent. Ils doivent respecter une règle : conserver du côté de la cour le château de Louis XIII, reconstruire face aux jardins un château neuf. Le Vau enveloppe Versailles sur trois côtés, triplant en longueur et profondeur les dimensions primitives. Le style brique-et-pierre de la façade subsiste, mais sur les jardins, au-dessus d'un rez-de-chaussée d'arcades, une terrasse à l'italienne sépare les deux grands pavillons du roi et de la reine. Avec François d'Orbay, successeur de Le Vau mort en 1670, Charles Le Brun dirige les travaux de décoration des grands appartements, ceux des bains — « d'une magnificence inouïe » —, celui de Mme de Montespan et du grand degré du roi (ou escalier des ambassadeurs). Versailles est le *Palais du Soleil :* « Il n'y a rien dans cette superbe maison, note Félibien, qui n'ait rapport à cette divinité[38]. » L'appartement de Sa Majesté en est le temple. Chaque pièce est consacrée « à l'une des divinités de l'Olympe, patronyme d'une des planètes satellites du soleil[39] ». Du palier du grand escalier jusqu'à la terrasse, Diane, Mars, Mercure, Apollon, Jupiter, Saturne et Vénus escortent le visiteur à travers la salle des gardes, l'antichambre, la grande chambre, le grand cabinet (pièce d'angle qui sera salon de la Guerre), la petite chambre et le petit cabinet qui, au-delà de la terrasse, regarde l'appartement de la reine. Il est difficile d'imaginer pièces plus somptueuses où marbres colorés, glaces, bronzes dorés, plafonds peints s'harmonisent avec tant de perfection avec le magnifique mobilier d'argent. Tout ici chante la gloire et la puissance du roi.

Les jardins ne sont pas délaissés. Ils sont la passion du souverain, et la recherche de l'eau pour animer bassins et fontaines est son tourment. La pittoresque grotte de Thétis édifiée au flanc du château fait jouer les eaux sur les murs de coquillages polychromes, les miroirs et les pierres de roche. Deux ensembles sculptés, *Apollon servi par les nymphes* et ses *Chevaux* vont bientôt l'orner. Le parc accueille les statues de marbre dues aux ciseaux de Girardon, des frères Marsy ou de Le Hongre. Le Nôtre multiplie les bosquets (le Labyrinthe, l'Ile royale, la Salle des festins, le Théâtre d'eau, le Buffet), destinés à surprendre, étonner, charmer les visiteurs. En 1668, dans la perspective des bassins de Latone et d'Apollon, le grand canal est creusé.

Au mois de novembre 1673, le roi s'installe pour quelques semaines dans son appartement à peine achevé. Ses séjours sont désormais plus longs et se concentrent toujours à la belle saison. Rien encore ne laisse prévoir une installation définitive, mais l'idée germe sans doute dans l'esprit du maître. La construction de quelques dépendances et les efforts d'urbanisation du village en sont les prémices. Les anciens communs sont rattachés au château et transformés en logements, les premières écuries rejetées dans la ville neuve. Au fond du parc s'élève en 1670 « un petit palais d'une construction extraordinaire et commode pour passer quelques heures du jour pendant le chaud de l'été ». C'est le Trianon de porcelaine, petits pavillons décorés en faïence, « éclatant de couleurs, écrasant de fioritures et de pittoresques », dans un écrin de fleurs où giroflées doubles, anémones, tubéreuses, jasmin d'Espagne, narcisses et orangers composent un mélange de senteurs qui font le bonheur du roi et de Mme de Montespan[40].

Autour de son château agrandi, Louis XIV veut construire une ville. En 1662 les abords ont été dégagés, puis la place d'armes dessinée : trois avenues — celles de Saint-Cloud, Paris et Sceaux — convergent vers elle. Dès 1665, face à la demeure royale, s'édifient les hôtels des membres les plus riches de la cour. Six premiers pavillons ont été représentés par Patel sur sa *Vue du château depuis l'avenue de Paris*. Les courtisans répugnent-ils encore à suivre le roi dans ce lieu champêtre ? En 1671 Louis accorde du terrain gratuit à quiconque voudra construire et, l'année suivante, renouvelle ses encouragements[41]. Le privilège est toutefois assorti de conditions définies par la surintendance des bâtiments : symétrie, harmonie, équilibre s'imposent à chaque bâtiment et d'un bâtiment à l'autre. Ainsi s'édifient de chaque côté de l'avenue centrale la résidence du maréchal de Bellefonds, premier maître d'hôtel, et son pendant, celle du duc de Chaulnes. L'intérêt du prince pour son palais achève de convaincre les courtisans. Dans la seule année 1670 se construisent les hôtels de Lude et de Créqui, ceux de Luxembourg, de Roquelaure, de Noailles, de Guise et d'Aumont ; en 1671, sept grands hôtels, dont celui de Choiseul, Bouillon, Gesvres. En 1672 M. de Louvois fait édifier sa demeure. Versailles devient la ville résidentielle de la haute noblesse, celle des princes, des ducs, des grands officiers de la Couronne, des principaux commensaux. Avec la construction de la chancellerie et de la surintendance des bâtiments où loge Colbert, la volonté royale de faire de Versailles sa principale résidence ne fait plus de doute. La décision est rendue publique en 1677. Elle inaugure une nouvelle et fébrile campagne de travaux. La terrasse de Le Vau cède la place à la grande galerie (1678-1684), la première petite orangerie de brique et l'orangerie de pierre (1678-1685) ; pour loger princes et courtisans, on élève la gigantesque aile du Midi (1678-1682) ; pour accueillir chevaux et équipages plus nombreux, les grande et petite Écuries au fond de la place d'armes (1679-1682) ; et l'on songe à loger à proximité du château la bouche du roi, qui deviendra le « grand commun ». Un bâtiment manque toutefois au palais : à la différence des Tuileries ou de Saint-Germain, Versailles ne possède pas encore de salle de spectacle. Ce sont les jardins qui accueillent les fêtes de la cour.

Des plaisirs enchanteurs

D'une jeunesse enjouée, galante, inventive et romanesque, on ne peut attendre que le goût des plaisirs. La cour de Louis XIV en connaît l'ivresse. « Ce n'était, écrit l'abbé de Choisy, que festins, danses et fêtes galantes[42]. » Il est peu d'événements capables de les interrompre : la mort d'Anne d'Autriche, le 20 janvier 1666, ne les suspend que quelques semaines. Chaque déplacement d'une cour toujours en mouvement est agrémenté de réjouissances. Celles-ci semblent parfois ne jamais cesser. En janvier 1667 par exemple, la cour établie à Saint-Germain est régalée le 2 d'un ballet, le 5 d'une pastorale, le 6 d'une promenade à Versailles. Du 8 au 10 elle danse le *Ballet des Muses*, le 12 elle applaudit à Paris un spectacle offert par Madame ; après la revue des troupes le 22, bal et souper à Versailles le 24 précèdent une nouvelle représentation du même ballet, répétée les 5, 14, 16 et 19 février avant le fameux carrousel des Amazones qui éblouit la cour la dernière semaine du mois.

Louis n'est pas encore le seul ordonnateur des fêtes. A Saint-Cloud comme au Palais-Royal, le duc et la duchesse d'Orléans savent traiter Sa Majesté avec magnificence. « La fête [des rois en 1669], rapporte un témoin, fut belle, des mieux réglées [...] ; il y eut comédie puis bal ; après que l'on eut dansé quelque temps, une partie des dames alla souper en deux tables [...] toutes de quinze couverts et magnifiquement servies ». Mais Louis supporte difficilement la concurrence de la petite cour de Monsieur. Lorsque celui-ci affecte de « prendre ses plaisirs séparément de la cour et de se la faire faire[43] », le roi s'en irrite. Si Madame boude la cour pour « faire la reine » à Paris, Louis s'emploie à l'en faire sortir et la ramener à Saint-Germain.

Un ministre ne peut espérer plus d'indulgence que le frère de Sa Majesté. La somptueuse fête que Nicolas Fouquet offre le 17 août 1661 éblouit les courtisans mais agace le maître. Aucune demeure royale ne peut alors rivaliser avec la richesse et la splendeur de son château de Vaux. André Le Nôtre, Louis Le Vau, Charles Le Brun en ont fait

> [...] *un palais magnifique,*
> *Des lieux que pour leurs beautés*
> *J'aurais pu croire enchantés,*
> *Si Vaux n'était point au monde*[44].

Dans les jardins de ce château incomparable, Molière joue *Les Fâcheux* qu'il a composé à la hâte, et Beauchamp règle un ballet mêlé d'intermèdes musicaux. Feu d'artifice, souper, bal achèvent tard dans la nuit cette inoubliable réception. Autour du roi, de la reine mère, de Monsieur et Madame, six cents courtisans ont applaudi « la fête [...] la plus complète qui ait jamais été ». « Tout, écrit La Fontaine, combattit [...] pour le plaisir du roi : la musique, les eaux, les lustres, les étoiles[45]. » Piqué par la beauté et la grandeur des divertissements, Louis XIV marque dépit et colère contre « ce luxe insolent et audacieux ». Offrir de semblables fêtes ne doit appartenir qu'à Sa Majesté. Divertir la noblesse est droit régalien. Tous les restaurateurs de l'autorité monarchique n'ont jamais manqué de briser les cours rivales. Richelieu n'a-t-il pas anéanti le mécénat « féodal » de Henri de Montmorency ? Louis XIV, que d'autres griefs portent à condamner Fouquet, imite le « grand cardinal ». En septembre 1661 le surintendant est arrêté et les artisans du domaine et de la féerie de Vaux sont invités à servir le roi. Par goût et sens politique, Louis est le seul dispensateur des divertissements publics qu'il juge « non pas tant les [siens] que ceux de [sa] cour et de tous [ses] peuples[46] ». Dans la tradition des Valois, Louis XIV érige les fêtes en moyen de gouvernement.

Les Plaisirs de l'île enchantée sont l'écho magnifié de la journée de Vaux. Ce ne sont pas les premières grandes réjouissances du règne. L'entrée de Leurs Majestés dans Paris le 26 août 1660 et le fameux carrousel de juin 1662 les ont précédés. Devant une foule nombreuse et mêlée, réunie aux Tuileries, courses de têtes et de bague avaient permis à Louis XIV de s'imposer physiquement à sa noblesse. En empereur romain à l'habit d'or et d'argent parsemé de rubis, coiffé d'un casque surmonté de plumes rouges et noires, le roi avait caracolé devant quatre brigades de brillants cavaliers commandées par Monsieur, le prince de Condé, le duc d'Enghien et le duc de Guise[47]. Les grands, naguère frondeurs, participaient à la gloire du souverain, satellites du soleil qu'à cette occasion Louis avait adopté comme emblème. Apollon préside désormais aux fêtes de la cour.

Le 5 mai 1664, la cour se rassemble à Versailles. Six cents courtisans, une infinité d'artistes et d'artisans venus de Paris paraissent une véritable « petite armée ». Le temps est beau, sauf un peu de vent, trop faible toutefois pour éteindre les innombrables flambeaux de cire blanche. Plus de quatre mois de préparation — durée inhabituelle — promettent une fête particulièrement réussie. M. le duc de Saint-Aignan, premier gentilhomme de la Chambre et ami du roi, en a choisi le thème en accord avec Sa Majesté. Il est emprunté au *Roland furieux* de l'Arioste. Le séjour de Roger dans le palais d'Alcine la magicienne et sa délivrance par la bague qui détruit les enchantements sont le fil d'Ariane, souvent ténu il est vrai, des divertissements répartis sur une semaine, du 7 au 14 mai. Des créateurs de renom y ont collaboré : Molière se dépense sans compter, Lully écrit la partition des trois premières journées, le président de Périgny et Benserade signent madrigaux, quatrains, sonnets, récits et dialogues, Carlo Vigarani, machiniste, décorateur et metteur en scène, dresse quantité d'architectures de verdure et « fabriques » de carton doré en plusieurs endroits du parc de Le Nôtre. Car la fête est champêtre : « Les principaux spectacles se déroulent entre le futur parterre de Latone et le grand rond d'eau ou futur bassin d'Apollon[48]. » Ils s'ouvrent le 7 mai vers six heures du soir par un brillant défilé. Un héraut d'armes « vêtu d'un habit à l'antique, couleur de feu en broderie d'argent », trois pages « fort richement habillés », quatre trompettes et deux timbaliers précèdent un cortège de cavaliers où l'on reconnaît sans peine, sous les travestis, le roi (Roger) « armé à la façon des Grecs » d'une « cuirasse de lame d'argent couverte d'une riche broderie d'or et de diamants », « montant un des plus beaux chevaux du monde, dont le harnais [...] éclatait d'or, d'argent et de pierreries », le duc de Saint-Aignan (Guidon le Sauvage), le duc de Noailles (Oger le Danois), le duc de Guise (Aquilant le Noir), le comte d'Armagnac (Griffon le Blanc) et une dizaine de grands seigneurs aux éblouissantes livrées. Au milieu d'une ribambelle de pages, le char d'Apollon, « éclatant d'or et de diverses couleurs », encadré de « plusieurs grandes figures de relief[49] » (monstres célestes, serpent Python, Daphné, Atlas, etc.) et escorté des douze heures du jour et des douze signes du zodiaque, ferme la marche. Chacun prend place dans le camp. La course de bague commence. La cour est entraînée dans un univers de rêve.

La nuit n'interrompt pas cette première journée. Trente-quatre musiciens entrent dans la lice et concertent sous la direction de Lully. Puis, sous un nombre infini de lumières, on sert une magnifique collation. Des serviteurs vêtus en jardiniers, en moissonneurs, en vendangeurs et en « vieillards gelés » par l'hiver portent à la table royale, accompagnés par les animaux de la ménagerie, de grands bassins de confitures, de fruits et de glaces. « Les douze signes du zodiaque et les quatre saisons » dansent alors « une des plus belles entrées de ballet ». Collation achevée, Leurs Majestés et leur suite reprennent, dans un grand nombre de calèches, le chemin du château.

Le lendemain est occupé par la représentation de *La Princesse d'Elide*, « comédie galante [de Molière] mêlée de musique et d'entrées de ballet », donnée dans le bosquet des Dômes, près du rond d'eau « où l'on feignait que le palais d'Alcine était bâti ». Celui-ci est au centre de la troisième journée. A l'instant où les spectateurs prennent leur place, Alcine sort de son antre portée par un monstre marin d'une grandeur prodigieuse et escortée par deux nymphes chevauchant des baleines. Installés sur deux îles voisines, violons, trompettes et timbales sonnent. Alcine déclame des vers à la louange de la reine mère à qui la fête est dédiée. Géants et nains sortent du palais dont le frontispice vient de s'ouvrir et les tours de s'élever, et dansent la première des six entrées d'un long ballet. La destruction du palais, réduit en cendres par un feu d'artifice, met fin aux aventures de Roger délivré par la bague d'Angélique. « La hauteur et le nombre des fusées volantes, celles qui roulaient sur le rivage, et celles qui ressortaient de l'eau après s'y être enfoncées, faisaient un spectacle si grand et si magnifique que rien ne pouvait mieux terminer les enchantements[50]. » Les Plaisirs ne sont pas encore achevés. Jusqu'au 14 mai, se succèdent courses de têtes dans les fossés du château, visite de la ménagerie, loterie, représentation des *Fâcheux*, du premier *Tartuffe* et du *Mariage forcé*. Selon le vœu du roi, un recueil orné de gravures d'Israël Silvestre conserve le souvenir de toutes ces merveilles. Elles ont non seulement séduit la cour mais dépassé la fête de Vaux, désormais oubliée. Jean de La Fontaine, fidèle ami de Fouquet, doit le reconnaître : « Ces magnifiques choses [...] rendront les enchantements croyables à l'avenir. »

Renouveler quatre années plus tard semblable fête est bien digne d'un enchanteur. Les Plaisirs de 1664 étaient officiellement dédiés aux reines, Anne d'Autriche et Marie-Thérèse. La discrète et timide Louise de la Vallière en était en fait l'héroïne secrète. En 1668 son étoile a pâli. Le *Grand Divertissement royal*, donné le 18 juillet, prétend séduire Mme de Montespan, la nouvelle favorite. Louis XIV qui revient de guerre veut « réparer [...] ce que la cour [a] perdu dans le Carnaval pendant son absence[51] ». La campagne hivernale de Franche-Comté l'a privée de ses plaisirs habituels. La célébration de la paix d'Aix-la-Chapelle signée deux mois auparavant fournit l'heureux prétexte à réparation. Comparée à 1664, cette nouvelle fête est à la fois semblable et différente. Son cadre demeure les jardins de Versailles, plus précisément « les intersections des grandes allées du parc, de part et d'autre de l'allée royale[51] ». Collation, ballet, comédie, feu d'artifice et bal restent les divertissements privilégiés (courses de bague et de têtes ont été abandonnées). Molière, Lully, Vigarani, Benserade forment encore une équipe imaginative et enthousiaste. Le roi l'a cependant étoffée de Louis Le Vau et Henri de Gissey pour dessiner salles de bal et de souper, du duc de Créqui, premier gentilhomme de la Chambre, chargé du théâtre, du maréchal de Bellefonds, premier maître d'hôtel, responsable de la collation. Colbert supervise le tout et veille à la préparation du feu d'artifice.

Le *Grand Divertissement* est moins « savant » que la fête précédente : on n'a cherché aucun argument dans la Fable. Les plaisirs se succèdent en une nuit et non plus sur huit jours. Ils s'ouvrent dans le bosquet de l'Étoile par une collation servie sur cinq longues tables dressées parmi des orangers chargés de fruits confits ; l'une d'elles imite « la face d'un palais bâti de massepain et pâtes sucrées[51] ». La cour gagne ensuite le vaste théâtre de mille deux cents places que Vigarani a improvisé à l'emplacement du futur bassin de Bacchus. De riches tapisseries masquent les parois de verdure, et des colonnes torses imitant le marbre et le lapis encadrent la scène. La troupe de Molière joue *George Dandin*, comédie en musique, et Lully dirige le *Ballet des fêtes de l'Amour et de Bacchus*. « Jamais [...] il n'y eut sur une même scène autant de musiciens, de danseurs et d'acteurs[52]. » Le buffet éblouit les invités. Au carrefour de l'actuel bassin de Flore, Henri de Gissey a élevé un salon de verdure octogonal et disposé au centre une table ronde surmontée du mont Parnasse où Apollon voisine avec Pégase. Une soixantaine d'hôtes privilégiés ont l'honneur de souper avec Sa Majesté. Pour éviter les querelles de rang, on a décidé que chacun se placerait librement. L'ambassadrice de Savoie, arrivée en retard, est heureuse de trouver une place vide auprès des maréchales de Grancey et de Castelnau, mais ne réussit pas à apercevoir le roi, « le grand rocher [empêchant] de voir ceux qui étaient au-delà ». Les princesses soupent à d'autres tables, la reine en petite compagnie « pour éviter le monde et la chaleur à cause de son gros ventre[53] » (elle accouchera le 5 août suivant). La salle de bal due à Le Vau rivalise en magnificence avec le salon de Gissey. Elle est traitée en rocailles. Lumières, guirlandes, panneaux « en façon de marbre et de porphyre », cascades jaillissant de gueules de dauphins ou de masques de méduses, termes géants cantonnant une allée d'eau, tout contribue à la féerie. Le roi et sa cour remontent enfin vers le palais transfiguré par un grandiose feu d'artifice.

Les Plaisirs de l'île enchantée avaient été réservés à la cour, le *Grand Divertissement* est ouvert au public, accessible à tous. *La Gazette de France* estime à trois mille personnes la foule rassemblée dans le parc, « entre lesquelles étaient le nonce du pape, les ambassadeurs qui sont ici et les cardinaux de Vendôme et de Retz[54] ». Cohue, embarras, désordre sont la rançon de cette liberté d'accès. Dans la presse, les personnes de qualité perdent les plumes de leurs chapeaux et voient déchirer leurs *canons* (*Sont-ce ses grands canons qui vous le font aimer ? L'amas de ses rubans a-t-il su vous charmer ?*). Une demi-heure durant, la reine ne peut accéder à la comédie ; le roi doit intervenir pour dégager son passage. Les ministres étrangers sont « poussés, rebutés, battus et mal placés ». Beaucoup ne voient que la pièce de Molière et les illuminations, mais ni collation ni souper. Le marquis de Saint-Maurice ne peut approcher de la salle de bal : il se console à la vue des jardins « merveilleusement bien éclairés par de grandes statues et des vases en feu ». La plupart des courtisans, « sans savoir où ils allaient et que devenir », finissent par se retirer dans les appartements du château que le roi quitte « environ à deux heures et demie après minuit[54] ». Telles sont les fêtes de la cour : la bousculade côtoie la majesté, les incommodités voisinent avec la splendeur.

Attentif à divertir son entourage, le roi ne peut répéter chaque année semblables réjouissances. Pourtant les années de paix qui suivent le traité d'Aix-la-Chapelle n'en manquent pas. Le 11 août 1669, illumination et feu d'artifice honorent la visite à Versailles du duc de Toscane. 1670 est plus riche de plaisirs : Saint-Germain en février, Versailles en été pour la réception du duc de Buckingham, Chambord en octobre, où Molière crée *Le Bourgeois gentilhomme*, accueillent de somptueux divertissements royaux. Ceux de Fontainebleau en août 1671, le feu d'artifice de Versailles et le *Ballet des ballets* dansé à Saint-Germain en décembre sont les dernières fêtes avant la guerre de Hollande. Elles n'excluent pas d'autres distractions plus routinières. Souvent Mme de Sévigné rapporte à ses correspondants la monotonie de la vie à la cour. 10 décembre 1670 : « la cour est ici [aux Tuileries], et le roi s'y ennuie à tel point, qu'il ira toutes les semaines trois ou quatre jours à Versailles » ; 12 janvier 1674 : « le bal fut fort triste, et finit à onze heures et demie » ; 29 janvier : « les bals de Saint-Germain sont d'une tristesse mortelle ; les petits enfants veulent dormir dès dix heures, et le roi n'a cette complaisance que pour marquer le carnaval, sans aucun plaisir. Il disait à son dîner : " Quand je ne donne point de plaisirs, on se plaint ; et quand j'en donne, les dames n'y viennent pas "[55]. »

Les succès récents de ses armées en Franche-Comté suggèrent à Louis d'offrir à ses courtisans maussades une nouvelle et grande fête champêtre en 1674. Montrer à l'étranger que le royaume n'est pas à genoux est, dans sa décision, la part de la politique ; rendre un hommage public à Mme de Montespan, celle du plaisir. Comme pour maintenir l'enthousiasme (et ménager l'endurance) de ses invités, le roi a ordonné que le séjour estival à Versailles soit rythmé de « quelques divertissements nouveaux ». Du 4 juillet au 31 août, six journées leur sont consacrées. Nul repos entre deux campagnes militaires n'a été aussi séduisant ! Depuis dix-huit mois Molière n'est plus, mais Philippe Quinault collabore avec Lully : le 4 juillet, sur une scène dressée dans la cour de marbre, on donne leur *Alceste*, le 11, dans les jardins de Trianon, une pastorale, l'*Églogue de Versailles*, le 28, l'opéra *Les Fêtes de l'Amour et de Bacchus* dans l'allée du Dragon. De Jean Racine, qui depuis un an travaille uniquement pour la cour, on représente *Iphigénie* le 18 août. Collations dans de nouveaux bosquets, feux d'artifice sont plaisirs attendus mais toujours magnifiques. On ajoute cette année-là une promenade nocturne en gondole sur le canal dont Le Brun a préparé l'illumination, et un souper dans les grands appartements à peine achevés. Pour la première fois le château prend le relais des jardins afin d'accueillir et réjouir les hôtes de Sa Majesté. Ces fêtes spectaculaires illustrent les étapes du développement de la demeure royale. *Les Plaisirs de l'île enchantée* ont montré l'exiguïté du château, le *Grand Divertissement* de 1668 a précédé de peu la modification de sa façade sur le parc, les fêtes de 1674 consacrent les transformations récentes (la cour de marbre, le grand appartement, le canal, etc.) et suggèrent d'autres réalisations[56].

Aucun divertissement, aucun projet pour Versailles, « favori sans mérite » selon ses détracteurs, n'ont détourné Louis XIV de son métier de roi. *Nec cesso, nec erro* (« Ni je n'ai de cesse, ni je n'erre ») est en 1664 sa devise que nul témoin ne conteste. Mêlés au tourbillon des fêtes, les seigneurs de la cour n'oublient pas davantage leurs devoirs. Dernières girandoles éteintes, les héros empanachés des brillants cortèges comme les nobles danseurs des comédies-ballets changent d'équipage et de scène. Les tranchées des villes assiégées ou les combats en rase campagne les attendent. La vie, écrit le roi dans ses Mémoires, est « mêlée de ces sortes de choses [= les plaisirs] aussi bien que de plus grandes [57] ».

CHAPITRE XIII

La cour à Versailles

Versailles, le plus triste et le plus ingrat de tous les lieux.

SAINT-SIMON

Il aimait cette maison avec une passion démesurée.

SOURCHES

Ce n'est pas un palais, c'est une ville entière
Superbe en sa grandeur, superbe en sa matière.
Non c'est plutôt un monde, où du grand univers
Se trouvent rassemblés les miracles divers.

Charles PERRAULT

« Le sixième de mai [1682], le roi quitta Saint-Cloud pour venir s'établir à Versailles, où il souhaitait d'être depuis longtemps, quoiqu'il fût encore rempli de maçons[1]. » L'installation de la cour à Versailles, le marquis de Sourches le rappelle, est une décision à la fois mûrie et hâtive. Depuis cinq ans Louis XIV l'a rendue publique. Pourtant les travaux entrepris à Saint-Germain semblent la contredire. En 1680, Mansart ajoute au château cinq gros pavillons en saillie destinés à doubler les logements. Il est vrai que, même agrandi, Saint-Germain est encore insuffisamment adapté à la croissance de la cour. Ses dimensions conviennent mieux à une suite moins nombreuse ; en 1688 la famille royale d'Angleterre en exil y trouvera accueil. Dès lors tout retour du roi paraîtra compromis. En cette année 1682, le chantier rendant le « séjour incommode », le souverain quitte Saint-

Germain pour Saint-Cloud, résidence de Monsieur, « avec dessein d'y rester jusqu'à ce que tous les appartements de Versailles fussent en état d'être habités [2] ». Seize jours plus tard, Louis XIV s'installe dans son « palais enchanté ».

On s'est souvent interrogé sur ses raisons. Le plaisir de la chasse explique ses fréquents séjours depuis plus de vingt ans dans le pavillon de son père, non une retraite définitive. Saint-Germain, Vincennes, Fontainebleau, Chambord ne sont pas dépourvus d'attraits cynégétiques. La résidence à Versailles n'interdira jamais de courre le cerf dans d'autres forêts royales, comme à Chantilly chez Condé ou Villers-Cotterêts chez le duc d'Orléans, tant le souci de varier les terrains est impératif. Fuir Paris, mal aimé voire détesté, est un argument aussi répété qu'inexact et injuste. Si Louis XIV veut punir la capitale frondeuse en s'éloignant, reconnaissons son châtiment tardif. Le dernier hiver passé à Paris est celui de 1670, vingt ans après les événements qui ont contraint le petit roi à fuir de nuit sa ville révoltée ! Et quand il l'abandonne, ce n'est pas pour Versailles mais pour Saint-Germain, promu résidence principale depuis la mort en 1666 de la reine mère. Enfin les embellissements réalisés à Paris au cours de son règne (la colonnade du Louvre, l'Observatoire, les Invalides, les portes Saint-Denis et Saint-Martin...) témoignent, non d'une rancune tenace, mais d'une constante attention [3]. Admettons plutôt des motifs personnels et des raisons esthétiques pour élire Versailles résidence de la cour. Souverains et chefs d'État soucieux de renommée aiment imprimer leur marque dans la pierre. A l'image de François Ier à Chambord ou de Catherine de Médicis aux Tuileries, Louis veut faire œuvre personnelle, créer *sa* demeure.

L'existence du château de Louis XIII n'affaiblit pas l'originalité de son dessein, tant il dilate ce « chétif » pavillon, triple son importance, en fait un palais. Sa conservation imposée à Le Vau est moins la marque de son attachement à l'œuvre de son père que le résultat d'un compte financier : abattre le château de brique et pierre, ainsi que les bâtiments inspirés de son style, et reconstruire le tout sur table rase auraient coûté infiniment [4]. Les projets contradictoires et toujours remaniés de ses architectes, la répugnance du roi à s'éloigner trop longtemps d'une demeure complètement bouleversée ont fait le reste. Même greffé sur la petite maison de Louis XIII, Versailles naît de la volonté de Louis XIV. Il exprime son goût. Le roi « est comme envoûté par son château » dont il surveille attentivement les transformations, alors qu'il n'a jamais aimé le Louvre. Les travaux de Le

Vau, la colonnade de Perrault ont agrandi et embelli le palais parisien, ils ne l'ont pas achevé. Hétéroclite mélange de styles, il demeure incommode. Les maisons de particuliers qui encombrent et enlaidissent la cour carrée semblent le ravir à la propriété du roi. En l'ouvrant en 1672 à l'Académie, en y logeant commensaux, savants et artistes, Louis XIV achève de « le donner à la nation[5] ». Le Louvre n'est pas sa demeure. Versailles est son palais.

Un chantier permanent

L'installation du 6 mai 1682 ne se fait pas sans désagrément. Dès le deuxième jour de son arrivée, Mme la dauphine, gênée par le bruit, doit quitter son appartement pour celui, plus calme, des Colbert à la surintendance. Le 6 août suivant, elle y accouche du duc de Bourgogne. Chacun souffre de l'improvisation permanente de l'emménagement, beaucoup se plaignent d'essuyer les plâtres. Une escapade à Chambord et Fontainebleau est trop courte parenthèse : lorsque la cour revient le 16 octobre, tout est loin d'être terminé. Domestiques comme courtisans, commensaux comme grands seigneurs doivent se résigner : Versailles est, et demeurera, un perpétuel chantier. « On ne sait qu'y faire et défaire », notait Primi Visconti ; « il n'y a pas d'endroit [...] qui n'ait été modifié dix fois », gémit Madame Palatine[6].

En 1682 tous les logements de l'aile du Midi, commencée en 1678, ne sont pas habitables. Le gros œuvre de la grande galerie est achevé mais sa décoration, comme celle des salons de la Paix et de la Guerre qui l'encadrent, se poursuit jusqu'en 1684, contrariant le passage du salon des Bassan au grand appartement et à la chapelle. Aux échafaudages qui encombrent les intérieurs répondent, face à la ville, terrassements et édification du *grand commun* (1682-1684) et des deux ailes des ministres (1682-1683). Les travaux semblent ne jamais vouloir cesser. Achevés au sud et à l'est du palais, ils reprennent aussitôt ailleurs. L'aile du Midi a rompu la symétrie primitive, aussi entreprend-on en 1685 sa réplique, l'aile du Nord, qui exige la destruction préalable de la grotte de Thétis. Avec d'indispensables logements, ce nouveau bâtiment, achevé en 1689, doit comprendre salle des machines et chapelle. Mais la guerre de la ligue d'Augsbourg interrompt la construction de l'opéra et le sanctuaire ne sera pas élevé à la place prévue. Le nomadisme de la chapelle palatine illustre les remords répétés des architectes. En 1682 le palais en est à sa quatrième chapelle. Du pavillon d'angle au nord-est du château de Le Vau, elle a migré au sud en 1672 pour occuper la future salle des gardes de la reine, puis glissé un peu vers l'est. Gênant la communication entre l'aile du Midi et le corps central, elle repasse au nord à l'emplacement de l'actuel salon d'Hercule et du vestibule situé au-dessous. L'édifice est provisoire, mais trente ans de survie lui sont accordés. Commencée en 1689 par Mansart et achevée par Robert de Cotte, la chapelle actuelle, proche de la précédente, n'est consacrée qu'en 1710, sans que les travaux de décoration soient alors tous achevés. Si le roi d'Espagne a centré sa demeure de l'Escurial sur son église, privilégiant ainsi la maison de Dieu sur les appartements royaux, le Très-Chrétien n'a cessé de déplacer la chapelle de Versailles au gré des commodités et des embellissements de son palais[7].

Courtisans et visiteurs n'ont pas la ressource de fuir dans les jardins les désagréments des travaux intérieurs. En 1682, à l'Orangerie (1678-1685) comme aux deux gigantesques escaliers dits des Cent-marches qui l'entourent, maçons et terrassiers sont à l'œuvre, artisans d'un ouvrage colossal digne de l'Antiquité. Entreprise aussi ambitieuse, la pièce d'eau des Suisses nécessite encore bien des transports et remuements de terre. Les transformations du parc se font à la cadence des agrandissements du château. Le parterre du Midi se dilate avec la construction de la grande aile. Vers 1684 les parterres ont pris leur caractère immuable, mais les bosquets sont sans cesse remaniés : Le Nôtre achève la *Salle de bal* et l'*Arc de triomphe* (1683), Mansart crée la *Colonnade* et les *Bains d'Apollon* (1685). Depuis 1679 on travaille à la grande *Pièce de Neptune*, achevée en 1685. L'allée royale s'enrichit de vases et de statues, le parterre d'eau s'orne des bronzes des fleuves et rivières de France (1684-1690). Travaux de maçonnerie et de plomberie, transports de terre, confection de rocailles, plantations multiples, pose de treillages, de fontaines et de vasques font aussi des jardins, alimentés en eau par la machine de Marly (1682-1685), un gigantesque atelier.

Les esprits pressés tiennent Versailles pour la résidence unique de la cour de Louis XIV. La gloire du roi-soleil communie si bien avec la renommée de son palais qu'elles paraissent inséparables. C'est oublier la date tardive de l'installation définitive de la cour — vingt et un ans après la mort de Mazarin — et négliger la disparition de la reine Marie-Thérèse et de Colbert, dont la mort, en juillet et septembre

1683, a interdit de voir la fin de la campagne de travaux inaugurée en 1678. Lorsque les courtisans, chagrinés d'être fixés « pour toujours à la campagne », victimes du vacarme et de la poussière du chantier, trouvent tant bien que mal à se loger au château, Sa Majesté épouse secrètement la veuve Scarron. Mme de Maintenon est la véritable reine (secrète) du Versailles de Mansart.

La mort de Marie-Thérèse a modifié la distribution des appartements royaux. Celui de la reine, exposé au midi et comprenant salle des gardes, antichambre, cabinet et chambre, est conservé en l'état. Le roi le donne à la dauphine Marie-Anne de Bavière puis à la souriante duchesse de Bourgogne. Mais Louis annexe toutes les pièces donnant sur la cour de marbre, réservant le grand appartement aux réceptions, le nouveau à son usage. Suivons un familier du palais venu faire sa cour. L'escalier de la reine, terminé en 1681, l'introduit dans la salle des gardes du roi tendue de cuir doré et garnie de râteliers d'armes, de lits de veille et de paravents grossiers « qui, dans un pittoresque habituel à Versailles, contrastent avec le décor assez somptueux des murs[8] ». La première antichambre qui suit est celle du grand couvert : « lorsqu'il n'y a plus ni reine ni dauphine, le roi soupe ici en public », souvent en musique. Dans un placard aménagé dans le mur sont serrés tréteaux et planches formant la table que l'on dresse avant l'arrivée de Sa Majesté. Une porte conduit à la seconde antichambre, dite des Bassan, où patientent les *entrées*. Elle jouxte la chambre du roi, mal éclairée dans l'angle de la cour de marbre. Le salon royal, dont les trois fenêtres s'ouvrent sur la cour, est dans l'axe du château. Pour les bals donnés dans la galerie avec laquelle il communique, ses doubles portes sont ouvertes et une tribune élevée accueille les musiciens. Le cabinet du Conseil qui suit, lambrissé de glaces, est « dédié à la délectation du souverain autant qu'à son travail[9] ». Un lit de repos que la fistule du roi a imposé de placer en 1686, un beau clavecin, des collections de gemmes exposées sur des consoles dorées lui confèrent un caractère privé. « Il peut arriver [au roi] d'entendre [ici] ses musiciens ou ses écrivains[9]. » Mais la pièce est aussi lieu public. Cinq jours par semaine, Sa Majesté y préside un conseil ; elle donne ses audiences, introduit discrètement les visiteurs venus « par les derrières ». Le jeudi, écrit Saint-Simon, le roi reçoit les « bâtards [comprenez ses enfants légitimés], les bâtiments [Mansart, contrôleur général des bâtiments], les valets intérieurs » ; le vendredi est « le temps du confesseur[10] ». Le seigneur le plus titré, le courtisan le plus favorisé s'arrêtent là. Le cabinet des perruques ou des termes, qui suit, est le domaine intime du souverain où, le soir, se rassemble la famille royale.

Contrairement à l'idée reçue, la chambre de Louis XIV n'a pas toujours été située au centre de la cour de marbre. Il faut attendre 1701 pour la trouver dans l'axe du château, résultat de la transformation et de l'embellissement du grand salon. Agrandie du cabinet des Bassan, la chambre primitive devient le magnifique salon de l'Œil-de-bœuf, remarquable par la fraîcheur de sa corniche « aux jeux d'enfants » et ses boiseries ornées de tableaux de Véronèse. C'est le rendez-vous privilégié des courtisans, près d'assister dans la chambre voisine au lever et au coucher de Sa Majesté.

Ainsi l'agrandissement du château et le décès de la reine ont-ils modifié la distribution intérieure des appartements royaux. Depuis les premiers travaux de Le Vau, Louis XIV a occupé trois chambres successives, orienté le grand appartement vers une fonction d'apparat, imposé aux courtisans zélés et aux « voyeux » un parcours immuable à travers les antichambres, inauguré par l'escalier de la reine dont Félibien rappelle qu' « il n'y en a pas de plus fréquenté ». Cabinet du Conseil et chambre du roi sont centre du gouvernement et théâtre de la vie publique du monarque. Dans le grand appartement, Louis XIV préside les divertissements de sa cour et accorde les audiences solennelles. Dans les salles annexées depuis la mort de Marie-Thérèse, il dirige l'État et se rend accessible à ses courtisans. Louis ne dédaigne pas d'échapper parfois à la « représentation » qu'il s'est imposée. L'âge aidant, la compagnie de ses enfants et de ses amis le retient davantage. Son goût bien tempéré de l'intimité vaut au château d'autres transformations, aux jardins d'autres embellissements.

Le roi en son particulier

Son portrait d'apparat par Hyacinthe Rigaud fait souvent oublier la sensibilité, l'humanité de Louis XIV. De même les fastueuses cérémonies de Versailles ont dissimulé à la postérité l'existence d'une vie intime que l'appartement *intérieur* du roi préserve de la foule. Dès 1678, Louis aime goûter détente et repos dans son luxueux appartement des bains. L'influence grandissante de Mme de Maintenon (et parallèlement la faveur déclinante de la marquise de Montespan) lui suggère d'aménager sur le côté exposé au midi de la cour de marbre

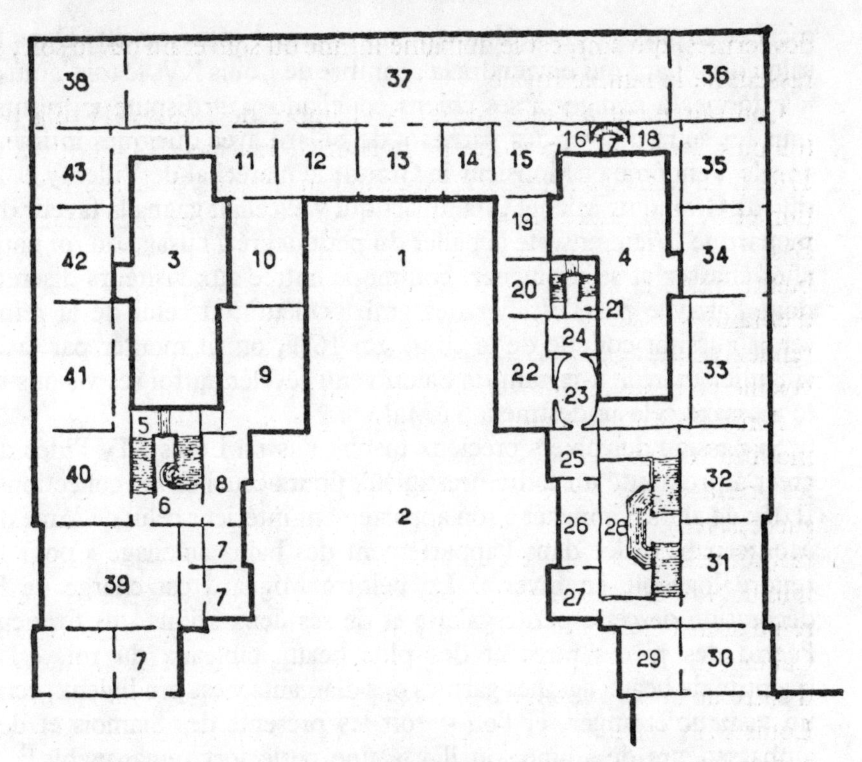

Appartement du roi, premier étage (1693). Plan extrait de Pierre Verlet, *Le Château de Versailles*, Paris, 1985.

1. Cour de marbre. – 2. Cour royale. – 3. Cour de la Reine. – 4. Cour du Roi. – 5. Escalier de la Reine. – 6. Palier de l'escalier de la Reine. – 7. Appartement de Mme de Maintenon. 8. Vestibule conduisant à l'appartement du roi (loggia en 1701). – 9. Salle des gardes du roi. 10. Antichambre du grand-couvert. – 11. Seconde antichambre ou salon des Bassans. 12. Chambre du roi (chambre de 1684). – 13. Salon du roi (chambre de Louis XIV en 1701). 14. Cabinet du Conseil. – 15. Cabinet des Termes (ou des Perruques). – 16. Cabinets de Garde-robe. – 17. Escalier demi-circulaire. – 18. Passage vers le salon d'Apollon. – 19. Cabinet du Billard ou des Chiens. – 20. Salon sur le petit escalier. – 21. Degré du Roi. – 22. Cabinet aux Tableaux. – 23. Salon ovale. – 24. Cabinet des Coquilles (futur cabinet aux Livres). 25. Premier salon de la Galerie. – 26. Petite Galerie. – 27. Salon du bout de la Galerie. 28. Grand Escalier. – 29. Cabinet des Médailles. – 30. Salon de l'Abondance. – 31. Salon de Vénus ou pièce de marbre. – 32. Salon de Diane ou du Billard. – 33. Salon de Mars ou du Bal. 34. Salon de Mercure ou chambre du Lit. – 35. Salon d'Apollon ou chambre du Trône. 36. Salon de la Guerre. – 37. Grande Galerie. – 38. Salon de la Paix. – 39. Grande salle des Gardes du Corps. – 40 à 43. Ancien appartement de la reine (salle des Gardes, antichambre, grand cabinet, chambre).

quelques pièces réservées à son usage personnel et destinées à recevoir ses familiers. Le cabinet des perruques en est le premier maillon, ouvert sur une enfilade serrée entre la grande galerie et la cour intérieure et alignant petit cabinet de garde-robe, cabinet de chaise, escalier et passage étroit donnant sur le grand appartement. Dans le salon du billard qui deviendra la chambre de Louis XV, le roi s'amuse « à donner à manger à ses chiens couchants » et dispute « presque tous les soirs d'hiver des parties » de billard avec quelques intimes, M. de Vendôme et Monsieur le Grand, le maréchal de Villeroy et le duc de Gramont. Michel Chamillart qui y excellait gagna la faveur du monarque. Vient ensuite le palier du petit degré à l'usage du roi pour aller chasser et se promener, commode entrée aux visiteurs discrets dont l'arrivée par l'escalier des ambassadeurs ou celui de la reine serait aussitôt connue de la cour. En 1699, on fit monter par là le singulier maréchal-ferrant de Salon venu révéler au roi ses visions et le message céleste destiné à Sa Majesté.

Sa passion des objets précieux inspire aussi à Louis XIV l'idée de créer à proximité un cadre prestigieux pour accueillir ses collections. Il décide alors d'annexer à son appartement intérieur celui de Mme de Montespan, exilée dans l'appartement des bains aménagé « pour le rendre logeable en hiver ». Le peintre Mignard est chargé de la décoration de cette petite galerie et de ses deux salons : ils forment l'écrin des pièces rares et des plus beaux tableaux du roi. « La quantité de beaux agathes garnies des diamants y est prodigieux, écrit un visiteur étranger, et l'on y voit les présents des Siamois et des ambassadeurs de Chine, où il y a une perle fort remarquable [11]. » D'autres curiosités sont rassemblées dans le fameux cabinet des médailles, le cabinet aux livres et le salon ovale qui jouxtent le grand cabinet aux tableaux. A de rares privilégiés et visiteurs de marque Louis fait découvrir ses trésors. A un cercle restreint il offre quelques divertissements, bals, loteries, médianoches. Le roi, note Sourches, donne « de petites fêtes particulières dans son appartement, dont il ne faisait part presque à personne qu'à sa famille, en ayant même refusé l'entrée à plusieurs seigneurs de la cour qui se hasardèrent de la faire demander [12] ». A proximité des salons d'apparat où se rassemble le gros des courtisans, Louis cultive une relative intimité avec sa famille et quelques amis choisis.

Cet appartement intérieur ne soustrait toutefois le collectionneur et le père de famille que de rares heures à la foule. Pour ravir plus de temps à sa vie publique, satisfaire son entourage et combler son goût de vivre à la campagne, le roi confie à Mansart la création du château de Marly (1679-1683). Saint-Simon en décrit la genèse avec son habituelle malveillance : « Le roi, lassé du beau et de la foule, se persuada qu'il voulait quelquefois du petit et de la solitude [13]. » On accordera au mémorialiste que le nouveau domaine contraste avec Versailles. Son site est un vallon encaissé, à bords escarpés, « sans aucune vue ». La demeure ne se révèle qu'après avoir franchi les limites du jardin. Si Versailles impose sa grandeur dès l'avenue de Paris et canalise ses visiteurs entre ses longs bâtiments qui cantonnent les cours, Marly se dissimule pudiquement dans la verdure. Celle-ci cerne tant le château et les douze pavillons répartis de chaque côté de la voie d'eau qu'elle justifie l'expression « château-jardin » et ruine la classique opposition « côté cour, côté jardin » de l'architecture noble. Nul espace vide ne doit isoler les constructions. Le pavillon royal, dominé au sud par une vaste cascade, est encadré après 1690 de parterres de gazon et de cabinets de verdure ; les pavillons réservés aux invités sont reliés entre eux par des berceaux de treillage et bordés de bosquets et d'allées d'arbres diversement taillés. A la belle saison le parc est un enchantement. « Toutes les haies sont en fleur et parfument l'air ; avec cela les rossignols et les autres oiseaux chantent si bien, s'enthousiasme Madame Palatine, qu'on se console parfaitement en ce lieu [14]. » Cascades, nappes et miroirs d'eau (aussi abondante à Marly que rare à Versailles) forment l'axe principal du domaine et créent son unité. L'harmonie de l'ensemble est préservée par quelques artifices. On escamote communs, offices et écuries derrière des rideaux d'arbres alors que depuis ses fenêtres de la cour de marbre à Versailles, le roi ne voit qu'eux. Rien ne doit contrarier la vue sur la nature : on peint ainsi en trompe-l'œil, sur le mur aveugle du bâtiment des princes, une perspective ouvrant sur un jardin [15].

A l'abri des regards, Marly est une sorte de « club privé », réservé à une trentaine de courtisans triés sur le volet. A Versailles tout sujet de Sa Majesté peut accéder, épée au côté, aux antichambres et aux galeries. On n'est reçu à Marly que sur invitation du prince. « On ne vient point ici sans permission », rappelle le marquis de Dangeau [16]. Le domaine est lieu de villégiature — Saint-Simon y reconnaît un ermitage —, aussi les logements sont-ils peu nombreux. Le château royal a le plan des villas de Palladio : autour du salon central s'articulent les quatre appartements du roi, de son fils, Monseigneur, de Monsieur et Madame. Dans les combles sont logés d'autres membres de la famille royale. Les princes du sang sont isolés dans un bâtiment rectangulaire situé plus à l'est. Aux courtisans est destinée la série des pavillons contenant chacun deux logements de trois ou quatre pièces sans cuisine. Car, sauf pour dormir et s'habiller, nul ne s'enferme chez soi. « Tout, écrit la princesse Palatine, est pour le public[17]. » Le mobilier de chaque appartement est simple, presque standard. L'inventaire d'une chambre mentionne « un lit à pentes de damas de Gênes cramoisi [...], deux fauteuils et six pliants de même damas [...], un écran à coulisse [...], une chaise d'affaires [...], une table à tiroir de noyer à placages, une petite table à écrire de noyer unie, deux rideaux de fenêtres de basin [...], une grille à quatre branches [pour la cheminée][18] ».

« Dans l'appartement du roi, poursuit Madame, il y a la musique ; dans celui du dauphin, on prend les repas, tant à midi que le soir ; là se trouve aussi le billard, qui ne désemplit pas. Dans l'appartement de Monsieur se trouve la blanque, toutes les tables de trictrac et les jeux de cartes[17]. » A Marly le cérémonial est assoupli. Même en présence de Sa Majesté les hommes restent couverts, les dames sont admises dans le grand salon en « robes de chambre » (= robes d'intérieur). On reste assis devant Monseigneur et les princes du sang. « La cour, écrit Racine — assidu aux Marly — y est toute autre qu'à Versailles[19]. » Ainsi le soir après souper, le service d'honneur des princesses entre dans la chambre du roi, alors « qu'à Versailles, il n'y a que les dames de madame de Chartres[20] ». Le roi veut que ses invités soient à leur aise ; il souhaite qu'ils se divertissent et renouvelle tous les jours à leur intention concerts, promenades, collations, bals, loteries, comédies, ballets, mascarades. La fierté d'appartenir au cercle restreint des privilégiés achève de rendre le séjour aimable. « Tous ceux qui y sont, commente Racine, se trouvant fort honorés d'y être, y sont aussi de fort bonne humeur[19]. » La fréquence des invitations est le baromètre de la faveur. Mme de Chevreuse, la comtesse de Gramont, la princesse d'Harcourt, Mmes de Mailly et de Villeroy sont les plus assidues des quatre cents courtisans cités au long de son Journal par le marquis de Dangeau[21].

Trente années durant, Louis n'a cessé d'embellir son domaine et témoigner son empressement à y résider. A la fin du règne, ses séjours occupent parfois un tiers de l'année[22]. Par sa volonté, Marly est aussi davantage fréquenté. Plus accessible, le lieu, qui paraît à un visiteur anglais « le plus agréable d'Europe[23] », perd un peu son caractère d' « ermitage » et de « solitude ».

Le roi, pierre d'angle de la cour, est aussi sa proie. Son désir d'échapper parfois à la foule de Versailles, de vivre quelques heures dans ses intérieurs ou quelques jours en ses « villégiatures » déplaît. Tout changement au rituel monarchique est suspect. Aussi la création en 1687 du Trianon de marbre inquiète-t-elle les familiers du château.

« On croyait, remarque Sourches, qu'il faisait faire ce bâtiment pour se retirer davantage, et c'était ce que les courtisans appréhendaient mortellement[24]. » Le roi le plus puissant du monde ne peut *s'esbigner*. Trianon, il est vrai, n'est pas conçu pour la cour, il « est le palais du roi seul ». A la différence de Marly, les courtisans y ont libre accès et viennent « à toute sorte d'heure », mais peu y couchent. En avril 1694 par exemple, « Monseigneur, Mme la Duchesse, Mme la princesse de Conti sa fille, Mme du Maine et Mme de Maintenon et leurs dames d'honneur [...] ont des logements. Le premier gentilhomme de la chambre, le capitaine des gardes et le grand maître de la garde-robe [...] en ont aussi. Les autres courtisans viendront faire leur cour aux heures qu'ils voudront, comme à Versailles. Toutes les dames [...] depuis trois heures jusqu'au souper[25] ». La distribution intérieure du château laisse peu de place aux logements. L'aile gauche de la cour d'entrée abrite la chapelle, les cuisines, des pièces d'office et la salle où mangent les seigneurs de la cour pendant que les dames retenues à souper partagent le repas du roi. La salle de la comédie se loge dans l'aile droite. Au nord du péristyle sont les pièces de réception gracieusement baptisées chambre du sommeil, cabinet du couchant, salon frais... Sur le jardin du roi, Mme de Maintenon dispose d'un appartement. Après la longue galerie, l'aile de Trianon-sous-bois, à l'écart, est destinée aux logements de la famille royale.

Le roi qui a suivi de près les travaux de son nouveau palais et pressé son achèvement y dîne pour la première fois en 1688, mais ne songe pas encore à l'habiter. On vient passer la journée, écouter opéras et comédies, se divertir, et l'on rentre à Versailles. Le 11 juillet 1691, Louis couche à Trianon. La cour, venue par le canal « où était la musique », aborde le château brillamment éclairé. On se promène dans les jardins avant le souper servi sous le péristyle pour soixante-quinze dames auxquelles se sont joints les souverains d'Angleterre. Meublé, « les lits posés », Trianon est désormais habitable. Le lendemain, le marquis de Dangeau écrit : « Le roi y peut coucher quand il voudra[26]. » Son appartement est d'abord tourné vers le midi, du côté du canal. Puis, séduit par la fraîcheur et la verdure de l'aile orientée au nord, le roi l'abandonne pour s'installer auprès de Mme de Maintenon. Encore n'y a-t-il d'hommes logés que ceux indispensables au service. Le duc de Bourgogne, petit-fils de Sa Majesté, retourne chaque soir à Versailles !

Le château, rez-de-chaussée de marbre où la lumière pénètre à flots, et la vue sur le canal font la séduction de Trianon. Mais ce sont les jardins de Le Nôtre qui, là encore, comblent le propriétaire. Leur beauté désarme l'hostilité de M. de Saint-Simon. « Rien, avoue-t-il, n'était si magnifique que ces soirées [...] ; tous les parterres changeaient tous les jours de compartiment de fleurs, et j'ai vu le roi et toute la cour les quitter à force de tubéreuses, dont l'odeur embaumait l'air, mais était si forte par leur quantité, que personne ne put tenir dans le jardin, quoique très vaste et en terrasse sur un bras du canal[27]. » Si les courtisans attendent les Marly dans la fièvre, ils aiment Trianon dont l'accès est aisé. Sa proximité de Versailles facilite leurs allées et venues, alors que Marly paraît leur enlever le roi.

La saison des chasses à Fontainebleau

Le traditionnel voyage d'automne à Fontainebleau console les courtisans des infidélités de leur maître. Le château a le charme d'une maison de vacances[28]. Le séjour de la cour correspond à la saison des chasses et, durant six à huit semaines, rompt avec la monotonie de la vie à Versailles. Aussi est-il très fréquenté. Un soir de novembre 1684, le roi s'étonne même « du grand nombre de courtisans et de dames [...] demeurés jusqu'au dernier jour[29] ». S'installer à Fontainebleau n'est pourtant guère commode. Selon un usage séculaire, mobilier et bagages sont acheminés par voie d'eau et charrettes. Un bateau relie régulièrement Paris à Valvins, alors que voituriers professionnels et garçons du garde-meuble accompagnent les convois de terre depuis Paris, Saint-Germain ou Versailles. Les déplacements de la cour de Louis XIV rappellent la caravane des Valois. Le temps est compté pour préparer les logements. Malgré la création d'un garde-meuble permanent, installé dans le pavillon de la conciergerie, le voyage ressemble toujours à une expédition. Les appartements sont fastueux, mais d'allure antique et incommodes. Les ajouts de Henri IV à l'œuvre de François Ier font un ensemble hétéroclite et désordonné. Les salles sont de taille inégale, souvent peu éclairées ; leur décor est passé de mode ; réduits et vestibules tourmentés gênent une distribution intérieure déjà capricieuse. Mais la séduction de Fontainebleau tient peut-être à cette irrégularité. Louis XIV y construit peu. En greffant sur l'aile des ministres les hôtels de ses secrétaires d'État, il ne dénature pas l'ensemble. Mais pour créer des logements nouveaux, il détruit l'appartement des bains (1697). La princesse de Conti y gagne un appartement de quinze pièces, mais le château perd un magnifique témoignage de l'art renaissant. Loger la foule des courtisans dans une maison peu préparée à accueillir une cour nombreuse est la préoccupation constante des Bâtiments. En 1697 on se réjouit de l'ajournement du conseil d'État privé qui libère « beaucoup de logements, dont on a grand besoin ». Le second étage de la galerie François Ier et le rez-de-chaussée de celle de Henri II sont aménagés en appartements. En 1701 le doublement de la galerie de Diane dégage « six appartements en bas dont on en a pris trois pour M. et Mme du Maine, et les trois autres [ont été] donnés, à M. de Vendôme, à M. de Marsan et à M. de Lauzun. Il y a, poursuit Dangeau, quatre appartements de plain-pied, Mgr. le duc de Bourgogne prend le premier, le roi nous a donné le second, le troisième à Mme la duchesse de Guiche et le quatrième à Mme la comtesse d'Ayen, et le roi en nous les donnant nous a dit que ce n'était que par prêt. Il y a douze petits logements au-dessus qui ne sont pas encore distribués[30] ». Si Louis attend 1714 pour agrandir et régulariser son appartement, c'est qu'il l'occupe peu : depuis 1686 il ne bouge de chez Mme de Maintenon, au premier étage du pavillon de la Porte dorée, où il travaille, tient conseil, se divertit de musique et de comédies, dîne et soupe.

L'existence de la cour est si régulière à Versailles que les moindres entorses autorisées à l'étiquette font à Fontainebleau figure d'aimables nouveautés. Alors que les après-soupers versaillais sont réservés aux intimes de Sa Majesté, ici princes et princesses, personnes titrées et service d'honneur se tiennent ensemble dans le cabinet ovale. Le voyage d'automne a toutes les séductions ! Louis partage le goût de son entourage. Il se plaît à Fontainebleau. Ses séjours lui semblent parfois trop brefs : un jour de novembre 1684, il annonce « avoir envie d'y demeurer plus longtemps les autres années[29] ».

Louis XIV a toujours refusé la vie sédentaire, ajoutant aux campagnes militaires qu'il conduit en personne jusqu'en 1693 de fréquents déplacements. Nul protocole ne règle le moment ni la durée de ses voyages. Celui de Fontainebleau ne sacrifie pas à un rite imposé — le roi n'y fait aucun séjour en 1706, 1709 et 1710 —, ses charmes suffisent à le renouveler presque chaque année. Celui de Marly lui procure le plaisir de recevoir ses amis, Trianon de goûter le repos dans un jardin merveilleux. Moins doué pour la représentation, son successeur donnera l'impression de fuir la cour, ses fastes et ses servitudes. Louis XIV ne vit pas cloîtré, il aime le changement, a besoin d'évasion. Mais jamais il ne boude la cour, jamais ne délaisse longtemps son entourage. Marly et Trianon sont ses « villégiatures », Versailles est le rendez-vous de *tous* ses courtisans.

Agréments et incommodités

L'empressement des touristes à visiter le château et le musée de Versailles a une vertu : il donne l'idée de la cohue qui régnait dans le palais du roi-soleil. Pressé par la foule, le curieux d'aujourd'hui a souvent peine à apercevoir boiseries, objets et meubles du grand appartement ou atteindre une croisée pour admirer la perspective du parc. Semblable confusion régnait au XVIIe siècle. Victorieuse des premières réticences, l'installation de 1682 fait enfler la cour qui « dans tout son éclat [...] pouvait compter près de dix mille personnes [31] ». Ce ne sont pas dix mille courtisans. Visiteurs, solliciteurs, fournisseurs, administrateurs et serviteurs de l'État sont gens de passage. Les familiers du château qui ont accepté de vivre « pour toujours à la campagne » sont moins nombreux — peut-être la moitié — et loin d'être également traités.

Les plus favorisés jouissent de plusieurs résidences, hôtel à Versailles et appartement au château. En ville, le duc de Beauvillier, premier gentilhomme de la Chambre, possède un hôtel peu remarquable mais admirablement situé près de l'Orangerie. Nommé gouverneur du duc de Bourgogne, il dispose dans l'aile du Nord d'un appartement de plain-pied avec la tribune de la chapelle. Dès 1665 — au temps du premier Versailles — quelques courtisans zélés avaient fait construire à proximité du château des pavillons de brique et pierre qu'ils occupaient à l'occasion des séjours du roi. C'étaient en quelque sorte des pied-à-terre. Dans les années 80 s'édifient de véritables résidences, plus majestueuses, à l'image du château agrandi. Confortables, elles permettent une vie désormais sédentaire. Elles autorisent à l'occasion des réunions de société. Installés en ville, ces grands seigneurs, jamais nombreux, convoitent en outre dans le palais un logement jugé indispensable à leur présence auprès du maître. On y peut changer d'habit, se reposer du cérémonial, rédiger quelques billets à la hâte et se flatter d'habiter sous le toit de Sa Majesté. Être logé au château est un privilège envié, à la fois marque de faveur et encouragement à faire sa cour. Le *logeant* n'est plus asservi à des heures d'arrivée et de départ. S'attarder dans les salons, se promener longuement dans le parc, visiter ses amis, participer à tous les moments de l'existence ritualisée du monarque sont commodités de prix. Les heureux bénéficiaires deviennent « une sorte de catégorie sociale », à mi-chemin entre le riche propriétaire d'un hôtel particulier et le « galopin » qui, après une journée passée au château, regagne le soir Paris « dans des conditions de transport inconfortables[32] ». Le roi seul accorde, refuse ou retire cette grâce. Aussi la cour est-elle attentive aux tête-à-tête de Louis avec Bontemps, son premier valet de chambre, travaillant à la distribution des logements vacants. L'exercice d'importantes fonctions commensales suppose (sans y obliger) d'être logé au château. Mais la faveur royale seule y autorise. A la duchesse de Brancas, nommée dame d'honneur de Madame, le roi fait dire « que c'était à elle et non à la charge que le logement était donné et qu'il serait fort aise même qu'elle en jouit longtemps et souvent[33] ».

Un relevé de 1730 compte deux cent vingt-six appartements et le double de chambres. « Pendant le règne de Louis XIV, le nombre de bénéficiaires n'a jamais dû dépasser trois mille » personnes[34]. Dans une société où tout est prétexte à distinction, la proximité de l'appartement du roi confère au moindre galetas honneur et prestige. Le corps central du château est alors objet de convoitise. Sauf le second étage où, sous les toits, les pièces de l'attique accueillent quelques courtisans ravis d'être logés au-dessus de l'appartement royal, premier niveau et rez-de-chaussée sont réservés au souverain, à une partie de sa famille et à son service. A l'étage noble, le grand appartement, ceux du roi et de la reine laissent peu de place aux courtisans. En revanche, Mme de Maintenon est installée de plain-pied avec l'appartement de Sa Majesté, sur la cour royale, en haut de l'escalier de la reine. Pour le duc de Bourgogne, on aménage en 1699 — quand la duchesse occupe l'appartement de Marie-Thérèse — un logement de nuit dans un bâtiment nouveau mordant sur la cour intérieure. Exerçant au nom de Louis-Henri de Bourbon la charge de grand maître, le duc d'Antin est logé au bout de la vieille aile dévolue aux petits-fils de France. Le gouverneur et le concierge de Versailles, le confesseur du roi occupent l'aile de la chapelle.

Le rez-de-chaussée, davantage dévolu aux charges, comprend toutefois deux somptueux appartements. Sur le parterre du Midi, Monsieur et Madame ont dû, après 1683, laisser la place à Monseigneur. Ouvrant sur les jardins, son appartement est exactement au-dessous de celui de la reine. S'il ne renferme « rien de remarquable », ses cabinets sont par leur richesse et leurs collections une curiosité du château. Après la mort du dauphin en 1711, son fils Berry l'occupe, puis le maréchal de Villars, le vainqueur de Denain. A l'opposé, le comte de Toulouse, fils légitimé du roi et de Mme de Montespan, habite l'appartement des bains, succédant à sa mère et à son frère, le duc du Maine. Son gouverneur, le marquis d'O, a obtenu le privilège d'être son voisin. Face à la ville ce sont les services qui dominent. Outre la salle du Conseil, la vieille aile abrite le colonel des gardes et la salle du grand maître. Autour de la cour de marbre, les garçons de la Chambre, le premier valet et le grand maître de la garde-robe, le capitaine des gardes et son lieutenant sont logés sous l'appartement de Sa Majesté. Dans l'aile de la chapelle on trouve le capitaine des gardes de la porte, le concierge, le Suisse du château et M. de Bonrepaux, lecteur du roi, diplomate et expert des affaires de marine.

A Versailles, admet Saint-Simon, le roi « fit des logements infinis, qu'on lui faisait sa cour de lui demander, au lieu qu'à Saint-Germain [...] le peu qui était logé au château y était étrangement à l'étroit[35] ». L'édification de l'aile du Midi — la première construite — répond à la nécessité d'abriter la cour. Ses trois étages logent princes du sang et légitimés sur les parterres, seigneurs et officiers sur la rue. Face aux jardins, le rez-de-chaussée est occupé par M. le Duc et Mme la Duchesse, le prince et la princesse de Conti ; le premier étage par Monsieur et Madame ; l'attique par les ducs de Vendôme et de Chevreuse. Par les galeries donnant sur les cours intérieures, le palier de l'escalier des princes, le salon des marchands et la grande salle des gardes, tous peuvent aisément rejoindre l'escalier de la reine, gagner le rez-de-chaussée de la cour de marbre ou s'engager dans l'appartement du roi. Cette liaison commode avec le corps central du château et la bonne exposition de l'édifice constituent les agréments de l'aile du Midi. La proximité du grand commun lui ajoute un atout. Énorme bâtisse quadrangulaire de brique et pierre éclairée par cinq cents fenêtres, le grand commun abrite au rez-de-chaussée cuisines et offices du roi, logements et chambres au-dessus. A la hauteur du premier étage un balcon ceinture la cour intérieure pour desservir les appartements. André Le Nôtre, l'introducteur des ambassadeurs Sainctot, le marquis de Seignelay, le musicien Delalande, le maréchal de Tessé y sont logés. Les repas préparés ici peuvent être rapidement acheminés dans les étages et chez les courtisans de l'aile du Midi « ayant bouche à la cour ». Car manger chaud n'est pas commun à Versailles. Ce plaisir est inconnu du roi dont l'antichambre du grand couvert est à bonne distance de ses cuisines.

Pour créer des logements supplémentaires, la construction de l'aile du Nord s'impose. Sa distribution intérieure exige tous les soins de l'architecte de Sa Majesté. Le roi y veille personnellement. Un jour d'avril 1685 il oblige Mansart à revoir ses plans et imaginer en vingt-quatre heures un nouveau dessin prévoyant « cinquante-cinq beaux logements ». Pour eux un marbrier livre en 1687 quatre-vingt-six chambranles de cheminée et cent soixante-trois foyers de marbre[36]. A peine achevé, le rez-de-chaussée accueille les jeunes enfants du grand dauphin qui gagneront ensuite l'étage puis le corps central du château. Mlle de Blois et le duc de Chartres, futur régent, occupent à l'étage noble le premier appartement après la chapelle ; le duc du Maine, celui au-dessous.

Princes et grands seigneurs sont confortablement installés à Versailles. L'appartement du maréchal de Noailles au deuxième étage de l'aile du Nord est si vaste que le corridor qui le dessert est nommé rue de Noailles. Le duc de Lauzun, logé d'abord au grand commun, occupe après 1689 l'appartement du marquis de Dangeau, composé de six pièces, cuisine, office et garde-robe. Aussi reçoit-il « beaucoup de monde chez lui ; une grande et bonne table soir et matin, compagnie la meilleure et la plus distinguée, grande représentation en tout[37] ». Tous les logés n'ont pas ce confort. Même doublé d'un « trou d'entresol muni d'une cheminée », le premier appartement de M. le duc de Saint-Simon est minuscule. La plupart des courtisans habitent deux pièces sans cuisine ; les *potagers* (petits fourneaux pour réchauffer les plats) sont rares. L'entassement, accru par la domesticité, est prodigieux. Il est même devenu proverbial : « Dans les maisons royales, assure le *Dictionnaire* de Furetière, les courtisans sont logés fort *à l'étroit, étroitement*[38]. » Malgré de nouvelles constructions, la place continue de manquer ; les pièces sont alors entresolées ; grande et petite Écuries doivent abriter des courtisans sans rapport avec ces services.

Les appartements changent fréquemment d'occupants. Un déménagement en entraîne dix autres. A la date du 20 novembre 1689, Dangeau rapporte que « M. l'archevêque de Reims a troqué son appartement dans l'aile nouvelle [du Nord] pour se rapprocher de M. de Louvois, contre M. et Mme de Chevreuse, qui ont été bien aises de se rapprocher de M. de Beauvillier ; et Mme de Montmorency, pour suivre sa mère, a troqué le sien contre Mme de Châtillon, qui par là se trouve à portée de servir Madame très commodément. Ils sont tous contents de leurs nouveaux logements[39] ». Selon que l'heureux promu est célibataire ou marié, on taille une nouvelle distribution, ajoutant ou retranchant ici une pièce, modifiant là ses dimensions. Ces chassés-croisés sont coûteux car chaque installation oblige à des travaux de décoration exigés du nouvel occupant et payés par le roi. La bienveillance des Bâtiments fait aisément obtenir un déplacement de cloison ou de cheminée, un entresol ou un ornement à la mode. On prétend que Mme de Mailly a fait changer trois années consécutives la décoration de son logement. Aussi le roi déclare-t-il en 1700 « qu'il ne ferait plus la dépense des changements que les courtisans feraient dans leurs logements [40] ». Mais la menace fait long feu !

Sa Majesté n'est pas insensible aux incommodités de son palais. Aux courtisans zélés elle tente d'améliorer la vie quotidienne, offrant au duc de Gesvres dont l'appartement est « fort haut » un autre plus accessible, attribuant à la princesse de Soubise un logement proche de sa mère. Pourtant, dans le plus beau palais du monde règne l'inconfort. La saleté, « exagérée à plaisir par le XIXe et le XXe siècle », est moins répandue qu'on le croit. La légende veut que chacun se soulage derrière les portes et les retours d'escalier. Or, la transformation au temps de Louis-Philippe des appartements en salles de musée a « presque partout supprimé garde-robes [et leurs baignoires], cabinets de chaise et pièces de service [41] ». Si le luxueux appartement des bains est transformé dès 1684, le Journal du garde-meuble mentionne pour Versailles commandes et livraisons de linge de bain dont les chroniqueurs confirment l'utilisation. « Mme la duchesse de Bourgogne, note Dangeau un jour de juin 1705, se baignera [à Trianon] dans la chambre où Mme de Maintenon avait accoutumé de coucher [42]. »

Le froid demeure un compagnon fidèle. Des logements sont dépourvus de cheminées, et quand elles existent beaucoup se contentent de fumer. « Nous trouvons à Versailles, écrit le maréchal de Tessé, que les poêles enrhument et donnent des rhumatismes [43]. » Mme de Maintenon, sensible aux courants d'air, se réfugie dans sa fameuse « niche », « alcôve mobile capitonnée [...], dans laquelle on pouvait glisser plusieurs petits meubles et plusieurs personnes [44] ». Les lamentations de la Marquise lui valent un petit raffinement : l'hiver on place sur les croisées de son appartement un double châssis doré.

Vivre au milieu de la foule des courtisans et des domestiques exige d'être indifférent au bruit. Le vacarme qui règne dans les antichambres et les galeries bondées ne permet guère de se reposer. Lorsque le comte de Toulouse est opéré de la pierre, on ferme pendant quelques jours la grande galerie située au-dessus de son appartement.

« Ce pays-ci » cultive les contrastes. Les luxueux appartements royaux côtoient les logis minuscules des grands seigneurs. Mais aucune incommodité ne peut écorner l'orgueil de vivre dans le palais du soleil. A son fils tenté de le rejoindre dans l'appartement qu'il vient d'obtenir, Jean Racine écrit : « Ce ne serait pas un grand malheur que d'être obligé d'ôter le peu de meubles qu'il y a dans la chambre de la petite écurie, et de les porter dans l'une des deux chambres du château[45]. » Gageons que l'auteur d'*Athalie* sait manier la litote !

Des plaisirs toujours recommencés

Pour supporter tant de contraintes, un regard ou une parole de Sa Majesté ne suffit pas : il faut aux courtisans l'attrait des réjouissances, la séduction des divertissements. La cour ne les a jamais ignorés, mais, installée désormais à Versailles, en modifie la nature. Les grandes fêtes de plein air des premières années du règne ne sont plus renouvelées. Les jardins en avaient été le cadre. Ils semblent désormais « trop beaux ou trop achevés pour que le roi consente à les gâter par des installations provisoires[46] ». Les fêtes d'intérieur prennent alors le relais. A dire vrai, elles régnaient déjà dans le premier Versailles. Mme de Sévigné en a goûté les charmes en 1676 : « A trois heures [la cour] se trouve dans ce bel appartement du roi [...]. Tout est meublé divinement ; tout est magnifique [...]. On passe d'un lieu à l'autre sans faire la presse nulle part. Un jeu de reversis donne la forme, et fixe tout [...]. Cette agréable confusion, sans confusion, de tout ce qu'il y a de plus choisi dure jusqu'à six heures. S'il vient des courriers, le roi se retire pour lire ses lettres, et puis revient. Il y a toujours quelque musique qu'il écoute, et qui fait un très bon effet. Il cause avec celles qui ont accoutumé d'avoir cet honneur. Enfin on quitte le jeu [...]. On monte en calèche [...], on va sur le canal dans des gondoles ; on y trouve de la musique. On revient à dix heures ; on trouve la comédie. Minuit sonne ; on fait *medianoche*. Voilà comme se passa le samedi[47]. » La cour était alors nomade, les divertissements peu réguliers. En 1682, le roi fixe sa cour et règle ses plaisirs. Leur magnificence est telle que nul ne les croit menacés par la monotonie.

Au retour de Fontainebleau le 16 octobre 1682, Louis crée les lundis, mercredis et jeudis des mois d'hiver les soirées « d'appartements ». Ce qu'on appelait ainsi, écrit Saint-Simon, était « le concours de toute la cour, depuis sept heures du soir jusqu'à dix, que le roi se mettait à table, dans le grand appartement, depuis un des salons du bout de la grande galerie jusque vers la tribune de la chapelle[48] ». Les salles d'apparat, somptueusement meublées et bien éclairées, accueillent les divertissements de la cour. Chacune a une affectation précise. Le respect dû au trône royal n'interdit pas le magnifique salon d'Apollon de se transformer en salle de musique et de danse. La famille royale joue dans le salon de Mercure sans s'interdire les autres pièces pour disputer une partie de *bassette* ou de *lansquenet.* Dans le salon de Mars se tient le jeu auquel succèdent concert ou bal animés par des musiciens juchés sur deux tribunes de marbre de chaque côté de la cheminée. Le billard, « où le roi jouait souvent avec les meilleurs joueurs de la cour », occupe le salon de Diane. Autour de la table, des estrades recouvertes de tapis de Perse à fils d'or et d'argent permettent aux dames de suivre la partie. Dans le salon de l'Abondance sont dressés trois buffets pour les boissons chaudes et les rafraîchissements. Une magnifique collation, « où chacun allait boire et manger quand il lui plaisait », est servie sur des tables disposées autour du salon de Vénus. Pâtes de fruit, confitures sèches, fruits en pyramides dans un décor floral sont généreusement offerts aux hôtes de Sa Majesté. Ceux-ci, servis par quantité de domestiques qui ne songent « à autre chose qu'à prévenir [leur] intention », sont particulièrement choyés. Mais le charme de ces soirées est ailleurs. La qualité de la musique, la collation raffinée, la magnificence du décor — la galerie rassemble parfois toutes les tables de jeu — y ont leur part. Mais c'est l'esprit de liberté « répandu par la bonté du roi » qui séduit les courtisans. Suivi de son seul capitaine des gardes, Louis se promène familièrement parmi ses invités, défendant qu'on se lève à son approche. Ici l'étiquette suspend ses rigueurs. Il reste une aimable politesse.

Les jours sans appartement, on donne la comédie « trois fois par semaine » et un bal tous les samedis. Si brillant soit-il, un calendrier aussi régulier risque de susciter l'ennui. Madame Palatine n'a pas de mots assez durs pour stigmatiser ces plaisirs répétés. « L'appartement est une chose bien insupportable », écrit-elle ; les bals ne savent offrir que d'interminables menuets et, en fin de soirée, « on danse la contredanse les uns après les autres, comme les enfants récitent le catéchisme ». Les concerts n'ont pas davantage grâce à ses yeux : « Ce ne sont que des rabâchages, car on chante uniquement les vieux opéras de Lulli. Il m'arrive souvent de m'endormir en les écoutant[49]. » Madame est une princesse blasée. La foule qui se presse trois fois la semaine aux « appartements » témoigne au contraire de leur succès. Charlotte-Élisabeth de Bavière préfère, il est vrai, les joies du grand air. Un château installé à la campagne n'en est pas dépourvu.

Comme tous les Bourbons, Louis XIV est grand chasseur. Par goût et pour faire leur cour, la plupart des courtisans l'imitent. Peu après la mort de la reine, un accident au bras l'a contraint de courre le cerf dans une petite calèche, une « manière de soufflet » muni d'une capote de cuir pliante, attelé de quatre chevaux. Louis, qui délaisse la chasse au vol, aime « fort à tirer ». Le domaine de Versailles forme une immense réserve : un jour d'août 1685 on fait partir de l'une des faisanderies cinq mille perdrix et deux mille faisans à la fois. A Fontainebleau, chaque prince a son équipage et ses jours de chasse[28]. Le lundi et le jeudi sont réservés au roi, le mercredi et le samedi à Monseigneur — dont l'ardeur et le talent ont débarrassé les forêts de l'Ile-de-France de leurs loups —, le dimanche au duc d'Orléans. Les courtisans en faveur sont autorisés à les accompagner. Ils sont parfois si nombreux qu'ils gênent le plaisir du roi. Contrarié, Louis assure à ces chasseurs trop zélés « qu'ils ne [font] point du tout leur cour en le suivant comme cela[50] ». Les dames suivent en carrosse ou à cheval. Madame Palatine reconnaît avoir vu prendre plus de mille cerfs et être tombée vingt-six fois ! Les notations quotidiennes du marquis de Dangeau (« le roi alla tirer dans son parc », « Monseigneur courut le cerf », ou le loup ou le sanglier) prouvent que la chasse est distraction favorite à la cour. Elle est aussi sujet de conversation privilégié. Au lever comme au coucher, au grand couvert comme les soirs d'appartements, elle est l'innocente (le mot est de Louis XIV) préoccupation de chacun.

Rester une journée entière dans son palais est pour Sa Majesté une rareté. Le besoin de vivre en plein air fait alterner, avec les plaisirs de la chasse, les promenades dans les jardins. Louis ne se lasse pas de les faire admirer. A quelques visiteurs privilégiés — Leurs Majestés britanniques ou Mme Desmarets, femme du ministre — il accepte de servir de guide. Pour les familiers de Versailles, il ne dédaigne pas écrire vers 1690-1699 une *Manière de voir les jardins.* L'itinéraire conseillé a valeur de trajet obligatoire : « En sortant du château par le vestibule de la cour de marbre, on ira sur la terrasse ; il faut s'arrêter sur le haut des degrés pour considérer la situation des parterres des pièces d'eau et les fontaines des cabinets. Il faut ensuite aller droit sur le haut de Latone [...] et puis se tourner pour voir le parterre et le château. Il faut après tourner à gauche pour aller passer entre les sphynx [...]. On fera une pause pour voir le parterre du Midi, et après on ira droit sur le haut de l'Orangerie, d'où l'on verra le parterre des orangers et le lac des Suisses[51]. » L'âge et les incommodités venant, le roi accomplit ses promenades dans une petite chaise à roues. Un tableau de Pierre Denis-Martin nous le montre entouré de sa cour ainsi voituré devant le bassin d'Apollon. La mauvaise saison n'interdit pas ces promenades hygiéniques. « Le froid, écrit Dangeau en février 1697, n'empêcha point le roi d'être tout le jour dans ses jardins ; il attend le dégel avec impatience pour pouvoir chasser[52]. » Comme les jardins sont ouverts au tout-venant, les promenades royales sont parfois contrariées par la cohue. Pour ne plus « être accablé par la multitude du peuple qui venait de tous côtés et surtout de Paris », Louis ordonne en 1685 de n'y laisser entrer « que les gens de la cour et ceux qu'ils [mènent] avec eux[53] ». Mais le règlement intérieur du parc n'est pas immuable. Pour protéger les bosquets des outrages de la « canaille » qui gâte vases et statues, on les clôt de grilles. Puis l'ordre est rapporté, le roi voulant « que tous les jardins et toutes les fontaines soient pour le public ». Seul le Labyrinthe conserve sa clôture. Courtisans et visiteurs peuvent goûter sans interdit la nature domestiquée de Versailles. Cette liberté coïncide avec la faveur de Marly et de Trianon où Louis protège sa retraite en n'ouvrant les jardins qu'à ses invités.

On gagne Trianon en carrosse ou par eau. Les promenades sur le grand canal sont en effet un des plaisirs les plus appréciés. Ils exigent une véritable flottille qui compte en 1685 le grand vaisseau de M. de Langeron, une galiote venue de Dunkerque, une piotte, des chaloupes, des barques, deux gondoles et une galère. Officiers et matelots, charpentiers et calfats logent au lieu dit Petite-Venise, proche des appontements. Les marins doivent être en nombre suffisant. Dangeau note qu'après un nouveau recrutement « il y en aura soixante par jour [qui seront] toujours prêts quand le roi ou les courtisans voudront s'embarquer[54] ». Les fêtes données sur le grand canal sont un enchantement. Pour le mariage de M. le Duc, Sa Majesté et la cour se promènent jusqu'à dix heures du soir dans des barques magnifiques suivies par un « yacht dans lequel était toute la musique du roi, avec des timbales et des trompettes, chantant et jouant des airs de la composition de Lulli ». On débarque à Trianon (qui est encore celui de porcelaine) où l'on collationne dans les jardins « éclairés par un grand nombre de lustres de cristal ». « Après le souper, le roi vint se rembarquer sur le canal, au bout duquel était une magnifique illumination avec un feu d'artifice. Tout le château était pareillement illuminé, aussi bien que la plupart des plus beaux endroits du jardin ; ce qui faisait un objet très magnifique, et très agréable à voir du canal sur lequel le roi se promenait et duquel il ne revint qu'à une heure après minuit [55]. » Cette promenade nautique n'est pas plaisir ordinaire. Elle accompagne une fête princière. L'année du mariage de M. le Duc est d'ailleurs celle des réjouissances.

Les fastes de 1685

La paix de Ratisbonne, signée le 15 août 1684, marque, selon le mot de Saint-Simon, le « comble de gloire et de prospérité » du règne de Louis XIV. Malgré quelques déceptions diplomatiques, l'année suivante célèbre à Versailles les succès du grand roi. A ses divertissements réguliers la cour ajoute de belles cérémonies démontrant à chacun le prestige et le rayonnement de la France.

1685 s'ouvrit avec la traditionnelle procession des chevaliers du Saint-Esprit. Cette année-là les *cordons bleus* furent peu nombreux, la vieillesse et la goutte ayant interdit à beaucoup de quitter la chambre. Quelques promenades en traîneau, un souper offert aux dames la veille des rois (mais les invitées étaient « en petit nombre ») ne semblèrent guère augurer des réjouissances prochaines. La cour languissait un peu. Il était bruit de guerre contre Gênes. Mme de Maintenon était tourmentée par un rhumatisme, le roi par une fluxion dentaire, la petite vérole continuait à faire des victimes. Chacun vivait dans l'attente du carnaval. Ouvert à l'Épiphanie, il fut très brillant et enchanta la jeunesse. « De deux jours l'un il y avait appartement chez le roi, écrit le marquis de Sourches. Les autres jours on avait la comédie, l'opéra ou des mascarades dans le grand appartement auxquelles le roi semblait prendre quelque plaisir. » Monseigneur et ses compagnons s'amusèrent follement. On se déguisait en chauve-souris ou en perroquet, en vieillard ou en grand seigneur chinois. Le dauphin se masquait chaque soir de cinq ou six manières différentes : en tirant seulement un petit cordon il se métamorphosait devant le public ébloui. L'enthousiasme était tel que les barrières placées pour retenir les spectateurs furent souvent rompues. Un soir le roi fut surpris de voir l'appartement de Mme de Montespan transformé en foire de Saint-Germain : « Toutes les boutiques étaient tenues par des masques [...]. La fête fut fort jolie et fort galante, et le roi y fut assez longtemps. » Le 7 mars fut le premier jour du carême. S'il interdisait les bals, il n'excluait ni « appartement », ni comédie, ni course de bague ou de têtes. Apprécié, ce divertissement sportif suggéra de donner un grand carrousel après Pâques. Avril fut le mois d' « appartements » magnifiques : on avait ouvert la grande galerie aux joueurs, et les salons de la Guerre et de la Paix aux concerts. La cour s'apprêtait à suivre une cérémonie encore plus fastueuse.

Depuis quelques mois on annonçait à Versailles la visite du doge de Gênes. Malgré la loi lui interdisant de sortir de sa ville, Francesco Mario Lercaro venait lui-même présenter les excuses de la République coupable d'avoir fourni des galères à l'Espagne. Sa réception, le mardi 15 mai, fut l'occasion d'un déploiement de faste sans précédent. Le trône d'argent avait été placé au bout de la galerie, du côté de l'appartement de la dauphine. Un tapis de Perse à fond d'or servait de marchepied. Les princes de la famille royale (le dauphin, Monsieur, le duc de Chartres, M. le Duc, le duc de Bourbon, le duc du Maine et le comte de Toulouse) se tenaient aux côtés de Sa Majesté; derrière, les officiers de la Couronne et de sa maison (le grand chambellan, les premiers gentilshommes de la Chambre, le grand maître de la garde-robe). Au pied de l'estrade étaient MM. de Vendôme, M. le Grand, les princes de la maison de Lorraine et de Rohan. Introduits par le grand degré, les courtisans étaient rangés en deux files depuis la première salle de l'appartement jusqu'au bout de la galerie, éblouissante de son mobilier d'argent. Dans la cour l'agitation régnait. Le doge arriva vers onze heures et vint prendre ses habits de cérémonie dans la chambre des ambassadeurs. Gardes de la porte et de la prévôté de l'Hôtel étaient sous les armes. Dans l'escalier, les cent-Suisses formaient la haie, hallebardes hautes, puis, dans les deux salons suivants, les gardes du corps.

Quand, vêtu de velours rouge, le doge parut, la presse le contraignit à ralentir le pas : « Il fut très longtemps sans pouvoir approcher du roi. Enfin, étant venu jusqu'au pied de l'estrade [...], il commença sa harangue nu-tête, le roi étant encore couvert. » Le discours fut long « mais bien conçu ». Le doge se couvrit, mais enleva plusieurs fois son bonnet, « le roi mettant seulement la main au chapeau sans l'ôter ». Louis répondit « avec hauteur quoiqu'en termes honnêtes ». L'audience achevée, on le reconduisit avec les quatre sénateurs qui l'accompagnaient dans la vieille aile où on leur servit un magnifique dîner. L'après-midi il se rendit à l'audience chez tous les membres de la famille royale, à l'exception cependant des légitimés « qui connurent en cela qu'il y avait encore quelque différence entre eux et les véritables princes du sang ». Chaque fois la foule se pressait pour l'apercevoir ; chez Mme la dauphine « il y eut même du désordre et des miroirs cassés ».

A cinq heures et demie, Lercaro quitta Versailles « bien fatigué de tant d'audiences ». Deux jours plus tard il revint au château comme un particulier. Louis XIV, qui l'avait reçu en maître, l'accueillit en hôte parfait, lui offrant de visiter « toutes les fontaines et les autres magnificences du jardin et du parc de Versailles », et d'assister à « un grand bal à la française ». Dans ce but, on lança des invitations à « toutes les dames de la cour, tant celles qui demeuraient à Versailles que celles qui faisaient ordinairement leur séjour à Paris ». Le bal eut lieu le 23 mai. « La magnificence des dames et des cavaliers y fut dans l'excès », notait Sourches. « On dansa jusqu'à minuit, je n'ai jamais vu un bal plus magnifique », précisait Dangeau. Le 26, le doge prit congé du roi. « Il s'en fallut beaucoup, dit-on, qu'il y trouvât une si nombreuse compagnie. » C'est qu'après cette somptueuse réception — qui avait éclipsé la visite le 21 des ambassadeurs moscovites — la cour songeait déjà à d'autres cérémonies dont elle espérait même éclat [56].

Dix jours après le départ du doge, on donna malgré le mauvais temps le carrousel tant attendu. « Occasion de faste inhabituel et de mise en valeur des qualités physiques des concurrents [57] », ce divertissement était apprécié des courtisans. Beaucoup gardaient en mémoire celui des Tuileries de 1662 et se rappelaient les courses de bague et de têtes données à Versailles en 1664, 1667 et 1682. Le carrousel s'ouvrit le 4 juin : de longues répétitions l'avaient préparé. Il dura deux jours et débuta par une noble parade de chevaliers dans les cours du château puis en direction du manège, derrière la grande Écurie. Le cortège était magnifique, longue théorie de pages vêtus de « noir brodé d'or, de violet brodé d'or et d'argent, de gris de lin brodé d'argent, et de couleur de feu brodé d'or et d'argent », suivis de trompettes et timbaliers, écuyers, estafiers, valets de pied, maréchaux de camp tenant le rôle d'arbitres. Les chevaliers étaient répartis en deux quadrilles composées des plus importants seigneurs. Le sujet, emprunté à l'*Histoire des guerres civiles de Grenade,* opposait les Abencérages aux Zégris. Monseigneur commandait les premiers. Son habit, « très galant et très magnifique », était « incarnat, brodé d'argent, chargé de grandes boutonnières d'or, avec une mosaïque de velours noir découpée et brodée d'or, le tout chargé d'un grand nombre de rubis et de diamants ». Ses quatre brigades étaient formées de dix chevaliers vêtus d'or et noir, dix autres (nommés Gazules) de violet brodé d'argent, les Alabèzes de gris de lin brodé d'argent « avec beaucoup d'émeraudes », les Almoradis « d'une armure africaine à fond couleur de feu, avec une Méduse d'or au milieu du corps ». La quadrille des Zégris, dont les quatre brigades rivalisaient d'exotisme, était commandée par le duc de Bourbon. Les huit troupes entrèrent dans la carrière pour former un large front devant le roi et la cour, faisant « l'effet du monde le plus agréable ». Alors les courses commencèrent. Rythmés par les trompettes, les mouvements des cavaliers étaient parfaitement réglés « si bien [...] qu'il n'y eut aucun désordre ». Le prince Camille, fils de M. le Grand, emporta le prix — une épée enrichie de diamants — qu'il reçut des mains du roi. Les troupes se retirèrent dans le même ordre qu'elles étaient venues. Le lendemain vit la victoire du marquis de Pleumartin.

Un détail charma les spectateurs à la fin des épreuves. Le roi rentrant au château, « tous les chevaliers coururent pêle-mêle après son carrosse, la lance à la main, et le suivirent jusqu'au pied de l'escalier. Et cette confusion fut cent fois plus agréable que l'ordre qui l'avait précédée ». Malgré la pluie, le spectacle fut unanimement jugé magnifique. On dit qu'il coûta cent mille livres au roi et deux fois plus aux chevaliers. Le soir du 5 juin, nombre d'entre eux prirent congé de Sa Majesté, « les uns pour aller au camp, les autres [...] à leurs régiments qui sont en garnison ». Les divertissements de la cour n'entravent jamais les devoirs du service. Se divertir délasse du travail mais, le roi lui-même le rappelle, fournit « de nouvelles forces pour s'y appliquer ».

Malgré quelques incidents sur la frontière espagnole, 1685 fut année de paix. Rien ne contraria le renouvellement des plaisirs. Le 2 juillet, le marquis de Louvois reçut chez lui, à Meudon, le roi et sa cour. Après une promenade dans les jardins et sur les terrasses, une magnifique collation fut servie, accompagnée des violons et hautbois de l'Opéra. La pluie gâta cependant la joie du ministre de la guerre. Le 16 juillet suivant, M. de Seignelay, fils de feu Colbert, fut plus heureux, comme si les cieux avaient pris parti entre les deux familles rivales. La fête offerte à Sceaux fut une réussite. Depuis Versailles, huit mille lanternes éclairaient le chemin. La découverte du jardin, « un des plus beaux d'Europe », occupa Sa Majesté jusqu'au soir. Dans l'Orangerie, on avait dressé un théâtre pour y chanter *L'Idylle sur la paix,* composée par Racine et Lully à la louange du roi. Le souper fut servi dans le parc illuminé « par un million de petites lampes ». Aux extrémités d'une fontaine rectangulaire, le roi et Monseigneur présidèrent chacun une table. D'innombrables pots de fleurs et girandoles chargées de bougies créaient un décor féerique, relevé encore par la musique de Lully. Le roi, très satisfait de cette réception, la plus belle, dit-on, qu'on lui eût jamais donnée, regagna Versailles vers les deux heures après minuit. « Qu'il y a d'esprit et d'invention dans ce siècle ! jugea Mme de Sévigné après cette soirée qui avait rivalisé avec la fête de Vaux. Que tout est nouveau, galant, diversifié[58] ! »

Le mois ne s'acheva pas sans que d'autres réjouissances viennent divertir les courtisans. Les fiançailles du duc de Bourbon avec Mlle de Nantes, fille légitimée de Louis XIV, célébrées le 23 juillet dans le salon du petit appartement du roi, furent suivies d'une promenade sur le canal illuminé. Le lendemain, le mariage fut occasion de tenir un repas au grand couvert dans l'escalier de marbre et d'offrir un superbe festin dans la salle des gardes de la reine où les observateurs remarquèrent que, pour la première fois, princes du sang et enfants du roi mangèrent avec Mme la dauphine.

En août, Sa Majesté donna encore d'agréables soirées à Marly. Comédies, musique et ballets composaient des divertissements originaux. La princesse de Conti et la duchesse de Bourbon, qui dansaient à ravir, suscitèrent l'admiration. Le voyage de Chambord du 3 au 28 septembre, celui de Fontainebleau en octobre renouvelèrent les plaisirs de la chasse, des « appartements », du ballet et de la comédie.

Fêtes nouvelles et divertissements inattendus avaient rompu en 1685 l'uniformité de la vie à la cour. La faveur déclinante de Mme de Montespan, la disgrâce du cardinal de Bouillon, grand aumônier de France, et de son frère, grand chambellan, l'aventure hongroise des princes de Conti et de Turenne avaient nourri les bavardages des courtisans. Les conversions au catholicisme qui parvenaient massivement à Versailles achevaient de conforter l'autorité royale. Louis avait quarante-sept ans, mais mariages et naissances dans sa famille renouvelaient la jeunesse à la cour. A vingt-quatre ans, Monseigneur était père de deux fils et la dauphine était enceinte. La princesse de Conti et la duchesse de Bourbon, filles du roi, animaient Versailles. Tout promettait à la cour de France splendeur et gaieté.

« Un certain train qui ne change pas »

On prête souvent deux visages à la cour de Louis XIV, joyeux et libertin au début du règne personnel, grave et dévot à la fin. Mais on ne s'accorde guère sur la frontière chronologique qui les sépare. Le mariage secret du roi avec Mme de Maintenon en octobre 1683 paraît cependant à beaucoup l'origine fatale de l'éclipse versaillaise. Opposer les fêtes prestigieuses de 1664, 1668, 1674 aux ternes soirées d'appartements tenues sans le roi pendant la guerre de succession d'Espagne avait déjà tenté les contemporains. Encore ne faut-il pas outrer le contraste et imputer au mariage secret l'origine de l'atmosphère rigoriste de Versailles. La cour galante de Saint-Germain n'a pas ignoré l'ennui : dès 1670 Mme de Sévigné s'en afflige. En 1676, elle écrivait que la joie un peu excessive de la jeune duchesse de Sault n'était « plus de mode à la cour, où chacun a ses tribulations et où l'on ne rit plus depuis plusieurs années[59] ». Avant même l'installation à Versailles, Primi Visconti jugeait stupéfiants les changements observés depuis vingt ans : « Il semble que ce ne soit plus la même nation. Alors c'étaient partout bals, festins, banquets, concerts [...]. A présent, chacun vit retiré [...], peu de gens s'amusent, et encore il y faut de la circonspection, particulièrement à la cour[60]. » Il n'est pas jusqu'au vêtement qui ne trahisse cette précoce évolution. « Le courtisan autrefois, selon La Bruyère, avait ses cheveux, était en chausses et en pourpoint, portait de larges canons, et il était libertin ; cela ne sied plus : il porte une perruque, l'habit serré, le bas uni, et il est dévot[61]. »

Supposer, en revanche, que la cour de Louis XIV et de Mme de Maintenon ait, trente ans durant, ignoré plaisirs, joie et gaieté fait bon marché des fêtes, divertissements, cérémonies données à Versailles, Marly et Trianon. Le climat de la cour est plus nuancé. Succès et revers militaires, mariages et deuils ont fait alterner heurs et malheurs. L'année 1685 a multiplié les réjouissances qui ne s'achèvent pas avec la réception du doge de Gênes ou le mariage du duc de

Bourbon. Le 1er septembre 1686, la cour assiste encore à la pittoresque audience des ambassadeurs de Siam, dont le « bonnet blanc fort pointu », les prosternations répétées et leurs curieux gestes des mains vers les oreilles, signe de respect et d'admiration, intriguèrent et amusèrent les courtisans. Quand les diplomates se retirèrent « à reculons jusqu'au bout de la galerie, en faisant dans tout cet intervalle de profondes révérences de temps en temps[62] », chacun put, par comparaison, méditer la simplicité et le naturel de la cour de France. Les réceptions des ambassadeurs du Maroc en 1699 et de Perse en février 1715 furent encore occasion de magnificence. De belles réjouissances accompagnèrent aussi le baptême des trois enfants du dauphin (1687), le mariage du prince de Conti avec Marie-Thérèse de Bourbon, petite-fille du grand Condé (1688), celui du duc de Chartres, futur régent, avec Mlle de Blois, et du duc du Maine avec Mlle de Charolais (1692).

Les grandes fêtes, il est vrai, tendent à s'espacer. Restent les divertissements ordinaires, infiniment répétés. « Toujours les mêmes plaisirs, regrette Mme de la Fayette, toujours aux mêmes heures, et toujours avec les mêmes gens[63]. » La guerre de la ligue d'Augsbourg (1688-1697) contraint le roi à réduire le train de la cour. Marly subit les premiers retranchements. En décembre 1688, lassé de la « prodigieuse dépense » qu'il y faisait — « près de dix mille livres par jour » — Louis supprime les nombreuses tables dressées pour les courtisans. A Versailles bien des travaux sont suspendus. Le garde-meuble recourt à mille expédients pour diminuer les dépenses : on réemploie des boiseries réformées que l'on met au goût du jour, on tire parti d'anciens meubles pour éviter d'en créer de neufs. L'heure est au rapetassage. Les pensions sont réduites, rares sont les nouvelles. En 1689-1690, Sa Majesté se résigne à envoyer à la fonte sa vaisselle et son mobilier d'argent dessiné par Le Brun pour le grand appartement. Tables, guéridons, tabourets, coffrets, chandeliers, aiguières, vases, jusqu'aux balustres de sa chambre, toutes ces merveilles sont sacrifiées. Le cœur n'est plus aux divertissements. La cour vit quotidiennement dans l'attente du courrier des armées. Les combats endeuillent les familles. Chacun note les signes du nouveau climat. Louis XIV est devenu dévot, attentif aux devoirs religieux de ses courtisans, censeur de Madame Palatine jugée « trop libre en paroles ». L'ennui se glisse à Versailles. On donne toujours des comédies, mais le roi s'y fait rare. Louis croit découvrir dans les tragédies pieuses un moyen de « rétablir les divertissements » sans faillir à ses devoirs de chrétien. *Esther,* commandée à Racine par Mme de Maintenon, est donnée devant la cour réunie à Saint-Cyr le 26 février 1689. Le roi ne se lasse pas d'assister à cinq représentations successives. Le noble institut devient centre de vie mondaine :

Là mettant à profit les heures de loisir,
Le parterre chrétien s'instruit avec plaisir[64].

Mais que les dévots s'avisent du danger d'introduire le théâtre dans un couvent, et *Athalie,* répétée en présence de Sa Majesté, est interdite de scène !

La fin de la guerre interrompt cette morosité. Les traités de Ryswick à peine signés, on chante *Issé* de Destouches dans l'appartement du roi. Six semaines plus tard, en décembre 1697, la cour célèbre l'union du duc de Bourgogne avec Marie-Adélaïde de Savoie. La jeune princesse est arrivée en France l'année précédente. Elle a douze ans et apporte l'embellie à Versailles, sans reine ni dauphine depuis longtemps. Vive, enjouée, espiègle, elle fait renaître la gaieté. Sensible à son charme, le vieux roi cherche tous les jours quelque nouveauté pour l'amuser. La cérémonie de son mariage renoue avec le faste qu'on croyait perdu. Louis avait souhaité que la cour « fût magnifique, et lui-même, qui depuis longtemps ne portait plus que des habits fort simples, en voulut des plus superbes ». Courtisan, son entourage l'imite. « Ce fut, écrit Saint-Simon, à qui se surpasserait en richesse et en invention ; l'or et l'argent suffirent à peine [...], le luxe le plus effréné domina la cour et la ville, car la fête eut une grande foule de spectateurs[65]. » Elle occupe plusieurs journées. Le 7 décembre réunit après la messe tous les plaisirs dignes de l'événement : festin, concert, collation, jeu, feu d'artifice, souper... Le lendemain, on rétablit un usage abandonné à la mort de la dauphine : le cercle. Il commença à six heures chez la jeune princesse et fut « magnifique par le prodigieux nombre de dames assises en cercle et d'autres debout derrière les tabourets, et d'hommes derrière ces dames, et la beauté des habits[66] ». Le 11 décembre, un bal somptueux dans la galerie rassemble une foule immense. « Tous ceux qui avaient vu autrefois de semblables spectacles avouèrent qu'on n'avait jamais poussé en France la magnificence jusqu'au point où elle était allée ce jour-là[67]. » Trois jours après, un bal comparable fait encore l'unanimité : il « fut admirable, écrit Saint-Simon, et tout entier en habits qui n'avaient pas encore paru[68] ». Un opéra donné le 17 à Trianon achève les festivités.

« Tout à fait content » de sa petite-fille dont il vante les qualités, Louis XIV fait préparer pour elle l'appartement de la reine au château et un logement à Trianon. Les Bâtiments retrouvent leur animation et la cour une princesse pour égayer ses loisirs. Chacun cherche à lui plaire et satisfaire ainsi Sa Majesté. Versailles renoue avec une gaieté éloignée de tout excès — Mme de Maintenon y veille, la guerre de succession d'Espagne y contraint — mais commune à ses plaisirs. Nul n'est indifférent à la fraîcheur de la jeunesse. « Avant-hier, raconte Madame en 1698, le roi a permis aux trois princes et à la duchesse de Bourgogne d'aller pour la première fois à la comédie, [...] on donnait *le Bourgeois gentilhomme*. Le duc de Bourgogne en perdit totalement sa gravité : il riait à en avoir les larmes aux yeux ; le duc d'Anjou était si heureux qu'il restait là, la bouche bée, comme en extase, regardant fixement la scène ; le duc de Berry riait si fort qu'il faillit tomber de sa chaise ; la duchesse de Bourgogne qui sait mieux dissimuler se tint fort bien au début, elle riait peu et se contentait de sourire ; mais de temps en temps elle s'oubliait et se levait de dessus sa chaise pour mieux voir ; elle aussi était bien plaisante en son genre...[69] » La cour du vieux roi peut être enjouée, les fous rires et le naturel des princes le prouvent ; par la grâce de la jeune duchesse de Bourgogne, elle renoue avec les divertissements. Les bals que « tout le monde s'empresse de lui vouloir donner » attirent foule au château. Les mascarades rivalisent d'invention et de drôlerie. Le monarque ne dédaigne pas les voir et parfois y demeure assez tard. La fête des rois, prétexte à de grands festins, se passe « avec bien de la gaieté ». L'opéra renaît. La cour crée cinq œuvres nouvelles de Destouches, Monseigneur suscite la création à Marly de deux opéras de Philidor. De cette fièvre créatrice Madame témoigne à sa façon : elle rend son deuil insupportable (Monsieur est mort le 9 juin 1701). « J'entends dire tous les jours : aujourd'hui on joue un nouvel opéra, demain on jouera une nouvelle comédie. Cette année-ci [1701] il y a eu — ce qui ne s'est encore jamais présenté — six nouvelles comédies et trois nouveaux opéras. Je crois que le diable le fait exprès pour me donner de l'impatience dans ma solitude[70]. » Au monarque ces spectacles manquent moins. Mais Louis XIV ne transforme pas sa cour en éteignoir. « Le roi, note Dangeau en novembre 1710, veut que tout cet hiver il y ait ici beaucoup de divertissements, que presque tous les jours il y ait comédie ou appartement, quoiqu'il n'aille ni à l'un ni à l'autre[71]. » Ne fait-il pas dresser chez la duchesse de Bourgogne, alors enceinte, un théâtre où l'on joue trois fois la semaine ?

Mais 1710 est un tournant : cette année précède le temps des deuils. Monseigneur, amateur de carrousels, de mascarades et d'opéras, meurt le 14 avril 1711. Quand, dix mois plus tard, la duchesse de Bourgogne meurt à son tour, le 12 février 1712, la joie de la cour s'évanouit. Son mari, le nouveau dauphin, ne lui survit pas six jours ; le 8 mars, c'est le tour de leur fils aîné, le duc de Bretagne. Le 4 mai 1714, la mort fauche encore le duc de Berry. Elle n'épargne que l'arrière-petit-fils du roi, un enfant de quatre ans, le futur Louis XV. Après tant de malheurs, Versailles devient lugubre. Chez Mme de Maintenon, Louis se délasse des affaires avec ses musiciens. Les comédies de Molière qu'ils interprètent en se faisant acteurs ne sont plus que le lointain souvenir des fêtes galantes. Pour la jeunesse de la cour, Versailles n'est plus qu'une coquille vide. Pour qui veut fuir l'ennui et la solitude Paris offre ses charmes.

Les séductions de la Ville

Le devoir du parfait courtisan est de fréquenter le palais du prince ; son espoir, partager son intimité à Marly ou Trianon ; sa récompense, participer à ses plaisirs. La cour est son univers. L'hôtel à Paris ou son château en province ne sont guère que pied-à-terre — pour régler quelques affaires domestiques —, retraites où la maladie, la dévotion conduisent sur le tard. Louis XIV régnant, les courtisans ont fait à Versailles des prodiges d'assiduité. Moins souriante, souvent monotone, parfois ennuyeuse, la cour des dernières années du règne demeure fréquentée — « Jamais [elle] n'a été plus grosse », observe Mme de Maintenon un jour de 1714[72] — mais la vie semble l'avoir abandonnée. « On ne tient plus de cour du tout », martèle Madame Palatine[73]. Depuis la mort de la duchesse de Bourgogne, aucune princesse ne préside les soirées versaillaises. Devoirs publics remplis, Sa Majesté se retire de la foule, s'enferme chez Mme de Maintenon avec ses ministres ou ses musiciens. Les fêtes abandonnent le grand appartement pour se réfugier dans des cercles intimes. Les petits divertissements tiennent la place des grands spectacles. Des seigneurs mélomanes offrent chez eux des concerts de qualité à quelques familiers : la princesse de Conti emploie ainsi deux fois par semaine les meilleurs musiciens du roi.

Le lecteur familier du Journal de Dangeau ou des Mémoires du marquis de Sourches reconnaît le glissement insensible des nouvelles inaugurées par la formule « le roi entendit... », « vit la représentation... », « donna le divertissement »..., aux informations inspirées par les initiatives de sa famille : « le soir, il y eut un bal en masque chez la duchesse de Bourgogne... » (ou chez Monseigneur), « grand jeu l'après dîner chez Mme la Duchesse... », « bal pour les petites princesses ». A ces réunions de société le monarque consent parfois à faire une apparition, sans jamais s'y attarder. S'il exige le maintien des divertissements auxquels il ne participe plus, il blâme les princes coupables de s'amuser ailleurs qu'au château. Or chacun de ses enfants a souhaité posséder une maison personnelle pour échapper de temps à autre à la mécanique de la cour. Monseigneur avait hérité de la grande Mademoiselle sa belle maison de Choisy : « en avoir une de plaisance où il pût aller seul quelquefois avec qui il voudrait » le comblait. A défaut d'interdire à son fils de faire la cour buissonnière — à trente-deux ans le dauphin pouvait y prétendre — le roi voulut le rapprocher de lui. Il fit l'acquisition du château de Meudon, « bien plus vaste, et extrêmement superbe par les millions que M. de Louvois y avait enfouis », et le lui offrit. Monseigneur, écrit Saint-Simon, « n'en voltigea que de plus en plus de Versailles à Meudon, où, à l'imitation du roi, il fit beaucoup de choses dans la maison et dans les jardins ». Jusqu'à sa mort, il y présida « un cercle fermé et raffiné[74] ». Les légitimés eurent aussi leur refuge. Le duc du Maine tenait de sa mère, Mme de Montespan, le superbe château de Clagny ; sa sœur, Mme la Duchesse, possédait la maison du Désert dont le parc s'ornait d'un pavillon des bains ; le comte de Toulouse avait reçu du roi le château de la Bretèche[75].

Que ces demeures soient proches de Versailles — Clagny a été construit en contrebas — importe peu. Passer quelques jours ailleurs qu'au palais, éviter la foule des courtisans et des solliciteurs, jouir d'un peu de liberté suffisent à leur donner un charme incomparable. La « maison de ville » de Mlle de Blois, veuve du prince de Conti, est le rendez-vous très apprécié d'une petite société rieuse, mélomane, aimant les plaisirs. Dans le pavillon des bains qu'elle a fait aménager et meubler magnifiquement, elle offre fêtes intimes, concerts, collations à quelques seigneurs et dames choisis. Dans sa galerie, elle dépense, dit-on, deux ou trois cents pistoles pour un théâtre à machines permettant de belles mises en scène. Le 9 janvier 1700 elle donne *Alceste,* opéra de Lully, « dont la plupart des acteurs furent des personnes de la cour ». Ce spectacle, écrit le marquis de Sourches, « ne fut vu que de très peu de gens[76] ». Telle est la séduction première de ces divertissements : des invités choisis (et non la foule des gens de cour), des plaisirs et des goûts communs (et non les réjouissances imposées au palais).

Dans son château de Sceaux, la duchesse du Maine, petite-fille du grand Condé, organise depuis 1699 de semblables fêtes dramatiques, chorégraphiques et musicales. « La contrainte qu'il fallait avoir à la cour l'ennuya, explique Mme de Caylus, elle alla à Sceaux jouer la comédie[77]. » Pour le carnaval de 1713 on donne *L'Hôte de Lemnos*, l'année suivante *Athalie*. On joue, on danse. En 1714 et 1715, de quinzaine en quinzaine, chacun des invités a le devoir d'organiser (à ses frais) une soirée. Les seize *Grandes Nuits*, où règnent magnificence, esprit et gaieté, rassemblent la jeunesse de Versailles. Sceaux est plus qu'une aimable villégiature ; c'est une cour rivale de celle du roi. Ses « assemblées sont presque strictement aristocratiques[78] ». La maison des champs que possède la duchesse à proximité du château de Louis XIV renforce ce caractère : de grands seigneurs y viennent en voisins. Si la société de Sceaux symbolise l'assoupissement de la cour, le salon de Mme de Lambert illustre la renaissance des foyers littéraires parisiens. Rue de Richelieu, et après 1698 à l'hôtel de Nevers, la marquise rêve de ressusciter l'atmosphère de la *Chambre bleue*, d'être une nouvelle Arthénice. Elle ne fréquente guère Versailles (Mme de Rambouillet boudait aussi le Louvre), mais reçoit les mardis et mercredis gens de cour et gens de lettres, convaincus du rôle mondain que la bonne société parisienne doit à nouveau jouer[79]. Paris relaie Versailles, la sociabilité des Lumières est en germe.

Les courtisans redécouvrent le chemin de la capitale. L'exemple, il est vrai, vient de haut. Si le roi néglige Paris depuis 1672, Monseigneur fréquente sans cesse la ville. Fidèle à l'Opéra, il ne manque aucune première, y entraîne ses fils Bourgogne et Berry, Mme la Duchesse et la princesse de Conti. De grands soupers retiennent tard dans la nuit ces transfuges de Versailles. En 1713 par exemple, le duc d'Ossone, donna une soirée « où étaient conviés plusieurs dames de la cour et plusieurs courtisans ; nous étions, écrit Dangeau, près de trente à table. Il y eut grand bal après souper, où les masques n'entraient que par billets[80] ». On danse aussi au bois de Vincennes et au Cours-la-Reine, alors promenades à la mode. La nuit « il y a presque autant de carrosses qu'aux heures où on y allait d'ordinaire ». Dans l'allée centrale du Cours, six voitures peuvent rouler de front. Portière contre portière, on échange des mondanités, on noue des aventures sentimentales.

Paris redevient capitale des plaisirs. Pour eux la jeunesse boude les soirées de Versailles où le roi ne vient plus. La génération née en 1690-1695 — celle de Mlle de Chartres, future duchesse de Berry, celle des enfants de M. le Duc — a été élevée dans un palais endeuillé par la guerre et les décès princiers. Sa quête de liberté s'accommode mal de l'atmosphère rigoriste de Versailles, de ses divertissements sans fantaisie. En réaction contre une cour où — Spanheim le notait en 1690 — « tout paraît plus concerté, plus réservé, plus contraint, et aussi moins libre, moins ouvert, moins réjouissant [81] », elle s'abandonne à des débordements et à une intempérance qui affligent Mme de Maintenon et provoquent souvent la colère du roi. « Je me garderai bien, écrit celle-ci à la princesse des Ursins, de vous faire une description des mœurs présentes, il me semble que je pécherais contre l'amour qu'on doit avoir pour sa nation. [...] Les maris s'accommodent des promenades nocturnes ; ce sont eux qui les facilitent. [...] Les hommes sont pires que les femmes ; ce sont eux qui laissent ruiner leurs maisons, qui veulent que leurs femmes prennent du tabac, boivent, jouent, ne s'habillent plus. [82] »

Depuis 1682 de bons esprits n'ont jamais manqué de dénoncer les désordres de la cour. De François Hébert, curé de Versailles, à Madame Palatine, en passant par le cercle des dévots, beaucoup ont condamné la fureur du jeu et la dépravation des mœurs. « Partout, écrivait Hébert, on ne voyait que des assemblées de joueurs qui employaient à cette indigne occupation la plus grande partie du jour et de la nuit. Les jeux où l'on pouvait, d'un coup de dés ou sur le hasard d'une carte, gagner le plus, étaient le plus à la mode. » Seule la crainte de savoir leurs excès connus du monarque retenait les disciples de Bacchus et les fidèles de Sodome. Le mal n'était pas général, mais les noms illustres des coupables (la duchesse de Berry ou le duc de Vendôme) ternissaient l'image d'une cour jusque-là disciplinée. Après les terribles années 1708-1712, les promesses de la paix suscitent un besoin de dissipation et de jouissance que la capitale est prête à satisfaire. Si les courtisans « n'osaient pas se déclarer si ouvertement à Versailles ou dans les endroits où le roi demeurait, poursuit le curé Hébert, ils couraient à Paris, où il n'y avait point d'excès, quelque abominables qu'ils fussent, qu'ils n'y commissent [83] ». Le duc d'Orléans et ses roués du Palais-Royal, Mme la Duchesse et M. de Lassay, son amant, prennent la tête de joyeux cortèges avides de plaisirs. Entre les deux villes, la route est encombrée au petit matin de carrosses reconduisant au palais de Sa Majesté les corps fatigués des nuits parisiennes. Les mœurs dissolues de la Régence généraliseront ces dérèglements.

Les charges commensales ou la faveur du prince retiennent encore la noblesse de cour au château. Mais celle-ci se laisse tenter par la construction d'hôtels dans la capitale. Elle ne déserte pas la cour, mais abandonne Versailles. Au moment où Louis XIV se détache de son palais au profit de Marly, rien ne la retient dans la ville royale. Dès 1690 elle n'y construit plus. L'hôtel de Courtanvaux excepté, les résidences nouvelles des grands seigneurs sont parisiennes. Quinze années avant l'abandon de Versailles par le Régent, Paris attire l'aristocratie. En 1704 s'ouvre rue de Paradis le chantier de l'hôtel de Soubise, aux dimensions d'un palais ; de 1705 à 1708, l'architecte Delamaire élève l'hôtel du grand aumônier de France, Armand-Gaston de Rohan. Depuis 1697, Lassurance, Robert de Cotte, Bruant fils, Boffrand construisent des hôtels dans le faubourg Saint-Germain. Leurs portails portent les noms de la noblesse de cour. Colbert de Blainville, grand maître des cérémonies, y attire ses cousins, le marquis de Torcy et le comte de Seignelay. De nobles étrangers viennent parfaire leur éducation dans les académies qui naissent. De l'autre côté de la Seine, le faubourg Saint-Honoré se peuple[84].

La capitale séduit à nouveau les grands seigneurs qui, trente ans durant, ont accepté de vivre à Versailles. Paris s'apprête à redevenir lieu de plaisirs, foyer de culture et de sociabilité. La Ville est promise à concurrencer la Cour.

CHAPITRE XIV

La mécanique de la cour

Depuis que je suis ici, les charges de chez le Roi ont toutes changé sauf celle de grand veneur ; il avance tous ceux qui servent auprès de sa personne, ce qui fait qu'il est bien servi et que tous les grands seigneurs s'empressent d'acheter des charges dans la Cour, ce qui la rend considérable et la remplit de gens de qualité.

Le marquis DE SAINT-MAURICE

Il n'y a point dans les couvents d'austérités pareilles à celles auxquelles l'étiquette de la cour assujettit les grands.

Mme DE MAINTENON

La mécanique de la cour de Louis XIV paraît si achevée, son rayonnement si universel que le roi-soleil semble l'avoir créée d'une pièce. Nous savons qu'il n'en est rien. Les Valois sont les inventeurs responsables de la cour, les Bourbons, leurs héritiers. Si Henri IV et Louis XIII avaient su la préserver des désordres, Louis XIV ne serait que l'épigone de Henri III. Les maladresses et l'agitation de la cour des premiers Bourbons l'ont servi : sa remise en ordre l'a posé en créateur. Louis a façonné, modelé, pétri la cour, il ne l'a pas créée. Les contemporains ne l'ignoraient pas : le père Bouhours datait même le sommet de la civilisation des mœurs d'avant 1659 : Anne d'Autriche et les Précieuses n'y sont pas étrangères [1]. Louis XIV a poursuivi l'œuvre entamée. Sous son règne on gardait la nostalgie de la cour des Valois dont *La Princesse de Clèves* vantait encore en 1678 « l'éclat et la magnificence ». La cour de France n'est pas sortie en 1661 tout armée et policée du casque empanaché d'un roi baroque.

Elle avait déjà ses traditions, ses usages. La gloire de Louis XIV est de les avoir ravivés et perfectionnés. Les éléments d'une cour brillante existaient, mais restaient dispersés, parfois gâtés. Louis les réunit en bouquet pour composer une cour unique au monde.

Le roi et sa Maison

Par un curieux paradoxe, la récente agitation nobiliaire, tout en cherchant à réduire l'autorité du souverain, avait étoffé ses services domestiques. Non que l'amélioration de la vie quotidienne du prince ait été le premier souci des gentilshommes turbulents. Leur volonté d'appartenir à l'entourage du roi tenait davantage à leur quête de privilèges et au goût du pouvoir. Affaiblie, la monarchie avait été tentée de se concilier ses adversaires en les accueillant dans les maisons royales. Forte, elle étendait la remise en ordre du royaume à l'entourage du prince. Le temps des régences avait multiplié les commensaux. La Fronde vaincue, leur réduction s'impose. Mazarin, digne successeur de Richelieu, la tente. La complicité de quelques grands dignitaires de la cour avec les princes rebelles fournit l'occasion. Le roi condamne aussi les offices inutiles de sa Maison, surcharge financière intolérable. La rupture avec un passé troublé et le soulagement des contribuables sont prétextes pour diminuer les effectifs des serviteurs du prince. Trois cent vingt et un en 1650, les maîtres d'hôtel sont ainsi réduits à douze en 1661. La déclaration du 30 mai 1664 annonce d'autres réductions[2]. L'autorité retrouvée permet au roi de décharger sa Maison de commensaux surnuméraires. Ces suppressions ignorent toutefois les petits emplois, indispensables au fonctionnement des services. Bouche, commun, fruiterie, fourrière, chargés de préparer les mets, fournir bois et chandelles, recrutent même un personnel nombreux dont l'augmentation accompagne l'affluence des gentilshommes à la cour. La création en 1664 du *petit commun* pour servir les tables du grand maître et du grand chambellan accroît encore la foule des domestiques. A défaut de réduire définitivement les effectifs des services traditionnels ou annexes (écurie, chasse) de sa Maison, Louis XIV les a stabilisés. Les dimensions de la cour ont imposé l'augmentation des serviteurs les plus humbles, mais pas celle des officiers de la maison du roi, moins nombreux sous Louis XIV qu'au temps des derniers Valois.

On imagine volontiers le roi-soleil entouré d'une foule de dignitaires : il en a diminué le nombre. On le soupçonne de les avoir comblés de faveurs : il a entamé les privilèges des commensaux les mieux placés. En accordant la noblesse aux valets de chambre et de garde-robe, portemanteaux et huissiers de la Chambre, ses prédécesseurs avaient montré une générosité condamnée par l'opinion. Louis révoque ces édits trop libéraux. L'arrêt du Conseil du 24 mars 1699 permet à tels commensaux du deuxième ordre de prendre la qualité d'écuyer et de la conserver après vingt-cinq ans de service, « sans qu'en aucun cas elle puisse passer à leurs descendants ». Pour déjouer toute usurpation, l'arrêt du 15 mai 1703 les contraint à ne porter cette qualité qu'en la faisant suivre de l'intitulé de leur charge[3]. Par le jeu des privilèges accordés, suspendus, rétablis, le monarque s'assure la fidélité de ses serviteurs.

Créer des offices est un droit régalien : la maison du roi, assurant le service particulier du prince et participant de près à la dignité royale, y est soumise. Le souverain lui applique les règles en usage dans l'administration de la justice et des finances. Il peut ériger des emplois de la cour en titre d'office. Décision qui vaut une grâce tant il est flatteur d'être officier de Sa Majesté. Comme à ses magistrats, le roi accorde des survivances aux officiers de sa Maison, soit l'assurance de succéder au titulaire dès son décès. En 1701, il donne à Nyert, premier valet de chambre en quartier, la survivance de sa charge pour son fils de quinze ans. Le roi récompense ainsi de fidèles serviteurs. Seignelay, fils du ministre Colbert, reçoit la survivance de maître de la garde-robe ; en 1688, Courtanvaux, fils aîné de Louvois, obtient celle de capitaine des cent-Suisses dont un de ses parents était pourvu[4]. La faveur étonne la cour : « Cet exemple était extraordinaire, commente Sourches. On n'avait encore guère vu de parents qui fussent en état de se marier, se dépouiller de la propriété d'une grande charge en faveur de collatéraux[5]. » A la fin du règne toutefois, Louis XIV ne donne plus de telles survivances.

Les brevets de retenue sont aussi grâces royales permettant aux officiers de recevoir de leurs successeurs une somme d'argent fixée par le souverain. Soixante mille livres est le brevet de retenue accordé en 1692 à Bonrepaux, lecteur du roi, cinquante mille à Langlois, maître d'hôtel. Le duc de Tresmes, premier gentilhomme de la Chambre, est gratifié d'un brevet de quatre cent mille francs en 1707, augmenté de cent mille livres quatre ans plus tard. Les sommes élevées ne découragent pas les amateurs. « Beaucoup de gens, et gens considérables même, écrit Dangeau en 1688, ont demandé au roi la charge de grand fauconnier en payant les deux cent cinquante mille francs de brevet de retenue ; on prétend même qu'un homme de grande qualité a offert d'en donner deux cent mille écus[6]. » Le jeu des faveurs permet au monarque de rester le maître de sa Maison. Lorsque le duc de Bouillon reçoit en 1695 une « augmentation de brevet de retenue de deux cent mille livres, sur la charge de grand chambellan de France outre et par-dessus le brevet de six cent mille livres qu'il avait déjà[7] », les courtisans s'émerveillent du bienfait. Les esprits perspicaces comprennent qu'il signifie le refus royal de donner la survivance au fils aîné du duc.

S'ils échappent théoriquement à la vénalité, les offices sont pourtant vendus. Un ambassadeur vénitien attribuait le trafic des charges de la maison du roi — « maître d'hôtel, gentilhomme de la chambre, valets, capitaines de la garde... » — à Henri IV[8]. La restauration des finances royales après les guerres civiles avait imposé cet expédient. Le premier Bourbon vendait sans retenue, indifférent aux protestations de sa noblesse. Bien des ordonnances prohibèrent ce « trafic déshonnête », aucune ne fut appliquée. La vénalité des offices de la maison du roi, de la reine et des princes triompha. Sous Louis XIV elle était devenue commune. Achats et ventes retiennent ainsi l'attention des chroniqueurs de la cour, détaillant à l'occasion la finance de l'office, les pots-de-vin complémentaires, ses revenus et casuel. On apprend ainsi que le grand maître des cérémonies a quatre mille francs de gages, mais mariages, baptêmes, pompes funèbres et *Te Deum* doublent cette somme. Telle charge ne paraît « pas trop chère » à nos observateurs, telle autre leur semble surestimée. Le roi préside à ce trafic, accorde ou refuse la permission de se défaire de son office, d'en disposer en faveur d'un parent. La règle veut que les charges reçues directement de Sa Majesté ne puissent être vendues, mais le roi accorde des dérogations.

Les principaux officiers de la Maison sont choisis par le roi. Il reçoit leur serment. Les moins notables sont nommés par les chefs d'offices : l'assentiment royal suffit. Ainsi le grand chambellan désigne-t-il lui-même les gentilshommes de la Chambre, le grand prévôt de l'Hôtel ses lieutenants et archers, le grand maître pourvoit le premier rang des « sept offices », celui des « chefs », autorisés à leur tour à nommer « aides et sommiers ». Le pouvoir de nomination est parfois étendu au-delà des limites de la cour. Les grands veneur et louvetier ont le choix des veneurs et louvetiers par tout le royaume. La liberté des chefs d'offices est toutefois réglementée. Certaines charges sont soumises au recrutement noble, d'autres ouvertes aux roturiers : ces conditions doivent être respectées. En obligeant les candidats à s'inscrire sur l'état des gages, le roi dispose d'un moyen de contrôle sur les commensaux recrutés à son insu. Car la tentation est grande chez les dignitaires de la cour de se constituer une clientèle, de s'enrichir du trafic des charges qu'ils contrôlent et des résignations qu'ils négocient. Le casuel confortable du grand fauconnier (quinze mille livres annuelles) provient des offices vendus par ses soins. Dangeau reconnaît que la vacance d'une charge de maître d'hôtel à la nomination du grand maître est une « aubaine pour M. le Duc de 20000 écus pour le moins[9] ».

Sa Majesté veille à contenir la liberté de ses commensaux. Les maisons princières sont aussi sous son regard. Elles sont moins nombreuses et plus modestes qu'au temps des Valois. Avec la mort d'Anne d'Autriche (1666) disparaît définitivement dans l'histoire de la cour la maison de la reine mère. Celle de Marie-Thérèse, reine de France, est la seule maison féminine jusqu'au mariage du dauphin (1680). Curieusement, Monseigneur n'a pas de véritable maison — sauf les six gentilshommes attachés à sa personne, nommés *menins*, et quelques autres officiers transfuges de la maison du roi — alors qu'on en constitue une à la dauphine Marie-Anne de Bavière. La mort de la reine (1683) puis celle de la dauphine (1690) libèrent leurs officiers et serviteurs et privent la cour d'un cercle féminin jusqu'au mariage du duc de Bourgogne (1697). La formation de la maison de la jeune duchesse Marie-Adélaïde de Savoie est longtemps la préoccupation majeure des courtisans. Le roi, et non son petit-fils, détermine lui-même le nombre de ses officiers, fixe la valeur des charges, nomme les titulaires. Le marquis de Dangeau croit savoir, cinq semaines avant les noces, que deux cent cinquante charges ont été attribuées. Les candidats se pressent. Ceux qui avaient appartenu à la reine Marie-Thérèse ou à Mme la dauphine tentent de se placer, les laissés-pour-compte sont parfois dédommagés. Si les grandes charges sont l'objet d'une compétition sévère, les petites se vendent mal et obligent à différer jusqu'au 1er février 1698 le moment où la duchesse de Bourgogne sera enfin servie par ses propres officiers.

L'innovation majeure concerne le serment que ces derniers doivent prêter. « Le roi a réglé, écrit Dangeau, que, quoi que ce fût lui qui ait donné les charges, nous [le marquis est chevalier d'honneur de la duchesse] prêterions serment entre les mains de la princesse après son mariage[10]. » En 1710, celle dont la jeunesse et l'esprit égaient

Versailles reçoit le gouvernement entier de sa Maison et la disposition de toutes les charges vacantes. Louis XIV accorde ainsi à sa petite-fille une confiance que ni la reine ni la dauphine n'avaient obtenue. Intrigué par cette bienveillance, un courtisan interroge le roi à son coucher : « Apparemment, Sire, elle vous rendra compte de ce qu'elle fera là-dessus ? — Je me fie assez à elle, répond le roi, pour ne vouloir pas qu'elle me rende compte de rien, et je la laisse maîtresse absolue de sa maison. Elle serait capable de choses plus difficiles et plus importantes [11]. »

La duchesse de Bourgogne est promise — nul n'en doute alors — au trône de France. Le roi la prépare, grâce à des responsabilités domestiques, aux grandes tâches qui l'attendent. S'il ne permet aucune atteinte à l'organisation de sa cour, Louis XIV sait que le service de l'État (« choses plus difficiles et plus importantes ») l'emporte sur la liberté de choisir des serviteurs. Ce n'est pas par autoritarisme maniaque qu'il surveille la constitution des maisons princières, mais pour restreindre l'indépendance des courtisans, faire avorter les coteries. Aussi Sa Majesté a-t-elle veillé à la qualité des commensaux de ses enfants.

Si la liberté accordée à la duchesse de Bourgogne étonne, c'est que les courtisans âgés se rappellent combien celle de Monsieur avait été bridée. Louis a pris soin de contrôler la maison de son frère et, après sa mort en 1701, celle de Philippe d'Orléans. Toute nomination, tout trafic de grandes charges ont été soumis à l'agrément du monarque.

Rester maître de sa Maison exige de Louis XIV une attention constante au recrutement des commensaux. Le roi veille à contenir les ambitions les plus actives — jusqu'aux dernières années du règne les charges de cour demeurent convoitées —, récompense les vieux serviteurs, encourage les courtisans zélés, préserve le rang des membres de sa famille sans céder à l'inflation des offices. Chacun à Versailles évalue les chances des candidats. Les recommandations ne sont pas inutiles. Elles aident le souverain à recruter ceux qui ont fait leurs preuves auprès des gentilshommes de la cour. Le cumul ne choque pas. Des grands offices aux charges plus modestes, il est courant. Ce sont ses qualités d' « écuyer cavalcadour » du roi qui valent à La Haye d'être agréé comme écuyer et chambellan ordinaire du duc de Berry. Solliciter une charge mobilise parents et alliés. Un office est-il vacant ? Les intermédiaires s'activent, on se presse aux nouvelles, on déjoue les manœuvres, on fait valoir les meilleurs arguments. Pour convaincre le roi d'accorder la charge de premier gentilhomme de la Chambre à son petit-fils, la duchesse de Créqui « qui n'était pas sortie de sa chambre depuis six mois, fit un effort [...]. Elle lui représenta qu'elle avait eu l'honneur de sucer le même lait que Sa Majesté, et le conjura de ne pas priver le prince de Tarente d'une charge dans laquelle son père et son grand-père l'avaient si bien servie ; elle toucha le Roi, les larmes lui vinrent aux yeux, et il lui accorda la charge [12]. » La maison du roi attire les grands. Le génie de Louis XIV a été de donner prestige et dignité à son service domestique.

Les heures réglées de Sa Majesté

« La cour est la chose du monde la plus belle au lever du Roi. J'y fus hier, il y avait trois salles pleines de gens de qualité et une foule et une peine qui n'est pas croyable à entrer dans la chambre de Sa Majesté et plus de huit cents carrosses devant le Louvre [13]. » Le marquis de Saint-Maurice date sa lettre du 11 novembre 1667. Changez le dernier mot, remplacez Louvre par Versailles, son témoignage vaut pour 1687 ou 1707. Chaque jour de son règne, du lever au coucher, Louis XIV n'a cessé d'attirer les regards et recueillir les hommages. Si ses père et grand-père ne s'embarrassaient pas de cérémonial, les gestes de Louis, tous les moments de sa longue vie sont ritualisés. De ce spectacle les familiers du Louvre, de Saint-Germain ou de Versailles sont acteurs. La cour est un magnifique ballet où chacun a sa place, premiers rôles et figurants. La chorégraphie a tracé les pas, dessiné les mouvements, réglé jusqu'au moindre port de tête. Cet art se nomme étiquette. Le roi et son entourage sont soumis à ses règles.

Il est encore tôt. Versailles sort à peine de la quiétude de la nuit quand les antichambres bruissent déjà de l'entrée des courtisans. Le roi va se lever, première heure réglée à laquelle les plus assidus se rendent. Car l'homme de cour n'est pas seulement familier des grandes cérémonies ou des divertissements hebdomadaires. Il est témoin, et parfois associé à chaque moment de la vie quotidienne de son roi. C'est donc un lève-tôt et un couche-tard. Trois ou quatre pièces du château sont le cadre du cérémonial, l'espace privilégié pour ceux qui y sont admis. Le matin, le gros des courtisans est tassé dans la salle des gardes et la première antichambre ; la seconde rassemble les plus considérés, la chambre du roi va s'ouvrir d'abord pour eux.

La foule se presse, on se salue, on échange les nouvelles de la veille. Les plus éloignés du sanctuaire bavardent si bruyamment qu'un huissier doit les rappeler à l'ordre. Depuis une heure Sa Majesté est réveillée.

Chacun sait qu'à l'heure fixée par le roi — généralement sept heures et demie — le premier valet de chambre s'est approché du lit aux rideaux encore fermés pour murmurer : « Sire, voilà l'heure. » Le premier médecin, le premier chirurgien et, jusqu'en 1688, la vieille nourrice du roi ont été introduits. Le « petit lever » s'offre à quelques privilégiés. Y assistent les titulaires des grandes charges de la Chambre et de la garde-robe (le grand chambellan, les premiers gentilshommes, le grand maître et le maître de la garde-robe, les premiers valets de chambre) et les courtisans jouissant des *grandes entrées*, « si rares, si estimées, si utiles ». La naissance ne les donne pas. Ainsi « les princes du sang n'ont aucune entrée par leur rang [14] ». Ce n'est qu'après son mariage avec Mlle de Nantes, fille légitimée du roi, que M. le Duc, « qui les souhaitait depuis longtemps », les obtient. Ni le grand Condé, ni son fils M. le Prince ne les ont eues. Leur cousin Conti les reçoit en août 1684 (quelques jours après le duc du Maine) mais le roi les lui retire après son retour de Hongrie l'année suivante [15]. Toutes les charges de la Couronne ne donnent pas « cette privance » que n'ont ni le grand aumônier, ni le grand écuyer, pas même le grand maître. Or les grandes entrées sont « le comble des grâces par la facilité d'accès au roi » et la liberté de lui parler en évitant les audiences connues de toute la cour [16]. Elles honorent les amis de Sa Majesté — Lauzun les retrouve en 1689 — et récompensent les mérites : les maréchaux de Boufflers et de Villars les obtiennent en 1708 et 1714 après leurs brillantes campagnes.

Toilette achevée, prières dites, le roi choisit sa perruque et sort de son lit. Vêtu de sa robe de chambre et de ses mules, il s'assied dans un des fauteuils près de la cheminée. Pendant que le premier barbier le peigne, il s'entretient avec les assistants. Moment précieux mais bref pour ceux qui « ont quelque chose à lui dire ou à lui demander ». Déjà, à la porte de l'antichambre, l'huissier annonce les *secondes entrées*, « moindres [...] que celles des premiers gentilshommes de la chambre et beaucoup plus grandes que toutes les autres [17] ». Les élus sont cette fois plus nombreux, titulaires de charges intimes (le médecin et le chirurgien ordinaires, l'apothicaire-chef, les quatre secrétaires du cabinet, les premiers valets de la garde-robe, les deux lecteurs de la chambre, l'intendant et le contrôleur de l'argenterie) et ceux qui jouissent des rares *brevets d'affaires,* les autorisant à entrer dans la chambre quand le roi se trouve sur sa chaise d'affaires ou chaise percée. Les ducs de Mazarin et de Charost, Dangeau, Beringhen, Villeroy ont obtenu ce privilège. La foule des courtisans patiente encore derrière la porte. Avec les *entrées de la chambre* commence le grand lever. Toutes les charges de la Maison les donnent et le souverain agrée les hommes de cour les plus distingués : cardinaux, ambassadeurs, ducs et pairs, maréchaux de France, gouverneurs, présidents de parlement, ministres et secrétaires d'État [18].

Louis XIV s'habille. La présentation de la chemise répond à un cérémonial immuable auquel participe le dauphin ou, en son absence, les ducs de Bourgogne, Berry ou Orléans. Seuls les gens de qualité rangés par les huissiers selon l'ordre des préséances peuvent suivre ce rituel. Les autres, refoulés près de la porte ou dans l'antichambre, ne perçoivent que l'écho assourdi des quelques paroles échangées entre le roi et ses proches. Puis le silence s'impose : à la ruelle du lit, Sa Majesté s'agenouille pour prier. Les ecclésiastiques l'imitent, les laïcs restent debout. Le recueillement cède la place au brouhaha. Le roi passe dans son cabinet où « il [...] trouvait ou y était suivi de tout ce qui avait cette entrée qui était fort étendue [...]. Il y donnait l'ordre à chacun pour la journée ; ainsi on savait, à un demi-quart d'heure près, tout ce que le Roi devait faire [19] ». L'ordre donné, les *entrées de cabinet* sortent.

Demeurent près du roi ceux qui jouissent de l'entrée la plus prestigieuse, celle qui évite toute attente au milieu de la presse des courtisans : les *entrées par les derrières*. En jouissent le dauphin, les fils et petits-fils de France, les légitimés, les premiers valets de chambre et leurs subordonnés, nommés « garçons bleus », et quelques rares familiers. Tous peuvent être admis chez le roi aux heures les plus particulières et entrent « par les cabinets [et non par les antichambres] dans celui où [est] le Roi [20] ». Là, Sa Majesté s'entretient avec ses collaborateurs, bavarde avec ses enfants, discute les plans que lui présentent Mansart ou le duc d'Antin. Il accorde parfois quelque courte audience, comme au duc de Saint-Simon le 4 janvier 1710, qui trouve « le Roi seul, et assis sur le bas bout de la table du Conseil, qui était sa façon de faire quand il voulait parler à quelqu'un à son aise et à loisir [21] ».

Pendant ce temps les courtisans refluent vers la galerie dans l'attente de l'heure de la messe. On commente l'air affable ou sévère du souverain à son lever, on répète les petites phrases que Sa Majesté a soigneusement distillées à son entourage. Le roi sort de son cabinet. Empressés, les courtisans l'escortent par la galerie et l'appartement jusqu'à la chapelle. Quand on peut l'approcher, c'est le moment de lui glisser quelques mots : « Allant et revenant de la messe, chacun lui parlait qui voulait, après l'avoir dit au capitaine des gardes si ce n'était gens distingués[22]. » Assister à l'office est obligatoire. La dévotion peut y conduire, le souci d'y être vu du maître n'y est pas étranger.

Les tâches de gouvernement absorbent ensuite le souverain, ménageant aux courtisans quelques heures de liberté jusqu'au repas. Ils les emploient aux visites. On va complimenter l'heureux bénéficiaire d'une promotion, on court solliciter tel puissant personnage, on s'enquiert de la santé de la maîtresse en titre.

Le dîner du roi (notre déjeuner) rassemble à nouveau les familiers du château. La table royale, carrée, est dressée dans l'antichambre de la reine quand Louis dîne avec Marie-Thérèse ou avec la dauphine. Après 1690 il est servi dans sa chambre, au petit couvert. Le roi mange seul, servi par le grand chambellan ou, à défaut, le premier gentilhomme de la Chambre, devant les courtisans debout, formant cercle. Aucune dame n'y vient. Si les enfants de France, princes du sang ou cardinaux s'y trouvent — ce qui est exceptionnel — le roi ne leur propose jamais ni siège ni couvert. Louis parle peu. Aussi lorsqu'il invite Monsieur à partager son repas, celui-ci égaie la conversation. Au sortir de table et avant de rentrer à nouveau dans son cabinet, le roi accorde quelques courtes audiences. « Il s'arrêtait à la porte un moment à écouter, commente Saint-Simon, puis il entrait, et très rarement l'y suivait-on [...]. Alors il se mettait avec celui qui le suivait dans l'embrasure de la fenêtre la plus proche de la porte du cabinet, qui se fermait aussitôt, et que l'homme qui parlait au Roi rouvrait lui-même pour sortir, en quittant le Roi[23]. » Le tout-venant des courtisans s'est retiré. Le roi se délasse en compagnie du dauphin, des princes légitimés, de quelques privilégiés. On dit qu'il est seul lorsqu'il n'a à ses côtés que les *gens d'intérieur*, Fagon, Nyert, Bontemps, Blouin, hommes de confiance dévoués et assidus. Quelques courtisans distingués par le premier gentilhomme de la Chambre assistent ensuite au changement de vêtements du souverain sur le point de sortir. Certains obtiennent du roi « les entrées pour être au botté et au débotté quand il va et revient de la chasse[24] ».

La promenade est occasion supplémentaire pour approcher Sa Majesté. La foule attend dans la cour de marbre. Depuis le bas du petit degré jusqu'à son carrosse, « lui parle qui veut » et au retour de même. Les sorties royales ne sont pas ouvertes à tous. Trois fois la semaine le roi chasse, courre le cerf ou tire dans le parc. Y participent « ceux qui en ont obtenu la permission une fois pour toutes », soit un grand nombre de courtisans. Nul n'est contraint de suivre le roi à la chasse. Ce doit être un plaisir car le monarque « ne [veut] pas qu'on y [aille] sans l'aimer ; il trouve cela ridicule, et ne sait aucun mauvais gré à ceux qui n'y [vont] jamais[25] ». Lorsqu'il chasse en calèche, le roi accorde à quelques dames la permission d'y monter. A la promenade il n'est accompagné que d'un nombre restreint de courtisans, intimes ou titulaires de grandes charges. A Fontainebleau en revanche, toute la cour lui fait escorte. Mme de Maintenon compte en octobre 1707 « quatre-vingt-deux carrosses à une promenade autour du canal, où la jeunesse était à cheval aux portières du carrosse du Roi, rempli de la reine [d'Angleterre] et de toutes nos princesses[26] ».

Rentré au château, Louis est suivi dans son cabinet par ses familiers. Il gagne l'appartement de Mme de Maintenon : une fois encore « lui parle qui veut ». A cinq ou six heures selon la saison, le *salut* est occasion supplémentaire de l'aborder. Une heure plus tard, les jours d' « appartement », le roi est entouré (doit-on dire cerné ?) de sa cour, gigantesque cohue qui, par la galerie, se déverse dans les salons d'apparat consacrés au concert, au jeu, au billard, aux collations. Le passage du souverain de chez Mme de Maintenon (où, à la fin du règne, il travaille, négligeant les « appartements ») à sa chambre permet encore quelques rapides audiences. Vers dix heures Sa Majesté est servie, sa table dressée dans son antichambre. Le souper est au grand couvert. La famille royale y est invitée, mais pas les princesses du sang. Avec les duchesses elles se contentent de regarder, assises. Tous les hommes sont debout, quelques élus sont autorisés à se tenir derrière le fauteuil royal. Le duc de Saint-Simon, souvent choisi, en tire grande fierté. Le repas achevé, le roi se lève et s'adosse un instant au balustre de sa chambre. Une à une les dames font la révérence et forment le cercle, les hommes derrière elles. « Le Roi s'amusait à remarquer les habits, les contenances, et la grâce des révérences [...] puis faisait la révérence aux dames [...] ; en s'en allant [il] parlait quelquefois, mais fort rarement, à quelqu'un en passant[27]. » Pendant un peu moins d'une heure il demeure en famille. Son cabinet est ouvert seulement aux fils, filles, petits-fils et petites-filles de France. Madame Palatine n'y est invitée qu'après la mort de la dauphine, les princes du sang n'y sont pas admis. Si à la fin du règne M. le Duc, futur ministre de Louis XV, et le prince de Conti en obtiennent l'entrée, c'est l'un comme fils de Mlle de Nantes, l'autre comme son gendre[28]. Les courtisans se sont retirés. L'après-souper ne les exclut pas tous de la vue du roi. Dans le cabinet « qui flanque celui où est le Roi, la porte entre-deux tout ouverte » se tiennent, un soir de 1710, M. d'O, ancien gouverneur du comte de Toulouse, « les quatre premiers valets de chambre, [...] les quatre premiers valets de garde-robe, les premiers valets de chambre de Monseigneur et des deux princes ses fils, le concierge de Versailles et les garçons bleus ». A proximité, « les dames d'honneur des princesses qui étaient avec le Roi, les deux dames du palais de jour de Mme la duchesse de Bourgogne, les dames d'atour des filles de France[27] ».

Jusqu'en 1705 le grand coucher a lieu en public. Le rituel est identique à celui du lever, l'ordre des entrées inversé. Seule la cérémonie du bougeoir l'en distingue. Louis XIV en use comme d'une faveur. « Quoique le lieu où il se déshabillait fût fort éclairé, l'aumônier de jour, qui tenait à sa prière du soir un bougeoir allumé, le rendait après au premier valet de chambre, qui le portait devant le Roi venant à son fauteuil. Il jetait un coup d'œil tout autour, et nommait tout haut un de ceux qui y étaient, à qui le premier valet de chambre donnait le bougeoir[29]. » Dignité et naissance guident le choix du roi. L'heureux élu ôte son gant, s'avance, tient le bougeoir un court instant avant de le rendre au premier valet de chambre. Demain toute la cour enviera le bénéficiaire d'une distinction aussi dérisoire, supputera son crédit, commentera sans fin la faveur royale. Prière faite, le roi en robe de chambre salue l'assistance. Les « gens de qualité » quittent le sanctuaire, seules les grandes et secondes entrées assistent au petit coucher, ultime moment pour parler au monarque qui se glisse dans son lit. « Alors tous sortaient, quand ils en voyaient un attaquer le Roi, qui demeurait seul avec lui. »

Pour ceux qui se meuvent avec aisance à travers les arcanes du protocole, la journée du roi est riche d'enseignements. Au lever comme au coucher l'accès de la chambre royale est réglementé : certaines charges de la Maison l'autorisent, d'autres ne le permettent pas. Mais la faveur royale corrige ce que la règle a de brutal. Périodiquement le souverain accorde à tels de ses intimes ou de ses brillants sujets la grâce que la naissance ne donne pas automatiquement. Le monarque n'est donc pas prisonnier du cérémonial. Il le respecte — la dignité de sa fonction est à ce prix — mais sait en jouer.

En outre, en France, les dignitaires de la cour n'isolent pas le roi du gros des courtisans : Versailles n'est pas l'Escurial. Le souverain demeure accessible à tous. A chaque heure réglée de la journée les occasions ne manquent pas pour l'aborder, lui parler, solliciter, faire sa cour. Aussi ses hôtes supportent-ils mieux les contraintes de l'assiduité. Un observateur de bon sens ajoute que le roi lui-même y gagne : ses « rapports continuels avec tout le monde tiennent [son] esprit en éveil[30] » !

Les prérogatives du rang

M. le dauphin est grand chasseur. Un jour, revenant de courre le loup assez loin de Versailles en compagnie d'un aide de camp et d'un officier de ses gardes, son carrosse se rompt. Par un heureux hasard passe celui de M. le Duc où se trouvent Xaintrailles, son premier écuyer, et le chevalier de Sillery, commensal du prince de Conti. Monseigneur monte à leur place, suivi de ses deux officiers, mais laisse à terre les serviteurs des princes. Son comportement n'est pas goujaterie : il dit aux infortunés son regret de les abandonner ainsi sur le chemin. La place n'est pas mesurée, le carrosse peut accueillir six personnes. L'étiquette est responsable de la mésaventure. *Les domestiques des princes du sang n'entrent pas dans les carrosses du roi.* Regrettant les exigences du protocole, Monseigneur conte au retour l'affaire à Sa Majesté et ajoute qu'il n'avait osé faire monter ces Messieurs avec lui. « Je le crois bien, répond Louis XIV en prenant un ton élevé ; un carrosse où vous êtes devient le vôtre, et ce n'est pas à des domestiques de prince du sang à y entrer[31]. » Cette règle n'ignore pas la logique : il suffit que les commensaux changent de maître pour gagner la prestigieuse autorisation. Dame d'honneur de Mme la Princesse, Mme de Langeron ne monte pas dans les carrosses ni ne mange à la table du roi. Au service de Mme de Guise, petite-fille de France, elle gagne ces privilèges, mais les perd en retournant auprès de la belle-fille du grand Condé.

Si les ratiocinations de M. de Saint-Simon sur les préséances finissent par lasser, si son respect maniaque du cérémonial agace même ses pairs, l'étiquette reste cependant le centre de la mécanique de la cour, l'influx nerveux autorisant tel geste, réprimant telle attitude. Elle marque les rangs, souligne la place de chacun. Qu'elle soit bafouée ou s'efface provisoirement, les signes de reconnaissance sociale s'évanouissent. « *On ne sait plus du tout qui on est*, écrit Madame Palatine de Marly où l'étiquette est assouplie. Quand le roi se promène, tout le monde se couvre ; la duchesse de Bourgogne va-t-elle se promener, eh bien, elle donne le bras à une dame et les autres marchent à côté. *On ne voit donc plus qui elle est.* Ici, au salon et à Trianon, dans la galerie, tous les hommes sont assis devant M. le dauphin et Mme la duchesse de Bourgogne [...]. J'ai grand-peine à m'habituer à cette *confusion*[32]. » Élisabeth-Charlotte de Bavière, si libre, si désinvolte, a besoin de repères !

La cour n'a pas le monopole de la vanité sociale. Celle-ci s'est faufilée partout. La société d'Ancien Régime est attachée aux distinctions, est respectueuse des rangs. Avec âpreté ordres et corps cherchent à se distinguer, avec acuité ils surveillent la moindre usurpation de leurs prérogatives. « Faire voir la différence » est la préoccupation de chacun. Du plus modeste cortège villageois à la procession solennelle des chevaliers du Saint-Esprit, le respect de la hiérarchie impose un code de préséances que nul ne met en cause. S'il paraît futile aux esprits de notre temps, c'est que ceux-ci oublient l'existence et les anachronismes du protocole républicain.

Nul emploi ne donne rang à la cour. La naissance et la faveur royale seules confèrent des prérogatives[33]. L'usage des sièges est ainsi strictement réglementé. On l'ignore trop : la station debout est le terrible destin du courtisan, le tabouret le privilège le plus recherché. Devant Sa Majesté sont assis fils et filles, petits-fils et petites-filles de France, princesses du sang, duchesses et princesses étrangères. Princes du sang, ducs et pairs restent debout. Les *dames titrées* prenant le tabouret au souper du roi sont nommées « femmes assises » ou encore, laconiquement, « tabourets ». *Il y a tant de tabourets à la cour* ne signifie pas l'inventaire mobilier du logis royal, mais le dénombrement des dames à qui est accordée cette prérogative enviée. La hiérarchie de la famille royale impose en outre un subtil dégradé. Devant le dauphin, princesses du sang et duchesses sont assises sur le fameux tabouret. Elles l'abandonnent pour le siège à dos en présence des petits-fils et petites-filles de France. Devant les princes et princesses du sang, les duchesses gagnent le fauteuil. Un prince du sang ou un duc, debout devant le roi et le dauphin, est autorisé à s'asseoir devant les petits-fils et petites-filles de France. Ainsi le duc de Guise, mari d'Élisabeth d'Orléans, petite-fille de France, n'a « qu'un ployant devant Madame sa femme ». Le confort s'accroît ou s'estompe selon l'échelle des rangs. Hors repas royal et cérémonies, la vie de cour ménage cependant des exceptions à la règle. A la table de jeu ou au spectacle, le roi présent, tous les assistants, même non titrés, sont assis. S'asseoir chez la reine ou la dauphine quand elles demeurent au lit est permis aux dames ayant un ouvrage entre les mains. Dans leurs heures particulières, en leur privé, la dauphine et les filles de France autorisent parfois hommes et femmes à s'asseoir.

Avec le tabouret, le droit d'entrer en carrosse dans la résidence du roi et celui d'avoir un carreau (= coussin) à l'église forment les *honneurs du Louvre*. En bénéficient les membres de la famille royale, ducs et princes étrangers et, à partir de 1700, grands d'Espagne et cardinaux. Ces privilèges communs n'empêchent nullement leurs titulaires de convoiter des distinctions plus marquées. Les princes du sang tentent par mille moyens de conquérir les prérogatives des fils de France et d'exagérer ce qui les sépare des ducs. Henri III, on le sait, a donné aux princes du sang un rang à la cour, la préséance sur les ducs et pairs. Leurs avantages se sont accrus au XVIIe siècle. Au Parlement, ils prennent place en tête des ducs et traversent obliquement le parquet de la grand-chambre comme les présidents, les ducs se contentant avec les conseillers de longer les murs pour gagner leurs bancs. Aux cérémonies de l'ordre du Saint-Esprit, ils conservent leurs carreaux que les ducs ont perdus en 1688. Les premiers n'accordent pas la *main* (= la place d'honneur, à droite) aux seconds. Pour eux, à Versailles, les gardes prennent les armes mais se contentent depuis 1663 de battre du pied pour les ducs. Encore est-ce facultatif ! A chaque sortie les princesses du sang vont à deux carrosses, le second pour leurs écuyers, alors que les duchesses doivent se satisfaire d'un seul. A la procession du Saint-Sacrement, où les mondanités le disputent à la dévotion, « pour mettre une différence entre elles », les premières se font porter leurs parasols, les secondes les portent elles-mêmes.

Lorsque les princes du sang partagent certaines prérogatives avec les ducs, ils s'empressent d'y renoncer, trouvant ici l'occasion de se distinguer. Dames titrées et princesses du sang ont-elles le droit de mettre des housses sur leurs carrosses ? Les secondes l'abandonnent. La reconduite est-elle un devoir des princes du sang à l'égard des ducs ? Ils affectent de l'oublier, marmonnant un inaudible « vous ne voulez pas qu'on vous reconduise ». Pour éviter de donner des fauteuils aux personnes titrées, ils n'usent plus que de ployants, voire de petites chaises de paille. « De sorte que, gémit Saint-Simon, ces petits sièges [...] introduits sous prétexte de leur commodité pour jouer, travailler, étaient chez eux devenus les sièges de *tout le monde sans distinction*[34]. »

Les princes du sang livrent la bataille protocolaire sur deux fronts, dressant des barrières contre les ducs pour faire oublier leur récente égalité, tentant d'usurper les prérogatives des fils de France afin de s'en approcher. Leur vanité use de stratagèmes parfois comiques. Les fils de France avaient droit à l'église au drap de pied (pièce d'étoffe jetée sur le prie-Dieu). Les princes du sang cherchèrent à « se frayer le chemin » en plaçant sous leurs carreaux de petits tapis étroits à leurs dimensions. « Après un essai ou deux de la sorte, car cela s'est suivi à l'œil, le tapis s'est considérablement élargi, s'apporte en pompe avant les carreaux pour qu'il frappe les yeux du monde ; les carreaux viennent ensuite qui se placent et nagent dessus, et enfin ces princesses arrivent qui ne le couvrent plus de leurs habits au-delà desquels il déborde de toutes parts[35]. »

La conquête des visites en manteau et en mante utilise un semblable procédé. A l'occasion des grands deuils de la famille royale, les courtisans visitaient en cet habit les fils et petits-fils de France mais non les princes du sang. Ces derniers persuadèrent les « gens de qualité non titrés », puis les maréchaux de France de leur rendre cet hommage. Ils trouvèrent les « gens titrés [...] moins faciles ». La mort de M. le Prince (1709) leur fournit l'occasion pour les contraindre. M. le Duc, fils du défunt, proclama qu'il ne recevrait personne sans manteau. Mais « il attendit tout le vendredi [...] sans que personne s'y présentât ». S'étant trop avancé, il lui était difficile de reculer. Il réussit à obtenir un ordre du roi contraignant princes et ducs à se présenter en habit. « Tous y allèrent donc le samedi après-midi, mais tous, comme de concert, hommes et femmes, d'une manière si indécente qu'elle tint fort de l'insulte. On affecta généralement des cravates de dentelles au lieu de rabats de deuil, et des collerettes de même sous les mantes, et des rubans de couleur dans la tête ; les hommes, des bas de couleur blancs ou rouges, peu même de bruns, des perruques nouées, et poudrés blanc, et les deux sexes des gants blancs et les dames, bordés de couleur ; en un mot, une franche mascarade. » Entrées et sorties, révérences et saluts, tout prêtait à rire. « En un mot, répète Saint-Simon, on fit du pis qu'on put[36]. » Le comique de situation — qui eût enchanté Molière — importa peu aux princes. La peur d'apercevoir des visiteurs sans manteau leur avait même suggéré d'empiler dans l'antichambre

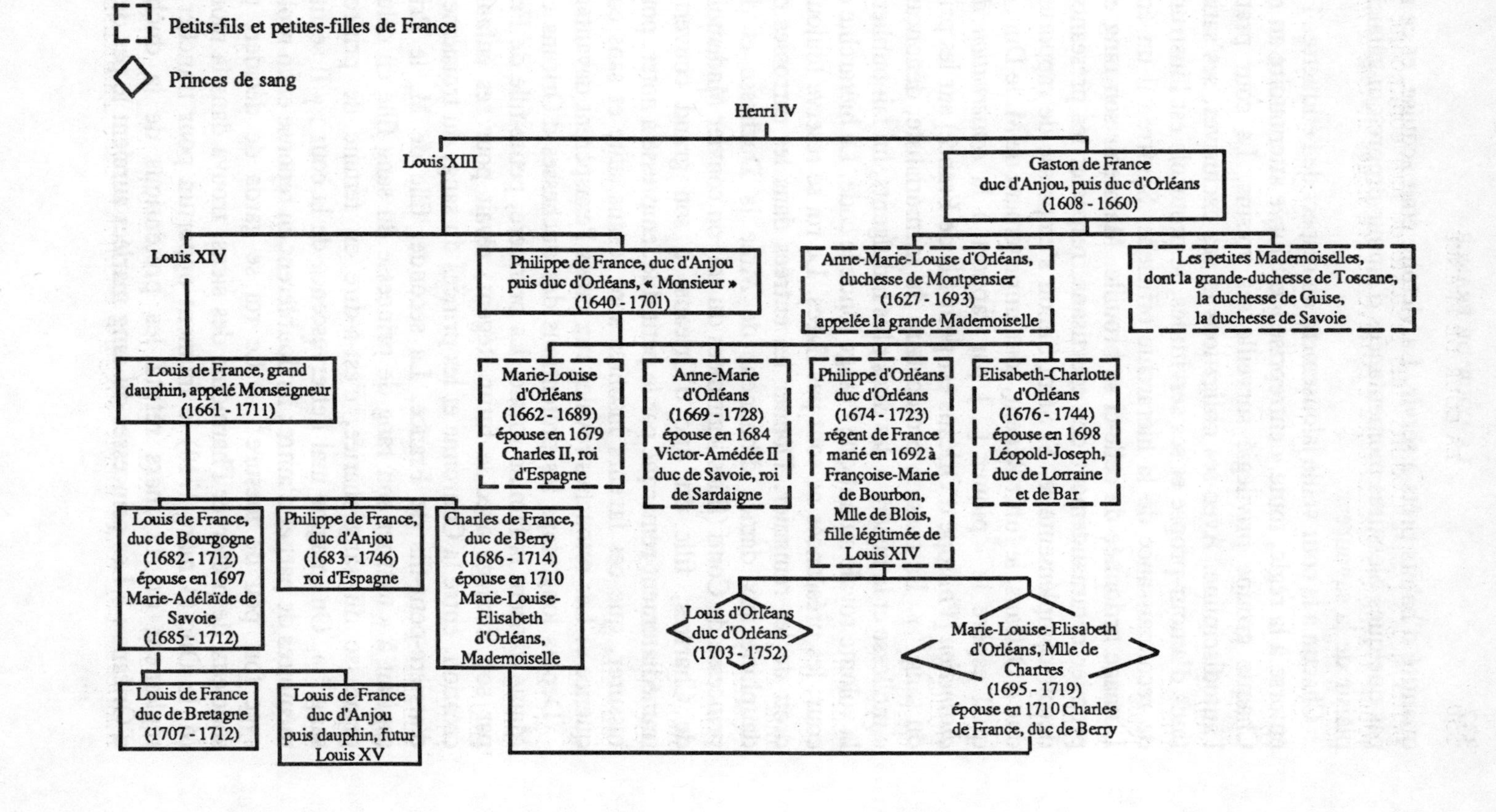

QUELQUES RANGS A LA COUR DE LOUIS XIV
Fils et filles de France
Petits-fils et petites-filles de France
Princes de sang
Henri IV
Louis XIII
Gaston de France duc d'Anjou, puis duc d'Orléans (1608 - 1660)
Louis XIV
Philippe de France, duc d'Anjou puis duc d'Orléans, « Monsieur » (1640 - 1701)
Anne-Marie-Louise d'Orléans, duchesse de Montpensier (1627 - 1693) appelée la grande Mademoiselle
Les petites Mademoiselles, dont la grande-duchesse de Toscane, la duchesse de Guise, la duchesse de Savoie
Louis de France, grand dauphin, appelé Monseigneur (1661 - 1711)
Marie-Louise d'Orléans (1662 - 1689) épouse en 1679 Charles II, roi d'Espagne
Anne-Marie d'Orléans (1669 - 1728) épouse en 1684 Victor-Amédée II duc de Savoie, roi de Sardaigne
Philippe d'Orléans duc d'Orléans (1674 - 1723) régent de France marié en 1692 à Françoise-Marie de Bourbon, Mlle de Blois, fille légitimée de Louis XIV
Elisabeth-Charlotte d'Orléans (1676 - 1744) épouse en 1698 Léopold-Joseph, duc de Lorraine et de Bar
Louis de France, duc de Bourgogne (1682 - 1712) épouse en 1697 Marie-Adélaïde de Savoie (1685 - 1712)
Philippe de France, duc d'Anjou (1683 - 1746) roi d'Espagne
Charles de France, duc de Berry (1686 - 1714) épouse en 1710 Marie-Louise-Elisabeth d'Orléans, Mademoiselle
Louis d'Orléans duc d'Orléans (1703 - 1752)
Marie-Louise-Elisabeth d'Orléans, Mlle de Chartres (1695 - 1719) épouse en 1710 Charles de France, duc de Berry
Louis de France duc de Bretagne (1707 - 1712)
Louis de France duc d'Anjou puis dauphin, futur Louis XV

quantité d'habits prêts à servir. La victoire était acquise, et ce n'est pas quelques blessures momentanées d'amour-propre qui gâtaient le plaisir de la savourer.

Chacun à la cour veille jalousement au respect de l'étiquette. Toute entorse à la règle, toute « entreprise » est jugée attentatoire au rang. Chaque groupe privilégié surveille ses voisins. La cour pratique l'autodiscipline. Avec ses obligations et ses exclusives, ses satisfactions d'amour-propre et ses servitudes, le protocole est l'instrument de reconnaissance de la hiérarchie officielle. Souffre-t-il un écart ? L'image ordonnée de celle-ci se brouille. Maintenir son rang est le premier commandement des courtisans, respecter les préséances le devoir complémentaire. Si Saint-Simon s'empresse de rapporter au duc d'Orléans, le futur Régent, tout empiètement de M. le Duc, c'est qu'il espère le « piquer [...] par rapport à la *conservation de sa distinction* [Philippe d'Orléans est petit-fils de France] sur les princes du sang[37] ». La passion protocolaire du mémorialiste, dénonçant la « mollesse et la misère » des ducs plus indulgents, lui fait oublier que la volonté royale autant que l'usage fonde le code. La hiérarchie de la cour, les préséances ne sont pas figées. Le roi se réserve toujours le droit de les remanier. Donner les entrées dans les carrosses de la dauphine aux dames d'honneur de Mme la Duchesse et de la princesse de Conti (filles légitimées du roi) ou convier Mademoiselle de Chartres, fille du duc d'Orléans, à son grand couvert est immédiatement remarqué par le petit duc, empressé à noter, pour se rassurer, que ces faveurs insolites sont « sans suite et sans conséquence ». Les retouches royales aux rangs l'exaspèrent davantage.

Depuis longtemps les prétentions des duchesses d'Orléans et du Maine divisent la famille royale. La première, petite-fille de France par son mariage avec le futur Régent, rêvait pour ses enfants la création, entre la Couronne et les princes du sang, du troisième état d'arrière-petit-fils de France. La seconde, fille de M. le Prince, aspirait à « tourner son rang de princesse du sang fille en celui de princesse du sang mariée, c'est-à-dire en femme de prince du sang[38] ». On imagine mal l'effervescence de la cour : « Il se fit des mémoires de part et d'autre ; ils doublèrent en réponse et en réplique avec fort peu de mesure[38]. » Le roi se garda de décider, puis, soucieux de préserver l'harmonie des siens, trouva dans la mort de M. le Duc (4 mars 1710) le moment opportun pour trancher. Le règlement du 12 mars réfuta les prétentions de la duchesse d'Orléans : « Les princesses du sang mariées auraient le pas devant

Mademoiselle [Marie-Louise-Élisabeth d'Orléans, sa fille] et devant les autres princesses qui n'étaient pas mariées.» Quant à la duchesse du Maine, « elle n'aurait que le rang qu'elle avait étant fille[39] ». Mais quatre jours plus tard, le roi accorda aux enfants du duc du Maine le rang suivant immédiatement les princes du sang.

Avec la promotion des fils naturels de Louis XIV, la hiérarchie des rangs souffre à la fin du règne un bouleversement plus considérable. En 1692 le roi avait réussi, en mariant Mlle de Blois à Philippe d'Orléans et le duc du Maine à la fille du prince de Condé, à hisser les légitimés presque à la hauteur des princes du sang. Deux ans plus tard, la déclaration du 5 mai 1694 accordait au duc du Maine et au comte de Toulouse rang et préséance immédiatement après ceux-ci « en tous lieux, actes, cérémonies et assemblées publiques et particulières, mesme en nostre Cour de Parlement et ailleurs[40] ». Leur élévation s'accélère. L'édit de mai 1711 permet aux légitimés de représenter au sacre les anciens pairs à défaut des princes du sang. Les deuils répétés de la famille royale vont mettre Maine et Toulouse sur le pavois. Après la mort de Monseigneur (14 avril 1711), des ducs de Bourgogne (18 février 1712), Bretagne (8 mars 1712) et Berry (4 mai 1714), le roi, se défiant de Philippe d'Orléans, déclare en juillet 1714 ses fils légitimés « capables de succéder à la couronne » et leur octroie le 23 mai 1715 le titre de prince du sang. Aux yeux de beaucoup, Louis XIV a perdu le sens de la mesure. Passe encore les hautes fonctions octroyées à ses fils naturels, leurs alliances, leur rang intermédiaire entre princes du sang et ducs. Mais les décisions de 1714 et 1715 piétinent les règles de la monarchie. L'assimilation aux descendants légitimes de Hugues Capet viole l'adage *On naît prince du sang, on ne le devient pas*. L'habilité à succéder au trône est violation des lois fondamentales du royaume[41]. Raisonnant en termes d'alliances, Madame Palatine — pragmatique, blasée ou soumise — n'y voit cependant pas malice : « Du moment que nous avons dans notre famille la sœur du duc du Maine et du comte de Toulouse [le mariage de Mlle de Blois avec son fils lui avait été pourtant une insulte], je préfère qu'on les élève plutôt qu'on ne les abaisse. Ils sont de même les oncles de tous les princes et de toutes les princesses du sang ; de sorte qu'on prend plus facilement son parti de la grâce que le roi leur a faite[42]. » Scandalisé, M. de Saint-Simon ne cultive pas cette résignation, les juristes du temps pas davantage.

« L'ART DE DONNER L'ÊTRE À DES RIENS »

Le raffinement du cérémonial suscite d'innombrables querelles, sa complexité déroute parfois les dignitaires de la cour. Le marquis de Gesvres apprend ainsi à ses dépens que dans la chambre du roi le premier gentilhomme n'a que le commandement et nul service alors que le grand chambellan l'a tout entier et nul commandement. Le moindre conflit est porté devant Sa Majesté. Qui, du grand veneur ou du grand louvetier, doit rompre lorsque leurs meutes se croisent ? Qui, du grand maître de la garde-robe ou du premier gentilhomme de la Chambre, doit donner le surtout au souverain ? L'expérience de la cour, les précédents aident à régler les conflits mineurs. On consulte Monsieur, frère du roi, docteur ès cérémonies. Parfois le souverain tranche, souvent il se refuse à décider. Il ne déplaît pas à Sa Majesté d'occuper ainsi ses courtisans, de distribuer blâmes et récompenses, rappeler un usage domestique à un grand seigneur. Si les rivalités s'enveniment, le roi impose sa volonté. Un soir de décembre 1669, au cercle de la reine, la comtesse de Soissons avait exigé de Mme de Gramont de lui céder la place qu'elle venait de lui ravir. Le comte de Gramont vole au secours de sa femme : « Madame, on ne cloue pas ici les chaises, ma femme demeurera là ; nous sommes d'aussi bonne maison que vous. » Averti du scandale, le roi intervient, blâma « la conduite du comte et de la comtesse de Gramont, les traita d'extravagants et ordonna qu'ils demandassent pardon à madame la comtesse[43] ».

L'étiquette discipline les courtisans. Elle s'impose aussi au roi. Chaque jour de son règne, Louis XIV a vécu en public, soumis aux exigences du protocole. « Avec un almanach et une montre, on pouvait à trois cents lieues d'ici dire ce qu'il faisait », commente Saint-Simon. L'assiduité de Louis à son travail n'a d'égale que sa fidélité scrupuleuse à ses devoirs domestiques. Sa définition de son métier de roi, « grand, noble et délicieux », trouve un écho dans l'anecdote suivante. A la dauphine, sujette aux vapeurs, souvent languissante, Sa Majesté rappelle la nécessité de tenir la cour : « Madame, je veux qu'il y ait appartement et que vous y dansiez. Nous ne sommes pas comme les particuliers. *Nous nous devons tout entier au public*[44]. » Petites douleurs et grands maux n'affectent ni la régularité de la vie du monarque ni son observation des heures réglées. Ainsi la fameuse et « fort dangereuse » opération d'une fistule le 18 novembre 1686 n'occasionne qu'une seule entorse à l'étiquette : le retard d'une heure du lever. L'après-midi le roi travaille. Les incisions des jours suivants n'empêchent pas Sa Majesté « de tenir son conseil et de voir les courtisans à l'ordinaire[45] ».

Le roi veille au respect de l'étiquette. Que Sainctot, introducteur des ambassadeurs, commette deux erreurs de protocole à la suite, et le souverain « sur le champ [l'envoie] chercher [...] et lui dit qu'il ne savait ce qui le tenait de ne le pas chasser et lui ôter sa charge ; et de là, lui lava la tête d'une manière plus fâcheuse qu'il ne lui était ordinaire quand il réprimandait[46] ». Sa colère contre Mme de Torcy (née Arnauld de Pomponne et femme du secrétaire d'État aux affaires étrangères), coupable de s'être placée lors d'un dîner à Marly au côté de Madame et au-dessus des duchesses, alerte toute la cour. Irrité par l'« insolence incroyable » de cette « petite bourgeoise », il avoua « qu'il avait été dix fois sur le point de la faire sortir de table, et qu'il ne s'en était retenu que par la considération de son mari ». L'« échauffement » du roi, ses « fâcheuses épithètes » contre l'impertinente ravissent Saint-Simon, toujours prompt à rabaisser les ministres « bourgeois » de Sa Majesté[47].

Vanité sociale et snobisme ont masqué au petit duc la signification du protocole de la cour. Le respect des rangs, l'attachement à la dignité sont partagés par tous les contemporains. Mais le roi n'est jamais prisonnier de son étiquette. Il en accepte les servitudes, mais la modèle, l'adapte, en joue en virtuose. Il en fait un instrument de règne. Ses Mémoires l'attestent.

> *Ceux-là s'abusent lourdement qui s'imaginent que ce ne sont là que des affaires de cérémonie. Les peuples sur qui nous régnons, ne pouvant pénétrer le fond des choses, règlent d'ordinaire leurs jugements sur ce qu'ils voient au-dehors, et c'est le plus souvent sur les préséances et les rangs qu'ils mesurent leur respect et leur obéissance*[48].

Exigées du peuple, ces qualités doivent être requises de la noblesse. Louis XIV n'ignore rien des « brouilleries de cour » des règnes précédents. Jamais il n'a oublié la Fronde, les « cabales dans l'État », le fâcheux exemple de Condé « prince de [son] sang et d'un très grand nom à la tête des ennemis[49] ». Les grands, enivrés de leur naissance et de leur fortune, forts de leur crédit et de leur clientèle, doivent redécouvrir l'obéissance. La cour doit être école de discipline et modèle de soumission ; son protocole, garder ses hôtes dans le respect. Au nouvel ambassadeur de Savoie surpris par les exigences de l'étiquette et la gravité inaltérable du souverain, on répondit « que le Roi s'était résolu d'en user ainsi pour maintenir ses courtisans dans le respect, que les Français familiarisaient aisément, qu'il fallait leur en ôter l'occasion et qu'outre cela, la manière retenue du Roi empêche le monde de lui demander avec liberté [50] ».

Les initier aux arcanes de l'étiquette, concentrer leur attention sur la défense de leurs préséances doivent détourner les courtisans des affaires de l'État. Primi Visconti l'a noté : à la cour « toutes les conversations roulent, entre les hommes, sur la chasse et les chevaux, et entre les femmes, sur les jupes [51] ». Dès son arrivée à Versailles, la dauphine apprend à faire porter la conversation de son cercle sur des futilités. « Elle se mit [...] à ne plus parler que de chiffons. Elle avait été avertie qu'il ne fallait pas parler d'autre chose et que l'intérêt que le Roi lui avait témoigné était diminué parce qu'elle avait commencé par s'informer des affaires [52]. » Les exigences royales sont prudence. Si Louis XIV a écarté les membres de sa famille et les grands du Conseil, ce n'est pas pour que les antichambres résonnent de projets politiques générateurs de cabales, ferments d'opposition. Le roi ne parle jamais des affaires de l'État réservées aux délibérations du Conseil ou au travail de Sa Majesté. En public il entretient ses courtisans de leurs charges, leur adresse compliment ou reproche, s'enquiert de leur famille, répond aux sollicitations, mais demeure impénétrable aux curiosités politiques. L'étiquette interdit de parler au roi le premier. La distance ainsi ménagée contrarie les importuns, les curieux, les habiles. Le souverain autorise-t-il une question ? Elle est, non pas interrogation indiscrète, mais respectueuse requête. Le monarque lui réserve le fameux *Je verrai*, qui évite les engagements hâtifs, laisse le temps de la réflexion, permet de s'informer.

« Vous pouvez compter que le roi est un malin ! Que de monde il paie avec un regard ! » note un observateur attentif des usages de la cour [53]. On ajoutera : avec quel art il joue du cérémonial ! Accorder le bougeoir au grand coucher, inviter tel courtisan à pénétrer à l'intérieur du balustre de son lit (lieu inaccessible au tout-venant), convier telle dame au grand couvert, accorder un des quarante justaucorps à brevet sont « petites préférences » qui ne coûtent rien. Elles entretiennent les espérances et flattent la vanité. Opportunes, elles désarmorcent les mécontentements. Ainsi l'octroi des grandes entrées à M. le Duc (Louis III de Bourbon) n'est pas distinction innocente. « M. le Duc n'était pas content depuis longtemps, remarque l'abbé de Choisy, le Roi n'avait jamais voulu lui confier ses armées [...]. Cela l'avait extrêmement mortifié ; et cependant une bagatelle le transporta de joie et dissipa des chagrins qui peut-être n'étaient pas trop mal fondés[54]. » Le sociologue Norbert Elias a comparé le mécanisme de l'étiquette à une centrale électrique dont le roi est le technicien : il suffit qu'il actionne un levier (octroyer une faveur) « pour déclencher des énergies sans commune mesure avec l'effort déployé par lui[55] ». Louis XIII et Richelieu avaient sévèrement maté les grands. Louis XIV les gouverne à l'économie. Le roi de France est « un grand magicien », note le malicieux Persan de Montesquieu : « Il n'a point de mines d'or comme le roi d'Espagne, son voisin ; mais il a plus de richesses que lui, parce qu'il les tire de la vanité de ses sujets, plus inépuisable que les mines[56]. »

CHAPITRE XV

Grandeur et servitudes des courtisans

Le plus grand plaisir du Roi est de faire des grâces.

COLBERT

Sire, loin de vous on n'est pas seulement malheureux, on est ridicule.

Le marquis DE VARDES

Les secrétaires d'État ont commencé à devenir des métis, puis des singes, des fantômes, des espèces de gens de la cour et de condition, enfin admis et associés en toute parité aux gens de qualité.

SAINT-SIMON

Le Roi se trouve dans une condition telle que tout le monde, par crainte ou par espérance, tient à honneur de le servir.

PRIMI VISCONTI

M. de la Feuillade ne décolère pas. Sa visite chez Mme de Choisy lui donne l'occasion d'épancher sa bile. Dans la chambre de l'hôtel de Richelieu il se promène à grands pas, jette son chapeau par terre et explose :

« Non, je n'y puis plus tenir ; je suis percé de coups, j'ai eu trois frères tués à son service : il sait que je n'ai pas un sou [...] et il ne me donne rien [...] Adieu, je m'en vais chez moi, et j'y trouverai encore des choux.

— Êtes-vous fou ? répond l'hôtesse. Ne connaissez-vous pas le Roi ? C'est le plus habile homme de son royaume : il ne veut pas que les courtisans se rebutent : il les fait quelquefois attendre longtemps, mais heureux ceux dont il a exercé la patience ! Il les accable de bienfaits. Attendez encore un peu, et il vous donnera assurément, puisque *vos services méritent* qu'il vous donne. »

Comme ses sages conseils n'apaisent pas le furieux, l'habile dame lui rappelle aussitôt l'art de se conduire en bon courtisan.

« Au nom de Dieu, renouvelez *d'assiduité*, paraissez gai, content, trouvez-vous à tous les passages, *demandez* tout ce qui vaquera ; et si une fois il rompt sa gourmette de politique, s'il vous donne une pension de mille écus, vous êtes grand seigneur avant qu'il soit deux ans. »

L'abbé de Choisy qui conte l'anecdote conclut, laconique : « Il la crut, fit sa cour à l'ordinaire, et s'en trouva bien[1]. »

Le temps d'une colère, François d'Aubusson de la Feuillade avait négligé les règles de la cour. Le service du prince, l'assiduité à son palais, la quête des faveurs — ajoutons la patience —, voilà le secret du courtisan. Au XVIIIe siècle, les esprits critiques le réduiront à de constantes et indécentes sollicitations. « Recevoir, prendre et demander » paraissent à Figaro la loi unique des familiers des rois. Le bon usage de la cour se serait transformé en recettes pour ambitieux. Si les courtisans de Louis XVI boudent la cour et répugnent parfois à servir, au temps du roi-soleil le triple commandement rappelé par Mme de Choisy s'impose aux hôtes de Versailles ou de Saint-Germain.

Sous le regard de Sa Majesté

« Se retirer en sa maison » séduisait, on le sait, les compagnons des Valois attachés à leurs domaines. La noblesse fréquentait alors irrégulièrement la cour, mais la cour nomade visitait périodiquement les gentilshommes. En la retenant à ses côtés, Louis XIV aurait en revanche déraciné la noblesse de France. « Tâcher de s'y faire du crédit et des protections qui les fissent ménager par les intendants » aurait, selon Saint-Simon, déterminé les membres du second ordre à « déserter leurs terres et leur pays[2] ». L'explication est outrée. Châteaux et hôtels urbains n'ont pas perdu en une nuit leurs hôtes, les provinces n'ont subi nulle hémorragie nobiliaire. Quelques chiffres ruinent la légende tenace du déracinement. Le royaume compte alors deux cent mille nobles. La cour qui mêle noblesse et roture en accueille environ cinq mille. Le service par quartier double peut-être ce chiffre. Louis XIV ne déracine donc que cinq pour cent des gentilshommes français[3]. Le second ordre ne s'est pas précipité dans la « cage dorée » de Versailles. Les savantes histoires régionales ne décrivent-elles pas, souvent pour les opposer, noblesse de cour et noblesse locale ? Celle de Bretagne par exemple n'aime guère sortir de la province : « Il n'y en a pas un [noble], écrit Mme de Sévigné, à la guerre ni à la cour[4]. » Le palais du roi-soleil n'est pas l'arche de Noé du second ordre. Il est en revanche le havre obligé des « premiers personnages du royaume ».

Leur présence à la cour répond à la volonté politique du monarque. Louis XIV, qui n'ignore rien de l'agitation nobiliaire passée et se rappelle la Fronde, entend soumettre les grands à l'assiduité. Quand Henri de Navarre ou François d'Alençon quittaient brusquement le Louvre de Henri III, leur fuite signifiait la reprise des guerres civiles. Au temps de Louis XIV, bouder la cour est déjà suspect. « Le roi, note Saint-Simon, était fort attaché à voir sa cour grosse [...] et c'était un démérite sûr de n'y être que peu et rarement [...], le roi le faisait sentir en toute occasion qui se présentait[5]. » Faire sa cour est un devoir nobiliaire. Les exigences royales ne s'imposent pas à tous également. Le hobereau sans influence ni ambition n'est pas attendu à Versailles. S'il sert le roi dans ses armées et respecte ses lois, nul ne lui chantera pouille en son manoir. L'intendant de sa province garantit d'ailleurs sa docilité. Fréquenter Versailles n'y ajouterait rien. Le gentilhomme moyen, sans être *de* cour, doit « au moins une fois l'an » paraître *à* la cour, les chroniqueurs rapportant ici ou là la présence de tel visiteur qui « n'avait presque jamais paru à la cour ». Le grand seigneur influent, soucieux de plaire au roi et de rechercher ses grâces, doit souscrire à la triple obligation résumée par Spanheim : « l'*empressement* à lui marquer son zèle et lui faire sa cour [...], *l'attachement* à s'y acquitter, avec une *régularité* entière et exacte des fonctions où chacun est appelé[6] ».

Faire régulièrement sa cour est la condition nécessaire, mais non suffisante, pour espérer les faveurs du roi. L'exceptionnelle assiduité du duc de la Rochefoucauld, grand veneur, a fait sa fortune. En revanche, le monarque garde rancune aux gentilshommes trop souvent absents. La demande par le grand aumônier de France du gouvernement de Crécy pour le duc de Coislin, son neveu, embarrasse Sa Majesté. Le roi, mécontent « de la conduite de ce duc qui jusqu'ici n'a guère songé à faire sa cour », a cependant « grande envie de faire plaisir au cardinal ». Il imagine alors une solution qui concilie amitié et autorité : il donne Crécy au prélat en lui permettant, « si dans la suite le duc de Coislin son neveu se remet dans le train que le roi souhaite, ce que le duc promet fort de faire », de remettre le gouvernement à celui-ci « avec la permission du roi [7] ». Louis sait récompenser ses hôtes assidus. Le fameux *C'est quelqu'un que je ne vois jamais* qui accompagne ses refus l'exprime assez.

La volonté royale crée un usage si commun qu'y déroger une fois paraît déjà condamnable. Louis ne supporte plus les absences même passagères. Le 29 août 1668, la soutenance de thèse du jeune marquis de Seignelay, fils aîné de Colbert, vide Saint-Germain. « Tous les princes, ducs et pairs, maréchaux de France, gens d'épée, cardinaux, prélats, magistrats, le chancelier même, et généralement tout ce qu'il y a d'honnêtes gens à Paris et à la cour, jeunes et vieux et même des dames » se rendent au collège de Clermont. Le roi confie son dépit à ses fidèles : « Ceux qui sont demeurés auprès de moi seront aussi bien payés de leurs appointements que ceux qui sont à Paris [8]. » Courtiser le ministre de Sa Majesté énerve la susceptibilité du maître.

L'homme de cour zélé — duc, ministre, membre de la grande noblesse — doit être présent à chaque heure réglée de l'existence royale. La chambre du souverain est alors une véritable cohue. On y accède difficilement. « J'eus grand-peine à m'en approcher, confie un jour le marquis de Saint-Maurice, tellement tout le monde s'empresse de se faire voir à lui [9]. » A Saint-Germain comme à Versailles, « si on n'est jamais assuré d'être vu, on risque toujours d'être malencontreusement repéré comme absent [10] ». Familier du château, notre courtisan doit participer aux divertissements. « Si on n'y allait pas, poursuit Saint-Maurice, [le roi] croirait qu'on les méprise [11]. » Toute mauvaise grâce à remplir les charges de la cour ou se plier au protocole est sanctionnée. En novembre 1681, Sa Majesté rappelle à l'ordre les dames chargées d'accompagner la reine Marie-Thérèse. « La plupart commençaient à ne servir point du tout, ce qui obligea le Roi [...] d'ordonner qu'elles ne pourraient quitter la Reine sans son expresse permission [12]. » De même le refus de la comtesse de Soissons de « venir garder le corps de madame la dauphine », décédée le 20 avril 1690, n'est pas étranger à la suspension de la pension de son mari.

La cour n'est pas une prison. S'en retirer est permis, au risque naturellement de déplaire. Les difficultés financières, la dévotion conduisent parfois à s'éloigner du maître. Le fait, souvent noté, surprend toujours. Ainsi la démission de M. du Charmel, capitaine des cent gentilshommes à bec-de-corbin et lieutenant du roi en Ile-de-France, et sa retraite à l'Oratoire étonnent d'autant les courtisans qu'ils l'avaient « toujours vu dans le plus grand jeu, et dans tout ce qu'on appelle le grand monde, sans qu'il parût qu'il eût aucun sujet d'en être dégoûté, comme effectivement il ne l'était que par un pur mouvement de dévotion[13] ». A trop imiter M. de Rancé, abbé de cour devenu réformateur de la Trappe, les familiers du roi gagnent peut-être les faveurs du Ciel, mais perdent certainement celles de leur souverain.

La haine des cabales

Par amour pour Sa Majesté et par intérêt bien compris, le courtisan cultive l'assiduité. De par le roi, il est soumis à la discipline. Le rassemblement des principaux seigneurs du royaume à Saint-Germain ou à Versailles permet en effet une surveillance de tous les instants. Louis XIV est attentif à la fréquentation de sa cour qu'« il aimait surtout [...] avoir grosse et distinguée[14] ». Le traditionnel voyage d'automne à Fontainebleau n'autorise même pas les courtisans à lui fausser compagnie. Tous sont fermement invités à l'accompagner, Sa Majesté étant « exactement informée chaque jour des gens de la cour qui arrivaient » au château. Un jour de 1707, fâché par une querelle de protocole, M. de Saint-Simon tarde à y rejoindre le souverain. « Je n'allai faire ma révérence au Roi que le surlendemain de mon arrivée, et, dans l'instant, je me retirai et sortis. Apparemment il remarqua l'un et l'autre : c'était l'homme du monde qui était le plus attentif à toutes ces petites choses[14]. » Comme François Ier ou Catherine de Médicis, Louis XIV connaît ses courtisans, repère leurs allées et venues, évalue leur exactitude à faire leur cour. Chacun est assuré que la prodigieuse mémoire du maître retient nom et qualité de ses hôtes.

La curiosité royale et la bonne tenue de sa cour exigent davantage. Soucieux d'être instruit des moindres événements domestiques, d'être « tout de suite au courant des plus petites histoires », Louis appointe un service de renseignements, engage informateurs, « espions et rapporteurs de toutes espèces ». A Versailles l'organisation de cette police intérieure est placée sous la direction des deux premiers valets de chambre et gouverneurs du château, Bontemps et

Blouin. Aux *garçons bleus* et aux gardes des parcs et des appartements le roi ajoute, écrit Saint-Simon, « une vingtaine de Suisses » officiellement « pour les besoins du château, mais beaucoup plus pour y rôder, surtout la nuit, dans les galeries, les corridors, les cours et les jardins, écouter aux portes, suivre les gens, en un mot espionner, puis rapporter à Blouin leurs découvertes, qui les rendait au Roi [15] ». Un monarque décidé à briser toute velléité d'agitation en sa cour doit percer les secrets de ses hôtes. Cette surveillance étroite peut choquer. Au lendemain de la Fronde et de la révolte des grands, elle est un mal nécessaire.

L'harmonie de la cour impose au roi et à ses satellites une parfaite discrétion. Louis XIV, on le sait, parle peu. Sa fonction exige le secret. Si sa famille est parfois tentée par le babillage, il lui rappelle son devoir de réserve. « Peut-on parler autant que mon frère », dit-il un jour de Monsieur, mi-moqueur, mi-irrité. A Primi Visconti, les princesses du sang paraissent « plus esclaves que les femmes des sérails ; leurs regards sont observés et il n'y a pas un homme autour d'elles qui ne soit un espion du Roi [16] ». Tant il est vrai que les conversations des dames attirent curieux et cabaleurs. Louis, à qui le moindre climat d'intrigue est insupportable, exige en 1670 le renvoi des filles de chambre de Mlle de la Vallière. Leur coquetterie est le prétexte invoqué, mais les esprits fins savent que « leur disgrâce vient de ce qu'elles parlent [...]. Les gentilshommes les servaient sous prétexte de mariage et par là savaient toutes les nouvelles [17]. »

N'imaginons pas cependant la cour condamnée au mutisme, victime du syndrome de l'espionnite. L'information circule assez pour être la nourriture quotidienne des chroniqueurs. Les « on croit », « il paraît », « on assure » des Mémoires de Dangeau et de Sourches indiquent que Versailles bruisse de rumeurs, d'échos, de faits vrais. Le monarque n'est d'ailleurs pas avare de confidences mais retient celles dont le secret importe à la conduite des affaires. Il laisse toute liberté aux conversations mais veille à ce qu'elles ne tournent pas en cabale. « Il n'est permis à personne, excepté aux ministres, rappelle Madame, de parler des affaires d'État [18]. » L'originalité de la cour est là : chacun peut jouir des charmes de la vie de société à condition de ne pas contrarier la volonté du roi. La frontière entre affaires privées et activités publiques est souvent ténue. Pour les membres de la famille royale en constante représentation, elle est inexistante. Comme père de famille, Louis exige de ses proches l'exemple de la concorde.

Or la faiblesse de caractère de son frère, « roi des tracasseries », en fait la proie des intrigants. Partagé entre son intime, le chevalier de Lorraine, et ses deux épouses successives, Henriette d'Angleterre et Élisabeth-Charlotte de Bavière, il préside une société frivole, agitée, gorgée d'intrigues. Ses querelles conjugales répétées, connues de tous, imposent l'intervention du roi. En août 1682 par exemple, le marquis de Sourches raconte comment Louis, une fois encore, « alla voir l'un et l'autre [Monsieur et Madame] dans leurs appartements, et, après bien des allées et des venues qu'il voulut bien faire lui-même, il fit en sorte de rapprocher ces deux esprits, qui étaient si fort aliénés l'un de l'autre, de manière qu'il les fit embrasser et qu'ils couchèrent en même lit la nuit suivante[19] ». Le roi n'a jamais cessé d'apaiser les divisions dans sa Maison.

Avec ses filles légitimées sa tâche n'est pas moins ingrate. La princesse de Conti (Mlle de Blois), fille de Mlle de la Vallière, Mme la Duchesse (Mlle de Nantes) et Mme de Chartres (seconde Mlle de Blois), nées de Mme de Montespan, ont l'esprit tourné à l'intrigue. Mme la Duchesse, qui envie le rang de petite-fille de France de la femme de Philippe d'Orléans, fait des chansons brocardant ses sœurs, Mme de Maintenon et le roi. A dix-huit ans elle a imaginé un roman où chacun peut aisément reconnaître derrière les dignitaires de la cour de l'empereur Auguste les modèles versaillais. Dans ses Mémoires, Mme de Caylus la désigne comme « le centre d'un parti où l'on s'adonnait fort aux moqueries et aux cabales[20] ». Dans l'art des « picoteries », la princesse de Conti ne lui cède en rien. En 1685 les lettres adressées à son mari alors en Hongrie et interceptées par la surintendance des postes la compromettent. Elle y confiait imprudemment son mortel ennui aux fêtes de la cour : « Le Roi, avait-elle écrit, se promène souvent et je me trouve entre Mme de Maintenon et Mme d'Harcourt, jugez si je me divertis. » Les trois sœurs se querellent avec entrain. Un soir de décembre 1695 à Marly, l'aînée traite ses cadettes de « sac à vin », à quoi la duchesse de Chartres réplique en la qualifiant aimablement de « sac à guenilles » ! Le mot, dit-on, « courut sur-le-champ par Marly, et de là par Paris et partout ». Mme la Duchesse lui donna une suite en en faisant quelques chansons salées. Ni Monsieur ni Monseigneur ne purent les raccommoder. La brouillerie s'éternisa. Le roi dut intervenir, lava la tête aux princesses, leur assurant que « s'il en entendait parler davantage, elles avaient chacune des maisons de campagne où il les enverrait pour longtemps [...]. La menace eut son effet et, conclut

Saint-Simon, le calme et la bienséance revinrent et suppléèrent à l'amitié[21] ».

Louis XIV qui tolère les dérisoires querelles d'étiquette interdit les discordes génératrices de cabales. Les rivalités de clans, ravageuses au temps des Valois et des cardinaux-ministres, sont désormais anachroniques. La « grande soumission » des courtisans n'est pas plat hommage à l'orgueil royal : elle est garante de l'harmonie de la cour et de la tranquillité du royaume. Louis veille en priorité aux comportements des seigneurs naguère turbulents. S'il n'accorde à son frère aucune responsabilité politique, lui confie irrégulièrement un commandement militaire (il s'est bien comporté à Cassel en 1677) et le borne à la cour dans un rôle secondaire, c'est pour lui interdire de suivre le modèle de Gaston d'Orléans. Monsieur peut être expert dans l'art des « formalités », homme de culture, mécène et collectionneur, il importe qu'il demeure sans crédit. « Les princes du sang ne sont jamais bien en France ailleurs qu'à la cour », lance le roi en lui refusant le gouvernement de Languedoc[22]. En 1670 le projet de Monsieur de quitter Saint-Germain après l'arrestation du chevalier de Lorraine reste sans écho. « Il n'est plus le temps d'autrefois, écrit le marquis de Saint-Maurice, quand un fils de France se retirait de la Cour mal satisfait [...] l'on croyait le royaume bouleversé et en péril ; chacun armait pour son parti et les mécontents levaient le masque ; présentement personne ne bougera, tout le monde est soumis. » Encore ne faut-il pas tenter le diable ! Le retour en France du chevalier de Lorraine est prudemment assorti de sa nomination comme maréchal de camp destinée à l'éloigner de la cour. Le roi « ne veut pas que personne ne joue à donner des conseils à Monsieur ni que l'on ait d'autres volontés que les siennes[23] ».

Philippe de France sans influence, son fils le duc de Chartres souvent écarté des commandements militaires, Condé rentré dans le rang, « carressé du Roi [...] car il n'a de pensées que pour [son] service et fait généralement tout ce que veut la Cour[24] », les amateurs de brouilleries transfèrent leurs espoirs sur les héritiers de la Couronne, Louis de France dit Monseigneur (1661-1711) et son fils le duc de Bourgogne (1682-1712). Du fils aîné du roi les contemporains n'ont pas toujours brossé un portrait flatteur. Ils lui reconnaissent cependant force de persuasion et ténacité pour réclamer l'acceptation du testament de Charles II accordant à son fils Anjou la couronne d'Espagne. Plein d'attention filiale, Monseigneur n'a rien d'un homme à complots. Son père ne lui accorde-t-il pas l'entrée au conseil royal des finances et à celui des dépêches (1688) et, à partir de 1691, au conseil des ministres ? Monseigneur se refuse à devenir le chef d'un parti[25]. Aussi les ambitions de ceux qui « s'étaient proposés de se rendre les maîtres de [son] esprit [...] et de le gouverner pour disposer de l'État quand il en serait devenu le maître[26] » font-elles long feu. Cabale dérisoire, divisée avant de naître, où l'on retrouve, pêle-mêle, Mme la Duchesse, la princesse douairière de Conti et son beau-frère le prince de Conti, fidèle ami de Monseigneur, deux princesses de la maison de Lorraine, le maréchal de Luxembourg. Louis XIV veille, use du cabinet noir et, en 1694, fait chasser Mlle de Choin, maîtresse du grand dauphin, et exiler le chevalier de Clermont, agent de renseignement de Luxembourg.

Le duc de Bourgogne est plus ambitieux. Il « avait en vue, rapporte le maréchal de Berwick, de se rendre capable de bien gouverner pour faire le bonheur de ses peuples lorsqu'il serait sur le trône[27] ». (Encore eût-il fallu qu'il ne précédât pas son aïeul dans la tombe et qu'il survécût longtemps à son père.) L'entoure une camarilla, composée des ducs de Chevreuse, ministre d'État officieux, et de Beauvillier, membre du conseil d'en haut en 1691, de Fénelon et de dévots. Dans les années quatre-vingt-dix, l'affaire du quiétisme l'agite. Madame Palatine, qui n'a pas la tête mystique, en donne une vision politique proche de la réalité : « Tout cela, écrit-elle le 20 juillet 1698, n'était qu'un jeu pour gouverner le roi et toute la cour. On avait résolu de gagner Mme de Maintenon, ce qui fut fait [provisoirement], afin d'être maître du roi. On a trouvé chez eux des listes entières de charges à donner ; ils voulaient changer toute la cour et distribuer tous les plus hauts postes à leurs créatures [...]. Tout cela est ambition pure. » A cette date, Louis XIV est déjà intervenu, exilant Fénelon dans son diocèse de Cambrai et renvoyant les plus compromis des commensaux de son petit-fils. « Tout les dévots sont maintenant accusés d'être quiétistes ; le bruit court qu'on en chassera encore plus de la cour que de chez le duc de Bourgogne[28]. »

L'âge élevé du roi excite les ambitions. Vers 1710 trois cabales partagent la cour. Saint-Simon qui les décrit admet cependant que le mot passe la chose : « l'expression me manque pour ce que je veux faire entendre[29] », manière de ne pas confondre ces clapotis d'antichambre avec les agitations nobiliaires d'antan. A Meudon, autour de Monseigneur, le petit groupe de 1694 a survécu à l'orage et s'est étoffé de quelques courtisans. Chacun mise sur le dauphin, mais sans snober le roi. On « coupe, dit-on, les Marlys de Meudons ». Derrière le duc de Bourgogne, la cabale des ministres (ainsi la nomme le mémorialiste) s'est renforcée de Torcy, secrétaire d'État, et de Desmarets, contrôleur général des finances. Depuis Cambrai, Fénelon la « pilote ». La mort de Monseigneur semble lui ouvrir les allées du pouvoir. Le duc de Bourgogne en est transformé : « On vit ce prince, prétend Saint-Simon, timide, sauvage, concentré [...], cet homme engoncé, étranger dans sa maison [...], on le vit [...] se montrer par degrés, se déployer peu à peu [30]. » Le nouveau dauphin a vingt-neuf ans, le roi soixante-treize ! En novembre 1711 les *Tables de Chaulnes*, rédigées par Fénelon chez le duc de Chevreuse, prétendent préparer l'avenir. Le gouvernement aristocratique qu'elles appellent de leurs vœux doit limiter le pouvoir royal par des états généraux régulièrement réunis. Les événements contrarient ces projets : le vieux monarque survit à son petit-fils trop bien préparé à régner.

Mme de Maintenon n'a pas été insensible à cette « confrérie des âmes pacifiques ». Saint-Simon reconnaît à ses côtés une cabale dite des seigneurs, rassemblant quatre maréchaux, Boufflers, Harcourt, Huxelles et Villeroy, le secrétaire d'État Voysin, Louis et Jérôme de Pontchartrain, chancelier et secrétaire d'État, le premier écuyer Beringhen, François de la Rochefoucauld. Pas plus que la douce La Vallière ou la fougueuse marquise de Montespan, la dévote Mme de Maintenon n'est le ministre en jupons de Louis XIV. Si ses conseils laissent en général le roi indifférent, ses insinuations créent cependant un climat auquel Louis ne reste pas insensible [31]. Ses éloges répétés du duc du Maine, sa réserve à l'égard de Philippe d'Orléans ne sont peut-être pas étrangers au testament du roi. Le futur Régent ne commande ni clan ni parti. Bourgogne et Fénelon lui ont accordé leur appui, mais les décès successifs dans la famille royale en ont fait un suspect. Seul Saint-Simon lui fournit des projets politiques, rêvant d'une épuration ministérielle, distribuant les « portefeuilles ». La mort du vieux roi les prend cependant au dépourvu. En septembre 1715 Philippe d'Orléans n'avait « pris son parti sur rien [32] ». La cour de Louis XIV a compté des coteries, peut-être des cabales, elle a toujours ignoré les factions.

« L'enfer des courtisans »

Il est des disgrâces éclatantes et des disgraciés célèbres. Vardes, Bussy-Rabutin, Lauzun sont les principales victimes du « soleil offusqué », sorte de négatif de la triade triomphante Colbert, Le Tellier, Lionne. En fait Louis XIV, en cinquante-quatre années de règne personnel, n'a pas abusé de cette arme. Fouquet est mort à Pignerol pour raison d'État, mais Bussy (après seize ans d'exil bourguignon) ou Lauzun (au terme de dix années de forteresse) ont été autorisés à rentrer à la cour. La disgrâce est avant tout une épée de Damoclès suspendue au-dessus de chaque courtisan. La menace de l'exil est assez dissuasive pour contraindre à l'obéissance. Le comte de Guiche, soucieux après la Fronde de racheter sa conduite, l'exprime : « N'ayant pas envie de planter mes choux pendant toute ma vie, je tâcherai qu'on soit satisfait de moi[33]. » Louis XIV a réussi ainsi un double tour de force : faire de la fréquentation de sa cour un devoir, rendre intolérable le fait d'en être éloigné. A l'ordinaire un tel succès prend du temps. Aussi peut-on reconnaître dans les premières grandes disgrâces du règne, celles de Bussy en 1666 ou de Lauzun en 1671, l'équivalent des « coups de maître » de 1661. « Il faut m'obéir ou ne me voir jamais », déclare le roi au maréchal de Bellefonds. « Il faut être bien sage en cette cour », conseille le marquis de Saint-Maurice. « On ne veut à la cour que des personnes humbles et sans dessein caché », répond en écho Primi Visconti[34]. Aux esprits forts, libertins, indépendants, persifleurs, le roi a imposé la crainte de l'exil. Ce fut, Stendhal l'a reconnu, son chef-d'œuvre.

Un tyran emprisonne ou déporte; le roi de France éloigne les insoumis des antichambres de Versailles. Encore nuance-t-il ses sanctions à l'infini. Sa froideur — visage fermé, paroles laconiques ou silence glacial — est le signe, imperceptible au commun mais sensible aux familiers, de son mécontentement. Quelques mortifications peuvent s'y ajouter. Ne pas convier à la chasse la princesse de Conti afflige l'intéressée jusqu'aux larmes; suspendre les étrennes à Madame sanctionne son hostilité au mariage de son fils avec Mlle de Blois. Si les « manières sèches » du souverain n'amendent pas les coupables, la menace de l'exil se fait plus pressante. Ainsi vers 1669 la reine tenait une de ses dames du palais, Louise Chrétienne de Savoie, princesse de Bade, pour cabaleuse. Craignant son esprit et agacée de ses manières, elle continua à la voir « avec assez de bonté mais non pas avec la familiarité ordinaire ». Quand la princesse s'aperçut que tous les regards des courtisans se tournaient vers elle à chacune de ses entrées dans le cabinet de Marie-Thérèse, elle comprit sa défaveur. Elle persista néanmoins à fréquenter le palais. On dut alors prier sa mère de la persuader « de n'aller plus si fréquemment au Louvre l'après-midi et le jour[35] ». Mme de Bade s'enferma dans son hôtel avant d'être contrainte à un long exil. Soucieux de rétablir la paix dans sa cour, le roi avait ménagé à l'intrigante un retrait sans scandale.

Être exilé sur ses terres est pour un familier de Versailles le comble de la disgrâce. Dans son château bourguignon, le comte de Bussy, malgré qu'il en ait, « tente de se consoler de son inaction ». Il bâtit, décore, écrit ses Mémoires, dresse sa généalogie, échange des nouvelles avec près de cent cinquante correspondants. Mais Mme de Sévigné, qui prend part à son infortune, avive sa blessure quand elle lui écrit en mai 1667 : « C'est une chose douloureuse à un homme de courage d'être chez soi quand il y a tant de bruit en Flandre[36]. » Certains courtisans sont condamnés à quitter la cour mais gardent la liberté de demeurer à Paris, d'autres perdent leur logement à Versailles mais conservent leur pension. La disgrâce est susceptible de variations infinies. Chez toutes ses victimes elle nourrit la nostalgie de la cour. Sa peine adoucie, Mme de Saint-Géran ne souhaite pas profiter de la faveur l'autorisant à quitter son couvent de Rouen pour venir à Paris : « Elle avait toujours mandé que, n'étant point à la cour, tous lieux lui étaient égaux[37]. »

Les retours en grâce ignorent généralement la précipitation. De subtiles nuances distinguent réapparition à la cour, pardon royal et faveur retrouvée. Le voyage à Paris accordé à Bussy en 1676 comble le correspondant de Mme de Sévigné : « Bien que ce soit peu de chose [...], c'est une faveur qui me distingue des autres exilés. » Renouvelée en 1680, cette permission prépare son retour, mais le pardon royal tarde. « Je fais des pas du côté du Roi, écrit-il en juin, et quoique cela aille *lentement,* cela fait du chemin. » Le chemin de Versailles s'ouvre enfin le 12 avril 1682. L'exilé — il a alors soixante-quatre ans — est « parfaitement bien » reçu par le monarque, mais n'obtient rien. Bussy patiente, espère puis se décourage, paraît se résigner puis retrouve son ardeur. La défaveur est encore plus insupportable que l'exil. Le plus ancien lieutenant général du royaume (c'est ainsi qu'il se présente) ne reçoit ni bâton de maréchal ni cordon bleu. Il ne manque pourtant aucune occasion de proposer ses services à son maître : « Je voudrais bien, en chemin faisant, l'obliger de reconnaître mes bonnes volontés par quelque petite grâce qui, sans lui faire mettre la main à la bourse, ne laissât pas de m'accommoder. » La bourse royale finit par se délier le 16 octobre 1691 : une pension de 4000 livres lui est accordée, accompagnée des « plus honorables paroles [que Sa Majesté] pourrait dire à un prince du sang à qui elle ferait une grâce[38] ». Depuis son retour à la cour, près de dix années ont été nécessaires pour retrouver la faveur du prince. Le comte de Bussy n'en profite que quelques mois : il meurt en 1693.

Aussi lent (huit ans après sa libération de Pignerol), le pardon accordé à Lauzun est plus complet. Acteur de l'évasion réussie de la reine d'Angleterre et du prince de Galles fuyant la « glorieuse » révolution, il recouvre aussitôt logement à Versailles et grandes entrées. La dignité ducale couronne le tout en 1692. « Il a trouvé, écrit la malicieuse marquise de Sévigné, le chemin de Versailles en passant par Londres ; cela n'est fait que pour lui[39]. »

La disgrâce a ses raisons secrètes ou publiques. Négliger ses devoirs, manquer au service, tenir des propos « dont on n'a pas été content » sont les causes les plus fréquentes. Intrigues amoureuses, source de scandales, et rivalités personnelles, promesse de désordres, sont tranchées de même façon. La comtesse d'Armagnac « qui employait le peu d'esprit qu'elle avait à faire du mal » fut disgraciée en 1668 pour avoir dénoncé Mme de Montespan à la reine[40]. Compromettre la bonne tenue de la cour vaut à coup sûr de sévères punitions. En juin 1682 les « débauches ultramontaines » sont ainsi la cause de véritables exils collectifs. Le roi est d'autant plus déterminé à sévir que les coupables ont cherché à corrompre ses enfants, le dauphin et le jeune comte de Vermandois, fils de Mlle de la Vallière. Le nom ni la qualité des sectateurs de Sodome n'ont retenu le châtiment royal : le prince de la Roche-sur-Yon (un Bourbon) est éloigné à Chantilly, le marquis de Créqui, fils du maréchal, reçoit l'ordre de gagner Strasbourg. Ni les services du comte de Roye, un des plus anciens lieutenants généraux, ni le crédit du duc de la Rochefoucauld n'ont pu épargner le comte de Roucy et le vidame de Laon. Les exils ne sont cependant pas trop longs : le prince de Turenne est de retour en octobre comme le chevalier de Tilladet, un cousin de Louvois. Ces sanctions signifient sans doute la volonté du roi d'améliorer les mœurs de sa cour au moment de son installation à Versailles. Mais Louis XIV n'a pas extirpé le « vice ultramontain » : Bourdaloue le dénonce en chaire en 1684, Madame assure en décembre 1687 « que l'on n'entend plus parler d'autre chose ; on tourne en ridicule toute autre galanterie et il n'y a que les gens du commun qui aiment les femmes[41] ».

Si les débauches n'ont pas disparu, elles se font plus discrètes, respectent davantage la famille royale et la maison du souverain. Car le roi n'a jamais manqué de venger les offenses à ses proches. Pour avoir compromis cruellement la première Madame — Henriette d'Angleterre, à laquelle Louis s'était naguère attaché — et trompé la confiance du roi, le marquis de Vardes, capitaine-lieutenant des cent-Suisses, est embastillé en 1664, enfermé dans la citadelle de Montpellier où il attend dix-huit années l'autorisation de reparaître à la cour (1683). Son portrait dans l'*Histoire amoureuse des Gaules* aurait dû satisfaire ses ennemis et, en retour, faire la gloire de son auteur. Mais ce dernier, le comte de Bussy-Rabutin, commit l'imprudence de multiplier dans son œuvre les descriptions au vitriol des plus grands seigneurs de la cour. Il se moquait du duc de la Feuillade, étalait la stupidité du prince de Marsillac (de la maison de la Rochefoucauld), raillait la cupidité de la duchesse de Châtillon, dénonçait le libertinage vénal de la comtesse d'Olonne. Son portrait de Condé fit scandale. Le vainqueur de Rocroi, rentré en France en 1660, n'avait pas recouvré en 1665 la faveur du maître : le roi, qui n'avait rien oublié, le tenait à l'écart de la cour. Mais Condé était prince du sang, cousin de Sa Majesté. Louis XIV ne put accepter de voir salir son nom et caricaturer sa cour [42]. Bussy perdit sa charge de « mestre » de camp de la cavalerie légère et fut condamné à un long exil. Les mêmes causes produisant les mêmes effets, la désobéissance du comte de Lauzun provoqua sa disgrâce. L'obstination de ce gentilhomme, un temps favori du prince, à vouloir épouser la cousine germaine du roi, la grande Mademoiselle, lui valut dix ans de forteresse : « grand exemple de l'inconstance de la fortune », conclut, laconique, Mme de Sévigné !

Les châtiments royaux ne frappent pas que des comparses, « c'est en quoi éclate la justice et l'équité que [Sa Majesté] veut qui règne dans son royaume [43] », reconnaît le marquis de Saint-Maurice. En 1685, les princes de Conti en font l'amère expérience. Louis Armand de Bourbon, prince de Conti (1661-1685) et son frère François Louis, prince de la Roche-sur-Yon (1664-1709), ont mécontenté le roi en allant combattre les Turcs sous le drapeau du roi de Pologne Jean Sobieski. Ayant quitté précipitamment Versailles sans prendre congé, renonçant chemin faisant à la Pologne pour faire campagne en Hongrie, ils ont bravé les ordres royaux. Leur escapade, qui séduit d'autres jeunes gentilshommes, la colère du roi sont à la cour l'objet de tous les commentaires. On assure que Sa Majesté a refusé de lire leurs lettres, signe de leur disgrâce, mais on sait que le cabinet noir a intercepté leur correspondance avec quelques courtisans demeurés à

Versailles, où parmi beaucoup « d'imprudence et de libertinage », « d'ordures et de moqueries », Louis XIV était traité de « gentilhomme campagnard affainéanti auprès de sa vieille maîtresse ». A leur retour, le roi accepte leur visite, convaincu « que des princes du sang étaient mieux auprès de lui que partout ailleurs[21] », mais retire les grandes entrées à Conti (il meurt en novembre 1685) et éloigne son frère à Chantilly. A la requête du grand Condé, leur oncle, le roi pardonne sans toutefois oublier les offenses. Cinq années sont nécessaires pour réintégrer François Louis de Bourbon dans le service, dix pour obtenir le pardon du marquis de Liancourt, un des auteurs des malheureuses lettres.

L'éloignement de la cour, la révocation des grâces royales, la privation des charges auliques et des commandements militaires sont les moyens ordinaires pour remettre les courtisans dans le devoir. Au temps de Henri III ou de Louis XIII, les coupables auraient armé leurs fidèles et suscité la révolte. Louis XIV régnant, ils se contentent de regretter Versailles et souffrent de n'être plus autorisés à servir.

Hommes de cour et de gouvernement

Depuis 1682 Versailles est résidence permanente de la cour. Mais le château royal est aussi place de gouvernement. Pénétrant dans la cour d'honneur, le visiteur est comme escorté par les deux ailes des ministres, bâtiments parallèles de brique et pierre, œuvre de Mansart. Au rez-de-chassée de la « vieille-aile », la grande salle abrite les réunions du conseil privé. Au fond de la cour de marbre, au premier étage, entre la chambre du roi et la galerie s'ouvre le cabinet du Conseil. Les familiers du château n'ignorent pas que dans l'appartement de Mme de Maintenon dominant la cour royale, de longues séances de travail (ou *liasse*) absorbent le roi et quelques-uns de ses ministres. Dans les antichambres les habits colorés des courtisans contrastent avec les vêtements sombres des hommes de gouvernement. Ministres et secrétaires d'État sont habillés en cavaliers, l'épée au côté, « la canne à la main sans manteau », mais conseillers d'État et maîtres des requêtes paraissent au Conseil en robe de soie noire et devant le roi en manteau. Nul ne s'étonne de croiser dans les galeries généraux (avant leur départ en campagne et au retour du front), présidents de cours souveraines (en mission ou convoqués par le monarque), gouverneurs et intendants (en début de mandat ou rappelés pour affaires). Certes les sorties du roi séduisent davantage les curieux dont certains en ont conservé le souvenir ébloui. De la cour de marbre à la place d'armes, gardes du corps, timbaliers et trompettes, chevaux, carrosses, courtisans, valets « et une multitude de gens tous en confusion, courant avec bruit autour de lui » rappellent « la reine des abeilles quand elle sort dans les champs avec son essaim[44] ». Moins chatoyantes, plus austères sont les allées et venues des grands personnages et plumitifs de l'État. Elles font toutefois de la résidence royale le centre nerveux d'une mécanique institutionnelle, celle du gouvernement et de l'administration du royaume.

La décision prise en 1661 par Louis XIV de se passer de premier ministre puis de surintendant des finances avait surpris les courtisans incrédules. Le choix des membres de son nouveau conseil, dit « d'en haut », déçut les plus ambitieux. Ni la reine mère Anne d'Autriche, jusque-là en charge des affaires, ni Monsieur frère du roi, aucun prince de la famille royale, nul duc et pair n'ont été conviés aux responsabilités publiques. Le ministériat est mort avec le cardinal Mazarin. Le temps des grands dominant et paralysant le Conseil est clos. Les savants dosages politiques entre fils de France et princes du sang paraissent d'un autre âge. A l'aube du règne, Le Tellier, Fouquet (puis Colbert) et Lionne suffisent au jeune roi. Dans ses *Mémoires pour l'année 1661*, Louis a expliqué qu'aux « gens de plus haute considération » il a préféré les serviteurs compétents. « Il n'était pas de mon intérêt de prendre des sujets d'une qualité plus éminente. Il fallait, avant toutes choses, établir ma propre réputation, et faire connaître au public, par le rang même d'où je les prenais, que mon intention n'était pas de partager mon autorité avec eux[45]. » Capacité et fidélité sont les qualités requises des conseillers du prince. Aux nobles de « grande naissance » Louis a préféré des hommes issus de la magistrature. M. le duc de Saint-Simon les dira de « vile roture » : ils étaient de noblesse de robe.

Le roi est resté fidèle à ses choix. La dignité de ministre d'État n'a jamais été accordée à des princes du sang, officiers de la Couronne ou prélats. Jamais Louis XIV n'a songé à Condé ou son neveu Conti, à M. le Prince ou M. le Duc, son fils. Seuls le grand dauphin en 1691 et le duc de Bourgogne en 1702, fils de France, ont été admis au conseil d'en haut. Tard dans le siècle, Beauvillier (1691) et le second maréchal de Villeroy (1714) y représentent le parti des ducs. A la fin du règne, Berry rejoint son frère au conseil des dépêches et à celui des finances qu'ont présidés les ducs de Villeroy et de Beauvillier. Si Louis XIV n'a jamais accordé aux grands seigneurs — à ces deux exceptions près — l'accès au Conseil, il ne s'est pas interdit de les consulter. Sans être ministre, le maréchal de Turenne, dans ses tête-à-tête avec le roi dont il est fier, est informé des négociations diplomatiques les plus secrètes et inspire des initiatives militaires[46]. Un familier du monarque, le duc de Chevreuse, se révèle bientôt comme ministre officieux, « sans en avoir l'apparence, et sans entrer au conseil ». Selon Saint-Simon, Torcy, Chamillart et Pontchartrain avaient reçu ordre de lui communiquer projets, dépêches et « de conférer de tout avec lui ». « Il entrait très souvent chez le Roi par les derrières, souvent aux heures ordinaires ; il avait des audiences du Roi, longues, dans son cabinet, tantôt retenu par le Roi, tantôt y restant de lui-même quand tous en sortaient. Quelquefois au dîner, mais presque tous les soirs au milieu du souper, il venait au coin du fauteuil du Roi [...] et la conversation se liait bientôt. » Longtemps la cour ignore que les affaires de l'État occupent les deux hommes, seulement surprise « qu'un détail des chevau-légers [Chevreuse était capitaine-lieutenant de la compagnie] pût fournir à des conversations si longues, si fréquentes et si fort à l'oreille, et qui s'en étonna bien plus quand ce prétexte eut cessé par la démission de cette compagnie à son fils[47]. » Sa haute naissance, ses fonctions dans la maison du roi n'interdisent pas à Charles-Honoré d'Albert, duc de Chevreuse et pair de France, d'être le conseiller particulier de Sa Majesté.

La place des robins au Conseil irrite la grande noblesse. Les grâces, dons, faveurs qu'ils reçoivent du roi l'exaspèrent. Elle dénonce avec constance les emplois réservés aux parents des ministres, jalouse les « privances » acquises auprès du monarque. Louvois, Pontchartrain, Croissy, Pomponne, Seignelay, Desmarets, l'intendant Le Peletier, le conseiller d'État Courtin obtiennent les honneurs de Marly et certains d'entre eux un logement. A Mme Desmarets, le roi réserve un jour le privilège d'une visite guidée des jardins. Conseillers d'État, intendants ainsi que leurs femmes sont présentés à la cour. Ministres et secrétaires d'État sont logés au château : Seignelay dispose d'un beau logement au grand commun, Chamillart d'un appartement, auprès du comte de Toulouse, envié des grands seigneurs. Peu à peu, regrette Saint-Simon, les ministres « s'étaient mis de ce règne au niveau de tout le monde ». Mme Colbert gagne la faveur de partager la table du roi et de la reine et d'entrer dans les carrosses. L'émulation aidant, Louvois obtient le même privilège pour sa femme. « De là leurs belles-filles, et, à cet exemple, les autres femmes de secrétaires d'État, et à la fin celles des contrôleurs généraux[48]. » On ne compte plus les contrats de mariage des serviteurs de l'État honorés de la signature royale. Leurs alliances avec les familles de la cour (Colbert a trois ducs comme gendres, Louvois deux), l'exercice de charges auliques (le marquis de Souvré, fils de Louvois, est maître de la garde-robe ; son frère, le marquis de Courtanvaux, est colonel des cent-Suisses) achèvent de les installer dans la société versaillaise.

La puissance des ministres, la confiance que leur accorde le souverain agacent les grands. « Il n'y a rien de caché entre le roi et eux, mais ainsi le secret est si grand qu'aucun autre de la cour ne sait jamais rien[49]. » Contre les critiques ou les malveillances, Louis XIV soutient les hommes qu'il a choisis. Les premières années du règne témoignent de sa détermination. Son assiduité au travail, les compétences reconnues à ses ministres indiquent à tous que les coups de maître de 1661 ne sont pas décisions légères d'un jeune souverain prompt à relâcher ses efforts. Chaque étape de la carrière exceptionnelle d'un Colbert souligne la pérennité des choix du souverain. Ministre d'État et principal rapporteur au conseil royal en septembre 1661, Colbert n'attend pas trois ans pour ajouter à ses fonctions la surintendance des bâtiments, et quatre années pour recevoir la commission de contrôleur général des finances. En février 1669 il obtient une charge de secrétaire d'État regroupant la maison du roi, Paris, les affaires du clergé, puis la marine et le commerce. L'ancien intendant de Mazarin est au sommet de son crédit. Les « ministres, généralise le marquis de Saint-Maurice, gouvernent paisiblement et à leur gré. Tout Paris et toute la cour *en exclament,* bien que tout le monde, et grands et petits, aient été chez ledit Colbert pour le féliciter de son nouvel emploi[50] ». Ainsi l'homme de cour doit-il s'accommoder progressivement du crédit des principaux ministres. « Il n'y a maintenant rien de nouveau à la cour, reconnaît un contemporain en 1668, les ministres y agissent à leur coutume, plusieurs personnes pestent contre eux [...] ils ne font pas semblant de le savoir, le Roi témoigne de l'ignorer[51]. »

Cette coexistence n'exclut ni rumeurs, ni crocs-en-jambe. Le roi refuse-t-il une faveur ou lance-t-il une parole sévère à l'un de ses serviteurs ? Il n'est bruit que de perte de crédit, disgrâce, renvoi. Au retour de la campagne de Flandre, les courtisans croient deviner dans le marquis de Bellefonds, enivré de sa récente promotion au maréchalat et des faveurs du maître, le rival déclaré des ministres.

L'alliance qu'il noue avec Turenne, le maréchal de Créqui et le marquis de Puyguilhem (Lauzun), « particulièrement contre M. Colbert », nourrit quelques espérances, vite déçues. Le 26 octobre 1668, le marquis de Saint-Maurice rapporte que « Sa Majesté, pour fermer la bouche à la médisance et faire voir l'estime qu'elle a toujours pour un ministre si fidèle, alla hier à Paris et demeura plus de deux heures chez lui[52] ».

Ces machinations lilliputiennes font long feu. Le roi veille, soutient ses ministres. Le plus détesté est François Michel Le Tellier, marquis de Louvois. Sa famille tient « toute la cour par l'intérêt, M. de Louvois par la distribution des charges de la guerre et l'abbé, son frère, qui a la nomination de quantités de bénéfices qui dépendent de ses abbayes, de celles du cardinal d'Este, dont il est grand vicaire, et de l'archevêque de Reims, en étant coadjuteur[53] ». Surintendant général des postes, le ministre est maître du cabinet noir et du secret des lettres. Ses efforts pour achever de discipliner et nationaliser l'armée exaspèrent la haute noblesse jusque-là maîtresse de ses régiments.

Les grands chefs militaires supportent difficilement le contrôle du pouvoir civil, rechignent à se soumettre à l'autorité des bureaux. Mme de Sévigné rapporte un exemple vivant de cette tutelle administrative exercée sur un jeune noble de la cour.

« M. de Louvois dit l'autre jour tout haut à M. de Nogaret :

« — Monsieur, votre compagnie est en fort mauvais état.

« — Monsieur, dit-il, je ne le savais pas.

« — Il faut le savoir, dit M. de Louvois ; l'avez-vous vue ?

« — Non, dit Nogaret.

« — Il faudrait l'avoir vue, monsieur.

« — Monsieur, j'y donnerai ordre.

« — Il faudrait l'avoir donné. Il faut prendre parti, monsieur : ou se déclarer courtisan, ou s'acquitter de son devoir quand on est officier[54]. »

Dès le début du règne, la rudesse du jeune ministre fait l'unanimité contre lui. « Tout est mal satisfait, gémit-on en 1669, tout veut quitter et ceux qui sont maintenus sont les timides et qui se soumettent à souffrir [ses] rudeurs [...]. On n'entend que plaintes de tous côtés [...] mais avec cela on est très soumis[55]. » Chacun comprend que « le Roi veut que ce qu'il veut ». Les généraux de haute naissance et de grande réputation comme Condé ou Turenne sont moins dociles. En 1670 la cour ironise sur l'obligation faite au vainqueur de Lens de présenter au jeune ministre la commission de son régiment afin de régler les rangs. La guerre de Hollande qui grandit Louvois aggrave le conflit. Mais les plaintes conjuguées de Condé et Turenne n'entament pas le crédit de celui qui a l'entière faveur du roi. Triomphant de la cabale, le ministre « fit tous ses efforts pour que [Sa Majesté] ne leur confiât plus à l'avenir le commandement de ses armées [56] ». S'il est juste de reconnaître que des généraux de valeur et de grands courtisans lui ont accordé leur amitié, on devine que Louvois n'a pas manqué d'ennemis. Sa décision de régler l'avancement des officiers supérieurs par l'ancienneté au détriment de la naissance (c'est l'ordre du tableau, 1675) est une cause supplémentaire d'irritation des gens de cour, déjà mortifiés de faire antichambre chez le secrétaire d'État de Sa Majesté [57].

Le roi, qui a réduit les complots nobiliaires en querelles d'étiquette et picoteries de salon, joue de la rivalité entre courtisans et hommes de gouvernement. « Il faut, disait-il à son fils, que vous partagiez votre confiance entre plusieurs, la jalousie de l'un sert souvent de frein à l'ambition des autres [58]. » La soumission et le service des premiers en sont, à terme, l'effet escompté. Pour échapper à la tutelle des seconds, Louis sait habilement partager sa faveur. En invitant robe et épée à servir l'État, le monarque encourage l'émulation et excite le zèle. Les rivalités des clans ministériels préservent sa marge de manœuvre. Un souverain, écrit-il, doit prendre « des informations hors du cercle étroit d'un conseil » et entretenir « une espèce de commerce avec ceux qui tiennent un poste important dans l'État [58] ». N'imaginons pas les ministres occupés à ferrailler contre la noblesse de cour. L'estime sait parfois les réunir. Chamillart se fait beaucoup d'amis à Versailles « par la facilité de son accès, par sa politesse et par une infinité de services [59] ». Mais surtout le front des conseillers du prince n'est pas sans fissure. Les Le Tellier jalousent les Colbert. La cour le sait, tente d'en tirer avantage. Ainsi le duc de Roannez n'est pas l'ami de Louvois, « mais il l'est de M. Colbert qui l'a poussé dans la charge de colonel des gardes et lui a fait trouver les 60 000 écus qu'il est obligé de donner au maréchal de Gramont [60] ». Le contrôleur général des finances est l'allié de Mme de Montespan que l'affaire des poisons brouille avec Louvois. Ce dernier incline vers Mme de Maintenon avant qu'elle ne se rapproche des enfants de Colbert (Seignelay et les duchesses de Chevreuse et de Beauvillier). Faveurs et alliances sont à géométrie variable. Le crédit de chacun évolue sans cesse. Le roi conserve ainsi sa liberté. A la cour comme au gouvernement il demeure l'arbitre suprême.

Dans les privances du roi

Une vision sommaire de la vie de cour suggère parfois le rôle primordial des privilégiés du rang. L'influence, le crédit des courtisans s'apprécieraient selon la place de chacun dans la hiérarchie officielle de la cour qui étage en un *diminuendo* consacré par la tradition la famille royale, les personnes titrées (princes étrangers, ducs et pairs, ducs), les grands officiers de la Couronne et les grands dignitaires de la maison du roi. Certes, le protocole exige qu'un prince du sang domine un duc. Mais l'audience du prince de Conti, en continuelle disgrâce, est inférieure à celle de François de la Rochefoucauld ou du duc de Villeroy, amis du prince. Certes, toutes les duchesses précèdent les dames non titrées, mais nul n'ignore que toutes se lèvent, « même en présence de la reine », à l'approche de Mme de Ludres sous prétexte que celle-ci est aimée de Sa Majesté. Si l'on retient que les ducs de Rohan, de Ventadour et de Brissac, qui, il est vrai, ne vont point à la guerre, ne comptent pas parmi les soixante-quatorze cordons bleus de l'ordre du Saint-Esprit de 1688 où dominent les protégés de Louvois et s'insinue le frère de Mme de Maintenon[61], on conviendra que la haute naissance ne suffit pas à gagner les faveurs du prince et à dominer le tout-venant des courtisans. Aussi est-il aisé de reconnaître à côté de la hiérarchie des rangs l'existence d'autres critères qui fondent le crédit.

L'amitié royale y a sa part. S'il l'accorde à Vendôme, au prince d'Armagnac, à Turenne (de la maison de Bouillon), Saint-Aignan, Lauzun, La Feuillade, La Rochefoucauld, Chevreuse et Villeroy, Louis ne la réserve pas aux plus grands seigneurs. Les qualités personnelles, la fidélité, le service importent autant au souverain que l'ancienneté des familles. Le « peu de naissance » n'est pas un obstacle pour partager son amitié : des ministres (Colbert, Louvois, Chamillart), des artistes, des gens de lettres en ont bénéficié.

Ainsi le service de la personne royale assure aux commensaux une familiarité enviée des grands. Le personnel de la Chambre pénètre quotidiennement dans l'intimité du monarque. Tous les observateurs l'ont noté : le roi « traitait bien ses valets, surtout les intérieurs. C'était parmi eux qu'il se sentait le plus à son aise, et qu'il se communiquait le plus familièrement, surtout aux principaux[62] ».

Aussi le roi témoigne-t-il à mille occasions une « amitié toute particulière » pour son premier valet de chambre Bontemps. Beaucoup, Louis le premier, reconnaissent en lui « le meilleur valet qui ait jamais été, le plus affectionné, cachant un bon esprit et assez de finesse sous un extérieur grossier ; fidèle, sans intérêt, sans ambition ; ne songeant qu'à faire le profit du maître [63] ». Détenteur de tous les secrets de Versailles mais d'une totale discrétion (ne dit-on pas d'un homme qui fait mystère de tout : « c'est un vrai Bontemps » ?), approchant sans cesse le roi, travaillant avec lui à la distribution des logements à Versailles et des invitations à Marly, il est un des hommes clefs de la cour. Ses collègues et successeurs, Blouin ou Nyert, lui sont comparables. Entrant dans les cabinets à toute heure, ayant « cent occasions de voir le Roi *à revers* tous les jours », admis dans « la confiance des paquets secrets et des audiences inconnues », leur crédit est considérable. Courtisés, ménagés des puissants, « leur amitié et leur aversion a souvent eu de grands effets [64] ».

Partager l'intimité du prince par l'exercice de quelques emplois, même modestes, décuple l'influence des commensaux. S'introduire dans la familiarité du maître en flattant ses goûts vaut un semblable crédit. La passion du père de la Chaize, confesseur du roi, pour les médailles favorise et prolonge ses entretiens avec le souverain amateur et collectionneur. Au cours de leurs conversations, assure l'abbé de Choisy, le jésuite poussa tant de « bottes au pauvre archevêque » (de Paris, Harlay de Champvallon) qu'il « le fit exclure de la connaissance des bénéfices, s'en appropriant à lui seul la nomination [65] ». Dans leur quête d'abbayes, de canonicats ou de prieurés, les courtisans comprirent rapidement que seul le bon père était à ménager.

Deux hommes de génie, deux artistes ont acquis par leur talent professionnel et leur habileté de courtisan une semblable influence à laquelle leur roture ne les destinait pas. Depuis 1675 la faveur de Jules Hardouin-Mansart n'a cessé de grandir. Premier architecte en 1686, il reçut en janvier 1699 la surintendance des bâtiments. Elle donnait « un fort grand commerce avec le roi et beaucoup d'occasions de faire plaisir aux courtisans dans toutes les maisons royales [66] ». Assidu auprès d'un maître qui cultivait le goût des bâtiments, l'artiste s'imposa tant qu'« avec ses plans, il s'était frayé l'entrée des cabinets, et peu à peu de tous, et partout, et à toutes les heures, même sans plans et sans avoir rien à dire de son emploi. Il en vint à se mêler dans la conversation en ces heures privées ; il y accoutuma le Roi à lui adresser la parole sur des nouvelles et sur toute matière. Il hasardait quelquefois des questions ; mais il savait prendre ses moments : il connaissait le Roi en perfection, et ne se méprenait point à se familiariser, ou à se tenir sur la réserve. Il montra aux promenades des échantillons de cette privance, pour faire sentir ce qu'il pouvait. Il n'en abusa point pour mal faire à personne ; mais il eût été dangereux de le blesser. Il acquit ainsi une considération qui subjugua non seulement les seigneurs et les princes du sang, mais les bâtards et les ministres qui le ménageaient, et jusqu'aux principaux valets de l'intérieur[67]. » Sa mort en 1708 attrista les courtisans, ce que Saint-Simon jugea indécent pour « un particulier de cette espèce », et le fit regretter du monarque, « car personne n'avait auprès de lui accès si fréquent et si familier[68] ». C'était oublier Racine, bénéficiaire d'une faveur comparable.

Son entrée à l'Académie française et la charge anoblissante de trésorier de France donnée par le roi avaient récompensé le dramaturge apprécié de la cour. Ses qualités mondaines — reconnues par ses ennemis — l'ont aidé à obtenir le poste envié d'historiographe (1677), et approcher quotidiennement le souverain. Ainsi au lever de Sa Majesté, alors que des nobles de haute volée faisaient antichambre, Racine entrait dans la chambre royale sans que l'huissier aille demander pour lui. « Il arrivait même quelquefois, rapporte Saint-Simon, que le Roi n'avait point de ministres chez Mme de Maintenon, comme les vendredis, surtout quand le mauvais temps de l'hiver y rendait les séances fort longues, [qu']ils envoyaient chercher Racine pour les amuser[69]. » Chacun savait à Versailles que le monarque, pendant ses insomnies, l'invitait à lui faire la lecture, le préférant aux deux autres lecteurs. Indispensable au prince, l'auteur d'*Esther* devint un habitué de Marly ; le 28 septembre 1689 la cour étonnée apprend qu'il y dispose d'une chambre. L'année suivante, à la veille de la première répétition d'*Athalie*, le roi lui donne la charge de gentilhomme ordinaire, faveur jugée exorbitante pour un homme « venu de rien ». En 1695 il est logé à Versailles à la place du marquis de Gesvres. Vingt ans durant le poète a vécu avec son maître dans une continuelle intimité qui l'a fait rechercher des courtisans soucieux d'obtenir de ses bons offices quelques grâces royales. Bien en cour, Racine avait fait « florès dans ce charmant séjour[70] ».

Qui détaillera les bons et mauvais services rendus par ces familiers et amis du roi aux puissants de la cour ? Qui appréciera les égards des candidats à Marly envers Nanon, domestique de Mme de Maintenon, dont la protection n'était jamais infructueuse ? Imaginer les seuls grands seigneurs comme intermédiaires obligés entre le roi et le tout-venant des courtisans, les croire uniques personnes influentes à Versailles, revient à confondre l'instantané des cérémonies protocolaires avec la vie quotidienne de la cour. On sait que M. le duc de Saint-Simon, si fier de son rang de pairie, passait par le roturier Fagon, premier médecin, pour l'octroi de ses rares et courtes audiences[71]. La hiérarchie officielle de la société aulique souffre des passe-droits décidés et légitimés par le prince. Rang et crédit ne se confondent pas toujours. Aux intimes, aux serviteurs zélés appartiennent souvent la supériorité de fait, la véritable influence.

Le catalogue des grâces

Mme de Choisy l'a assuré : le roi accable ses courtisans de bienfaits. La lecture des chroniques de la cour aide à en dresser le catalogue. Sa diversité permet au prince de récompenser ses fidèles de mille manières. Mais ces grâces ne peuvent être hiérarchisées : une invitation à Marly, un logement au château, l'octroi d'une pension sont-ils premières ou dernières faveurs ? Si « la façon de donner vaut mieux que ce qu'on donne », recevoir une grâce même modeste de la bouche du roi comble tout courtisan. « Jamais personne, reconnaît Saint-Simon, ne vendit mieux ses paroles, son sourire même, jusqu'à ses regards. Il rendit tout précieux par le choix et la majesté, à quoi la rareté et la brièveté de ses paroles ajoutait beaucoup[72]. » Un courtisan honoré en public d'un mot du souverain fait cent envieux. Que la parole soit bienveillante, et l'heureux élu est « recherché comme un saint » ! Si le monarque fronce le sourcil, la victime sera tenue « à l'écart comme un damné ». Lorsque à l'amabilité du prince s'ajoute une faveur enviée, notre heureux courtisan croit « les cieux ouverts[73] ».

Pensions et gratifications sont « grâces pécuniaires ». Elles varient de quelques centaines de francs à plusieurs milliers de livres. Au duc de Chartres le roi donne 50 000 écus de pension, à son petit-fils Berry 100 000 livres, 24 000 livres au duc de Vendôme, 10 000 à la duchesse d'Aumont, 6 000 à la duchesse de la Ferté, mais 80 000 à la duchesse de Fontanges, son éphémère maîtresse[74]. Sauf pour les hommes de gouvernement, aucune pension, aucun don d'argent n'est tarifé. Si les gens de cour sont les obligés de Sa Majesté, celle-ci accorde ses grâces « à qui bon lui semble ». Ainsi le souverain fait des présents de noces aux enfants de ses ministres mais pas toujours à ceux des princes. Si la naissance ne donne aucun droit, les exigences du rang de la famille royale nécessitent toutefois de fortes libéralités. En 1714, 380 000 livres sont insuffisantes « pour la dépense de la maison [de la duchesse de Berry] sur le pied où elle est. Le Roi, qui s'est donné la peine d'entrer dans le détail, a cru qu'il fallait donner 200 000 francs de plus [75] ». Enfin Louis XIV n'oublie pas ses amis : le maréchal de la Feuillade et le duc de la Rochefoucauld passent ainsi « pour être ceux qui avaient le plus de part aux bonnes grâces du Roi [76] ». Les pensions ne sont pas revenus viagers. « Tout est renouvelable, rappelle Primi Visconti, et rien n'est certain d'une année à l'autre ; si vous n'êtes pas nécessaire ou si vous déplaisez, on vous supprime le bénéfice [77]. » Opinion commune que Furetière traduit dans son célèbre *Dictionnaire* par une formule frappée comme un proverbe : « Toutes les faveurs de la cour sont incertaines. »

Le nombre des courtisans, les sommes élevées accordées aux privilégiés de la faveur, la fréquence des dons royaux rapportés dans les mémoires du temps ont suggéré des finances publiques dévorées par les pensions. Les comptes du Trésor ruinent cette légende tenace. Le budget de l'année 1683, au lendemain de l'installation à Versailles, n'attribue aux pensions que 1,21 % des dépenses, soit 1 400 000 livres [78]. Même sous-évalué, ce chiffre balaie les accusations de prodigalité du souverain envers ses familiers. Encore ces derniers ne se sont-ils pas seulement donné la peine de solliciter : les pensions sont récompenses, remboursements, assurances sociales, retraites, moyens de gouvernement. Pour élever dignement ses quatre enfants, Mme Tourolles, femme de chambre de la duchesse de Bourgogne, reçoit 2 000 francs. On augmente la pension de la marquise de Rouville, fille d'une dame d'atour de la reine, en raison de ses difficultés d'argent et malgré son retrait de la cour. Dons et pensions peuvent alterner. Mlle de Chausseraye, ancienne fille d'honneur de Madame, avait renoncé à sa rente de mille écus — alors « bienfait [...] extrêmement nécessaire » — contre un don plus considérable. Mais celui-ci « s'est trouvé si chargé d'affaires et d'embarras qu'elle n'en tirait plus rien ; le roi a été touché [...] et lui a redonné sa pension ».

Récompenser des commensaux fidèles motive aussi les dons royaux. En 1687 par exemple, le vieux La Grange, enseigne des gardes du corps qui « rend sa charge », reçoit mille écus de pension et 20 000 francs comptant, le mettant à l'abri du besoin. Les dépenses engagées par les serviteurs de l'État en mission exigent dédommagements. Les 100 000 livres accordées en septembre 1698 au maréchal de Boufflers couvrent en partie ses débours au camp de Compiègne. Grands seigneurs ou modestes courtisans pressés par leurs créanciers trouvent souvent secours auprès du souverain. A trois reprises M. de la Rochefoucauld, grand maître de la garde-robe, obtient du roi le remboursement de ses énormes dettes. Pour libérer une succession obérée, le monarque consent parfois à payer après la mort du bénéficiaire la pension de ses héritiers[79].

Expression de la bienveillance royale ou juste récompense, dons et pensions ont aussi un sens politique. Nul ne l'ignore : Louis XIV tient les gens de cour par ses « grâces pécuniaires ». Leurs difficultés financières — accrues par la vie versaillaise — les rendent dépendants de ses faveurs. Que les pensions soient payées en retard, ce qui est fréquent, les dettes croissent, la gêne s'installe. La maison d'Orléans, pourtant immensément riche et favorisée, n'échappe pas (les lettres de Madame en témoignent) aux embarras de trésorerie. On guette alors les étrennes royales et le renouvellement des pensions. Il ne déplaît pas au monarque d'être ainsi le sauveur de fortunes menacées, le bailleur de fonds d'orgueilleuses maisons. Louis aime être sollicité. « Ne me demandez-vous que cela ? » dit-il en 1703 au futur Régent venu briguer le titre de duc de Chartres pour son fils aîné. « Je préviendrai donc votre demande, enchaîne le roi, et je donne à votre fils la pension de premier prince de sang de cent cinquante mille livres[80]. » Les pensions accordées sans requête sont rares : chacun doit venir à la cour solliciter les bontés du roi, survivance lointaine de l'hommage au seigneur protecteur de ses vassaux.

De même nul n'est invité à Marly sans l'avoir demandé. A peine achevé, « le plus bel endroit du monde » était ouvert à tous les courtisans. Importuné par la foule, le roi « défendit que personne n'y vînt sans lui en avoir demandé la permission ». Aux récalcitrants ou aux oublieux les portes demeurèrent fermées. Dès lors les courtisans se firent solliciteurs. « Sire, Marly », chuchotait-on sur son passage l'avant-veille des voyages. Quand les dames se rassemblaient au souper du roi, « cela s'appelait se présenter pour Marly ». Les invitations étaient à leurs noms, leurs maris suivaient. Louis XIV, qui avait coutume de dire que si Versailles avait été construit pour sa cour, Marly l'avait été pour ses amis, s'entourait d'une société choisie et indépendante des rangs. Les princes du sang n'y allaient pas de droit mais devaient être nommés « comme tout le monde et à chaque fois ». Ils n'y étaient pas logés, privilège réservé aux fils et petits-fils de France. Le roi dressait lui-même la liste de ses invitées, Bontemps la faisait copier et diffuser aux heureuses élues. L'ordre suivi ne respectait pas la hiérarchie officielle de la cour, mais dépendait seulement du choix du roi. A chaque voyage, une cinquantaine de courtisans triés sur le volet jouissait de cette faveur enviée. Même en hiver ou par gros temps, on demandait Marly. Bientôt les logements que le monarque donnait aux familiers ne suffirent plus. En mars 1691, les dames, plus nombreuses qu'à l'ordinaire, durent coucher dans les antichambres des princesses faute de chambres « pour les mettre séparément » ; en 1710, on dut loger quelques-unes « dans les pavillons où on ne logeait d'ordinaire que des hommes ». « Tous les logements sont remplis, note Dangeau en juin 1715, il y a six maréchaux de France et plusieurs officiers généraux qui avaient demandé hier pour Marly, que le roi n'a pas pu y mener[81]. »

La volonté royale et les dimensions du château imposent un *numerus clausus*. Les courtisans doivent alors redoubler de zèle pour être choisis. Avant chaque voyage chacun s'efforce de contenter le prince, règle sa conduite, discipline ses paroles. « Toutes les dames ont une telle peur de dire quelque chose qui pût déplaire ici et les empêcher d'aller à Marly, reconnaît la princesse Palatine, qu'elles ne parlent que de toilette et de jeu[82]. » Hommage involontaire à la réussite du maître qui a su discipliner ses courtisans. Car Marly est, comme les pensions et gratifications, moyen de gouvernement. Le roi en use comme d'une récompense accordée périodiquement, par exemple aux officiers généraux de ses armées après de brillants services. La cour a sans cesse les yeux fixés sur les listes d'invitées, commente leurs noms sans se lasser, repère les gens « point accoutumés d'y être », glose sur la présence des ministres ou des robins. Le prestige d'un courtisan s'évalue alors selon le recensement de ses séjours.

« Distinguer » et « mortifier » les gens de cour : si ses jugements ne manquent pas de malice, Saint-Simon perçoit avec acuité la finalité des grâces royales. Ce duc, obsédé par la naissance, condamne les libertés prises avec la hiérarchie des rangs, dénonce la supériorité des familiers du roi et des hommes de gouvernement sur ses pairs, mais reconnaît au souverain une habileté extrême pour maîtriser sa cour. « Il sentait, écrit-il, qu'il n'avait pas à beaucoup près assez de grâces à répandre pour faire un effet continuel. Il en substitua donc aux véritables d'*idéales*, par la jalousie, les petites préférences qui se trouvaient tous les jours, et pour ainsi dire à tous moments, par son art[83]. » Tel a bien été le talent de Louis XIV. « C'est d'ailleurs un des plus visibles effets de notre puissance, écrit le roi à son fils, que de *donner quand il nous plaît un prix infini à ce qui de soi-même n'est rien*[84]. »

Le monarque n'a cessé d'inventer des distinctions supplémentaires, des « petites préférences » dont il est le seul maître. S'il supporte la cohue des courtisans les jours d'appartements, il choisit ses partenaires de jeu, ses compagnons de chasse ou de promenade. Le familier de Versailles atteint rarement le comble de la faveur. Dans la course aux distinctions Sa Majesté ajoute sans cesse une épreuve nouvelle qui contrarie le relâchement et excite le zèle. Ainsi recevoir par fonction ou choix du prince un appartement à Versailles ou à Fontainebleau est un honneur envié. Mais l'étiquette introduit encore une hiérarchie parmi les logés. A chaque voyage de la cour, les chambres des invités du roi sont marquées différemment. Sur les portes des princes du sang, cardinaux, princes étrangers, les maréchaux des logis inscrivent à la craie leurs noms précédés du mot *pour* (*pour M. Un tel*). Le tout-venant, qui comprend les ducs et les grands commensaux, doit se contenter de la simple mention *M. Un tel*. Sotte distinction qui n'implique aucune préférence de logement, mais sottise âprement disputée. L'ayant obtenue, la princesse des Ursins assure à son mari : « Toute la France est venue me faire son compliment de ce *Pour* que vous souhaitiez avec tant de raison et de passion [...], cela fait grand bruit à Paris[85]. »

Les promenades à Trianon sont un autre exemple de ces faveurs gigognes. Contrairement à Marly, les courtisans ont toute liberté d'y aller faire leur cour. Mais le roi ajoute une « petite préférence » en ne retenant à souper que les dames choisies par lui. M. de Saint-Simon en fut un jour la victime. Fâché contre lui, Louis XIV ne nommait plus la duchesse pour Marly « parce que les maris y allaient sans demander quand leurs femmes y étaient ». Mais il la priait à souper à Trianon, voulant, écrit le mémorialiste, « marquer mieux, par cette différence, que l'exclusion portait sur moi tout seul et que Mme de Saint-Simon n'y avait point de part[86] ».

Ces « chimères », ces « riens » sont calcul. Combinés, ils forment une politique. Louis XIV a imposé son code à ses familiers. Les bretteurs et frondeurs de naguère guettent désormais un regard du prince, guignent une pension, convoitent le bougeoir au coucher de Sa Majesté ou une invitation aux bals de Marly. Assiduité et discipline sont nécessaires pour gagner la bienveillance du roi. « Son plus grand plaisir, assure Colbert, est de faire des grâces [...] particulièrement à ceux qui le servent bien[87]. » Servir est le plus sûr moyen d'ajouter à ces grâces « idéales » des faveurs authentiques.

SERVIR

Les préjugés protocolaires du duc de Saint-Simon ont souvent agacé Louis XIV, mais c'est sa démission de l'armée en avril 1702, à la veille de la guerre de succession d'Espagne, qui a provoqué sa disgrâce. A vingt-sept ans, le jeune duc se réfugie dans l'oisiveté. Celle-ci nous a valu des *Mémoires* incomparables, mais a transformé son auteur en courtisan inutile et désœuvré, obsédé par les préséances et engagé dans de vaines et interminables querelles d'étiquette. Notre temps a reconnu en lui l'archétype de l'homme de cour et accepté son œuvre comme le fidèle reflet de la vie aulique. Or le petit duc ne résume pas l'esprit de Versailles. Il n'est pas un courtisan modèle, il ne correspond pas à l'idéal du roi, pas davantage à la réalité du règne. Les contemporains ne s'y trompaient pas : « Jamais, écrit Primi Visconti de Louis XIV, l'oisiveté n'a eu d'ennemi plus redoutable[88]. » Saint-Simon est une caricature de courtisan.

La cour de Louis XIV est certes préoccupée de cérémonial. Nous en avons souligné la finalité politique. Versailles symbolise la mise au pas des noblesses, leur soumission à l'autorité du prince. La récente agitation nobiliaire l'a rendue nécessaire. Il n'est nul besoin de transformer ces réalités en outrances. Louis XIV n'a pas métamorphosé la grande noblesse en simple aristocratie de parade : il lui a redonné le sens du service. Domestication ! accusent volontiers les manuels. Les contemporains auraient été bien étonnés de la teinte péjorative qu'on attribue aujourd'hui à ce mot. Nos pères au contraire, rappelle M. François Bluche, « tenaient pour un honneur d'appartenir à la maison ou à l'hôtel (*domus*) du Roi[89] ». Ainsi, la guerre de dévolution achevée, le duc de Luxembourg n'espère que cette récompense. « Une chose, écrit-il, qui me retirerait de mon ermitage et me ferait attendre plus patiemment une autre guerre, ce serait si je me voyais *domestique* de mon Roi. Je me ruinerais de bon cœur pour l'être, et j'y vendrais, comme le baron de la Crasse, mon dernier arpent de terre. » L'ancien frondeur doit attendre encore quatre années pour devenir capitaine des gardes du corps de Sa Majesté. Recevant en même temps l'office de maître de la garde-robe, il espère en exercer quelquefois les fonctions : « Je prierai M. de Marsillac [alors grand maître] de me faire place de temps en temps pour que je puisse ôter le justaucorps du Roi, et je me tiendrai honoré de le faire[90]. » La commensalité n'est souvent qu'une forme du service.

Les offices de la maison du roi ne sont pas des sinécures. Dès son avènement Louis XIV a supprimé nombre de charges inutiles et retranché des commensaux en surnombre. La mécanique de la cour, son bon ordre et son faste dépendent de serviteurs zélés et efficaces. Si des bourgeois vaniteux recherchent dans la maison de Sa Majesté quelque titre flatteur sans fonctions — à la fin du règne on a cédé à la tentation de vendre de tels offices — les principaux commensaux sont des chefs de service occupés et responsables. Les premiers gentilshommes de la Chambre en sont une illustration. Leurs obligations les placent entre les importantes charges dont les titulaires sont toujours en service (grand maître, grand aumônier, grand chambellan, grand écuyer) et les autres officiers comme les capitaines des gardes du corps servant par quartier. Les premiers gentilshommes sont quatre et servent un an chacun. Le service intime du monarque est leur première tâche. Il commence au lever : le premier gentilhomme a le privilège d'ouvrir le rideau du lit du roi déjà éveillé par le premier valet de chambre. Il prépare sa chaise d'affaires, nomme les gens de qualité candidats aux entrées, présente solennellement le verre ou la tasse du déjeuner. Quand le roi mange au petit couvert dans sa chambre, il avertit le souverain que la table est servie et les courtisans présents, et le sert en l'absence du grand chambellan. Lorsque Sa Majesté se change avant sa sortie de l'après-dîner, le premier gentilhomme filtre les gens distingués qu'il autorise à entrer. Il participe enfin au souper et au coucher du roi. La chambre, l'antichambre et le cabinet, cadre du cérémonial de la cour, forment ainsi son domaine où il règne sur une foule de gentilshommes, valets, pages, huissiers, portemanteaux. Responsable de la sécurité royale dans ce sanctuaire, il ne quitte guère Sa Majesté, se tient derrière elle à chaque audience officielle, lui présente les étrangers ou les nouveaux venus au palais.

L'organisation des divertissements de la cour est aussi de sa compétence. Il revient en effet au premier gentilhomme de choisir les pièces de théâtre jouées devant les courtisans et de désigner les comédiens convoqués à Versailles ou à Fontainebleau. Même partagée par l'intendant et le trésorier général de l'argenterie, cette tâche administrative n'est pas mince. Les registres de la section « argenterie, menus plaisirs et affaires de la Chambre » conservés aux archives nationales, qui portent tous sa signature, le prouvent. Aux jetons d'argent donnés aux ministres, aux dépenses de linge de la chambre du roi et du dauphin les comptes mêlent les relevés et les frais des représentations dramatiques, bals, mascarades, opéras. Le premier gentilhomme a encore l'ordonnance des concerts donnés par la musique de la Chambre et des ballets de cour. La fête des *Plaisirs de l'île enchantée,* en mai 1664, a été coordonnée par le duc de Saint-Aignan, premier gentilhomme de la Chambre en année. Le 18 juillet 1668, le duc de Créqui alors en service a ordonné la comédie, le bal et la musique du *Grand Divertissement royal.*

Premier gentilhomme est une charge qui impose assiduité et travail. Or presque tous ses titulaires exercent parallèlement d'autres fonctions astreignantes. Le duc de Beauvillier, premier gentilhomme après son père Saint-Aignan (1687), est parallèlement gouverneur du Havre, de Loches et de Beaulieu (1687), homme de gouvernement, chef du conseil royal des finances (1685), gouverneur du duc de Bourgogne (1689) et grand maître de sa garde-robe, ministre d'État en 1691. Louis Marie Victor, duc d'Aumont, « ci-devant capitaine des gardes du corps », est premier gentilhomme et gouverneur du Boulonnais. Son fils et successeur Villequier y ajoute les fonctions de maréchal de camp et ambassadeur extraordinaire. Tant il est vrai que nombre de commensaux cumulent les charges, doublant leur service à la cour d'un gouvernement de province ou d'un commandement militaire. Ces grands seigneurs ne sont pas sans occupation.

Les officiers de la maison militaire de Sa Majesté (l'expression apparaît en 1671) ne se contentent pas davantage de commander des gardes d'honneur aux chatoyants uniformes d'apparat. Les gardes du corps, la grande gendarmerie (gendarmes et chevau-légers), les mousquetaires, la petite gendarmerie (gendarmes et chevau-légers des reines, de Monseigneur, de Monsieur), le régiment des gardes françaises, celui des gardes suisses assurent la sécurité du monarque dans le palais et en voyage. Ils forment aussi une troupe d'élite et une pépinière d'officiers. Leurs chefs sont souvent pourvus de gouvernements et commandent les armées du roi. Parmi les capitaines des gardes du corps, le roi n'admet que des maréchaux de France en exercice : Luxembourg, le « tapissier de Notre Dame », Boufflers ont reçu cet honneur. On ménage d'ailleurs des équivalences de grade entre la Maison et les troupes réglées. Elles donnent par exemple au sous-lieutenant des gendarmes le rang de lieutenant général ; à l'enseigne, cornette ou guidon de la même compagnie, celui de maréchal de camp[91].

Pour accélérer leur carrière et vivre dans l'intimité du monarque, les principaux seigneurs de la cour servent dans la maison militaire. Beaucoup s'y distinguent, beaucoup y meurent. Les guerres du règne sont jalonnées de combats où leur vaillance est mise à l'épreuve. La maison du roi subit à la bataille de Seneffe, le 11 août 1674, des pertes extraordinaires anéantissant nombre de compagnies et d'escadrons, tuant ou blessant tous les chefs de corps. On pleure tant de fils, de frères, de pères à la cour que « sans le *Te Deum* et quelques drapeaux portés à Notre Dame, écrit Mme de Sévigné, nous croirions avoir perdu le combat[92] ». La victoire de Leuze le 18 septembre 1691 est acquise grâce à l'héroïsme de la maison militaire, mais elle a vu tuer ou blesser le tiers des grenadiers à cheval (compagnie créée en 1676), 330 gardes du corps et 40 officiers[93]. En leur honneur Louis XIV fera frapper une médaille commémorative. C'est que le roi veille jalousement à la réputation de ses gardes. Quand ils déçoivent à Ramillies (1706), Saint-Simon, pourtant rarement bienveillant, reconnaît qu'« ils s'étaient auparavant distingués si fort, et ont toujours depuis si constamment fait des prodiges de valeur dans toutes les actions où ils se sont trouvés, qu'ils se sont acquis un nom qui a donné de l'émulation à toutes les troupes, et à celles des ennemis, de leur propre aveu, une jalousie et une crainte qui les a couverts de gloire[94] ». Les autres compagnies de la maison du roi ne sont pas moins vaillantes. Si les gardes françaises ont défailli à Malplaquet (11 septembre 1709) alors que les héroïques gardes du corps ont perdu plus du tiers de leurs effectifs[95], les mousquetaires se distinguent aux sièges de Philippsbourg (1688) et Namur (1692). Devant Mons (1691), alors que différentes vagues d'assaut ont été repoussées « un peu vite », le roi présent décide d'envoyer des troupes qui ne reculeraient pas : les mousquetaires se rendent maîtres de l'ouvrage à corne et décident de la victoire.

Dans la maison de Sa Majesté ou dans les troupes réglées, la noblesse de Versailles est au service du roi. Chaque veille de campagne, elle prépare fébrilement ses équipages, ne rechignant pas à s'endetter et engager « vaisselle d'argent et pierreries ». En septembre 1688, l'annonce du départ de Monseigneur pour le Palatinat donne « un grand mouvement à la cour [...], tous les jeunes gens, tant ceux qui avaient de l'emploi que ceux qui n'en avaient point, demandèrent au Roi permission de suivre Monseigneur[96] ». La fréquence des fêtes à Saint-Germain ou à Versailles laisse croire parfois à une noblesse de cour dominée par les plaisirs. En réalité, quand la guerre menace, elle sait abandonner jeu, ballets et galanterie pour aller se battre et pour mourir. Habits de broderie et justaucorps à hoqueton ne sont pas préservés de la camarde ; comme la chemise du soldat, ils se tachent de sang.

L'impôt du sang, qui depuis le Moyen Age justifie les privilèges du second ordre, n'est pas un vain mot. Aussi redoutées que la publication devant chaque mairie des listes de morts au champ d'honneur entre 1914 et 1918, les dépêches funèbres, qui d'Italie ou des Pays-Bas, d'Allemagne ou d'Espagne parviennent à Versailles, endeuillent la cour. « Mon Dieu ! s'écrie Mme de Sévigné après la victoire de Neerwinden (1693), que de morts, que de blessés, que de visites de consolation à faire[97]. » « Tous les jours, enchaîne Madame Palatine après Malplaquet, nous voyons arriver des officiers qui marchent avec des béquilles [...]. On n'entend que des choses attristantes : l'une pousse des cris à cause d'un fils qu'elle a perdu, l'autre à cause d'un gendre, celui-ci à propos de son père, celle-là à propos de son neveu[98]. » Le Journal de Dangeau, les Mémoires de Sourches s'apparentent souvent à d'interminables nécrologes[99].

Si le roi n'exige pas que l'on soit tué au combat, il requiert la bravoure de ses officiers. Lors du fameux passage du Rhin, où à la tête des gardes du corps le comte de Guiche s'est couvert de gloire, la conduite du duc de Chevreuse, capitaine-lieutenant des chevau-légers, a en revanche terni sa réputation. « Il n'eut pas la hardiesse de se mettre dans l'eau, rapporte le marquis de Saint-Maurice, et donna cent pistoles pour la traverser en bateau ; cette lâcheté, qui ôte le cœur aux troupes, a déplu au Roi qui lui a fait commander de se défaire de sa charge [...] car enfin il regarde son service et la réputation de ses armes[100]. »

Servir est en effet le devoir de chacun. La famille royale donne l'exemple. M. François Bluche a remarqué que devant Namur tous les Bourbons avaient été mobilisés[101]. A ceux que cette discipline insupporte, le roi exalte le sens de l'honneur, contrepoint au « libertinage » et à la « fainéantise ». Au reproche de conduire à la ruine les officiers au service du roi Louvois répond que seules leurs « folies » et « profusions » aux armées en sont responsables : « Le Roi [...] serait bien aise que chacun se gouvernât selon ses moyens[102]. » Louis XIV ne songe pas davantage à « accoutumer [les nobles] à l'égalité et à [les] rouler pêle-mêle avec tout le monde[103] », comme le prétend Saint-Simon : il récompense au contraire le mérite, accélère ou freine les carrières selon ce critère. Les « merveilles » accomplies par le marquis de Castries en Rhénanie, sauvant par sa bravoure deux régiments, lui valent la promotion au rang de brigadier : « Cela était d'autant plus agréable pour lui qu'il était fait tout seul brigadier, ce qui marquait davantage le cas que le Roi faisait de lui[104]. » Il avait vingt-cinq ans.

Sans doute le monarque favorise-t-il quelques-uns de ses amis. Tallard, Tessé, La Feuillade et Villeroy, « généraux de cour », sont plus courtisans que guerriers. Sans doute un familier de Versailles entame-t-il plus rapidement qu'un hobereau sa carrière militaire. Encore doit-il se garder de considérer son régiment comme un accessoire de son rang. Tarder à partir en campagne ou en revenir le premier, c'est encourir le blâme. Ainsi fut contrariée la promotion longtemps attendue au grade de lieutenant général du duc de la Ferté, un des plus anciens maréchaux de camp. Envers les officiers zélés, en revanche, le roi n'est pas avare de bienfaits, regrettant par exemple en 1704 l'insuffisance de logements à Marly où il aurait voulu conduire « plusieurs courtisans qui reviennent de l'armée ». Abandonner le service vaut la disgrâce. On sait qu'en démissionnant trop tôt, le duc de Saint-Simon s'est condamné lui-même. Le service du roi interdit tout relâchement. Le retrait de M. de Villiers a ainsi estompé jusqu'à ses mérites passés. « Cette raison-là, note Dangeau, avait empêché Sa Majesté [...] de lui faire des grâces[105]. » Seules de mauvaises affaires et quelques blessures avaient contraint ce lieutenant des chevau-légers de la reine à vendre sa charge. Le rappel opportun de ses états de service et sa pauvreté ont déterminé le roi « à passer par-dessus ces considérations » et lui octroyer une pension.

Le jugement est devenu commun : ne pas fréquenter la cour et s'abstenir d'aller à la guerre est la conduite de « quelqu'un de peu ». Comme Primi Visconti, tous les observateurs notent que désormais la noblesse est au service du prince. « C'est la mode et celui qui ne sert pas à la guerre est méprisé. Les dames ne veulent pas d'autres amants[106]. » A Saint-Germain ou à Versailles, les membres de la haute noblesse ne sont pas seulement sous surveillance « comme autant de novices sous un père directeur », ils ont redécouvert une vertu : l'honneur de servir.

CHAPITRE XVI

La cour, foyer de civilisation

L'Europe a dû sa politesse et l'esprit de sa société à la cour de Louis XIV.

VOLTAIRE

C'est peu d'avoir des Vitruves, il faut que les Augustes les emploient.

VOLTAIRE

La cour de Louis XIV n'a jamais manqué d'adversaires. Certains prédicateurs de la contre-Réforme ont condamné ses « vices » : vanité, luxe, rapacité, débauche, frivolité, en un mot « courtisanisme [1] », proclamé incompatible avec la morale chrétienne. Les moralistes ont emboîté le pas et dénoncé pêle-mêle l'indifférence de la cour au mérite, la substitution *des* honneurs à *l'*honneur, la tyrannie de l'argent. Si le monarque échappe — prudence oblige — aux traits les plus acérés, son « troupeau » excite la verve des auteurs talentueux. La mode est alors au portrait. Aux courtisans on réserve le plus souvent le portrait-charge. Par servilité, les hôtes de Versailles « sont ce qui plaît au prince [2] ». Ils s'abaissent, pour parvenir à « apprivoiser un suisse » ou « fléchir un commis [3] ». L'hypocrisie, le mensonge sont leur propriété. *Un courtisan parfait est un fourbe achevé* [4]. L'écorce de la politesse masque, au mieux le vide de leur vie intérieure, au pis un abîme de corruption. « Ils paient de mines, prétend La Bruyère, d'une inflexion de voix, d'un geste et d'un sourire : ils n'ont pas, si je l'ose dire, deux pouces de profondeur ; si vous les enfoncez, vous rencontrez le tuf [5]. » La fausse dévotion n'est qu'une variante de leur duplicité, la dégradation de leurs mœurs un démenti aux apparences de la moralité.

Ce réquisitoire n'est pas nouveau. Autant que les manuels de civilité à la louange des grands, la critique des courtisans se répète et charrie les lieux communs. Pas plus que leurs prédécesseurs au temps des Valois, les procureurs de la cour de Versailles ne sont exempts de contradictions ou de repentirs. S'il a chargé *Les Obsèques de la lionne* de son hostilité à « ce pays-ci », le bon La Fontaine a nuancé son jugement entre les différents recueils de ses *Fables*. Mme de Montespan, les ducs de Bourgogne et du Maine ont été ses utiles dédicataires. Ses hommages à Louis XIV savent abandonner, en temps opportun, la peinture acide du roi lion, orgueilleux, cruel, égoïste ou jouet de son entourage. C'est que le mordant fabuliste ne dédaigne pas se rapprocher des « puissances de la cour » et cherche à y faire carrière. A l'inverse, les satires de La Bruyère gagnent en violence avec l'âge. En 1689, la quatrième édition des *Caractères* s'efforçait de « maintenir la balance égale entre la condamnation sans appel et une certaine objectivité » : « Il ne faut rien exagérer, ni dire des cours le mal qui n'y est point[6]. » Puis, l'hôte des Condés concentre ses griefs sur les courtisans dont il dénonce l'aliénation. Sa médication est toutefois hésitante. « Un esprit sain, écrit-il, puise à la cour le goût de la solitude et de la retraite[7]. » La formule frappée comme une sentence contraste avec cette interrogation calculée : « S'en éloignera-t-on [de la cour] avant d'en avoir tiré le moindre fruit, ou persistera-t-on à y demeurer sans grâces et sans récompenses[8] ? »

Le portrait de la cour est aussi éloigné de la vision idéale des *Amants magnifiques* de Molière que des outrances de la satire. Il répugne aux couleurs trop contrastées. Au talent des gens de lettres ce livre a souvent préféré les honnêtes notations des familiers de la cour, les comptes rendus des ambassadeurs étrangers, les pages alertes de l'indépendante marquise de Sévigné. Tous témoignent qu'au-delà de la subtile mécanique qui façonne les courtisans, la cour de Louis XIV crée et oriente une civilisation. On répète volontiers que Versailles domine ainsi Paris. Le constat n'est point faux mais mérite nuances. De la manière de prononcer et d'écrire à la création d'un opéra, la cour donne le ton, sans jamais écraser la capitale. Dans ce qui fait le prestige du siècle de Louis XIV, la Cour et la Ville œuvrent souvent en commun.

L'ART DE PLAIRE

Le père Bouhours, jésuite, distinguait l'*homme de cour* et l'*homme de LA cour*. Ce modeste article défini suffisait à créer une barrière infranchissable. *Homme de cour*, prétendait-il, se prend toujours en mauvaise part. Adresse mais fausseté, souplesse mais artifices sont ses moyens pour parvenir. Comme *eau bénite de cour* ou *peste de cour*, *homme de cour* est péjoratif. En revanche, l'*homme de LA cour* signifie courtisan, attaché au prince par naissance ou fonction. Le premier est fourbe et scélérat, le second, homme de bien et d'honneur. « C'est porter la différence bien loin, répond Richelet dans son célèbre *Dictionnaire*. Il peut y avoir [...] des *hommes de la cour*, honnêtes gens en apparence, et très scélérats en effet[9]. » Le XVIIe siècle aime de tels débats : l'honnêteté ne cesse d'être analysée, scrutée, discutée. On ne trouve guère chez ses innombrables théoriciens le portrait fidèle des hommes de chair et de sang vivant à Versailles ou à Paris. Mais leurs manuels regorgent de conseils pour réussir, de recettes de bonne conduite. Au-delà du tempérament de chaque auteur, ils expriment un idéal de vie auquel les familiers des palais royaux ne sont pas indifférents.

Longtemps, honnête homme a coïncidé avec courtisan. Baldassar Castiglione le concevait ainsi, et encore en 1630 Nicolas Faret : il n'y a d'honnête homme qu'à la cour[10]. La pratique des vertus doit être sa règle. « Soigneux de son honneur » mais évitant les querelles, pourvu de grands emplois sans être souillé de corruption, l'honnête homme est paré de qualités morales. Au temps de Louis XIV, des auteurs comme le chevalier de Méré (v. 1607-1685) leur substituent des qualités mondaines[11]. Vertu et religion cèdent le pas à une morale fondée sur l'honneur. Son secret réside dans l'art de plaire que des moralistes chrétiens comme Nicole ou Jacques Esprit ne cessent de dénoncer.

Lorsque la cour renaît après la Fronde et s'épanouit après 1661, l'honnête homme tend à se confondre avec l'homme de bonne compagnie. Sa morale ne repose plus exclusivement sur le message chrétien, sans pour autant le rejeter. Seulement les auteurs y attachent désormais moins d'importance. « S'attirer la faveur des grands, l'amitié des égaux et le respect des inférieurs » est, selon l'un d'eux, l'ambition de celui qui veut demeurer à la cour ; non sans ajouter, en forme de truisme : « Comme nous sommes chrétiens, j'aurais manqué à quelque chose [...] si je n'avais encore ajouté le caractère de véritable chrétien [12]. » Si honnêteté et dévotion ne sont plus indissolublement liées, rien dans le secret des consciences ne les empêche de demeurer parallèles. Contre les farouches contempteurs de la morale du monde, Bourdaloue et Fléchier n'admettent-ils pas que cour et sainteté sont conciliables ? On peut faire son salut à Versailles.

L'honnête homme est devenu homme du monde. Il appartient à la Cour et à la meilleure société de la Ville. Il réunit le familier du prince et l'hôte des salons. Saint-Simon l'a reconnu dans le président Longueil de Maisons. Tout en lui est de bon ton, paré du *bel air*, de l'*air du monde*. Du magistrat il a le talent, mais dénué de morgue ; il cultive le meilleur monde, fréquente la cour, mais sans « sortir des bienséances de son état ». Sa conversation, ses plaisirs attirent dans son hôtel parisien comme dans son château de Maisons les « courtisans les plus considérables [13] ». La civilité n'est plus, comme au temps de la Renaissance, le monopole du courtisan, mais se frotter à la cour vaut un brevet d'honnêteté. Dans le *Roman bourgeois* (1666), Furetière regrette que Lucrèce, qui est belle et a de l'esprit, n'ait pas été « nourrie à la cour ou chez des gens de qualité [14] ». Ce n'est qu'à la cour, affirme un moraliste, « qu'on voit des gens polis de cette manière qui ne font et ne disent jamais rien qu'on puisse désapprouver et qui fasse la moindre peine [15] ». Si le chevalier de Méré élargit à la Ville l'univers social de l'honnête homme, celui-ci reste, y compris par imitation, un produit de la Cour.

Plaire est son credo. Dans un milieu soumis au prince dispensateur unique des charges, pensions, honneurs et bénéfices, plaire est un moyen de parvenir. Au temps des régences où la noblesse s'ébrouait dans une agitation menaçante, la force, l'audace, les « bravades » étaient instruments de réussite. A Saint-Germain ou à Versailles, ils sont passés de mode. Louis XIV veut des courtisans disciplinés. A soumission égale, à services équivalents, sa faveur va de préférence à l'homme de bonne compagnie, respectueux des bienséances. « Le mérite ne suffit pas, proclame Baltasar Gracian, s'il n'est secondé de l'agrément [16]. » En outre, le jeu subtil des recommandations et des protections exige civilité et politesse pour gagner le soutien des familiers du prince. Du grand seigneur au moindre courtisan, chacun vit sous le regard d'autrui et s'efforce à l'urbanité. La cour a ainsi poli les mœurs, ripé les aspérités des comportements rustiques.

« Le plus important, écrit un arbitre du bon ton, consiste à connaître, en toutes choses, les meilleurs moyens de plaire, et de les savoir pratiquer[17]. » Des *Discours de l'esprit, de la conversation, des agréments* du chevalier de Méré (1677) à la traduction de *L'Homme de cour* de Gracian (1684), les manuels sont innombrables à peaufiner les codes de l'estime et de la considération. L'usage du monde sert de travaux pratiques. Fréquenter la cour autorise à prendre le roi pour modèle. Les disciples de l'art de plaire empruntent à Louis XIV les recettes vivantes de politesse. Tous les contemporains lui reconnaissent d'exquises manières que Saint-Simon même admire. Ses révérences « plus ou moins marquées », sa façon de saluer et de recevoir des saluts, ses paroles — indifférentes ou fortes — contribuent à rendre aimable une majesté permanente. Il avait, dit-on, puisé ses talents dans la compagnie des dames, auprès de sa mère Anne d'Autriche, de la comtesse de Soissons, de ses maîtresses. Accueillante aux femmes et présidée par un tel monarque, la cour est assurément « une bonne école pour apprendre à vivre ». Mais elle est rude école, exigeant un effort permanent de maîtrise de soi. Sa sévérité n'a pas échappé à Nietzsche qui écrira : « Sous Louis XIV, la culture raffinée de la cour avait besoin du stoïcisme sous bien des rapports ; il fallait enfermer au fond de son cœur bien des tempêtes sentimentales, dissimuler bien des fatigues, voiler de gaieté bien des douleurs. Pour nos contemporains épris de confort, ce mode de vie serait trop rigoureux[18]. »

L'apprentissage de la politesse n'évite ni maladresses ni fautes. Il n'ignore pas davantage les rebelles à la discipline. Les courtisans habitués au laisser-aller de la Fronde s'accommodent mal des manières imposées. Querelles d'étiquette, disputes princières, comportements brutaux ou indélicats font parfois craquer le vernis, soulignent les limites de la civilité. Là où notre siècle ne voit qu'apparence et hypocrisie, nos pères discernaient des règles salutaires, garde-fous aux débordements. La politesse ne rend pas les hommes vertueux, mais elle est le bain d'huile dans lequel évolue sans drame une société à l'épiderme sensible ; elle autorise plusieurs milliers de personnes à vivre ensemble dans la promiscuité de Versailles. Sa vie durant, jamais le roi n'a relâché son contrôle. Jointe à la dévotion de la seconde moitié du règne, la politesse a créé un climat qui paraissait à Sainte-Beuve digne d'éloge : « On était pieux, on était mondain, on était bel esprit, mais tout cela réglé, mitigé par la convenance[19]. »

Réussir dans le monde impose d'être homme aimable. L'air

engageant, la *bonne mine* y contribuent. Si, dans les carrousels et les courses de bague, la vaillance physique aide à tenir son rôle, un corps bien découplé, où l'adresse le dispute à la force, importe davantage à la vie sociale. La danse, enseignée au collège comme dans les académies, pratiquée avec ardeur à la cour, donne l'aisance indispensable à l'homme du monde. Bon danseur, excellent cavalier, il lui faut aussi être bel esprit. Car l'ignorance n'est plus titre de gloire. Le temps où les gentilshommes se piquaient de ne rien apprendre, d'abandonner l'étude à quelques tâcherons de la magistrature et de l'université est révolu. Désormais le « bel esprit n'est pas borné aux hommes de lettres : il s'étend aux gens d'épée et aux personnes de la première qualité[20] ». Si celles-ci hésitent encore à signer de leur nom une œuvre destinée à l'impression — c'est le cas de Mme de la Fayette et du duc de la Rochefoucauld —, elles ne répugnent plus à écrire et faire lire leurs manuscrits à leur entourage. Versifier, composer un roman, s'appliquer à sa correspondance sont pratiques honorables. Disputer du mérite d'un livre n'est plus monopole des doctes. Les fréquentations littéraires du grand Condé ou de la duchesse de Bouillon ne sont pas l'exception. Dans *Le Misanthrope,* Oronte, qui auprès du roi fait « quelque figure », ne rougit pas de rimer des sonnets pour quelque belle Philis. Cette conversion au bel esprit s'impose à qui veut gagner l'estime d'un prince protecteur des lettres et dont l'entourage doit « regorger de talents[21] ».

A nombre d'« ignorants » la fréquentation de la cour de Louis XIV est un chemin de Damas. Les dons poétiques du duc de Saint-Aignan, protecteur de Racine et ami du roi, sont modèles à suivre. La cour se réconcilie avec l'étude. « Nous avons, écrit le P. Bouhours, des ducs, des comtes et des marquis fort spirituels et fort savants. » Ce ne sont ni des Vadius ni des Trissotin ; ils ne font pas profession de bel esprit. « Ils manient également bien la plume et l'épée [...], ne s'entendent pas moins à faire un dessein de ballet et à décrire une histoire qu'à former un camp et à ranger une armée en bataille[22]. » L'analyse de leurs bibliothèques révèle leur « spontanéité et ouverture d'esprit », témoigne de la sûreté de leurs goûts littéraires. Dans *La Critique de l'École des femmes,* Molière proclame hautement « que les courtisans ont d'aussi bons yeux que d'autres ; qu'on peut être habile avec un point de Venise et des plumes, aussi bien qu'avec une perruque courte et un petit rabat uni ; que la grande épreuve de toutes [les] comédies, c'est le jugement de la cour ; que c'est son goût qu'il faut étudier pour trouver l'art de réussir ; qu'il n'y a point de lieu où les décisions soients si justes et, sans mettre en ligne de compte tous les gens savants qui y sont, que, du simple bon sens naturel et du commerce de tout le beau monde, on s'y fait une manière d'esprit qui, sans comparaison, juge plus finement les choses que tout le savoir enrouillé des pédants[23]. »

Cultivé sans être cuistre, l'homme de bonne compagnie doit exceller dans l'art de converser. Naturelle, aisée, la conversation est genre mondain, plaisir de société. Elle s'oppose à l'emphase de l'éloquence et aux rigueurs de l'étude. Ne « se piquant de rien », l'honnête homme s'épargne les sujets techniques qui « ne sont point de la connaissance ordinaire du monde [...], sujet ennuyeux pour les esprits bien faits ». Sa conversation, écrit le chevalier de Méré, « veut être pure, libre, honnête, et le plus souvent enjouée, quand l'occasion et la bienséance le peuvent souffrir, et celui qui parle, s'il veut faire en sorte qu'on l'aime et qu'on le trouve de bonne compagnie, ne doit guère songer [...] qu'à rendre heureux ceux qui l'écoutent[24] ». Plaire, instruire en divertissant, voilà la science du monde ! Les traités de conversation qui fleurissent doivent aider à en saisir les subtilités. Qui veut réussir à la cour doit les maîtriser : « Il y va, assure Gracian, de gagner ou de perdre beaucoup de réputation[25]. » Solliciter ou passer le temps, échanger des nouvelles ou intriguer sont à la cour mille occasions de s'entretenir. La présence des dames qui impose la diversité des propos leur confère par surcroît grâce et naturel.

« Le plus ordinaire exercice de la vie » ne peut séduire sans la « connaissance parfaite des délicatesses de la langue ». L'homme de bonne compagnie les cultive avec art. Dans ses *Remarques* publiées en 1647, Vaugelas avait attribué à l'élite de la société le rôle d'arbitre du langage. Pour ce provincial reçu dans le monde, « la plus saine partie de la cour » inspire le bon usage, décide contre l'autorité des pédants, voire contre la raison. Mais cette « plus saine partie » est vaste monde. Elle réunit familiers du palais et habitués des salons, les courtisans et la meilleure société de la Ville. Eux seuls parlent ou sont requis de parler excellemment. Si un désaccord les oppose, Vaugelas tranche en faveur de la cour, au sens étroit. Concurrencée après 1660 par les rigueurs de la logique et le magistère des bons écrivains, la langue de la cour demeure pour beaucoup la référence suprême. Charles Perrault juge même que « tous les enfants élevés à la cour parlent très juste et très correctement, sans avoir jamais appris un seul mot de grammaire[26]. » L'usage du monde l'emporte sur l'apprentissage livresque. Certains auteurs attribuent le rôle d'étalon de la langue à ceux qui à la cour parlent naturellement sans avoir beaucoup étudié : les femmes et le roi, gardiens de « toutes les règles de l'art[27] ».

Pour séduire, l'honnête homme doit se conformer à quelques principes. Il évitera les prononciations qui sentent la province, rejettera les expressions populaires ou bourgeoises et les mots techniques ou vieillis. Par exemple, « courtois envers les dames [...] est du vieux style ; il faut dire, il est *civil* et *obligeant* aux dames ». Un jour Louis XIV interrompt Racine lisant un extrait des *Vies* de Plutarque dans la traduction d'Amyot : « C'est du gaulois », se récrie le roi. Il n'en faut pas davantage pour que les courtisans boudent le langage de leurs pères. L'honnêteté répugne aux « mots bas » ou à double entente. Sa Majesté elle-même donne le ton : « La noblesse de ses expressions, prétend Bossuet, vient de celle de ses sentiments. » Si l'hôte de Versailles n'est pas à l'abri du jargon — *Il y a appartement, il y a toilette* —, s'il affectionne quelques expressions à la mode — *joli* pour beau, *gros* pour grand, *faire à merveille* pour être bien traité —, ses rares extravagances lui sont pardonnées. L'usage de la cour est assez suivi pour que les œuvres littéraires lui empruntent parfois ses singularités. *Gros,* a remarqué Ferdinand Brunot, abonde dans les *Caractères* de La Bruyère[28].

On souligne quelquefois ce qui sépare encore le langage de la Cour de celui de la Ville. « Vous savez, lit-on dans les *Mots à la mode* (1692) que les bourgeois parlent tout autrement que nous[29]. » « On dit toujours à la cour : on a servi les *potages,* on est aux *potages,* et jamais : on a servi les *soupes,* on est aux *soupes,* et on y dit toujours : on est au *fruit,* on a servi le *fruit,* et jamais : on est au *dessert,* qui est le terme dont les gens de la Ville s'expriment d'ordinaire en pareil cas. » Si l'auteur reconnaît que *dessert* est plus propre pour signifier le dernier service, il l'écarte cependant comme « façon de parler purement bourgeoise et qu'il n'est d'aucun usage à la cour[30] ». Réussir à Versailles exige d'être « purgé du mauvais air et du langage de la bourgeoisie ». Mais nulle langue n'est préservée des contaminations. Pour s'en réjouir ou s'en affliger, les contemporains ont noté ces échanges. Dans son ouvrage *Du bon et du mauvais usage* (1693), François de Callières constate qu'il « s'est introduit depuis peu une autre mauvaise façon de parler, qui a commencé par le plus bas peuple et qui a fait fortune à la cour [...]. C'est *il en sait bien long* pour dire que quelqu'un est fin et adroit. Les femmes de la cour commencent aussi à s'en servir[29]. » L'accès aisé de la cour, le va-et-vient constant entre Saint-Germain, Versailles et Paris expliquent ces emprunts réciproques. Les hôtes de Sa Majesté et la meilleure bourgeoisie parisienne vivent en osmose. L'Académie, les hommes de lettres et les beaux esprits sont d'utiles traits d'union. Ainsi beau tour de langue, politesse, bienséance, honnêteté sont de Cour et de Ville. Par son prestige et son rayonnement la première domine encore la seconde, mais sans jamais l'écraser.

Les beaux-arts au service de la cour

Le mécénat est en revanche privilège de la cour. Construire, décorer, meubler les résidences royales avaient été une des passions des Valois et du premier Bourbon. Par goût, souci de sa gloire et volonté de s'entourer d'une cour brillante, Louis XIV renoue avec la tradition. La mort de Mazarin, exceptionnel collectionneur, la mise au pas des gens de finance laissent grande liberté d'action au jeune monarque. Le faste dont il s'entoure, la richesse de ses collections ne doivent souffrir aucune concurrence : la cour rivale que Fouquet réunit à Vaux est dès lors condamnée. Le luxe et l'harmonie de son château avaient ébloui le roi. La demeure du surintendant rompait avec la décoration traditionnelle des hôtels parisiens. Les plafonds « élevés et arrondis [...] aux courbes puissantes, vigoureusement compartimentés, richement décorés, peints, dorés [...], fortement rehaussés de sculptures » formaient un décor « moderne[31] ». L'alliance des bâtiments et des jardins était alors unique en France. Le Nôtre avait dessiné les terrasses du parterre et la grande perspective, disposé les bosquets et la grotte, creusé les bassins et le canal. Près du château, à Maincy, une manufacture de tapisseries tissait sur des cartons de Le Brun, « non seulement les tentures murales, mais des portières et jusqu'à des soubassements de fenêtres assortis[31] ». La splendeur et la nouveauté de Vaux, révélées avec ostentation lors de la fête du 17 août 1661, avaient achevé d'offenser le roi déjà prévenu contre son surintendant. La chute de Fouquet, dont le fidèle La Fontaine avait loué le « goût si exquis et si délicat », signifiait la fin d'un mécénat rival de celui de Sa Majesté. Vaux n'avait duré qu'un songe, son « héros » chargé de vaincre « le mépris de tous les beaux-arts » était terrassé. En 1661 chacun comprit qu'au roi seul incombait le soin de stimuler la vie artistique du royaume.

L'arrestation de Fouquet avait libéré les créateurs, les entrepreneurs et les artisans de Vaux. Le Brun, Le Vau, Le Nôtre, nombre de maçons, menuisiers, sculpteurs, doreurs travaillent désormais pour le roi. Les tapissiers de Maincy sont transférés aux Gobelins où l'on retisse des tentures en substituant au chiffre du surintendant les armes de France. Cependant l'équipe employée par Nicolas Fouquet n'est pas aussitôt transplantée à Versailles pour surpasser l'œuvre du ministre déchu. Louis XIV possède alors plusieurs résidences qu'il lui faut embellir, restaurer, agrandir pour loger une cour plus nombreuse. C'est d'abord au Louvre, aux Tuileries, à Saint-Germain que s'ouvrent les travaux, laboratoires qui profiteront ensuite au chantier versaillais. Colbert met son talent au service de ces transformations et conçoit une politique destinée à donner aux demeures royales les moyens de rivaliser avec l'Italie.

La surintendance des bâtiments, arts, tapisseries, manufactures de France qui lui est confiée en 1664 est l'instrument de son dessein. C'est un véritable département ministériel. Sous ses ordres, trois intendants — Le Vau est l'un d'eux —, trois contrôleurs, autant de trésoriers, un historiographe (Félibien), un dessinateur (Israël Silvestre) forment l'état-major d'une administration composée d'officiers « ayant gages pour servir dans les maisons royales » (architectes, peintres, sculpteurs) et ceux chargés de leur « entretenement » (entretien) [32]. La surintendance passe les marchés avec les entrepreneurs, ordonnance les paiements, surveille l'exécution des travaux. Dans chaque demeure royale, Colbert — jamais rassasié d'informations — place un homme de confiance. Le premier d'entre eux est Charles Perrault, agent de liaison « ayant le soin et la visite de tous les ouvrages ordonnés par Sa Majesté en ses bâtiments [33] ». Servi par ce commis zélé, Colbert est informé de tout et ne ménage pas ses peines.

La gloire du roi impose-t-elle le recrutement d'artistes qualifiés ? Le ministre réforme dès 1663 l'ancienne Académie de peinture et de sculpture, lui confie le monopole de l'enseignement et celui des commandes officielles. Le Brun, premier peintre du roi, en est, comme chancelier à vie, la cheville ouvrière. L'Académie de France à Rome (notre Villa Médicis), créée en 1666, complète la formation des jeunes artistes en recevant peintres, sculpteurs et architectes de Paris venus étudier les œuvres de l'Antiquité, copier les tableaux des collections italiennes, former et affiner leur goût. La petite académie (bientôt Académie des inscriptions et belles-lettres), fondée en 1663, est chargée de rédiger les devises pour les médailles, les inscriptions des bâtiments royaux et fournir le programme des grandes décorations. « Tous les dessins des peintures qui ornent les appartements de Versailles ont été faits par cette compagnie, rappellent ses historiens. Les dessins des fontaines, des statues y ont été pris, et arrêtés et il ne se faisait rien dans les bâtiments dont il ne fut parlé dans la petite académie[34]. » L'Académie d'architecture enfin, la dernière née (1671), est à la fois un « séminaire de jeunes architectes », bureau d'études et conseil des bâtiments. Les plans des édifices en construction sont soumis à son approbation.

Pour satisfaire aux commandes royales, Colbert met au service de Sa Majesté les meilleurs artistes du temps. Il facilite la naturalisation d'artisans étrangers — tapissiers flamands ou marbriers italiens —, aide à l'établissement d'entrepreneurs. L'enseignement délivré par les académies prépare les talents de demain. Les ateliers du Louvre, organisés par Henri IV, reprennent vie. Les privilèges des orfèvres, peintres, ébénistes, graveurs qui y travaillent sont confirmés. « Ceux qui excellent dans leur art », Girardon, Coysevox, Berain, Vigarani, Sébastien Le Clerc, sont logés au rez-de-chaussée de la grande galerie. André-Charles Boulle jouit d'un appartement, de magasins et de deux ateliers où travaillent vingt-six ouvriers. Les anciens ateliers parisiens de tapisserie sont regroupés aux Gobelins et placés sous la direction de Le Brun. D'après ses dessins, les peintres exécutent des cartons pour les tapisseries réservées au monarque, qui est aussi principal client de la manufacture de Beauvais créée en 1664. Bientôt les Gobelins élargissent leurs activités : leurs artistes constituent en 1667 la manufacture royale des meubles de la Couronne, chargée d'enrichir en objets d'art les résidences de Sa Majesté. On y exécute, écrit un contemporain, « tout ce qui fait [...] la magnificence des maisons royales ». Une des quatorze pièces de la tenture de *L'Histoire du roi* garde le souvenir d'une visite de Louis XIV, le 15 octobre 1667. A Sa Majesté accompagnée de Monsieur, du duc d'Enghien et de Colbert, Le Brun présente les œuvres variées de la manufacture : tables de marqueterie ou de mosaïque, cabinet d'ébène, tapis, étoffes, vase, plat, brancard, guéridon d'argent. Au mur est accroché un carton de Le Brun figurant *Le Passage du Granique*, une des scènes de *L'Histoire d'Alexandre*, encadré de deux tapisseries de la tenture des *Mois* ou des *Maisons royales*.

L'aménagement des résidences de la cour revient au garde-meuble. La réorganisation de ce service s'imposait car, sauf des tapisseries et de l'orfèvrerie, Louis XIV n'avait pratiquement rien hérité de ses ancêtres. Afin d'éviter le retour de cette « dissipation prodigieuse de tout ce qu'il y avait de plus beau et de plus rare[35] », Colbert confie à l'intendant et contrôleur général des meubles de la Couronne l'inspection régulière des collections, la tenue des inventaires et d'un journal révélant l'activité quotidienne du garde-meuble, les déplacements de chaque objet dans les châteaux royaux.

Ainsi modernisées ou nouvellement créées, académies et manufactures travaillent à l'embellissement des résidences de la cour. Mais les efforts de Colbert, les talents des artistes et des artisans ne se limitent pas à la satisfaction d'un prince préoccupé de faste et attentif à sa gloire. Ni Louis XIV ni son ministre n'oublient l'objectif économique du mécénat royal : créer ou développer dans le royaume les industries florissantes à l'étranger. Par l'excellence de leurs productions et l'unité de leur style, les ateliers des Gobelins ont fait des palais royaux la vitrine de l'art français.

Majesté classique et baroque bien tempéré

Le prestige et le rayonnement de Versailles laissent parfois accroire que la résidence principale de la cour a été le seul foyer artistique du siècle de Louis XIV. C'est oublier les embellissements de Paris qui ont transformé la capitale du royaume. « Depuis que le roi est monté sur le trône, écrit l'anglais Lister en 1698, les améliorations y ont été telles qu'elle a tout à fait changé [...]. Une nouvelle ville a, en quelque sorte, remplacé l'ancienne depuis quarante ans[36]. » Concurrencé, jusqu'en 1675 au moins, par les grands travaux parisiens ordonnés par Sa Majesté, le chantier versaillais lui-même ne s'est pas réalisé sans l'expérience acquise à Paris. Le rôle de la capitale dans l'art de Versailles reste, selon M. Pierre Verlet, considérable. Les grands architectes du château pratiquent la double résidence et œuvrent dans les deux villes. Parallèlement à ses premiers travaux à Versailles, Louis Le Vau achève la cour carrée du Louvre, élève le collège des Quatre-Nations, travaille aux Tuileries. Jules Hardouin-Mansart est aussi l'architecte de l'église des Invalides, l'auteur des places des Victoires et Louis-le-Grand. Le décor, l'ameublement de Versailles dépendent de la capitale. « Les sculptures du parc sont nées à Paris, du dessin à l'exécution, même si le choix en a été arrêté à Versailles[37]. » Les meubles d'orfèvrerie, les ébénisteries de Boulle, les bronzes, les tissus, les tapis sortent des ateliers du Louvre et des Gobelins.

Depuis 1668 l'architecture du château emprunte beaucoup au savoir-faire acquis dans la construction des hôtels parisiens[38]. L'agrandissement de Versailles qui irrite tant Colbert est confié à Le Vau. Autour du pavillon de Louis XIII, son « enveloppe » donne naissance à un édifice de plan complexe ménageant des cours intérieures — du roi au nord, de la reine au sud —, des enfilades d'appartements, de multiples passages reliant les salles, de grands escaliers latéraux, toutes solutions adoptées par Le Vau dans ses réalisations urbaines. L'éloignement du logis principal des écuries et des offices — poursuivi par Mansart — est commun aux préoccupations des architectes de la capitale. Il n'est pas jusqu'aux premières fenêtres rectangulaires à angles vifs, et aux sols de marbre qui ne rappellent les hôtels urbains. Versailles est une synthèse de la tradition architecturale française où se mêlent les demeures des Valois, le château de Richelieu « dont les cours successives annoncent celles du Versailles définitif », Vaux-le-Vicomte, et les hôtels parisiens[39]. Il n'est pas moins resté insensible aux modèles étrangers.

L'opinion commune tient le château de Louis XIV pour un ouvrage classique. Certains auteurs le voient baroque, tant il est vrai que l'on aime étiqueter les chefs-d'œuvre. L'inspiration italienne n'a pas manqué dans le palais du roi-soleil. La terrasse de Le Vau donnant sur le parterre occidental, s'appuyant sur un socle d'arcades à refends et encadrée de deux majestueux pavillons de sept fenêtres, a quelque chose de théâtral. « Le parti d'ensemble n'est pas sans rappeler le dernier projet du Bernin pour le Louvre[40]. » L'étrange décor intérieur de la grotte de Thétis, avec ses voûtes et ses parois incrustées de rocailles et de coraux, ses jeux d'eau et de miroirs, son orgue hydraulique, ses masques « à grotesque figure, songes de l'art, démons bizarrement forgés », s'apparente au baroque.

Les statues des jardins et le premier Trianon sont un hommage supplémentaire à l'Italie. Les artistes ultramontains n'ont pas manqué à Versailles. Vigarani, Torelli, Tubi, Caffieri, Cucci sont les plus connus. Avec ses peintures, ses sculptures antiques, ses somptueux objets, la péninsule alimente les collections royales. Sur les hommes de l'art elle exerce toujours la même fascination. Le Nôtre est envoyé en Italie afin de « rechercher avec soin s'il trouvera quelque chose d'assez beau pour mériter d'être imité dans les maisons royales[41] ». Pendant son séjour romain (1642-1645), Le Brun s'était adonné à l'étude des œuvres de Raphaël. Le premier peintre, chancelier de l'Académie de peinture, « citadelle du classicisme », mêle dans le décor de Versailles accents italiens et style français.

La somptuosité de la matière est reine. Si certaines pièces sont tendues de velours, cramoisis ou verts, d'autres — les salons de Vénus et de Diane, la salle des gardes de la reine — sont recouvertes de marbres polychromes, « matériaux d'élection des architectes italiens, mais composant ici des découpes classiquement rectilignes[42] ». Le grand degré ou escalier des ambassadeurs unit la majesté à l'illusion. Murs, dallages, marches sont de marbre. Les parois de l'étage sont ornées de pilastres et de colonnes ioniques aux chapiteaux de bronze doré. Des niches abritent le buste du roi par Warin, les armes de France et de Navarre, les attributs de Minerve et d'Hercule. Les contemporains admirent la fontaine de marbre rouge et blanc portée par deux dauphins de bronze doré, et s'enthousiasment pour le plafond de Le Brun. Sa décoration, inspirée de l'*Iconologie* de Cesare Ripa, récemment traduite en français, rend sensible l'influence italienne. « Sur les quatre parois cintrées, le peintre réussit à donner l'illusion d'une immense architecture, toute de trompe-l'œil. » Celui-ci règne encore à l'étage où alternent « tapisseries feintes » de Van der Meulen et fresques réunissant, dans un décor de loggia, des personnages aux costumes exotiques occupés à regarder monter les visiteurs[43].

Unité, symétrie, sérénité, harmonie, raison sont les valeurs reconnues du classicisme. L'œuvre versaillaise de Jules Hardouin-Mansart en est inspirée. Sur les jardins, l'architecte transforme la composition de Le Vau : la terrasse cède la place à la grande galerie, les fenêtres rectangulaires sont remplacées par des baies cintrées. Les ailes du Nord — la grotte de Thétis lui est sacrifiée — et du Midi qui triplent la longueur du château ont des façades de même style. L'ensemble, qui atteint près de six cents mètres, évite la monotonie par le mariage harmonieux des lignes horizontales — soulignées par les entablements et la balustrade masquant les toits — avec les verticales suggérées par les avant-corps savamment répartis et animés de colonnes, de statues, et, au-dessus de l'attique, de pots à feu et de trophées.

Dans les jardins, les perspectives sont accentuées. Les liaisons avec le château sont renforcées par la construction de deux ensembles de pierre, la monumentale Orangerie et la Colonnade. Les deux miroirs du parterre d'eau remplacent, devant le corps central, les broderies prévues par Le Nôtre. Les statues de la commande de 1674 sont réparties moins en fonction de leur symbolique que des besoins du tracé général[44].

A l'intérieur du palais, la grande galerie, encadrée des salons de la Paix et de la Guerre, forme l'ensemble le plus majestueux. Elle n'est pas sans modèle : celles du palais Cardinal et de l'hôtel Mazarin, de l'hôtel Lambert et du Louvre (incendiée en 1661) l'ont précédée. On a remarqué que les arcs qui la relient aux deux salons rappellent des formules romaines. Elle n'en demeure pas moins unique : ses dimensions — 73 mètres sur 10 — et sa décoration font sa splendeur. Entre des pilastres de marbres verts et bruns s'ouvrent dix-sept hautes fenêtres et des niches garnies de statues antiques, répliques fidèles du décor de la façade. La lumière du jour pénètre à flots et se reflète dans les panneaux de glace qui alternent sur l'autre paroi avec d'autres niches et d'autres trophées. Les chapiteaux des pilastres ont été dessinés par Le Brun. Sur fond de palmes, fleurs de lis, coq gaulois et soleil royal se mêlent pour créer un « ordre français », complément des trois ordres antiques. La frise, garnie de couronnes et de colliers des ordres royaux, porte des ornements de stuc doré, bustes de sphinx et trophées soutenus par des enfants.

L'immense voûte en berceau est entièrement recouverte de peintures de Le Brun et de son atelier. Son programme iconographique est consacré à la glorification du prince. Exceptionnellement, il tourne le dos à la mythologie. Le mythe d'Apollon puis les travaux d'Hercule, jugés trop allusifs, ont été abandonnés. Le Brun a reçu l'ordre de peindre la vie du roi lui-même. Ne « rien faire qui ne fût conforme à la vérité », tel est l'objet que Colbert a fixé au premier peintre. En vingt-sept tableaux, médaillons et camaïeux, se déroule l'histoire des dix-huit premières années du règne personnel, de 1661 à la paix de Nimègue. La politique étrangère, illustrée par la récente guerre de Hollande, domine — elle occupe les deux tiers de la surface peinte — sans négliger les affaires intérieures : *Le roi gouverne par lui-même* n'occupe-t-il pas le centre de la composition ? Roi-soldat, pacificateur ou sage administrateur, Louis XIV est omniprésent. Vêtu à la romaine, bras et jambes nus, le héros n'est pas figure banale. Il a le visage de Louis, porte perruque et ses épaules sont couvertes du manteau fleurdelisé. Habile en toutes choses, il est assis sur un trône, porté par un aigle, monté sur un char ou debout. Tenant le foudre, le spectre ou un rameau d'olivier, il évolue dans un univers de divinités olympiennes dont les figures et les actions sont fidèlement inspirées de l'*Iconologie* de Ripa. Rien n'a été négligé pour faire entendre ce

« vaste poème épique ». Chaque tableau est identifié par une inscription. Si les visiteurs souhaitent percer chaque allusion, des catalogues descriptifs et explicatifs — six sont édités en six ans — comblent leur curiosité[45].

Marié aux peintures de la voûte, aux marbres et au stuc doré, aux orangers, aux lumières et aux habits colorés des courtisans, le somptueux mobilier d'argent confère à l'ensemble un faste inégalé, « spectacle des plus superbes qui se puissent voir, surtout lorsque le roi, attendu de toute la cour, [traversait la galerie] pour se rendre aux actes de religion[46] ».

C'est à Charles Le Brun qu'il faut attribuer l'unité du style décoratif de Versailles. Directeur des Gobelins, il fait aussi adopter sa manière pour l'ameublement du palais. D'innombrables esquisses de sa main fournissent les modèles des ouvrages réalisés. Il « taillait, écrit le *Mercure galant*, en une heure de temps de la besogne à un nombre infini d'ouvriers différents. Il donnait des dessins à tous les sculpteurs du roi. Tous les orfèvres en recevaient de lui. Il était inventif et savait beaucoup[47]. » Sièges, balustrades, tabourets, chandeliers, lustres d'argent ont été ciselés et fondus d'après ses croquis. Stucateurs et ciseleurs ont modelé sous sa direction les trophées de bronze et d'étain. La statuaire des jardins, signée Girardon, Coysevox ou Martin Desjardins, est inspirée de ses directives.

On en a conclu à sa dictature — nuisible au peintre Mignard —, comme on blâme celle de Lully contrariant la carrière de Marc-Antoine Charpentier. L'adoption généralisée de sa manière suggère, il est vrai, l'autorité sans bornes du premier peintre. Dans le grand degré, la galerie et ses deux salons, les artistes se sont conformés rigoureusement à ses directives. Ailleurs, sa magistrature s'est faite moins contraignante. Elle n'est pas allée jusqu'à écarter des talents. Si Le Brun fut imité, c'est que son succès impressionna des peintres moins doués ou moins personnels. S'il imposa à ses auxiliaires le plan décoratif général du palais, conforme aux formules qu'il croyait être celles de l'Antiquité, ceux-ci conservaient dans l'exécution une grande liberté d'expression. Ainsi les sculpteurs ont-il adapté librement à leurs œuvres l'iconographie prescrite ou ses indications de proportions et d'attitude. Dans l'*Hiver*, François Girardon réalisa, par exemple, une composition très différente du projet du peintre. La décoration des appartements échappe parfois à son influence. Le plafond du salon de Vénus, œuvre de René-Antoine Houasse, « est le seul dont on puisse prouver que Le Brun créa au moins quelques-uns des dessins ». En revanche, la part de l'illusion régnant dans le salon de l'Abondance est « tout à fait étrangère à son style », et le plafond du salon d'Apollon, de Charles de La Fosse, « a une luminosité et une délicatesse de couleur qui ne doivent rien à l'enseignement de son maître [48] ». Le crayon de Le Brun soutient les dons des artistes, il ne bride pas les talents. L'unité de style à laquelle il contribua ne cède jamais à l'uniformité.

Les prémices de l'art nouveau

Le goût du roi, celui de sa cour ne sont pas immuables. Dans la seconde moitié d'un long règne, nul ne reste insensible aux nouvelles tendances de l'art. Versailles est au contraire ouvert à d'autres talents ; cette attention maintient et renforce sa suprématie artistique. C'est au palais du grand roi que se prépare le style de demain. L'art aimable de la Régence doit ainsi beaucoup à Louis XIV vieillissant ; la grâce du style rocaille affleure dans une cour dont on a exagéré le conformisme et la grisaille.

Si elle renouvelle l'état-major artistique de Versailles, la mort de Colbert n'entraîne aucun changement de style. Promu surintendant des bâtiments, le marquis de Louvois fortifie l'autorité de Mansart en accordant au chantier, de 1684 à 1688, des crédits considérables. 3 900 000 livres sont en moyenne consacrées chaque année aux constructions, contre 1 800 000 au temps de Colbert [49]. L'Orangerie, l'aile du Nord, la Colonnade, le Trianon de marbre, l'aqueduc de Maintenon sont les multiples travaux confiés à celui qui devient premier architecte en 1688. Son influence dépasse celle dont Le Brun avait joui avant 1683. A la mort de Colbert, le premier peintre, maintenu dans ses fonctions, a été privé de tout pouvoir réel. Le sculpteur Girardon et l'architecte Robert de Cotte ont profité de cette disgrâce. Sous l'autorité de Mansart, ils sont les associés indispensables à la conduite quotidienne des travaux [50].

Mais cette nouvelle distribution des rôles ne signifie pas bouleversement esthétique. Les chantiers ouverts immédiatement à la mort de Colbert respectent le programme établi de son vivant. Les facilités de trésorerie, la paix extérieure ont seulement permis de les achever dans des délais exceptionnellement courts. L'esprit de Le Brun continue de marquer la décoration de Versailles. Ses créations institutionnelles du début du règne sont un patrimoine inaltérable auquel Louvois attache autant de prix que naguère Colbert. Pierre Mignard doit même patienter jusqu'à la mort de Le Brun en 1690 pour accéder aux honneurs de premier peintre, et « ce fut plus la revanche de l'homme [...] que celle de l'artiste [51] ». Malgré le plafond de la petite galerie, il ne s'élève pas à la hauteur de son prédécesseur. Ses facultés d'invention trop limitées lui ont interdit d'orienter différemment la peinture décorative.

Les années 90 sont propices aux changements : les réflexions sur l'art accompagnent les transformations esthétiques. La querelle des Anciens et des Modernes, ouverte à l'Académie française en janvier 1687, agite et divise des années durant les esprits cultivés. Elle est littéraire mais mobilise aussi les beaux-arts. « La peinture en elle-même, écrit Charles Perrault dans ses *Parallèles*, est aujourd'hui plus accomplie que dans le siècle de Raphaël. » Pour le bataillon moderniste, Charles Le Brun l'emporte sur le peintre d'Urbino, car la connaissance des règles de l'art fait la valeur exceptionnelle du siècle de Louis le Grand. « C'est un avantage à un siècle d'être venu après les autres [52] », martèlent les Modernes. Si l'idée d'esthétique universelle est ainsi ébranlée, il faut admettre que le décorateur de la grande galerie peut à son tour être dépassé. Opportunément une autre querelle, celle du dessin et de la couleur, renouvelée périodiquement depuis 1672, s'achève par la victoire des coloristes alliés aux Modernes. Roger de Piles, dévot des Vénitiens et de Rubens, prépare, dans son *Abrégé de la vie des peintres*, « la voie au colorisme contemporain de Charles de La Fosse et Antoine Coypel », tous deux au service de la cour. Par une coïncidence où le hasard a faible part, les années qui opposent Charles Perrault à Boileau, poussinistes et rubénistes, correspondent à une évolution artistique à Versailles. Le goût du roi évolue (Louis XIV, écrit Pierre Francastel, « s'identifie, une dernière fois, avec le mouvement d'idées de son peuple ») et oriente celui de la cour vers un art nouveau fait de grâce et de séduction, maintenant ainsi la suprématie artistique de la Couronne.

A cette évolution la guerre de la ligue d'Augsbourg n'est pas étrangère : elle réduit brutalement la part des bâtiments dans le budget de la monarchie. De sept millions de livres en 1688, les dépenses engagées par Louvois s'effondrent à un million et demi l'année suivante. Les embarras financiers qui obligent aux économies interrompent les travaux et « contribuent à l'épuration du goût » royal. En 1689 ils conduisent le fastueux mobilier d'argent à la fonte et imposent l'emploi de matériaux plus sobres. A l'argent ciselé se substitue le bois doré, travaillé d'ailleurs avec autant d'habileté. Le château abandonne la polychromie : à la nouvelle chapelle, la pierre blanche est préférée aux marbres de couleurs. En 1692 Sa Majesté renonce pour la petite galerie à l'extravagante décoration, préparée aux Gobelins, de lambris de lapis-lazuli et d'écaille de tortue. De ce rêve de « richesse absurde et quasi orientale[53] » Versailles n'a que faire. Les matériaux somptueux n'ont plus leurs lettres de créance. Le luxe excessif le cède à la discrétion, le faste à la grâce. Celle qu'inspirent au roi les expériences décoratives des hôtels de la place Louis-le-Grand, celle que réclame la jeune génération de la famille royale, du grand dauphin à la duchesse de Bourgogne. Pour la jeune princesse qui aime à s'y promener, le vieux roi fait transformer la Ménagerie (1698). Les pavillons se parent de délicates arabesques peintes par Claude Audran, le maître de Watteau, d'aimables sculptures dues aux ciseaux de Taupin, Du Goullon, Le Goupil. Louis a repoussé les thèmes mythologiques proposés par Mansart. « Il me paraît, a-t-il ordonné à l'architecte, qu'il y a quelque chose à changer, que les sujets sont trop sérieux, qu'il faut qu'il y ait de la jeunesse mêlée dans ce que l'on fera. Vous m'apporterez des dessins quand vous viendrez, ou du moins des pensées. *Il faut de l'enfance répandue partout*[54]. »

Princes et seigneurs de la cour amateurs de nouveautés forment la clientèle de Claude Audran, l'ornemaniste à la mode. Pour Monseigneur, il repeint plusieurs plafonds de son appartement à Meudon et compose les cartons des tentures des *Portières des dieux* et des *Douze mois grotesques par bandes*. Le duc de Vendôme à Anet, le grand prieur dans sa maison de Clichy, la duchesse du Maine et la princesse de Conti sont ses commanditaires, jugeant sa manière « plus élégante et plus svelte » que celle de Berain. Le décor intérieur de Versailles se transforme, gagne en légèreté, finesse, luminosité. Les glaces remplacent les peintures dans les trumeaux ; plafonds et voûtes perdent leurs compartiments de sculpture dorée. Leurs surfaces sont entièrement peintes ou laissées blanches. Ainsi mis en valeur, les murs sont couverts de hauts lambris de bois sculpté, les portes décorées de rosaces dorées sur fond blanc. En 1701, les remaniements de l'appartement royal qui placent la chambre de Louis XIV dans l'axe du château adoptent, sur ordre de Sa Majesté, cette nouvelle esthétique. Sur la frise du salon de l'Œil-de-bœuf, devant un treillage simulé, gambadent des enfants jouant avec des guirlandes, des masques, des animaux et des instruments de musique. « Tout ce qui est relief [...] est doré sur un blanc uni. Rien de plus frais, de plus souriant, de plus élégant que [cette] voussure [...] ; l'art des jardins l'inspire, l'enfance l'égaie, les sculpteurs de Versailles y déploient un talent rajeuni[55]. » A Trianon encore, le roi renouvelle le décor intérieur. On répugne à emprunter les thèmes à l'Histoire ou à l'allégorie ; le style du peintre Charles de La Fosse brille de légèreté : l'élégance de ses nymphes annonce Boucher. Ici, comme dans le nouvel appartement du roi dans l'aile de Trianon-sous-Bois, se frayent les caractères de l'art du XVIIIe siècle.

La sculpture n'échappe pas à ces frémissements nouveaux. Si la statue équestre du roi par Bernin fut transformée par Girardon et reléguée au fond de la pièce d'eau des Suisses, le *Milon* de Puget fut bien accueilli à la cour (1683) et placé avantageusement dans les jardins de Versailles. Mais, prisonnier de l'influence italienne et peu courtisan, l'artiste, dont les projets déroutaient, subit ensuite, il est vrai, des échecs. La modernité souffle davantage dans les jardins de Marly où la statuaire commandée après 1690 rassemble des groupes d'enfants, des dieux et déesses de la nature, de l'eau, de la chasse. Pan, Flore, Vertumne et Pomone ont chassé les pesantes allusions à la gloire du monarque : ils chantent le bonheur simple de la vie à la campagne, l'abondance des récoltes, la profusion des fleurs. C'est le mouvement, la sensualité, la souplesse qui caractérisent les compagnes de Diane dispersées, presque au hasard, dans les bosquets comme pour surprendre le visiteur. Les statues de Nicolas Coustou ont la légèreté de la *Duchesse de Bourgogne en Diane* de son oncle Coysevox dont *La Renommée* et *Mercure* ornent l'abreuvoir de Marly.

La modernité est encore à la chapelle de Versailles, et elle ne tient pas seulement à la date de sa consécration (1710). Artistes et artisans forment une équipe nouvelle, actrice du renouvellement artistique voulu par le roi. Robert de Cotte, collaborateur puis successeur de Mansart, sera premier architecte jusqu'en 1735 ; Antoine Coypel « deviendra l'un des peintres préférés du Régent » ; Du Goullon travaillera pour Louis XV dans ses petits appartements, Antoine Vassé au salon d'Hercule. Les grands sculpteurs du XVIIIe siècle — les frères Coustou et Robert Le Lorrain — sont sur le chantier, alors que Girardon ou Coysevox ne reçoivent aucune commande.

Ainsi les œuvres réalisées à Versailles depuis les années quatre-vingt-dix ne sont pas le prolongement du style Louis XIV. Elles traduisent une orientation nouvelle du goût, elles annoncent l'art rocaille. La cour, jugée rapidement dévote et triste, continue à donner le ton, et oriente l'esthétique vers l'allégresse du siècle des Lumières.

Pertes et profits

Pour beaucoup de nos contemporains, la splendeur de Versailles et sa place privilégiée dans l'art français et européen sont ternies par son coût démesuré. Il est convenu que Louis XIV a dépensé des sommes énormes pour son palais. Il est couramment admis que la France profonde a été volontairement ruinée pour satisfaire à cette dispendieuse construction. La publication il y a plus de cent ans des *Comptes des bâtiments du roi sous le règne de Louis XIV*, les travaux des historiens de Versailles et des spécialistes des finances de la monarchie réussissent avec peine à entamer ces préjugés tenaces. Pourtant les sectateurs de l'esprit de géométrie, les maniaques de la comptabilité disposent de toutes les précisions nécessaires. Les bâtiments du roi, pas plus que la cour, n'ont grevé le budget de la Couronne. La guerre et les fortifications sont les départements dépensiers : en 1683 ils absorbent plus de la moitié des dépenses publiques. Dans les premières années des guerres longues ils dépassent 75 %. La part des bâtiments (« ou si l'on veut le ministère de la Culture et des Beaux-Arts ») s'élève au lendemain de l'installation de la cour à Versailles à 7 222 000 livres, soit 6,27 %. Le palais du soleil émarge pour 1 855 000 livres. En y ajoutant le coût de la machine de Marly, la résidence royale (alors gigantesque chantier) ne représente que 2,35 % des dépenses de la Couronne (2 701 000 francs).

Versailles n'a pas l'appétit du Minotaure. Il s'est développé selon les possibilités du Trésor. L'alternance de la paix et de la guerre a réglé son rythme de croissance. Avant la campagne de Flandre, 3 158 000 livres sont dépensées à embellir le pavillon de chasse de Louis XIII et façonner les jardins. La guerre de dévolution réduit momentanément travaux et paiements. Mais la paix revenue, de 1668 à 1672, la dépense moyenne annuelle s'élève à 1 500 000 livres; l'année 1671 marquant un sommet (2 621 000 francs) avec la construction du Trianon de porcelaine, l'inauguration des travaux du grand degré, l'achèvement prochain du grand appartement. L'entrée dans la guerre de Hollande réduit les dépenses des trois quarts (2 144 000 en 1672, 528 000 en 1673). En 1677, la décision rendue publique de fixer la cour à Versailles encourage à nouveau les constructions; la proximité de la signature de la paix à Nimègue autorise les dépenses.

Les travaux de Mansart à Versailles et à Marly font grimper celles-ci à 5 641 000 livres en 1680. De 1678 à 1682 leur moyenne annuelle atteint 3 853 000 livres. Les dispendieux ouvrages « de la rivière d'Eure », destinés à alimenter en eau les fontaines des jardins, sont décidés en pleine paix. Mais beaucoup à la cour redoutent l'inutilité d'« une si prodigieuse dépense ». Quatre années durant, celle-ci ajoute encore deux millions de livres par an aux paiements déjà élevés nécessaires au château. Avec plus de huit millions de livres, l'année 1685 détient un record. La guerre de la ligue d'Augsbourg ferme les chantiers. Bataillons d'infanterie et escadrons de dragons requis aux travaux d'adduction des eaux de l'Eure et aux gigantesques aqueducs de Berchères et de Maintenon rejoignent la frontière. En 1689 la construction de la chapelle est interrompue. Les dépenses se dégonflent, le développement de Versailles s'arrête. Après la paix de Ryswick, la prompte reprise de la guerre de succession d'Espagne « ruine, à l'achèvement de la chapelle près, les derniers projets du grand roi sur son château [56] ». De 1661 à 1715, Versailles (bâtiments, jardins, domaine, travaux de la rivière d'Eure) a coûté environ 82 millions de livres [57].

Les variations des monnaies, des prix et des salaires, les changements des mentalités — qui jugent à certaines époques les dépenses de prestige indispensables, et les condamnent à d'autres — interdisent toute équivalence avec notre temps. Il n'est pas sûr que les dépenses de Versailles soient dispendieuses au regard de l'éclat de la cour de Louis XIV, de la pacification nobiliaire ainsi permise et du prestige dans le monde de sa plus belle demeure. Il est des efforts pesant aux contemporains qui bénéficient à la postérité. Un esprit de finesse est plus sensible au rayonnement de Versailles qu'aux sacs d'écus qu'il a exigés.

Pour les grands seigneurs du royaume, pour les princes de l'Europe, le château de Louis XIV est un modèle. Le roi ne redoute pas d'être imité, il en tire gloire. S'inspirer du chantier versaillais, profiter des recherches du bureau des plans et dessins, n'est-ce pas occasion de faire sa cour ? A la fin du siècle les plus riches courtisans font édifier quelques grandes demeures. Leur style emprunte à Versailles. En 1680 le duc de Chevreuse demande à Mansart de mettre son château de Dampierre au goût du jour. Libéré ici de tout « rapetassage », l'architecte répudie toute trace d'italianisme — le toit est mansardé et non en terrasse — et conserve le plan d'ensemble à retraits successifs. Deux petits pavillons encadrent la grille d'entrée et, semblables aux ailes des ministres, les bâtiments de service bordent la cour. Sur la façade principale deux courtes ailes font saillie, mais l'avant-corps central, « ainsi qu'à Versailles, présente dans l'enfoncement ses deux étages de colonnes surmontées d'un fronton ». Sur le jardin se développe une longue façade unie animée seulement par un avant-corps. Jules Hardouin-Mansart « montre [ici] ce qu'eût été Versailles, s'il n'avait pas dû soumettre ses dessins à l'ordonnance de Le Vau[58] ». A Meudon, Louvois fait construire un escalier au centre de l'aile droite, à l'image du grand degré dit des ambassadeurs, et plaquer sur les bâtiments de brique et pierre des colonnes de marbre supportant des balcons. Pour le duc de Bouillon, Mansart construit le château de Navarre, près d'Évreux, édifice cubique décoré de pilastres rappelant le pavillon royal de Marly.

Solliciter le premier architecte du roi — comme le maréchal de Boufflers pour son château près Beauvais — ne déplaît pas à Sa Majesté. Ses largesses encouragent même chez quelques-uns de ses familiers la passion de bâtir. Certes, aucun ne transpose le palais de Louis XIV en province, mais par les emprunts aux solutions versaillaises, l'esprit du château royal est présent. Avec plus de fidélité encore, on imite, parfois jusqu'au pastiche, le style de Le Nôtre. L'union intime du château et de ses jardins séduit bien des propriétaires. L'extension du parc de Versailles, son extraordinaire réseau de routes, ses longues avenues plantées ont ainsi inspiré les travaux du chancelier Phelypeaux dans son immense domaine de Pontchartrain. Il n'est plus désormais de demeure sans parc ni grandes perspectives.

Plus riches que les courtisans du roi, souverains et princes d'Europe adoptent (et adaptent) chez eux la majesté de Versailles. Du palais royal de Stockholm à celui de Caserte, des châteaux de Tsarskoïe Selo et de Peterhof à la résidence de La Granja, des rives du Rhin à celles de l'Elbe et du Danube, l'Europe des Lumières rend hommage à Versailles[59]. Curieux des réalisations du roi de France, les princes étrangers correspondent avec des artistes français, exigent des informations de leurs envoyés à Paris. Nicodème Tessin, architecte du roi de Suède en visite à la cour (1687), rassemble ainsi quantité de dessins du château, conservés aujourd'hui à Stockholm. En 1693 le futur Frédéric IV de Danemark visite Versailles et, à son retour, traduit dans la pierre quelques-unes de ses magnificences. L'électeur de Bavière Maximilien II, que tant de liens familiaux rattachent à la maison de France, séjourne longtemps dans le royaume et affine son goût. Les alliances politiques avec le Très-Chrétien encouragent ces influences. L'Angleterre même, souvent ennemie du roi, n'y reste pas insensible. En 1697 Guillaume III commande à ses orfèvres des meubles d'argent « à l'imitation de ceux que Louis XIV a été obligé de fondre quelques années plus tôt pour soutenir la guerre contre lui[60] ». Ses jardins de Hampton Court adoptent la manière d'André Le Nôtre.

Louis XIV est prodigue du style de Versailles. Les albums des grandes fêtes champêtres du début du règne ne sont-ils pas destinés à en perpétuer l'éclat ? Israël Silvestre, Jean Le Pautre, François Chauveau et Félibien concourent à leur rayonnement en Europe. Par la volonté du monarque, l'estampe répand l'image de tous les ouvrages importants de Versailles (bâtiments, plafonds, galeries, escaliers), des statues du parc comme des collections royales. A la fin du règne, moins occupés par les commandes de Sa Majesté, les artistes français répondent aux sollicitations de la clientèle étrangère. Le roi prête à l'électeur de Bavière l'un de ses fontainiers ; les commis de Le Nôtre travaillent pour quelques lords anglais : l'un de ses disciples, François Girard, réalisera les jardins du Belvédère à Vienne, ceux de Nymphenburg et Schleissheim près de Munich ; Marchand et Boutelou aménageront ceux de La Granja pour Philippe V d'Espagne. Dès 1704 l'architecte Robert de Cotte fournit en projets la cour d'Espagne pour le palais royal de Madrid et le Buen Retiro, l'électeur de Cologne pour ses résidences de Poppelsdorf et de Brühl, l'électeur de Bavière, le roi de Sardaigne. Il est le *premier architecte de l'Europe*.

Versailles suscite admiration et imitation. « Les étrangers, écrit Félibien en 1696 [...], sont bien aises d'en ouïr raconter les merveilles[61]. » Au XVIIIe siècle ils s'efforcent de les faire leurs et d'adapter le décor et les usages de la cour de Louis XIV. L'art et le goût de celle-ci jouissent alors d'un prestige et d'un rayonnement créateurs d'une « Europe française ».

Le théâtre à la cour

Au siècle dernier, un peintre de second rang a représenté Molière invité à partager le repas de Louis XIV. « On dit, aurait déclaré le roi au comédien, que les officiers de ma chambre ne vous trouvent pas fait pour manger avec eux [...]. Mettez-vous à cette table, et qu'on me serve mon en-cas de nuit[62]. » En offrant une aile de sa volaille à l'auteur du *Bourgeois gentilhomme* devant les entrées familières, le monarque aurait, dit-on, consacré l'écrivain, le théâtre, la littérature. Inventée à la fin du XVIIIe siècle par Mme Campan, l'anecdote est fausse. Mais cette imposture ne déçoit pas; elle indiffère. La constante protection accordée aux gens de lettres comme la place de la comédie à Saint-Germain, Fontainebleau ou Versailles suffisent à confirmer l'éclat littéraire de la cour. Celui-ci peut se dispenser d'une scène controuvée. Par la reconnaissance officielle des talents, le règne de Louis XIV paraît à beaucoup digne du siècle d'Auguste.

Au temps du grand roi, un homme de qualité peut sans déroger être tenu pour bel esprit. Les lettres sont devenues noble occupation. « La mode de l'ignorance à la cour, écrit Bussy-Rabutin vers 1665, s'en va tantôt passer, et le cas que fait le roi des habiles gens achèvera de polir toute la noblesse de son royaume[63]. » En jetant *enfin sur la Muse un regard favorable,* le monarque confère aux gens de lettres prestige et dignité; en leur accordant pensions et gratifications, il les assimile, *mutatis mutandis,* aux nobles bénéficiaires de ses largesses. C'est comme serviteurs des muses que Corneille et Boileau perçoivent deux mille livres, Benserade et Quinault mille cinq cents, Molière mille. Les augmentations accordées à Racine suivent la courbe de ses succès : en 1666 sa pension passe de six cents à huit cents livres, double presque en 1670, atteint deux mille livres en 1679. Jusqu'en 1690 — l'année où les exigences de la guerre interrompent le chantier de Versailles — « hommes de lettres et gens de science sont en moyenne au moins quarante-deux à percevoir annuellement une pension de Sa Majesté[64] ».

A ses libéralités Louis XIV ajoute le goût personnel des lettres. Non pas des pesants ouvrages d'érudition qu'il aide pourtant de ses deniers, mais des romans de chevalerie, des pages de Corneille, Molière, Racine. Louis adore le théâtre. Depuis Richelieu la comédie est devenue divertissement honnête et l'intérêt que lui porte le roi au début de son règne fait tomber les derniers préjugés. Comédies, pastorales, tragédies animent les grandes fêtes de Versailles comme les réjouissances plus ordinaires de la cour. Fervents amateurs, les courtisans fréquentent encore à Paris l'hôtel de Bourgogne et le théâtre du Marais. Monsieur et Madame y sont assidus. Avant comme après 1661, le roi même se rend dans les salles de sa capitale. Lorsqu'on assure en 1656 que *Timocrate* de Thomas Corneille efface le succès du *Cid* et de *Cinna* — toute la Ville en sait les vers par cœur

—, Sa Majesté et les princes du sang, impatients de l'entendre, anticipent sur sa représentation à la cour pour l'aller voir au Marais. *La mort de Commode* (1658), *Œdipe* (une des dernières tragédies de Pierre Corneille, 1659), *Camma* (1661) engagent aussi le roi à se déplacer. Le 9 juillet 1663, Lagrange note dans son célèbre registre la visite de Louis XIV au théâtre de Molière pour applaudir *L'École des femmes* et *La Critique de l'École des femmes*. En 1666 encore, la *Gazette* signale la présence royale au Marais. Si après cette date le monarque évite sa capitale et ses théâtres, les membres de sa famille restent fidèles à Paris. Monseigneur et la princesse de Conti courent ainsi d'opéra en comédie.

A la cour, seigneurs et dames s'empressent aux représentations. On ne dédaigne pas entendre plusieurs fois la même pièce. On se plaît à juger : telle scène est « admirable », « enchantée », « merveilleuse » ; ou, tout au contraire, « misérable », « détestable », « à brûler ». Les cabales sont le reflet de la passion. La duchesse de Bouillon et le duc de Nevers animent la coterie hostile à Racine, mais Boileau prétend que *Phèdre* (1677) a les suffrages de Condé et d'Enghien, Colbert et Vivonne, La Rochefoucauld, Marsillac et Pomponne. Aux flatteurs le goût du roi en impose. La réussite des *Fâcheux* (1662) tient, lit-on dans *La Vie de Molière,* à « cette glorieuse approbation dont [Sa Majesté] honora d'abord la pièce, et qui a entraîné hautement celle de tout le monde[65] ». A la première des *Plaideurs* (1668), « il fallut le rire du roi pour dérider les courtisans ». Politesse et courtisanerie obligent parfois à se conformer au jugement du prince ; mais le goût de la cour pour le théâtre n'en demeure pas moins ardent et sûr.

Pourtant les résidences royales ne disposent ni de salles de spectacle dignes de cet engouement, ni de troupes permanentes. Saint-Germain abrite dans l'aile ouest du château-vieux une grande salle de comédie, mais Versailles est moins bien loti. Pour les grandes fêtes du début du règne on avait construit des théâtres provisoires. *La Princesse d'Élide* (1664), *George Dandin* (1668), *Le Malade imaginaire* et *Iphigénie* (1674) avaient été donnés dans le parc, *Les Fâcheux* et *Tartuffe* (1664) dans le vestibule central du château, *Alceste* (1674) dans la cour de marbre. Versailles, il est vrai, n'avait pas encore les dimensions d'un palais. Avec les travaux de Mansart on songe à créer un théâtre aussi vaste que la salle des machines aux Tuileries. On le prévoit dans un petit bâtiment donnant sur le parc, puis à l'extrémité de l'aile du Nord, ou encore dans l'ancien pavillon des offices. Rien n'est exécuté. On se contente d'aménager une petite salle dans le vestibule entre la cour des princes et le parterre du Midi, en attendant mieux. Ce provisoire dure près d'un siècle, jusqu'à la construction de l'opéra de Gabriel (1770). A Trianon, en revanche, le roi possède une grande salle de comédie dans l'aile droite de la cour d'entrée. Mais elle disparaît en 1703, sans être remplacée, lorsque Louis XIV établit à sa place son nouvel appartement[66]. Le temps est alors aux petites représentations dans l'antichambre de la reine ou le cabinet de Mme de Maintenon.

Faute de troupe personnelle, le roi convoque à la cour les comédiens parisiens ; le voyage est une de leurs obligations. Selon les déplacements royaux, l'hôtel de Bourgogne, les troupes du Palais-Royal, les Italiens fréquentent Vincennes ou les Tuileries, Fontainebleau, Saint-Germain ou Chambord. « Une demi-douzaine de voitures louées [transportent] de Paris [...] les comédiens, leurs hardes et quelques éléments de décor[67]. » A défaut de grandes salles, on construit à la hâte une scène dans les antichambres ou les galeries des châteaux, et on aménage pour les artistes des loges rudimentaires. La proximité de Saint-Germain permet des représentations les jours de relâche à Paris, mais les invitations à Chambord ou Fontainebleau exigent de plus longs séjours. Pour la création de *Pourceaugnac* (1669) et du *Bourgeois gentilhomme* (1670), la troupe de Molière passe deux mois dans le Val de Loire. Après l'installation de la cour à Versailles, les représentations suivent un rythme régulier. Les comédiens sont convoqués pendant le quartier de janvier (de l'Épiphanie au carême) et les deux derniers mois de l'année. Octobre est réservé à Fontainebleau où la cour réside en automne. En 1696 par exemple, comédiens français et italiens donnent à Versailles treize représentations en janvier et février, neuf en novembre et décembre, et onze à Fontainebleau entre le 4 octobre et le 7 novembre, soit trente-trois soirées consacrées au théâtre[68]. La belle saison est davantage occupée aux plaisirs d'extérieur, comme la chasse, quand la guerre n'enlève pas à Versailles le public des courtisans.

Les comédiens sont bientôt assez nombreux pour que Paris ne soit pas privé de spectacles quand la cour se divertit à la comédie. Les acteurs de renom, comme Baron, Mlles Champmeslé et Raisin, n'hésitent pas à faire le voyage de Versailles ou de Fontainebleau où il faut demeurer plusieurs semaines, laissant leurs « doublures » à Paris. L'inverse est rare. « Le soir du 17 décembre 1687, remarque Dangeau, il y eut ici [à Versailles] comédie française, qui fut jouée fort mal. Tous les comédiens étaient demeurés à Paris pour jouer une comédie nouvelle [...]. On n'a pas trouvé bon ici que les plus mauvais comédiens fussent venus[69]. » Le souci de donner à la cour des représentations de qualité rend toutefois cet incident exceptionnel. Les exigences ou les caprices des responsables du théâtre à la cour ne facilitent pas toujours les déplacements des troupes. Une absence inopinée de Monseigneur ou une indisposition de la dauphine suffisent à décommander une représentation. Le contre-ordre arrive parfois en chemin ! Les deuils princiers, le départ des officiers pour leurs régiments contraignent parfois les premiers gentilshommes de la Chambre à renvoyer la troupe.

C'est à ces dignitaires que revient le contrôle du théâtre, à la Cour comme à la Ville. Ils décident du choix des pièces et sélectionnent les comédiens. L'administration des menus plaisirs assure aux acteurs le paiement de leur « nourriture et logement » à la cour, leurs frais de transport (28 livres pour Versailles) et fournit les bougies de cire blanche ou jaune et les flambeaux destinés à illuminer la salle de spectacle. Chaque artiste reçoit enfin une indemnité de six livres par jour. En 1684 la comédie est confiée à la direction de la dauphine. Elle use de son nouveau pouvoir pour imposer ici un auteur, protéger ou éliminer là une comédienne. « On en chassa quatre, note Dangeau en juin 1684, la Debrie, la Donnebaut, la Dupin et un homme ; La Torillière fut reçu. Madame la dauphine régla aussi les rôles de tous les comédiens[70]. » La conduite agitée (que le chroniqueur nomme « sots procédés ») de quelques *divas* de la scène exige parfois un rappel à l'ordre. A la mort de sa femme (1690), Monseigneur hérite de ses fonctions. Il a toujours été assidu au théâtre. Une épuisante chasse au loup ne le détourne pas de la comédie ; un spectacle prometteur l'arrache à Meudon. Avec Madame, il aime faire représenter à Versailles les pièces parisiennes à succès. Trois semaines après leurs créations à Paris, auxquelles il avait assisté, *Polyxène* de La Fosse et *La Foire de Saint-Germain* de Dancourt sont reprises au palais sur son ordre le 28 février 1696.

« Le malheur pour les pauvres comédiens, écrit en 1702 Madame Palatine, c'est que le roi ne veut plus voir de comédies. Tant qu'il y allait ce n'était pas un péché [...]. Depuis [qu'il] n'y va plus c'est devenu un péché[71]. » On a cherché à dater cette bouderie. L'automne 1686 paraît à l'abbé de Choisy le moment de la désaffection royale. La princesse Palatine le prétend plus tardif, en 1692 ou 1693. *Le détachement de Louis XIV est progressif.* En 1685 le marquis de Dangeau note qu'on n'a pas vu Sa Majesté chez les comédiens italiens depuis longtemps, mais elle les applaudit encore en novembre 1686 et en décembre 1688. Puis le roi prend l'habitude de se retirer avant le début du spectacle, et le 15 novembre 1691 le chroniqueur rapporte qu'il « n'y va plus du tout ». Pour beaucoup, le regain de dévotion du roi est la raison de son éloignement. La duchesse d'Orléans y décèle l'influence néfaste de Mme de Maintenon : « La vieille ratatinée du grand homme, écrit-elle sans aménité, poussait à la suppression de la comédie[72]. » Elle lui attribue encore l'interdiction des Italiens, coupables d'avoir représenté *La Fausse Prude* où l'épouse secrète de Sa Majesté « était cruellement déchirée ».

Longtemps les Italiens avaient joui de la bienveillance royale. Depuis 1664 une pension annuelle de quinze mille livres leur était généreusement accordée ; Louis XIV honorait leurs spectacles de sa présence, se répandait en appréciations flatteuses. Leurs plus talentueux acteurs, comme Dominique Biancolelli, étaient recherchés. Le roi faisait venir de la péninsule des comédiens réputés, sollicitait du duc de Modène un nouveau Pantalon. Puis les Italiens plurent moins. Quand le climat rigoriste ne toléra plus les « mots à double entente », ils furent moins souvent invités. Le 29 décembre 1696 est leur dernière représentation à Versailles ; en mai suivant on les contraint de fermer leur théâtre. Les comédiens français ont sans doute aidé la décision royale : elle les délivre d'une troupe concurrente qui depuis quelques années jouait dans notre langue. En interdisant les Italiens (malgré la légende, ils ne furent pas expulsés), le roi fait aussi une concession au parti dévot enflammé par les *Maximes et réflexions sur la comédie* (1694) de Bossuet et quelques mandements épiscopaux. Le sacrifice d'Arlequin et de Scaramouche sauve la comédie française.

Le monarque n'abandonne pas le théâtre, *sa renonciation est, en fait, à éclipses*. En 1699, en 1702, il assiste à des représentations. *Jonathas*, *Absalon* de Duché, *Athalie* de Racine ont ses faveurs. Certes, ces tragédies sacrées ne détonnent pas dans une cour devenue dévote. Encore que des farces soient souvent ajoutées en complément de programme. C'est pour complaire à sa petite-fille que Sa Majesté accepte de renouer avec le théâtre : la duchesse de Bourgogne inaugure en effet les spectacles d'amateurs. Aux côtés des Noailles ou de Philippe d'Orléans, futur régent, elle tient son rôle. Pour l'entendre dans le cabinet de Mme de Maintenon, le roi revient de Marly « plus tôt qu'à l'ordinaire ». En février 1702, il l'accompagne à une représentation donnée par la Comédie-Française d'une nouvelle tragédie, *Montézume*, de Ferrier, suivie du *Grondeur*, comédie de

Brueys[73]. Les pièces dévotes ne monopolisent pas les rares plaisirs de Sa Majesté.

Le roi boude surtout les divertissements publics. Son âge n'est pas étranger à sa réserve. Jeune, il mêlait également travail et fêtes. La vieillesse le contraint de choisir. Louis exerce jusqu'à sa mort son métier de roi, mais épargne sur les réjouissances. Il n'en prive pas cependant son entourage. Les courtisans fréquentent toujours le théâtre. Les comédiens français sont fréquemment convoqués à Versailles ; les œuvres de Molière font toujours recette et malgré Mme de Maintenon, Corneille est davantage joué que Racine. *Esther* et *Athalie* ne sont pas au répertoire de la cour, mais *Le Cid*, *Les Femmes savantes*, *Cinna*, *Phèdre*, *L'Été des coquettes* sont, dans l'ordre, les pièces les plus demandées. Dancourt, dont les œuvres ne cultivent pas la pruderie, talonne Racine, *Les Folies amoureuses* de Regnard sont aussi souvent représentées que *Britannicus ;* Monseigneur fait monter *Turcaret* (1708) de Lesage[74].

Si, les trois dernières années de sa vie, éprouvé par les deuils familiaux, le roi ne consent à se délasser que chez Mme de Maintenon, il ne demande pas à entendre des tragédies sacrées. Ses musiciens habiles à jouer la comédie donnent *Le Bourgeois gentilhomme*, *Le Médecin malgré lui*, *Crispin musicien* et *Le Baron d'Albikrac*[75]. Agé et dévot, le roi n'abandonne pas l'éclectisme.

LES SUFFRAGES DE LA COUR

> *Qu'est-ce qu'un auteur de Paris ?* demande La Fontaine
> *Paris a bien des voix ; mais souvent, faute d'une,*
> *Tout le bruit qu'il fait est fort vain.*
> *Chacun attend la gloire, ainsi que la fortune,*
> *Du suffrage de Saint-Germain*[76].

Le « sacre de l'écrivain » a lieu à la cour. La disparition des cours princières comme la dispersion de celle de Vaux a consacré le prestige de l'entourage royal. Les jugements de celui-ci sont sans appel. Par la bouche de Dorante, Molière exalte la sûreté de son goût ; les auteurs moins réputés renchérissent : « Cette pièce, écrit La Tuillerie dans la préface de son *Soliman* (1680), n'a pas été tout à fait malheureuse dans ses représentations. Bien des gens l'ont applaudie ; et ce qui me flatte bien davantage, c'est qu'elle n'a point déplu à la cour, où le goût est si fin et si délicat[77]. » Si cette dernière affirmation mérite nuances, être joué à Saint-Germain ou à Versailles est l'ambition de tout auteur. Pour y parvenir il doit s'efforcer de circonvenir quelques membres influents. L'usage ancien des dédicaces — dont on attend toujours quelques gratifications — permet d'attirer l'attention. Saint-Aignan, bientôt duc et pair, académicien, gentilhomme de la Chambre et ami du roi, est un commensal très sollicité. Après quelques essais poétiques remarqués, le jeune Racine lui dédie *La Thébaïde* (1663) et obtient son appui. Le poète s'introduit ainsi dans le cercle de la duchesse d'Orléans, « arbitre de tout ce qui se fait d'agréable », et lui dédie *Andromaque*. La première a lieu le 17 novembre 1667 dans l'appartement de la reine devant Leurs Majestés et « quantités de seigneurs et de dames de la cour ». Il reste à Racine de conserver ces hautes protections pour parachever sa carrière. Après *Britannicus* (1669) dédié au duc de Chevreuse et *Bérénice* (1670) à Colbert, le poète se dispense de dédicataires : les faveurs royales lui sont désormais acquises.

Une pièce jouée à la cour est assurée d'être bien servie. Le spectacle échappe au débraillé des théâtres de la Ville, la présence du roi impose discipline et bienséance. Alors qu'à Paris des passages entiers sont rendus inaudibles par les clameurs du parterre, rien à la cour ne vient compromettre le jeu ni la diction des comédiens. Pourtant le goût des hôtes de Saint-Germain ou de Versailles n'est pas très différent de celui du public parisien.

Au début du règne, la Cour partage avec la Ville le goût de la farce. Seigneurs et bourgeois s'esclaffent aux mots « niais mais plaisants » de Scaramouche, « prince des facétieux et facétieux des princes », aux lazzi d'Arlequin et aux pantomimes de Pantalon. Les premiers succès de Molière au Louvre leur doivent beaucoup. Le 24 octobre 1658 sa troupe débute devant le roi en jouant *Nicomède* de Corneille. Le jeu des acteurs n'enthousiasme guère le public mondain, plus familier de la manière emphatique de l'hôtel de Bourgogne. Avec finesse et à-propos, Molière supplie alors Sa Majesté dans un compliment bien tourné « d'avoir pour agréable qu'il lui donnât un de ces petits divertissements qui lui avaient acquis quelque réputation et dont il régalait les provinces[78] ». Les comédiens enchaînent en jouant *Le Docteur amoureux*. C'est un succès. « M. de Molière faisait le Docteur ; et la manière dont il s'acquitta de ce personnage le mit dans une si grande estime que Sa Majesté donna des ordres pour établir sa troupe à Paris[79]. » Les comédies qui ont ensuite les faveurs du public parisien — *Les Fâcheux* et *Le Cocu magnifique, L'École des maris* et *L'École des femmes* — sont aussi les plus souvent représentées à la cour. Jusqu'à la fin du règne, Versailles et Paris applaudissent les mêmes nouveautés (Dancourt, Dufresny, Brueys, Regnard, Jean-Baptiste Rousseau pendant la saison 1696-1697) et les mêmes reprises (Molière, Racine, Scarron, Pierre et Thomas Corneille)[80].

Si les répertoires sont voisins, l'uniformité ne règne pas. Des divergences peuvent apparaître. Molière en fait l'expérience en 1663 avec *La Critique de l'École des femmes,* soutenue par la Cour, « querellée » par la Ville. *Les Plaideurs* de Racine, mal reçus à l'hôtel de Bourgogne, sont un succès à la Cour : « Ceux qui avaient cru se déshonorer de rire à Paris furent peut-être obligés de rire à Versailles pour se faire honneur[81]. » D'abord réticente, « parce que moins sûre de son goût », la Ville « a bientôt suivi l'exemple de la Cour, sans plus chercher si son plaisir était bien selon les règles[82] ». L'approbation du public mondain crée un préjugé favorable auprès de la capitale. Paris n'est-il pas, selon le mot de La Bruyère, « singe de la cour » ? Vanité et snobisme aidant, Versailles affecte même de mépriser ce qui plaît à la Ville. « Depuis quelque temps, reconnaît un contemporain, on s'est mis en tête à la cour de trouver mauvais ce que l'on avait approuvé à Paris[83]. » *Judith,* tragédie de Boyer (1695) ou *La Foire de Bezons,* petite comédie de Dancourt, fêtées à la Comédie-Française sont « rebutées » à Versailles.

Le luxe des mises en scène laisse croire parfois les courtisans plus sensibles au décor, à la musique, à la danse qu'aux dialogues des comédies. La part des divertissements dans les pièces de Molière ont contribué, il est vrai, à leur succès. *Monsieur de Pourceaugnac,* créé à Chambord en septembre 1669, est « entremêlé d'entrées de ballet et de musique, le tout si bien concerté qu'il ne se peut rien voir de plus agréable. L'ouverture s'en fit par un délicieux concert, suivi d'une sérénade de voix, d'instruments et de danses ; et dans le quatrième intermède il parut grand nombre de masques, qui par leurs chansons et leurs danses plurent grandement aux spectateurs[83]. » La réussite des *Amants magnifiques* comme du *Bourgeois gentilhomme* tient aussi à cet alliage. Celui-ci ne peut surprendre qu'un esprit façonné par le XIXe siècle. Pour les contemporains de Molière, un spectacle doit flatter la vue autant que l'ouïe. Les ornements musicaux et chorégraphiques, aujourd'hui souvent escamotés, donnent vie aux comédies-ballets dont « chaque acte parfaitement équilibré comporte des divertissements toujours en situation et dont, ce qui ne gâte rien, la valeur dramatique et psychologique est de premier ordre[84] ». Si la Ville est parfois privée de ces agréments chantés et dansés, c'est seulement par manque de moyens. Car publics parisien et versaillais partagent la même passion. *La Princesse d'Élide*, « comédie galante mêlée de musique et d'entrées de ballet », *Monsieur de Pourceaugnac* ou *Psyché* obtiennent grand succès sur le théâtre du Palais-Royal.

La cour ne manque ni d'intelligence ni d'esprit pour apprécier aussi le talent de Molière dramaturge. Après la première représentation de *L'Amour médecin* (1655), le duc d'Enghien confie à la reine de Pologne que l'auteur « a autant d'esprit que l'on en peut avoir, et qui, à l'exemple des anciens, dans toutes ses comédies, se moque de tous les vices de son siècle... Il fait ces sortes de choses si délicatement, que ceux contre qui il les fait ne les peuvent prendre pour eux, et tous les autres les reconnaissent[85]. » La séduction de *George Dandin* tient aussi, rappelle le compte rendu de sa création, au « caractère des personnages », à la peinture fidèle de « la peine et [des] chagrins où se trouvent souvent ceux qui s'allient au-dessus de leur condition[86] ». Certains critiques ont parfois déploré que — l'auteur vivant — les « chefs-d'œuvre » de Molière ont été peu présentés à la cour — *Tartuffe* et *L'Avare* trois fois —, voire jamais montés, comme *Dom Juan* ou *Le Misanthrope*, alors que Paris leur a accordé plus d'audience. En fait *Dom Juan* a rencontré à la Ville l'hostilité des dévots et *Le Misanthrope*, dont la représentation à la Cour a été contrariée par la mort de la reine mère, a obtenu à Paris des recettes modestes, sans commune mesure avec *Les Précieuses ridicules*. *L'Avare* n'a pas davantage été compris par le public bourgeois. « Pas plus que la Cour, la Ville n'a préféré les grandes comédies aux petites[87]. »

Si Paris ne le soutient que par intermittence, Molière trouve en Louis XIV un protecteur constant et efficace. Au comédien et à l'auteur qui l'amuse le roi commande les divertissements indispensables à ses fêtes : *Le Mariage forcé*, *La Princesse d'Élide*, *L'Amour médecin*, *Mélicerte* et *Le Sicilien*, *George Dandin*, *Pourceaugnac*. C'est le monarque qui choisit le thème des *Amants magnifiques* et suggère la turquerie du *Bourgeois gentilhomme*. *Psyché* et *La Comtesse d'Escarbagnas* sont encore pièces de commande, comme *Le Malade imaginaire*, destiné à la cour mais écarté par les intrigues de Lully. Molière ne rechigne jamais à exécuter les ordres royaux : « Lorqu'ils nous ordonnent quelque chose, dit-il dans *L'Impromptu*, c'est à nous de profiter vite de l'envie où ils sont[88]. » Aux exigences du prince l'auteur ne peut parfois répondre qu'avec des pièces non achevées. *La Princesse d'Élide* commencée en vers est terminée en prose, *Mélicerte* ne compte que deux actes — « le roi l'ayant demandé avant qu'elle ne fût achevée » — et l'on prétend que *L'Amour médecin* fut « proposé, fait, appris et représenté en cinq jours ». Cette précipitation ne répugne pas à l'auteur. Les commandes de la cour lui offrent l'occasion de collaborer avec les plus grands artistes du temps, et lui permettent de conserver la faveur du monarque.

Sans elle, Molière n'eût pas été de taille pour lutter contre les cabales. Le roi a du mérite à protéger un excommunié, accusé d'athéisme et de libertinage, jugé coupable d'obscénité. Ses ennemis ne cessent de réclamer justice et convient fermement le Très-Chrétien à punir le pécheur. Vers 1660, son comique qui séduit le roi est loin d'être partagé. La comédie est alors mesurée à l'aune de l'Antiquité, ses types sont connus et répertoriés. Or, brusquement, Molière les emprunte à la société de son temps. « On sortait, écrit M. Roger Zuber, de la convention pour entrer dans la vie[89]. » « Le marquis aujourd'hui, avoue *L'Impromptu de Versailles*, est le plaisant de la comédie ; et comme dans toutes les comédies anciennes on voit toujours un valet bouffon qui fait rire les auditeurs, de même, dans toutes nos pièces de maintenant, il faut toujours un marquis ridicule qui divertisse la compagnie[90]. » Aux hôtes de Saint-Germain les œuvres de Molière doivent paraître ambiguës. S'il sait idéaliser la cour et flatter les courtisans en ridiculisant ceux qui les singent, il agace les flagorneurs et arrivistes de tout poil, « jeunes muguets » et petits marquis frivoles et vaniteux. En fait — le monarque l'a compris — Molière ne critique pas la cour, il dénonce les extravagances de quelques courtisans. En condamnant les duellistes, les débauchés, les oisifs, il est l'allié de Louis XIV.

Quand il faut le servir, j'ai du coœur pour le faire,
Mais je ne m'en sens point quand il faut lui déplaire ;
Je me fais de son ordre une suprême loi[91].

Par le rire, Molière s'emploie à corriger les défauts et les vices des mauvais courtisans et exalte *a contrario* les vertus de l'honnête homme.

Ses ennemis ne se sont pas facilement rendus. Ainsi *L'École des femmes*,

Qui fit rire Leurs Majestés
Jusqu'à s'en tenir les côtés

est aussi

Pièce qu'en plusieurs lieux on fronde[92].

Son triomphe au Louvre déclenche une querelle où Molière doit affronter ses concurrents — comédiens et auteurs — lésés par son succès, auxquels se joignent l'Église, les dévots et les « beaux esprits de profession ». Il donne alors à Vincennes devant le roi *La Critique de l'École des femmes,* en expliquant que le souverain lui a « commandé de travailler sur le sujet de la critique qu'on a faite » contre lui. La cabale qui ne désarme pas répand méchancetés et calomnies. Louis XIV le prie de se défendre. Ainsi naît *L'Impromptu de Versailles* où l'artiste règle ses comptes avec ses rivaux. En novembre 1663, Molière se trouve au lever de Sa Majesté : il reçoit publiquement son appui. Le premier enfant de Jean-Baptiste Poquelin a le roi pour parrain. Quelques semaines plus tard la troupe est conviée aux premières fêtes de Versailles. La bataille est gagnée.

Tartuffe en ouvre une seconde. Elle dure cinq ans. Poussé par sa mère et les dévots, le roi interdit la pièce jouée pendant les *Plaisirs de l'île enchantée,* mais sans défendre les représentations privées. Molière remanie son œuvre, apporte des « adoucissements », consent à des « retranchements » et la donne au Palais-Royal, sous le titre de *L'Imposteur,* le 5 août 1667. Profitant de l'absence du roi dont ils connaissent les sentiments bienveillants, le premier président du Parlement et l'archevêque de Paris la font interdire. Faute de pièce, le théâtre doit fermer. Une fois encore le salut vient du roi. A plusieurs reprises la troupe est conviée à la cour et elle participe au *Grand Divertissement* de 1668. Au mois de février suivant, Louis XIV autorise *Tartuffe.* C'est un triomphe et un succès financier sans précédent. La prospérité du théâtre est désormais assise et la gloire personnelle de l'auteur est à son zénith.

Pour chacune de ses difficultés, Molière a trouvé dans le roi un sauveur. On prétend parfois que le poète requis sans cesse pour l'amusement de la cour n'a pu donner la pleine mesure de son talent, un peu comme on reproche à François Ier d'avoir perturbé le travail de Léonard de Vinci par ses trop fréquentes visites. En réalité, les invitations répétées à Saint-Germain et à Versailles ont sauvé la troupe de la faillite. La vie de la compagnie a dépendu des commandes et des générosités royales : en décembre 1666 le séjour à Saint-Germain a compensé le demi-succès à Paris du *Misanthrope*, celui de novembre 1668 réparé l'échec de *L'Avare* à la Ville. Si Molière n'a pas manqué d'adversaires résolus, Louis XIV n'a cessé de protéger l'auteur et sa troupe.

Le royaume d'Euterpe

La cour de Louis XIV vit en musique. Chaque moment de la vie quotidienne du monarque en est pénétré. Pendant longtemps lever et coucher du roi ont été accompagnés, certains jours de la semaine, d'une musique « composée de quelques voix et parfois seulement de quelques instruments ». « Les jours de bonnes fêtes », le souverain et sa famille soupent au grand couvert au son des *Symphonies* de M. R. Delalande. Il n'est pas une promenade, une collation, un départ pour la chasse, une réception, un feu d'artifice, une fête quelconque sans musique. Celle-ci n'est sans doute qu'un élément du décor, une sorte de fond sonore. Si elle n'est pas écoutée avec le recueillement qui préside aux concerts d'aujourd'hui, elle solennise la moindre cérémonie et éduque l'oreille des courtisans. Il est en revanche des divertissements dont elle est la raison d'être. Ballets et intermèdes, opéras et concerts requièrent attention et jugement du public. Les soirs d'appartement, les chantres de Sa Majesté qui « récitent et chantent sans habits de théâtre partie de quelque opéra », et les suites, airs, sonates, cantates de chambre rassemblent dans les salons d'Apollon et de Mars d'authentiques mélomanes. Les séjours à Marly, Trianon et Fontainebleau ne rompent pas ces usages. « Quand les voyages à Marly ne durent que trois jours, écrit Dangeau, il y a musique tous les soirs. Quand les voyages sont plus longs il n'y a musique que tous les deux jours[93]. » La messe du roi enfin est prétexte à l'exécution quotidienne de musique sacrée. C'est la fierté du monarque. Lorsque la chapelle de Robert de Cotte s'achève, son premier soin est d'y faire chanter « un motet pour voir l'effet que la musique ferait ».

A l'image de son père, Louis XIV est passionné de musique. Il en parle mieux que Lully et il dépense pour elle plus de cent mille écus par an. Sans être un exécutant accompli, il touche de la guitare, du luth et du clavecin. A l'occasion il s'amuse chez la duchesse de

Bourgogne à chanter avec les dames du palais. Vingt ans durant, il danse au milieu de ses courtisans, joignant à ses talents une grâce vantée par ses contemporains. Plus que n'importe quel monarque de son temps, sauf l'empereur Léopold Ier, il contrôle la musique destinée à sa cour, choisissant soigneusement les maîtres de ses enfants, suggérant à Quinault et Lully le sujet de quelques tragédies lyriques, fournissant à Clérambault les textes de plusieurs cantates. Des académies royales de danse et de musique, créées en 1661 et 1669, il attend la formation d'artistes de qualité capables de servir le prestige de la danse et de la musique à la cour et dans le royaume.

La famille royale partage même passion. Monseigneur est grand amateur de spectacles lyriques : chez lui les soirées d'appartement sont toujours ouvertes par l'audition d'un acte d'opéra. Marc-Antoine Charpentier dirige sa musique religieuse. Le duc du Maine, le comte de Toulouse ont François Couperin pour maître, Mlle de Nantes et Mlle de Blois prennent des leçons avec Michel-Richard Delalande. La princesse de Conti, assidue à l'Académie royale de musique, établit « chez elle deux fois la semaine une très belle musique des meilleurs musiciens du roi », prenant « pour cela les jours où il n'y a point de musique chez Mme de Maintenon [93] ». Le duc de Chartres est le plus musicien de tous, élève de Charpentier, instrumentiste de talent et compositeur porté vers la musique italienne. « Rien n'est tant à la mode présentement que la musique, reconnaît sa mère, la princesse Palatine. Je dis souvent à mon fils qu'il en deviendra fou, quand je l'entends parler sans cesse de *bemol, becar, béfa, bémi,* et autres choses de ce genre auxquelles je n'entends rien ; mais M. le dauphin, mon fils et la princesse de Conti en parlent durant des heures entières [94]. » Les courtisans ne sont pas en reste. Beaucoup se mêlent aux danseurs professionnels dans les ballets de cour et ne rechignent point à se produire sur un théâtre public. *Les Fêtes de l'Amour et de Bacchus,* pastorale donnée en 1672 à Paris, font voisiner devant les spectateurs de la Ville les ducs de Monmouth et de Villeroy, le marquis de Rassan et de simples baladins [95]. En 1699, la princesse de Conti rassemble chez elle princes et seigneurs de la cour pour chanter *Alceste.*

Si les hâtives relations des divertissements royaux mêlent indifféremment « comédie, jeu et violons », nul ne réduit la musique à un quelconque « remplissage ». Autour du roi, des princes et des gens de cour se rassemblent musiciens et maîtres à danser, compositeurs et chorégraphes qui font de Versailles le foyer musical le plus brillant de la France moderne.

Les musiciens du roi

Une telle réussite suppose des moyens. Le roi, soucieux d'associer la musique à sa gloire, perfectionne les grandes institutions musicales inventées par les Valois : la Chapelle, la Chambre, l'Écurie. La première groupe, sous la direction officielle d'un maître (qui souvent est un prélat) et réelle du sous-maître, chantres, organistes et symphonistes. Ses effectifs sont considérables : en 1702 elle compte quatre-vingt-quatorze chanteurs recrutés avec soin dans les églises parisiennes et provinciales. Après la retraite de Henry Du Mont et de Pierre Robert, les sous-maîtres, recrutés par concours, servent par quartier. Ce sont les auteurs des plus célèbres grands motets classiques. Michel-Richard Delalande, le plus fameux, « mettait, dit-on, toute son application à toucher l'âme par la richesse de l'expression et des vives peintures, et à délasser l'esprit par les agréments de la variété, non seulement dans le merveilleux contraste de ses morceaux, mais dans le morceau même qu'il traitait[96] ». Un splendide répertoire de musique sacrée est ainsi créé : aux côtés des psaumes et des hymnes, les motets en forment le fonds. Le genre, renouvelé par Du Mont, est porté à sa perfection par Delalande. Ses soixante-dix grands motets, qui constituent au début du XVIIIe siècle l'essentiel des programmes du *Concert spirituel* des Tuileries, seront chantés en France et en Europe jusqu'à la Révolution. La chapelle royale, moins conservatrice qu'on ne l'a dit, est un modèle. A son imitation les églises du royaume adoptent progressivement violons, clavecins, flûtes, trompettes et timbales, introduits dès le temps de Lully à Versailles. Pour la fête de Pâques de 1711, dans le nouveau sanctuaire du château, lorsque François Couperin inaugure les grandes orgues à quatre claviers et que Delalande dirige ses motets, chacun admire la parfaite adaptation de la musique sacrée au somptueux vaisseau blanc et or béni l'année précédente.

La musique de la Chapelle joue quotidiennement; celle de la Chambre, seulement « lorsque le roi le commande ». Mais concerts d'appartement ou de plein air, bals, ballets et tragédies lyriques sont assez fréquents à la cour pour la solliciter constamment. Souvent Sa Majesté convie quelques solistes — chanteurs ou instrumentistes — ou de petits ensembles en ses « récréations particulières ». François Couperin reconnaît avoir composé ses *Concerts royaux* (quatre suites à la française) « pour les petits concerts de chambre où Louis XIV [le] faisait venir presque tous les dimanches de l'année[97] ». Parmi les quarante voix de la Chambre, le roi aime entendre Hilaire Dupuy et Anne de la Barre à laquelle il offre, « pour l'obliger d'ajouter l'assiduité à la perfection », mille deux cents livres de pension. Un maître de la viole de gambe comme Marin Marais ou son rival Antoine Forqueray, un flûtiste comme Michel de la Barre, des clavecinistes tels Champion de Chambonnières ou d'Anglebert enchantent le roi pendant les soirées d'appartement. Grands seigneurs et dames de la cour aiment aussi à retenir chez eux des musiciens. Mme de Montespan, conquise par le talent de la claveciniste Élisabeth Jacquet, la garde plusieurs années auprès d'elle « pour s'amuser agréablement, de même que les personnes de la cour qui lui rendaient visite[98] ». Deux ensembles de violons accompagnent bals et festins de la cour : la grande bande des vingt-quatre qui constitue « le premier orchestre officiel groupé autour d'un noyau d'instruments à cordes » et les petits violons, véritable machine instrumentale au service de Lully. On distingue mal la répartition de leurs tâches. D'après l'*État de la France* pour 1686, les premiers « jouent au dîner du roi, aux ballets, aux comédies », les seconds « à la campagne [...] suivent le roi et jouent ordinairement à son souper et aux assemblées de bals et des récréations de Sa Majesté, comme aussi aux ballets[99]... ». Si ce cahier des charges manque de clarté, on sait que Lully réunit souvent les deux ensembles, auxquels se joignent les grands hautbois de l'Écurie.

Vents et percussions de ce dernier département rehaussent la solennité des innombrables cérémonies officielles, entrées d'ambassadeurs, mariages princiers, départs pour la chasse, pour la guerre ou pour une villégiature. Ils accompagnent encore les divertissements de plein air comme les carrousels ou les promenades le long du grand canal. Mais ils sont surtout invités à renforcer la Chapelle pour l'exécution des grands motets, et les effectifs de la Chambre à l'occasion des bals et des opéras.

Deux cents artistes, dont cent vingt permanents jouissant du titre envié d'« officier de la maison du roi », composent la musique de Versailles. Les responsabilités de Lully, surintendant de la musique de la Chambre, et de Delalande, qui cumule, à une exception près, toutes les charges de la musique, n'ont pas dépouillé le roi de son autorité. C'est lui qui impose à la Chapelle comme aux concerts des soupers leurs programmes, relit les livrets, décide des musiciens à appeler au château. Afin de « remplir sa chambre de personnes expérimentées » il organise des concours de recrutement. Celui de 1663 choisit les quatre sous-maîtres de la Chapelle ; celui de 1678 pourvoit aux quatre places d'organistes. Le grand concours de 1683 départage trente-cinq candidats. En 1693, après sept auditions et trois jours de réflexion, Sa Majesté choisit comme organiste de la Chapelle François Couperin.

La qualité de la musique du roi, qui assure alors la supériorité de la Cour sur la Ville, s'impose aussi à l'étranger. Sur le modèle de la Chambre, le souverain de Sardaigne et le roi d'Angleterre entretiennent une bande de vingt-quatre violons. A Londres règne une atmosphère musicale largement inspirée du style français. La cour de Louis XIV a ainsi engendré une école versaillaise au rayonnement européen.

Le berceau de l'opéra

Mazarin vivant, la cour de Louis XIV a caressé la musique italienne. Mais le succès des *Noces de Pélée et Thétis* ou d'*Ercole amante* ne l'a pas convertie à l'opéra d'outre-monts. Certes le goût du merveilleux, de l'illusion, de la métamorphose dont celui-ci était prodigue séduisait, mais on savait aussi en France monter des tragédies à machines avec musique, aux somptueuses mises en scène. L'absence d'unité de ton de l'opéra italien, sa « bizarrerie », sa confusion déplaisaient. Enfin, le ballet à entrées — passion de la cour — n'avait nul besoin des « convulsions » de la musique et des accents réalistes du chant italiens. Les talents du jeune roi pour la danse encourageaient au contraire compositeurs et chorégraphes à parfaire l'art du ballet. La mort de Mazarin, douloureuse au clan ultramontain, permettait à Colbert d'orienter les divertissements de la cour vers un style national. Le poète Pierre Perrin suggéra au ministre de relever le défi d'outre-monts : « Il y va de la gloire du roi et de la France de ne pas souffrir qu'une nation, partout ailleurs victorieuse, soit vaincue par les étrangers en la connaissance de ces deux beaux-arts, la poésie et la musique [100]. » *L'Académie d'opéra en musique et en vers français* qu'il appelait de ses vœux fut créée en 1669 pour engendrer l'opéra national. Paradoxalement ce fut le florentin Giambattista Lulli qui accomplit le projet de Colbert et, évinçant Perrin, malheureux en affaires, dirigea l'Académie désormais royale

(1672). La musique française avait trouvé un avocat et son héros.

Lully était arrivé en France vers quatorze ans. A vingt et un, il dansait aux côtés de Louis XIV le *Ballet de la Nuit* et devenait compositeur de la musique instrumentale du roi. Ses prouesses chorégraphiques faisaient alors sa réputation. Il l'accrut en composant chaque année, sur des paroles de Benserade, la musique des ballets dansés par le jeune prince et les seigneurs de sa cour. 1661 fut l'année de son véritable avènement : nommé en mai surintendant et compositeur de la musique de la Chambre, il fut naturalisé en décembre. L'année suivante le contrat de mariage de Jean-Baptiste Lully (il francise son nom en abandonnant son « i en croupe ») avec la fille du musicien Michel Lambert fut signé par le roi, les reines et Colbert. Le talent et le charme personnel de celui que l'on nommait « Baptiste » séduisaient le jeune souverain, son cadet de cinq ans. Il est devenu « l'homme dont le roi ne peut se passer ».

Pendant sept ans, du *Mariage forcé* (1664) au *Bourgeois gentilhomme* (1670), Lully collabore avec Molière. Il y apprend la nécessité de donner à ses ouvrages une signification dramatique. La cour fait alors le succès des comédies-ballets, tragédies-ballets (comme *Psyché*), pastorales, tous spectacles en musique rivaux du traditionnel ballet à entrées. Comprenant la fortune de ce nouveau genre, Lully crée en 1673 le premier opéra « à la française ». Du ballet il conserve le divertissement dansé et chanté et le goût du merveilleux. Les effets de machineries, où les Italiens excellent, s'inspirent aussi des tragédies françaises en machines comme *Andromède* ou *La Toison d'or*. A la tragédie « classique », avec laquelle il entend rivaliser, l'opéra emprunte la composition en cinq actes précédés d'un prologue consacré à la gloire du roi, et une action dramatique (en principe) régulière inspirée de la mythologie ou du roman. Le récitatif, partie la plus soignée, cherche à amplifier musicalement la récitation tragique. Son modèle est la déclamation en usage à l'hôtel de Bourgogne. Ne dit-on pas que Lully « allait se former à la comédie sur les tons de la Champmeslé », l'incomparable interprète de Racine ? Tandis que la comédie-ballet meurt avec Molière, et que le ballet de cour, sans disparaître, est délaissé par le roi, la « tragédie mise en musique », capable selon La Bruyère de tenir « les esprits, les yeux et les oreilles dans un égal enchantement », devient spectacle à la mode. Son succès est immédiat et Lully, maître unique de tout le théâtre en musique, compose chaque année jusqu'à sa mort un ouvrage lyrique pour les spectacles de la cour.

Le premier, *Cadmus et Hermione,* est donné le 27 avril 1673 à Paris, au théâtre du Bel-Air, devant le roi, « extraordinairement satisfait de ce superbe spectacle ». Mais l'usage veut bientôt que la Cour ait, avant la Ville, la primeur des créations. La salle des ballets de Saint-Germain, « bien équipée pour effectuer plusieurs changements de décor et assurer le fonctionnement de machines variées[101] », voit monter la première de *Thésée, Atys, Isis, Proserpine* et du *Triomphe de l'Amour ;* on donne à Versailles *Phaéton* et *Roland,* à Fontainebleau *Le Triomphe de la paix. L'Idylle sur la paix* est créée à Sceaux chez le marquis de Seignelay, *Acis et Galathée* à Anet chez le duc de Vendôme. Paris patiente quelques semaines avant d'applaudir à la rentrée de Pâques les œuvres de Lully et de son librettiste, Philippe Quinault. Quand les premières ont lieu à la Ville (par autorisation royale), c'est que la mort de la reine, l'absence du roi occupé à la campagne de Hollande ou à la conquête de la Franche-Comté, l'inachèvement des opéras prévus pour être montés à Carnaval ont interdit les créations à la cour[102]. Mais toutes les tragédies lyriques de Lully (sauf *Psyché*) ont été représentées devant le souverain.

Sa Majesté ne se lasse pas de voir cinq ou six fois de suite la même œuvre — Saint-Simon assure qu'il en fredonne souvent les airs — et ordonne les reprises des ouvrages admirés. Il n'est pas étranger à leur confection, choisissant le sujet du livret sur les propositions de Quinault dont il oriente le travail. Il assiste aux répétitions qui se tiennent à huis clos, sauf pour quelques rares privilégiés. « Le roi, écrit un contemporain, ne voulait point qu'on eût le plaisir de voir [les opéras] avant lui. » Son engouement est partagé par sa famille et par les courtisans dont certains renouent avec la tradition du ballet en dansant dans les entrées de quelques opéras. Mme de Sévigné se fait l'écho de l'enthousiasme qui accueille *Alceste :* « Il y a des endroits de la musique qui ont mérité mes larmes. Je ne suis pas seule à ne les pouvoir soutenir ; l'âme de Mme de la Fayette en est alarmée[103]. » La réussite du genre, conçu comme spectacle royal (il exige une cinquantaine de chanteurs, une vingtaine de danseurs et près de quatre-vingts musiciens), est universelle. On chante, dit-on, les airs de Lully sur le Pont-Neuf et les jours où l'on donne à Paris ses opéras le faubourg Saint-Honoré est encombré de carrosses. La cour de Louis XIV a souvent la primeur des tragédies lyriques, elle n'en a pas l'exclusivité. Le succès obtenu à Saint-Germain ou Versailles prépare le public parisien à applaudir les œuvres appréciées des courtisans. La

Cour donne ainsi le ton. Jusqu'à la mort de Lully (1687), son goût ne se distingue pas de celui de la Ville.

FIDÉLITÉ À L'ART LYRIQUE

Pour beaucoup de nos contemporains, la longue vie de Louis XIV éclipse le renouvellement des générations qui ont illustré son temps. Aux uns l'œuvre magistrale de Colbert († 1683) et de Louvois († 1691) suggère l'idée d'un désert ministériel dans les vingt-cinq dernières années du règne ; pour d'autres, l'essoufflement de « l'école de 1660 » achève avant 1680 *le siècle de Louis XIV*. Si l'opinion associe en deux images symboliques le roi à Molière, mort en 1673, et à Lully, décédé en 1687, elle déduit hâtivement que la cour — Mme de Maintenon aidant — boude bientôt le théâtre et répudie l'opéra. La désaffection du roi pour la comédie est en fait, nous l'avons dit, progressive et sélective. La place de l'art lyrique à Versailles après la mort de « Baptiste » mérite mêmes nuances.

« Depuis quelques années, rapporte *Le Mercure galant* de mars 1688, la cour [ne] fait plus faire [d'opéras] pour carnaval [...] parce qu'elle a trouvé que le même divertissement pendant un mois était un plaisir trop uniforme. Ainsi, au lieu de ces opéras, elle fait diverses petites mascarades [...] dont la diversité [...] les rend plus touchants et plus agréables. C'est ce qu'on a fait depuis trois ou quatre années[104]. » Bien des symptômes semblent confirmer le désintérêt de la cour. Dès 1685, chacun sait à Versailles que la répétition des grands spectacles ennuie Sa Majesté. Aussi les tragédies lyriques sont-elles données désormais, le roi voulant, « seulement une fois par semaine, au lieu qu'on avait accoutumé de représenter les autres trois fois chaque semaine[105] ».

La faveur de Lully paraît même compromise : le scandale de sa vie privée vaut à son opéra *Armide* d'être écarté de la cour. A sa représentation donnée chez la dauphine le 30 avril 1686, le roi, dit-on, n'assista point. Le règne, jusque-là sans partage, de ce musicien est ébranlé. D'autres compositeurs pénètrent dans la brèche : Delalande, Claude-Jean-Baptiste Boesset, Élisabeth Jacquet de La Guerre, Henry Desmarest pourvoient aux divertissements royaux. Peu sont l'occasion de grands spectacles. Les réalisations modestes, sans changements de décor ni machines, sont la règle. On s'étonne en février 1689 de voir monter à Trianon *Thétis et Pélée* de Colasse avec des costumes, « parce que des opéras qui ont été faits pour Paris ne sont ordinairement représentés qu'en concert à la cour[106] ». La simple version chantée est désormais le médiocre destin des opéras donnés à Versailles, alors que l'Académie royale de musique continue d'offrir de grandes représentations aux Parisiens. La Cour et la Ville, communiant au temps de Lully dans les mêmes spectacles, sélectionnent leurs programmes et adoptent des types différents de représentations. Cela ne signifie pas divergence de goût. La mort de « Baptiste » crée un vide. A Paris ses épigones engrangent peu de succès. Le plus souvent leurs ouvrages tombent : *Médée* de Marc-Antoine Charpentier est un échec. Si Versailles se contente de « divertissements en musique » sans mise en scène, et convertit les opéras en simples concerts, c'est que les nécessités du temps l'imposent. La guerre de la ligue d'Augsbourg, qui arrête le chantier de Mansart, réduit le train de la cour et interrompt les gratifications aux gens de lettres, exige des économies. Ni l'absence de salle de spectacle (les jardins de Versailles, la cour de marbre et le manège y ont longtemps suppléé), ni la prétendue conversion du roi, ni son goût exclusif pour Lully ne sont *seuls* responsables du creux des tragédies lyriques à la cour. L'esprit d'économie dépouille les opéras de leurs falbalas, il ne gâte pas définitivement le goût des spectacles lyriques.

La musique comme le théâtre hérite à la fin du règne d'un sauveur. L'arrivée à Versailles de la duchesse de Bourgogne — au moment où s'achève la guerre — ranime la vie musicale. La période nouvelle qui s'ouvre alors ne mérite ni silence ni mépris. Pour les fêtes du mariage princier données en décembre 1697, on songe à reprendre deux ouvrages de Lully et à monter deux nouveautés, *L'Europe galante* d'André Campra, créée avec succès à Paris le 24 octobre précédent, et la pastorale héroïque d'André-Cardinal Destouches, *Issé,* qui seule est représentée à Trianon. C'est un triomphe. Enthousiaste, Louis XIV gratifie l'auteur de deux cents louis en « l'assurant que depuis Lully, aucune musique ne lui avait fait tant plaisir que la sienne ». M. Jérôme de la Gorce, qui considère Destouches comme le meilleur compositeur dramatique (avec Campra) depuis Lully et le précurseur de Rameau, conclut que « le goût du monarque en matière musicale s'avérait donc encore très sûr en 1697[107] ». Le succès d'*Issé* inaugure le regain d'intérêt de la cour pour l'opéra. En six ans, quatre ouvrages de Destouches sont créés à Fontainebleau avant d'être représentés à Paris : *Amadis de Grèce* (1698), *Marthésie, reine des Amazones* (1699), *Omphale* (1700 et 1702 à Trianon) et *Le Carnaval et la folie* (1703).

Malgré leurs moyens scéniques réduits, ces œuvres s'imposent aux contemporains et sont reprises dans le royaume comme à l'étranger. A nouveau la cour donne le ton. Chaque automne, le séjour à Fontainebleau est accompagné de représentations d'opéras. Les chroniqueurs ont trop peu souvent noté leurs titres, mais ils nous enseignent que des ouvrages de Matho *(Coronis, La Tarentole)* et d'Anne Danican Philidor, futur fondateur du Concert spirituel *(Diane et Endymion, Danaé)*, sont joués devant la cour et appréciés du grand dauphin [108].

Louis XIV cesse cependant d'assister aux spectacles : « Il a presque renoncé à tous », remarque en octobre 1703 le marquis de Dangeau, qui confirme l'année suivante : « Le roi ne va point à ces musiques publiques. » La réserve du monarque n'est pas affaire de goût : trois ans plus tôt, il avait confié à Destouches sa satisfaction après l'audition d'*Omphale* et l'avait exhorté à continuer de travailler. Elle n'est pas davantage modèle à suivre : sur son ordre, les spectacles continuent à la cour. On reprend les tragédies lyriques de Lully jusqu'en 1707. Le duc d'Orléans, futur régent, fait chanter les opéras de sa composition à Fontainebleau en 1703 et 1704. A Clagny, la duchesse du Maine offre aux courtisans « beaucoup de musique et d'entrées de ballet [...] dansées par les meilleurs danseurs de l'Opéra [93] ». Puis les divertissements se raréfient à Versailles. Il faut se rendre à Paris pour applaudir des opéras : Monseigneur y est fidèle jusqu'à sa mort. La guerre de succession d'Espagne, les deuils de la famille royale les interdisent à la cour. Le vieux monarque se contente de quelques morceaux choisis : la *Tempête d'Alcyone* du violiste Marin Marais, les deux premiers actes d'*Armide,* le prologue et le premier acte d'*Atys*. Ces choix lullystes ne sont pas radotages de vieillard. Le goût du roi ne s'est pas sclérosé : en 1713 il crée pour Destouches le poste d'inspecteur général de l'Opéra. Éloigné des spectacles par l'âge, les difficultés du temps et, peut-être, pour des raisons morales, Louis XIV confie ainsi un musicien de talent à la Ville. Relayant la Cour, celle-ci assume désormais le prestige de l'opéra français.

Quatrième partie

LA COUR DÉCLINANTE

La petitesse de la dernière Cour (avant que cette Cour eût pour elle la grandeur de son infortune) semblait trop à l'aise dans les réduits de Louis XIV.

CHATEAUBRIAND

CHAPITRE XVII

« L'automne de Versailles »

Un tyran a des ennemis, mais il ne manque pas de partisans, au lieu qu'un monarque sans cour est un grand arbre déraciné que le moindre coup de vent renverse.

Le duc DE LÉVIS

Je jouirai des douceurs de la vie privée qui n'existent pas pour nous, si nous n'avons le bon esprit de nous les assurer.

MARIE-ANTOINETTE

La grande facilité dans les souverains inspire plus d'amour que de respect, et au premier embarras l'amour passe.

TALLEYRAND

La mort de Louis XIV, au matin du 1er septembre 1715, interrompt brutalement la vie de la cour. Au dernier soupir de leur maître, tandis qu'officiers et serviteurs préparent le convoi funèbre, les courtisans abandonnent galeries et antichambres. Le 9, le nouveau roi — un enfant de cinq ans — quitte le palais pour Vincennes où l'air, dit-on, convient mieux à sa santé. La famille royale se disperse « comme une volée de moineaux [1] ». Si Versailles se vide, les hôtels de Paris, où se décide alors l'avenir politique du nouveau règne, retrouvent leurs habitants. Le régent Philippe d'Orléans gouverne le royaume depuis le Palais-Royal ; Louis XV est logé dès la fin de l'année aux Tuileries, sa nouvelle demeure. Un bambin ne tient pas de cour, et au Palais-Royal comme au Luxembourg, à Saint-Cloud comme chez Condé ou Conti, la noblesse, désormais dispersée dans la capitale, jouit sans contrainte ni mesure de sa liberté. Le roi grandit. Quand vient l'âge de sa majorité et du sacre, des rumeurs annoncent son retour dans le château de son bisaïeul. Le « 15 de ce mois de juin [1722], écrit l'avocat Barbier, le roi est enfin parti pour Versailles avec un détachement de toute sa maison[2] ». L'homme de la rue ignore si ce départ est définitif : « L'un disait, il reviendra, l'autre, il ne reviendra pas. » Pour apaiser les Parisiens inquiets, on assure que le roi regagnera les Tuileries après le voyage de Reims, en octobre. Mais pour satisfaire les Versaillais, un arrêt annule « tous les baux subsistants des maisons et appartements de Versailles » et autorise les propriétaires à en passer de plus avantageux. On monte en épingle le goût de Louis pour le château et l'on suggère qu'il y passera l'hiver. Le peuple de Paris doit bientôt en convenir : depuis le lundi 15 juin 1722, Versailles est redevenu résidence royale. Certes, Philippe d'Orléans répugne à séjourner dans le palais de Louis XIV. « Il revient tous les jeudis à Paris et retourne tous les samedis matin. » Ses compagnons de plaisir qui s'ennuient à Versailles l'imitent. Une satire prétend que le Régent a été « exilé à Versailles par ordre du cardinal Dubois[3] » ! Le trait ne manque pas de vérité. Devenu premier ministre, Dubois a renoué avec les principes de Louis XIV. Avec le rétablissement des secrétaires d'État et du conseil d'en haut, le symbole éclatant de cette continuité est, après six ans et neuf mois d'abandon, le réveil de Versailles.

Le respect (apparent) du cérémonial

Le retour du roi ne suffit pas à recréer la cour : Louis XV n'a que treize ans. A son lever « les princes sont chez lui devant huit heures et le régent lui-même ne manque pas ». Mais « à huit heures trois quarts on ne sait plus où aller, et l'oisiveté engendre le vice ». A lire les contemporains — Parisiens, il est vrai —, on vit au château en débauche ouverte. La distance qui sépare Versailles du Palais-Royal n'a pas corrigé l'entourage de Philippe d'Orléans. Les roués ont transporté leurs mœurs dans le palais de Louis XIV et de Mme de Maintenon. Sans modèle de vertu ni autorité, la cour s'abandonne au libertinage. « Il n'y a personne à la tête, gémit Mathieu Marais, qui puisse contenir les courtisans et les dames. L'exemple manque [...]. Il n'y a plus ni politesse, ni civilité, ni bienséance. » Le mal semble universel. Les petits-enfants du vieux maréchal de Villeroy sont compromis, sa petite-fille, la duchesse de Retz, a « des galants de tous les étages » : pour mettre fin au scandale, le gouverneur de Sa Majesté doit solliciter des lettres de cachet contre sa propre famille. S'y ajoute la « débauche [...] des jeunes seigneurs entre eux, et ils ne s'en cachent pas ». Le duc de Boufflers, les marquis de Rambures et d'Alincourt sont exilés. Au jeune roi qui cherche à comprendre le motif de leur disgrâce on répond qu'ils se sont rendus coupables d'arracher les palissades du parc !

Le Versailles dévot du roi-soleil vieillissant retrouve même, le temps d'une comparaison, la faveur de l'opinion. « Ce n'est plus, écrit-on vers 1722, la cour de ce grand roi qui d'un regard arrêtait les plus libertins. » Louis XV est un jeune timide, mais va bientôt démontrer sa fidélité à l'esprit traditionnel de Versailles. Des indices prouvent sa volonté de reprendre sa cour en main. Élève de Villeroy, il n'ignore rien de l'étiquette et du respect dû à sa personne. A onze ans, il tance gentiment un maître de la garde-robe négligemment appuyé contre la balustrade de sa chambre : « Il faut que vous ayez joué quelque grande partie de paume ce matin, vous me paraissez fatigué. » En mars 1723 les observateurs jugent ses décisions en matière d'*entrées* comme « une action de majorité ». « On a été étonné, écrit Marais, de ne voir [...] ni les princes de la maison de Lorraine, ni aucun des Rohan, pas même le cardinal. » Louis sait d'instinct reconnaître ses amis ! L'année suivante, on retire à la messe du roi « les carreaux aux ducs, qui en ont été fort surpris. Ils ne les avaient point, du temps de Louis XIV, et s'en étaient mis en possession depuis la minorité. » Ni Philippe d'Orléans ni le cardinal Dubois n'avaient été obsédés par le cérémonial. Souvent prisonniers de leur entourage, ils n'avaient pas été davantage avares de bienfaits. Aussi vérifie-t-on en février 1725 les brevets des pensions en appréciant sévèrement les motifs de leurs largesses. Quelques exils prononcés en 1730 contre de grands seigneurs tentés par les cabales démontrent à chacun qu'après l'éclipse de la Régence, la mécanique de la cour perfectionnée par Louis XIV ne s'est pas grippée[4].

Tous les visiteurs l'ont noté : il règne à la cour de Louis XV un air de majesté digne du grand siècle. Le duc de Lévis met ainsi à l'actif du Bien-aimé « l'observation exacte des bienséances de cour, le maintien strict des formes antiques et de l'appareil qui entoure le trône[5] ». Le mot de Louis XV à Mme de Brionne — « Je n'aime pas défaire ce que mes pères ont fait » — s'applique aussi aux usages. Le courtisan comme le moindre Parisien informé ne manquent pas de signaler leur permanence ou leurs rares et infimes transgressions. « Louis XIV ne partait pas ce jour-là », remarque-t-on en rapportant le départ du roi un vendredi pour Compiègne. La cour vit dans la continuité. Qu'une contestation de rang survienne, qu'un doute se glisse un jour dans le déroulement d'une cérémonie ? On consulte un survivant de l'ancienne cour, modèle et référence infaillibles. Le meilleur connaisseur des règles auliques, le duc de Luynes, n'est-il pas petit-fils du marquis de Dangeau ? Cette fidélité a ses mérites : l'harmonie de la cour, pas plus que le prestige du trône, ne survivrait à des bouleversements capricieux du protocole.

Cependant les goûts nouveaux, l'amour des commodités, la recherche du confort rendent désuets bien des usages acceptés jusque-là sans barguigner. Ainsi l'accouchement des reines et des dauphines demeure une cérémonie publique. Le 13 septembre 1751, le dauphin, fils de Louis XV, doit, faute de nobles témoins, réquisitionner en pleine nuit deux porteurs de chaise ensommeillés, six gardes du corps et une sentinelle « qui ne voulait pas quitter son poste » pour attester la naissance du duc de Bourgogne[6]. Marie-Josèphe de Saxe attend patiemment leur arrivée qui doit achever sa délivrance. Mais à la fin du siècle, cet usage, justifié par la crainte des substitutions d'enfants, est jugé barbare. Il peut être dangereux pour la royale parturiente. Lorsque le médecin de Marie-Antoinette s'écrie le 19 décembre 1778 : « La reine va accoucher ! », le flot des curieux qui se précipitent est si tumultueux que Sa Majesté manque s'évanouir. Ouvrir une fenêtre est tâche presque impossible. Les cordes retenant les paravents de tapisserie autour du lit royal sont prêtes à céder. Pour ne rien perdre du spectacle, deux petits Savoyards pressés par la foule grimpent sur un meuble. Le roi doit faire dégager la chambre sans ménagements[7].

Les exigences de l'étiquette côtoient le ridicule. Les visites que Mesdames, filles de Louis XV, font quotidiennement à leur père en témoignent. « Tous les soirs à six heures, raconte Mme Campan, Mesdames interrompaient la lecture que je leur faisais pour se rendre avec les princes chez Louis XV : cette visite s'appelait le *débotter du roi* [...]. Les princesses passaient un énorme panier, qui soutenait une jupe chamarrée d'or ou de broderie, elles attachaient autour de leur taille une longue queue, et cachaient le négligé du reste de leur habillement par un grand mantelet de taffetas noir, qui les enveloppait jusque sous le menton. Les chevaliers d'honneur, les dames, les pages, les écuyers, les huissiers, portant de grands flambeaux, les accompagnaient chez le roi. En un instant tout le palais, habituellement solitaire, se trouvait en mouvement; le roi baisait chaque princesse au front, et la visite était si courte, que la lecture, interrompue par cette visite, recommençait souvent au bout d'un quart d'heure; Mesdames rentraient chez elles, dénouaient les cordons de leur jupe et de leur queue, reprenaient leur tapisserie et moi mon livre[8]... »

Si les filles de France se soumettent leur vie durant à de telles « misères d'étiquette », le moins assidu des courtisans aurait mauvaise grâce à s'en plaindre. Lever et coucher du roi, grand couvert, cérémonial quotidien de la messe, divertissements requièrent comme au temps du feu roi soumission aux règles de la cour. Contraignantes, les « manières de Versailles » sont cependant moins guindées qu'à Madrid. En France, la famille royale vit le plus souvent en public. Habituée à d'autres usages à la cour de Turin, Marie-Josèphe de Savoie, devenue comtesse de Provence, confie sa surprise à son père : « Pendant que nous dînons, on reçoit tout le monde[9]. » A Versailles chacun peut apercevoir le roi. Son palais est ouvert à tous. Le public est convié à ses fêtes. Au premier mariage du dauphin, le bal paré et le spectacle de ballet sont réservés aux courtisans invités. Mais « tous ceux qui ne pourront avoir de place [...] se dédommageront à voir toute la cour dans les appartements » : encore faut-il repousser la foule pour libérer l'entrée aux gens de cour. En revanche, le bal masqué du 25 février « attire à Versailles le concours de nombre de bourgeois de Paris[10] ». On entre sans distinction ni billets. L'assistance très mêlée compromet parfois les cérémonies. Un jour la presse est telle que la reine ne peut sortir de son appartement. On s'écrase dans les antichambres et les galeries. Huissiers et gardes, vite débordés, n'assurent plus aucune surveillance. Au bal du 26 janvier 1739 les curieux occupent sans gêne les gradins réservés, tandis que les dames en grand habit s'impatientent. Le roi doit faire lui-même la police du salon. Une telle cohue est le lot de chaque fête. Tirés dans l'avant-cour du château, entre les deux écuries ou dans le parc, les feux d'artifice sont aussi offerts à tous. Venu de Paris, Barbier attend cinq heures au soleil pour ne pas manquer celui d'août 1739. Les jardins sont toujours ouverts au public. Avant d'attenter à la vie du roi, Damiens s'y est promené tout le jour sans être inquiété[11].

Si tous les palais d'Europe sont encombrés de courtisans, curieux, gens de service, porteurs de chaise, marchands, écrivains publics, les dynasties régnantes à l'Escurial ou à Schönbrunn sont moins accessibles aux regards de leurs sujets. Malgré l'assouplissement de l'étiquette par Philippe V, le roi d'Espagne reste reclus dans son château, prisonnier des grands. On ne le voit pas pendant ses repas : le roi et la reine « mangent toujours ensemble, rapporte le duc de Villars, et sont servis à genoux par les dames du palais et les caméristes[12] ». Aux visiteurs ils n'accordent qu'un quart d'heure d'audience avant la messe. La cour de Vienne, parfois d'une simplicité bon enfant, connaît aussi « les distinctions d'antichambres », propres, prétend le comte Kaunitz, « à donner une haute idée de l'honneur d'approcher la personne du souverain ». Le représentant de Marie-Thérèse est choqué de voir Versailles les ignorer : « Le peuple est dans tous les appartements à la fois. Jusqu'à la chambre de la reine, tous les hommes qui ont l'honneur de lui faire la cour y entrent et, à Fontainebleau, les cardinaux, les ambassadeurs, attendent le lever du roi dans la même pièce où se tiennent les laquais. Dans l'antichambre de la reine, on voit ses femmes de chambre assises au milieu des dames du palais, à ne pas les reconnaître. Il n'y a que le bas de robe qu'elles ne laissent pas traîner qui puisse les distinguer[13]. » La cour de Prusse, d'une rusticité toute militaire, est assurément moins protocolaire que celle de Louis XV. Mais à Versailles, les jours d'appartement et de grand couvert contribuent plus à la vie de société que les longs repas de Berlin ou de Potsdam « où l'on boit même assez considérablement ».

L'entourage du roi de France est moins hiérarchisé qu'ailleurs. Dans les rangs règne une confusion inconnue des cours européennes où, remarque le futur Louis XVI, « tout est mieux réglé ». Le parlement de Paris est plus ordonné que la demeure du roi ! Aussi les prétentions demeurent-elles vives à la cour, les querelles de préséance fréquentes. Les enfants de France entendent être distingués des princes du sang, ceux-ci se gardent d'être confondus avec les ducs, qui eux-mêmes veillent à rester séparés des gentilshommes. Comme au temps de Louis XIV, les Lorrains, les Rohan, les maisons de Bouillon et de la Trémoille exigent, sans succès, un rang distingué à Versailles. Vingt ans durant, le duc de Luynes s'est fait l'écho de ces litiges. Son témoignage n'a pas la qualité littéraire des *Mémoires* de M. de Saint-Simon, ni leur malveillance obstinée, mais il est précis et minutieux. Un exemple entre cent, extrait de son œuvre, illustre une affaire d'étiquette.

« 10 octobre 1736. Dans la cérémonie de jeter de l'eau bénite à Mme la princesse de Conti, on a remarqué avec raison comme très singulier ce qui s'est passé par rapport à Mme la duchesse de Boufflers [...]. [Celle-ci] devait marcher toujours à gauche de Mlle de Clermont, passer les portes en même temps qu'elle, avec cette seule différence que la princesse doit avoir l'épaule plus avancée que la duchesse qui l'accompagne. Elle devait enfin avoir la queue de sa mante portée à côté de Mlle de Clermont, et aussi longtemps que celle de la princesse, avec cette différence seulement, que l'on quitte la mante de la personne titrée à la moitié de la pièce qui est avant celle où est le corps, et que l'on continue toujours à porter celle de la princesse. L'on reprend la queue de la mante de la personne titrée dans le même lieu où on l'a quittée. Les exemples de pareilles cérémonies sont trop récents pour avoir pu être oubliés [14]. »

Une épaule avancée, une traîne trop longtemps portée suffisent à indigner le courtisan sourcilleux. Le moindre manquement aux règles peut dégénérer en querelle. Chacun sait aujourd'hui que l'usage des robes à panier a modifié le profil des sièges ; mais on ignore peut-être qu'il a aussi affecté le protocole et préoccupé le premier ministre du royaume. Dans les salons de Versailles, les jupes larges et évasées des princesses cachent parfois celle de la reine. Pour y remédier on imagine de placer un fauteuil vide de chaque côté de Sa Majesté. Si la robe de Marie Leczinska est ainsi mieux exposée aux regards, la solution adoptée attise les ambitions. « Y ayant de la distinction entre la reine et les princesses du sang, celles-ci ont voulu en avoir avec les duchesses. » Consulté, le cardinal de Fleury accorde un tabouret vide entre elles. Cette décision « a fort piqué les ducs [15] ». Des libelles contre les princes du sang circulent à la cour ; à Paris on chansonne le vieux prélat chargé de régler la taille des paniers. Puis Versailles s'apaise... avant de retrouver dans la couleur des carreaux réservés aux cardinaux ou la place du premier écuyer derrière le fauteuil du roi d'aussi graves sujets de contestation.

Dans une brillante synthèse, Louis XIV avait porté à son apogée le protocole de la cour. Son successeur l'a maintenu, mais en le vidant peu à peu de son sens. M. le duc de Saint-Simon ne rapporte jamais une querelle d'étiquette ou une dispute de rangs sans mettre en scène le roi-soleil, responsable, arbitre et maître. Le lecteur de son œuvre comprend que les faveurs royales sont alors subtil jeu politique ; les privilèges honorifiques, instrument de récompenses et d'émulation. L'exégète des *Mémoires* du duc de Luynes sur la cour de Louis XV n'y rencontre que préservation des droits acquis, formalisme, gestes répétés et stéréotypés. Au XVIIIe siècle, la mécanique de la cour s'alourdit sans se perfectionner ; elle répète les leçons du passé sans toujours en saisir le sens profond. A la fin de l'Ancien Régime, la pompe de Versailles a fait croire à M. de Chateaubriand que « Louis XIV était toujours là [16] ». L'esprit de sa cour avait en réalité déserté le palais. La préférence accordée par Louis XV et Marie-Antoinette à la vie privée plutôt qu'à l'éclat de la représentation souveraine n'est pas étrangère à ce déclin.

Le goût de la vie privée

Chaque jour de son règne, Louis XIV a mené une vie publique. Même à Marly il restait le roi. Son successeur s'efforce en revanche de « séparer Louis de Bourbon du roi de France », le particulier du monarque. Sa timidité, l'ennui de la représentation, la défiance des visages nouveaux en sont sans doute responsables. La tranquillité de sa cour, contrastant avec celle qu'hérita son aïeul en 1660, ne lui impose plus de rester perpétuellement sur le devant de la scène. On lui reproche toutefois de gagner trop souvent les coulisses. Ainsi ne s'astreint-il plus aux horaires rigoureux de Louis XIV. Alors que celui-ci était chaque matin réveillé à la même heure, son arrière-petit-fils indique chaque soir l'heure de son prochain lever, que les plaisirs prolongés de la nuit peuvent rendre tardive. Le coucher est aussi irrégulier. Le service et les courtisans admis dans la chambre doivent alors attendre Sa Majesté. Horaires exceptés, le roi reste fidèle aux grands moments de la vie quotidienne de Louis XIV. Audiences publiques, hiérarchie des *entrées,* lever et coucher, souper au grand couvert ne dépaysent pas les survivants de l'ancienne cour. Pourtant ce cérémonial préservé n'est qu'un trompe-l'œil, comme les aime le siècle. Au devoir royal Louis XV juxtapose les charmes de la vie privée.

La chambre de Louis XIV — celle de 1701 — est restée le sanctuaire de la monarchie. Mais un sanctuaire incommode et froid. Louis XV grelotte dans cette pièce inchauffable. Quand il est malade, il fait dresser son lit dans le cabinet du Conseil voisin, plus confortable. En 1738, il décide l'installation d'une chambre nouvelle dans l'ancienne pièce du billard dont les deux croisées s'ouvrent sur le midi. Il y couche désormais et y mourra. La chambre de parade demeure cependant le théâtre des obligations royales imposées par l'étiquette. Chaque matin le souverain quitte en robe de chambre la pièce où il a dormi, traverse le cabinet du Conseil, pour se prêter dans

« la chambre parée » à la cérémonie du lever. Le soir, il suit le chemin inverse : « Le roi, raconte Dufort de Cheverny, après avoir fait son coucher en public, se relève, passe par son cabinet, entre dans sa vraie chambre et referme la porte[17]. » En demeurant *le roi* à chaque moment, Louis XIV donnait son sens à l'étiquette ; Louis XV se contente d'en préserver les apparences. Fatigué par le cérémonial, il aime à vivre en particulier.

L'appartement intérieur où il installe sa chambre lui paraît manquer encore d'intimité. Il lui préfère les petits cabinets ou petits appartements, pièces entresolées situées à côté et au-dessus. Des bibliothèques souvent transformées, des chambres des bains, deux salles à manger — d'hiver au deuxième étage, d'été au troisième — entourées de cuisines et de laboratoires, des terrasses aménagées en jardins suspendus agrémentés de treillages, volières et fontaines, d'autres cabinets desservis par des escaliers secrets constituent son domaine. D'incessants et coûteux remaniements y prouvent son attachement. De 1733 à sa mort, il y loge ses maîtresses. Mme de Mailly, « peut-être quelque temps installée dans les petites pièces aménagées au-dessus du salon de la guerre [...], reçoit un appartement au second étage, sur l'aile de la cour royale précédemment affectée aux laboratoires du roi et à ses cabinets de distillation[18] ». Dans les pièces de l'attique du corps central regardant le parterre du Nord est logée en décembre 1742 la future duchesse de Châteauroux, puis, jusqu'en 1750, Mme de Pompadour. Plus tard, les fenêtres de l'appartement de Mme du Barry, au deuxième étage, s'ouvriront au midi sur la cour de marbre. Dans ses appartements constamment remaniés, Louis XV cache ses amours et dérobe sa vie personnelle à la cour. Seuls quelques intimes peuvent y pénétrer. Le roi est ici à l'aise, « aimable dans son intérieur, causant, et causant bien ».

En invitant des familiers à sa table, il rompt avec un usage de la cour et crée une véritable institution : les *petits soupers*, la plus recherchée des faveurs. Sauf à l'armée, Louis XIV ne mangeait jamais avec ses sujets. On prétend que le cardinal de Fleury recommanda au jeune et timide Louis XV — pour le rendre « plus sociable » — de retenir à sa table quelques seigneurs soigneusement choisis. A Compiègne, Fontainebleau, Choisy, il y eut désormais, rapporte Barbier, « des petits appartements pour les petits soupers particuliers[19] ». Versailles accueille cette mode. Parmi les courtisans ayant l'honneur de chasser avec lui, le roi en retient quelques-uns et convie des dames, jamais nombreuses.

Le duc de Croÿ a raconté ces soirées intimes. Les heureux élus pénétraient l'un après l'autre dans le petit escalier qui conduit aux cabinets :

« Étant monté, l'on attendait le souper dans le petit salon, le roi ne venait que pour se mettre à table avec les dames. La salle à manger était charmante et le souper fort agréable, sans gêne. On n'était servi que par deux ou trois valets de la garde-robe, qui se retiraient après vous avoir donné ce qu'il fallait que chacun eût devant soi. La liberté et la décence m'y parurent bien observées : le roi était gai, libre, mais toujours avec une grandeur qui ne le laissait pas oublier [...]. Nous fûmes dix-huit serrés à table [...]. Le maréchal de Saxe y était, mais il ne se mit pas à table, ne faisant que dîner, et il accrochait seulement des morceaux, étant extrêmement gourmand [...]. On fut deux heures à table, avec grande liberté et sans aucun excès. Ensuite, le roi passa dans le petit salon. Il y chauffa et versa lui-même son café, car personne ne paraissait là, et l'on se servait soi-même. Il fit une partie de comète [...], le reste de la compagnie fit deux parties, petits jeux. Le roi ordonnait à tout le monde de s'asseoir, même ceux qui ne jouaient pas [...]. Il se leva à une heure et dit [...] :" Allons ! Allons nous coucher ! " Les dames firent les révérences et s'en allèrent, et lui fit aussi la révérence et s'enferma dans ses petits cabinets, et nous tous nous descendîmes par le petit escalier de Mme de Pompadour où donne une porte, et nous revînmes, par les appartements, à son coucher public, à l'ordinaire, ce qui se fit tout de suite[20]. »

Les petits soupers abolissent toute hiérarchie. On se place à table comme on se trouve, mais, si les dames sont absentes, le roi fait asseoir à ses côtés les deux courtisans les plus âgés. On bavarde familièrement avec le souverain, « hors que, reconnaît Croÿ, l'on ne pouvait oublier que l'on était avec son maître ». Observateur attentif, notre témoin devine dès sa première invitation que le roi cultive ailleurs l'amitié de quelques-uns : « Il me parut aussi que ce particulier des cabinets ne l'était pas absolument, ne consistant que dans le souper et une heure ou deux de jeux après le souper, et que le véritable particulier était dans les autres petits cabinets où très peu des anciens et des intimes courtisans entraient[20]. »

Fréquenter ces lieux recherchés est grâce royale. Longtemps les aléas de la vie sentimentale du Bien-aimé — mort de Mme de Vintimille, faveur de Mme de la Tournelle — limitent le nombre de ses intimes. On compte ensuite une vingtaine d'invités dont les plus assidus sont la marquise de Pompadour, Mmes d'Estrades, de Brancas, du Roure, de Livry, le duc d'Ayen, les comtes de Noailles et de Coigny, le baron de Montmorency, les ducs de Broglie, de la Vallière, de Nivernais, le maréchal d'Harcourt, le marquis de Gontaut, les ducs de Fitz-James et de Richelieu, le comte de Maillebois, M. de Meuse, parfois le prince de Soubise. Trente-cinq personnes paraissent une cohue due à la bonté jugée excessive de Mme de Pompadour qui « allonge la courroie ». Tant il est vrai qu'aux anciens familiers du prince tout nouveau venu fait un peu figure d'usurpateur.

Bientôt les chasses seules ne conduisent plus aux soupers. Appartenir à la petite troupe de comédiens amateurs — tous grands seigneurs — est plus sûr moyen d'être invité. Le théâtre des petits cabinets est une séduction supplémentaire de la Marquise, un aimable moyen de retenir auprès d'elle un roi vite blasé. Les plaisirs de la vie sociale ont pris le relais de l'alcôve. Mme de Pompadour y excelle. Fille de finance, née Poisson, elle s'est vite corrigée du ton de « mauvaise compagnie » qui gênait, dit-on, Louis XV au début de leur liaison. L'abbé de Bernis et le marquis de Gontaut lui ont appris les façons et le langage de la cour. Ses qualités sont celles d'une excellente maîtresse de maison. « Elle joue, écrit Kaunitz, son rôle à merveille », sait présider un dîner, traiter chacun comme il convient, diriger et orienter la conversation. D'instinct elle écarte de son cercle ceux qui déplairont au roi. « Avoir de la prétention, afficher de l'esprit, être caustique » sont des titres pour être exilé de la familiarité de Louis XV[21]. Le ton de cette petite société est éloigné de la pompe et de la grandeur monarchique. Les soupers épargnent au roi les solennités du grand couvert, la compagnie d'amis choisis évite les importunités des courtisans. Mme de Pompadour sait admirablement cultiver le goût de son royal amant pour la vie privée.

Si elle blâme les soupers intimes qui lui sont interdits, la famille royale mène aussi double vie : de représentation dans ses appartements et quasi bourgeoise dans ses intérieurs. La cour, orpheline d'un roi souvent absent, respire alors une monotonie insupportable aux étrangers. « A moins de me chatouiller moi-même pour rire, écrit le comte de Tessin à sa femme, je ne puis rien vous mander de fort amusant d'ici : c'est toujours le même train : le matin en visites, puis au lever du roi, puis au grand dîner, puis la cavagnole qui dure jusqu'à ce qu'on s'endort [...]. Que vous écrire ? chasse, table, jeu ; jeu, table, chasse ; table, chasse et jeu : voilà tout[22]. » Exercices de dévotion, lectures morales, jeu et musique sont les occupations routinières de la reine. Soucieuse du respect de l'étiquette en public, elle a aussi ses cabinets privés et aime à se rendre chez Mme de Luynes, sa dame d'honneur. Là, en compagnie du président Hénault, de la duchesse de Villars, de Moncrif et, ajoute malicieusement Dufort, de « beaucoup de dévots et de toutes les dames *validées* [= âgées et laides] de la cour », elle est « une particulière[23] ». Après dix grossesses, Marie Leczinska « ne voit le roi que devant le monde, et alors, c'est avec décence ; ils se parlent sans affectation, ne se cherchent ni ne s'évitent ». Louis XIV, malgré ses maîtresses, rejoignait Marie-Thérèse toutes les nuits ; après 1738, Louis XV, lui, délaisse la reine. Les jours de grand couvert, les deux souverains sont éloignés l'un de l'autre et séparés par trop de gens pour se parler. Leur fils le dauphin (1729-1765) mène une vie « d'une uniformité qui, selon un observateur, effraierait bien des particuliers. Il est réduit à sa famille[24] ». La dauphine Marie-Josèphe de Saxe, peu aimée, n'est liée avec personne et passe sa vie avec Mesdames, filles du roi dont la vie est la plus triste possible. Dufort de Cheverny, introduit dans le particulier des héritiers du trône, juge leur société « bourgeoise ». Au grand siècle, les manières de Versailles avaient la solennité d'une toile de Rigaud. Louis XV préfère souvent la simplicité des intérieurs à la Chardin.

La reine n'aime pas se contraindre

Louis XVI, on le répète volontiers, a perdu son trône par faiblesse. A la faiblesse peut aussi être attribuée la transformation de sa cour. Le roi, écrit le prince de Montbarey, « aurait bien voulu conserver les anciennes formes ; mais il n'eut pas la force d'en ordonner le maintien[25] ». Certes, le souverain se plie au protocole qui accompagne la plupart de ses gestes. Mais les soupers au grand couvert se raréfient, les cérémonies publiques sont écourtées. Le laisser-aller de la procession de l'ordre du Saint-Esprit du 2 janvier 1776 choque plus d'un courtisan. Pressé d'aller tirer, le roi l'abrège contre toutes convenances, et le comte d'Artois crie à tue-tête comme à la chasse pour faire avancer les *cordons bleus* scandalisés. « Notre retour, écrit l'un d'eux, fut une galopade. » Le 17 juin 1783, le serment des maréchaux de France est pareillement bâclé. Ordre et dignité manquent désormais à Versailles. Les petits cabinets sont rares et les invitations aux soupers manquent de délicatesse. « Les femmes, raconte Mme de Boigne, étaient averties le matin ou la veille ; elles portaient un costume antique, tombé en désuétude pour toute autre circonstance [...]. Elles se rendaient à la petite salle de comédie où une banquette leur était réservée. Après le spectacle, elles suivaient le roi et la famille royale dans les cabinets. Pour les hommes, leur sort était moins doux. Il y avait deux banquettes vis-à-vis celle des femmes invitées. Les courtisans qui aspiraient à être priés s'y plaçaient. Pendant le spectacle, le roi, qui était seul dans sa loge, dirigeait une grosse lorgnette d'opéra sur ces bancs, et on le voyait écrire au crayon un certain nombre de noms. Les seigneurs qui avaient occupé ces banquettes (cela s'appelait se présenter pour les cabinets) se réunissaient dans une salle qui précédait les cabinets. Bientôt après, un huissier, un bougeoir à la main et tenant le petit papier écrit par le roi, entr'ouvrait la porte et proclamait un nom ; l'heureux élu faisait la révérence aux autres et entrait dans le saint des saints. La porte se rouvrait, on en appelait un autre et ainsi de suite jusqu'à ce que la liste fût épuisée. Cette fois, l'huissier repoussait la porte avec une violence d'étiquette[26]. »

Assurément le protocole ennuie le roi. Il « n'aime que la chasse » et « ne brille pas par le maintien et le ton ». Un jour, l'antique M. de Maurepas, « nourri dans les vieilles formes », lui reproche d'avoir manqué dans un bal à la dignité royale : « Les ministres étrangers qui y étaient présents en ont été scandalisés ; vous êtes entré sans votre capitaine des gardes et sans vous faire annoncer ; votre fauteuil ne s'y est pas trouvé, et vous avez été pressé pour y entrer. Nous ne sommes point accoutumés à voir en public notre souverain compter pour si peu de chose[27]. » Son coucher, parfois très bref, n'a pas la tenue d'autrefois. « On ôtait au roi son habit, sa veste et enfin sa chemise ; il restait nu jusqu'à la ceinture, se grattant et se frottant, comme s'il avait été seul, en présence de toute la cour et souvent de beaucoup d'étrangers de distinction. » Lorsqu'un familier recevait l'honneur de lui remettre sa chemise, « le roi faisait souvent de petites niches pour la mettre, l'évitait, passait à côté, se faisait poursuivre et accompagnait ces charmantes plaisanteries de gros rires qui faisaient souffrir les personnes qui lui étaient sincèrement attachées[28] ». Le Très-Chrétien a parfois des comportements de page.

La cour de Louis XVI paraît avoir oublié ses usages. Quand le roi et la reine, les comtes de Provence et d'Artois (frères de Sa Majesté) et leurs femmes cultivent les vertus familiales, les courtisans notent la nouveauté et les étrangers s'attendrissent. C'est « chose touchante que de voir ces trois jeunes couples se promener ensemble dans le parc de Versailles ou à Trianon[29] ». Dans l'intervalle des rares dîners publics, ils réunissent leur repas ; le souper a toujours lieu chez Mme la comtesse de Provence. Les princes y sont exclusivement entre eux. Le repas achevé, chacun rejoint sa société, Monsieur chez sa maîtresse Mme de Balbi, Madame dans son intérieur, Artois « dans le monde de Versailles ou chez des filles de Paris », sa femme chez elle, Mesdames chez leurs dames d'honneur respectives. La reine passe la soirée chez Mme de Lamballe ou chez les Polignac. Si le rôle des souverains est de présider leur cour et rassembler les courtisans, les derniers monarques de l'Ancien Régime ont failli à leur tâche.

Marie-Antoinette compense au-delà de toute mesure les obligations de sa charge par son goût pour sa société intime. Elle n'est pas la première souveraine à posséder un cercle. Marie Leczinska a eu le sien, mais elle demeurait attachée scrupuleusement au cérémonial d'une cour encore respectée. L'épouse de Louis XVI entend à la fois s'affranchir des entraves d'une étiquette qui l'ennuie et goûter les plaisirs de la vie privée. La cour en est bouleversée. Dès 1774 la conduite de la jeune reine la divise. La désinvolture avec laquelle Marie-Antoinette traite le protocole et ceux qui y sont fidèles suscite d'aigres commentaires et cause bien des blessures. Le jour des révérences pour la mort de Louis XV, elle paraît moqueuse à quelques vénérables douairières dont « les petits bonnets noirs à grands papillons, les vieilles têtes chancelantes[30] » et le salut de même provoquent les railleries de la jeunesse qui l'entoure et dont elle est complice. Jamais l'opposition entre ancienne et nouvelle cour n'a été aussi tranchée. Les représentations quotidiennes de Mme de Noailles, sa dame d'honneur au maintien roide et sévère, importunent la reine. Elle prête davantage l'oreille aux remarques acides de son lecteur, l'abbé de Vermond, qui ne cesse de brocarder les vieux usages.

Bien des règles minutieuses regardant ses gestes quotidiens paraissent pesantes à la jeune femme. Son habillement est un « chef d'œuvre d'étiquette ». Tout y est réglé. Entre la dame d'atour et la dame d'honneur faisant le service avec la première femme et deux femmes ordinaires, il y a des distinctions. La première passe le jupon et présente la robe, la seconde verse l'eau pour laver les mains et passe la chemise. Mais toute visite complique jusqu'à l'absurde ce cérémonial. Laissons la parole à Mme Campan : « Lorsqu'une princesse de la famille royale se trouvait à l'habillement la dame d'honneur lui cédait cette dernière fonction, mais ne la cédait pas directement aux princesses du sang ; dans ce cas la dame d'honneur remettait la chemise à la première femme, qui la présentait à la princesse du sang. Chacune de ces dames observait scrupuleusement ces usages, comme tenant à des droits. Un jour d'hiver, il arriva que la reine, déjà toute déshabillée, était au moment de passer sa chemise ; je la tenais toute dépliée : la dame d'honneur entre, se hâte d'ôter ses gants, et prend la chemise. On gratte à la porte, on ouvre : c'est madame la duchesse d'Orléans ; ses gants sont ôtés, elle s'avance pour présenter la chemise ; mais la dame d'honneur ne doit pas la lui présenter : elle me la rend, je la donne à la princesse ; on gratte de nouveau : c'est Madame, comtesse de Provence ; la duchesse d'Orléans lui présente la chemise. La reine tenait ses bras croisés sur sa poitrine et paraissait avoir froid. Madame voit son attitude pénible, se contente de jeter son mouchoir, garde ses gants, et, en passant la chemise, décoiffe la reine, qui se met à rire pour déguiser son impatience, mais après avoir dit plusieurs fois entre ses dents : " C'est odieux ! quelle importunité ! "[31] »

Marie-Antoinette s'emploie à simplifier cette étiquette tyrannique. Son frère l'empereur Joseph II ne manque aucune occasion de lui prouver que les souverains doivent s'affranchir des entraves imposées par la coutume. Désormais à son lever, aussitôt coiffée, elle abandonne dans sa chambre les dames en grand habit venues faire leur cour et, suivie de ses seules femmes, rentre dans son cabinet achever sa toilette. Elle abolit l'usage ancien de n'être servie à table et suivie dans le palais que par des femmes. En l'absence de celles-ci, un seul valet de chambre ou deux valets de pied suffisent à l'accompagner. On imagine avec quelle aigreur les familiers de « ce pays-ci » commentent ces innovations jugées inconvenantes et scandaleuses. Dépouillée de ses usages, la cour n'est-elle pas menacée de désordres ? A rogner les prérogatives auliques de la noblesse ne risque-t-on pas de ruiner son existence même ?

Pour beaucoup le confort de la reine ne justifie pas un tel bouleversement. Un mouvement d'humeur suggère à certains de négliger l'appartement de Marie-Antoinette pour retrouver la « vraie cour » chez Mme de Maurepas, épouse du ministre d'État, née sous le règne de Louis XIV. A l'occasion du carnaval de 1778 un bal masqué réconcilie cependant provisoirement ancienne et nouvelle cour. Parmi les courtisans scandalisés, bien peu, en fait, quittent Versailles.

Inspirer quelques satires, faire des mots, tenir la main à quelques nouvellistes en mal de ragots les dédommagent de leurs avanies. Les plus lucides redoutent toutefois que « de proche en proche toutes ces diminutions dans les rigueurs de l'étiquette influent [...] sur le respect habituel qui est nécessaire du sujet au souverain[32] ». Or la reine multiplie comme à plaisir maladresses et provocations.

En ébranlant les règles du protocole, elle provoque l'irritation, mais en accordant toutes ses faveurs à sa société intime elle suscite haine et jalousie. « Ce qu'un courtisan voit obtenir à d'autres lui semble toujours pris sur son bien[33]. » Si ce constat est juste, le cercle de la reine ruine les espérances des familiers de Versailles. Marie-Antoinette rassemble autour d'elle une coterie de « têtes légères » qui compte, outre son beau-frère Artois, le duc de Coigny, les comtes de Guines et d'Adhémar, Vaudreuil, Valentin Esterhazy — fidèle correspondant de la reine —, le prince de Ligne — « Autrichien en France, Français en Autriche » —, le baron de Besenval qui amuse tant Sa Majesté, Lauzun, familier jusqu'à l'inconvenance. Mais la première place revient à la princesse de Lamballe, surintendante de sa Maison depuis 1774, puis aux Polignac.

La faveur de Yolande de Polastron, duchesse de Polignac, remonte à 1775. Elle durera quinze ans. Le comte Jules, son mari, de fortune médiocre, occupe la charge de premier écuyer ; en 1780 il est créé duc. Avec Diane de Polignac, dame d'honneur de la comtesse d'Artois puis de Madame Élisabeth, le couple capte l'amitié de la reine. Celle-ci passe de longues heures dans leur appartement au rez-de-chaussée de l'aile du Midi. « Madame la duchesse était au coin de sa cheminée, raconte Bombelles, dans la place de la maîtresse de maison, la reine sur un fauteuil à côté d'elle, comme une femme en visite. » En 1782 Yolande de Polignac est nommée gouvernante des enfants de France. De cette charge réputée astreignante elle fait une sinécure. « Jamais gouvernante [...] n'a fait sa place avec autant d'agrément et aussi peu d'assujettissement qu'elle. Elle ne couche point dans l'appartement des enfants ; elle les voit deux fois par jour tout au plus, la valeur d'une heure, se promène rarement avec eux, et tous les soins pénibles portent sur les sous-gouvernantes. » Le crédit des Polignac, leur liberté de ton, les bienfaits reçus de la reine suscitent chez les exclus bien des jalousies. « Légèreté », « défaut total de principes », « fausseté » sont les jugements les plus amènes. La reine paraît prisonnière de ses amis. Ils captent son attention, dérobent son temps. Pour beaucoup la reine de France n'est plus que la souveraine d'une coterie. Lorsque s'amoncelleront les nuages, Mme de Polignac recommandera à Sa Majesté de reprendre « son rôle, celui de tenir avec dignité une cour et de ne pas venir toutes les après-midis se confondre dans un salon où l'habitude de la voir familièrement diminuait le respect qu'elle devait espérer [34] ».

Lucidité tardive ! Le goût de Marie-Antoinette pour la vie privée a été un des principes de son infortune. Les contemporains ont reconnu le danger de voir s'évanouir la majesté qui doit entourer le trône et précipiter la confusion des rangs. En réduisant l'éclat de la représentation, la monarchie coupe la branche sur laquelle s'appuient son prestige et son rayonnement. L'accès auprès du prince devient moins imposant donc moins précieux. Diminuer le prix des distinctions honorifiques qui flattent la vanité, déprécier le service commensal ne laissent plus aux courtisans que la quête des largesses royales. Si l'opinion admet la hiérarchie des rangs, elle blâme l'esprit de lucre. La cour n'a rien gagné à se montrer infidèle aux leçons de Louis XIV.

La cour désertée par ses maîtres

François Ier, Henri III et Louis XIV se plaisaient à voir leur cour « grosse ». Sa fréquentation était le gage et le symbole de leur autorité ; en être éloigné, le signe d'une disgrâce. Louis XV et Louis XVI n'ont pas les mêmes exigences. Au siècle des Lumières, la cour n'a plus les qualités de l'aimant. Ne nous hâtons pas de conclure à une désaffection. Il est certes de bon ton de se plaindre de Versailles. « Tout le monde déteste la cour, écrit d'Argenson, et tout le monde en fait son paradis [35]. » Le snobisme des courtisans se niche jusque dans le déguisement de leurs goûts. Dans son *Dictionnaire critique et raisonné des étiquettes de la cour,* sous le mot *affectation,* Mme de Genlis rappelle que « les dames qui avaient le plus désiré et sollicité des places à la cour, se récriaient sans cesse sur l'ennui mortel d'aller faire leurs semaines. On intriguait pour se faire inviter à un bal remarquable, à une grande fête ; en même temps on se plaignait amèrement de ne pouvoir se dispenser d'y aller [36]. » En fait chacun admet, ou dissimule à peine, qu'avoir une *position de cour* peut mener à tout. « Être à la cour, reconnaît la marquise de la Tour du Pin, résonnait comme une parole magique [37]. » La réussite d'une carrière, le succès d'une alliance dépendent souvent de ce sésame prestigieux qui ouvre aussi les salons de la Ville.

Toujours fréquentée pour ses avantages, la cour n'exerce plus la même fascination. La noblesse réside volontiers à Paris ou sur ses terres ; elle n'accorde à Versailles que ce que le respect dû au monarque et la quête des faveurs exigent. « Il y a des gens qui, par leur état, sont appelés à vivre à la cour, remarque le duc de Nivernais, mais ce n'est pourtant pas une obligation, c'en est une d'y aller, ce n'en est pas une d'y vivre[38]. » Le goût des souverains pour la vie privée n'est pas étranger à ce détachement. La « malheureuse timidité » de Louis XV gâte tout, répète-t-on à Versailles. Le roi ne sait ni flatter ni encourager ses serviteurs, dépités par tant de froideur. Louis XVI n'accueille pas plus chaleureusement les nouveaux venus au palais. Le manque d'éclat de la cour tient aussi aux fréquentes absences du maître. Louis XV trouve dans l'intimité et la tranquillité de ses cabinets particuliers, aménagés sous les toits loin des antichambres et des galeries, la compensation de sa vie publique.

Ses voyages fréquents lui permettent plus sûrement encore d'y échapper. A la différence de Louis XIII que les campagnes militaires éloignaient souvent du Louvre, ou de Louis XIV au commandement de ses armées jusqu'à près de soixante ans, Louis XV — sauf en 1744, 1745, l'année de Fontenoy, et 1747 — marche rarement à la tête de ses troupes. Ses déplacements sont d'agrément, destinés à vaincre son ennui et retrouver l'amitié de quelques familiers dans un cadre intime. Le voyage annuel de Fontainebleau est une tradition bourbonienne : il a lieu en automne et dure plusieurs semaines. La cour y est généralement brillante, les divertissements magnifiques et les courtisans si nombreux que l'architecte Jacques-Ange Gabriel doit transformer en logements la merveilleuse galerie d'Ulysse. Le plaisir de la chasse comble Sa Majesté. Compiègne offre le même charme. Le château, reconstruit après 1751, « tout rassemblé avec ce corridor immense du haut, où on communique partout à couvert, a bien son agrément ». La forêt est une réserve de choix. « Une espèce d'air de liberté » rend le séjour plus agréable qu'à Versailles, « la famille royale et les ministres y sont plus parlants et accessibles[39] ». En revanche, « l'incommodité des pavillons et de tous les logements » de Marly compense mal la beauté des lieux, moins fréquentés qu'au temps de Louis XIV.

L'intervalle de ces voyages à Fontainebleau, Compiègne ou Marly n'est pas réservé à Versailles. Il est rempli de courts mais fréquents séjours dans les petits châteaux de Choisy, acquis en 1739, Trianon, Crécy et Bellevue — domaine de Mme de Pompadour —, La Muette au bois de Boulogne, Saint-Hubert... Sa Majesté ayant grande disposition à s'ennuyer partout, les incessants changements de résidence cherchent à la dissiper. Les contemporains ne se sont jamais lassés de les relever. Dès 1723 Mathieu Marais note à propos d'un voyage à Meudon le désir du jeune roi — il a treize ans — d'éviter le monde et d'être presque seul. En 1725 Barbier discerne dans ses nombreuses escapades à Marly l'ennui que lui procure Versailles. N'est-il pas toujours plus gai hors de son palais ? Pas plus que François Ier, Louis XV ne tient en place. En 1754 par exemple, il ne découche pas de Versailles « pendant le carême à cause des sermons », mais ne résiste pas à faire « des dîners-soupers à ses maisons de plaisance ». Le duc de Luynes qui note scrupuleusement les voyages de Sa Majesté écrit en juin 1755 : « Le dimanche 1er juin à Choisy, jusqu'au lundi au soir. Le mardi 3 à Trianon, jusqu'au mercredi. Le jeudi 5 retourne à Trianon où il resta jusqu'au samedi après souper. Le lundi 9 à Crécy, jusqu'au vendredi 13, retourne à Crécy le 16 jusqu'au 21. Le premier juillet à la Meutte [= Muette], le 2 à Compiègne[40]. » Le commissaire Narbonne « compte que certaines années, exceptionnelles il est vrai, il ne passe guère plus de cent jours dans le palais construit par son aïeul[41] ». En 1750 il n'y couche que cinquante-deux nuits ; l'année suivante, les petits voyages se renouvellent « presque trois fois la semaine » ; en 1760 — en pleine guerre de Sept Ans — il « n'est pas trois jours à Versailles dans la semaine[42] ». Rien ne peut déranger ces pérégrinations royales.

Un esprit averti en voit les inconvénients. En premier lieu, elles troublent la vie de la cour. Le roi absent, Versailles est une vraie solitude : « N'y reste personne que qui ne peut s'en dispenser. » Après les fêtes du mariage du dauphin au printemps 1770, « le roi recommença ses voyages, note Croÿ, et la grande foule de Versailles s'éclipsa[43] ». Sauf pour les candidats aux cabinets ou aux petits voyages, la fugitive présence du monarque n'encourage guère à faire sa cour. En outre, ces déplacements incessants dérangent la conduite des affaires. Le roi est trop souvent invisible, on ne peut « l'accrocher ». Les ambassadeurs étrangers dont le mardi est jour d'audience, traitent directement, en l'absence du souverain, avec le ministre des affaires étrangères à Paris. Aussi le corps diplomatique est-il parfois deux semaines sans aller à Versailles. Les voyages du roi n'encouragent pas davantage les serviteurs de l'État à l'assiduité. En 1741, Barbier prétend qu'à chaque déplacement du roi, le vieux cardinal de Fleury part pour sa maison d'Issy et les ministres reviennent aussitôt à Paris « comme des écoliers qui ont congé » ; « en sorte qu'on ne sait plus, à moins d'être au fait des nouvelles de cour, les trouver ni à Versailles ni à Paris[44] ». Certains insinuent même qu'on encourage le nomadisme du roi pour rendre nécessaire un premier ministre. Louis XV résistera, on le sait, à la tentation de nommer un maire du palais.

L'ennui de la représentation, l'agoraphobie du monarque expliquent cette instabilité. « A Choisy, à Rambouillet, il parle familièrement à ceux qui ont l'honneur de lui faire leur cour [...]. Cette aisance dans la société paraît encore plus à Choisy que partout ailleurs ; il y est presque comme un simple particulier qui fait avec plaisir les honneurs de son château[45]. »

Les escapades de Marie-Antoinette sont aussi fréquentes. Si Marly est délaissé — le cérémonial paraissant encore plus gênant qu'à Versailles — le petit Trianon a toute la faveur de la reine. « Entouré de tout ce que la nature offre de plus agréable », le lieu est enchanteur et le château, élevé en 1762 pour Mme de Pompadour, « admirablement distribué ». Marie-Antoinette y fait ajouter une salle de comédie et aménager un jardin anglais. « Rien n'y manquait, note la baronne d'Oberkirch : les ruines, les chemins contournés, les nappes d'eau, les cascades, les montagnes, les temples, les statues, enfin tout ce qui peut les rendre variés et très agréables. » Enthousiaste, la baronne ne s'étonne pas que la reine y reste « la plus grande partie de la belle saison[46] ». Les usages ne sont pas ici ceux de la cour, ils imitent plutôt la simplicité de vie de la gentilhommerie. La reine « entrait dans son salon sans que le piano-forte ou les métiers de tapisserie fussent quittés par les dames, et les hommes ne suspendaient ni leur partie de billard ni celle de trictrac[47] ».

Trianon offre peu de logements. Aussi les invités dînent-ils avec la reine, passent l'après-midi, soupent puis reviennent coucher à Versailles. Le roi et les princes (sauf Madame Élisabeth) viennent en *galopins*. Dames d'honneur et du palais n'y sont pas davantage établies, mais, par grâce royale, peuvent y venir souper les mercredis et samedis, nommés ainsi « jours du palais ». Vivre en particulière loin de la pompe monarchique, échapper à la tyrannie de l'étiquette, abandonner les fastueux mais encombrants habits de cour pour « une robe de percale blanche, un fichu de gaze, un chapeau de paille », fait le bonheur de Marie-Antoinette. Au hameau — auquel on a donné « à grands frais l'aspect d'un lieu bien pauvre » — la reine joue à la fermière, regarde pêcher dans le lac ou assiste à la traite des vaches.

L'opinion juge sévèrement cette mascarade. La souveraine n'en a cure. Parce qu'elle y vit dégagée de toute représentation, Trianon l'enchante.

Ses courses fréquentes qui l'éloignent de Versailles choquent nombre de courtisans. Dauphine, elle courait les spectacles avec la jeunesse de la cour. Reine, elle n'entend pas s'en priver, prétendant « jouir des bals de l'Opéra aussi tranquillement que la dernière femme du royaume[48] ». Marie-Antoinette sait remplir avec grâce et majesté les obligations de son rang, mais cette tâche lui est trop pénible pour ne pas songer à l'abréger. « Les prières des Quarante heures et la procession d'usage, écrit le marquis de Bombelles le 3 mars 1783, l'ont obligée à revenir à Versailles, mais elle est repartie sur-le-champ après pour retourner à Paris, coucher, après tous les bals finis, à la Muette, et n'être de retour ici que demain au soir. » L'annonce d'une grossesse en novembre 1785 comble les courtisans, non pour se réjouir de la naissance d'un nouvel héritier, mais parce que « cela rendra Versailles plus brillant, en y amenant les plaisirs que, sans cette circonstance, la reine aurait été chercher à Paris[49] ».

Un prince qui délaisse son palais et néglige sa cour ne retient pas ses hôtes. Au temps de Louis XV la fréquentation de Versailles reste encore assidue. Le souvenir de Louis XIV, qui exigeait une présence régulière, est proche. Les courtisans s'irritent parfois des absences du Bien-aimé, mais ils demeurent généralement fidèles à son château. La cour n'est pas comble tous les jours. Il n'y a pas grand monde au début de janvier 1750 : « Rien n'y appelait, explique le duc de Croÿ, car il n'y eut ni cordon bleu nommé, ni rien de déclaré, et aucune nouvelle[50]. » Les 1er et 2 janvier de l'année suivante, on ne se précipite pas au palais. Cette faible affluence surprend les contemporains ; elle n'est pas la règle. Le premier jour de l'an n'est-il pas le temps des vœux et des étrennes ? Cérémonies publiques, fêtes, nominations et promotions attirent. Avides de nouvelles, les courtisans se pressent au château dès que la rumeur annonce un événement. En 1737, la foule inaccoutumée à Fontainebleau ne s'explique que par la rumeur de la déclaration officielle de Mme de Mailly comme maîtresse du roi. Vers la fin du règne, au contraire, le scandale de la présentation de Mme du Barry, le 22 avril 1769, puis le coup d'autorité de Louis XV contre les parlements refroidissent l'assiduité de beaucoup. Ainsi le duc de Nivernais, qu'aucun service commensal n'astreint à la cour, ne fait-il à Versailles, comme aux voyages de Fontainebleau et de Compiègne, que les apparitions imposées par son rang et sa charge de lieutenant général de Lorraine : il ne compte plus parmi les intimes du souverain.

La famille royale et les princes du sang ne fréquentent pas Versailles avec la régularité d'antan. Certains sur ordre de Sa Majesté. A la fin de la Régence, le duc du Maine, pourtant rétabli dans ses charges, « ne vient point à la cour ». Il mourra en son château de Sceaux. En 1770, hostiles au « parlement Maupeou », le duc d'Orléans et son fils, le comte de Clermont et le prince de Conti sont éloignés de Versailles. Louis XV leur interdit d'assister aux cérémonies du mariage du comte de Provence le 14 mai 1771. Croÿ observe toutefois qu'« on ne s'aperçut même pas beaucoup du manque des princes et de beaucoup de seigneurs qui avaient pris des prétextes pour s'éloigner[51] ». Le duc de Bourbon, fils du prince de Condé, en disgrâce comme les autres, est privé du cordon bleu qu'il devait recevoir à la Pentecôte. Le retour des princes le 29 décembre 1772 ne signifie pas réconciliation. Si leur absence n'avait pas fait sensation, c'est qu'ils ne hantaient pas le palais. Louis d'Orléans, pieux fils du Régent, avait vécu à l'abbaye parisienne de Sainte-Geneviève. Son fils Louis-Philippe se partage entre le Palais-Royal, Saint-Cloud, son bel hôtel de la Chaussée-d'Antin, Raincy, le château de Villers-Cotterêts et sa magnifique propriété de Sainte-Assise à Seine-Port. Les Conti résident au Temple, dans leur hôtel du faubourg Saint-Germain et à l'Isle-Adam, un des rendez-vous les plus recherchés de la bonne société ; les Condés au Palais-Bourbon et à Chantilly ; le duc de Penthièvre, fils du comte de Toulouse, à Rambouillet ou à Châteauvillain[52]. Les membres de la famille royale tiennent cercle en dehors de leur appartement versaillais : Mesdames à Bellevue, le comte de Provence au Luxembourg ou à Brunoy (acquis en 1780), Artois à Meudon puis à Bagatelle. Le château de Louis XIV n'est plus l'unique rendez-vous de la société de cour.

Un dimanche à Versailles

Si au temps de Louis XV on fait sa cour à peu près quotidiennement, sous le règne de son successeur on ne s'y résout que le dimanche ou à l'occasion des fêtes, voire le mardi, jour des ambassadeurs. « Cour esseulée », « vrai désert », répètent inlassablement les observateurs. En 1783, au cœur de l'été, la reine ne trouve personne sur son passage lorsqu'elle va de son appartement à la chapelle. Le marquis de Bombelles ne rencontre que trois personnes pour dîner chez le baron de Breteuil, et les tables des autres ministres ne sont guère plus fréquentées. Il arrive même que les souverains sollicitent la présence de familiers, demandant aimablement aux uns : « Ne viendrez-vous pas à Versailles ? », caressant les autres par une confidence ou une invitation à la chasse. Le regard impérieux de Louis XIV repérait les absents. Pour grossir la cour, Louis XVI et Marie-Antoinette se font séducteurs.

L'été vide la cour. Les jours de semaine aussi. Versailles ne retrouve son éclat que le *week-end*. « Le samedi soir et le dimanche, écrit Mme de Boigne, c'était tout à fait la cour, avec toute sa représentation. La foule y abondait[53]. » Les ministres et ce qu'on appelle les *charges* (le premier capitaine des gardes et le premier gentilhomme de la Chambre en service, le grand écuyer, la gouvernante des enfants de France et la surintendante de la maison de la reine) donnent à souper le samedi et à dîner le dimanche. On s'enlève presque les arrivants de Paris.

Fille d'une dame d'honneur de Marie-Antoinette, la marquise de la Tour du Pin raconte dans ses *Mémoires* un de ces dimanches à Versailles. Quelques minutes avant midi, les femmes pénètrent dans le salon qui précède la chambre de la reine. Sauf les plus âgées et celles dont on soupçonne la grossesse, toutes sont debout, leurs paniers pressés les uns contre les autres. « Le service ! » appelle l'huissier à la porte de la chambre. Aussitôt les dames du palais entrent, puis tout le monde est introduit. On se range à droite et à gauche de la porte restée libre, parfois sur deux ou trois rangs. Les plus habiles se retirent adroitement vers le salon de jeu (ex-salon de la Paix) par où la reine doit passer pour aller à la messe. Marie-Antoinette bavarde avec ses dames, complimente les plus jeunes dont le teint éclatant l'agace un peu, commente la nouveauté de quelques toilettes. « Le roi ! » annonce l'huissier. La reine s'avance pour l'accueillir. Louis fait des signes de tête à chacune, parle à celles de sa connaissance, mais jamais aux jeunes. A une heure moins un quart, on se met en mouvement pour aller à la messe. Le premier gentilhomme de la Chambre en année, le capitaine des gardes et d'autres grandes charges précèdent le cortège. La galerie est noire de monde. Le roi et la reine marchent côte à côte, assez lentement pour dire un mot, accorder un sourire ou adresser un signe de tête aux courtisans faisant la haie. Derrière le couple royal viennent les dames selon leur rang, quatre ou cinq de front, les plus jeunes — celles qu'on dit être *à la mode* — cherchant à se placer « aux ailes du bataillon » pour « recueillir les jolies choses qui leur étaient adressées bien bas au passage ». Marcher en grand habit devant tant de spectateurs attentifs est un art. Ne pas accrocher la longue queue de la robe qui vous précède est règle élémentaire. Il faut en outre, non pas lever, mais glisser les pieds sur le parquet, « toujours très luisant », jusqu'au salon d'Hercule. Les dames jettent alors leur bas de robe sur un côté de leur panier et se précipitent dans les travées de la chapelle. Les meilleures places sont celles où l'on peut être vu de la famille royale. Cette petite installation prend du temps : avant qu'on se soit placé, que les robes aient retrouvé leurs plis et qu'on ait sorti son livre du « sac de velours rouge à crépines d'or » avancé par un laquais, la messe est déjà à l'Évangile.

Celle-ci achevée, le cortège se reforme pour emprunter à rebours le chemin de l'aller. Leurs Majestés s'arrêtent alors plus longtemps pour parler à quelques visages connus ou répondre aux solliciteurs. Dans la chambre de la reine, elles s'entretiennent avec les dames venues de Paris que les jeunes impertinentes de la cour nomment *traîneuses*, en raison de leurs jupes plus longues qui masquent la cheville. Les familles de Versailles patientent dans le salon de jeu. On sert le dîner dans l'antichambre du grand couvert. Devant une petite table rectangulaire sont placés l'un à côté de l'autre deux fauteuils verts à haut dossier. La reine se met à la gauche du roi. En face, à dix pieds, une rangée de tabourets disposés en cercle. Princesses, duchesses et charges jouissant de ce privilège sont assises. Derrière elles se tiennent les courtisans, les yeux fixés sur les souverains. La reine n'ôte pas ses gants et ne déploie pas sa serviette, en quoi, dit-on, elle a tort. Lorsque le roi a bu, les dames venues faire leur cour plongent dans une révérence et se retirent. Les personnes non présentées mais connues des souverains restent jusqu'à la fin du dîner.

Alors commence une véritable course pour aller faire sa cour aux princes et princesses de la famille royale qui dînent beaucoup plus tard. Chez Monsieur, chez le comte d'Artois, chez Madame Élisabeth, chez Mesdames, voire chez le petit dauphin, c'est à qui arrive le plus vite. Les visites sont d'une brièveté à décourager. Après avoir parcouru d'interminables couloirs, traversé des antichambres, monté et descendu des escaliers, trois ou quatre minutes sont jugées suffisantes. Les princes ont des salons si petits qu'ils doivent congédier les premiers venus pour faire place aux suivants. Fourbu, chacun regagne son logement pour dîner (trois heures est l'heure

« élégante »), se reposer en prenant soin de ménager sa coiffure, bavarder avec quelques intimes. Les nouvelles, les intrigues, les caquets appris dans la matinée se répandent, enflés, déformés, pour la plus grande joie des hôtes de « ce pays-ci ». On remet ensuite l'habit pour gagner à nouveau l'appartement de la reine. Il faut arriver avant sept heures, car Sa Majesté entre « avant que le timbre de la pendule » ne frappe. La soirée d'appartement achève cette éprouvante journée[54].

Ceux que la naissance appelle naturellement à la cour ne s'y montrent ainsi qu'une fois la semaine, pendant quelques heures. Seul un événement notable peut les retenir plus longtemps. A l'occasion de la naissance de Madame Royale, première-née des souverains (décembre 1778), « la cour resta, les neuf jours, bien nombreuse, puis tout défila petit à petit et, comme on y était resté longtemps, il y eut très peu de monde à la nouvelle année[55] ». Si l'on se divertit le dimanche à Versailles, du lundi au samedi on vit dans une tranquillité pleine d'ennui. Les *logeants* ayant « le goût des princes et l'instinct de la cour » mènent une vie de château sans éclat et quelque peu provinciale. Les solliciteurs surveillent le moment propice à leurs manœuvres, attentifs au jour du conseil ou à la présence d'un premier commis de ministre. Si quelques grands officiers ont un service permanent, le système par quartier ou par semaine ne retient les commensaux ordinaires que le temps de leurs fonctions. Encore les dames du palais — qui « ne vont à Versailles que pour leur semaine, comme pour remplir une charge insipide » — ne peuvent-elles pas résister à souper à Paris deux ou trois fois dans les huit jours de leur service. « Les dames d'honneur et les dames d'atour, quoique plus sédentaires, participent aussi du même goût pour Paris. Il en résulte que les maisons sont très rares à Versailles et que les sociétés y sont toujours changeantes. » Longtemps la marquise d'Osmond, dame de Madame Adélaïde, ne vint au palais qu'une semaine sur trois, son mari répugnant à y séjourner. Seules la séparation périodique d'avec sa femme et les dépenses entraînées par cette double résidence, versaillaise et parisienne, ont raison de son opposition. Si l'on n'a pas de grandes charges, s'établir à Versailles est peu usuel. « On n'est plus censé s'y rencontrer que pour affaires ou pour remplir un devoir. On ne s'y voit, pour ainsi dire, que pour s'y quitter[56]. »

Beaucoup ne paraissent aux heures réglées de Sa Majesté que par devoir. Le coucher achevé — en l'absence de *releveurs* (= personnes qui savent faire parler le roi) il ne dure guère plus de dix minutes —, on reprend le chemin de Paris ou celui des salons de Versailles où l'on a laissé « les femmes, les évêques, les gens non présentés et souvent les parties suspendues [57] ». On s'arrache plus facilement à sa société pour se rendre aux bals de la reine. Alors la noblesse présentée, invitée de droit, soupe, joue et danse sous les regards des dames de Paris, admises en spectatrices dans les loges qui entourent la salle. Si l'ancienne salle de la comédie — à gauche de la cour royale — se révèle trop exiguë, on y ajoute des pavillons de bois qui, « dressés en peu d'instants, décorés en quelques heures, [forment] des palais ambulants [58] ». On danse jusqu'à la pointe du jour avant de rentrer à Paris. C'est alors, note la baronne d'Oberkirch invitée en février 1786, « sur la route, une file de carrosses comme à la promenade de Longchamp ». Devoir rempli, girandoles éteintes, la noblesse de cour s'empresse de regagner la Ville où elle brigue « les suffrages des sociétés qui [donnent] le ton [59] ».

CHAPITRE XVIII

La Cour et la Ville

Il faut rendre justice aux gens de la Cour, leur ton est celui de la plus grande politesse.

KAUNITZ

La cour, sous Louis XVI, n'avait plus le même ascendant sur la ville, autrefois aveugle imitatrice du ton et des manières de la cour.

SÉNAC DE MEILHAN

Quatre lieues seulement séparent Versailles de Paris, deux heures suffisent à les parcourir, mais il n'en faut « pas davantage pour avoir fait un grand voyage[1] ». Au siècle de Louis XV, l'installation à proximité du château des ministères de la guerre, de la marine et des affaires étrangères, et la construction à Paris d'hôtels aristocratiques accentuent la séparation entre la demeure royale et la Ville. Société de cour et élites parisiennes ne sont cependant pas étrangères l'une à l'autre. Leurs différences de sensibilité et de goût s'estompent. Le temps n'est plus où les commensaux vivaient continuellement à la cour, où les grands officiers de la Couronne ne s'absentaient jamais sans congé. Au XVIIIe siècle, Versailles n'est plus la patrie des courtisans, mais une étape, un lieu de passage. L'abandon du château sous la Régence, les fréquentes évasions de Louis XV et les escapades de Marie-Antoinette ont découragé l'assiduité des gens de cour, conquis en revanche par le tourbillon de la capitale. Les mêmes personnes sont ainsi tour à tour courtisans à Versailles et gens du monde à Paris. L'éclatement de la vie sociale, autrefois resserrée dans les limites du palais, aide à mêler davantage les hôtes de Versailles aux grands robins, aux financiers, aux talents en une *bonne compagnie* où chacun emprunte un peu quelque chose à l'autre. Des passions communes — littéraires et artistiques — servent de trait d'union. Mais emprunt ne signifie pas confusion. La cour ne s'est pas dissoute dans la société parisienne. Par l'élégance de ses manières, l'éclat de ses fêtes, le prestige attaché à son mécénat, elle reste longtemps un guide. Réelle, l'émancipation de la Ville est tardive et partielle.

« Le foyer du ton le plus parfait »

Le ton de la Cour demeure un modèle que la Ville admire sans parvenir toutefois à l'imiter parfaitement. Certes nulle frontière ne sépare les manières de Versailles de celles de Paris. Sébastien Mercier prétend qu'à la veille de la Révolution une « noble familiarité » unit courtisans, robins et financiers pour faire des Parisiens des « hommes [...] plus égaux qu'ailleurs [2] » ! Si ce constat égalitaire paraît outré, tous les membres de la bonne compagnie sont, il est vrai, les artisans du bon ton, les praticiens d'un code commun de bonnes manières défini par le comte d'Allonville comme « la constante habitude de ne pas choquer en rien les règles de la décence et de la plus exquise politesse, de se montrer, selon les rangs et les âges, respectueux sans bassesse, gai sans licence, galant sans prétention, spirituel sans afféterie, d'éviter toute expression trop vulgaire, toute manière trop commune, de ne se permettre que rarement des peintures trop vives, mais en les voilant alors de la pudeur des expressions, d'émousser ainsi les traits de la plaisanterie pour éviter de la rendre choquante [3] ».

La Cour et la Ville partagent les mêmes habitudes, ont une égale connaissance des convenances; cependant un subtil dégradé de politesses maintient encore entre elles un « je ne sais quoi » qui assure le primat de la cour. « Il n'y a rien, note Tocqueville, qui s'égalise plus lentement que cette superficie des mœurs qu'on nomme les manières [4]. » A Versailles, la vie sociale ininterrompue oblige chaque courtisan à se plier « comme à un besoin de tous les instants » aux exigences des bonnes manières. Cette soumission constante aux règles fait de la cour « le foyer du ton le plus parfait ». Un observateur étranger, le comte de Tessin, assure que Versailles possède « sans contredit la meilleure compagnie de France ».

Si l'excellence du ton distingue les gens de cour, ils le doivent d'abord à leur langage qui unit « la pureté à l'élégance ». Il faut que la conversation soit un plaisir auquel chacun doit contribuer. « C'est, écrit le duc de Nivernais, comme un subside que chaque individu doit à la société en proportion de ses facultés[5]. » S'exprimer avec naturel, simplicité et clarté, répudier les mots bas, les expressions libres et triviales est pour le courtisan un devoir. L'esprit le moins averti reconnaît le robin à son langage académique, sérieux et volontiers pédant. Disputeurs, idéologues, dogmatiques au ton avantageux agacent les familiers de Versailles. Germaine de Staël est trop « raisonneuse » pour avoir « le ton du monde », Mme Necker, sa mère, n'est qu'« une institutrice et rien de plus [...]. Elle n'aura jamais l'art de plaire[6] ». Pour conquérir la cour, Mme de Pompadour, issue de la finance, doit bannir ses « expressions qui paraissent extraordinaires dans ce pays-ci ». Intelligente et fine, la Marquise corrige ses airs bourgeois. Quelques dames de la cour, de beaux esprits l'y aident. Quand un jour elle juge *grassouillettes* les cailles servies à un souper, Voltaire lui fait aimablement la leçon :

Grassouillette, entre nous, me semble un peu caillette.
Je vous le dis tout bas, belle Pompadourette.

Car ce « pays-ci » a son langage. Quiconque le méconnaît s'exclut lui-même de sa société. « Que de scandale à Versailles, se rappelle le comte d'Allonville, quand Mme de Vildeuil[7], femme d'un ministre sorti de la robe, proposa à table de servir à quelqu'un *du champagne* [elle aurait dû dire : vin de Champagne] ! Quel regard de pitié si un campagnard disait un *cordon bleu* et non un *chevalier de l'ordre*[8] ! » Un familier de la cour évitera l'ellipse : il avouera s'être rendu à *Paris* et non à *la capitale,* avec *sa voiture* [et non son *équipage*], pour aller à la *Comédie-Française* [et non au *Français*]. Il traquera les tournures enflées : manquer la visite d'un ami ne mérite pas d'être *désespéré,* mais seulement *affligé*. La prononciation est aussi signe de reconnaissance. On dit *sa* pour *sac* et *taba* comme aujourd'hui ; les liaisons hardies ne choquent pas : *avant-z-hier* est fortement recommandé. Nommer M. de *Bessval* (prononciation de Besenval) ou M. d'*Etrées* (d'Estrées) révèle un habitué de l'Œil-de-bœuf. Ignorer en revanche que Talleyrand se prononce *Tal'ran,* Castellane, *Cass'lan,* Castries, *Castre,* trahit l'étranger à Versailles[9]. Le ridicule guette tout contrevenant au code aulique. Un mot inopportun brise une réputation. Un jour le marquis de Chabannes fit rire au bal de la reine pour être tombé en s'écriant *Jésus Maria!* Pour faire oublier ce trait il s'engagera dans la guerre d'Amérique.

Si l'on sait triompher des exigences de la langue de la cour, on doit encore maîtriser ses propos, en sélectionner les sujets. « Une honnête confiance, une assertion modeste, une discussion tranquille et polie, une légèreté décente », voilà les ingrédients du bon ton [10]. Le trait piquant, l'heureuse réplique forcent l'admiration. Saisir les occasions où l'on peut parler beaucoup, veiller à celles où il faut rester discret, maintenir l'équilibre entre aisance et familiarité ne s'apprennent qu'à la cour. Le bon ton exige encore la pudeur des sentiments, il proscrit les sujets domestiques. Homme de robe devenu contrôleur général des finances, M. d'Ormesson n'a pas les qualités requises pour vivre dans l'entourage du roi. A la reine qui lui demande des nouvelles de sa femme il répond que celle-ci se porte bien, mais que le petit Henri (son fils) l'a inquiété pendant quelques jours. « Cette réponse, commente le marquis de Bombelles, est d'un bon homme, qui vit depuis qu'il est au monde dans un cercle de gens simples et qui ne sait pas que c'est beaucoup, à la cour, de risquer de parler de sa femme et de son fils sans s'aviser de les nommer par leurs noms familiers [11]. »

L'habitude du monde aide à conformer langage, maintien, manières aux exigences de la cour et de ses censeurs. Car pour le tout-venant des courtisans, acquérir le bon ton impose une véritable formation continue sanctionnée par quelques arbitres de la politesse. La maréchale de Beauvau, née Rohan-Chabot, est l'un de ces juges. « Ses manières, écrit le duc de Lévis, étaient aussi nobles que sa conversation était agréable [...]. Elle avait de la vivacité sans emportement ; toujours l'expression propre, point d'exagération, rien d'affecté. » De son mari on affirme que « personne à la cour ne [parle] plus purement que lui ». La sœur de celui-ci, la maréchale de Mirepoix, lui ressemble. Son ton est parfait, aussi ses décisions en matière de goût et de convenance sont-elles généralement respectées. Il faut être admis dans sa société pour acquérir quelque distinction. Être reçu au temps de Louis XVI chez la vieille maréchale de Luxembourg vaut aussi brevet de bon ton. Sa jeunesse agitée ne lui interdit pas d'être « l'arbitre souverain » des bienséances, de l'esprit et « de ces formes qui composent le fonds de la politesse [12] ». « Sa maison, écrit Mme d'Oberkirch, est un vrai tribunal où elle juge sans appel ; ses arrêts font loi. On les répète, on les colporte, et on s'y soumet [...]. Elle condamnait une personne à l'expulsion sur un seul mot qui ne lui plaisait pas [13]. »

Les compagnies présidées par la fleur de la noblesse de cour sont ainsi très recherchées. Comparables par la comunauté « du goût, de la grâce et du ton », elles ont chacune un style, une couleur qui créent la variété et font le charme. « Qui pourrait peindre, interroge le comte d'Allonville, de manière à en composer un tableau frappant de ressemblance la foule de ceux qui, du cercle choisi de Mme de Polignac, volaient rapidement à l'hôtel de Montmorin ; de chez les Coigny, si affables, chez le très spirituel Montesquiou ; de la société vraiment enchanteresse de Mme de Bourbon à celle non moins recommandable de la duchesse de Gramont ; du Luxembourg, un peu trop pédant, aux soirées si gaies du bon et cordial Berchiny[14] ? » Fréquenter de tels cercles exige mille qualités. « Sans esprit, sans élégance, sans la science du monde, des anecdotes, des mille riens qui composent les nouvelles, il ne faut pas songer à être admis dans ces réunions pleines de charme. Là seulement on cause [...] : sur les propos les plus légers, par conséquent les plus difficiles à soutenir ; c'est une véritable mousse qui s'évapore et qui ne laisse rien après elle ; mais dont la saveur est pleine d'agrément. Une fois qu'on en a goûté, le reste paraît fade et sans aucun goût[15]. »

Les contemporains ont dressé le palmarès des gens de cour qui excellent dans l'art de la société. Les façons « gracieuses, simples et nobles » caractérisent le marquis d'Entragues, « l'aménité pleine de saillies et néanmoins sans prétention », le baron de Besenval. Par la « flexibilité de ton et des manières », le comte de Coigny, « sans cesser d'être supérieur à la plupart des gens avec lesquels il causait, semblait descendre à leur niveau[16] ».

A la fin de l'Ancien Régime ce subtil art de vivre est menacé. Pour les plus fins observateurs, le ton de la bonne compagnie a beaucoup perdu. On cite des cas d'inconvenance choquante comme « celle adoptée depuis peu par beaucoup de jeunes gens, qui [tutoient] des hommes connus pour paraître liés avec eux.

« — Bonjour, mon ami ! Comment te portes-tu ? dit l'un d'eux au comte de Narbonne qu'il rencontre à l'Œil-de-bœuf.

« — Très bien, mon ami ! Comment t'appelles-tu ? lui répond-il. »

Les responsables de ces écarts sont connus et dénoncés. Les « raisonneurs » des salons parisiens, la secte des philosophes et des économistes qui substituent la dispute à la discussion, l'assommante dissertation à la conversation pèchent contre les convenances. L'anglomanie est jugée le pire des fléaux. « Ses clubs — accoutumant les hommes à vivre entre eux —, sa rudesse » envahissent tout. On paraît en frac jusque dans la société de la reine « comme on n'eût pas osé se présenter il y a vingt ans chez la femme d'un notaire ». A Versailles, seuls Mesdames et « quelques autres vieux débris de l'ancienne Cour » résistent à ce mépris des formes, à ces allures libres. Leur combat paraît vain quand le comte d'Artois et le duc d'Orléans se convertissent aux usages d'outre-Manche. Le bon ton s'altère, gémissent les conservateurs des manières de la cour, dont beaucoup s'érigent en Cassandre : « On cherche à oublier le passé pour fonder un avenir nouveau [17]. »

L'ÉCLAT DES FÊTES

Les fêtes font le prestige de la cour. Elles animent la vie monotone et ritualisée du courtisan, éblouissent bourgeois et étrangers, rassemblent la noblesse parfois infidèle au château. Paris n'ignore pas les fêtes. Entrées royales, visites princières, réceptions d'ambassadeurs, signatures de paix, célébrations de victoires en sont les prétextes. Mais aucune n'a la majesté, la richesse, la grandeur qui règnent à Versailles. Si la Ville célèbre les grands événements familiaux de la dynastie régnante et participe ainsi à l'exaltation du principe monarchique, elle n'est que l'écho affaibli de la cour. C'est de Versailles qu'on espère des fêtes régulières et fastueuses. L'opinion ne pardonne ni parcimonie dans les dépenses, ni médiocrité des réjouissances. Barbier, qui admire la superbe réception donnée à l'hôtel de Soubise pendant les jours gras de 1751, déplore l'absence à Versailles de divertissement comparable. « Tout, écrit-il, s'est passé tristement. Il n'y avait que jeu chez la reine; cependant la cour de France devrait être la plus gaie et la plus brillante de l'Europe [...]. Cela a étonné Paris [18]. » La Cour est tenue d'éblouir la Ville.

A méditer la chronologie, elle tarde à le faire. Certes, le mariage de Louis XV à Fontainebleau en septembre 1725 et la naissance du dauphin quatre ans plus tard ont été célébrés avec éclat. Mais le jeune roi « n'a nul goût pour les spectacles » et la reine « s'en soucie peu ». Aussi les festivités prévues à l'occasion de la paix de 1737 sont-elles purement et simplement annulées. La première grande fête du règne — les contemporains la jugent ainsi — est donnée en janvier 1739 pour le prochain mariage (célébré le 26 août) de Madame Première, Louise-Élisabeth, fille du roi, avec son cousin, l'infant don Philippe. « Il y avait trente-six ans qu'il n'y en avait eu une pareille », écrit

Croÿ. « Tous ceux de la Ville et de la Cour, qui aiment les fêtes, ont été à celle-là », renchérit Barbier. Pourtant l'année suivante, le roi boude ballet et opéra donnés en l'honneur du roi de Pologne. Sa Majesté « n'est nullement curieuse de ces sortes de divertissements [19] ». Mal à l'aise en public, Louis XV n'a pas la passion de son bisaïeul pour les grandes fêtes. La plus prestigieuse qu'il offre à sa cour correspond exactement au milieu de son règne et au sommet de sa popularité, entre sa maladie à Metz (août 1744) et la victoire de Fontenoy (mai 1745). Louis XIV avait inauguré son gouvernement personnel par les *Plaisirs de l'île enchantée*, Louis XV, privé du cardinal de Fleury en 1743, ouvre son règne sans premier ministre par les fêtes du mariage du dauphin en février 1745. Le prétexte même souligne la conversion tardive du Bien-aimé aux grands divertissements : en 1664 Louis XIV avait vingt-six ans, Louis XV en a alors trente-cinq.

Le mardi 23 février 1745 à Versailles, Louis de France épouse Marie-Thérèse-Raphaëlle, infante d'Espagne. A une heure après midi le jeune couple, suivi de la reine, de Mesdames et des princes du sang, pénètre dans la grande galerie devant la cour assemblée. L'infante est vêtue de brocart d'argent « avec beaucoup de perles », le dauphin a un habit et un manteau d'étoffe d'or garnis de diamants. Par le cabinet de l'Œil-de-bœuf le roi sort de son appartement et rejoint le cortège. Les banquettes clouées et les barrières qui contiennent la foule assurent le passage libre jusqu'à l'escalier des ambassadeurs. On gagne la chapelle où le cardinal de Rohan officie. La cérémonie religieuse achevée, les dames de la cour refluent précipitamment dans la galerie pour voir passer les nouveaux mariés. Les femmes de Paris qui ne sont pas présentées se tiennent derrière elles en robe longue mais sans panier. Habits et pierreries font un spectacle éblouissant. Après le dîner, vers cinq heures, la fête commence.

Pour inaugurer une semaine de réjouissances, on a choisi un ballet : *La Princesse de Navarre*, livret de Voltaire, musique de Rameau. A la salle de la comédie, impropre à un grand spectacle, on a préféré le manège de la grande Écurie. Sa transformation a été confiée aux frères Slodtz, architectes et décorateurs des menus plaisirs. Une gravure de Cochin nous en garde le souvenir. Le long des murs latéraux ont été disposées « deux suites de loges parallèles perpendiculairement à la scène ». Pour ne rien dérober à la vue des spectateurs, les artistes ont eu l'idée de « supprimer les cloisons qui d'ordinaire isolaient chaque loge » et d'amincir au maximum les supports de la corniche. Sous ce grand balcon continu en encorbellement, dont les consoles ne gênent nullement la vue de la scène, d'autres spectateurs placés derrière une longue balustrade surplombent le parterre et l'orchestre. La décoration de l'ensemble est du « style rocaille le plus séduisant », jamais surchargé, mais combinant des lignes gracieuses et simples « tout en donnant une impression d'extrême richesse ». Cette œuvre éphémère, où les Slodtz ont réussi à dégager un très grand nombre de places, est jugée aujourd'hui comme « une étape dans l'architecture théâtrale en France[20] ». Même aussi habilement transformé, le manège ne peut contenir tous les invités. « On fut obligé, écrit le duc de Luynes, d'en faire sortir une partie ; et comme on ne pouvait en venir à bout, il y eut une voix qui cria : *bourrez*, terme qui fut bien entendu et fort remarqué. »

A sept heures, retardé par ce dérangement, le spectacle commence. Sa qualité n'éclipse pas la splendeur de la salle. « Le roi, la reine et toute la cour [sont] en bas ; il y a bien des années que le roi [n'a] été à un spectacle en bas. Tout [est] placé alternativement à droite et à gauche suivant les rangs[21]. » On apprécie la musique de Rameau, mais la pièce est très critiquée, du moins par ceux qui ont réussi à l'entendre tant l'acoustique est déplorable. Après dix heures, la famille royale soupe deux heures durant dans l'antichambre de la reine devant la cour. La bénédiction du lit nuptial achève cette première journée.

Le lendemain offre aux courtisans un divertissement plus brillant : le bal paré ou bal « rangé ». En quelques heures, le théâtre du manège s'est transformé en salle de bal. Les loges ont été enlevées, des gradins placés sur la scène où se tiennent cent cinquante musiciens de la Cour et de la Ville. « Prodigieux escamoteurs, les Slodtz ne laissent en place que le plafond avec ses lustres. » Le raffinement de la décoration de carton peint ou doré ne cède en rien à celui de la veille. De chaque côté des fauteuils royaux sont assises les dames en grand habit ; les danseurs font face au roi. Chacun rivalise de grâce dans les menuets et les contredanses. La soirée s'achève par le spectacle de la famille royale soupant au grand couvert.

Seules les dames munies d'un billet d'invitation envoyé par M. de Richelieu, premier gentilhomme de la Chambre, ont été admises au bal paré. Les divertissements du jeudi, donnés au château, sont plus mêlés. Dans les appartements, la cour s'offre à tous les regards et l'entrée au bal masqué est pratiquement libre : « C'est, note Barbier, ce qui attire à Versailles le concours de nombre de bourgeois de

Paris[22]. » A condition d'être décemment vêtu, chacun peut circuler librement dans l'appartement du roi et apercevoir Sa Majesté. Au milieu de la galerie, autour d'une grande table, le roi, le dauphin, la dauphine et Mesdames jouent au lansquenet ; la reine, non loin, à cavagnole. Les salons sont encombrés d'un « monde prodigieux » dont le brouhaha est à peine couvert par cinquante instruments « des plus bruyants », installés dans le salon de la Guerre et dirigés par le maître Rebel juché sur une table pour battre la mesure.

Après le grand couvert, vers minuit, le bal commence. Il se prolonge jusqu'au matin. On y entre en habit de masque, sans billet. Aux portes du salon d'Hercule ou de l'Œil-de-bœuf, le règlement se contente d'exiger qu'une seule personne par groupe de danseurs se démasque. Un huissier écrit son nom et le nombre de masques qu'elle mène. L'attente use bientôt la patience de chacun. Les gardes sont rapidement débordés par une foule qui enfle, grossit, se répand. Dans l'antichambre de l'Œil-de-bœuf cinq ou six cents masques, incapables d'avancer, sont contraints de s'asseoir par terre. La porte de glace manque être enfoncée. La presse est telle dans la galerie qu'on y est porté d'un bout à l'autre sans toucher le parquet. Mille cinq cents masques sont rassemblés dans l'appartement du roi. On danse dans le vaste salon d'Hercule où se tient le principal orchestre et dans ceux de Mars, Mercure et Apollon. Trois buffets sont dressés aux extrémités de la galerie et près de l'escalier des ambassadeurs. « Tout était servi en maigre, écrit Luynes ; il y avait une quantité prodigieuse de poissons, des vins de toutes espèces, et l'on donnait à chacun dans le moment tout ce qu'il demandait. » L'indélicatesse de quelques masques est toutefois blâmée : « On prétend qu'il y a eu des oranges du bal revendues au marché » le lendemain[23]. Turcs enturbannés, Chinois, sauvages, bergers et le fameux groupe de huit ifs taillés en boule dont l'un cache le roi se pressent dans la galerie. La célèbre estampe de Cochin montre celle-ci ruisselante de lumières. Dans l'axe de chaque arcade, trois lustres d'une dizaine de bougies chacun ont été suspendus à la voûte ; devant chaque pilastre de marbre on a placé une girandole de sept bougies et devant les trophées six girandoles. A chaque angle, seize candélabres superposés constituent de véritables buissons de lumière[24].

Après cette mémorable nuit, les divertissements du vendredi paraissent fades. On tient appartement « avant souper seulement ». Dans le salon de Mars l'orchestre donne la musique du ballet des *Éléments*, œuvre de Delalande et Destouches. La famille royale joue au lansquenet dans la galerie. Les courtisans s'assemblent autour de la table ; devant les croisées, sur les gradins, les dames de Paris admirent. La foule est plus clairsemée, le lundi 1er mars, pour la représentation dans la salle du manège de *Thésée*, opéra de Lully, et, le Mardi gras, pour le dernier bal masqué, où les amateurs ont beaucoup dansé « parce qu'il y avait [...] moins de monde ». Carême, qui commence le 3 mars, met fin à cet éblouissant cortège de fêtes.

L'année suivante, la mort en couches de la dauphine contraint l'héritier du trône à un second mariage. En février 1747, il épouse Marie-Josèphe de Saxe, nièce du vainqueur de Fontenoy. A nouveau les festivités animent la cour : bals paré et masqué, illuminations, banquet royal, appartement, feu d'artifice, ballet *(L'Année galante)*, opéras *(Persée, Les Fêtes de l'hymen et de l'amour)* se succèdent. Avec les divertissements donnés à l'occasion de la naissance du duc de Bourgogne, en décembre 1751, s'achève le temps des grandes fêtes dont le milieu du siècle marque l'apogée. Vingt ans durant, les deuils répétés de la famille royale — Madame Henriette en 1752, le duc de Bourgogne en 1761, le dauphin en 1765, la dauphine en 1767, la reine en 1768 — et la guerre de Sept Ans (1756-1763) interrompent les grandes réjouissances. En 1757, les dépenses des menus plaisirs se réduisent à 680 000 livres [25]. Même après le traité de Paris, le retour des fêtes tarde. Le roi, vieilli, dérobe souvent sa vie aux représentations de la cour, et ses finances ne permettent guère des dépenses somptuaires. Versailles retrouve de grands divertissements dans les dernières années du règne, à l'occasion du mariage du futur Louis XVI en 1770 et des noces de ses frères les années suivantes.

« Le dauphin n'épouse pas tous les jours une fille de l'empereur, remarque le duc de Croÿ en mai 1770. Plus on paraissait bas, en France, plus il fallait faire bonne mine. Ainsi, on se dispose aux plus grandes magnificences [26]. » Leur liturgie ressemble à celle de 1745 : soirées d'appartement, séance des présentations, bals, opéras, ballets rappellent les festivités d'autrefois. En 1770 l'originalité tient en un extraordinaire feu d'artifice et l'inauguration d'une nouvelle salle de spectacle. Prévu le jour du mariage, le 16 mai, mais retardé par l'orage, le feu est tiré le 19. La cour, massée dans la galerie et sur la terrasse, assiste à la plus belle fête de nuit jamais donnée au château. « Il y eut, note un témoin, de très beaux moments bien pleins de bruit et de lumière. Le combat des serpenteaux, s'entrecroisant, faisant feu roulant d'attaque, et les grosses bombes faisant la basse continue du canon avec grande lumière, fut bien [27]. » Des milliers de fusées dessinent dans le ciel les armes des époux et le temple de l'hymen. Les cascades, les soleils, les pyramides de feu — figures nouvelles — sont vivement applaudis. Seul le bouquet « couleur d'or et brillant » déçoit un peu : il était tiré qu'on l'attendait encore ! La somptueuse illumination du canal rattrape tout. Par milliers, Parisiens et Versaillais se pressent pour l'admirer. « Le parterre [...] était dessiné en lampions, le tapis vert garni de pyramides, et les deux côtés du canal, garnis de grands ifs de lampions, faisaient bien leur dégradation jusqu'au bout, terminés par trois grands portiques et la masse des réverbères [...]. De plus le canal était garni de barques en lanternes et baldaquins chinois, allant et venant, ce qui donnait de l'action et faisait, avec tout l'ensemble, une lieue environ d'illuminations, larges, bien perspectivées naturellement, et du plus grand effet[27]. » Tous les bosquets du parc étaient éclairés, de petits théâtres amusaient les badauds. On dansa jusqu'au matin. Le succès était total.

Ces fêtes ont légué la plus belle salle de spectacle qui longtemps a manqué à Versailles. Avec l'incendie de la grande Écurie en 1751, le manège avait été détruit. Les aménagements répétés de la salle de la comédie, au fond de la cour des princes, n'avaient jamais été que des demi-solutions. Paradoxalement, la coûteuse construction de l'opéra de Gabriel est mesure d'économie. L'intendant des menus plaisirs, Papillon de la Ferté, hostile aux salles provisoires qui obèrent les finances, n'a cesse de réclamer l'achèvement de l'opéra de Versailles, commencé en 1750, souvent abandonné par manque de fonds[28]. Pour les fêtes du mariage du dauphin, il obtient satisfaction. Le 16 mai 1770, l'opéra est inauguré. Escamotable, son plancher se relève à hauteur de l'immense scène et permet d'y donner le festin royal. La décoration — une harmonie d'ors mêlés de bleu, de vert et de rouge —, la richesse des habits de cour, les parures des dames, la vaisselle d'or repolie pour la circonstance, tout contribue à la magnificence. « Jamais, écrit M. Pierre Verlet, la monarchie française, qu'une vingtaine d'années sépare de sa chute, n'a été entourée d'un luxe aussi grand et aussi raffiné[29]. » Dans le même écrin, redevenu salle de spectacle, on donne le lendemain *Persée*, le 19 — après une nouvelle transformation — le bal paré, les jours suivants *Athalie, Castor et Pollux, Tancrède*, le ballet de *La Tour enchantée*.

Le coût de ces réjouissances, les inconvénients de la nouvelle salle (elle est inchauffable et son éclairage est ruineux) ne dissuadent pas d'y accueillir encore les fêtes, à peine moins fastueuses, du mariage du comte de Provence (1771), du comte d'Artois (1773) et de Madame Clotilde (1775). On ouvre encore l'opéra pour Joseph II (1777), le grand-duc Paul (1782) et Gustave III (1784), en visite à Versailles. Ces souverains étrangers sont aussi reçus au petit Trianon. L'illumination offerte ici au roi de Suède est un enchantement. Elle montrait, écrit dans ses *Mémoires* le baron de Frénilly, « le parc et ses fabriques éclairés comme par un beau coucher de soleil[30] ». Nul n'imagine alors que cette image crépusculaire puisse devenir un symbole. Dans le domaine de Marie-Antoinette, la cour donne en 1784 sa dernière fête.

Prestige de la musique

Si les grandes fêtes sont exceptionnelles, la vie de la cour est égayée par des divertissements réguliers dont le rythme est aussi soutenu qu'au temps de Louis XIV. A Versailles les lundi et samedi sont jours de concert, la comédie française est donnée le mardi, la comédie italienne les mercredi et vendredi, la tragédie le jeudi. Le dimanche est réservé au jeu. Deux fois par semaine, le dimanche et le mercredi, le dauphin et Mesdames président un bal dans leurs appartements. Carnaval ajoute au calendrier hebdomadaire des bals masqués très suivis. On ne manque pas de prétextes pour représenter des ballets. La cour vit ainsi en musique. Outre les concerts réguliers, les vingt-quatre violons de la Chambre jouent le premier jour de l'an, le 1er mai, pour la Saint-Louis, à chaque départ et chaque retour des petits voyages. Les jours de grand couvert, ils sonnent « des intermèdes symphoniques, préludes, ouvertures, danses ». Si l'on songe que Sa Majesté entend quotidiennement une messe chantée — Marie Leczinska fréquente la chapelle deux fois par jour —, on déduira que Versailles est, comme par le passé, imprégné de musique.

Pourtant ni Louis XV ni son successeur n'ont pour l'art d'Euterpe l'intérêt de Louis XIV. Mais grâce à la famille royale, la cour reste un foyer musical attrayant. Être joué à Versailles demeure une consécration enviée, recevoir une commande officielle signifie reconnaissance du talent. La reine, qui préside une fois la semaine un ou plusieurs concerts dans le salon de la Paix annexé à son appartement, convie les meilleurs musiciens, chanteurs et chanteuses de France et d'Europe. Ils « lui offrent des extraits d'opéras à la mode ou ces petits airs pour la vielle qu'elle aime avec passion[31] ». Marie Leczinska est musicienne, joue de plusieurs instruments, notamment de la musette, touche le clavecin, cultive la danse. Collin de Blamont et Rebel, surintendants de la Chambre, dirigent sa musique symphonique.

Ses enfants ont hérité de son goût. Le dauphin, qui déteste le jeu, s'ennuie à la chasse et n'aime pas les spectacles, n'a d'intérêt que pour la musique : « Il en fait presque tous les jours chez lui ; il joue du violon et apprend à accompagner au clavecin. » Il chante en soliste et demande un jour à son maître Royer de lui écrire une cantate. En 1747 il envisage d'installer un orgue dans son cabinet. Ses sœurs l'imitent et s'essaient à plusieurs instruments. Madame Adélaïde « joue supérieurement » du violon mais connaît aussi le violoncelle, le clavecin et l'orgue. La basse de viole est l'instrument favori de Madame Henriette, les toiles de Nattier en gardent le souvenir. Le peintre Drouais a représenté Madame Sophie chantant, une partition à la main. A Madame Victoire le jeune Mozart dédie en 1764 ses deux premières sonates pour clavecin avec accompagnement de violon (K. 6 et 7). Avec la dauphine Marie-Josèphe de Saxe et Mme de Pompadour, la musique trouve encore à la cour des avocats de talent.

La seconde épouse du dauphin vient de Dresde où son père, Auguste III, a accueilli le vieux Bach déçu par Leipzig. Elle chante, danse, joue du clavecin et, comme la reine, organise des concerts dans ses appartements. La marquise de Pompadour est musicienne accomplie. Jeune fille, elle savait faire valoir ses talents, chantant « avec toute la gaieté et tout le goût possibles », jouant la comédie à Étiolles, sachant déchiffrer avec aisance une partition. Elle fréquentait alors les Italiens et l'Opéra, applaudissait les créations de Rameau et de J. M. Leclair comme les reprises de Lully ou de Campra. A Versailles elle garde la nostalgie des spectacles parisiens. Par goût et pour distraire le roi, elle invente des divertissements musicaux qui s'ajoutent à ceux de la cour. La musique religieuse ne lui est pas indifférente. A ses concerts on donne grands et petits motets de Delalande et de Mondoville, « la plus belle musique qu'on puisse entendre ». Les soirées dans les cabinets associent comédie et petit opéra où elle excelle. « Elle n'a pas un grand corps de voix, écrit Luynes, mais un son fort agréable, de l'étendue même [...] ; elle sait bien la musique, et chante avec beaucoup de goût[32]. » Quand un changement de décor impose un intervalle entre la pièce et l'opéra, il est meublé par un petit concert.

Après la mort de la Marquise (1764), l'arrivée en France de

l'archiduchesse Marie-Antoinette en 1770 ranime la vie musicale à Versailles. La dauphine cultive le chant, touche le clavecin et la harpe. « Il se tient de temps en temps chez elle, écrit l'ambassadeur Mercy-Argenteau en 1772, de petits concerts, où se réunit la jeune famille royale [...]. Ces mêmes concerts se répètent chez Madame, sœur de M. le dauphin[33]. » La passion du jeu lui fait un temps négliger la musique, mais son intérêt se réveille bientôt pour ne retomber jamais. Plus que son talent de harpiste, la protection qu'elle accorde aux musiciens « constitue son vrai mérite musical ». Négligeant peintres et écrivains, la reine met son influence au service des musiciens, attire à la cour Gluck (1773), Piccinni — le maître le plus célèbre d'Italie (1776) —, Sacchini (1781), favorise la carrière de Grétry. Très attachée à l'auteur de *Richard Cœur de Lion,* elle le nomme directeur de sa musique particulière (1787), lui obtient dons et pensions, accepte d'être la marraine d'une de ses filles, favorise la création de ses opéras-comiques à Versailles, Fontainebleau ou Trianon. Dès son arrivée à la cour, le chevalier Gluck, son ancien professeur à Vienne, est comblé d'honneurs. Six mille livres de pension et autant pour chaque opéra qu'il fera jouer doivent le retenir à Versailles[34].

La jeune reine ne se contente pas de défendre ses protégés dans les salons ou les séduire par de délicates attentions. Elle sait, le moment venu, payer de sa personne. Aux « premières », les auteurs sont assurés de sa présence, y compris lorsque le succès est incertain. Au XVIIIe siècle, l'opéra passionne les Français et toute œuvre nouvelle est objet d'ardentes controverses, prétexte à cabales. « On ne songe plus à l'Amérique, écrit un contemporain, la mélodie, l'harmonie, voilà le sujet de tous les écrits[35]. » Engager le prestige royal sur un terrain aussi miné est acte de courage. A la première représentation d'*Iphigénie en Aulide* le 19 avril 1774, Marie-Antoinette, encore dauphine, ne cesse de battre des mains pour entraîner les applaudissements des loges. Le succès n'est pas acquis : des passages ont transporté le public, d'autres déconcerté. « On ne peut plus parler d'autre chose, écrit la princesse à sa sœur Marie-Christine, il règne dans toutes les têtes une fermentation aussi extraordinaire sur cet événement que vous le puissiez imaginer, c'est incroyable; on se divise, on s'attaque comme s'il s'agissait d'une affaire de religion ; à la Cour, quoique je me sois prononcée publiquement en faveur de cette œuvre de génie, il y a des partis et des discussions d'une vivacité singulière. Il paraît que c'est bien pire encore à la Ville[36]. » La reine ne rechigne pas davantage à afficher son goût au milieu du tumultueux public parisien, loin de l'atmosphère retenue de Versailles. *Armide*, la nouvelle œuvre de Gluck, assez audacieux pour reprendre le livret de Quinault mis en musique par Lully, vaut au compositeur l'hostilité déclarée des lullystes. La reine assiste à la première le 23 septembre 1777 pour étouffer la cabale. Celle-ci attend sa revanche de la deuxième représentation. Avertie, Marie-Antoinette revient à l'Opéra le 29 : « Le coup a été paré », reconnaît Bachaumont.

La reine ménage si peu son soutien aux compositeurs de son choix que l'opinion la juge cabaleuse. On l'accuse de nuire par principe aux artistes nationaux, de livrer la scène française aux étrangers. Mais dans la querelle opposant gluckistes et piccinnistes, on oublie parfois que, favorable à Gluck, elle n'en a pas moins accueilli Piccinni à la cour et pris des leçons de chant avec le maestro. *Didon* est d'ailleurs donnée en 1783 à Fontainebleau et, sur ordre de Louis XVI ému, jouée trois fois. La reine partage sans doute le sentiment de Mme d'Oberkirch, gluckiste déclarée, mais reconnaissant aux œuvres du Napolitain de grandes beautés[37].

Encouragé par des princes aussi musiciens, le goût de la cour embrasse tous les genres musicaux. A la chapelle royale règne le grand motet magnifié par Michel-Richard Delalande. Ses œuvres, comme celles de Madin, Campra, Gervais, Bernier, sont constamment reprises jusqu'à la Révolution. Giroust, Mondoville et l'abbé Blanchard, maîtres de musique à la chapelle royale, sont aussi fort estimés. Un jour de 1738 après la messe, Louis XV surmonte sa timidité pour complimenter Blanchard dont il achètera les partitions pour sa propre bibliothèque. Si le grand motet se renouvelle peu, la Chapelle de Versailles reste, avec cinquante instrumentistes et autant de choristes sévèrement sélectionnés, un haut lieu du chant. Même peu disposé à louer le goût français, Léopold Mozart, lors du premier voyage de Wolfgang en 1763-1764, reconnaît que « les chœurs sont tous bons et même excellents. Je suis pour cette raison allé tous les jours avec mon petit homme à la messe du roi [...] pour entendre les chœurs qui chantent toujours les motets[38]. »

Très occupés, les musiciens de la Chambre sont requis pour donner de nombreux concerts chez le roi et la famille royale. Quelques virtuoses sont invités à s'y produire : Blavet, « fameux joueur de flûte », le violiste Forqueray, Le Tourneur et Royer, maîtres de clavecin du dauphin et de Mesdames. Les concerts d'opéra sont une autre passion de la cour. Celle-ci accueille également le répertoire ancien de Lully, Destouches ou Campra et les œuvres contemporaines de Rameau, Mondoville, Blamont ou Dauvergne.

Jean-Philippe Rameau est musicien de la cour. Après sept ans de silence (*Dardanus* est de 1739) il reçoit en 1745 commande de deux œuvres pour les fêtes du mariage du dauphin. *La Princesse de Navarre,* comédie-ballet, donnée le 23 février, « a été fort approuvée », mais la musique du ballet héroïque *Platée,* créé le 31 mars suivant, « a été trouvée singulière ». « Il y a cependant, reconnaît Luynes, des morceaux agréables, mais en tout ce divertissement a paru trop long et trop uniforme. » Au premier gentilhomme de la Chambre lui proposant par trois fois de répéter la représentation Louis XV ne répond que par un silence poli. Rameau gagne toutefois une pension et le titre de compositeur de la Chambre. En novembre, pour célébrer la victoire de Fontenoy, il compose *Le Temple de la gloire.* Sa musique plaît : « Le roi même, à son grand couvert le soir, en [parle] devant Rameau comme en ayant été content. » A Voltaire, auteur des paroles, Louis en revanche ne dit mot. *Les Fêtes de l'hymen et de l'amour* (15 mars 1747) sont un succès, d'autres suivent. En quelques années les créations se multiplient et suscitent la jalousie de confrères moins heureux. Rameau semble détenir le quasi-monopole des spectacles de cour. Certes la reine n'aime ni sa personne ni sa musique ; le Bourguignon est peu courtisan et tous ses ouvrages n'ont pas réussi. Ses adversaires, fidèles à Lully, ne manquent pas, mais ses partisans sont encore plus nombreux. Par ses commandes et ses applaudissements, Versailles a contribué à sa gloire. « On ne peut s'empêcher d'avouer, poursuit Luynes en 1747, que c'est un des plus grands musiciens que nous ayons. » Après *Les Fêtes de l'hymen,* le roi s'arrête pour lui parler : « Il lui dit qu'il ferait peut-être jouer encore cet opéra après Pâques » et lui demande « s'il n'en [a] point d'autres prêts à donner ». Si Louis XV continue à honorer le musicien — il l'anoblit en 1764 —, c'est toutefois à Paris que sont créés *Zaïs, Naïs* ou *Zoroastre*[39].

Dans la seconde moitié du siècle, les nouveautés sont désormais données à la Ville plus souvent qu'à Versailles. Le goût de la cour ne s'impose plus à tous les mélomanes. La querelle des Bouffons (1752-1754) qui oppose musique française et musique italienne le révèle. Ses raisons sont politiques plus que musicales. En condamnant l'opéra français, de Lully à Rameau, le camp « italien », où s'agitent Diderot, Grimm, Rousseau et les encyclopédistes, entend porter l'estocade à un genre né à la cour. Dieux et héros paraissent démodés au siècle des Lumières : on leur préfère les réalités de la vie quotidienne. Le succès de la pochade de Pergolèse, *La Servante maîtresse* (*La Serva Padrona*), vient de son sujet. C'est d'ailleurs sa principale vertu. La querelle réveille les sentiments nationaux. A la cour, le compositeur Mondoville mobilise les défenseurs de la tragédie lyrique : « Il leur persuada, écrit Grimm, que c'était moins son affaire que celle de la nation. Le patriotisme se réveilla. Mme de Pompadour crut la musique française en danger et frémit[40]. » Le répertoire de la saison 1752-1753 souligne l'opposition entre Paris et Versailles : Rameau n'est joué qu'à la cour, tandis que l'Académie royale ne donne que des spectacles italiens.

Pourtant, en matière musicale, la Cour n'ignore pas la Ville. Le souverain se flatte d'attirer chez lui les meilleurs instrumentistes et les plus belles voix de la capitale. Les chanteurs de l'Académie de musique ne manquent jamais de parfaire à Versailles leur succès remporté à l'Opéra. Avec la capricieuse Mlle Le Maure ou Mlle Fel, M. Chassé, basse-taille, ou le fameux haute-contre et musicien Jelyotte, plus tard Garat et Michu, comblés de dons et d'honneurs par Marie-Antoinette, « c'est un peu du vent de la Ville qui arrive » à Versailles. La vie musicale dépasse les limites du château. La cour n'est plus seule à honorer la musique. Dès 1725, c'est à Paris qu'Anne Danican Philidor avait créé, dans une salle des Tuileries prêtée par le monarque, la première saison officielle d'auditions musicales, le *Concert spirituel*, dont les programmes composés de grands motets, sonates, bientôt symphonies devaient initier le public parisien à l'art instrumental. De grands seigneurs, de riches bourgeois entretiennent des orchestres ou des chapelles. Les concerts du prince de Carignan, de Condé et Conti, de Crozat, du comte d'Albaret passent pour les meilleurs de Paris. Depuis 1731 Le Riche de la Pouplinière confie la direction de son orchestre à Rameau. Dans son hôtel de la rue de Richelieu ou à Passy, la musique tient la place essentielle. Stamitz puis Gossec sont ses hôtes. Le fermier général innove : il est le premier à introduire la clarinette et le cor dans l'orchestre (vers 1750), le seul à posséder un quatuor d'instruments à vent (dès 1762)[41].

Alors que deux des plus grandes institutions de la musique royale, la Chapelle et la Chambre, fusionnent en 1761 pour raison d'économies, se crée à Paris une nouvelle association de mélomanes, le *Concert des Amateurs* (1769). La cour n'est plus le seul champion de la vie musicale. Sauf pour les opéras-comiques, elle n'est pas davantage l'unique foyer de création. L'opéra-ballet en offre l'exemple. Dans le ballet de cour cher à Louis XIV, la gloire du monarque et de son entourage fournissait le thème du prologue. Le souverain et ses courtisans dansaient devant la cour. Désormais la glorification du roi s'estompe derrière le thème moins politique de l'amour : dieux, déesses, muses ou grâces en prennent le visage. Le goût de l'exotisme éloigne de Versailles. Dans *Le Turc généreux*, *Les Incas du Pérou*, *La Fête persane* et *Les Sauvages*, quatre entrées des *Indes galantes*, nul ne reconnaît l'image flattée du roi. L'imaginaire, le dépaysement l'emportent sur le réel. Le manque d'intérêt de Louis XV pour la danse et la complexité de la technique chorégraphique confinent les seigneurs de la cour dans le rôle de spectateurs. Seuls les professionnels de l'Académie royale triomphent sur scène; les familiers de Versailles ne rechignent pas à venir les applaudir à Paris, louant à l'année une loge à l'Opéra. A l'inverse du siècle de Louis XIV, les créations sont essentiellement parisiennes : sur quarante et un opéras-ballets, onze seulement sont représentés à la cour. A Versailles les reprises d'ouvrages créés à Paris ne sont même pas toujours complètes : des *Indes galantes* on ne retient que l'entrée des *Sauvages ;* des *Fêtes d'Hébé,* la danse. « La représentation à la cour ne [détermine] plus le succès d'une œuvre. Celui-ci [dépend] du bon vouloir du public parisien[42]. » Versailles se contente désormais d'accueillir des ouvrages pensés et créés à la Ville.

Des goûts mal accordés

De Bachaumont à Grimm, de Métra à Louis-Sébastien Mercier, les contemporains notent la divergence des jugements et des goûts entre Versailles et Paris. « Le mot de cour n'en impose plus parmi nous, comme au temps de Louis XIV, lit-on dans le *Tableau de Paris*. On ne reçoit plus de la cour des opinions régnantes ; elle ne décide plus des réputations, en quelque genre que ce soit. » La perte d'influence de Versailles est devenue à la fin du XVIIIe siècle un lieu commun. La vie théâtrale échappe ainsi à son autorité. Au temps du grand roi, Molière écrivait pour la Cour et la Ville. Désormais les auteurs écrivent pour la Ville, la Cour se contente d'en adopter le répertoire. Quand Versailles se prononce avec timidité sur une pièce, Paris décide hardiment, sûr de son goût. De la Ville on sollicite l'opinion, on néglige celle de la Cour. Celle-ci est d'ailleurs « fort attentive aux discours des Parisiens : elle les appelle *les grenouilles*. " Que disent les grenouilles ? " se demandent souvent les princes entre eux[43]. »

La minorité de Louis XV a nui au théâtre de la cour. Aux Tuileries, l'antichambre du petit roi n'accueille que de rares divertissements adaptés à son âge. C'est au Palais-Royal, qui abrite l'Opéra, que comédiens français et italiens — rappelés en 1716 — viennent jouer. Très suivies, les représentations sont publiques, grands seigneurs et bourgeois s'y côtoient. Le retour à Versailles en 1722 aurait pu ressusciter la vie théâtrale à la cour. Mais Louis XV n'est guère attiré par ce genre de divertissement. La chasse, sa passion, suffit à meubler ses loisirs. Il « ne va presque jamais à aucune comédie ». La reine, ses filles ont plus d'intérêt pour la musique que pour le théâtre. Si la salle « de la belle cheminée » à Fontainebleau, transformée en 1725 et qui dispose de machines, peut accueillir un millier de spectateurs, Versailles ne possède pas une véritable salle de spectacle. Celle aménagée par Louis XIV est petite, inconfortable, dépourvue de cintres et de dessous. Au contraire Paris a l'Opéra, la Comédie-Française (longtemps rue des Fossés-Saint-Germain), l'hôtel de Bourgogne où se produisent les Italiens, les tréteaux des foires Saint-Germain et Saint-Laurent et les salles des boulevards. Sauf quelques visites à l'Académie royale de musique, Louis XV ne se rend jamais dans les salles parisiennes et la reine n'est venue qu'une fois à l'Opéra. Les souverains invitent en revanche les comédiens au château. La saison commence en octobre pendant le séjour à Fontainebleau et se poursuit de novembre à mars à Versailles. L'été est pauvre en représentations. Deux fois par semaine, les mardi et jeudi, les comédiens français jouent devant la cour, le mercredi est réservé aux Italiens. Mais les fêtes religieuses, les deuils de la cour, les absences du roi bouleversent ce calendrier[44].

Les spectacles des comédiens professionnels paraissent insuffisants aux courtisans passionnés d'art dramatique. L'époque est au théâtre de société. Grands seigneurs ou bourgeois, Parisiens ou provinciaux aiment jouer eux-mêmes la comédie. Cette « fureur incomparable [...] gagne, dit-on, journellement ». Par la grâce de Mme de Pompadour, Versailles n'y échappe pas. Très éprise de spectacles, la Marquise a communiqué sa passion au roi. Déjà en 1745, Louis XV avait décidé, sous son influence, que « lorsqu'il se trouverait [à Versailles] des fêtes les jours destinés aux comédies, on les jouerait le lendemain ».

Jusque-là toléré, le théâtre est désormais encouragé. En 1747, la maîtresse royale invente les spectacles des petits cabinets. Dans la petite galerie du premier étage donnant sur la cour d'honneur puis, après 1749, dans la cage de l'escalier des ambassadeurs, un petit nombre de privilégiés assistent à des représentations et se font acteurs. Le 16 février 1748, le duc de Luynes rapporte une de ces soirées où l'on donne *Le Mariage fait et rompu* de Dufresny. « La comédie avait commencé à six heures, et dura un peu moins d'une heure et demie [...]. Mme de Pompadour est la seule femme qui joue fort bien. M. de Maillebois joue très bien ; M. de Nivernais et M. de Duras sont toujours supérieurs dans ce genre. » Après la pièce, concert. Puis « on commença à huit heures l'acte d'opéra ; il s'appelle *Eglé* ». La Marquise « chanta et joua supérieurement ». On avait distribué la veille des exemplaires imprimés du livret avec les noms des musiciens dont un sur trois était amateur. Louis XV désignait les spectateurs. Ce soir de février, outre « les acteurs et actrices lorsqu'ils ne jouent point », ce sont « M. le duc de Chartres ; M. le maréchal de Saxe ; M. le maréchal de Duras ; tous les secrétaires d'État ; quelquefois l'abbé de Bernis [...]. J'y ai vu aussi, poursuit Luynes, M. le maréchal de Noailles, mais non pas cette année. M. le maréchal de Coigny y vient aussi ; M. de Grimberghen y vient toujours lorsque sa santé lui permet. » Le roi qui répugne à paraître aux spectacles réguliers et officiels de sa cour est ici détendu — il n'est « pas dans un fauteuil, mais seulement sur une chaise à dos » — et « paraît s'y amuser[45] ». Ces spectacles sont un succès.

A la première représentation, le 17 janvier 1747, on avait donné *Tartuffe* devant quatorze personnes. On joue ensuite La Chaussée, Dufresny, Dancourt, Voltaire, Cahussac, Houdart de la Motte, Destouches, Gresset..., les auteurs à la mode. Bientôt s'y ajoutent les opéras-ballets où, devant un public de plus en plus nombreux, la Marquise s'impose comme cantatrice et danseuse. En 1750, par souci d'économie, Louis XV décide d'interrompre ces divertissements particuliers. Alors, selon le goût de l'époque, Mme de Pompadour donne la comédie chez elle, à Bellevue. Même limitées à quatre années, ses initiatives ont été les plus sûrs encouragements à la vie théâtrale, haussée au niveau des spectacles de Paris[46].

Marie-Antoinette suit son exemple. Dauphine, elle courait avec son mari les salles parisiennes. Reine, elle ne change pas ses habitudes. « Sa Majesté, écrit Mercy-Argenteau en 1777, est venue aux spectacles de Paris deux ou trois fois chaque semaine[47]. » Avec ses belles-sœurs elle anime agréablement sa société intime : elle apprend à jouer et possède son théâtre à Trianon. Au printemps 1780, elle devient actrice, avec une prédilection pour les comédies à ariettes. « La troupe était bonne pour une troupe de société et l'on applaudissait à outrance ; cependant en sortant, avoue Mme Campan, on critiquait tout haut, et quelques gens dirent que c'était *royalement mal joué*[48]. »

Bon public, la cour ne peut se passer de théâtre. Mais elle n'est plus foyer de création dramatique, elle n'influence plus le contenu ni la forme des représentations, ne décide plus de la réussite ou de l'échec d'une pièce. Le répertoire de Versailles ou de Fontainebleau n'est pas différent de celui de Paris[49]. Jusque vers 1760, Molière reste l'auteur préféré avant Regnard, Racine, Dancourt, Pierre Corneille, Legrand, Dufresny. Viennent ensuite les contemporains : Voltaire, Destouches, Crébillon, Boissy, La Chaussée, Lesage, Campistron, Marivaux. Avant 1757 les pièces les plus souvent représentées sont *L'Esprit de contradiction* de Dufresny (trente fois) et *Crispin rival de son maître* de Lesage (vingt-cinq fois). Mais la cour ne se lasse pas de *La Comtesse d'Escarbagnas*, de *Britannicus* ou de *Bajazet*. Comme Paris, elle accueille avec enthousiasme les petites pièces divertissantes, les « bagatelles », vaudevilles, comédies lyriques et parfois la farce. En décembre 1771, *La Vérité dans le vin* de Collé est jouée devant le roi à Choisy : « Plusieurs dames de la cour, invitées à la fête, qui ne connaissaient pas [l'ouvrage], en furent extrêmement décontenancées ; et ces femmes pudibondes ne contribuèrent pas le moins au divertissement[50] » de Mme du Barry. D'autres spectateurs moins farouches ou familiers des *parades* données à la foire se réjouissent de ces spectacles inhabituels.

Car princes et courtisans courent applaudir à Paris les comédies légères. Le vieux Scarron († 1660) retrouve des amateurs en… 1777 : *Dom Japhet d'Arménie*, pièce pourtant peu raffinée, réjouit la reine et la famille royale. Louis XVI et Marie-Antoinette se répètent en riant les meilleures répliques d'une farce de Dorvigny, *Les Battus paient l'amende* (1779), dont l'énorme succès éclipse toutes les autres représentations. Comme d'autres théâtres de société, la cour ne répugne pas à la fin du siècle à donner chez elle des comédies poissardes. En 1777 on joue au théâtre de Marie-Antoinette *La Princesse AEIOU* pour laquelle la reine a fait venir des femmes de la halle « les plus consommées pour exercer et styler les acteurs ». Quand Versailles et Paris partagent ces goûts peu relevés, des auteurs moins aimés du public s'en attristent :

> [...] *autrefois la bonne compagnie,*
> *Donnant et l'exemple et le ton,*
> *Entraîna par degrés toute la nation*
> *Vers le spectacle du génie ;*
> *Mais chacun à son tour, et le peuple aujourd'hui*
> *Rend les honnêtes gens aussi peuple que lui*[51].

En revanche le drame bourgeois ennuie : il lassera même le public auquel il est destiné. Dès 1769, « par la raison que ces drames tristes et lugubres ne [conviennent] point à son âge, qui [n'a] besoin que de choses agréables et gaies[52] », Louis XV raie *Le Philosophe sans le savoir*, *Eugénie* et *Beverley* des programmes de la cour.

Si on représente généralement à Fontainebleau une pièce avant sa création à Paris, on joue à Versailles ce qui a déjà réussi dans la capitale. Les intrigues de quelques auteurs protégés du prince peuvent réserver un ouvrage à la Cour, mais celle-ci établit son répertoire en suivant l'exemple de la Ville. A Paris comme à Versailles l'accueil fait aux pièces est *longtemps* identique. Sauf exceptions, ce qui plaît (ou déplaît) à la Cour est applaudi (ou sifflé) à la Ville. Succès et échecs sont parallèles. Il est vrai qu'on se garde de présenter devant le roi une œuvre condamnée par le public parisien et on ne risque pas à Paris une pièce peu aimée de la cour[53]. Cour et Ville paraissent complices, l'identité de leurs jugements est presque totale.

Dans les dernières décennies du siècle cependant, les désaccords se multiplient. Ce que Versailles n'aime guère est fêté à Paris. Souvent un auteur « compte que les applaudissements de la Ville le vengeront des sifflets des courtisans ». « L'esprit d'opposition qui régnait dans cette ville, note Mme Campan, aimait à infirmer les jugements de la cour. » Bachaumont reconnaît « une rivalité de goût absolument ouverte », le baron Grimm est convaincu que « l'envie de casser le jugement de la cour » l'emporte parfois sur le sentiment profond des spectateurs parisiens. En matière de goût, Paris a conquis sa supériorité : si « Fontainebleau est le Châtelet, le parterre de Paris est le Parlement qui casse souvent ses sentences ». L'indépendance nouvelle de la Ville l'a convaincue de la justesse de ses jugements. On lit ainsi dans la *Correspondance littéraire*, chargée d'informer ses lecteurs des nouveautés : « Nous attendons ce jugement suprême [de Paris] pour avoir l'honneur de vous en rendre compte », ou encore : « Ce n'est qu'après que les pièces tombées à la cour auront reparu sur le théâtre de Paris que nous nous permettrons d'en parler avec quelque détail[54]. » Vers 1780 la Ville proclame l'infaillibilité de ses jugements, la Cour se contente de suivre ses arrêts, d'adopter ses choix, de se conformer à ses goûts. Paris est devenu le modèle, Versailles la copie. La représentation du *Mariage de Figaro* de Beaumarchais illustre leur rivalité. « Cela ne sera jamais joué », avait déclaré Louis XVI à la lecture du manuscrit. Mais quelques seigneurs savent lui forcer la main. La pièce est donnée chez le comte d'Artois en présence de la cour en septembre 1783. Persuadé qu'elle échouera à Paris, « depuis que toutes les satires en [ont] été supprimées », le souverain accorde l'autorisation refusée depuis quatre ans. Le 27 avril 1784 *Le Mariage* est joué à la Comédie-Française devant un public enthousiaste. C'est un triomphe. Le roi fait enfermer l'auteur puis se ravise. Beaumarchais est invité à assister à Trianon à une représentation de son *Barbier de Séville* où Marie-Antoinette tient le rôle de Rosine. C'est une demi-consécration. *Le Mariage*, par choc en retour, est « porté aux nues » et la cour n'ose pas en suspendre les représentations. La Ville a triomphé de la Cour.

L'INDIFFÉRENCE AUX LETTRES

Au siècle des Lumières, la vie littéraire échappe à Versailles. La minorité de Louis XV et les désordres du Palais-Royal ont émancipé les écrivains de la cour. Sous la Régence, Paris redevient capitale culturelle. Les dernières années du règne de Louis XIV avaient préparé cet avènement. La jeunesse de la cour s'échappait alors de Versailles pour s'amuser à Paris ; de petites cours rivales, mi-littéraires, mi-galantes, accueillaient hommes d'esprit et poètes mondains. A Sceaux, la duchesse du Maine, petite-fille du grand Condé, présidait de quinzaine en quinzaine des divertissements dramatiques, chorégraphiques et musicaux célébrés sous le nom de « grandes nuits ». Louis XIV disparu, Versailles abandonné, ce sont les salons parisiens qui animent la vie littéraire. Madame de Lambert souhaite recréer chez elle l'atmosphère de la *Chambre bleue* dont elle garde la nostalgie. Sévère pour les plaisirs de la volupté, du jeu comme de la table, elle condamne les mœurs de son temps. Mais son salon ouvert depuis 1693 n'est pas seulement temple de vertu ; accueillante aux seigneurs de la cour et aux gens de lettres comme Fontenelle, la marquise apprécie l'esprit nouveau. L'hôtel de Nevers devient un des premiers et des plus féconds foyers de la vie littéraire, auquel Marivaux et Montesquieu doivent beaucoup[55]. Pour ses familiers, les milieux intellectuels de la Ville doivent désormais jouer le premier rôle. Mme de Tencin, qui hérite à la mort de Mme de Lambert les habitués de ses mardis, la célèbre Mme Geoffrin, Mme du Deffand, Julie de Lespinasse rassemblent ensuite tout ce que Paris compte de célébrités, mêlent grands seigneurs et écrivains. La cour a abandonné le gouvernement des lettres.

Elle exerce encore néanmoins quelques attraits. S'il est vrai qu'entre 1750 et 1780 la conquête de l'indépendance matérielle dégage progressivement l'écrivain du patronage royal, peu vivent de leur plume : en 1784, cent quarante sur deux mille. La poésie, le théâtre, les ouvrages savants n'enrichissent pas leurs auteurs. Le recours aux grâces de Sa Majesté demeure nécessaire. Mallet du Pan estime à trois cents les gens de lettres solliciteurs. Et tous ne sont pas les « écrivailleurs », « barbouilleurs » et autres « myrmidons de la littérature » que méprisent les écrivains à succès. Quelques flatteries et de bons services valent parfois une pension. L'abbé Coyer touche deux mille livres « pour soutenir le gouvernement de la France par ses écrits ». Un emploi à la bibliothèque royale ou à la censure n'est jamais négligé. Une place de lecteur du roi ou des princes, une charge commensale sont toujours recherchées. Moncrif, lecteur de la reine et du dauphin, vit aux Tuileries ; Sedaine est logé au Louvre. Le goût de la cour pour le théâtre est une chance pour les gens de lettres. Être joué à Versailles ou Fontainebleau assure renommée et récompense. Le désir de plaire oriente d'ailleurs les auteurs vers des sujets agréables au roi. Ainsi, après l'immense succès de son *Siège de Calais*, recommande-t-on à Belloy de ne plus s'écarter des thèmes patriotiques. « C'est un conseil qu'il ne sera pas seul à suivre, remarque Grimm, et Dieu sait combien nous allons voir tomber de pièces nationales[56]. »

La confiance d'un ministre ou l'estime de la maîtresse du roi valent bien des faveurs. Après sa présentation à la cour, Mme de Pompadour fait inviter à Choisy Duclos, Voltaire, Moncrif, l'abbé Prévost et n'oublie ni ses anciens amis comme Bernard, nommé bibliothécaire du roi, ni les auteurs qu'elle joue sur le théâtre des petits appartements. Elle oriente les faveurs royales vers Marmontel ou le vieux Crébillon à qui elle paie une édition de ses œuvres, fait accorder pensions et gratifications. Mais Louis XV paraît indifférent au gouvernement des lettres : il supporte difficilement le comportement d'écrivains trop pénétrés de leur royauté littéraire. Le séjour de Voltaire à la cour le prouve.

L'ambition d'être courtisan n'a jamais abandonné l'auteur de *Zadig*. « Son talent, ses manières, son train de vie l'auraient fait très naturellement membre de la cour[57]. » En 1745, Richelieu, premier gentilhomme de la Chambre, lui propose d'écrire un divertissement pour les fêtes du mariage du dauphin. *La Princesse de Navarre* n'obtient qu'un succès d'estime, mais l'auteur y gagne la charge d'historiographe et une pension de deux mille livres. *La Victoire de Fontenoy*, qui réussit le tour de force de faire rentrer tout l'armorial de la cour dans le poème, et *Le Temple de la gloire* achèvent de le consacrer poète officiel. Voltaire ne vit alors que pour la cour. Il s'acquitte avec conscience de son métier de courtisan et s'en trouve bien. Il obtient les entrées de la Chambre, l'agrément royal à sa candidature à l'Académie française (mai 1746) et, en décembre, le brevet de gentilhomme ordinaire de la chambre du roi. Dans les petits appartements, on joue son *Enfant prodigue*, *Sémiramis*, *Alzire*. Mme de Pompadour n'est pas ingrate et Voltaire sait être reconnaissant. Mais c'est un protégé encombrant. Ses remerciements sont maladroits : un madrigal destiné à la Marquise mêle les conquêtes militaires du roi et celle, plus aimable, de sa maîtresse. La reine, Mesdames sont scandalisées. Louis XV, qui préfère Crébillon, est réservé, presque hostile. Il ne pardonne au poète ni ses imprudences de plume ni son ton désinvolte. Le fameux *Trajan est-il content ?* lancé à Sa Majesté le soir de la représentation du *Temple de la gloire* l'a prévenue contre sa familiarité. Arouet ambitionne l'amitié du monarque, alors que sa « principauté philosophique » agace et intimide le roi. L'équipée prussienne — et la malveillance des jaloux — démontre à Louis XV la justesse de ses vues. Au nouveau commensal de Frédéric II il ne marchande pourtant pas ses faveurs, l'autorise à revendre sa charge de gentilhomme ordinaire (qu'il n'a pas payée), lui laisse sa pension, et, à son retour de Berlin, lui rend ses charges. Mais le roi préfère savoir le bouillant auteur à Ferney plutôt qu'à Versailles. « Il le craignait, écrit Mme du Hausset, et ne l'estimait pas. » « Je l'ai aussi bien traité, disait-il, que Louis XIV a traité Racine et Boileau [...] : ce n'est pas ma faute s'il a fait des sottises et s'il a la prétention d'être chambellan, d'avoir une croix et de souper avec un roi. Ce n'est pas la mode en France[58]. »

Le conseil de Mme de Pompadour (qui l'avait reçu de Bernis) — « Protégez les gens de lettres, ce sont eux qui donnèrent le nom de *grand* à Louis XIV » — n'est pas entendu du roi. La Marquise a aidé Versailles et la république des lettres à surmonter leurs incompréhensions. Elle a soulagé bien des déceptions, apaisé les souffrances des gens d'esprit. Mais la hardiesse de certaines idées l'a contrainte à la prudence. Elle aime « à rendre service », reconnaît Voltaire, qui assure qu'« elle pensait comme il faut », mais l'admiration qu'elle porte aux talents et ses petites attentions ne remplacent pas la protection royale. « Monsieur, écrit-elle à Diderot, je ne puis rien dans l'affaire du dictionnaire encyclopédique : on dit qu'il y a dans ce livre des maximes contraires à la religion et à l'autorité du roi [...]. Je ne sais que penser de tout cela, mais je sais quel parti prendre ; c'est de ne m'en mêler en aucune manière : les prêtres sont trop dangereux. Cependant tout le monde me dit du bien de vous : on estime votre mérite, on honore votre vertu. Sur ces témoignages qui vous sont si glorieux, je vous crois presque innocent, et je me ferai un plaisir de vous obliger en toute *autre* chose[59]. » Mme de Pompadour peut encourager quelques écrivains, elle ne se risque pas à régenter les lettres.

Faute de direction royale, la cour de Louis XV comme celle de son successeur renonce à tout mécénat littéraire. C'est à la Ville que les gens de lettres cherchent consécration et fortune. « Une foule de grandes maisons, hospitaliers caravansérails du XVIIIe siècle, écrira le baron de Norvins, étaient journellement ouvertes à Paris [...]. Les encyclopédistes et les économistes tenaient le haut bout ; la Fronde s'était ainsi glissée dans les salons[60]. » Si les philosophes sont « trop odieux à la Cour » pour être reconnus, ils triomphent à la Ville où ils font l'opinion. Paris est juge suprême des talents. « Tout le monde étant rentré dans Paris, note Grimm en décembre 1754, et tous les juges étant rassemblés, les auteurs se hâtent de comparaître et de faire juger leurs ouvrages[61]. »

La cour est négligée : non seulement elle paraît indifférente aux lettres, mais, estimée tracassière et soupçonneuse, passe pour entraver les productions de l'esprit. Le « sacre de l'écrivain » — à la fois arbitre du goût et militant des Lumières — se fait sans elle, parfois contre elle. De grands seigneurs soucieux de paraître gens d'esprit succombent aux charmes de cette nouvelle puissance. L'homme de lettres n'est plus un protégé des grands, il se pose comme un égal. Talleyrand a reconnu dans cette prétention le dérèglement de la société. « Delille [poète] dînait chez madame de Polignac avec la reine. L'abbé de Balivière jouait avec M. le comte d'Artois. M. de

Vaines serrait la main de M. de Liancourt. Chamfort prenait le bras de M. de Vaudreuil [...]. Tous les jeunes gens se croyaient propres à gouverner. On critiquait toutes les opérations des ministres. Ce que faisaient personnellement le roi et la reine était soumis à la discussion et presque toujours à l'improbation des salons de Paris[62]. » Faute d'encourager les lettres, la cour ne maîtrise plus l'opinion.

CHAPITRE XIX

L'âge des privilèges

La naissance et le rang décident de la carrière.

DUCLOS

On ne connaît présentement ici que l'argent.

BARBIER

Ajoutez à cela les premières places de l'État, spécialement dans le militaire, données presque exclusivement aux gens de la cour, et vous aurez la meilleure explication d'une Révolution plus extraordinaire dans ses conséquences que singulière dans son principe.

TILLY

« L'aristocratie, a écrit Chateaubriand, a trois âges : celui des supériorités, celui des privilèges et celui des vanités. » Le courtisan de Louis XV et de Louis XVI vit l'âge des privilèges où le crédit, les relations, les intrigues plus que le mérite assurent la réussite. Louis XIV récompensait le service du roi et l'assiduité à sa cour. A la fin de l'Ancien Régime, les bienfaits royaux sont considérés comme un dû. Le comte Esterhazy, jeune et brillant colonel de la société intime de Marie-Antoinette, reconnaît ainsi sans retenue jouir des avantages de sa faveur sans sacrifier sa liberté : « A Paris, je vivais en bonne compagnie. Je m'occupais de mes plaisirs. J'allais tous les quinze jours à Versailles ; je chassais une fois par mois avec le roi, et sur quatre voyages à Choisy ou à Marly, j'étais communément nommé être d'un [voyage]. *Cela suffisait pour me classer parmi les gens de la cour, sans m'assujettir au métier de courtisan.* » Comblé de grâces (il est logé au château à proximité de l'appartement du roi et invité aux petits soupers), il convoite le cordon bleu. Informé à son retour d'Angleterre d'une prochaine promotion, il se tient à l'affût : « Je craignis d'avoir été oublié, et je partis de suite, *au moins pour me plaindre si je n'étais pas nommé*[1]. » Sa Majesté n'eut pas à souffrir les reproches de M. le comte : le 1er janvier 1784, Esterhazy est reçu chevalier de l'ordre du Saint-Esprit.

Une présentation à Versailles

L'expérience a enseigné à Valentin Esterhazy la distinction entre homme de cour et courtisan. Les connaisseurs ne mêlent pas davantage courtisan logé et *galopin, présenté,* bénéficiaire des *honneurs du Louvre* et intime de Sa Majesté. La cour est diversité. Les uns jouissent de faveurs dépendant de leur rang, comme le fameux *tabouret ;* les autres — *logeants* ou bénéficiaires des *entrées* — de grâces soumises à la seule volonté du prince. Sans cesse naissance et crédit se mêlent pour dessiner la place de chacun. Les honneurs de la cour sont un exemple des paradoxes versaillais[2]. Le règlement du 31 décembre 1759 est formel : nulle femme ne sera présentée au roi qu'elle n'ait préalablement produit devant le généalogiste des ordres trois titres originaux sur chacun des degrés (ou générations) de la famille de son époux, établissant une filiation depuis 1400. « On a choisi cette date parce qu'elle est, dit-on, antérieure à tout anoblissement [...] aussi parce que les preuves écrites pour des temps antérieurs sont difficiles[3]. » Robins ou anoblis par lettres, « nouveaux nobles qui ne sont pas nés pour former la cour du plus grand roi », sont en théorie exlus de la présentation.

Ces strictes dispositions prétendent ainsi rendre plus difficile l'accès aux honneurs de la cour et brider l'indulgence passée. Preuves faites, la présentation des dames, l'admission des hommes dans les carrosses de Sa Majesté et l'autorisation de suivre sa chasse ne constituent cependant ni le catalogue des familiers de Versailles ni le sommet de la faveur. Les neuf cent quarante-deux familles ayant bénéficié ainsi des honneurs de la cour ne sont pas toutes de noblesse *de* cour. Des hobereaux fiers de leurs titres peuvent faire la dépense du voyage, du séjour au palais, de l'habit réglementaire et d'innombrables pourboires, « pour raconter à leurs voisins mécontents qu'ils arrivaient de Versailles ». Vanité satisfaite (et parfois bourse plate), ils ne quitteront plus ensuite leur castel. Les honneurs ne les ont pas glissés dans l'entourage du roi.

Rigoureuse dans son règlement, l'admission aux honneurs de la cour souffre des passe-droits. La faveur du prince commande. « On est [...] agréé, refusé ou différé selon la décision de Sa Majesté. » Si la filiation d'une famille n'atteint pas la date fatidique de 1400, un mot du roi peut y parer. Les Bourgeois de Boynes, anoblis par charge de secrétaire du roi en 1719, sont admis aux honneurs cinquante ans plus tard. Trente années séparent l'anoblissement des Laurent de Villedeuil de leur présentation à la cour. Louis XV et Louis XVI ne sont pas avares de telles grâces. Les présentations de Mme de Pompadour ou de Mme du Barry sont les plus célèbres exemples de très nombreuses entorses au règlement. « Ce qu'on appelle être présenté *par ordre* ou *par grâce* » permet ainsi d'accueillir anoblis et robins. D'ailleurs l'exigence des preuves de la famille du mari autorise la présentation de dames d'origine robine ou de finance. Enfin les bénéficiaires des honneurs ne forment pas un groupe homogène : tel petit-fils de traitant anobli, titulaire d'une charge commensale et admis aux entrées de la Chambre, est davantage homme de cour que des dizaines de gentilshommes campagnards de « bonne maison » qui, une fois en leur vie, ont monté dans les carrosses du roi et parcouru la galerie « où leur visage hétéroclite [a] fait rire, où leurs épaules chargées du prix d'un bois de haute futaie, d'un pré, d'une vigne, ou d'un moulin, [ont] attesté leur mauvais goût [4] ».

La présentation de la baronne d'Oberkirch ou de la marquise de la Tour du Pin est à l'abri de tels sarcasmes [5]. Elle est au contraire la brillante illustration d'une cérémonie de cour où chacun joue son rôle soigneusement appris. L'une et l'autre jugent la journée « fort embarrassante et fatigante », mais aussi particulièrement flatteuse. Attirer les regards, devenir le sujet des conversations n'est pas sans combler l'amour-propre de femmes ayant soigné leur toilette, répété avec un maître à danser les indispensables et périlleuses révérences, préparé les deux ou trois réponses à faire à Sa Majesté. La veille du grand jour, la présentée se rend à Versailles visiter les *honneurs*. « On appelle ainsi les dames d'honneur et la dame d'atour de la reine, et celles de Mesdames et des princesses belles-sœurs du roi. » Au jour fixé par le souverain — c'est toujours un dimanche — elle revêt le grand habit de cour « avec un énorme panier, selon l'étiquette, et un bas de robe, c'est-à-dire une queue qui peut se détacher ».

Mme d'Oberkirch l'a commandé chez Baulard, « mademoiselle Bertin m'ayant, dit-elle, trop fait attendre ». « L'étoffe était d'un brocart d'or, à fleurs naturelles, admirablement beau [...]. Il n'y entrait pas moins de vingt-trois aunes ; c'était d'un poids énorme. » Mme de la Tour du Pin est éblouissante de pierreries... prêtées par la reine ! « Sept ou huit rangs de gros diamants [...] cachaient en partie [sa gorge]. Le devant du corsage était comme lacé par des rangs de diamants. J'en avais encore, écrit-elle, sur la tête une quantité, soit en épis, soit en aigrettes. »

Dans ce riche et lourd appareil, la présentée, accompagnée d'une dame de la cour — sa marraine — pénètre dans le cabinet de Sa Majesté. « Je fis, raconte la baronne d'Oberkirch, les trois révérences, une à la porte, une seconde au milieu, une troisième près de la reine qui se leva pour saluer. J'ôtai mon gant droit et fis la démonstration de baiser le bas de la robe. La reine retira sa jupe avec beaucoup de grâce, par un coup d'éventail pour m'empêcher de la prendre.

« — Je suis charmée de vous voir, madame la baronne, me dit-elle, mais cette présentation n'est qu'une formalité, il y a longtemps que nous nous connaissons. [Mme d'Oberkirch avait été admise *par ordre* en 1782 mais avait tenu cette fois à jouir des honneurs en faisant ses preuves.] Je m'inclinai respectueusement.

« — Avez-vous des nouvelles de votre illustre amie ? »

Après quelques autres phrases obligeantes, la reine s'incline, signifiant ainsi la fin de la courte cérémonie. La dame se retire à reculons, fait trois révérences d'adieu en repoussant d'un coup de pied adroit sa queue, prenant garde « de ne point embarrasser ses mules et ne pas tomber ». Si la présentée est duchesse, le cérémonial se nuance : on lui avance un tabouret devant la reine assise dans un fauteuil ; l'étiquette remplace la démonstration du baisement de bas de robe par le salut royal ; la dame offre sa joue droite à la reine qui applique légèrement la sienne.

Suit la présentation au roi et à la famille royale. Mme de la Tour du Pin reçoit ainsi l'accolade de Louis XVI, généralement peu bavard, de Monsieur, du comte d'Artois, du duc de Penthièvre, des princes de Condé, Bourbon, Enghien, heureuse d'échapper à celle du duc d'Orléans alors absent de Versailles. Le soir, la présentée va au jeu de la dauphine ou de la reine. Mme d'Oberkirch rapporte que toutes les dames « sans distinction de titre [s'assoient] sur des tabourets formant un cercle autour de la chambre, les hommes étant tous debout ». Celles qui veulent jouer se mettent à la grande table ronde au moment où la reine prend place. Après le jeu, la reine fait le tour du cercle, adressant quelques mots à chacune, fait une révérence et disparaît. Chacun alors sort du salon. Après une seconde visite aux *honneurs*, « selon l'étiquette », la présentation s'achève. Désormais la dame présentée sera de droit sur la liste des bals de la reine, admise à son cercle et parfois aux soupers dans les petits appartements[6].

La présentation des hommes n'a pas laissé chez les bénéficiaires l'enthousiasme sans réserve des deux précédents témoignages. Chateaubriand l'a même décrite comme une corvée. Si les dames sont admises aux honneurs de la cour à l'intérieur du palais, leurs homologues masculins le sont surtout en plein air. Preuves faites, après présentation au roi, suivre Sa Majesté à la chasse et monter, au retour, dans ses carrosses font le gros de la cérémonie. Le fils du courtisan n'y voit qu'une formalité, le hobereau est souvent mal à l'aise. Mais tous deux tirent désormais vanité de leur admission et affectent un ton de supériorité envers les non-présentés. Le comte de Tilly a reconnu dans le règlement de 1759 et la frontière de 1400 une loi humiliante « qui a fait plus d'ennemis à la cour que le déficit », et l'une des causes de la Révolution. Véritables certificats de noblesse ancienne, les honneurs de la cour aident à la conclusion de brillantes alliances et favorisent les carrières. D'eux dépendent bien des privilèges. Ils ne transforment pas automatiquement le présenté en homme de cour ou en familier de Versailles, mais encouragent son mépris envers les exclus. Être admis devient la préoccupation de beaucoup. Ainsi les honneurs de la cour, « raffinement suprême de la réaction nobiliaire », sont une des fortes ambitions des candidats à la réussite[7].

Les voies de la réussite

Si la naissance la favorise, la réussite du courtisan n'est jamais acquise. Elle doit se conquérir et se défendre. Chacun adapte alors sa tactique aux circonstances. Ceux qui ont choisi d'« agrandir leur existence » doivent-ils se montrer assidus à Versailles ? La réponse est plus nuancée qu'au siècle précédent. Tous ceux qui exercent quelque responsabilité importante dans le royaume doivent se montrer à la cour. « Il serait indécent, par exemple, écrit le duc de Nivernais, qu'un colonel ne parût jamais à la cour. Les affaires de son régiment l'y appellent tous les jours, et son devoir est de ne pas le négliger. Il doit donc connaître le ministre de la guerre et en être connu[8]. » Mais en se contentant de faire antichambre chez un secrétaire d'État ou de ne fréquenter que les bureaux de ses premiers commis, notre officier risque de se voir traité avec légèreté, ses requêtes oubliées. Dans un régime où les ministres dépendent entièrement du monarque, « attendant et craignant tout de lui », la considération qu'ils accordent aux solliciteurs « est toujours proportionnée au degré de proximité, de liaison, de faveur, dans lequel on est avec le prince ». La fréquentation de l'Œil-de-bœuf est l'indispensable complément des audiences accordées dans l'aile des ministres. Pour être entendu dans les bâtiments qui bordent la cour royale, il convient d'être distingué dans les appartements de Sa Majesté. « Un honnête maréchal de camp qui n'a pour lui qu'une grande naissance et de bons services » fera antichambre chez le ministre de la guerre « s'il n'est pas des initiés dans la familiarité du roi », tandis qu'un modeste commensal, de la Chambre ou de la garde-robe, verra immédiatement s'ouvrir devant lui la porte du cabinet, sera accueilli avec empressement, assuré du succès de sa démarche.

Le duc de Nivernais décrit son audience à la manière de La Bruyère : « Le ministre vient le recevoir à [la porte] de son cabinet ; il signe quelques lettres devant lui, sans interrompre la conversation qui est gaie, légère, comme d'un homme qui rencontre son ami, il passe même à dire quelque nouvelle qui ne signifie rien ; il tâche d'attraper finement quelque connaissance de ce qui s'est dit ou fait la veille dans la société du roi ; il parle très bas, afin qu'on pense dans l'antichambre qu'il s'agit des plus intimes confidences ; et enfin il reconduit le courtisan, et finit par lui dire un mot à l'oreille, entre les battants de la porte ouverte, afin que cela soit bien vu, et que chacun des assistants fasse ses conjectures sur ce grand événement. » M. de Louvois morigénait les courtisans négligeant le service du roi, les ministres de Louis XV font des politesses aux intimes de Sa Majesté.

Pour appartenir au club fermé des privilégiés de la faveur, faut-il assiéger le souverain et sa famille ? La présence régulière à Versailles doit aider à la réussite. C'est elle qui, en 1774, remet en selle le comte d'Escars, trop lié avec Mme du Barry pour plaire à la jeune cour. « Il ne se rebuta pas, écrit le marquis de Bombelles, compta sur les produits de l'assiduité. Depuis un couple d'années, il a tenu une bonne maison à Versailles et ses actions se sont rehaussées[9]. » L'exactitude à faire sa cour ne doit pas toutefois devenir importune.

Se montrer partout, manquer le moins possible un lever, un débotté, un coucher du roi, paraître aux dîners de la famille royale, courir du jeu de Mesdames aux soirées de la princesse de Lamballe ou chez les Polignac dans l'espoir d'y rencontrer la reine peuvent faire l'effet inverse au but recherché.

Mal à l'aise en public, les souverains du XVIIIe siècle n'ont plus les exigences de Louis XIV. Les courtisans du roi-soleil s'appliquaient à être aperçus quotidiennement du maître. Leurs successeurs — aussi avides de réussite — évaluent avec une finesse d'apothicaire profits et préjudices de l'assiduité. Celle du duc de Croÿ est ainsi à géométrie variable[10]. En 1746 il travaille à devenir « au moins demi-courtisan intime », prend en 1749 la résolution de « s'abandonner à la cour », puis, déçu dans ses efforts, choisit de « vivre en philosophe ». « Je me réglai, écrit-il en juillet 1751, à y aller passer trois jours tous les quinze jours. Je faisais une chasse ; je soupais ordinairement dans les cabinets, et je revenais le lendemain, ayant été à une toilette de la Marquise et vu quelques ministres. A la fin de l'hiver, je n'y allai qu'une fois en trois semaines, et je ne chassai presque plus, à cause [...] du peu que je voyais que cela rapportait. » Une de ses affaires est-elle bien engagée ? Le duc visite Mme de Pompadour, court chez les ministres, fait ses révérences à la reine et au dauphin, frappe à toutes les portes : « Je fus reçu de tout le monde au mieux, et je vis qu'on ne perd pas toutes ses peines en travaillant bien. » Mais une autre fois, bien traité par Sa Majesté sans s'être donné la peine de trop fréquenter son palais, son opinion change : « Il vaut mieux tâcher de se faire estimer que d'être assidu. » Beaucoup craignent qu'une présence trop remarquée n'importune. Bombelles confie avoir fait sa cour « rarement, évitant que la reine pût dire [...] qu'elle me rencontrait à chaque pas[11] ».

Se tenir dans la galerie sur le passage de Leurs Majestés rapporte peu. Le goût des souverains pour la vie privée suggère d'être admis dans leurs privances. On guigne l'invitation aux petits voyages ou aux soupers : on y peut parler plus librement au monarque ou à ses ministres et démontrer à ceux-ci son crédit. Quand Mme de Pompadour invente le théâtre des petits cabinets, obtenir un rôle vaut l'intimité de la favorite et le prestige d'appartenir au cercle royal. Mme du Hausset raconte comment un courtisan lui offrit un jour un commandement pour un de ses parents contre une place de comédien. « Cela prouve bien, conclut la femme de chambre, le prix que mettent les plus grands aux plus petits accès à la cour[12]. » Le courtisan ambitieux ne fera pas sa « cour avec le commun » ; pour être distingué, il réduira son assiduité aux moments propices. Croÿ fait ainsi alterner présence à Versailles et résidence parisienne, spéculant sur ses chances d'être l'invité du monarque. Le début de semaine n'est pas favorable à ses desseins. Le roi chasse le cerf le lundi, mais retient le soir à sa table, non les chasseurs, mais les comédiens (tous grands seigneurs) qui ont égayé sa petite société. L'appartement, un ballet ou un opéra sont les divertissements des mardi et mercredi qui ne sont pas jours de chasse. Aussi Croÿ reste-t-il à Paris. Il quitte son hôtel le mercredi vers dix heures du soir afin d'arriver à Versailles pour le coucher du roi. C'est en fin de semaine qu'il faut être courtisan. Le jeudi et le samedi il chasse avec Sa Majesté et tâche ainsi de souper dans les cabinets. La cour à Mme de Pompadour et quelques affaires à régler occupent son vendredi. Croÿ ne gaspille pas son temps : il pratique avec intelligence l'assiduité sélective, celle qui procure les faveurs désirées. Grâce à la considération gagnée par les invitations dans les petits cabinets, il songe « à pouvoir faire valoir des occasions honnêtes quand elles se présenteraient[13] ».

Être toujours en alerte, à l'affût d'une charge, d'une faveur, d'un bénéfice est la règle d'or du courtisan. Rien ne doit échapper à sa vigilance. Aussi se crée-t-il des réseaux officieux d'informations. La vacance d'un office, l'évolution du crédit d'un intermédiaire, la petite phrase du monarque à son lever, tout doit être analysé, pesé avant d'agir. La réussite exclut la précipitation. On ne doit solliciter qu'avec quelque apparence de succès. En 1785, Bombelles, encouragé par Madame Élisabeth à demander la place de premier écuyer à la reine, diffère sa requête. « Il faut, avant, écrit-il, que ma position ait acquis plus de consistance et que l'intérêt qu'on prend à ma femme et à mon fils ait aussi toute la force nécessaire. » Le moment venu, on se dépense sans compter pour faire triompher ses affaires. Le courtisan agit rarement seul, mais mobilise famille et amis. Quand la cour vit dans l'attente d'une promotion d'officiers généraux, « les mères, les femmes, les sœurs sont déjà en mouvement pour solliciter, et les ministres voient soixante personnes par jour qui toutes leur disent que celle pour qui elles demandent a des droits que n'ont point, que n'ont jamais eus, les autres concurrents[14] ».

L'intrigue est reine. L'art du courtisan est d'obtenir l'appui de personnes réellement influentes ; le tour de force, d'attirer la protection d'une coterie en évitant soigneusement d'être la cible de sa rivale. Un caractère conciliant aide à la réussite. Le cardinal de la Roche-Aymon, « auquel on demandait comment il était parvenu à une grande fortune », répondait : « C'est que ne se brouille pas avec moi qui veut[15] ! » La tactique peut être plus machiavélique. « J'avais eu, écrit Croÿ en 1754 alors qu'il sollicite la survivance du gouvernement de Condé, le bonheur de mettre dans mes intérêts toutes les personnes les plus cruellement brouillées, de paraître ne m'être jamais adressé aux uns que par les conseils des autres, qui les haïssaient le plus, de sorte que chacun croyait que je ne m'étais adressé et fié qu'à lui, et que je n'avais fait de démarches envers leurs adversaires que par attention pour leurs avis. Cette conduite heureuse faisait que j'avais, dans ce moment-là, toutes les personnes qui avaient alors le plus grand crédit également portées pour moi, et je ne voyais personne contre[16]. »

Ministres et maîtresses du roi sont gens influents, plus efficaces que les membres de la famille royale. Intéresser la favorite à ses ambitions est toutefois semé de chausse-trappes. Le duc de Nivernais enseigne comment éviter les faux pas : « Se garder de prendre avec [les femmes qui se mêlent d'affaires] le ton léger [...], leur parler aussi sérieusement qu'à un chancelier [...], ne pas les ennuyer [...] mais paraître solide quand on parle affaire. » « Quand une femme est devenue ministre, quand elle est la dispensatrice du bien et du mal dans une cour, elle perd tous ses droits naturels à la flatterie qui tiendrait alors à la bassesse[17]. » Le duc songe-t-il à Mme de Pompadour dont le règne dure vingt ans (1745-1764) ? Aucune maîtresse royale n'a exercé pareille influence. Les ambitions des courtisans dépendent de ses faveurs. Son crédit ne cesse de grandir. Dès sa présentation elle reçoit chez elle non seulement le tout-venant de la cour, mais ministres, ducs et pairs, princes du sang. « On assistait à sa toilette certains jours de la semaine, écrit le comte de Saint-Priest, et j'y ai vu bien souvent M. le duc d'Orléans et M. le prince de Condé, ainsi que des princes étrangers faisant cercle, debout, à une distance respectueuse[18]. » La foule est telle dans son appartement qu'on a parfois grand-peine à l'apercevoir. Chacun sait que négliger son antichambre est se condamner auprès du roi. « La Marquise fait tout, surtout pour les grâces de cour. » Ses soupers deviennent même plus recherchés que ceux de Sa Majesté. On n'obtient quelque bienfait que par son canal, les nominations aux emplois se font par elle, de grandes familles sollicitent son arbitrage, les ministres la flattent et la rejoignent après le Conseil à son souper.

Elle a connaissance de tout. « Non seulement les grandes affaires, mais même le détail passait par ses mains. »

Une telle autorité, jointe au scandale de l'adultère et à l'origine bourgeoise de la Marquise, fait des envieux. Beaucoup guettent les occasions de porter atteinte à son crédit. Chaque temps de pénitence — l'avent, le carême, le jubilé de 1751 —, propice à la conversion du roi, est pour elle une épreuve. L'année de la mort de Madame Henriette, fille préférée de Louis XV, et de la maladie du dauphin (1752), ses ennemis espèrent son renvoi. Ils croient l'obtenir après l'attentat de Damiens (1757) : la famille royale « obsédait » alors l'appartement du roi qui, huit jours durant, laissa sa maîtresse dans le silence et l'angoisse. Elle triomphe des cabales et les courtisans remplissent à nouveau son antichambre. L'épreuve passée, son crédit se renforce, les faces de la cour changent si rapidement ! Elle reste la dispensatrice des grâces, « tourmentant » son amant jusqu'au succès de ses entreprises, « ne voulant pas habituer le roi à lui refuser quelque chose, ou lui en laisser prendre l'habitude [19] ».

Tous les hôtes de Versailles ne suivent pas les recettes du duc de Nivernais : leur cour à la maîtresse du roi tient souvent de la bassesse. S'ils recherchent sa protection, les plus habiles se gardent de négliger d'autres atouts. Machault d'Arnouville, contrôleur général des finances (1745-1754) et garde des sceaux (1750-1757), le maréchal de Noailles et le prince de Soubise, ministres d'État, le comte d'Argenson, secrétaire d'État à la guerre (1743-1757), plus tard Choiseul et son cousin Praslin, régnant sur les affaires étrangères (1758-1761 et 1766-1770), la guerre (1761-1770), la marine (1761-1766), la surintendance des postes et le régiment des Suisses, sont gens d'influence. « Il n'y avait que les grandes intrigues particulières avec la maîtresse ou avec des ministres qui pussent faire obtenir de grands avantages. » La formule du duc de Croÿ n'aurait pu venir sous la plume d'un contemporain de Louis XIV. La mécanique de la cour soumettait alors les courtisans au souverain, seul dispensateur des bienfaits. En échappant trop souvent au gros de la cour pour n'être accessible qu'à son entourage, Louis XV — et après lui la reine Marie-Antoinette — encourage le trafic nuisible des influences, laisse ses courtisans s'abandonner au jeu néfaste des coteries, transforme Versailles en un gigantesque marché aux recommandations. Si certains sollicitent sans bassesse, sachant doser respect et dignité, les ambitieux sans qualité ni mérite n'hésitent pas à « valeter ». « Il n'y a, dit-on, que les souterrains bien pris et bien choisis qui font parvenir [20]. » Mieux que le service du roi, flatterie, intrigue et manœuvre paraissent à beaucoup les voies privilégiées de la réussite.

« Recevoir, prendre et demander »

« Je défriche tant que je puis, je sème le mieux qu'il m'est possible. » La métaphore rustique du marquis de Bombelles traduit la préoccupation commune des courtisans : travailler avec ardeur et ténacité à leurs affaires. Le prince puis duc de Croÿ est un de ces éternels solliciteurs, illustrant à merveille la formule de Figaro : « Recevoir, prendre et demander[21]. » Avec l'attention du chasseur à l'affût, il guette grâces honorifiques et commandements, cherche sans se lasser à partager l'intimité du roi.

La chasse est, on le sait, l'un des plus sûrs moyens d'y parvenir. Membre d'une maison remontant au XIIIe siècle, Emmanuel de Croÿ peut aisément y prétendre. Au cours de l'hiver de 1739, à Fontainebleau, Versailles et Saint-Germain, il est associé aux chevauchées de Sa Majesté. Celles-ci peuvent conduire aux petits soupers : ce n'est nullement un droit, mais une faveur qui élève au rang de familier. Voilà l'ambition de Croÿ, alors jeune colonel. Le moment est cependant mal choisi. Louis XV n'admet dans ses cabinets que la coterie Mailly, et la guerre de succession d'Autriche éloigne notre officier du royaume. Sa conduite à Fontenoy lui vaut le grade de brigadier, mais il n'entend pas être oublié de la cour. Pendant les quartiers d'hiver il se décide « à être courtisan assez assidu et dans les formes ». Satisfait de son séjour à Fontainebleau en novembre 1746 où il est bien reçu, il fait sa cour « de façon à pouvoir guetter et profiter des événements ». Comme il ne faut rien espérer sans l'appui de Mme de Pompadour, Croÿ lui est présenté et se rend « comme presque tout le monde, de temps en temps, à sa toilette ». Aucune faveur ne vient couronner son assiduité. Impatient, il se lamente d'être presque le seul à n'être jamais invité après la chasse dans les cabinets. Il lui faut solliciter. « Ayant appris qu'on y avait guère accès que par la Marquise, et étant bien avec MM. Pâris, je les priai, et M. de Tournehem, de lui en parler. » La recommandation est entendue, la favorite promet de convaincre le roi. Dès le lendemain, 30 janvier 1747, Croÿ soupe pour la première fois à Versailles avec Sa Majesté.

Maintenir cette faveur est désormais son objectif, car rien n'est définitif à la cour. Les invitations dans les petits cabinets ne sont pas régulières. Il est nommé le 18 février, mais refusé le 4 mars. Blessure d'amour-propre, « parce que [il le reconnaît sans hésiter] j'étais fort flatté d'être nommé et d'entrer par la chambre et cabinet du roi, devant des gens de connaissance. C'était là ce qui faisait le plus de plaisir de cette grâce. » Aussi, pour éviter d'être à nouveau mortifié, ne chasse-t-il avec le roi que les jours sans comédie dans les petits appartements, car seuls les acteurs soupaient alors avec Sa Majesté. L'honneur conquis en impose — « Je remarquai que, dès que l'on me crut courtisan si intime, on me considéra beaucoup plus » —, mais, irrégulier, n'avance à rien. Croÿ décide d'ajouter le jeu difficile de l'intrigue. Il en espère promotion dans le métier des armes et avancement à la cour. Pour obtenir le grade de maréchal de camp, il frappe à toutes les portes, sollicite d'Argenson, ministre de la guerre, sans dédaigner son premier commis, M. Le Tourneur, reste à la toilette de Mme de Pompadour, dîne chez M. de Puyzieulx, secrétaire d'État des affaires étrangères, parle à Mme d'Estrades, grande amie de la Marquise, court chez le cardinal de Tencin, ministre de Sa Majesté. En vain. La promotion du 1er janvier 1748 ne le retient pas. Il est toujours invité chez le roi sans être toutefois de ses intimes, parce que « très gauche aux petits propos sottisiers et recherchés qui y étaient trop souvent en usage ». Les invitations à Marly, à Celle et à Choisy le distinguent cependant de la foule des courtisans. Elles préludent à sa nomination, après un an d'attente, au grade espéré (décembre 1748).

Croÿ ne s'arrête pas en si bon chemin : deux mois après sa promotion, il sollicite encore. La survivance de chevalier d'honneur de la dauphine Marie-Josèphe de Saxe, l'attachant à la cour, lui paraît le plus sûr moyen de le « mener à tout ». Les honneurs du Louvre ne semblent pas davantage hors de portée. Toutes ses espérances sont cependant déçues. Mme de Pompadour n'est pas encore suffisamment prévenue en sa faveur. Les honneurs lui sont refusés, la charge est donnée à un autre. Philosophe, il se trouve de bonnes raisons de se consoler : « Cette charge pouvait très bien me casser le cou, étant presque impossible de plaire, en même temps, au père et au fils [au roi et au dauphin], et n'ayant peut-être pas les talents nécessaires pour m'y bien maintenir ; c'était me jeter dans des tracasseries, des transes continuelles, dans des ennuis avec des femmelettes. » Mais un repli sur soi lui ferait perdre — il le comprend — les avantages acquis. Négligeant la Marquise à la fin de l'hiver 1749, il a déjà perdu la faveur des soupers. Son assiduité durant l'été restaure son crédit. Mais Croÿ s'ennuie, passe le temps à visiter ses domaines, et chasse autour de Paris. S'il fréquente Versailles, il reconnaît « courir partout sans objet ». La chance ne lui sourit pas. Son beau-père, le maréchal d'Harcourt, vient-il à mourir ? Il ne réussit pas à conserver dans la famille le prestigieux office de capitaine des gardes du corps dont celui-ci était pourvu. Lui conseille-t-on de se tourner vers les affaires étrangères ? Les ambassades lui échappent. Pendant deux années (1751 et 1752), Croÿ, déçu, bride ses ambitions. Il ne cultive plus que la vanité, ne se montre à Versailles que s'il est sûr d'être au premier rang, pour n'être point « confondu dans la foule ».

En décembre 1753, il décide toutefois de reprendre sa « grande affaire de la demande de la survivance du gouvernement de Condé ». Méthodique, il forme son plan, évalue ses chances, fait le compte de ses amis, cultive les intercesseurs auprès de Mme de Pompadour (Mme de Leyde, MM. de Soubise, de Tingry et d'Havré), du ministre d'Argenson (Mmes d'Estrades et de Montconseil) et espère « par le duc de Penthièvre, faire parler au roi par le maréchal de Noailles ». La difficulté de l'entreprise — les survivances sont rarement accordées — le convainc de s'établir au début de l'année 1754 à Versailles afin de suivre son affaire de près. Voici Croÿ à nouveau courtisan assidu, invité aux soupers de Sa Majesté dont il flatte le goût pour les bâtiments en l'intéressant à la reconstruction de son château de l'Hermitage, situé justement près de Condé ! Il ne néglige aucun soutien, ne s'épargne aucune peine.

Son plus efficace avocat est sa mère. Éloignée de la cour, la veuve de Philippe-Alexandre-Emmanuel de Croÿ bénéficie du souvenir laissé par son mari au service de Louis XIV. Quelques-unes de ses lettres gagnent à son fils l'appui de M. de Soubise et du rude ministre d'Argenson. Le 9 février, à huit heures, celui-ci travaille avec le roi : l'affaire sera-t-elle évoquée ? Anxieux comme un collégien, Croÿ monte « la garde deux heures, là autour, rôdant dans la cour, sur la neige, en attendant M. de Soubise dans une chaise bleue. Il sortit enfin, je courus à lui : il me dit que la Marquise avait donné mon mémoire au roi, que M. d'Argenson allait parler, s'il avait le temps ; qu'il ne paraissait que bien disposé ; qu'il fallait voir la fin du travail. » Notre courtisan va souper et, à dix heures, patiente une heure d'horloge dans l'antichambre du ministre. Ses efforts ne sont pas couronnés : faute de temps, l'affaire n'a pu se faire. Le prochain travail avec Sa Majesté le permettra. « Je demandai à quand cela irait, si c'était à deux ou trois jours. Il répondit que c'était mal connaître la cour : " *Deux ou trois semaines, quand le roi voudra !* " » Le travail est fixé au 7 mars, une attaque de goutte du ministre l'ayant encore retardé : sa survivance doit être le premier dossier traité.

Le matin même du jour tant attendu, Croÿ entame deux ultimes démarches, à « savoir un dernier coup de collier auprès de Mme de Pompadour pour qu'elle prévînt bien le roi avant le travail, et un autre auprès de M. d'Argenson pour qu'il soit favorable dans sa manière de rapporter l'affaire ». A huit heures et demie du soir, Croÿ obtient le *bon* du roi pour la survivance du gouvernement de Condé. Jouira-t-il de son succès ? Sa conviction d'être en « belle passe » l'en dissuade. « Une première grâce menant aux autres, cela, écrit-il, pouvait me mener loin ; qu'ainsi il fallait suivre sur un bon plan de conduite cette heureuse veine. » Une semaine n'est pas achevée que Croÿ entame de nouvelles démarches pour obtenir cette fois le cordon bleu.

« Cela ne se demande pas en forme, mais bien en particulier [...], cette faveur ne se donnant qu'à force de souterrains. » Sous réserve de posséder quatre degrés de noblesse, le Saint-Esprit récompense les services éclatants aux armées, dans les ambassades ou dans les charges commensales. Aussi Croÿ présente-t-il au ministre un *Mémoire d'illustration et de service* opportun : son récent commandement en chef du camp d'Aymeries a eu grand retentissement à la cour. Converti au métier de courtisan accompli, il se met « sur les rangs pour être des voyages [du roi] à coucher » et l'obtient à Compiègne le 29 juillet 1754 ; puis sollicite l'invitation à souper chez la Marquise qui la lui accorde le 2 août. Fidèle à son habitude d'entamer deux affaires à la fois, il reprend ses démarches pour les honneurs du Louvre. Ses efforts et ceux de sa mère, mobilisée pour la circonstance, ne sont guère récompensés. Louis XV ne veut pas entendre parler de pareille grâce, et, pour le cordon bleu, le « renvoie encore bien loin ». S'il conserve la protection de Mme de Pompadour, Croÿ est à nouveau « culbuté ». Convaincu qu'« il fallait toujours suivre les grandes routes », c'est-à-dire ne négliger aucun intermédiaire bien placé, il cherche à avancer par le service du roi. En mars 1756, après trois mois de négociations, il est employé, sous les ordres du duc de Chaulnes, puis seul, comme commandant de Picardie et d'Artois. Il y instruit ainsi l'affaire du régicide Damiens, natif de cette province. Un rapport très approfondi assied encore son autorité à la cour. Le 1er janvier 1759, il est reçu chevalier du Saint-Esprit.

Son bonheur n'est cependant pas total. Le jour du serment, l'insatisfaction lui dicte cette confidence : « Je me voyais assujetti, pour toute ma vie, à un bréviaire et des règles gênantes, cédant d'ailleurs aux ducs et prenant un rang qui me déplaisait fort. » Ce rang était celui de simple gentilhomme et non de prince d'Empire dont sa maison jouissait depuis la fin du Moyen Age. De plus, la promotion de M. de Castries, son cadet, comme lieutenant général, récompense d'une action d'éclat, assombrit son plaisir. « Autant j'aurais été flatté du cordon deux ans devant, autant j'y fus insensible. » M. de Croÿ peut-il être rassasié ? L'année 1759 lui est pourtant bénéfique : en décembre, il est nommé à son tour lieutenant général et reçoit la promesse d'une compagnie pour son fils de quinze ans. Deux années ne s'écoulent pas qu'il trouve d'autres motifs de colère. L'avancement de M. de Beauvau, capitaine des gardes, aussi son cadet mais n'ayant aucun fait d'armes à son actif (alors que Croÿ s'est illustré au combat du pont de Westhoven) lui « tombe d'aplomb sur la tête ». « Je fus assommé, confie-t-il, d'un pareil coup sans exemple, dans le moment où je ne m'attendais qu'à des grâces. » L'aimable courtisan se mue en révolté. Il crie à l'injustice, rumine « les plus terribles voies de vengeance que le point d'honneur indique », songe à abandonner le service, à gagner l'étranger. Sa colère souffle sur la cour. On le plaint : il tempête ; on flétrit avec lui le scandale : il crie vengeance. Ému, le ministre Choiseul le mande en ses bureaux.

« — Monsieur, proteste Croÿ, vous m'avez tué ! C'est à vous à me remettre ! »

Soucieux d'apaisement, Choiseul lui offre des compensations : le commandement de l'île d'Oléron ou celui de Bretagne. Rien n'y fait. Croÿ refuse tout et pose ses conditions : il veut, en bloc, être créé duc et pair, commander en Flandre, obtenir les *honneurs* pour son fils, recevoir la promesse du bâton de maréchal. A ceux qui se risquent à le trouver exigeant il assène une justification digne de l'esprit du temps : « Quand il plaît à Sa Majesté de faire une chose inconcevable, il n'y a rien de trop chaud pour la réparer. » Sa liberté de parole lui aurait valu la disgrâce au temps de Louis XIV. Croÿ n'est pas exilé, mais n'obtient rien. Il rejoint son poste en Picardie et tombe malade. Le roi cependant ne l'oublie pas car ses services méritent récompense. En juillet 1763 il lui accorde les entrées de la Chambre. C'est un baume sur sa plaie. Il retrouve la « tranquillité de l'âme ». Cet honneur considérable le comble car il n'est partagé que par cinq ou six personnes sans charge à la cour. « Je ne m'étais jamais flatté, explique-t-il, de sortir de la foule du public qui attend dans la chambre, car, quoique cela s'appelle les entrées de la Chambre, c'est celle du Cabinet, et bien supérieur aux simples entrées de la Chambre, qui ne consistent qu'à faire entrer un peu plus tôt au lever public. » En 1768, à la mort du chef de sa maison, Louis XV l'autorise à prendre le titre de duc[22]. La grandesse d'Espagne de première classe qui lui échoit lui donne en outre le pas sur d'autres grands seigneurs. Mais les temps ont changé. L'âge aidant, l'ambition du duc de Croÿ s'émousse. Il sait encore défendre les prérogatives de son commandement en Flandre et entame à soixante-trois ans l'affaire du maréchalat (il obtiendra le bâton neuf mois avant sa mort). Mais désormais il fréquente moins Versailles, préfère la quiétude de ses travaux scientifiques. Son seul souhait est l'avancement de la carrière de son fils. Pour cet enfant, comme naguère pour lui-même, il retrouve l'ardeur de solliciter.

UNE NOUVELLE GOLCONDE

Avec sa litanie de suppliques, le *Journal* du duc de Croÿ illustre la voracité des gens de cour et leurs constants efforts pour parvenir. Solliciter n'est pas de tout repos. L'incertitude de ses entreprises suggère à l'auteur de dénoncer « la fièvre tierce de la cour : un jour bon, un jour mauvais ». Il faut compter avec les aléas du métier de courtisan : « Quelquefois [princes et princesses] vous disent un mot : cela s'appelle pour lors être bien traité ; et quand ils ne vous disent rien et ne vous regardent pas, cela s'appelle perdre son temps. C'est ce qu'on fait le plus souvent à Versailles. Dans ma tournée d'aujourd'hui, écrit le marquis de Bombelles, j'ai successivement fait ma cour, perdu mon temps et été bien traité[23]. » Un regard du prince est toujours marque de faveur ; l'octroi d'une grâce honorifique, marchepied de la réussite.

Mais les courtisans du XVIIIe siècle convoitent avec plus d'avidité qu'autrefois les libéralités royales. Certes, pensions et gratifications n'ont jamais été ignorées des cours. Elles ont aidé, au moindre coût, à discipliner l'entourage du roi. Les successeurs de Louis XIV ont appliqué ses recettes. En 1722, à l'occasion d'un bal somptueux aux Tuileries, Barbier relève cette continuité : « M. le Régent a trouvé le secret de faire *rendetter* les gens de cour car toutes les femmes étaient superbes, en robes de cour, et pleines de diamants. » La prodigalité du duc de Richelieu, le plus brillant des courtisans, suggère à l'avocat parisien qu'« il peut y avoir de la politique à laisser faire cette dépense aux seigneurs, ce qui les abaisse toujours et les met dans la dépendance du gouvernement[24] ». Jusque-là effet de la bonté (intéressée) du monarque, les largesses princières sont à la fin de l'Ancien Régime considérées comme un dû. L'argent est la préoccupation première des gens de cour. Sa séduction l'emporte souvent sur l'honneur de servir. On guigne une charge ou un commandement pour son revenu. « Aujourd'hui, écrit-on vers 1780, la jeunesse de la cour et jusqu'à des vieux courtisans, tout veut entrer dans une carrière dont les émoluments tentent la cupidité. » « Faire des affaires » devient le mot à la mode, le trésor royal dût-il en souffrir. « On se livre à ces spéculations en se disant *Tout le monde le fait*[25]. » Le second ordre n'a plus à l'égard de l'argent la noble indifférence de jadis. Certes les courtisans n'ont jamais boudé les « grâces pécuniaires » du prince. Beaucoup au siècle précédent ont été attirés par les affaires de finance de la monarchie, ont pris des participations dans les revenus royaux, spéculé sur les rentes, participé aux fermes générales[26]. Mais, système de Law et essor économique aidant, les grands seigneurs du siècle des Lumières ont, plus qu'hier, le goût des richesses, partagé par la bourgeoisie parisienne.

Ainsi l'homme de cour veut imiter le financier et s'efforce de rivaliser avec son opulence. Sans se confondre, les deux sociétés, longtemps séparées par un océan de mépris, se rapprochent. « Des alliances multipliées » servent de traits d'union. On voit les Luynes, les Choiseul, les Biron alliés aux Crozat ; la famille Perusse des Cars aux Pâris et aux Laborde ; les Cossé-Brissac aux Du Cluzel, aux Durey, aux Hocquart. A Versailles, les fils des fermiers généraux commensaux des princes côtoient les descendants des Croisés. A Paris ils vivent dans l'intimité, partagent les mêmes goûts. La fortune n'est plus un mal inavouable ; des ducs et pairs professent même une sincère admiration pour le talent des hommes d'affaires.

Le luxe devient un idéal commun. Vouloir égaler le fermier général Bouret, dit le « grand » Bouret ou « l'enchanteur Bouret », qui reçoit Louis XV dans son somptueux pavillon de Croix-Fontaine près Corbeil, souhaiter rivaliser avec Grimod de la Reynière, dont l'hôtel parisien excite la jalousie des dames de Versailles, imposent d'être attentif à ses revenus[27]. La noblesse de cour se convertit ainsi à un nouveau système de valeurs où l'argent occupe la première place.

Beaucoup dénoncent le culte du Veau d'or. A la poissonnade de 1749

Les grands seigneurs s'avilissent,
Les financiers s'enrichissent,

répond le réquisitoire d'un Sénac de Meilhan : « L'esprit d'avidité et d'un sordide intérêt se [joint] à l'ambition des courtisans, plus épris autrefois de l'éclat et des titres. » Collé, auteur léger qui impute la transformation des mentalités à Mme de Pompadour, issue de la finance (ce qui est prendre le résultat pour la cause), note encore « qu'il s'est répandu dans tous les états une âpreté et une avidité effroyables pour l'argent, et que l'argent paraît seul aujourd'hui donner de la considération [28] ».

Pour rivaliser avec la riche bourgeoisie, les hôtes de Versailles cherchent à la cour les moyens de s'enrichir. Les bienfaits du roi — pensions, dons, gratifications, charges à fort revenu — sont les plus classiques. Des pensions élevées sont attribuées à l'entourage du monarque, grands dignitaires, officiers de ses armées, membres de ses conseils. *L'État nominatif*, imprimé en septembre 1789 sur ordre de l'Assemblée constituante, attribue à 86 grands seigneurs de la cour (dont 34 d'épée et 21 commensaux) des pensions supérieures à 20 000 livres. Les plus élevées sont accordées aux ministres : le baron de Breteuil (91 000 livres), Sartine (86 000), le maréchal de Ségur (183 000 francs qui récompensent aussi ses services aux armées). Le duc de Polignac, brigadier et premier écuyer de la reine, les talonne avec 80 000 livres. Viennent ensuite la veuve du maréchal de Mirepoix, dame du palais de Marie-Antoinette (78 000), le maréchal duc de Broglie (70 000), le contrôleur général Bertin, le garde des sceaux Hue de Miromesnil, les ministres Joly de Fleury et Montbarey (entre 69 000 et 64 000), la princesse de Guéménée, gouvernante des enfants de France (60 000), le duc de Coigny, lieutenant général, gouverneur de Cambrai et de Caen, premier écuyer de Sa Majesté (50 000) [29].

S'ajoutent des gratifications plus discrètes qui constituent des rentrées d'argent considérables. Publiées dans le *Livre rouge* en 1790, elles susciteront l'indignation contre les « Gargantuas » de la cour [30]. Elles n'étaient pas totalement ignorées des contemporains. Le duc de Luynes ne manque jamais de les noter. 200 000 livres sont accordées en 1745 à la duchesse de Lauragais au service de la dauphine, autant au comte d'Argenson pour l'achat en 1750 de la seigneurie de

Paulmy[31]. De ces largesses la famille royale et les princes du sang profitent sans retenue. Pour payer ses dettes — mal chronique des grands — Conti reçoit de Louis XV 1 500 000 livres[32]. Au comte de Provence, frère de Louis XVI, sont accordées chaque année 2 300 000 livres sur le trésor royal (entièrement absorbées par la dépense de son énorme Maison) et 96 000 pour sa cassette. Pour éponger ses dettes, le roi lui donne, en 1783, 7 650 000 livres, une pension annuelle de 500 000 livres et plus de 1 800 000 francs payables chaque année[33].

A d'heureux privilégiés on accorde encore la réversibilité des pensions. « M. le prince de Pons [de la maison de Lorraine] avait, écrit Luynes en 1755, 25 000 livres de pension du roi, sur quoi Sa Majesté a bien voulu en donner 6 à Mme de Marsan, sa fille, qui est chanoinesse de Remiremont [...] et accorder à M. le prince Camille son fils 15 000 livres de la pension vacante par la mort de son père et 5 000 livres d'augmentation à Mme de Marsan ; ainsi le roi paiera pendant la vie des deux enfants de M. le prince de Pons les mêmes 25 000 livres dont le père jouissait[34]. » Bénéfices ecclésiastiques, commandements, offices commensaux sont aussi convoités. Informés les premiers de tout office vacant, les familiers de Versailles peuvent solliciter et obtenir des charges lucratives. Ainsi un premier gentilhomme de la Chambre touche 12 760 livres et 27 850 quand il est de quartier. La gouvernante du dauphin a 43 200 livres, la dame d'honneur de Madame Adélaïde 21 058 francs[35]. En réalité, nul ne peut dire avec exactitude le revenu des charges de cour. Aux appointements s'ajoutent prestations en nature, remboursements de frais, gratifications exceptionnelles, primes..., une foule d'à-côtés qui excitent les convoitises. Aussi tout courtisan cherche-t-il à cumuler. Le maréchal d'Harcourt perçoit 8 000 livres comme maréchal de France, 36 000 pour sa charge de capitaine des gardes, 20 000 pour celle du gouverneur de Sedan, 3 000 au titre de chevalier du Saint-Esprit et 8 000 livres de pension. Total officiel : 75 000 livres de rente[36].

D'antiques usages, des droits acquis contribuent à arrondir les émoluments classiques. Par exemple, chaque naissance royale augmente les appointements de la gouvernante des enfants de France de 35 000 livres. L'exercice de cette charge a permis ainsi à Mme de Tallard de jouir de 115 000 livres. La revente des bougies allumées dans la journée, le profit des cartes de jeu et des serments gonflent les appointements de la première femme de chambre de la reine jusqu'à

30 000 livres. Chaque petit voyage dans les résidences royales assure aux dames d'atour de confortables frais de déplacement[37]. « Chacun dans la maison du roi, écrit Luynes, veut tirer tout le profit qu'il peut de sa charge[38]. » Les grandes fonctions sont, il est vrai, assujetties à des frais de représentation qui rongent leurs revenus. Un introducteur des ambassadeurs comme Dufort de Cheverny doit adopter une « mise ruineuse pour suivre l'étiquette ». « Le roi, confie-t-il, ne vous passait aucun frais, et ils étaient immenses. Il me fallut commander dix habits de livrée [...], dix chapeaux énormes [...], sans compter le Suisse [...], le cocher, le postillon, un valet d'attelage. » Le seul caparaçon de ses chevaux lui coûte 10 000 livres[39].

Un familier de Versailles additionne les bienfaits royaux. Leur part dans son revenu global peut être considérable. Chez les princes de Condé comme chez les Gramont, elle atteint la moitié de leurs recettes ; 70 % chez le ministre Choiseul, dont « la place de colonel général des Suisses et Grisons, un grand gouvernement, le grand bailliage d'Hagueneau, la surintendance des Postes » lui donnent 700 000 livres de rente. Les traitements, grâces, gratifications accordés au prince de Lambesc, grand écuyer de France, égalent presque ses revenus fonciers (137 300 et 176 620 livres). A la fin de l'Ancien Régime, « les revenus annuels des Fitz-James atteignent 200 000 livres dont le roi fournit plus du quart, en appointements et pensions », ceux des Rohan-Guéménée relèvent pour 70 % de la rente foncière et pour 30 % de la cour[40].

De telles rentrées n'évitent pas aux grands seigneurs les ennuis d'argent. Le luxe de leur train de vie en est la cause. En dessous de 100 000 livres de rente on ne peut, dans « ce pays-ci », prétendre être riche. Serviteurs, chevaux, équipages, loges à l'Opéra ou à la Comédie-Française, dépense de table et de garde-robe, entretien d'une maîtresse sont un gouffre. Le cardinal de Rohan mène « un train de maison ruineux et invraisemblable à raconter. Je ne vous dirai qu'une seule chose, écrit Mme d'Oberkirch éblouie, elle donnera l'idée du reste. Il n'avait pas moins de quatorze maîtres d'hôtel et vingt-cinq valets de chambre. Jugez[41] ! » En 1776 le prince de Lambesc dépense 6 000 livres pour sa garde-robe, 8 640 pour ses menus plaisirs, 30 000 de table et autant pour payer les gages de ses domestiques. Ses équipages lui coûtent 16 000 livres[42]. On ne peut attendre moins de M. le grand écuyer de France !

S'il est à la cour des fortunes bien gérées — le prince de Conti ou le duc de Croÿ, dont le nom reste associé à la société minière d'Anzin, sont de « bons ménagers » —, la prodigalité est répandue et l'endettement chose banale. La liquidation du patrimoine évite parfois les faillites et beaucoup trouvent dans le monarque l'acheteur de domaines qui sauve des trésoreries obérées. Par exemple, les dettes contraignent en décembre 1736 le comte de Clermont à la vente de la seigneurie de Châteauroux à Sa Majesté ; six mois plus tard, M. de Bouillon songe à se séparer dans des conditions identiques de la vicomté de Turenne. Un demi-million de dettes — ce sont celles du duc d'Antin — étonnent à peine le courtisan de 1736[43]. En 1740, le duc de Bourbon, ancien ministre de Louis XV, meurt en laissant huit millions de passif dus aux embellissements de Chantilly. Barbier prétend que, « s'il avait vécu encore trois ans sur le même pied, ses affaires auraient été entièrement dérangées, malgré les profits dans le Système » (de Law)[44]. 1781 et 1782 sont des années noires pour le comte d'Artois et le prince de Poix (un Noailles) endettés jusqu'à concurrence de deux millions, et surtout pour le prince de Guéménée dont le passif atteint 33 000 000 livres et ouvre un scandale retentissant. Quand 500 000 livres de rente ne suffisent pas au maréchal de Soubise — la prodigalité des Rohan semble héréditaire —, quand le duc de Coigny dépense deux fois ses revenus et le duc de Penthièvre « ne peut trouver le bout de l'année », les libéralités royales sont le recours privilégié pour tenir son rang[45].

Il est encore d'autres solutions pour arrondir ses recettes. Le courtisan monnaie son crédit. Le rôle d'intermédiaire auprès d'un ministre ou du souverain est tarifé. La nomination d'un fermier général ou d'un officier de finance appartient au roi, mais de grands seigneurs de la cour assurent aux candidats leur protection intéressée. Obtenir un *bon* du roi pour une charge destinée à un tiers vaut de substantiels pots-de-vin. Le monarque ne dédaigne pas encourager ce commerce. En 1737, le duc de la Trémoille reçoit ainsi 150 000 livres pour la présentation d'un fermier général. « Sa Majesté approuve quelquefois pareilles gratifications, confie Luynes fâché de cette publicité, mais ordinairement cela est secret[46]. » La prise de « croupes » (ou portions d'intérêt) dans la ferme générale est courante. Des courtisans familiers du prince sont même imposés à certains fermiers comme « croupiers obligés » pour partager les bénéfices. Ces croupes font ensuite l'objet de nouvelles et profitables divisions. Les sous-fermes (pour les aides et les domaines) sont, jusqu'à leur réunion à la ferme générale en 1755, l'objet de pareilles convoitises. On prétend que le bureau du contrôleur général est encombré par plus de trois mille placets de toute la cour pour y être intéressé. Barbier qui n'a pas les pudeurs du duc de Luynes s'étonne du « nombre de gens qui font des fonds comme ils peuvent, et qui remuent toutes les protections de la cour, à commencer par la reine, jusqu'aux seigneurs et dames, pour entrer dans les sous-fermes, que l'on regarde comme une voie sûre pour faire fortune et qui est aussi une voie aux femmes de cour pour vendre un peu leur protection [47] ».

Marchander son crédit, prendre part aux profits des fermes, assurer le succès de compagnies privilégiées, obtenir des permissions de commerce ou d'exploitation du sous-sol quand la loi gêne le tout-venant sont chez les courtisans pratique habituelle. La cour n'a pas le monopole des spéculations ou des indélicatesses, mais elle trouve plus aisément à Versailles, centre du gouvernement, les moyens nécessaires pour satisfaire son goût des richesses.

Le courtisan militaire

La valeur n'attend pas le nombre des années : si l'orgueilleuse affirmation du Cid s'applique aux hommes des Lumières, les armées de Sa Majesté ne sont peuplées que de braves. Beaucoup d'officiers supérieurs sont en effet de jeunes hommes, parfois des adolescents. Il est fréquent au XVIIIe siècle de rencontrer des colonels à la sortie du collège. Le comte de Ségur commande à dix-neuf ans le régiment de Soissonnais, le duc de Fronsac, fils du maréchal de Richelieu, est nommé à sept ans à la tête de celui de Septimanie [48]. « Son major n'avait que cinq années de plus que lui. » Ces « colonels à la bavette » sont fils de ducs, de ministres, de seigneurs de la cour. Sauf rares exceptions, les emplois supérieurs leur sont réservés. La précocité de ces carrières paraît alors naturelle. Un jeune homme de qualité, écrit le maréchal de Saxe, regarde « comme un mépris que la cour fait de sa naissance si on ne lui confie pas un régiment à l'âge de dix-huit ou vingt ans [...]. Le premier fat venu réclame un régiment [49]. » L'obtenir exige fortune et crédit. Les places de capitaine et de colonel sont vénales. Il faut débourser 75 000 livres pour devenir colonel propriétaire dans l'infanterie, 100 000 à 120 000 livres dans la cavalerie. Dans la maison du roi les charges sont plus onéreuses : en 1743 un guidon de gendarmes (grade équivalant à celui de maréchal de camp dans les troupes réglées) coûte 100 000 francs, un capitaine des mousquetaires paie sa compagnie 350 000 livres [50].

Nécessaire pour escamoter les premiers échelons de la hiérarchie, l'argent ne suffit pas pour écarter les concurrents aux commandements. Vénal, un régiment est à la portée du fils d'un riche financier. Un noble de cour ajoute le crédit aux sacs d'écus. « A ceux qui ont des appuis à Versailles, on donne un régiment comme on donne une pension ou une bonne sinécure [51]. » C'est la faveur qui arrache au roi le brevet envié, qui retarde son expédition dans l'attente de l'âge légal du candidat, qui accélère les promotions. Même embellie, l'histoire rapportée par le comte de Ségur en témoigne. M. de Montfalcon était né sans fortune ni relations. Lieutenant et aide-major dans un régiment d'infanterie, « sa valeur bouillante » l'avait fait remarquer. Un brillant fait d'armes contre les soldats du duc de Brunswick lui avait valu la promesse d'une récompense : il reçut la croix de Saint-Louis et une place de major dans une petite ville. « C'était, écrit Ségur, plutôt lui donner sa retraite que le récompenser. Toute carrière semblait désormais fermée pour lui, lorsque par un hasard singulier, il trouva dans la solitude, la fortune qu'il avait vainement cherchée dans les camps. » Celle-ci prit la forme d'une liasse de titres généalogiques qui attestaient sa descendance de l'ancienne maison d'Adhémar que l'on croyait éteinte. Consulté, le généalogiste du roi, l'incorruptible Chérin, en déclare l'authenticité. Le nouveau comte d'Adhémar est présenté à la cour et obtient dans l'année « la place de colonel commandant du régiment de Chartres-infanterie [52] ». Tant il est vrai que les honneurs de la cour aident à faire carrière.

Un familier de Versailles, en faveur auprès des princes ou de la maîtresse du roi, introduit auprès du ministre de la guerre ou de ses premiers commis, informé à temps des promotions, est promis à un avancement que jalouse la noblesse de province. Nul ne s'étonne de voir un courtisan devenir brigadier à vingt-sept (Ségur le fut à vingt-trois) et maréchal de camp à trente-quatre ans (Choiseul y accède à vingt-neuf), tandis que le hobereau — dans la meilleure hypothèse — ne parvient guère au grade de lieutenant-colonel qu'à cinquante ans et achève sa carrière comme brigadier vers cinquante-cinq. En revanche, à l'homme de qualité sont encore offerts une lieutenance générale à quarante-quatre ans et le bâton de maréchal vers cinquante-deux ans [53]. S'il appartient à la maison du roi, il est en outre assuré d'atteindre rapidement les plus hauts grades.

Les troupes d'élite constituent à la cour un véritable groupe de pression. Qu'une promotion de lieutenants généraux ne leur accorde pas une place dominante, et les capitaines des gardes du corps montent une cabale contre le ministre, portent leurs plaintes au roi, font retarder, voire modifier la liste des promus. En 1758 le maréchal de Belle-Isle tente de ralentir ces promotions hâtives en imposant aux futurs colonels sept ans de service dont cinq à la tête d'une compagnie. Un tel règlement fait crier. Tous ceux qui travaillent à faire de leurs enfants des colonels de bonne heure voient s'écrouler leurs ambitions. La réforme ministérielle brise les espoirs du duc de Croÿ, qui avait soigneusement préparé la carrière de son fils, admis à treize ans (la règle en imposait quinze) chez les mousquetaires gris et présenté aussitôt à la cour. « Je voyais, écrit-il dans son *Journal,* le col cassé à mon fils par la nouvelle règle de n'avoir de régiment qu'à vingt-quatre ans [...]. Cela reculait mon fils tout à coup de sept ans, lui faisant perdre le fruit de la campagne qu'il venait de faire et de celles qu'il ferait de quelques années [...], je ne pouvais y songer sans fureur. » S'il juge la règle « raisonnable à certains égards », Croÿ ne dissimule pas qu'en « confondant tout, [elle ôte] à la noblesse de cour tous ses avantages ». La dérogation qu'il espère — « J'aurais voulu deux ans de grâce pour de certaines gens » — ne vient pas. D'autres courtisans sont plus heureux : l'ordonnance de 1758 est perpétuellement transgressée[54].

Crédit et faveur reprennent le dessus. Ils aident tant les promotions qu'il y a plus de gentilshommes à placer que d'emplois à pourvoir. « Comment faire pour contenter cent personnes avec vingt-deux régiments ? » interroge Louis XV avant de rendre publique la liste des heureux promus. En 1775 on compte mille cent colonels pour deux cents régiments. Un colonel sur quatre fait un service actif ! Les autres demeurent sans emploi, sont colonels en second, colonels réformés, colonels à la suite, c'est-à-dire occupant d'aimables sinécures. « On les rencontre, dit-on avec malice, plus souvent dans les boudoirs où ils font de la tapisserie ou des broderies, que sur les champs de bataille. » Pour libérer des places d'officier supérieur, le gouvernement, docile aux exigences de la noblesse de cour, gonfle le nombre d'officiers généraux (lieutenants généraux et maréchaux de camp). La France de Louis XVI a ainsi le curieux privilège d'être le royaume le plus encombré de hauts grades. « Nous avons beaucoup trop d'officiers généraux en France, écrit le marquis de Bombelles en 1782. Sur près de six cents, c'est tout si l'on peut en employer en temps de paix la huitième partie[55]. » Déjà pendant la guerre de Sept Ans, on admettait qu'il y avait vingt maréchaux de France et une ribambelle de généraux inutiles. « Un brigadier ne commandait alors qu'un régiment, et parfois un jour sur deux ; un maréchal de camp n'avait qu'une brigade, et souvent de manière intermittente ; les lieutenants généraux n'exerçaient leur commandement qu'à tour de rôle, un jour par semaine ou environ[56]. » En refusant longtemps toute promotion nouvelle, Louis XVI suscite un beau tapage à Versailles. « Ainsi, écrit un mécontent, il faudrait rester des quarante ans au même grade, et il ne valait plus la peine de servir. » On redoute que ce blocage ne dégoûte le second ordre. Il encourage déjà les intrigues de cour.

« Pour forcer » la volonté royale, rapporte Croÿ, « on se servit par la reine du désir qu'elle avait d'avancer avec distinction M. Dillon, qui venait de bien faire avec M. d'Estaing, en Amérique[57] ». Marie-Antoinette ne déçoit pas les espérances : elle sait convaincre le roi. Une promotion a lieu en mars 1780. Elle comble trois cents personnes, mais en irrite cinq fois plus, tant les candidats aux emplois sont nombreux. Ni la noblesse de cour, jamais rassasiée d'honneurs, ni la gentilhommerie sans appuis à Versailles ne sont satisfaites de ce déblocage insuffisant des carrières.

Rivales pour l'obtention des grades, l'une et l'autre s'opposent sans cesse. Il n'est pas jusqu'à leur comportement aux armées qui ne soit cause de friction. Les courtisans transportent aux camps leurs habitudes de luxe tandis que la frugalité est plutôt le lot des hobereaux. En 1733 le duc de Richelieu est escorté de « soixante-douze mulets, trente chevaux pour lui, grand nombre de valets, et [...] fait faire des tentes sur le modèle de celles du roi ». Les officiers généraux mènent au front aides de cuisine et d'office « comme si c'était pour célébrer quelque fête[58] ». Le moindre capitaine se croirait déshonoré s'il n'avait sa chaise de poste. D'innombrables bagages encombrent et contrarient les mouvements des armées. « Des magasins entiers d'étoffes de soie, de marchandises, de modes, d'essences odorantes, de parasols, de bourses à cheveux et boîtes à montres » prouvent qu'au feu comme dans les antichambres de Versailles le courtisan n'abdique rien de l'art du paraître. Il n'abandonne pas davantage sa morgue de grand seigneur, affichant comme à plaisir devant la gentilhommerie de province sa supériorité de naissance (pas toujours fondée), de fortune et de crédit.

A la fin de l'Ancien Régime, les réformes militaires ne cessent d'exaspérer leurs relations. Le comte de Saint-Germain, gentilhomme comtois devenu ministre (1775-1777), se fait le champion des hobereaux contre les privilégiés de la richesse et de la faveur. Pour retirer tout avantage aux jeunes gens riches de la cour et de la haute bourgeoisie, il entame en 1776 la suppression de la vénalité des charges. « L'argent, écrit-il, ne donne ni les talents, ni le mérite, et il en faut beaucoup dans l'état militaire[59]. » Il lui faut aussi beaucoup d'instruction : la création de douze écoles royales militaires en province doit y pourvoir. Ce sont ses services, sa bonne conduite, ses connaissances qui valent un emploi au jeune gentilhomme : il ne recherchera jamais, recommande Saint-Germain, « à les obtenir autrement ». Même de haute naissance, l'officier doit gravir tous les échelons de la carrière. Il « ne peut être nommé colonel s'il n'a pas au moins quatorze ans de service dont six comme colonel en second ». Enfin, nul ne peut se soustraire à la vie de garnison, inséparable du métier militaire. Privé des longs et plaisants séjours à Versailles, à Paris ou sur ses domaines, le courtisan doit souffrir l'ennui à Thionville ou Sarrelouis, Toul ou Calais. Tout contribue à le rendre étranger aux petites sociétés locales. Le jeune comte de Tilly, ancien page de la reine, ne trouve à Falaise que « des officiers qui n'étaient pas tous de la grande amabilité avec les nouveaux venus, d'anciens légionnaires, vieillis dans les emplois subalternes, qu'un mot pouvait effaroucher, qu'une toilette un peu trop recherchée choquait [...], quelques jolies femmes passablement bien gardées, quelques autres qui n'avaient pas besoin de l'être, des hommes à qui les gens de Paris se plaisaient à trouver des figures de l'autre monde[60] ».

En assurant à tous un avancement égal, lent et régulier, Saint-Germain veut rogner les privilèges des courtisans[61]. Mais le soutien de Louis XVI ne dure pas. Pressé par son entourage et par la reine, il abandonne Saint-Germain après vingt et un mois de ministère. Protections, passe-droits, absentéisme renaissent. De préférence à Rocroy dont il est le commandant, Esterhazy reconnaît être resté « presque tout le temps à Versailles[62] ». Ressoudés par le règlement du maréchal de Ségur (1781) quand il défend la vocation militaire du second ordre contre roturiers et anoblis (quatre degrés de noblesse sont nécessaires pour accéder au grade de sous-lieutenant), courtisans et hobereaux demeurent néanmoins rivaux. L'ordonnance de 1781 favorise encore les premiers au détriment des seconds. Vingt-trois ans d'âge et huit de service suffisent aux jeunes gens de haute naissance pour devenir colonel en second puis, après six ans, colonel commandant, alors que la petite noblesse doit justifier vingt-cinq années de service comme capitaine et le passage par l'emploi de major[63]. Le grade de lieutenant-colonel reste le verrou qui bloque la carrière des gentilshommes de province. En conservant le monopole des hauts grades, l'aristocratie versaillaise demeure, à la fin de l'Ancien Régime, un corps éminemment privilégié.

CHAPITRE XX

Le procès de la cour

Tout le monde déteste la cour et tout le monde en fait son paradis.

Le marquis D'ARGENSON

L'ignorance et l'inapplication multipliaient les dépenses par les mauvaises opérations dans la partie des finances et les frais excessifs du service.

SÉNAC DE MEILHAN

Mille écus à la famille d'Assas pour avoir sauvé l'État, un million à la famille Polignac pour l'avoir perdu.

MIRABEAU

Versailles n'est pas une cité interdite, ni la cour un monde impénétrable. Chacun, s'il est correctement vêtu, peut y avoir accès. Le château est encombré de petites gens, laquais, porteurs, marchands. Les visiteurs badaudent dans les galeries et les vestibules. Le parc est ouvert à tous. « Ce sans-souci, ce laisser-aller, cette absence de toute suspicion [1] », qu'Arthur Young juge impossible de ne pas aimer, est une tradition monarchique. Le XVIIIe siècle ne l'a pas rompue. La famille royale continue de vivre en public, la foule est toujours admise à ses fêtes, aussi fière « des palais et de tous les attributs de la cour qu'un Anglais peut l'être de sa maison, de son jardin et de son équipage [2] ». Versailles attire et ne se refuse jamais aux regards curieux ou émerveillés.

La cour est accessible, mais, paradoxalement, la France profonde regorge envers elle de préjugés. Aujourd'hui encore ils n'ont pas tous disparu. La naïveté de cet avocat d'Alençon venu solliciter à Versailles est commune. Étonné d'apercevoir le comte de Tilly en conversation avec Marie-Antoinette, il confie :

« — On nous avait dit en province que le roi et la reine parlaient si peu, qu'autant vaudrait qu'ils ne parlassent point du tout.

« — Est-ce qu'on vous a dit aussi qu'ils étaient muets ? demande Tilly.

« — Monsieur, j'ai lu... »

Notre avocat préfère les ragots au bon sens. Il n'est pas le seul. Le public s'arrache alors une sous-littérature alimentée de confidences princières fabriquées et d'indiscrétions d'antichambre où le célèbre faussaire Soulavie a excellé. Le protégé de Tilly est une de ces « dupes [...] de bonne foi », prêtes à croire aveuglément ce qu'on rapporte sur « ce pays-ci[3] ». La renommée d'un auteur, les qualités littéraires d'un texte suffisent à le convaincre de la véracité des faits. Or les gens de lettres ne sont pas les meilleurs témoins des mœurs de Versailles. Certains n'ont jamais approché le palais, quelques-uns traitent la cour avec le dernier mépris pour mieux courtiser les souverains étrangers ; d'autres, comme Chamfort, assidus auprès des grands et comblés de biens, se déclarent les plus violents adversaires de leurs protecteurs[4].

Parisiens et provinciaux ne sont pas leurs seules victimes. Par malice ou crédulité, les familiers de Versailles aussi s'abusent, ignorant souvent les ressorts de la mécanique de la cour. Papillon de la Ferté, intendant et contrôleur des menus plaisirs, s'indigne de voir courtisans et ministres partager les erreurs du public. Le coût des fêtes donne lieu, par exemple, à d'extravagantes estimations. Au contrôleur général des finances persuadé que cent mille livres ont été nécessaires à la représentation à Fontainebleau du *Bourgeois gentilhomme* Papillon n'a aucun mal à prouver qu'elle n'a exigé que cent louis. Richelieu, premier gentilhomme de la Chambre, est convaincu que l'opéra joué au mariage du dauphin a coûté six cent mille livres. « J'ai eu l'honneur de lui répondre, écrit Papillon, que j'espérais que tous les spectacles du mariage n'iraient pas à un tiers en sus de cette somme[5]. » Quand les chefs de service de la cour sont aussi ignorants, nul ne s'étonne des comptes fantastiques répandus par les « nouvelles à la main ». Mais les pièces comptables n'intéressent que les spécialistes. Ce sont les ragots qui font l'opinion et alimentent le procès de la cour.

LES DÉPENSES DE LA COUR

La cour a la réputation d'être prodigue. Cela lui vaut bien des critiques. En 1752, avant d'enregistrer un emprunt royal, le parlement de Paris suggère des retranchements dans les dépenses superflues de la maison du roi. Huit ans plus tard, il subordonne l'acceptation d'édits bursaux à la publication des dépenses secrètes de Sa Majesté. A la fin du siècle, la préparation des états généraux en fait un thème à la mode. Le 24 mai 1789, conviés à un spectacle au château, les députés du Tiers prient le roi « d'employer plus utilement [son] argent » ! Beaucoup, en revanche, jugent le faste de la cour nécessaire à la dignité monarchique, indispensable au prestige de la France dans le monde. « C'est une bonne politique, note-t-on en octobre 1762, de faire voir aux Anglais que toutes nos pertes ne nous ont pas réduits à l'indigence[6]. » Ce que le bourgeois de Paris sent d'instinct, le courtisan ne saurait l'ignorer. En décembre 1781, le marquis de Bombelles se réjouit des fêtes données pour la naissance du dauphin : « On avait cru devoir, par principe d'économie, [les] remettre au moment de la paix [...] mais on aura sans doute réfléchi que cet excès de sagesse ferait un mauvais effet dans l'étranger[7]. » Au XVIe siècle les sujets de Catherine de Médicis tenaient même langage. Les conséquences économiques heureuses des dépenses de cour n'échappent pas davantage aux observateurs. Manufactures et métiers d'art ont tout à gagner au renouvellement du meuble et à la décoration des appartements royaux. Barbier trouve quelque vertu aux dépenses des bâtiments : « Cela fait vivre et travailler un grand nombre d'ouvriers, qui d'un autre côté répandent leur gain dans tous les villages voisins pour vivre ; cela fait vendre des pierres et des bois, c'est une circulation d'argent à un grand nombre de gens dans le royaume, qui revient insensiblement dans les coffres du Roi par les taxes et les impôts sur tout ce qui se consomme[8]. »

Le détail des dépenses de la cour de Louis XV se dérobe le plus souvent à notre curiosité. La comptabilité publique suit des parcours sinueux. « Le même département puise en plusieurs caisses ; les dépenses du même genre ne sont pas réunies sous le même ordonnateur. » Ainsi les comptes des bâtiments sont « difficiles à établir avec une netteté suffisante, année par année[9] ». A Versailles, ils additionnent le coût des grands travaux, des transformations partielles exigées par les logeants et de l'entretien du château et des jardins. Louis XV a peu transformé la résidence de son prédécesseur. L'énorme bassin de Neptune, le salon d'Hercule avaient été projetés par Louis XIV. Le Bien-aimé se contente d'aménager son appartement intérieur donnant au midi sur la cour de marbre et composé de sa nouvelle chambre, du salon de la pendule et de son cabinet de travail. Il agrandit le cabinet du Conseil et agence sous les toits ses confortables petits cabinets avec salles à manger — nouveauté du siècle —, salle de bains, bibliothèques, cuisines... Les destructions qu'il commande (le célèbre mais fragile appartement de Monseigneur, l'appartement des bains, l'escalier des ambassadeurs bien endommagé et peu utile, la petite galerie de Mignard, le cabinet des médailles) se font avec lenteur et prudence : elles doivent peu au caprice. Sous son règne les grands travaux comme la construction de l'opéra de Gabriel et la réfection de l'aile proche de la chapelle sont exceptionnels, les aménagements intérieurs nombreux.

Si les transformations commandées par Marie-Antoinette (dans son appartement intérieur, son grand appartement et le petit appartement du rez-de-chaussée sur la cour de marbre) sont onéreuses, Louis XVI n'innove guère. Sauf sa bibliothèque installée dans l'ancienne chambre de Madame Adélaïde et ses cabinets, « moins ornés que ceux de la reine », il laisse le château tel que Louis XV le lui a légué. Ces dépenses ont été évaluées par M. Pierre Verlet à six cent mille livres annuelles entre 1765 et 1777 ; après, elles dépassent le million[10].

Mais Versailles n'est pas la seule résidence de la cour. Louis XV fait encore restaurer le grand et construire le petit Trianon, achète Choisy cent mille écus à la princesse de Conti, Bellevue à Mme de Pompadour, fait élever des « retours de chasse » comme La Muette ou Saint-Hubert, reconstruit Compiègne, décore et transforme Fontainebleau. En 1783 Louis XVI achète, dix-huit millions, Rambouillet au duc de Penthièvre et, l'année suivante, Saint-Cloud, objet de coûteuses transformations. Marie-Antoinette orne le jardin de Trianon du temple de l'Amour et du Belvédère et entoure le lac des bâtiments du Hameau. Ces constructions, exigeant peut-être trois à quatre millions par an, indisposent l'opinion. D'aussi nombreuses résidences sont-elles vraiment nécessaires ? Ne rabaissent-elles pas l'art monarchique au niveau des « folies » des parvenus de la finance ? Leur péché est qu'elles n'abritent pas la vie publique de la cour mais servent de lieu de retraite à un souverain las de la représentation et à une reine attachée à sa seule société intime. On pardonne les fastes royaux mais on condamne les dépenses autorisant les rois à se conduire en particuliers.

Les petits voyages, il est vrai, « coûtent infiniment ». On répète sans preuve qu'ils excèdent les dépenses de Louis XIV en constructions et en fêtes ! Dans les résidences où elle fuit le gros de sa cour, Sa Majesté n'est pas servie par sa Maison, mais par des extras. Leurs gages sont trois fois plus élevés que ceux des officiers de bouche. Échappant à l'autorité des maîtres d'hôtel, contrôleurs et pourvoyeurs ordinaires, ils se livrent volontiers à quelques pilleries. Au cours de ces petits séjours, le roi est un hôte parfait et généreux. Ses invités sont défrayés de tout, logés, meublés, nourris et parfaitement servis par les plus fins cuisiniers de Paris.

Mais au même moment, à Versailles, en l'absence du roi, la dépense de sa table « y est toujours comptée sur le même pied que s'il y était[11] » !

Ignorant le montant réel des dépenses de la cour, les contemporains devinent cependant les services les plus coûteux. En 1780, les dépenses de bouche dépassent 3 600 000 livres ; celles de l'Écurie ont sextuplé depuis Louis XIV, la grande Écurie émarge pour 4 200 000 livres au budget royal, la petite pour 3 400 000. La chasse, plaisir commun à Louis XV et Louis XVI, coûte annuellement 1 200 000 francs[12]. La maison du roi n'a créé au XVIIIe siècle aucun département nouveau. Mais certains services ont gonflé leurs dépenses. Ainsi les naissances répétées dans la famille royale ont multiplié les maisons princières. Par souci d'économie, quatre des sept filles de Louis XV — Victoire, Sophie, Thérèse et Louise — ont dû quitter Versailles en 1738 pour être élevées comme de simples pensionnaires à l'abbaye de Fontevrault. A leur retour on doit les loger et constituer leurs maisons. L'éducation des enfants du dauphin exige aussi un service domestique considérable. Si quatre princes vivants — Bourgogne, né en 1751, Berry en 1754, Provence en 1755 et Artois en 1757 — assurent l'avenir de la dynastie, ils sont aux yeux du public « une grande dépense pour l'État pour le présent, encore plus pour l'avenir[13] ». Certes, les petits princes ont d'abord des serviteurs communs, mais vers seize ans, ils revendiquent des maisons séparées et coûteuses. Celle du comte de Provence est considérable : avec près de quatre cents personnes, elle est estimée à 3 500 000 livres ; et celle du comte d'Artois « menace d'autant ». « On ne s'habituait pas, écrit le duc de Croÿ, à voir une maison séparée de celle du roi et sur un si grand pied à Versailles[14]. »

Pour les enfants de Louis XVI et ses neveux on forme encore d'autres maisons. Celle de Madame Royale, âgée d'un an, se monte à près de quatre-vingts personnes. La naissance du duc d'Angoulême (1775), premier fils du comte d'Artois, réjouit la cour — le roi régnant n'a pas encore d'héritier — mais celles de Berry (1778), puis de ses sœurs tempèrent l'enthousiasme des plus fidèles soutiens de la dynastie. « Aujourd'hui, écrit Bombelles en 1783, la multiplication des enfants de nos princes semble plutôt une charge qu'un plaisir pour la nation[15]. » On ne sait où les loger : le palais de Louis XIV n'est pas adapté aux familles nombreuses. Le comte d'Artois ne répugne pas à entasser sa progéniture dans la même chambre. En 1789, la cour compte une douzaine de maisons princières dont la charge obère le trésor royal.

Friponneries et gaspillages

Les familiers de Versailles l'admettent : c'est à la mauvaise administration qu'il faut attribuer la progression des dépenses de la cour. Le monarque lui-même en convient. « Les voleries dans ma maison sont énormes, reconnaît un jour Louis XV, mais il est impossible de les faire cesser[16]. » Les friponneries se glissent partout, n'épargnent aucun service. Car la maison de Sa Majesté est corsetée dans une réglementation minutieuse, touffue, archaïque et inefficace. Ainsi la bouche est-elle encombrée de consignes destinées moins à garantir la qualité des produits et favoriser de meilleures conditions d'achat qu'à écarter toute menace d'empoisonnement. La complexité des règlements semble décourager toute tentative de surveillance ; la multitude d'ordonnateurs et de trésoriers contrarie tout contrôle ; la difficulté à dresser un budget annuel permet tous les dépassements. Tout conspire à faire du gaspillage et des abus, pratiques tolérées. L'avidité des domestiques et des courtisans fait le reste.

Comment admettre que Madame Élisabeth, si sobre, consomme annuellement pour 30 000 francs de poisson et 70 000 de viande et de gibier ? A quelle cause imputer le décuplement de la dépense en vin pour les soupers intimes de Sa Majesté ? 5 200 livres nécessaires au « grand bouillon de jour et de nuit » que boit parfois Madame Royale sont-elles vraiment justifiées ? On devine volontiers que la consommation *quotidienne* de ruban par la dauphine Marie-Antoinette — trois aunes pour nouer son peignoir, deux aunes de taffetas pour couvrir la corbeille où l'on dépose les gants et l'éventail — ne tient pas seulement à la frivolité de la jeune femme. L'entourage des princes pousse aux achats parce qu'ils sont assortis de fructueuses commissions. La gabegie profite aux indélicats. Chacun s'assure de petits bénéfices, grappille, écornifle, vit ouvertement aux frais du roi. D'antiques traditions expliquent ces excès. La monarchie, qui a la pudeur des vieux régimes, ne supprime jamais les institutions anachroniques, inutiles ou dépassées, mais les laisse disparaître lentement en les subordonnant à des créations mieux adaptées. Ainsi certaines charges de la maison du roi n'en finissent pas de mourir. Sont-ils vraiment nécessaires ces deux porte-chaise d'affaires en habit de velours et épée au côté, depuis l'installation des cabinets à l'anglaise dans les petits appartements ? Et ces pousse-fauteuil, ces cravatiers, ces « avertisseurs prenant l'ordre du roi pour l'heure de la messe », ou encore ce capitaine de l'équipage de mulets dans un château où ces bêtes ont disparu depuis longtemps ? L'*Almanach de Versailles,* qui recense tous les commensaux jusqu'au moindre « hâteur de rôt », mêle aux charges indispensables d'aimables sinécures et d'hétéroclites fonctions dignes de l'inventaire de Jacques Prévert [17].

Un usage ancien est responsable de substantiels avantages attachés à quelques offices enviés : ce sont les droits de places. Tout ce qui sert à la vie quotidienne du monarque, de la reine ou des princes appartient *de droit* à leurs premiers serviteurs. Ainsi à la mort de Louis XV, le duc d'Aumont, premier gentilhomme de la Chambre, poursuit avec âpreté le droit d'emporter tout le contenu de la chambre du défunt ; le grand aumônier prétend aux débris de la chapelle royale et les grand et premier écuyers s'estiment fondés à réclamer leurs droits sur la grande et la petite Écurie. Quand un jeune prince sort de l'éducation des dames pour être confié aux hommes, sa gouvernante retient habits, linge, ameublement, argenterie sur lesquels elle a régné. Il faut alors acheter à nouveau tout ce qui est nécessaire à sa Maison. Pour Madame Élisabeth, sœur de Louis XVI, la dépense est évaluée à cent mille écus. Chez la reine, la dame d'atour accroît ses gages en revendant à son profit à chaque fin de saison les robes « réformées », c'est-à-dire passées de mode. Chez le roi, le maître de la garde-robe est chargé de fournir tous les rendez-vous de chasse de vêtements de rechange que Sa Majesté enfile après l'exercice. Ayant observé que Louis XVI les dédaignait et que « cette fourniture, annuellement renouvelée, lui revenait de droit, le duc de Villequier imagina de faire confectionner toutes ces chemises à sa propre taille [18] » !

Le gaspillage enrichit les commensaux habiles. Dans les appartements royaux on remplace quotidiennement, été comme hiver, le luminaire de la veille, utilisé ou non. La revente des bougies intactes rapporte, dit-on, 50 000 francs à chaque femme de chambre de la reine. Ce qui ne se consomme pas à la table royale est revendu le lendemain au public par les officiers de bouche. Cet usage provoque un jour une querelle entre le grand maître et le grand chambellan pour savoir laquelle de leurs tables doit « avoir les vins de liqueur. C'[est] une affaire de trente mille livres pour le gagnant, car ces messieurs ne manquent pas de vendre » les surplus[19]. Les domestiques imitent les grandes charges. Ce que les gentilshommes du serdeau laissent sur leur table — alimentée elle-même avec la desserte personnelle du roi — est vendu au peuple de Versailles par leurs valets dans les baraques qui fleurissent aux portes du château. Chacun vit aux dépens du roi. On tire avantage de la facilité à emprunter des chevaux aux grand et premier écuyers. Quantité de courtisans sont ainsi voiturés et montés toute l'année par les écuries de Sa Majesté. Obtenir un logement à Versailles est, on le sait, une faveur enviée. Mais la plupart des logeants soumettent l'administration des bâtiments à leurs exigences de goût et de commodité. En 1782, chacun veut avoir des persiennes à ses fenêtres, en 1785 un paratonnerre doit abriter chaque appartement. Transformations et décorations nouvelles sont réalisées aux frais du roi. Les cuisines du grand commun ne suffisent plus à satisfaire les familiers du château : on doit « bâtir des baraques pour défrayer cent bouches extraordinaires[20] ». Tout est prétexte à tirer l'argent de Sa Majesté.

Utiles et vains retranchements

La maison du roi est une ancienne et pesante institution. Pour réduire ses dépenses et lui assurer une meilleure efficacité, les contrôleurs généraux des finances ont périodiquement tenté de la réformer. La croissance des dépenses du Trésor impose de travailler à ces « retranchements ». L'opinion publique y pousse. L'enjeu politique n'échappe pas au gouvernement. Mais ces indispensables réformes exigent pour être menées à leur terme une volonté sans faille, une ténacité à toute épreuve. Les souverains du XVIIIe siècle, davantage prisonniers de la cour et de ses coteries que maîtres de leur entourage, ne les ont pas toujours eues. Les réformes d'envergure heurtent trop d'intérêts. Choiseul reconnaît qu'à les tenter il ne « tiendrait pas quinze jours sans être dévisagé des femmes de chambre » ; l'abbé de Véri admet que « quelque part que se porte le retranchement [...], il tombera sur les alentours du maître, dont les oreilles seront étourdies de leurs cris[21] ». La maison du roi est-elle inaccessible aux réformes ? Les ministres de Louis XV et de Louis XVI se sont cependant essayés aux économies : la bonne volonté, l'habileté, le souci du bien public ont motivé leur action, sans réussir à la rendre décisive.

Quelques jours après la mort de Louis XIV, il n'est à Paris que rumeur d'économie. Mille deux cents gardes du corps seraient réformés, les matelots du grand canal de Versailles congédiés « comme gens inutiles » ; on ne conserverait que quatre attelages de carrosse à la petite Écurie et quelques jardiniers dans le parc ! L'abandon du château du roi-soleil paraît aux esprits superficiels le prélude d'une heureuse gestion[22]. En fait la première moitié du XVIIIe siècle ignore les véritables réformes. Des ordonnances prétendent réduire les dépenses de la maison du roi, diminuer les effectifs de quelques services, mais, dans le tourbillon de la Régence, sont vite oubliées. On travaille à des retranchements, on prévoit de substantielles économies à la grande Écurie, la réduction du nombre des chevaux, la suppression de postes, puis tout reprend sa place comme avant. Chaque chef d'office recoud patiemment ce que les réformes ont déchiré. Les dépenses de la maison du roi, il est vrai, restent stables : en 1750, trois ou quatre millions de livres de plus qu'en 1740 (trente-trois contre trente) ne risquent « pas de compromettre l'édifice budgétaire[23] ». Les grandes munificences des années quarante n'ont pas accumulé un énorme passif.

La préparation de la guerre de Sept Ans impose en revanche de plus sérieux retranchements. En 1755, on décide d'interrompre la construction des petits châteaux chers à Louis XV, de réformer mille chevaux de l'Écurie et de supprimer les dépenses *extraordinaires* des petits voyages de Sa Majesté qui, désormais, « sera suivie et servie par les officiers de bouche de sa maison ». En septembre, le séjour de Fontainebleau n'est agrémenté d'aucune fête. L'effort se poursuit les années suivantes. Après Rossbach, l'opinion, fâchée contre la cour et Madame de Pompadour, apprend que « le roi a demandé à ceux qui sont à la tête des bâtiments, des écuries, des chasses, de la bouche pour les différentes tables de la cour, du garde-meuble de la couronne, etc., des mémoires détaillés de la dépense ordinaire et de l'augmentation des dépenses[24] ».

Dans sa chronique de la cour, le duc de Luynes consacre des pages émues à cet effort de guerre. Aucune ressource ne doit être négligée. L'usage de donner chez le roi du café, de l'orgeat ou de la limonade à tout le monde est supprimé. Gain : 200 000 livres. Les voyages de Compiègne et de Fontainebleau n'auront pas lieu. On annule ainsi les frais extraordinaires en voitures, logements, gratifications... qui s'élèvent d'ordinaire à 1 500 000 livres. Le renouvellement triennal du meuble de la chambre de la reine est retardé de deux ans. Sa Majesté paraît décidée à faire tous les retranchements possibles et traquer tous les abus. L'exemption de taille accordée aux commensaux du deuxième ordre est suspendue pendant la durée des hostilités et deux ans après la signature de la paix. Les bénéficiaires de pensions sont tenus de présenter « une déclaration signée d'un des motifs sur lesquels ils les ont obtenues [...] pour les confirmer, réduire ou éteindre ». Jusqu'à cet examen, on sursoit aux paiements. Dérisoires (comme la suppression des bourses de jetons distribuées le Jour de l'An et la semaine sainte qui atteignaient 15 000 livres) ou essentielles, les économies réalisées dans la maison du roi — peut-être dix à douze millions par an — ne sont pas étrangères à la relative bonne santé des finances royales au début de la guerre de Sept Ans[25].

Les dernières années du règne sont plus maussades. Le discrédit gagne la cour. Ses dépenses, qui ont grimpé à quarante-trois millions de livres, scandalisent. C'est qu'il a fallu, en peu d'années, supporter la constitution des maisons des comtes de Provence et d'Artois, trois mariages princiers, les frais du sacre, la dot de Madame Clotilde. De Louis XVI on attend la fin des prodigalités. « Le public était imbu de cette idée que le nouveau roi voudrait de l'économie. » Mais l'abbé de Véri ajoute bientôt qu'il « n'en paraît pas aussi pressé que le public l'avait imaginé[26] ». Ni Turgot, ministre des finances, ni Malesherbes, secrétaire d'État de la maison du roi, ne comblent les espoirs de l'opinion. Complaisant aux « alentours » du roi et de la reine, impuissant à contenir les dépenses nouvelles, le grand réformateur est incapable de réformer la maison de Sa Majesté[27]. Les premières années du règne de Louis XVI sont celles des occasions perdues. Avec les retranchements du comte de Saint-Germain, elle sont aussi celles des réformes aveugles.

Le ministre de la guerre reprochait à la maison militaire d'être onéreuse, inaccessible à la noblesse pauvre et d'échapper à son contrôle. En 1775 il entreprend de l'élaguer. Le public approuve :

« C'était un déchaînement général contre les doubles emplois et un désir d'économie répandu dans tous les esprits. » Le 15 décembre trois ordonnances réduisent les effectifs des gardes du corps, des gendarmes et chevau-légers et suppriment les grenadiers à cheval et les deux compagnies des mousquetaires. Si tout Paris chante les louanges de l'audacieux réformateur, la cour est consternée. Elle réussit toutefois à sauver *in extremis* une poignée de gendarmes et de chevau-légers et combattre avec succès les réductions prévues des gardes suisses et françaises. « Un jour, on disait ces corps anéantis, et on le [Saint-Germain] mettait au pinacle. Un autre jour, on les disait conservés en partie, et il n'était plus bon à rien[28]. » Ces retranchements paraissent aux courtisans, sensibles à la richesse des uniformes et à la beauté des chevaux, une altération de l'éclat de la cour, le signe de l'ingratitude pour les « anciens services éclatants » des corps militaires et la destruction d'un « imposant et utile rempart de la puissance royale », dans lequel le public ne voyait que faste inutile.

Prisonniers d'une vision étroitement budgétaire, beaucoup d'auteurs ont suivi l'opinion de la Ville et loué réductions et suppressions. Peu ont compris que la maison militaire assurait la protection du souverain et de sa famille. Les forces de sécurité étaient alors modestes, Versailles ouvert à tous les curieux. Il était aisé d'atteindre le monarque. « Tous les soirs, raconte un ancien page, sortant de souper chez Madame, [Louis XVI] traversait les cours ou les vastes et obscures galeries, enveloppé, l'hiver, d'un manteau gris, avec un parapluie dans les mauvais temps, et précédé seulement de deux valets de pied portant des torches. » La protection du château et la sûreté de la ville contre les émeutes dépendent de la maison du roi. Pendant la guerre des Farines, l'ordre a été rétabli par les mousquetaires. Après les réformes de Saint-Germain, la défense de la cour n'est assurée que par une compagnie de cent-Suisses, les gardes de la porte et les gardes du corps. Ces derniers — vêtus de bleu, veste, culotte et bas rouges, le tout galonné d'argent — « servaient par quartiers, et pendant leurs trois mois [...] passaient alternativement une semaine au château, une à l'hôtel pour les chasses, et la troisième où ils voulaient. Ainsi, cent gardes du corps et quelques centaines de Suisses formaient toute la défense du palais ». Leur service consistait « à monter la garde aux portes des appartements, à prendre les armes quand les princes passaient, à garnir la chapelle pendant la messe et à escorter les dîners de la famille royale ». Ils sont la protection rapprochée du prince. Mais curieusement une seule des quatre compagnies tient garnison à Versailles, les autres sont dispersées entre Saint-Germain, Chartres et Beauvais. Gendarmes et chevau-légers ne font de service que dans les cérémonies, gardes de la prévôté de l'Hôtel et Suisses du château patrouillent « dans les nombreux et obscurs détours des labyrinthes de l'intérieur[29] ». Quant aux gardes françaises (en garnison à Paris !) et gardes suisses (casernées à Rueil et Courbevoie !), elles se contentent de fournir *un détachement* à Versailles, chargé des postes extérieurs du château.

La suppression, en 1787, des gardes de la porte et de ce qui reste des gendarmes et chevau-légers achève la réforme entamée douze ans plus tôt. On soustrait encore l'année suivante neuf cents hommes de la gendarmerie de France et quelques centaines de gardes du corps. Les réformateurs, occupés à leurs calculs, estiment l'économie à plus de deux millions de livres[30]. Encore faut-il déduire pensions de retraite et intérêts de la finance des charges à rembourser. Entamer les privilèges d'officiers supérieurs riches et protégés rend la réforme populaire jusqu'aux portes du château. La réformite et la passion des économies ont aveuglé les esprits les plus éclairés. Amenuisée, la maison militaire est incapable d'assurer la sécurité de la cour et de son maître. Versailles est désarmé. Les journées d'octobre 1789 le démontreront.

A la différence de Turgot, Necker, nommé directeur général des finances pour trouver l'argent nécessaire à la guerre d'Amérique, n'épargne pas la maison du roi. De la confiance du public dans les engagements de l'État dépend la réussite de sa politique d'emprunt. « Il faut qu'on voie, écrit le Genevois, cette administration s'appliquer sans relâche à la réforme des abus et des gains inutiles ; il faut qu'on la voie résister à toutes les prétentions de l'intérêt particulier[31]. » Clarifier les dépenses de la cour est le préalable à ses audacieuses réformes. Versailles, on le sait, est mauvais payeur. Les fournisseurs ne cessent de se plaindre des retards, allant jusqu'à trois ou quatre années, avec lesquels la maison du roi acquitte ses achats. Les demandes incessantes de paiement différé rendent ses marchés particulièrement désavantageux. Le règlement du 22 décembre 1776 y met un terme en ordonnant la liquidation en six ans de l'arriéré des dettes et le paiement une année après leur engagement des dépenses courantes. La sagesse de cette règle ne s'impose pourtant pas à tous les esprits. Certains prédisent curieusement « le renversement de l'ordre établi dans la comptabilité ».

Necker est cependant bien décidé à contrôler les dépenses. En juillet 1779, il supprime les innombrables trésoriers particuliers des maisons royales pour les remplacer par un unique trésorier-payeur général. Celui-ci tiendra pour chaque département un registre distinct et un compte séparé pour les dépenses ordinaires et extraordinaires. Les opérations comptables, rassemblées entre les mains d'un véritable responsable, doivent être ainsi assurées d'une parfaite régularité. Alors que la multitude des trésoriers, « livrés aux ordonnateurs de qui ils dépendaient », hésitait à fournir aux ministres le moindre éclaircissement, l'administration des finances a désormais les moyens de connaître les dépenses domestiques. Intendants et contrôleurs généraux qui présidaient sans contrôle aux dépenses quotidiennes des tables et des cuisines, des écuries et des menus plaisirs, sont aussi sacrifiés ; et on retire aux « grands et premiers officiers tout pouvoir en matière de dépenses » : « La facilité d'accorder des grâces à leurs créatures, de se procurer à eux-mêmes et à leurs subordonnés des agréments et des commodités, était une cause journalière de progression dans les dépenses [32]. » Enfin, un bureau général des dépenses de la maison du roi se substitue à la foule des ordonnateurs et trésoriers. Placé sous l'autorité directe du secrétaire d'État de la maison du roi et du ministre des finances, il est seul juge « de la nécessité ou de l'inutilité des dépenses » ; il les autorise ou les rejette [33].

L'audace de Necker surprend les courtisans. « Il est extraordinaire, écrit Besenval, que ce que n'ont osé entreprendre les ministres les plus accrédités, le roi lui-même, vienne d'être effectué dans l'édit du mois de janvier 1780 par un simple citoyen de Genève [...], homme isolé et sans soutien, occupant précairement une place dont sa religion, sa naissance étrangère et les préventions de la nation semblaient l'exclure [34]. » S'il est vrai que les grands commensaux ne lui pardonnent pas la suppression de leur fructueux casuel tiré de la vente des charges subalternes de la maison du roi, d'autres discernent dans ses mesures la promesse d'un élagage supplémentaire des « branches gourmandes et inutiles de cet arbre monstrueux [35] ». En août un coup supplémentaire est porté aux commensaux : un édit royal supprime 406 charges de la bouche et communs, une ordonnance remanie et simplifie le service de la table, jusque-là administré par la chambre aux deniers [36]. Des réformes semblables sont en préparation dans la maison de la reine, à la chambre du roi et, on le chuchote à la cour, à la grande et petite Écuries [37]. Necker s'attaque à l'intouchable ! Le duc de Coigny, premier écuyer, favori de Marie-

Antoinette et de Mme de Polignac, défend avec ardeur les usages de son département et les droits de sa charge. Il est entendu. On répète complaisamment le mot de Louis XVI qui *voulait que le duc de Coigny fût content.* C'en est assez pour mettre à terre l'édifice des réformes.

Ainsi encouragés, les courtisans hostiles au ministre s'affairent à ruiner ses projets, à en contester l'utilité. Le remboursement des charges supprimées ne va-t-il pas contrarier le soulagement du trésor royal ? Doute et découragement s'installent dans les esprits les plus favorables à la réforme. « Je serais étonné, écrit l'abbé de Véri, qu'elle se portât au cinquième de ce qu'elle pourrait être [...] et je ne le serais nullement qu'après avoir peu produit à travers mille obstacles et mille tourments, l'état ancien ne revînt dans deux ou trois ans et même n'empirât. » Les 800 000 livres accordées par le roi pour doter la fille de Mme de Polignac, les énormes dépenses engagées dans les six premiers mois de 1780 pour le service de Madame Royale âgée de dix-huit mois (30 000 francs pour le bois à chauffer, 10 000 pour les bougies, 95 000 pour l'habillement d'un enfant au berceau) condamnent l'œuvre de Necker dont on n'espère plus que des économies médiocres[38]. Les opposants s'enhardissent. La publication du *Compte rendu*, en février 1781, exaspère le roi contre son ministre. Bilan (truqué) de sa gestion, ce « conte bleu » comme l'appelle Maurepas, révèle pour la première fois à l'opinion le détail des finances royales et la liste nominale des pensions. Les cabales se déchaînent et contraignent Necker à démissionner le 19 mai. Personne ne songe plus aux réformes de la cour.

Calonne, nouveau ministre des finances, s'empresse de les oublier. A la coterie de Marie-Antoinette, qui a contribué à sa nomination, il ne sait rien refuser. Il augmente les pensions, paie les dettes des frères du roi, achète pour la Couronne Saint-Cloud et Rambouillet. Les grands seigneurs de la cour ont découvert un « homme à ressources ». Mais la prodigalité ne dure pas. Converti par nécessité à une refonte du système fiscal qui bouleverse bien des privilèges, Calonne — comme naguère Necker — s'adresse à l'opinion. « Peut-on faire le bien général, demande-t-il dans son *Avertissement,* sans froisser quelques intérêts particuliers ? Réforme-t-on sans qu'il y ait des plaintes ? » L'assemblée des notables réunie pour avaliser ses projets s'étrangle de colère. Une coalition soutenue par la reine et les princes (ingratitude des grands !) contraint Calonne à la démission. Mais l'ampleur du déficit impose à son successeur Loménie de Brienne de sérieuses économies.

Le 9 août 1787 on apprend la réduction générale du personnel de la maison du roi. « Tous les services [...] qui étaient par quartier, sont maintenant par semestre : ce qui réforme la moitié des officiers du roi et, par conséquent, la dépense[39]. » Les chasses royales sont amputées des services de fauconnerie, louveterie et vautrait. « Le roi, confie le marquis de Bombelles, ne chassait presque jamais au vol. M. d'Haussonville chassera le loup comme il voudra, et M. d'Ecquevilly pourra se mettre à l'affût du sanglier sans que Sa Majesté paie pour ces objets des chevaux, des chiens, des gens, des hôtels, des voyages, des retraites ou autres lorsqu'un de ces Messieurs se trouvait en crédit[40]. » On réduit les dépenses de vénerie, des menus, du garde-meuble ; on supprime, nous l'avons vu, ce qui, dans la maison militaire, a échappé aux coupes sombres de Saint-Germain. Écrasés par les frais d'entretien, Choisy et La Muette — chers à Louis XV —, Madrid, Vincennes et Blois seront démolis ou vendus. Un bénéfice de près de 2 5000 000 livres est attendu de la réunion, sous la seule autorité du grand écuyer, des petite et grande Écuries. Chasser les abus devient un mot d'ordre. « On ne verra plus tous les premiers ou autres écuyers consommer entre Paris et Versailles énormément de chevaux ; on ne les verra plus en mener des quantités prodigieuses à leurs régiments dans le fond du royaume ; je ne serai plus conduit dans tous les environs de Versailles, admet Bombelles repentant, moi et tous les amis écuyers, par les chevaux du roi ; et notre souverain, également bien voituré, n'aura plus à payer tous les doubles emplois de deux écuries divisées[40]. »

Le duc de Coigny, rescapé des réformes de Necker, est la première victime de la fusion. Son crédit, cette fois, ne sauve pas sa fonction. Il laisse éclater son indignation dans une audience avec Louis XVI qui confiera peu après : « Nous nous sommes véritablement fâchés, le duc de Coigny et moi ; mais je crois qu'il m'aurait battu que je le lui aurais passé. » Éternelle faiblesse du roi ! Convertie aux réformes, Marie-Antoinette, qui supprime 173 charges de sa maison, essuie de son côté les reproches de ses intimes habitués à ses largesses. « Madame, ose lui dire Besenval, il est affreux de vivre dans un pays où l'on n'est pas sûr de posséder le lendemain ce qu'on avait la veille. Cela ne se voyait qu'en Turquie[41]. » Cette insolence prouve assez que la cour n'est plus moyen de gouvernement, mais entrave à l'autorité monarchique.

VÉRITÉ BUDGÉTAIRE, ERREUR POLITIQUE

Les économies divisent l'opinion. Les uns y supposent caprice ou artifice, d'autres estiment que la perte de l'éclat du trône passe les bénéfices financiers. La Ville dénonce les services exemptés des retranchements, la noblesse de Versailles s'indigne du comportement bourgeois d'un roi « bon ménager ». Le montant de l'épargne est aussi diversement apprécié. Necker évalue à 2 500 000 livres le résultat de sa réforme, mais ses calculs ne méritent pas une absolue confiance. En 1787 on annonce 4 594 000 francs d'économies, mais le remboursement des charges supprimées doit en amputer une partie.

Beaucoup déplorent l'inutilité de petites économies dans l'océan des dépenses : doit-on « tourmenter tout le monde de Versailles » pour deux ou trois millions ? Monarque et ministres ont méconnu le retentissement psychologique qu'auraient eu des retranchements bien conduits. L'abbé de Véri a été un des rares observateurs à admettre que la réforme de la maison du roi « donnerait au gouvernement plus de crédit, plus de bienveillance dans l'intérieur du royaume[42] ». La pression des privilégiés de la faveur a réduit l'effet politique des réformes. Louis XVI n'a pas été plus perspicace que son frivole entourage. On ignore trop la résistance du roi aux économies et, à l'inverse, le zèle — tardif, il est vrai — de Marie-Antoinette à seconder l'action de Loménie de Brienne[43].

Les dépenses de la cour ont été le cheval de bataille contre la monarchie. Après Louis XV et Mme de Pompadour, Marie-Antoinette — « Madame Déficit » — a été accusée d'avoir dilapidé les finances de la France pour satisfaire à des plaisirs désordonnés. Les vociférations des tricoteuses de 1793 ne sont que l'écho amplifié de l'opinion commune. L'analyse sereine des budgets de l'État ruine cette légende tenace[44]. En 1788 les dépenses de la cour emportent 42 millions de livres. Une comptabilité plus rigoureuse aurait pu les réduire ; une volonté politique plus ferme, en soustraire la part des gaspillages et des abus. Mais 42 millions représentent 6,63 % des dépenses de l'État. Le département de la guerre (1788 est une année de paix) réclame 124 millions et la marine 47. Le service de la dette en absorbe 261, soit 41,2 %. Même au temps de la reine de Trianon, la cour n'est pas responsable du déficit. Les contemporains se sont trompés d'accusé ; c'est l'intervention française dans la guerre d'Amérique qui a contraint le trésor royal à un financement extraordinaire, entre 1 000 et 1 300 millions de livres. Les budgets réunis de la guerre et de la marine ont presque triplé au siècle des Lumières. « Aucun autre poste des dépenses n'a eu une telle importance » : à la fin de l'Ancien Régime, l'entretien de la cour est seulement une fois et demie supérieur à ce qu'il était au temps du cardinal de Fleury.

Par d'authentiques retranchements la monarchie n'aurait pas rétabli l'équilibre des finances ou réduit la dette. Elle aurait cependant apaisé l'opinion, indifférente à la comptabilité publique, mais indignée par la frivolité de la reine, la cupidité de sa coterie, le scandale de l'affaire du Collier et les spéculations douteuses des grands. En termes budgédaires, la cour n'est pas un gouffre, mais la monarchie n'a rien gagné à étaler ses dépenses trop voyantes.

LE RÈGNE DES COTERIES

L'indécision, source d'insubordination et encouragement à la formation des partis, est un des défauts majeurs des deux monarques du XVIIIe siècle. Le cardinal de Fleury, véritable premier ministre de Louis XV, avait, dix-sept ans durant, imposé sa volonté à son entourage et réduit les brigues de cour, chassant même son protégé Chauvelin, secrétaire d'État et garde des sceaux, jugé trop ambitieux et favorable à la guerre étrangère. Toutefois la succession du vieux mentor — il meurt à quatre-vingt-dix ans — agitait périodiquement Versailles. Hommes de cour et de gouvernement préparaient fiévreusement l'avenir. Le maréchal de Noailles et sa sœur, comtesse de Toulouse, « fort amie du roi », Chauvelin depuis son exil, le cardinal de Tencin, le maréchal de Belle-Isle, les secrétaires d'État, chacun intriguait pour son compte, épiant les nouvelles de la santé chancelante du vieillard volontiers geignard. Malgré Mme de Vintimille, maîtresse du roi et passionnée de politique, jamais le crédit du cardinal ne fut altéré. « Il possédait le cœur de son maître exclusivement », écrit Bernis[45]. Aussi son ministère (1726-1743) fut-il le moins orageux du siècle. Mais Fleury mérite le reproche d'avoir diminué chez le jeune Louis XV le goût du travail et inspiré de la défiance sur ses propres capacités. Jaloux de son influence, le cardinal avait soigneusement écarté de son disciple « tout ce qui était marqué au coin de la supériorité ». À sa mort, Louis décide comme son bisaïeul de se passer de premier ministre. Mais, incapable d'imposer sa volonté au Conseil, il laisse se former des coteries. Ses maîtresses en sont les animatrices. La vie de la cour est alors dominée par les cabales. Leur rivalité éclate au grand jour à l'occasion de la maladie du roi à Metz en août 1744. Louis XV, en route pour le front, est accompagné de la duchesse de Châteauroux, troisième fille du marquis de Nesle à bénéficier de ses faveurs. Le roi s'affaiblissant de jour en jour, on parle de confession et de sacrements. Avec le duc de Richelieu, la favorite monte une garde permanente autour du roi, condamne la porte de sa chambre aux courtisans et aux princes. Le mal s'aggravant, Louis consent à éloigner sa maîtresse et reçoit la reine venue le rejoindre. Les dévots triomphent. Le premier aumônier, l'évêque de Soissons, duc de Fitz-James, impose à Louis une confession publique humiliante. Malgré les ordres, le dauphin accourt au chevet de son père « avec la précipitation offensante d'un héritier qui vient allégrement enterrer son parent ». Contre toute attente le roi se rétablit. Les indécentes « scènes de Metz » demeureront gravées dans sa mémoire. Quelques mois plus tard, les sanctions tombent. Le duc de Châtillon, gouverneur du dauphin, et la duchesse, première dame d'honneur de la reine, le duc de la Rochefoucauld, grand maître de la garde-robe, sont exilés sur leurs terres, Fitz-James relégué dans son diocèse[46].

L'apaisement ne peut durer : le roi prend une nouvelle maîtresse, Jeanne-Antoinette Le Normant d'Étiolles. La cour est à nouveau partagée. Car Mme de Pompadour — Jeanne-Antoinette est marquise depuis juillet 1745 —, entourée de fidèles, affirme aussitôt son pouvoir. Les âmes chastes et les mécontents s'attachent à nouveau au dauphin, promu défenseur des mœurs et de la religion, allié au cercle de la reine et à celui de Mesdames, filles du roi. Versailles est la proie des clans. Le roi-soleil n'avait jamais toléré le glissement des brouilleries de cour vers la politique. Son successeur, infidèle à ses *Instructions* (« Ne vous laissez pas gouverner, soyez le maître »), l'admet. Louis XV n'aime pas choisir et répugne à soutenir son choix. Sa volonté est intermittente, il n'ose pas vouloir. Chaque ministre, la bride sur le cou, mène alors un jeu personnel et les amis du roi, ses courtisans les plus fidèles, la favorite jouent de leur influence. Quand le duc de Croÿ tente de comprendre le changement ministériel de 1754 (Machault abandonne les finances pour la marine), ce n'est qu'après avoir écarté trois auteurs possibles de l'arrangement — la marquise de Pompadour agissant en accord avec Machault, le comte d'Argenson et le prince de Conti — qu'il songe à en attribuer la responsabilité au souverain. Le roi, écrit-il, « s'était mis, pour cette fois, à travailler seul[47] ». Le gouvernement paraît dirigé non par son maître mais par des intrigues de boudoir. Pierre Gaxotte ne l'a pas caché : « Jusqu'à ce grand coup (1770), le pouvoir fut en réalité partagé, ou plus exactement déchiré entre le roi et les factions[48]. » Mme de Pompadour dirige l'une d'elles.

Avec infiniment d'intelligence et de tact, la Marquise a fait tomber toutes les préventions et accru son crédit. Elle reçoit la cour, grands seigneurs et financiers, assiste aux audiences du mardi, ouvre sa porte aux ambassadeurs. Canal des grâces, elle accepte les hommages de tous. L'opinion n'ignore pas l'étendue de son pouvoir et devine qu'au ministère des plaisirs et des faveurs elle ajoute la connaissance des affaires de l'État. « Mme de Pompadour et sa famille, écrit le marquis d'Argenson qui ne l'aime pas, se rendent de plus en plus maîtres de toutes les affaires [...]. Toute carrière est ouverte à cette recommandation de la maîtresse. Il vient de paraître [décembre 1748] une grande promotion de trois cent onze officiers généraux, qui sont tous de l'ouvrage de cette belle dame [...]. La maîtresse a déclaré qu'elle voulait douze fermiers généraux [...], elle a un cabinet tout rempli des placets des demandants, tout le monde s'adresse à elle ouvertement. L'autre jour, il y avait du monde jusqu'au bas de son petit escalier qui attendait l'heure de sa toilette[49]. » La Ville ne pense pas autrement. Elle force même le trait. Une « grisette » dirige la cour, décide du choix des ministres, commande aux armées, oriente la diplomatie. Ses châteaux et ses fêtes ruinent le royaume ; elle vend des régiments et des places de fermiers généraux ; son désir d'amasser est insatiable ; elle « nage dans les richesses ». On lui reproche à la fois la paix blanche d'Aix-la-Chapelle et la reprise de la guerre en 1756. La cour plie le genou devant une nouvelle sultane.

Les historiens de Mme de Pompadour, de Pierre de Nolhac à Mme Danielle Gallet, ont restitué le vrai visage de la Marquise. Les ministres, il est vrai, la craignent. Après le Conseil, ils se présentent tous à son souper pour « faire un petit doigt de cour ». En 1758, Croÿ remarque qu'ils viennent « deux fois par jour lui rendre compte de tout ». La Marquise se donne « réellement au grand des affaires[50] ». Elle pousse au pouvoir Bernis, son vieil ami et sa créature, le comte de Stainville, bientôt duc de Choiseul, Berryer et Bertin. Elle fait chasser Orry hostile à ses amis Pâris (1745) et Maurepas, responsable d'une campagne de libelles injurieux (1749). Dans son boudoir est décidé le renvoi de Machault et du comte d'Argenson, coupables d'avoir voulu exploiter l'attentat de Damiens pour la faire chasser (1757). Mme de Pompadour triomphe. Son parti grossit chaque jour. Seuls d'Argenson et Conti ont résisté à son influence. Depuis Potsdam, Frédéric II peut railler le ministre en cotillons.

La marquise de Montespan ne régnait que sur le cœur de Louis XIV. Mme de Maintenon, chez qui Sa Majesté recevait ses conseillers, lâchait quelques allusions sur les affaires de l'État. Mme de Pompadour, amante ou amie du roi, est le ministre officieux et sans complexes de Louis XV. Protectrice et amie du peintre François Boucher, n'exerce-t-elle pas un véritable mécénat officiel[51] délaissé par la Régence et le gouvernement de Fleury et, à sa mort, abandonné à la Ville ? N'exige-t-elle pas des gens de finance, qu'elle a poussés à la cour, des secours pour le trésor royal pendant la guerre de Sept Ans ? En revanche, son influence sur les affaires militaires est, de son vivant, jugée avec sévérité. Au marquis de Valfons reprochant au maréchal d'Estrées d'entrer trop tôt en campagne celui-ci répond en se justifiant : « Vous avez raison, mais si je m'oppose au désir de M. de Soubise, Mme de Pompadour le trouvera mauvais[52]. » Elle écarte du commandement Conti, pourtant général heureux, favorise Soubise, le vaincu de Rossbach, fait disgracier le duc et le comte de Broglie, « disgrâce totale, assommante, et dont on gémissait pour l'État[53] ». La favorite s'est improvisée « tacticienne de salon ». Les armées de Louis XV n'y ont pas gagné.

Pourtant sa mort a désorienté les familiers de Versailles, accoutumés à son crédit. Qui, demande-t-on en 1764, va désormais déterminer le roi « pour le choix des grâces et des emplois » ? Cette vacance d'influence, source d'incertitude, risque de « changer tout le système de la cour[54] ». Disparue, Mme de Pompadour se révèle indispensable.

La présentation de Mme du Barry, les coups d'autorité du roi contre les parlements et la fronde des princes font fleurir les partis à la fin du règne de Louis XV. D'emblée Choiseul est hostile à la nouvelle favorite, soutenue par le chancelier Maupeou et le contrôleur général Terray. Mais la jolie comtesse ne paraît pas être d'un esprit intrigant. « Elle aimait, écrit Croÿ, à se trouver à tout sans marquer d'envie de se mêler d'affaires. » Mais les ennemis de Choiseul se bousculent chez elle. Aussi devient-elle, « pour l'opinion, le centre du parti antiparlementaire et même du parti dévot » (ou au moins antiphilosophique). La jeune femme est au cœur d'intrigues qui ne la concernent guère. « Les plus importants événements qui avaient eu lieu pendant sa faveur, écrira Sénac de Meilhan, avaient passé devant ses yeux comme les personnages de la lanterne magique[55]. » La mort du roi balaie ce qu'on appelait par excès le parti des « barriens ».

Louis XVI n'a ni maîtresse ni favori. Il n'en demeure pas moins influençable et lent aux décisions. Sa cour, encombrée de cercles rivaux, est toujours prête à condamner un ministre, freiner une réforme, énerver le gouvernement et l'administration. Les contemporains savent ou devinent que le rappel de Maurepas tient à une intrigue de Madame Adélaïde, tante du roi ; que la nomination de Turgot et du prince de Montbarey est due à l'influence de Mme de Maurepas ; que la coterie Polignac rivalise avec celle de Mme d'Ossun et que Choiseul, disgracié depuis 1770, conserve des partisans à Versailles. On sait que la chute de Calonne, la nomination du comte de Ségur et de Loménie de Brienne sont l'ouvrage de la reine ; que le « crédit de personnages puissants » a eu raison du comte de Saint-Germain... L'instabilité gouvernementale est fille des intrigues de cour, car les courtisans « gagnent aux révolutions ministérielles ». « La France, selon Talleyrand, avait l'air d'être composée d'un certain nombre de *sociétés* avec lesquelles le gouvernement comptait. Par tel choix, il en contentait une et il usait le crédit qu'elle pouvait avoir. Ensuite il se tournait vers une autre, dont il se servait de la même manière. Un tel état de choses pouvait-il durer[56] ? »

Les censeurs de la cour

Au Parisien en visite à Versailles on ouvre, écrit Sébastien Mercier, « les grands appartements ; on lui ferme les petits qui sont les plus riches et les plus curieux[57] ». Cette unique interdiction suffit à gâcher son plaisir. Les sujets de Sa Majesté détestent qu'on dérobe à leur curiosité une partie de l'existence des princes. Comme la chambre interdite du château de Barbe-Bleue, les cabinets particuliers des souverains excitent l'imagination. L'opinion charge de péché ce qu'on lui cache. La critique de la cour se nourrit volontiers de préjugés et de ragots qu'elle trouve tout préparés à Versailles même. « Parmi ceux qui fréquentaient la cour, écrit le baron de Frénilly — et ils appartenaient aux plus hauts rangs —, se trouvaient des mécontents, des ingrats, des ambitieux, qui étaient les frondeurs, les censeurs, les ennemis mêmes de Versailles[58]. » Pour le plaisir de faire un mot, ils calomnient avec entrain. En ridiculisant (arme absolue au

XVIIIe siècle) quelques familiers du prince, en leur inventant des vices, ils ternissent l'image de la cour entière. Des libellistes à gages relaient à Paris et en province ces vils inspirateurs. Ainsi le propre ministre de la maison du roi, M. de Maurepas, ou le duc d'Ayen passent leurs nuits à fabriquer des couplets contre la cour. Mme de Pompadour est leur cible privilégiée. La disgrâce du ministre en 1749 n'arrête pas les *Poissonnades*. Après la paix d'Aix-la-Chapelle, chansons, vers, estampes satiriques pleuvent. Ces horreurs parviennent jusqu'au roi. « Voilà une mode bien acharnée, une véritable rage, écrit un mémorialiste. Bientôt le recueil de ces satires modernes ira aussi loin que celui des *Mazarinades* [...]. On soupçonne aujourd'hui plus d'un haut personnage de n'être pas étranger à celle-ci[59]. » Après Rossbach, vers injurieux, lettres anonymes redoublent. A la veille de la Révolution, une littérature de combat, souvent pornographique, déferle. De faux mémoires sortis d'officines spécialisées ravissent un public amateur de scandales. Les nouvelles à la main rapportent complaisamment d'ignobles anecdotes, les chansons charrient grossièretés et injures.

Mollement réprimées, elles se chantent dans les boutiques de Paris comme dans les salons de Versailles. M. de Champcenetz, un de leurs auteurs, en tire, dit-on, vanité. Partant du sein de la cour, elles y gagnent une frauduleuse crédibilité : le public ne met pas en doute ce qui jaillit d'une source aussi bien informée ! Tout en affectant de les blâmer, les *Mémoires secrets* les reproduisent à l'envi. En février 1776, le successeur de Bachaumont écrit : « Les exécrables couplets sur la reine [Marie-Antoinette], quoique détestés par tous les bons Français, se recherchent cependant par les amateurs d'anecdotes [...] ; on les lit en maudissant l'inventeur sacrilège de tant de calomnies. Ils sont au nombre de vingt-quatre, sur l'air, *lère, la, lère, leulaire*. » Puis, après en avoir fait soigneusement l'analyse, loué la « rime riche » et la qualité littéraire, l'auteur tartuffie : « Il serait à souhaiter que la curiosité irrésistible d'un peuple volage et frivole permît de replonger dans l'oubli dont elle est sortie cette pièce fruit d'un délire qui mériterait le dernier supplice[60]. » Les *Mémoires secrets* venaient de lui assurer une belle publicité. En 1793, Fouquier-Tinville n'aura pas à chercher bien loin ses informations frelatées.

Certes, les courtisans méritent parfois de sérieux coups de caveçon. Leurs mœurs appellent le blâme. Ainsi la Régence, *où l'on fit tout excepté pénitence*, marque l'apogée de la licence la plus effrénée[61]. Sans doute lève-t-on alors le masque qui couvrait les vices de la fin du règne précédent, mais les débordements de quelques *roués* sont contagieux. « Tous ceux qui pensaient hardiment sur la religion avaient droit de plaire au Régent, rappelle le cardinal de Bernis [...]. Les femmes mêmes commencèrent à s'affranchir des préjugés. L'esprit d'incrédulité et le libertinage circulèrent ensemble dans le monde [...]. La corruption devint presque générale [...]. La dissolution fut à son comble. » Les lettres de Madame Palatine ne cessent de dénoncer beuveries, adultères, débauches, cupidité. Pour cette fervente lectrice de la Bible, Paris égale Sodome.

Longtemps les mœurs de la cour se ressentent de la licence dont Philippe d'Orléans, la duchesse de Berry et quelques « fanfarons du vice » ont donné l'exemple. Ensuite elles s'épurent. Le retour à Versailles permet une surveillance plus assidue des familiers du château, la génération de la Régence s'éteint progressivement, le gouvernement du cardinal de Fleury contient davantage les débordements. « Le même fonds de vices subsistait peut-être, [mais] avec moins d'éclat et de protection. » Certes, l'adultère demeure à la mode : le bon ton est de tromper sa femme, le ridicule de l'aimer. Sur vingt seigneurs de la cour, prétend Barbier, quinze ont des maîtresses. Certes, la passion du jeu fait toujours des ravages. Le mauvais exemple, on le sait, vient de haut. Mais le vent de folie levé à la mort de Louis XIV s'apaise. « Je ne trouvai pas en entrant dans le monde l'impiété, la débauche, ni la corruption des mœurs sur le trône comme pendant la Régence », confie encore Bernis [62]. Surtout la cour n'a plus le monopole de la légèreté des mœurs : Paris singe Versailles, défauts compris.

Tous les courtisans ne sont pas gens frivoles et légers. Mais ce sont les débauchés qui alimentent les chroniques de l'Œil-de-bœuf. Les existences paisibles intéressent moins. Il serait injuste de les ignorer. Ainsi le duc de Penthièvre, grand veneur, est un modèle de vertu. La simplicité de ses habitudes, la décence de sa vie, sa charité — « il accueillait le pauvre comme le riche, le malheureux mieux que le fortuné [63] » — le font aimer. La maréchale de Duras, la duchesse de Luynes, la comtesse de Marsan, la comtesse de Périgord, la duchesse de Fleury, la duchesse de Villars, le comte de Saulx-Tavannes, la duchesse d'Estissac mènent une vie édifiante. Mais les satires ne se nourrissent pas de bons sentiments ou de jugements nuancés. Pour l'opinion, le modèle du courtisan est le duc de Richelieu, « l'homme à bonnes fortunes du siècle », non M. de Sourches.

La vieillesse de Louis XV, le fameux Parc-aux-Cerfs, sa passion pour Mme du Barry réveillent les démons endormis. Le public blâme ces débordements séniles, prend parti pour les courtisans hostiles à la nouvelle favorite. La cour est éclaboussée par les excès de son maître. Beaucoup vivent dans l'attente d'un nouveau « règne favorable aux bonnes mœurs ». La cour de Louis XVI ne les déçoit pas, les désordres y sont rares. Mais les courtisans offrent à une opinion moins respectueuse de l'entourage du prince d'autres motifs d'accusation.

Marie-Antoinette fait d'emblée l'unanimité contre elle. On lui reproche ses dépenses, sa société intime, son rôle politique, ses plaisirs, son mépris de l'étiquette, ses voyages à Paris, sa passion du jeu, sa partialité envers sa patrie de naissance. « La reine, écrit Mme Campan, ne fut jamais sans avoir un parti contre elle[64]. » Chansons et libelles y ajoutent une liste d'amants, un attachement coupable pour son beau-frère Artois, des amitiés féminines ambiguës. Des dissipations plus ordinaires suffisent à en faire une « tête à vent », légère, inconsciente, imprudente, dont les caprices tourmentent sa mère, l'impératrice Marie-Thérèse. « Ma fille, écrit celle-ci, ne peut manquer d'accélérer sa perte. » Son frère Joseph II la met en garde contre les cabales et les « alentours » qui la flattent, lui prédit des « désagréments cuisants » et la perte de « toute l'opinion du public ». L'empereur a la lucidité de l'observateur étranger : les « éternelles dissipations » de Marie-Antoinette ruinent son crédit. Les enfants qu'elle donne (tardivement) au roi et au royaume ne lui attirent même pas la reconnaissance des Parisiens. Quand elle pousse Louis XVI à confier au Parlement le procès du cardinal de Rohan compromis dans l'affaire du Collier qui l'a éclaboussée (1785-1786), elle révèle son aveuglement politique. Les robins frondeurs saisissent l'occasion d'humilier la Couronne (le cardinal est acquitté) ; une grande partie de la noblesse et la totalité du clergé, voyant « essentiellement dans l'affaire du cardinal de Rohan un attentat, les uns contre le rang du prince, et les autres contre les privilèges d'un cardinal[65] », se retournent contre les souverains.

Les courtisans écartés du cercle de la reine, ceux qu'elle a dédaignés et privés de ses grâces, sont devenus ses ennemis. Sa prédilection pour sa société intime « est au nombre des sources de mécontentement qu'on a d'elle ». Les Polignac sont, de ses entours, les plus détestés. Après la princesse de Lamballe, la reine « s'est prise d'un goût bien plus vif » pour la comtesse Jules de Polignac[66]. Celle-ci forme avec son mari, sa belle-sœur Diane et le comte de Vaudreuil un quarteron de courtisans avides, intrigants, tyranniques. L'excessive affection que leur porte Marie-Antoinette fait jaser tout Paris et déclenche à la cour de véritables drames. *Lamballistes* et *guéménistes* (du nom de la princesse de Guéménée dont le logement de fonction à Versailles est le rendez-vous de la coterie Polignac) rivalisent, se déchirent, quémandent sans cesse. La reine paraît tétanisée par sa favorite. Mme de Polignac est « le meilleur appui qu'il soit possible d'avoir dans ce pays-ci », écrivent les connaisseurs. « Les ministres sont accoutumés à ne regarder en général comme dignes d'attention, dans le nombre des recommandations de la reine, que celles auxquelles la duchesse de Polignac donne son attache[67]. »

Des faveurs extraordinaires sont accordées au clan dit « des Jules » : 400 000 livres pour payer les dettes de la comtesse, une terre de 35 000 livres de revenu, une dot de 800 000 livres pour sa fille, la survivance de la charge de premier écuyer de la reine et le titre de duc pour son mari, la place de dame d'honneur de Madame Élisabeth pour Diane, celle de gouvernante des enfants de France pour elle-même. Le scandale est tel que l'ambassadeur Mercy juge utile d'avertir Marie-Thérèse : « Depuis quatre ans, toute la famille de Polignac, sans aucun mérite envers l'État et par pure faveur, s'est déjà procuré, tant en grandes charges qu'en autres bienfaits pour près de 500 000 livres de revenus annuels. Toutes les familles les plus méritantes se récrient contre le tort qu'elles éprouvent par une telle dispensation des grâces, et si l'on en voit encore ajouter une qui serait sans exemple, les clameurs et le dégoût seront portés au dernier point[68]. » En publiant dans son *Compte rendu* la liste nominale des pensions et des bienfaits royaux, Necker démontre à l'opinion la justesse de ses critiques. « Les alentours vont devenir pour le trésor public un fardeau pareil à celui des maîtresses du roi. » En quelques années Marie-Antoinette a réussi à s'aliéner la plus grande partie de la Cour exclue de sa société, la Ville et le royaume.

« La Révolution, ont écrit MM. Furet et Richet, n'est pas née seulement du mouvement économique et social [on ajoutera intellectuel], mais aussi de l'anecdotique, du scandale, de l'accident[69]. » En suscitant la réprobation, la reine et sa coterie ne sont pas étrangères à la chute du trône.

en placement de nombreux artistes, intrigants, [illegible]. L'excès de l'affection [illegible] de Marie-Antoinette fut, avant tout, Paris et [illegible] à la cour, de véritables orages. [illegible] du nom de la princesse de [illegible] dont la [illegible] à Versailles [illegible] de la coterie Polignac [illegible] rivalités, se [illegible] sans cesse. [illegible] par sa [illegible] de Polignac [illegible] le meilleur appui qu'il soit possible [illegible] dans ce [illegible] « Les autres sont [illegible] en général comme [illegible] d'introduire dans le [illegible] des recommandations de la [illegible] que celles [illegible] de Polignac [illegible] attelle. »

Les [illegible] extraordinaires sont [illegible] au clan [illegible] : « 400 000 livres pour payer les dettes de la comtesse, [illegible] de 800 000 livres [illegible] une dot de 800 000 livres pour sa fille [illegible] la charge de premier écuyer de la reine [illegible] de duc pour son mari, la place de dame d'honneur de Madame Élisabeth pour Diane, celle de gouvernante des enfants de France pour elle-même [illegible] ici [illegible] l'ambassadeur [illegible] Marie-[illegible] « Depuis quatre ans [illegible] famille [illegible] sans [illegible] charges [illegible] bienfaits [illegible] livres de revenus annuels. » Toutes les familles [illegible] se [illegible] contre le [illegible] elle [illegible] sans [illegible] de [illegible] d'en [illegible] la liste [illegible] des [illegible] royales [illegible] de [illegible] [illegible]

« La Révolution, ont écrit MM. Faure et Rachet, [illegible] du mouvement économique et social [illegible] de l'anecdote [illegible] la reine [illegible] des [illegible]

Conclusion

La cour, naturellement composée de ce qu'il y a de plus considérable dans la nation, est le lien nécessaire entre le peuple et le trône.

Le duc DE LÉVIS

Depuis ses origines, la cour de France a suscité la critique. Moralistes ou théologiens, poètes ou libellistes ont dénoncé sans se lasser flatterie, fausseté, servitude imposées par la vie de cour. Des écrivains talentueux ont ciselé une image négative des familiers des rois, « peuple caméléon, peuple singe du maître ». Ces condamnations viennent du fond des âges, s'alimentent auprès des auteurs de l'Antiquité, s'enrichissent d'apports étrangers, courent les siècles. Répétitives, elles sont négligeables. Le rayonnement de la cour des Valois et des Bourbons a renouvelé et diversifié la critique. Ainsi la « politesse sociale » née dans les palais royaux est-elle, dès le XVIe siècle, interprétée comme un masque dissimulant l'ambition et escamotant la vertu. Au temps de Ronsard et de Malherbe, la cour est pour beaucoup le rendez-vous des ignorants. A la veille de la Révolution, une opinion hostile à la monarchie la réduit à une société avide, débauchée et oisive. Relayés par des manuels simplificateurs et des recueils d'anecdotes douteuses, ces préjugés ont façonné trop d'esprits. Pour beaucoup de nos contemporains, la cour est incarnée par l'escadron volant de Catherine de Médicis, le scandale des poisons, le Parc-aux-Cerfs, l'affaire du Collier.

En réalité, première institution du royaume, la cour mérite meilleure compréhension, jugement moins superficiel. La probité oblige à se libérer des légendes tenaces qui encombrent son histoire.

Le contribuable d'hier et d'aujourd'hui reproche à la çour ses dépenses. La construction des résidences royales, le luxe des fêtes auraient obéré les finances de la monarchie et appauvri l'État. Versailles ou le petit Trianon (élevé sous le règne de Louis XV, mais que l'on persiste à mettre au débit de Louis XVI) seraient responsables du déficit fatal à l'Ancien Régime. Des études récentes ont ruiné ces accusations. Les dépenses attribuées à la cour — moins de dix pour cent pour passif — ne sont pas dilapidation du trésor royal ; pas davantage investissement de prestige inutile.

Les sujets de Sa Majesté ont compris que la grandeur d'un règne exige l'éclat. « Le faste de la cour de France montre la puissance de son roi », rappelle Furetière. Soucieuse d'être éblouie, l'opinion publique suspecte les monarques incapables de représentation et de luxe. L'opulence de la cour témoigne longtemps, au contraire, de l'autorité du prince, de la richesse du royaume. Pour l'étranger, elle est le signe visible de la force de la monarchie.

On ne nie plus aujourd'hui ses avantages économiques. De la mode vestimentaire à l'architecture et la décoration, elle stimule la production et les échanges. Par son canal, l'État intervient indirectement dans les circuits économiques, aiguise la croissance des industries de luxe et du bâtiment, joue de son rayonnement pour encourager les exportations. La cour fournit du travail au domestique et à l'artisan, redistribue les écus engagés dans la bâtisse, les menus plaisirs et les pensions. Si les dépenses ont scandalisé, plus que leur montant, leur étalage en est responsable. Suspectes d'enrichir une coterie, jugées dénaturées par les friponneries et les abus, elles devenaient condamnables. Les souverains du XVIIIe siècle ont sous-estimé l'importance d'une réduction de leurs dépenses domestiques. Les finances de l'État y auraient peu gagné, mais l'effet psychologique eût été bénéfique. Louis XV et Louis XVI, plus épris de chasse que de leur métier de roi, ont manqué d'esprit comptable et de clairvoyance politique.

L'oisiveté des courtisans aggrave encore l'acte d'accusation. Ce reproche lancinant enveloppe abusivement dans la même réprobation les contemporains de Louis XIV et de ses successeurs. Les hôtes du roi-soleil ne sont cependant pas sans occupation. Le service commensal n'est jamais une sinécure. La bonne marche de la cour exige travail et responsabilité des grandes charges. Juger frivole récréation la participation des principaux seigneurs aux divertissements royaux, c'est aussi méconnaître l'esprit du temps. Les fêtes de la cour font partie intégrante de la vie des grands. Leur concours rehausse l'éclat de la monarchie. Il est la démonstration de leur soumission, marque la noblesse de leur goût. Quand la cour se donne en spectacle à elle-même, ses hôtes sont en quelque sorte en service commandé. On oublie trop enfin que les courtisans sont des militaires qui, le printemps venu, rejoignent leurs régiments, se précipitent aux combats et rencontrent la mort. Louis XIV n'a pas constitué une aristocratie de parade ou réduit le second ordre au rôle de figurant. Il a, au contraire, encouragé le service. « Si d'ennui, de dépit ou par quelque dégoût on quittait le service, écrivait Saint-Simon, la disgrâce était certaine. » A la fin de l'Ancien Régime, il est vrai, ces nobles comportements s'émoussent. Les occasions de servir dans les armées de Sa Majesté se raréfient. A la noblesse versaillaise il manque des guerres, et des guerres victorieuses. La vie de garnison lui répugne, les servitudes du métier militaire lui sont insupportables. Détachée du service aulique, boudant les privilèges honorifiques qui comblaient ses aïeux, la noblesse de la cour n'attend du monarque que privilèges, passe-droits et avantages financiers. Le courtisan a perdu le sens du service : il est devenu parasite.

La cour, assure-t-on, isole le prince de ses sujets (mais on le dit de l'entourage de tous les puissants). Rassemblée à Versailles, elle se serait coupée du reste de la nation. Pas plus que les précédentes, cette accusation n'est justifiée. De François Ier à Louis XVI, la cour a été plus souvent nomade que sédentaire. Les Valois n'ont cessé de voyager; de grands tours de France leur ont enseigné les réalités profondes du royaume. La guerre civile a obligé les premiers Bourbons à parcourir les provinces : seule l'Auvergne est restée étrangère aux pérégrinations de Louis XIII. Tardive, l'installation à Versailles en 1682 n'exclut pas les déplacements de Louis XIV aux frontières. Au XVIIIe siècle enfin, la noblesse alterne brefs séjours à la cour, vie parisienne et résidence sur ses terres. La France n'a d'ailleurs pas été le seul royaume à séparer la résidence du prince de la capitale de ses États : Potsdam et l'Escurial en témoignent. Canberra, Washington et Brasilia attestent aujourd'hui que quelques républiques distinguent aussi centre politique et centre de la nation.

Les Mémoires d'autrefois montrent la cour accessible, le palais des rois plus ouvert que ceux de nos chefs d'État. Le Louvre ou Versailles ne sont ni des bunkers ni des villes interdites. Cité administrative et centre de gouvernement, la demeure royale est animée par un va-et-vient incessant. Généraux, ambassadeurs, gouverneurs de province, présidents des cours souveraines, intendants, évêques la fréquentent pour prendre des ordres, recevoir une mission ou rendre compte. Ils sont d'indispensables agents de liaison, traits d'union entre le roi et son peuple.

Saint-Évremond définissait la cour comme « un extrait de tout le royaume ». Réunissant une population aux origines sociales et géographiques variées, elle offre le visage de la société française en réduction. Les serviteurs qu'elle emploie, les liens qu'entretiennent les courtisans avec les paysans de leurs domaines l'enracinent dans la France profonde. La diffusion de ses usages et de ses goûts fait le reste. « L'air de cour est contagieux », diagnostiquait La Bruyère ; « les provinces se font gloire d'être les singes de la cour », confirmait le cardinal de Bernis. La cour n'est pas un corps étranger à la nation, mais un carrefour social.

L'institution aulique a été si souvent la cible des critiques que l'on a trop oublié ses avantages. Ils ne sont pas minces. Aux esprits schématiques la cour paraît un archaïsme, mais, à l'inverse de l'opinion reçue, elle est une création de l'État moderne. Avec ses officiers et ses commissaires le prince administre et contrôle son royaume. Sa cour est chargée de réduire l'indépendance des nobles et les soumettre à son pouvoir. Elle permet l'affirmation de l'autorité royale sur les forces centrifuges, aide à briser l'agitation du second ordre, hâte l'unité du royaume. La cour est instrument de pacification. Attirer et retenir auprès du monarque les premiers personnages du royaume exige des sacrifices financiers modestes au regard de la paix intérieure qu'ils garantissent. Le système des clientèles, qui structure la société française, place la cour au sommet d'une pyramide de fidélités unissant, dans l'obéissance au souverain, les grands aux hobereaux, les évêques à leurs curés et à leurs ouailles. Nécessaire à l'affirmation de la monarchie, la cour a été une solution satisfaisante et relativement peu coûteuse au développement de l'État.

Les auteurs les plus acharnés contre elle consentent à lui reconnaître une vertu enviée de l'Europe entière : son rôle civilisateur. La cour civilise, éduque, polit l'entourage du prince. Elle est « maîtresse d'école », inspiratrice d'une politesse qui lui a survécu. Aux bravades elle a substitué progressivement l'*art de plaire* comme moyen de parvenir. Elle a canalisé la violence, opposant aux rixes déchaînées et aux batailles rangées les règles du duel. De l'attente anxieuse des faveurs royales à la soumission aux usages de la vie de société, la cour enseigne la maîtrise de soi. La présence des femmes n'y est pas étrangère. Depuis François Ier l'entourage royal fait une place généreuse aux dames. Pour séduire les belles, la conversation et les divertissements exigent des gentilshommes l'abandon de leurs comportements rustiques. Le soudard devient aimable compagnon, et compagnon cultivé.

« Une aristocratie dans sa vigueur, estimait Alexis de Tocqueville, ne mène pas seulement les affaires ; elle dirige encore les opinions, donne le ton aux écrivains et l'autorité aux idées. » Rassemblement des élites, la cour est foyer de culture. Sa langue est devenue le bon usage requis des *bien-disants* et le ferment de l'unité nationale. Voltaire le prétend : les ordonnances royales n'ont pas suffi « à polir la langue française. Ce fut l'esprit du roi et celui de sa cour à qui l'on eut cette obligation ». Les genres littéraires aimés des courtisans et des dames ont traversé les siècles ; le goût de la cour s'est longtemps imposé aux créateurs. Par la volonté de princes mécènes, artistes et gens de lettres la fréquentent, œuvrent pour elle. Elle est vaste chantier, centre d'innovations artistiques. Son style a inspiré l'art monarchique européen. La cour a créé une civilisation.

Octobre 1789 l'a anéantie. Contraints de quitter son château, Louis XVI et sa famille sont ramenés à Paris. Un siècle après l'installation de Louis XIV à Versailles, on y a vu la revanche de la capitale, le triomphe de la Ville. La cour s'est en réalité disloquée dès la prise de la Bastille. L'émigration du comte d'Artois, des princes de Condé et de Conti, des Polignac a vidé le palais. L'aile du Nord est presque déserte ; on a fermé pour toujours l'aile du Midi. Quelques semaines ont suffi pour basculer de la fête — dont la procession solennelle des états généraux le 4 mai est le dernier reflet — à la tragédie. Après le 6 octobre, le séjour aux Tuileries donne l'illusion de la continuité. Le palais de Catherine de Médicis a été résidence du roi-soleil et de Louis XV enfant. L'étiquette demeure ; le séjour à Saint-Cloud autorise les parties de chasse et permet quelques concerts. Mais cette quiétude de l'été 1790 est de courte durée. Le roi est désormais prisonnier. Avant même la chute de la monarchie, le 10 août 1792, la cour n'est plus. En l'entraînant dans la tourmente, la Révolution a brisé une civilisation. Le XIXe siècle en a longtemps gardé la nostalgie.

ANNEXES

GÉNÉALOGIE SIMPLIFIÉE DES VALOIS

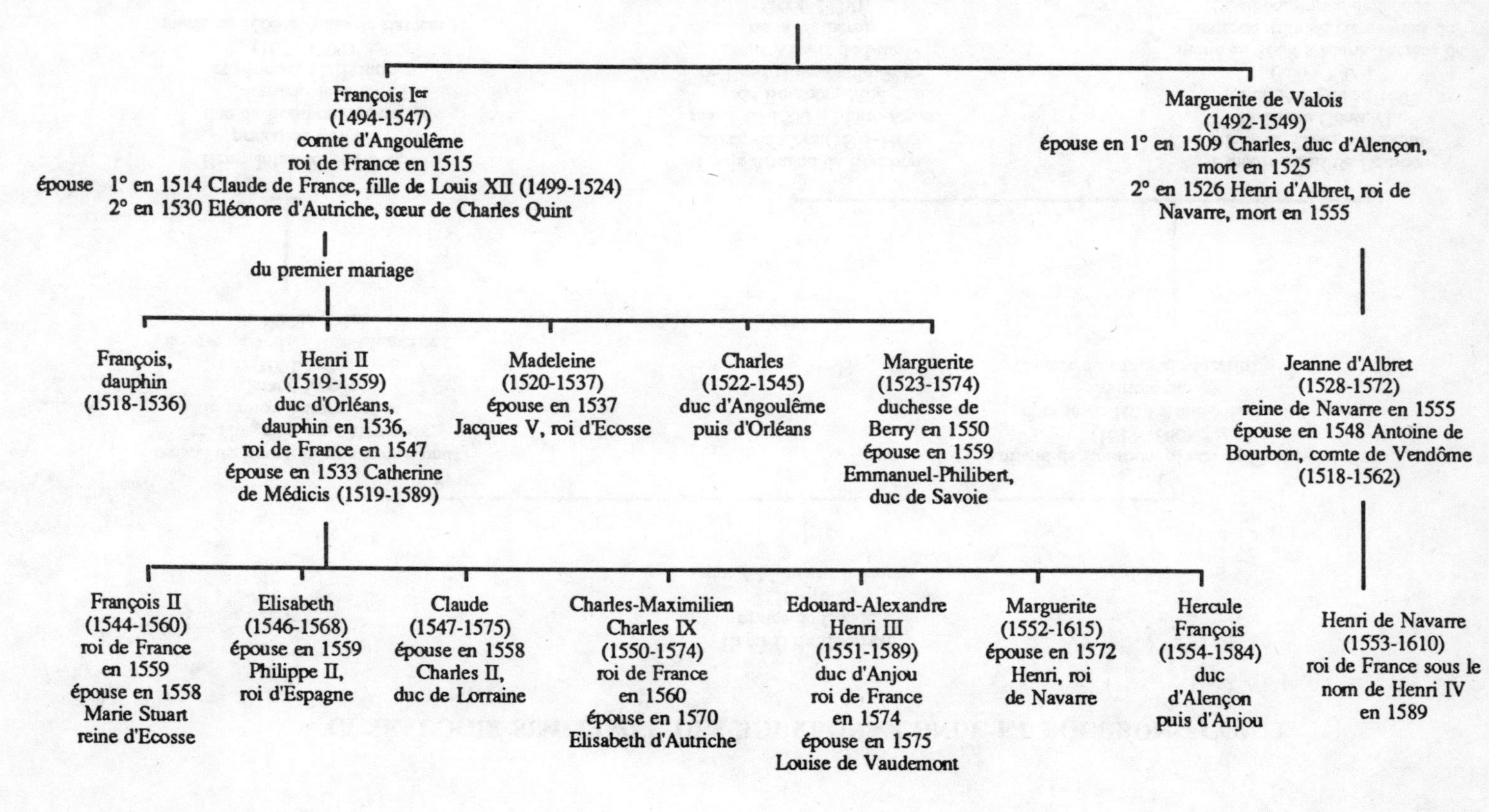

Charles de Valois, comte d'Angoulême (1459-1496)
épouse Louise de Savoie (1476-1531)
François Ier (1494-1547) comte d'Angoulême roi de France en 1515
épouse 1° en 1514 Claude de France, fille de Louis XII (1499-1524)
2° en 1530 Eléonore d'Autriche, sœur de Charles Quint
Marguerite de Valois (1492-1549)
épouse en 1° en 1509 Charles, duc d'Alençon, mort en 1525
2° en 1526 Henri d'Albret, roi de Navarre, mort en 1555
du premier mariage
François, dauphin (1518-1536)
Henri II (1519-1559) duc d'Orléans, dauphin en 1536, roi de France en 1547 épouse en 1533 Catherine de Médicis (1519-1589)
Madeleine (1520-1537) épouse en 1537 Jacques V, roi d'Ecosse
Charles (1522-1545) duc d'Angoulême puis d'Orléans
Marguerite (1523-1574) duchesse de Berry en 1550 épouse en 1559 Emmanuel-Philibert, duc de Savoie
Jeanne d'Albret (1528-1572) reine de Navarre en 1555 épouse en 1548 Antoine de Bourbon, comte de Vendôme (1518-1562)
François II (1544-1560) roi de France en 1559 épouse en 1558 Marie Stuart reine d'Ecosse
Elisabeth (1546-1568) épouse en 1559 Philippe II, roi d'Espagne
Claude (1547-1575) épouse en 1558 Charles II, duc de Lorraine
Charles-Maximilien Charles IX (1550-1574) roi de France en 1560 épouse en 1570 Elisabeth d'Autriche
Edouard-Alexandre Henri III (1551-1589) duc d'Anjou roi de France en 1574 épouse en 1575 Louise de Vaudemont
Marguerite (1552-1615) épouse en 1572 Henri, roi de Navarre
Hercule François (1554-1584) duc d'Alençon puis d'Anjou
Henri de Navarre (1553-1610) roi de France sous le nom de Henri IV en 1589

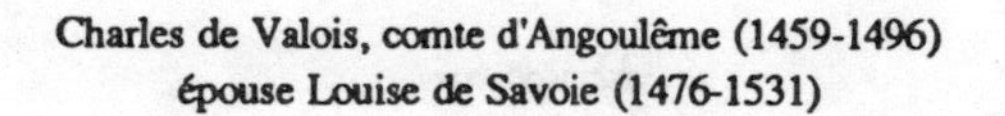

GÉNÉALOGIE SIMPLIFIÉE DES BOURBON - CONDÉ ET BOURBON - CONTI

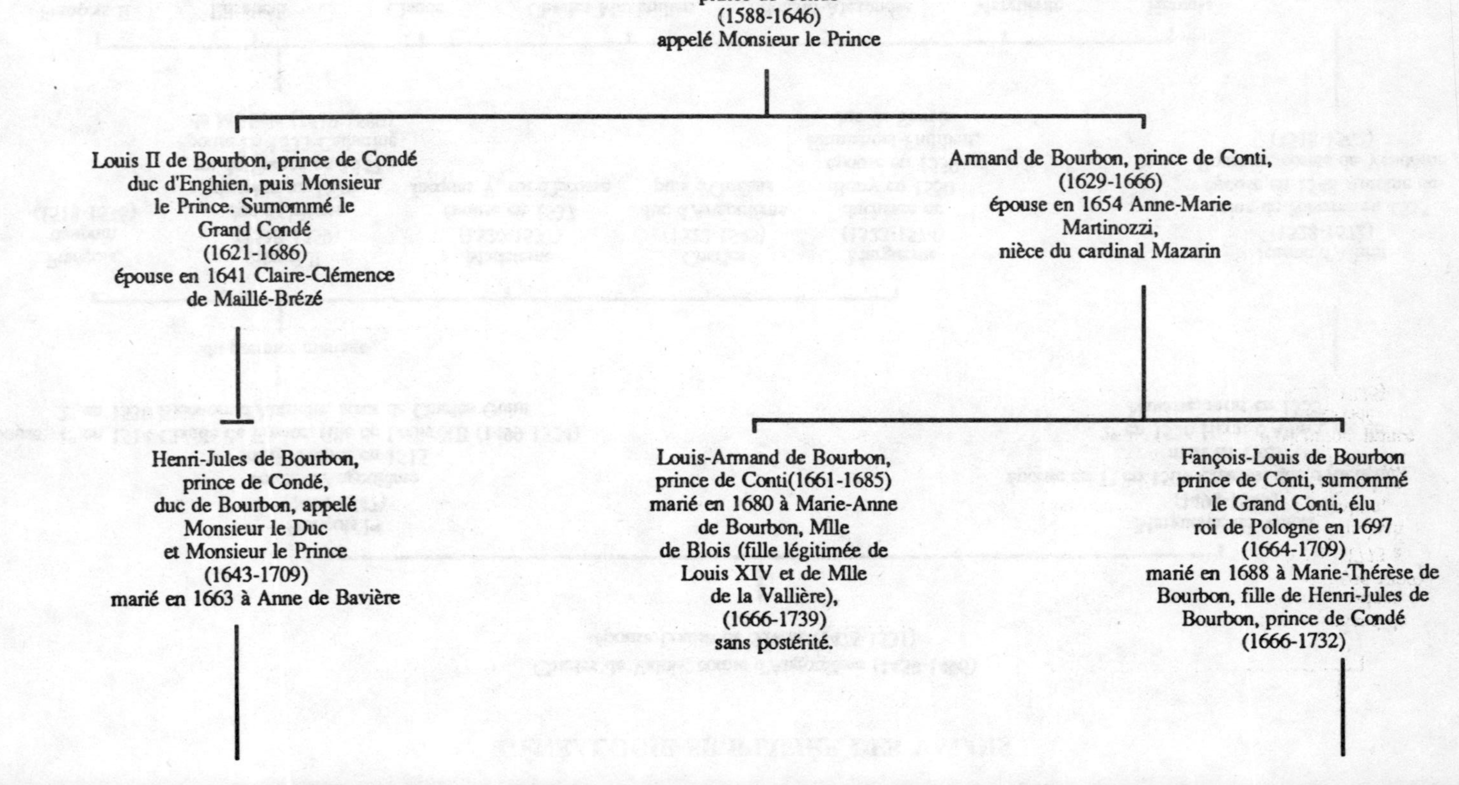

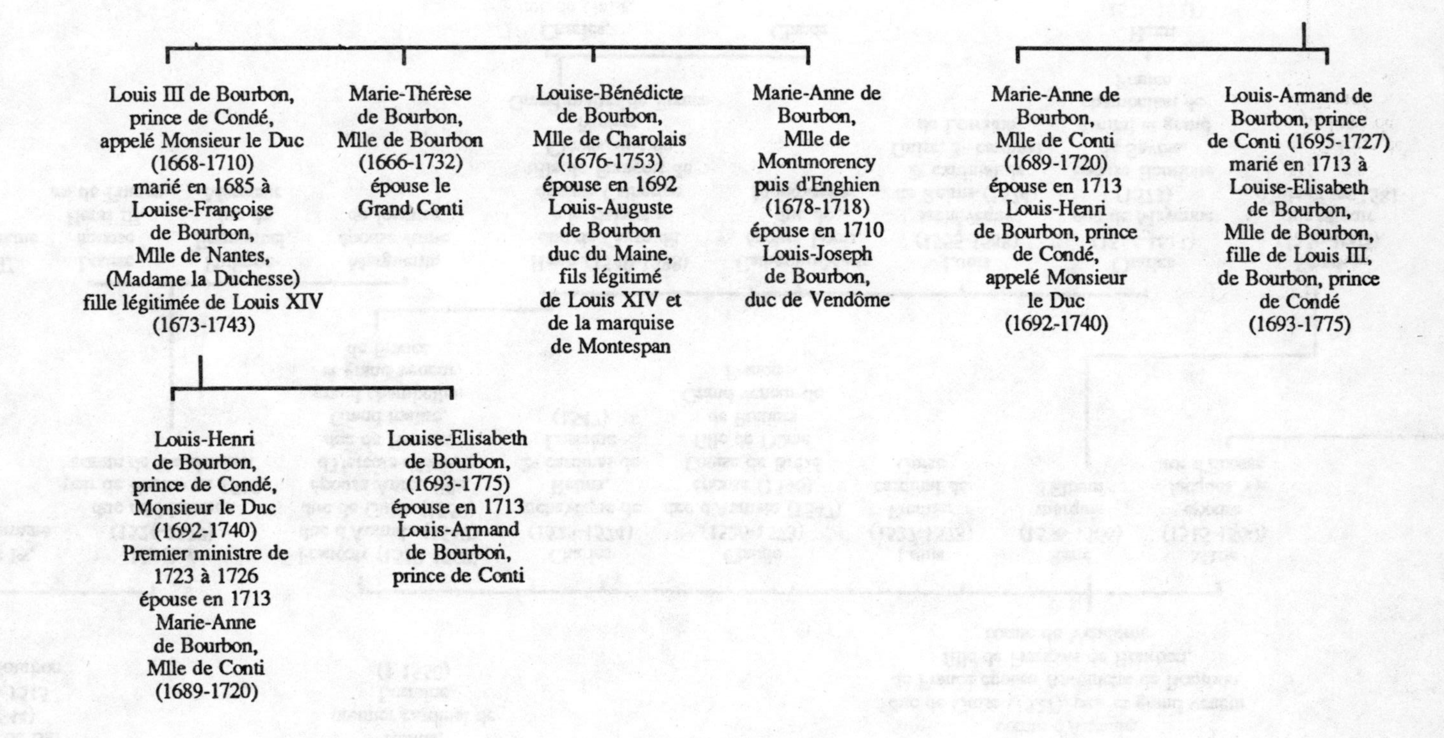
Louis III de Bourbon, prince de Condé, appelé Monsieur le Duc (1668-1710) marié en 1685 à Louise-Françoise de Bourbon, Mlle de Nantes, (Madame la Duchesse) fille légitimée de Louis XIV (1673-1743)
Marie-Thérèse de Bourbon, Mlle de Bourbon (1666-1732) épouse le Grand Conti
Louise-Bénédicte de Bourbon, Mlle de Charolais (1676-1753) épouse en 1692 Louis-Auguste de Bourbon duc du Maine, fils légitimé de Louis XIV et de la marquise de Montespan
Marie-Anne de Bourbon, Mlle de Montmorency puis d'Enghien (1678-1718) épouse en 1710 Louis-Joseph de Bourbon, duc de Vendôme
Marie-Anne de Bourbon, Mlle de Conti (1689-1720) épouse en 1713 Louis-Henri de Bourbon, prince de Condé, appelé Monsieur le Duc (1692-1740)
Louis-Armand de Bourbon, prince de Conti (1695-1727) marié en 1713 à Louise-Elisabeth de Bourbon, Mlle de Bourbon, fille de Louis III, de Bourbon, prince de Condé (1693-1775)
Louis-Henri de Bourbon, prince de Condé, Monsieur le Duc (1692-1740) Premier ministre de 1723 à 1726 épouse en 1713 Marie-Anne de Bourbon, Mlle de Conti (1689-1720)
Louise-Elisabeth de Bourbon, (1693-1775) épouse en 1713 Louis-Armand de Bourbon, prince de Conti

GÉNÉALOGIE SIMPLIFIÉE DE LA MAISON DE LORRAINE

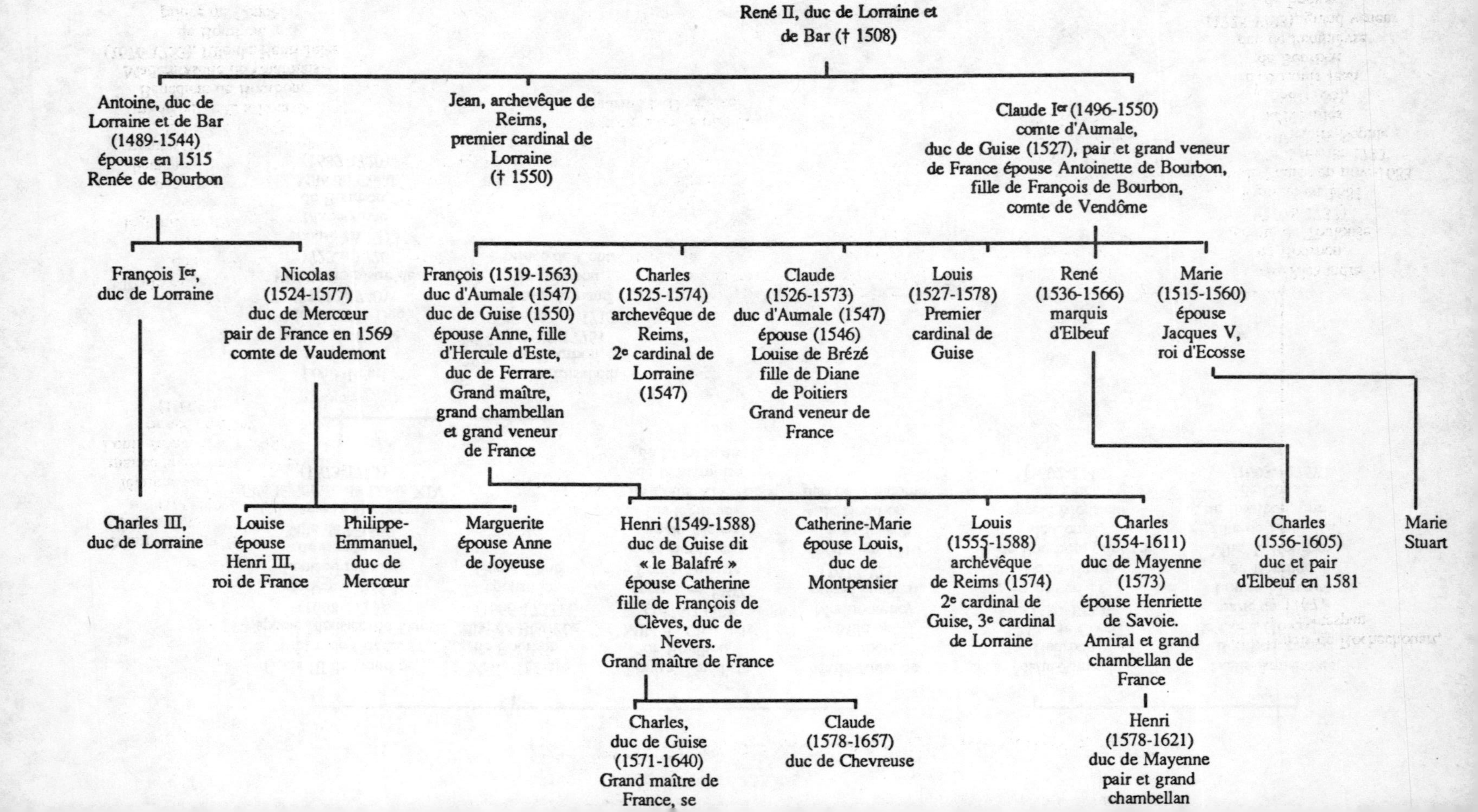

LES ENFANTS LÉGITIMÉS DE LOUIS XIV

Nés de Louise - Françoise de la Baume-le-Blanc,
duchesse de la Vallière et de Vaujours (1644-1710)

Marie-Anne de Bourbon,
Mademoiselle de Blois
(1666-1739)
légitimée en mai 1667
mariée le 16 janv. 1680 à
Louis-Armand de Bourbon,
prince de Conti
(1661-1685)

Louis de Bourbon,
comte de Vermandois,
amiral de France,
(1667-1683)
légitimé en février 1669

Nés de Françoise-Athénaïs de Rochechouart,
marquise de Montespan
(1641-1707)

Louis-Auguste de Bourbon,
duc du Maine
(1670-1736)
légitimé en décembre 1673
colonel général
des Suisses (1674)
lieutenant général (1692)
grand maître de l'artillerie
de France (1694)
marié en 1692 à Louise-
Bénédicte de Bourbon,
Mademoiselle de Charolais
(1676-1753), fille de Henri-Jules
de Bourbon,
prince de Condé.

Louis-César de
Bourbon,
comte de Vexin
(1672-1683)
légitimé en déc. 1675,
abbé de Saint-Denis
et de Saint-Germain-des-Prés

Louise-Françoise de Bourbon,
Mademoiselle de Nantes
(1673-1743)
légitimée en déc. 1673,
mariée le 24 juillet 1685
à Louis III de Bourbon -
Condé, duc de Bourbon
(1668-1710).
Elle porte alors le titre de
Madame la Duchesse.

Louise-Marie
de Bourbon,
Mademoiselle
de Tours
(1674-1681)
légitimé en
janvier 1676

Françoise-Marie
de Bourbon,
Mademoiselle
de Blois
(1677-1749)
légitimée en nov. 1681
épouse le 18 février 1692
Philippe II d'Orléans,
futur Régent.

Louis-Alexandre
de Bourbon,
comte de Toulouse
(1678-1737)
légitimé en 1681
amiral de France en nov. 1683
Marié le 2 février 1723
à Marie-Victoire-Sophie
de Noailles
(1688-1766),
d'où Louis-Jean
de Bourbon,
duc de Penthièvre
(1725-1793), grand veneur
de France.

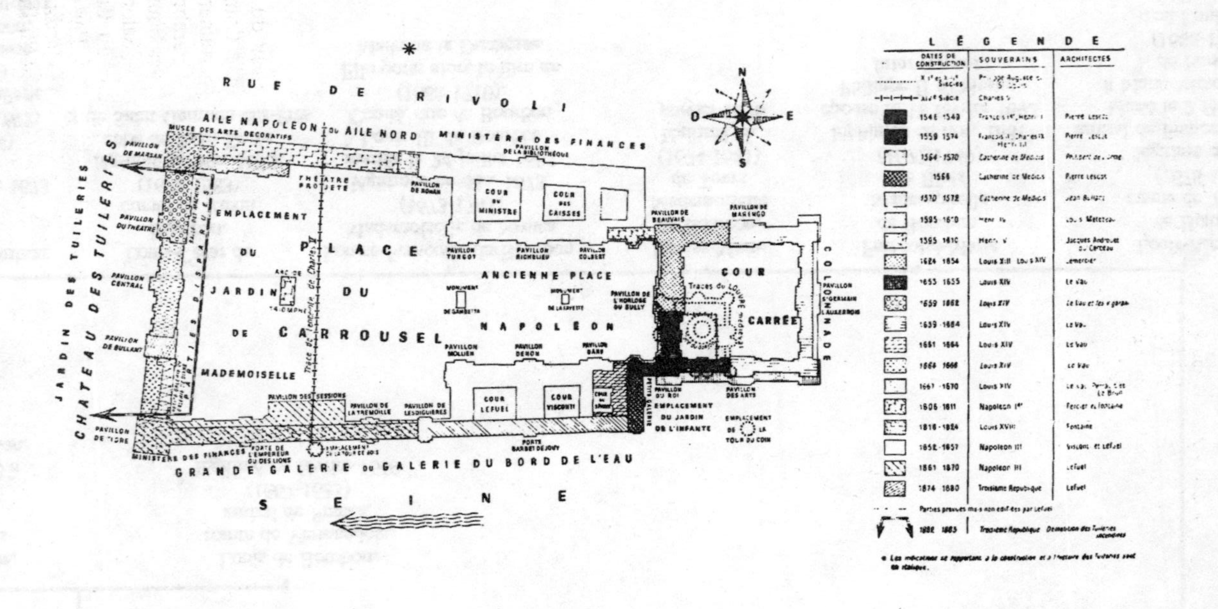

LE LOUVRE ET LES TUILERIES
in Yvan CHRIST, *Le Louvre et les Tuileries*, Paris, Tel, 1949.

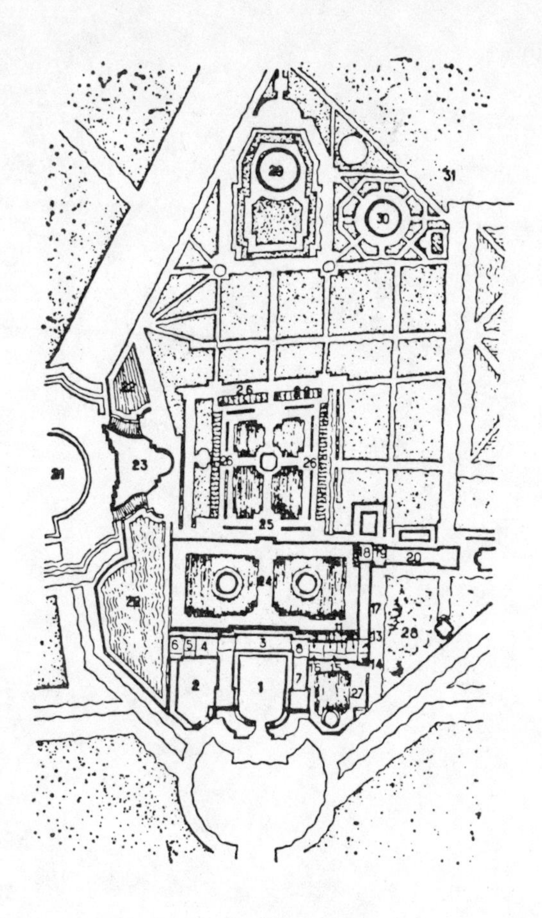

Le Trianon en 1694.

1. Cour d'entrée. – 2. Cour des Offices. – 3. Péristyle. – 4. Appartement du Roi. – 5. Chambre du Roi. – 6. Cabinet des glaces ou du Conseil. – 7. Comédie (appartement du Roi en 1703). – 8. Salon des Colonnes. – 9 à 16 Appartement de réception. – 9. Salle de la Musique. – 10. Antichambre des Jeux. – 11. Chambre du Sommeil. – 12. Cabinet du Couchant. – 13. Salon-frais. – 14. Salon des Sources. – 15. Appartement de Mme de Maintenon. – 16. Buffet. – 17 Galerie. – 18. Salon des Jardins. – 19. Salle du Billard. – 20. Trianon-sous-Bois. – 21. Bras du Canal. – 22. Cultures d'orangers. – 23. Le Fer-à-cheval. – 24. Parterre-haut. – 25. Parterre-bas. – 26. Berceaux de treillages. – 27. Jardin particulier du Roi. – 28. Jardin des Sources. – 29. Le Plat-fond d'eau. – 30. Rond d'eau. – 31 Emplacement du Buffet d'eau ou Cascade (1703).

Schéma extrait de Pierre Verlet, *le Château de Versailles*, Paris, 1985.

Notes

AVANT-PROPOS

1. *Aula* signifie un espace en plein air devant la maison, puis un vestibule, enfin un palais. Il a donné *aulique :* qui appartient à la cour des rois.
2. L'étude comparée des cours *européennes* a fait l'objet de trois riches publications : *The Courts of Europe. Politics, Patronage and Royalty, 1480-1800*, éd. A. G. DICKENS, Londres, 1977, 335 p. ; *Europäische Hofkultur im 16. und 17. Jahrhundert.* Vortrage u. Referate gehalten anlässl. d. Kongresses d. Wolfenbütteler Arbeitskreises für Renaissanceforschung u. d. Internat. Arbeitkreises für Barockliteratur in d. Herzog-August-Bibliotheck vom 4.-8. September 1979. Éd. August BUCK, Hamburg, 1981, 3 vol. in-8° ; *Hof, Kultur und Politik im 19. Jahrhundert.* Akten des 18. Deutsch-französischen Historikerkolloquiums Darmstadt, 27.-30. September 1982. Éd. Karl Ferdinand WERNER, Bonn, 1985, 364 p.
3. Du nom de l'antichambre à Versailles où se rassemblaient les courtisans.

PREMIÈRE PARTIE
L'INVENTION DE LA COUR

CHAPITRE PREMIER : UN FOURRE-TOUT SOCIAL

1. Théodore GODEFROY, *Le Cérémonial français*, Paris, 1649, 2 vol. in-fol.
2. Jérôme LIPPOMANO, dans *Relations des ambassadeurs vénitiens sur les affaires de France au XVIe siècle*, recueillies et traduites par M. N. TOMMASEO, t. II, p. 525.
3. François BLUCHE et Pierre DURYE, *L'Anoblissement par charges avant 1789*, Paris, 1962, 2 vol. in-4°, t. I, pp. 39-41.
4. Jacqueline BOUCHER, *Société et Mentalités autour de Henri III*, Lille III, 1981, 4 vol., 1603 p., t. I, p. 165.
5. Cité par Lucien ROMIER, *Le Royaume de Catherine de Médicis. La France à la veille des guerres de religion*, Paris, 1925, 2 vol., t. I, p. 188.
6. Cité par Lucien ROMIER, *ibid.*, t. I, p. 170.
7. Cité par Jacqueline BOUCHER, *op cit.*, t. II, p. 736.
8. Lettre de Thomas de Chantonnay à la duchesse de Parme, datée du 22 octobre 1559, citée par Lucien ROMIER, *La Carrière d'un favori. Jacques d'Albon de Saint-André, maréchal de France (1512-1562)*, Paris, 1909, 462 p., p. 294.

9. François DE SCEPEAUX, sire de VIEILLEVILLE, *Mémoires...*, éd. Petitot, Paris, 1822, t. XXVI, p. 126.

10. Cité par Édouard BOURCIEZ, *Les Mœurs polies et la littérature de cour sous Henri II*, Paris, 1886, 437 p., p. 349.

11. Jean BOUTIER, Alain DEWERPE, Daniel NORDMAN, *Un tour de France royal. Le voyage de Charles IX (1564-1566)*, Paris, 1984, 409 p., pp. 277-279.

12. Madeleine FOISIL, *Le Sire de Gouberville*, Paris, 1981, 288 p., pp. 157-162.

13. R. J. KNECHT, *Francis I*, Cambridge U. P., 1982, 480 p., p. 97 ; ID. « Francis I, Prince and Patron of the northern Renaissance », dans A. G. DICKENS, *op. cit.*, p. 103 ; Marino CAVALLI (1546) et Jérôme LIPPOMANO (1577) dans *Relations...*, *op. cit.*, t. I, p. 283 et t. II, p. 317 ; J. BOUCHER, *op. cit.*, t. I, p. 147.

14. BRANTÔME, *Œuvres complètes*, éd. Ludovic Lalanne, Paris, 1864-1882, 11 vol., t. VII, pp. 368-369.

15. Cité par Ch. MARCHAND, *Charles Ier de Cossé, comte de Brissac et maréchal de France, 1507-1563*, Paris, 1889, XV-619 p., p. 299.

16. BRANTÔME, *op. cit.*, t. III, p. 127.

17. ID., *ibid.*, t. VII, p. 314.

18. BRANTÔME, cité par Louis DIMIER, *Le Château de Fontainebleau*, Paris, 1930, 345 p., p. 67.

19. Hector DE LA FERRIÈRE, *Le XVIe siècle et les Valois d'après les documents inédits du British Museum et du Record Office*, Paris, 1879, 417 p., p. 183.

20. Ivan CLOULAS, *Catherine de Médicis*, Paris, 1979, 708 p., p. 330.

21. Henri DE LA TOUR D'AUVERGNE, duc de BOUILLON, *Mémoires...*, éd. Baguenault de Puchesse, Paris, 1891, pp. 17-18.

22. Lucien ROMIER, *Les Origines politiques des guerres de religion, I. Henri II et l'Italie (1547-1555)*, Paris, 1913, 377 p., pp. 20-22 ; R. J. KNECHT, *op. cit.*, p. 428 ; BRANTÔME, cité par Albert DESJARDINS, *Les Sentiments moraux au XVIe siècle*, Paris, 1887, XII-486 p., p. 167.

23. Cité par Éd. BOURCIEZ, *op. cit.*, p. 347.

24. BRANTÔME, *Les Dames galantes*, éd. M. Rat, Paris, 1960, 557 p., pp. 301-302 ; éd. L. Lalanne, *op. cit.*, t. IX. p. 485. « Courcière bardable » : jument bonne à être bardée.

25. Lucien ROMIER, *Le royaume...*, *op. cit.*, t. I, pp. 38 et *sq.*

26. BRANTÔME, *Œuvres...*, *op. cit.*, t. IX, p. 181.

27. Gaspard DE SAULX-TAVANNES, *Mémoires*, éd. Michaud, Paris, 1866, p. 69 ; lettre de Jeanne d'Albret à son fils Henri de Navarre, dans *Recueil des lettres missives de Henri IV*, éd. Berger de Xivrey, Paris, 1843, t. I, pp. 32 et 34.

28. Jacques TAHUREAU, *Les Dialogues*, 1585, cité par J. BOUCHER, *op. cit.*, t. IV, p. 1305.

29. Jean JACQUART, *François Ier*, Paris, 1981, 440 p., pp. 20 et 195.

30. La formule est de R. J. KNECHT, *Francis I*, *op. cit.*, p. 408.

31. Cité par L. ROMIER, *La carrière...*, *op. cit.*, p. 34.

32. Cité par R. J. KNECHT, *op. cit.*, p. 414.

33. C. PAILLARD, « La mort de François Ier et les premiers temps du règne de Henri II, d'après Jean de Saint-Mauris, ambassadeur de Charles Quint à la cour de France (avril-juin 1547) », dans *Revue historique*, 10e an., t. V, sept.-déc. 1877, pp. 84-120.

34. VIEILLEVILLE, *op. cit.*, pp. 178-179.

35. Cité par L. ROMIER, *Les origines...*, *op. cit.*, p. 50.

36. Cité par ID., *ibid.*, pp. 78-79.

37. Jean-Marie CONSTANT, *Les Guise*, Paris, 1984, 266 p., p. 38.

38. Cité par Jean BOUTIER..., *op. cit.*, p. 277.

39. Jacqueline BOUCHER, *op. cit.*, t. I, pp. 279-280.

40. Marguerite DE VALOIS, *Mémoires,* éd. Y. Cazaux, Paris, 1971, 333 p., p. 47.
41. Cité par J. BOUCHER, *op. cit.*, t. I, p. 209.
42. Marguerite DE VALOIS, *op. cit.*, p. 67.
43. Pierre CHAMPION, « La légende des mignons », dans *Bibliothèque d'Humanisme et Renaissance,* 1939, pp. 494-508. Pierre DE VAISSIÈRE, *Messieurs de Joyeuse (1560-1615). Portraits et documents inédits,* Paris, 1926, 348 p.
44. Cité par J. BOUCHER, *op. cit.*, t. I, p. 288.

CHAPITRE II : LA MAISON DU ROI

1. Ferdinand LOT et Robert FAWTIER, *Histoire des institutions françaises au Moyen Age,* t. II : *Institutions royales,* Paris, 1958, 623 p., pp. 66-74. M. L. DOUËT-D'ARCQ, *Comptes de l'Hôtel des rois de France aux XIVe et XVe siècles,* Paris, 1865, 437 p. Notice sur les comptes de l'Hôtel, pp. I-XLII. Roger DOUCET, *Les Institutions de la France au XVIe siècle,* t. I : *Les cadres géographiques. Les institutions centrales et locales,* Paris, 1948, 450 p., pp. 102-130. Jean DU TILLET, *Recueil des roys de France, leurs couronne et maison,* Paris, 1607, in-4°.
2. Francis DECRUE, *Anne de Montmorency, grand maître et connétable de France à la cour, aux armées et au conseil du roi François Ier,* Paris, 1885, 452 p., p. 77.
3. Jacqueline BOUCHER, *op. cit.*, t. I, p. 348.
4. Paulin PARIS, *Études sur François Ier, roi de France, sur sa vie privée et son règne,* Paris, 1885, 2 vol., t. I, p. 53.
5. Théodore GODEFROY, *op. cit.*, pp. 266-275. Robert DE LA MARCK, seigneur de FLEURANGES, *Histoire des choses mémorables advenues des règnes de Louis XII et de François Ier (1499-1521),* éd. Michaud et Poujoulat, Paris, 1866, t. V, pp. 9-10.
6. MACHIAVEL, *Rapport sur les choses de la France,* dans *Œuvres complètes,* éd. Barincou, Paris, 1952, 1639 p. (Bibl. de la Pléiade), pp. 135-149.
7. R. J. KNECHT, « The Court of Francis I », dans *European Studies Review,* t. VIII, n° 1, janvier 1978, pp. 1-22, p. 13.
8. Francis DECRUE, *op. cit.*, p. 215.
9. Dépêche de Trockmorton à Cecyl du 15 mars 1560, citée par C. PAILLARD, « Additions critiques à l'histoire de la conjuration d'Amboise », dans *Revue historique,* t. XIV, sept.-déc. 1880, pp. 61-108 et pp. 311-355, p. 314.
10. HENRY IV, *Lettres..., op. cit.*, t. I, p. 81.
11. Jean-Marie CONSTANT, *op. cit.*, pp. 142-144.
12. Jérôme LIPPOMANO, *Relations..., op. cit.*, t. II, p. 523. Jean DU TILLET, *op. cit.*, p. 418.
13. R. J. KNECHT, *Francis I, op. cit.*, p. 209.
14. Jacqueline BOUCHER, « L'évolution de la maison du roi : des derniers Valois aux premiers Bourbons », dans *XVIIe siècle,* 34e année, n° 137, oct.-déc. 1982, pp. 359-379. Yvonne LABANDE-MAILFERT, *Charles VIII et son milieu (1470-1498). La jeunesse au pouvoir,* Paris, 1975, 615 p., chap. VII.
15.

Années	1545	1560	1574	1584
gentilshommes de la Chambre	68	113	134	181
valets de chambre		79	106	147
secrétaires de la Chambre		33	63	168

16. On trouvera des indications chiffrées dans Ch. MARCHAND, *op. cit.*, p. 8 ; Ivan CLOULAS, *Henri II,* Paris, 1985, 691 p., pp. 56-57 ; Alphonse DE RUBLE, *La Première Jeunesse de Marie Stuart,* Paris, 1891, 320 p., p. 51 ; Ivan CLOULAS, *La vie quotidienne dans les châteaux de la Loire au temps de la Renaissance,* Paris, 1983, 351 p., pp. 153, 201-202 ; *Négociations, lettres et pièces diverses relatives au règne de François II, tirées du portefeuille de Sébastien de l'Aubespine, évêque de Limoges,* éd.

Louis Paris, Paris, 1841, 986 p., pp. 744-750 ; Jacqueline BOUCHER, *op. cit.*, t. I, pp. 147-151 ; Ivan CLOULAS, *Catherine de Médicis, op. cit.*, pp. 330-331.

17. François BLUCHE et Pierre DURYE, *op. cit.*, t. I, pp. 42-44.

18. BRANTÔME, *op. cit.*, t. III, p. 275.

CHAPITRE III : UNE COUR NOMADE

1. *Paris, fonctions d'une capitale,* par abbé FRIEDMANN, R. MOUSNIER, Ch. SAMARAN, B. GILLE, Paris, 1962, 168 p., p. 156.

2. Marino GIUSTINIANO, *Relations*... (1535), *op. cit.*, t. I, pp. 107-111.

3. Les itinéraires des Valois peuvent être reconstitués grâce à : *Catalogue des actes de François Ier*, Paris, 1905, t. VIII, pp. 411-548 ; *Catalogue des actes de Henri II*, t. I (31 mars-31 décembre 1547), Paris, 1979, 691 p. ; Alphonse de RUBLE, *La Première Jeunesse..., op. cit.*, p. 258 ; Catherine DE MÉDICIS, *Lettres...*, éd. H. de la Ferrière et G. Baguenault de Puchesse, Paris, 1880-1909, 10 vol., onzième volume et index général p.p. A. Lesort, Paris, 1943, vol. X, p. 574-589 ; Jacqueline BOUCHER, *op. cit.*, t. II, pp. 842-851.

4. L'ordonnance de Moulins (1566) définissait et limitait le droit de remontrances des parlements, réduisait le rôle des gouverneurs de province et les faisait surveiller par des maîtres des requêtes. Le voyage de Charles IX a été étudié par Jean BOUTIER, Alain DEWERPE et Daniel NORDMAN, *op. cit.*

5. Roland MOUSNIER, *Le Conseil du roi de Louis XII à la Révolution*, Paris, 1970, 378., pp. 19-20. Pierre CHAUNU, *L'État,* dans *Histoire économique et sociale de la France,* t. I, premier volume, Paris, 1977, pp. 11-228, p. 37.

6. André DU CHESNE, *Les Antiquitez et Recherches de la grandeur et majesté des roys de France,* Paris, 1609, 716 p., p. 547, cité par Jean BOUTIER..., *op. cit.*, p. 286.

7. Josèphe CHARTROU, *Les Entrées solennelles et triomphantes à la Renaissance (1484-1551),* Paris, 1928, 158 p. ; Denise GLUCK, « Les entrées provinciales de Henri II », dans *L'Information de l'histoire de l'art,* t. X, 1965, pp. 215-218 ; Henri II a effectué son entrée dans une trentaine de villes ; vingt-trois ont eu lieu à l'occasion de trois voyages importants, ceux de 1548, 1550, 1551 ; voir Jean BOUTIER, *op. cit.*, p. 288.

8. Cité par Ivan CLOULAS, *Henri II, op. cit.*, p. 283.

9. Charles TERRASSE, *François Ier, le roi et le règne*, Paris, 1943-1970, 3 vol., t. III, p. 23.

10. Cité dans A. DESJARDINS, *Négociations diplomatiques de la France avec la Toscane,* Paris, 1859-1875, 5 vol., t. III, p. 16 (1539).

11. Lettre de l'ambassadeur anglais Smith, dans H. DE LA FERRIÈRE, *op. cit.*, p. 183.

12. Jérôme LIPPOMANO, *Relations..., op. cit.*, t. II, p. 605. Les tentures des fêtes des Valois ont été étudiées par Frances A. YATES, *The Valois Tapestries,* Londres, 1959, XXVII-150 p., et par Jean EHRMANN, « Les tapisseries des Valois du musée des Offices à Florence », dans *Les Fêtes de la Renaissance,* éd. Jean JACQUOT, Paris, 1956, 492 p., t. I, pp. 93-100.

13. Michel SURIANO, cité par Jean BOUTIER, *op. cit.*, p. 131.

14. MACHIAVEL, *Rapport..., op. cit.*, p. 146.

15. Benvenuto CELLINI, cité par Jean BOUTIER, *op. cit.*, pp. 135-136.

16. Victor BRODEAU, cité par V. L. SAULNIER, « Charles Quint traversant la France : ce qu'en dirent les poètes français », dans *Les Fêtes de la Renaissance,* II. *Fêtes et Cérémonies au temps de Charles Quint,* Paris, 1960, 518 p., pp. 213-214.

17. Federico BADOERO, dans *Relations des ambassadeurs vénitiens,* éd. Franco Gaeta, Paris, 1969, 383 p., p. 113.

18. Anthony BLUNT, *Art et Architecture en France, 1500-1700*, Paris, 1983, 403 p., p. 25. Voir également François GÉBELIN, *Les Châteaux de la Renaissance*, Paris, 1927, 306 p.

19. *Journal d'un bourgeois de Paris sous le règne de François Ier (1515-1536)*, éd. L. Lalanne, Paris, 1854, in-8°, pp. 54-55.

20. Cité par Jean JACQUART, *op. cit.*, p. 147.

21. Félix HERBET, *Le Château de Fontainebleau*, Paris, 1937, 505 p. Hugh MURRAY BAILLIE, « Etiquette and the Planning of the State Apartments in Baroque Palaces », dans *Archaelogia*, t. 101 (1967), pp. 169-199, p. 180.

22. Cité par Charles TERRASSE, *op. cit.*, t. III, p. 74.

23. *La Galerie François Ier au château de Fontainebleau*, n° spécial de la *Revue de l'art*, nos 16-17, 1972. H. ZERNER, « Le système décoratif de la galerie François Ier à Fontainebleau », dans *L'Art de Fontainebleau*, acte du colloque international, Fontainebleau et Paris, 18-20 octobre 1972, éd. A. CHASTEL, Paris, 1975, 266 p., pp. 31-34.

24. Jean JACQUOT, « Panorama des fêtes et cérémonies du règne », dans *Les Fêtes de la Renaissance, II, op. cit.*, pp. 413-491, pp. 436-437. Félix HERBET, *op. cit.*, p. 132.

25. Cité par Louis DIMIER, *Le Primatice, peintre, sculpteur et architecte des rois de France*, Paris, 1900, 592 p., p. 185, n. 1.

26. André CHASTEL, « La demeure royale au XVIe siècle et le nouveau Louvre », dans *Fables, formes, figures*, t. I, 1978, 547 p., pp. 441-453.

27. La mise au point la plus récente est de Jean-Pierre BABELON, « Le Louvre, demeure des rois, temple des arts », dans *Les Lieux de mémoire*, sous la direction de Pierre Nora, II, *La Nation****, Paris, 1986, pp. 169-216.

28. Jérôme LIPPOMANO, *Relations...*, *op. cit.*, t. II, p. 593.

29. ID., *ibid.*, t. II, p. 381.

30. Anthony BLUNT, « L'influence française sur l'architecture et la sculpture décorative en Angleterre pendant la première moitié du XVIe siècle », dans *Revue de l'art*, 1969, n° 4, pp. 17-29.

CHAPITRE IV : LA MODE ITALIENNE

1. Édouard BOURCIEZ, *op. cit.*, p. 285 et Jacqueline BOUCHER, *op. cit.*, t. III, p. 993.

2. Pierre de RONSARD, pièce posthume : « Au trésorier de l'Épargne », dans *Œuvres complètes*, éd. G. Cohen, Paris, Bibl. de la Pléiade, 1950, 2 vol., t. II, p. 668.

3. Henri ESTIENNE, *Deux dialogues du nouveau langage françois italianizé...*, Genève, 1579, 623 p., p. 78, cité dans l'édition des *Œuvres complètes* de Brantôme, *op. cit.*, t. X, introduction au lexique de Brantôme par E. GALY, pp. 157-168, p. 158.

4. NAVAGERO, ambassadeur (1528), cité par Richard GASCON, dans *L'Histoire économique et sociale de la France, op. cit.*, t. I, vol. I, p. 307.

5. Robert KNECHT, « The court..., *art. cit.*, dans *European Studies*, pp. 4-5.

6. Lucien ROMIER, *Les Origines politiques...*, *op. cit.*, t. I, pp. 133 et *sq.*

7. Jacqueline BOUCHER, *op. cit.*, t. II, p. 551.

8. Henri ESTIENNE, *op. cit.*, pp. 78 et 127.

9. Louis CLÉMENT, *Henri Estienne et son œuvre française*, Paris, 1899, 540 p., p. 307. Jacqueline BOUCHER, *op. cit.*, t. III, pp. 943, 948-949. Édouard BOURCIEZ, *op. cit.*, p. 285.

10. Henri ESTIENNE, *op. cit.*, p. 10, cité par Édouard BOURCIEZ, *op. cit.*, p. 291.

11. VIEILLEVILLE, *op. cit.*, p. 309, cité par Édouard BOURCIEZ, *op. cit.*, pp. 283-284.

12. BRANTÔME, *Œuvres, op. cit.*, t. VII, p. 75. Scaliger est cité par Louis BATIFFOL, *La Vie intime d'une reine de France au XVIIe siècle*, Paris, s.d., 564 p., p. 47, n. 2.
13. Henri ESTIENNE, *op. cit.*, p. 558.
14. ID., *ibid.*, p. 22.
15. Marc FUMAROLI, « *Aulae Arcana*. Rhétorique et politique à la cour de France sous Henri III et Henri IV », dans *Journal des Savants*, avril-juin 1981, pp. 137-189.
16. Cité dans *La Collection de François Ier*. Catalogue rédigé par Janet COX-REARICK, Paris, Les dossiers du département des peintures (du Louvre), 1972, 55 p., p. 7.
17. Cité par Jean ADHÉMAR, « Le mécénat de François Ier », dans *Revue de l'université de Bruxelles*, 8e année, 1955-1956, t. VIII, pp. 244-253.
18. *Le XVIe siècle florentin au Louvre*. Catalogue établi et rédigé par Sylvie BÉGUIN, Paris, Les dossiers du département des peintures, 1982, 76 p., p. 55.
19. *L'École de Fontainebleau*, catalogue de l'exposition du Grand-Palais, 17 oct. 1972-15 janv. 1973, Paris, 1972, 518 p.
20. Bertrand JESTAZ, *L'Art de la Renaissance*, Paris, 1984, 606 p., p. 129.
21. Cité par Françoise BOUDON et Hélène COUZY, « Les plus excellents bâtiments de France : une anthologie des châteaux à la fin du XVIe siècle », dans *L'Information de l'histoire de l'art*, 19e année, janv.-fév. 1974, pp. 8-12 ; mai-juin 1974, pp. 103-114, p. 9. Y ajouter les études de François GÉBELIN, Anthony BLUNT, Bertrand JESTAZ citées *supra*.
22. Anthony BLUNT, *op. cit.*, p. 79.
23. André CHASTEL, « Andrea Palladio », dans *Les Monuments historiques de la France*, n° 2, 1975, pp. 4-9 et p. 6.

CHAPITRE V : LE PREMIER FOYER LITTÉRAIRE

1. DU BELLAY, *Les Regrets* (« Heureux, de qui la mort de sa gloire est suivie »), dans *Poètes du XVIe siècle*, éd. Albert-Marie Schmidt, Paris, Bibl. de la Pléiade, 1964, 1 102 p., p. 454.
2. Enea BALMAS, *La Renaissance II — 1548-1570*, Paris, 1974, 296 p., pp. 9-10.
3. RONSARD, *Le Bocage royal*, deuxième partie, dans *Œuvres complètes*, éd. Gustave Cohen, Paris, Bibl. de la Pléiade, 1950, 2 vol., t. I, p. 869.
4. DU BELLAY, cité par Gaston DODU, *Les Valois, histoire d'une maison royale (1328-1589)*, Paris, 1934, 473 p., p. 280.
5. Marino CAVALLI, *Relations..., op. cit.*, t. I, p. 281.
6. BRANTÔME, *Œuvres, op. cit.*, t. III, p. 93.
7. Cité par Robert SABATIER, *Histoire de la poésie française. La poésie du XVIe siècle*, Paris, 1975, 301 p., p. 75.
8. Pierre CHAMPION, *Ronsard et son temps*, Paris, 1925, 508 p., p. 198.
9. BRANTÔME, *op. cit.*, t. III, p. 289. Les témoignages des ambassadeurs vénitiens sont cités par Gaston DODU, *op. cit.*, pp. 310 et 326.
10. BRANTÔME, *op. cit.*, t. V, pp. 281-282.
11. Henri CHAMARD, *Histoire de la Pléiade*, Paris, 1940, 4 vol., t. III, p. 108.
12. MONTAIGNE, *Essais*, Livre III, chap. 3, dans *Œuvres complètes*, éd. Albert Thibaudet et Maurice Rat, Paris, Bibl. de la Pléiade, 1962, 1 791 p., p. 801. François Rabelais n'est pas de ceux qui ont hanté les résidences royales et son œuvre doit peu à l'entourage des princes. « Clerc nomade », un temps secrétaire du prélat Geoffroy d'Estissac, il fait toutefois partie de la suite de l'évêque de Paris Jean du Bellay en mission à Rome et de celle de son frère Guillaume, seigneur de Langey, gouverneur de Turin. Sans être homme de cour, l'auteur de *Pantagruel* côtoie l'entourage royal.

En 1538, il assiste à l'entrevue d'Aigues-Mortes et rentre à Lyon en compagnie de Sa Majesté ; en 1552, il seconde l'action de Henri II dans la crise gallicane qui l'oppose au pape. Est-il nommé, comme on le prétend parfois, maître des requêtes ? La vie de ce moine-prêtre-médecin-antiquaire-conseiller politique recèle encore de nombreuses obscurités. Mais elle est marquée par un réel sens pratique et Rabelais n'a jamais manqué de s'assurer de puissants protecteurs. En 1545, François Ier lui accorde le privilège royal pour la libre impression de ses livres pendant dix ans. Si le *Tiers Livre* (1546), pourtant dédicacé à Marguerite de Navarre, est condamné pour hérésie, le *Quart Livre* (1552) bénéficie de la neutralité bienveillante du roi qui fait rapporter l'interdiction du Parlement et permet six rééditions en une année. Sans être commensal, Rabelais bénéficie de la protection renouvelée de la cour contre ses ennemis les plus décidés, la Sorbonne et les milieux cléricaux. Enfin, la description enchanteresse de l'abbaye de Thélème, à la fin de *Gargantua* (1534), n'évoque-t-elle pas l'atmosphère et le faste de la cour de France ?

13. Clément MAROT, « En m'esbatant je fais rondeaulx en rithme », dans *Œuvres complètes,* éd. Abel Grenier, Paris, 1938-1951, 2 vol., t. I, p. 120.

14. Verdun-Louis SAULNIER, *Du Bellay, l'homme et l'œuvre,* Paris, 1951, 166 p.

15. Les relations des auteurs cités avec la cour peuvent être étudiées grâce aux extraits des comptes de dépenses de François Ier et de Charles IX publiés par CIMBER et DANJOU, *Archives curieuses,* première série, t. III, pp. 77-100 et t. VIII, pp. 353-365, et aux monographies suivantes : Pierre JOURDA, *Marguerite d'Angoulême, duchesse d'Alençon, reine de Navarre, 1492-1549,* Paris, 1930, 2 vol., 1 188 p. ; Mathieu AUGÉ-CHIQUET, *La Vie, les idées et l'œuvre de Jean-Antoine de Baïf,* Paris, 1909, 618 p., Jacques LAVAUD, *Un Poète de cour au temps des derniers Valois, Philippe Desportes (1546-1606),* Paris, 1936, 576 p. ; abbé H.-J. MOLINIER, *Mellin de Saint-Gelays (1490 ?-1558), Étude sur sa vie et sur ses œuvres,* Rodez, 1910, 614 p., ainsi que les ouvrages de Henri CHAMARD, *op. cit.*, Henri WEBER, *La Création poétique au* XVIe *siècle en France de Maurice Scève à Agrippa d'Aubigné,* Paris, 1955, 2 vol., 774 p. (surtout le chapitre II) et Pierre CHAMPION, *Ronsard et son temps, op. cit.*, pp. 118 et *sq.*

16. La liste des prébendes est donnée par Henri CHAMARD, *op. cit.*, t. II, p. 367, n. 4. Citations extraites de ID., *ibid.*, t. III, p. 102, p. 3 et de RONSARD, « Second livre des poèmes. Discours contre fortune. A Odet de Coligny », dans *Œuvres complètes, op. cit.*, t. II, p. 402.

17. CIMBER et DANJOU, *Archives curieuses, op. cit.*, « Extraits des dépenses faites à l'entrée du Roy et la Royne, à Paris, en 1571 », pp. 367-369. Amadis Jamyn a reçu 27 livres, Jean de Dorat 29.

18. Pierre DE L'ESTOILE, *Journal du règne de Henri III (1574-1589),* éd. Louis-Raymond Lefèvre, Paris, 1943, 777 p., p. 274 (septembre 1581). Baïf reçut la même somme.

19. Jacques LAVAUD, *op. cit.*, pp. 317, 322, 385.

20. Henri PRUNIÈRES, « Ronsard et les fêtes de cour », dans *Revue musicale,* année 1924, pp. 27-44.

21. H.-J. MOLINIER, *op. cit.*, p. 190.

22. RONSARD, « Avertissement aux Odes de 1550 », dans *Œuvres complètes, op. cit.*, t. II, p. 973. ID., Au Roy Henry, *ibid.*, t. II, p. 828.

23. Sonnets CLVII à CXCI. V.-L. SAULNIER, *op. cit.*, p. 93 et Henri CHAMARD, *op. cit.*, t. II, p. 267.

24. Édouard BOURCIEZ, *op. cit.*, pp. 176-203.

25. Étienne PASQUIER, *Les Recherches de la France,* Paris, 1630, p. 613. Voir à titre d'exemple RONSARD, « Hymne de Henry deuxième de ce nom, roy de France », dans *Œuvres complètes, op. cit.*, t. II, p. 150.

26. Marc-René JUNG, *Hercule dans la littérature française du* XVIe *siècle. De*

l'Hercule courtois à l'Hercule baroque, Genève, 1966, 220 p., pp. 164-167, 170-174.

27. Cité par Édouard BOURCIEZ, *op. cit.*, p. 11.

28. Verdun-Louis SAULNIER, *Le Prince de la Renaissance lyonnaise, initiateur de la Pléiade. Maurice Scève, italianisant, humaniste et poète (c. 1500-1560). Les milieux, la carrière, la destinée,* Paris, 1949, 2 vol., 578 et 323 p., voir surtout t. I, pp. 128 et *sq.*, p. 531 (bilan d'une œuvre) et p. 561.

29. RONSARD, *Œuvres complètes, op. cit.*, t. II, p. 973. H.-J. MOLINIER, *op. cit.*, p. 251.

30. Gisèle MATHIEU, *Les Thèmes amoureux dans la poésie française, 1570-1600,* Lille III, 1976, 524 p., pp. 212-222.

31. Pierre DE NOLHAC, *Ronsard et l'humanisme,* Paris, 1921, 365 p., pp. 170 et *sq.* Pierre CHAMPION, *Ronsard et son temps, op. cit.*, p. 191, n. 2.

32. Gisèle MATHIEU, *op. cit.*, pp. 214 et *sq.*

33. Jacques LAVAUD, *op. cit.*, pp. 72-107.

34. Robert J. SEALY, *The Palace Academy of Henry III,* Genève, 1981, 211 p., qui renouvelle Édouard FRÉMY, *L'Académie des derniers Valois,* Paris, 1887.

CHAPITRE VI : FÊTES ET DIVERTISSEMENTS

1. Jean MICHEL, *Relations..., op. cit.*, t. II, p. 237.

2. Jean JACQUOT, « Joyeuses et triomphantes entrées », dans *Les Fêtes de la Renaissance, op. cit.*, t. I, p. 13.

3. BRANTÔME, *op. cit.*, t. VII, p. 369.

4. Jérôme LIPPOMANO, *Relations..., op. cit.*, t. II, p. 349.

5. BRANTÔME, cité par Margaret M. MC GOWAN, *L'Art du ballet de cour en France, 1581-1643,* Paris, 1978, 351 p. + XXIV pl., p. 39, n. 32.

6. Aux ouvrages cités au chapitre III, note 12, ajouter Pierre FRANCASTEL, « Figuration et spectacle dans les tapisseries des Valois », dans *Les Fêtes de la Renaissance, op. cit.*, t. I, pp. 101-105 et Nicolas IVANOFF, « Les fêtes à la cour des derniers Valois, d'après les tapisseries flamandes du musée des Offices à Florence », dans *Revue du XVIe siècle*, t. 19, 1932-1933, pp. 96-122.

7. Robert de LA MARCK, seigneur de FLEURANGES, *op. cit.*, pp. 63-67.

8. Il s'agit de l'entrée royale à Sens le 27 avril 1539. Charles TERRASSE, *op. cit.*, t. III, p. 25.

9. Jacques HEERS, *Fêtes, jeux et joutes dans les sociétés d'Occident à la fin du Moyen Age,* Montréal, 1971, 146 p. ; Sydney ANGLO, « Le déclin du spectacle chevaleresque », dans *Arts du spectacle et histoire des idées. Recueil offert en hommage à Jean Jacquot,* Tours, 1984, 320 p., pp. 21-35.

10. BRANTÔME, *op. cit.*, t. V, p. 276.

11. Cité par Lucien CLARE, *La Quintaine, la course de bague et le jeu des têtes. Étude historique et ethno-linguistique d'une famille de jeux équestres,* Paris, 1983, 266 p., pp. 197-206.

12. Eugène BARET, *De l'Amadis de Gaule et de son influence sur les mœurs et la littérature au XVIe et au XVIIe siècle,* Paris, 1873, 234 p., pp. 161-167.

13. Jean EHRMANN, *Antoine Caron, peintre à la cour des Valois, 1521-1599,* Genève, 1955, 58 p. + XXXII pl., p. 27. Le musée de Stockholm conserve trente-cinq « dessins des Mascarades pour des Ballets, et de figures pour un Tournoy », connus sous le nom de « Mascarade de Stockholm », dus pour la plupart à Primatice qui a collaboré à ces divertissements. Voir Louis DIMIER, *Le Primatice..., op. cit.*, pp. 380-381 et *L'École de Fontainebleau, op. cit.*, n°s 187-191.

14. RONSARD, cité par Henri PRUNIÈRES, « Ronsard et les fêtes de cour », *art. cit.*

15. Henri PRUNIÈRES, *Le Ballet de cour en France avant Benserade et Lully,* Paris, 1914, rééd. 1982, 282 p., pp. 34-51.

16. Relation d'Abel JOUAN, citée par Jean-H. MARIÉJOL, *Catherine de Médicis,* Paris, rééd. 1979, 645 p., p. 338. Helen M. C. PURKIS, « Les intermèdes à la cour de France au XVIe siècle », dans *Bibliothèque d'Humanisme et Renaissance,* t. XX, 1958, pp. 296-309.

17. Le développement qui suit doit beaucoup à Henri PRUNIÈRES, *Le Ballet de cour..., op. cit.* et Margaret M. MC GOWAN, *L'Art du ballet de cour en France, 1581-1643,* Paris, 1978, 351 p. et XXIV pl. Nous avons, en outre, consulté Lionel de LA LAURENCIE, *Les Créateurs de l'Opéra français,* Paris, 1930, rééd. 1977, 215 p.; Frances A. YATES, « Poésie et musique dans les *Magnificences* du mariage du duc de Joyeuse, Paris, 1581 », dans *Musique et Poésie au XVIe siècle,* Paris, 1954, pp. 241-264; voir le compte rendu de *Le Ballet comique by Balthazar de Beaujoyeulx, 1581. A facsimile with an Introduction by Margaret M. Mc Gowan,* New York, 1982, 49 et 75 p., par Françoise JOUKOVSKY, dans *Bibliothèque d'Humanisme et Renaissance,* t. XLVI, 1, 1984. Un long récit des fêtes du mariage du duc de Joyeuse se trouve dans Pierre DE L'ESTOILE, *op. cit.,* pp. 273-275 et pp. 279-281.

18. Raymond LEBÈGUE, « Les représentations dramatiques à la cour des Valois », dans *Les Fêtes de la Renaissance,* t. I, pp. 85-91.

19. La remarque est de Pierre FRANCASTEL, « Figuration et spectacle dans les tapisseries des Valois », *ibid.,* t. I, p. 103.

20. Raymond LEBÈGUE, « La représentation d'une tragédie à la cour des Valois », dans *Académie des Inscriptions et Belles-Lettres,* compte rendu des séances de l'année 1946, pp. 138-144 et Helen M. C. PURKIS, *art. cit.,* p. 298.

21. Jacqueline BOUCHER, *op. cit.,* t. III, pp. 1043-1045.

22. BRANTÔME, *op. cit.,* t. VII, p. 370.

23. Cité par Irène MAMCZARZ, « Quelques aspects d'interaction dans les théâtres italien, français et polonais des XVIe et XVIIe siècles : drame humaniste, comédie dell'arte, théâtre musical », dans Christian BEC et Irène MAMCZARZ, *Le Théâtre italien et l'Europe, XVe-XVIIe siècles,* Paris, 1983, pp. 171-217.

24. BRANTÔME, *op. cit.,* t. III, p. 256. Les *conards* de Rouen (conart = sot) étaient une société qui jouait tous les ans au carnaval des parades, des scènes comiques.

25. Raymond LEBÈGUE, « La comédie italienne en France au XVIe siècle », dans *Revue de littérature comparée,* 24e année, 1950, pp. 5-24.

26. Cité par Jacqueline BOUCHER, *op. cit.,* t. III, pp. 1017-1018.

27. Rapporté par Pierre DE L'ESTOILE, *op. cit.,* p. 148.

28. Paule CHAILLOU, « Les musiciens du Nord à la cour de Louis XII », dans *La Renaissance dans les provinces du Nord,* Paris, 1956, 219 p., pp. 63-69.

29. Jean-Michel VACCARO, *La musique de luth en France au XVIe siècle,* Paris, 1981, 486 p., pp. 47 et *sq.*

30. Henry PRUNIÈRES, « La musique de la Chambre et de l'Écurie sous le règne de François Ier, 1516-1547 », dans *L'Année musicale,* 1re année, 1911, pp. 215-251. Voir également Norbert DUFOURCQ, *La Musique française,* Paris, éd. 1970, 448 p., pp. 118-119 et James R. ANTHONY, *La Musique en France à l'époque baroque,* Paris, 1981, 556 p., pp. 17-18, 20-21, 22.

31. Saqueboute, ou sacqueboute, ou saquebute : espèce de trompette, à quatre branches qui se démontent, beaucoup plus longue que la trompette ordinaire (Littré). C'est l'ancêtre du trombone.

32. Paul KLAST, « Remarques sur la musique et les musiciens de la Chapelle de François Ier au Camp du Drap d'or », dans *Les Fêtes de la Renaissance,* t. II, pp. 135-146. La citation est extraite d'un texte de Jehan La Caille.

33. G. DU PEYRAT, *Histoire ecclésiastique de la Cour, ou les Antiquités et recherches de*

la chapelle et oratoire du roi de France depuis Clovis jusques à notre temps, Paris, 1645, p. 479.

34. Georges DOTTIN, *La Chanson française de la Renaissance*, Paris, 1984, 128 p., pp. 23-27.

35. CIMBER et DANJOU, *op. cit.*, t. VIII, p. 358.

36. BRANTÔME, *op. cit.*, t. VII, pp. 376-377.

37. Mathieu AUGÉ-CHIQUET, *op. cit.*, p. 312.

38. Cité par Jean-Pierre OUVRARD, « La musique au XVIe siècle : Europe du Nord, France, Italie, Espagne », dans Brigitte et Jean MASSIN (sous la direction de), *Histoire de la musique occidentale*, Paris, 1985, 1 315 p., p. 294.

39. RONSARD, *op. cit.*, t. I, pp. 414-415. SAINT-GELAYS, *Œuvres complètes*, éd. Prosper Blanchemain, Paris, 1873, 3 vol., t. I, p. 28.

40. Jean-Michel VACCARO, *op. cit.*, qui a été notre précieux guide.

41. L'ambassadeur Smith est cité par Jean BOUTIER..., *op. cit.*, p. 11. Pierre DE L'ESTOILE, *op. cit.*, p. 179.

42. Cité par Jean-Pierre OUVRARD, *op. cit.*, p. 308.

43. Henri PRUNIÈRES, *Le ballet de cour...*, *op. cit.*, p. 35.

44. Mireille PEDAUGÉ, « Le rôle de l'Italie dans la danse française », dans *Les Goûts réunis*, n° spécial : *Introduction à la danse ancienne*, 2e série, n° 2, 1982, non paginé.

45. Répliques conservées au musée du château de Blois, au musée des Beaux-Arts de Rennes, en Angleterre et au château de Gaasbeek, près de Bruxelles. Voir Lucienne COLLIARD, « Tableaux représentant des bals à la cour des Valois », dans *Gazette des Beaux-Arts*, 1963, pp. 147-156.

46. Margaret M. MC GOWAN, *op. cit.*, p. 36.

47. RONSARD, *op. cit.*, t. I, p. 262.

48. ID., *ibid.*, t. II, p. 668.

49. Cité par André THIERRY, *Agrippa d'Aubigné, auteur de l'Histoire universelle*, Lille III, 1982, X-750 p., p. 209.

50. Relations de Jean CORRERO (1569), Marino GIUSTINIANO (1535), Jean MICHEL (1561), Marino CAVALLI (1546), dans *Relations...*, *op. cit.*, t. II, p. 147, t. I, pp. 101-103, p. 401 et n. b, p. 283.

51. Pierre DE L'ESTOILE, *op. cit.*, p. 142.

52. Jean BOUTIER..., *op. cit.*, p. 309.

53. Pierre DE L'ESTOILE, *op. cit.*, pp. 145-146 (mai 1577) et p. 274 (septembre 1581).

54. Marc-Antoine BARBARO, *Relations*, *op. cit.*, t. II, p. 25.

55. Catherine DE MÉDICIS, *Lettres...*, *op. cit.*, t. II, p. 92. Pour Jean H. MARIÉJOL, *Catherine de Médicis*, *op. cit.*, pp. 269-272, cette lettre serait faussement datée du 8 septembre 1563. Catherine s'adresserait en fait à Henri III. Voir Ivan CLOULAS, *Catherine de Médicis*, *op. cit.*, p. 692.

56. RONSARD, *op. cit.*, t. II, p. 995.

57. Cité par J.-H. MARIÉJOL, *op. cit.*, p. 234.

58. Cité par Margaret M. MC GOWAN, *op. cit.*, p. 43.

59. RONSARD, *op. cit.*, t. I, pp. 1015-1017.

60. BRANTÔME, *op. cit.*, t. VII, p. 370.

61. Voir surtout le chapitre XVII (Le rituel royal) de Jean BOUTIER..., *op. cit.*, pp. 293-323.

62. Édouard BOURCIEZ, *op. cit.*, p. 252.

63. Ivan CLOULAS, *La Vie quotidienne...*, *op. cit.*, pp. 249-250 et ID., *Catherine de Médicis*, *op. cit.*, pp. 405-406.

64. Cité par J.-H. MARIÉJOL, *op. cit.*, p. 334.

CHAPITRE VII : LE STYLE DE LA COUR

1. Roland MOUSNIER, *Le Conseil du roi de Louis XII à la Révolution*, Paris, 1970, 378 p., pp. 21-22.
2. Pierre DE L'ESTOILE, *op. cit.*, p. 210.
3. François DE LA NOUE, *Discours politiques et militaires*, éd. F. E. Sutcliffe, Genève-Paris, 1967, 793 p., p. 190.
4. Cité par Lucien ROMIER, *Le Royaume…*, *op. cit.*, p. 191.
5. R. de MAULDE-LA-CLAVIÈRE, *Les Origines de la Révolution française au commencement du XVIe siècle. La veille de la Réforme*, Paris, 1889, 360 p., pp. 91-92.
6. Anselme DE SAINTE-MARIE, *Histoire généalogique et chronologique de la maison royale de France et des grands officiers de la couronne*, Paris, 1726-1733, rééd. 1967, 9 vol. in-fol., t. VII, p. 115.
7. Albert ISNARD, *Catalogue général des livres imprimés de la Bibliothèque nationale. Actes royaux*, t. I *(depuis l'origine jusqu'à Henri IV)*, Paris, 1910, 851 p., p. 242.
8. VOLTAIRE, *Essai sur les mœurs…*, éd. René Pomeau, Paris, 2 vol., 1963, t. II, p. 483.
9. VIEILLEVILLE, *Mémoires*, *op. cit.*, t. XXVI, p. 154.
10. Catherine DE MÉDICIS, *Lettres…*, *op. cit.*, t. II, pp. 90 et *sq.*, BRANTÔME, *op. cit.*, t. III, pp. 278-280.
11. Cité par Ivan CLOULAS, *Henri II*, *op. cit.*, p. 345.
12. CATHERINE DE MÉDICIS, *op. cit.*, t. II, p. 92.
13. Michel SURIANO, *Relations…*, t. I, p. 509. « L'ordre que le Roy veut estre tenu par ses valets de chambre », publié par Eugène GRISELLE, *Supplément à la maison du roi Louis XIII…*, Paris, 1912, 122 p., p. 21.
14. Jacques-Auguste DE THOU, *Histoire universelle…*, Paris, 1733-1736, 16 vol. in-fol., t. VII, pp. 134-135.
15. Jean MICHEL, *Relations…*, *op. cit.*, t. II, p. 237.
16. « L'ordre que le Roy veut estre tenu par Monsieur le grand Maître », publié par Eugène GRISELLE, *op. cit.*, pp. 4-5.
17. Étienne PASQUIER, *Lettres historiques pour les années 1556-1594*, éd. D. Thickett, Paris-Genève, 1966, 514 p., pp. 405-406.
18. Pierre DE L'ESTOILE, *op. cit.*, p. 372.
19. « L'ordre que le Roy veut estre tenu par son grand aumônier », publié par Eugène GRISELLE, *op. cit.*, p. 3.
20. Eugène GRISELLE, *op. cit.*, pp. 6, 26-27, 18.
21. Pierre de L'ESTOILE, *op. cit.*, p. 261.
22. ID., *ibid.*, p. 47 ; J.-A. DE THOU, *op. cit.*, t. VII, pp. 134-135, t. IX, pp. 202-203 ; lettre de Jean Regnault à Claude Dupuy du 13 septembre 1574 et l'épigramme recueillie par Pierre de L'Estoile, dans Jacqueline BOUCHER, *op. cit.*, t. I, p. 199.
23. Cité par Marc FUMAROLI, « *Aulae Arcana* »…, *art. cit.*, p. 180.
24. BOYVIN DE VILLARS, *Mémoires*, cité par Ch. MARCHAND, *op. cit.*, p. 34.
25. Cité par Ivan CLOULAS, *Henri II*, *op. cit.*, p. 116.
26. Lucien ROMIER, *La Carrière d'un favori. Jacques d'Albon de Saint-André, maréchal de France (1512-1562)*, Paris, 1909, 462 p.
27. BRANTÔME, *op. cit.*, t. V, pp. 30-32.
28. J. A. DE THOU, cité par Lucien ROMIER, *op. cit.*, pp. 54-55.
29. Dépêche de Saint-Mauris, publiée par Ch. PAILLARD, « La mort de François Ier… », *art. cit.*, p. 112.
30. Père ANSELME, *op. cit.*, t. VII, p. 193.

31. Cité par Pierre CHEVALLIER, *Henri III*, Paris, 1985, 751 p., p. 531.
32. Jacqueline BOUCHER, *op. cit.*, t. I, p. 262. Pierre CHEVALLIER, *op. cit.*, pp. 470, 533, 424, 426-427.
33. Cité par Jacqueline BOUCHER, *op. cit.*, t. I, p. 261.
34. Lettre du cardinal Jean du Bellay du 6 juillet 1549, citée par Lucien ROMIER, *La Carrière..., op. cit.*, p. 167.
35. Eugène BARET, *op. cit.*
36. Cecil H. CLOUGH, « Francis I and the Courtiers of Castiglione's Courtier », dans *European Studies Review*, vol. 8, n° 1, janvier 1978, pp. 23-70.
37. Citations extraites de l'édition du *Courtisan* par Alain PONS, Paris, 1987, 407 p.
38. Mme DE LA FAYETTE, *La Princesse de Clèves*, éd. Antoine Adam, Paris, 1966, 186 p., p. 35.
39. VOLTAIRE, *op. cit.*, t. II, p. 135.
40. HENRY IV, *Lettres..., op. cit.*, t. I, p. 81.
41. Jérôme LIPPOMANO, *Relations...*, t. II, p. 455.
42. BRANTÔME, *op. cit.*, t. IX, p. 398.
43. Cité par Pierre CHEVALLIER, *op. cit.*, p. 297.
44. Micheline CUÉNIN, *Le Duel sous l'Ancien Régime*, Paris, 1982, 342 p., pp. 24-25 et François BILLACOIS, *Le Duel dans la société française des XVIe-XVIIe siècles. Essai de psychosociologie historique*, Paris, 1986, 539 p., première partie : « Au XVIe siècle : les commencements du duel français ».
45. Pierre DE L'ESTOILE, *op. cit.*, p. 188.
46. ID., *ibid.*, p. 219.
47. Jean DELUMEAU, *La Civilisation de la Renaissance*, Paris, 1967, 718 p., p. 438.
48. BRANTÔME, *op. cit.*, t. III, p. 93, pp. 279-280 ; t. VII, p. 377.
49. *Les Clouet et la cour des rois de France. De François Ier à Henri IV*, catalogue de l'exposition de la Bibl. nat., Paris, 1970, 93 p. et 44 pl. Introduction par M. Jean ADHÉMAR.
50. BRANTÔME, *op. cit.*, t. IV, pp. 164-165, cité par Alphonse de RUBLE, *Le Duc de Nemours et mademoiselle de Rohan (1531-1592)*, Paris, 1883, 186 p., pp. 16-17.
51. BRANTÔME, *op. cit.*, t. IX, p. 369.
52. Cité par Pierre DE VAISSIÈRE, *Gentilshommes campagnards de l'ancienne France*, Paris, 1903, 424 p., pp. 179-180.
53. Marino CAVALLI, Jean MICHEL et Jérôme LIPPOMANO, dans *Relations..., op. cit.*, t. I, pp. 283, 405, t. II, p. 619.
54. Philibert DE L'ORME, cité par Jacqueline BOUCHER, *op. cit.*, t. II, p. 754. Pierre DE L'ESTOILE, *op. cit.*, p. 122.
55. Jean DE SAINT-MAURIS, cité par C. PAILLARD, « La mort de François Ier... », *art. cit.*, p. 115.
56. Cité par Lucien ROMIER, *Catholiques et huguenots à la cour de Charles IX*, Paris, 1924, 355 p., pp. 9 et 56.
57. Michel SURIANO et Jérôme LIPPOMANO, dans *Relations..., op. cit.*, t. I, p. 489 et t. II, p. 555.
58. Pauline M. SMITH, *The Anti-Courtier Trend in Sixteenth Century French Literature*, Genève, 1966, 234 p.
59. Henri ESTIENNE, cité par P. M. SMITH, *op. cit.*, p. 209.
60. Philibert DE VIENNE, *Le Philosophe de Court* (1547), cité par ID., *ibid.*, p. 141.
61. Henri ESTIENNE, cité par ID., *ibid.*, p. 210.
62. Jacques BAILBÉ, « Le courtisan au temps d'Henri III et d'Henri IV », dans *Bulletin de l'association Guillaume Budé*, 3, oct. 1980, pp. 305-320.
63. Ronsard, cité par Yvonne BELLENGER, *La Pléiade*, Paris, 1978, 128 p., p. 56.
64. Antoine DE LAVAL, cité par Claude LONGEON, *Une Province française à la*

Renaissance. La vie intellectuelle en Forez au XVIe siècle, Saint-Étienne, 1975, 623 p., p. 140.

65. Cité par Pierre DE VAISSIÈRE, *op. cit.*, p. 192.
66. DU BELLAY, *Regrets*, CL, dans *Poètes du XVIe siècle, op. cit.*, pp. 504-505.
67. ID., *ibid.*, p. 449.
68. Claude LONGEON, *op. cit.*, p. 465.
69. DU BELLAY, *op. cit.*, pp. 476-477.

DEUXIÈME PARTIE
LA COUR BALBUTIANTE

CHAPITRE VIII : LA RUSTICITÉ DE LA COUR

1. Cité par Albert DESJARDINS, *Les Sentiments moraux..., op. cit.*, p. 335.
2. BRANTÔME, *op. cit.*, t. VII, p. 400.
3. Cité d'après TALLEMANT DES RÉAUX par Maurice MAGENDIE, *La Politesse mondaine et les théories de l'honnêteté, en France, au XVIIe siècle, de 1600 à 1660*, Paris (1925), 2 vol. in-8, t. I, p. 2.
4. Jean-Pierre BABELON, *Henri IV*, Paris, 1982, 1 103 p., p. 513 et Pierre DE L'ESTOILE, cité par M. MAGENDIE, *op. cit.*, t. I, p. 5.
5. SULLY, *Œconomies royales*, cité par A. FRANKLIN, *La Cour de France et l'assassinat du maréchal d'Ancre*, Paris, 1913, 322 p., p. 67.
6. R. DALLINGTON, *The View of France*, p. 68, cité par Louis BATIFFOL, *La Vie intime d'une reine de France au XVIIe siècle*, Paris, s.d., 564 p., p. 203.
7. Cité par Louis BATIFFOL, *op. cit.*, p. 196 et du même, *Le roi Louis XIII à vingt ans*, Paris, 1910, 698 p., pp. 109 et 101.
8. Louis BATIFFOL, *Le Louvre sous Henri IV et Louis XIII. La vie de la cour de France au XVIIe siècle*, Paris, 1930, 232 p., chapitre IV.
9. ID., *Le roi Louis XIII..., op. cit.*, pp. 110-112.
10. Pierre DE VAISSIÈRE, *Henri IV*, Paris, 1923, 706 p., pp. 605-606.
11. Jean HÉROARD, *Journal... sur l'enfance et la jeunesse de Louis XIII (1601-1628)*, éd. E. Soulié et Éd. de Barthélemy, Pairs, 1868, 2 vol., 436 et 456 p., t. I, pp. 28 et 143.
12. Louis BATIFFOL, *Le Louvre..., op. cit.*, pp. 57-58. Au XVIIIe siècle, Mathieu MARAIS a consacré quelques pages d'histoire aux *Honneurs du Louvre* dans son *Journal et Mémoires sur la Régence et le règne de Louis XV (1715-1737)*, éd. Lescure, Paris, 1863, 4 vol. in-8, t. II, pp. 402 et *sq.*
13. Jacqueline BOUCHER, *art. cit.*
14. Louis BATIFFOL, *La Vie intime..., op. cit.*, pp. 137-138 et n. 1. Michel CARMONA, *Marie de Médicis*, Paris, 1981, 635 p., pp. 61-62.
15. Jean-Pierre BABELON, *op. cit.*, pp. 638, 602, 650, 643, 658.
16. SAINT-SIMON, *Parallèle des trois premiers rois Bourbons*, cité par Louis BATIFFOL, *La Vie intime..., op. cit.*, p. 42.
17. P. ANSELME, *op. cit.*, t. VII, pp. 396-397.
18. Michel CARMONA, *Richelieu*, Paris, 1983, 783 p., pp. 435, 453.
19. Jean HÉROARD, *op. cit.*, t. II, p. 272.
20. Agrippa D'AUBIGNÉ, *Les Aventures du baron de Faeneste*, dans *Œuvres*, éd. Henri Weber, Paris, Bibl. de la Pléiade, 1969, in-16, p. 679.
21. ID., *ibid.*, p. 721.

22. Henri de CAMPION, *Mémoires contenant divers éléments des règnes de Louis XIII et de Louis XIV*, éd. Marc Fumaroli, Paris, 1967, 341 p., p. 85.
23. Micheline CUÉNIN, *op. cit.*, p. 77 et pp. 49-51, 100.
24. Louis BATIFFOL, *Le Louvre...*, p. 66.
25. Cité par Pierre de VAISSIÈRE, *Henri IV, op. cit.*, p. 634.
26. Cité par M. MAGENDIE, *op. cit.*, t. I, p. 94.
27. Cité par Louis BATIFFOL, *La Duchesse de Chevreuse. Une vie d'aventures et d'intrigues sous Louis XIII*, Paris, 1913, 311 p., p. 12.
28. René PINTARD, *Le Libertinage érudit dans la première moitié du XVIIe siècle*, Genève-Paris, nouv. éd. 1983, 765 p., p. 7.
29. Cité par M. MAGENDIE, *op. cit.*, t. I, p. 112.
30. Louis BATIFFOL, *Le Roi Louis XIII..., op. cit.*, p. 99.
31. SAINT-ÉVREMOND, cité par René PINTARD, *op. cit.*, p. 8.
32. Cité par Pierre DE VAISSIÈRE, *Henri IV, op. cit.*, pp. 385-386.
33. BASSOMPIERRE, *Mémoires*, éd. Michaud, Paris, 1866, t. XX, pp. 1-368, p. 52.
34. FRESNES-FORGET, cité par Simone RATEL, « La cour de la reine Marguerite », dans *Revue du XVIe siècle*, t. XI (1924), pp. 1-29, 193-207 et t. XII (1925), pp. 1-43.
35. MALHERBE, *Œuvres*, éd. L. Lalanne, t. III, 1862, 617 p., pp. 290, 292.
36. Claude DULONG, *Anne d'Autriche, mère de Louis XIV*, Paris, 1980, 427 p., p. 43.
37. PESARO, cité par Antoine ADAM, *Théophile de Viau et la libre pensée française en 1620*, Paris, 1935, 473 p., p. 283.
38. Cité par M. MAGENDIE, *op. cit.*, t. I, pp. 28-29.
39. Louis BATIFFOL, *La Vie intime.., op. cit.*, pp. 208-210.
40. Michel CARMONA, *Marie de Médicis, op. cit.*, p. 99.
41. SAINT-SIMON, Additions au Journal de Dangeau, 10 mai 1690, cité par P. L. ROEDERER, *Mémoire pour servir à l'histoire de la société polie en France*, Paris, 1835, 484 p., p. 98.
42. Mme DE MOTTEVILLE, *Mémoires* (1615-1666), éd. Michaud et Poujoulat, Paris, 1866, t. XXIV, 572 p., p. 23.
43. Cité par François BLUCHE, *Louis XIV*, Paris, 1986, 1039 p., p. 38.
44. MONGLAT, *Mémoires...*, éd. Michaud et Poujoulat, Paris, 1866, t. XXIX, pp. 1-365, p. 139.
45. Mlle DE MONTPENSIER, *Mémoires*, éd. Michaud et Poujoulat, Paris, 1866, t. XXVIII, pp. 1-530, pp. 21, 17.
46. Mme DE MOTTEVILLE, cité par M. MAGENDIE, *op. cit.*, t. II, p. 477, n. 3.
47. BUSSY-RABUTIN et COLIGNY-SALIGNY, cités par Antoine ADAM, *Littérature française, L'âge classique, I, 1624-1660*, Paris, 1968, 367 p., pp. 40-41.
48. Olivier D'ORMESSON, *Journal...*, éd. Chéruel, Paris, 1860-1861, 2 vol. in-4, t. I, p. 220.
49. Mme DE MOTTEVILLE, *op. cit.*, p. 284.
50. LORET, cité par M. MAGENDIE, *op. cit.*, t. II, p. 549.
51. Mlle DE MONTPENSIER, *op. cit.*, p. 83.
52. Henri MALO, *Le Grand Condé*, Paris, rééd. 1980, 540 p., p. 372.
53. M. MAGENDIE, *op. cit.*, t. II, p. 549.

CHAPITRE IX : LES « BROUILLERIES » DE LA COUR

1. Cité par Michel CARMONA, *La France de Richelieu*, Paris, 1984, 463 p., p. 84.
2. ID., *ibid.*, p. 83.
3. P. ANSELME, *op. cit.*, t. I, p. 350.

4. ID., *ibid.*, t. III, p. 488 et t. VIII, p. 456.
5. BEAUVAIS-NANGIS, *Mémoires*, p. 131, cité par Louis BATIFFOL, *La Vie intime..., op. cit.*, pp. 48-49 et n. 1.
6. Cité par Louis BATIFFOL, *La Vie intime..., op. cit.*, p. 355.
7. ID., *ibid.*, p. 368.
8. RICHELIEU, *Mémoires*, éd. Michaud et Poujoulat, Paris, 1866, 3 vol., XXI, XXII, XXIII, t. XXI, p. 149.
9. Louis BATIFFOL, *Le Roi Louis XIII..., op. cit.*, p. 25.
10. BASSOMPIERRE, *Journal de ma vie, Mémoires*, éd. Chanterac, Paris, 1870, 415 p., t. I, p. 301.
11. MALHERBE, *op. cit.*, t. III, p. 219 (4 mars 1611), p. 221 (8 mars 1611), p. 223 (5 avril 1611).
12. Michel CARMONA, *Richelieu, op. cit.*, pp. 264 et 266.
13. RICHELIEU, *Mémoires, op. cit.*, t. XXI, p. 31.
14. ID., *ibid.*, t. XXI, p. 115.
15. Cité par Antoine ADAM, *Théophile de Viau..., op. cit.*, p. 89.
16. Cité par Michel CARMONA, *Richelieu, op. cit.*, p. 320.
17. P. ANSELME, *op. cit.*, t. IV, pp. 272, 274.
18. Cité par A. FRANKLIN, *op. cit.*, p. 221.
19. RICHELIEU, *op. cit.*, t. XXI, p. 211.
20. Le mot est du cardinal de Retz, cité par Louis BATIFFOL, *La Duchesse de Chevreuse..., op. cit.*, p. 7.
21. Duc DE LA FORCE, *Mémoires authentiques*, éd. du marquis de la Grange, Paris, 1843, t. II, lettre de la marquise de la Force au marquis du 12 décembre 1617.
22. RICHELIEU, *op. cit.*, t. XXI, pp. 226-227.
23. Michel CARMONA, *La France de Richelieu, op. cit.*, pp. 173-174.
24. Cité par Claude DULONG, *op. cit.*, p.79.
25. Michel CARMONA, *La France de Richelieu, op. cit.*, p. 290.
26. Georges MONGRÉDIEN, *La Journée des dupes*, Paris, 1961, 276 p.
27. Mme DE MOTTEVILLE, *op. cit.*, t. XXIV, p. 23.
28. MONGLAT, *op. cit.*, t. XXIX, p. 139.
29. Cité par Adolphe CHÉRUEL, *Histoire de France pendant la minorité de Louis XIV*, Paris, 1879-1880, 4 vol. in-8, t. I, p. 121.
30. Olivier D'ORMESSON, *op. cit.*, t. I, p. 39.
31. ID., *ibid.*, t. I, pp. 91-92.
32. Lettre de DUPUY à GRÉMONVILLE du 12 décembre 1645, citée par Adolphe CHÉRUEL, éditeur du *Journal* de d'Ormesson, t. I, p. 337, note.
33. Cité par François BLUCHE, *Louis XIV, op. cit.*, p. 54.
34. Mme de MOTTEVILLE, *op. cit.*, t. XXIV, pp. 111-112.
35. Olivier D'ORMESSON, *op. cit.*, t. I, p. 299.
36. ID., *ibid.*, t. I, p. 329.
37. *Mazarin, homme d'État et collectionneur, 1602-1661*, Bibl. nat., Paris, 1961, 228 p., p. 66.
38. *Ibid.*, t. 71.
39. Duchesse DE NEMOURS, *Mémoires...*, éd. Michaud et Poujoulat, Paris, 1866, t. XXIII, pp. 604-660.
40. ID., *ibid.*, p. 620.
41. ID., *ibid.*, p. 643.
42. Henri II de Bourbon, prince de Condé (1588-1646), est père de Louis II de Bourbon, prince de Condé (1621-1686), dit le grand Condé ; Henri de la Tour, duc de Bouillon, prince de Sedan, maréchal de France, premier gentilhomme de la chambre du roi (1555-1623), est père de Henri de la Tour, vicomte de Turenne, maréchal de France (1611-1675) et de Frédéric Maurice de la Tour, duc de Bouillon

(1605-1652) ; enfin, César de Bourbon, duc de Vendôme (1594-1665), fils légitimé de Henri IV, est père de Louis, duc de Vendôme (1612-1669) et de François de Vendôme, duc de Beaufort (1616-1669), dit le roi des Halles.

43. *Mazarin, homme d'État..., op. cit.*, p. 99. P. ANSELME, *op. cit.*, t. VII, p. 576.

44. C'est le titre du chapitre IV du *Louis XIV* de François BLUCHE.

CHAPITRE X : LA REDÉCOUVERTE DES MUSES

1. Cette formule (trop) bien léchée est confirmée par une lettre du roi à Sully du 8 avril 1607, citée par J.-P. BABELON, *op. cit.*, p. 735.

2. Jean-Pierre BABELON, *op. cit.*, p. 809.

3. Janine GARRISSON, *Henry IV*, Paris, 1984, 350 p., p. 217.

4. HURAULT DE CHEVERNY, cité par Pierre DE VAISSIÈRE, *Henri IV, op. cit.*, p. 577.

5. *Le Château de Fontainebleau sous Henri IV*. Le petit Journal des grandes expositions (Fontainebleau, 31 mai-28 août 1978), textes rédigés par C. SAMOYAULT-VERLET et J.-P. SAMOYAULT. Voir J.-P. SAMOYAULT, « Le château de Fontainebleau sous Henri IV », dans *Revue du Louvre*, 1978, n° 3, pp. 212-213.

6. MALHERBE, *Œuvres*, éd. Antoine Adam, Paris, Bibl. de la Pléiade, 1971, 1 085 p., p. 256 (lettre à M. de Racan, 10 septembre 1625).

7. HENRI IV, *Recueil des lettres missives...*, éd. M. Berger de Xivrey, t. IX, 1567-1610, supplément p.p. J. GUADET, Paris, 1876, pp. 425 et *sq.*, Itinéraires et séjours de Henri IV depuis son avènement au trône de France jusqu'à sa mort, novembre 1602.

8. Michel CARMONA, *Marie de Médicis, op. cit.*, pp. 405-415.

9. BASSOMPIERRE et Charles BERNARD, cités par Louis BATIFFOL, *Le Roi Louis XIII..., op. cit.*, p. 658.

10. Albert ISNARD et Mme S. HONORÉ, *Catalogue général..., op. cit., Actes royaux*, t. II (1610-1665), Paris, 1968, 1 151 p.

11. Anthony BLUNT, *Art et architecture..., op. cit.*, p. 174.

12. *La Peinture française du XVIIe siècle dans les collections américaines* (galeries nationales du Grand Palais, Paris, 29 janvier-26 avril 1982), Paris, 1982, 397 p. Introduction par Marc FUMAROLI, p. 11.

13. Jean-Pierre BABELON, *op. cit.*, p. 805.

14. Jacques THUILLIER, « La fortune de la Renaissance et le développement de la peinture française, 1580-1630. Examen d'un problème », dans *L'Automne de la Renaissance, 1580-1630*, études réunies par Jean Lafond et André Stegmann, Paris, 1981, 386 p., pp. 357-370.

15. Sylvie BÉGUIN, « Toussaint Dubreuil, premier peintre de Henri IV », dans *Art de France*, 1964, pp. 86-107.

16. Voir Sylvie BÉGUIN, *L'École de Fontainebleau, le maniérisme à la cour de France*, Paris, 1960 et *L'École de Fontainebleau* (Grand Palais, 17 octobre 1972-15 janvier 1973), Paris, 1972, 518 p.

17. René CROZET, *La Vie artistique en France au XVIIe siècle (1598-1661). Les artistes et la société*, Paris, 1954, 210 p., p. 35.

18. Barbara BREJON DE LAVERGNÉE, « Some new pastels by Simon Vouet : portraits of the court of Louis XIII », dans *Burlington Magazine*, novembre 1982, pp. 689-693, cite (p. 689) Félibien qui rapporte l'anecdote.

19. Cité par Jean ADHÉMAR, « Les dessins de Daniel Dumonstier du cabinet des Estampes », dans *Gazette des Beaux-Arts*, mars 1970, pp. 120-150, p. 131.

20. Jacques THUILLIER, « Simon Vouet : documents positifs sur la vie d'un

peintre du XVIIe siècle », dans *Annuaire du Collège de France,* 1982-1983, Paris, 1983, pp. 693-703, p. 697.

21. Jacques THUILLIER, « Peinture et politique : une théorie de la galerie royale sous Henri IV », dans *Études d'art français offertes à Charles Sterling,* Paris, 1975, pp. 175-205, pp. 186-187 ; et du même, « La galerie de Médicis de Rubens et sa genèse : un document inédit », dans *Revue de l'art,* 1969, n° 4, pp. 52-62.

22. Bernard DORIVAL, « Art et politique en France au XVIIe siècle : la galerie des Hommes illustres du Palais Cardinal », dans *Bulletin de la société de l'histoire de l'art français,* Paris, 1974, pp. 43-60. La citation de Sauval est page 44.

23. Norbert DUFOURCQ, *La Musique française, op. cit.,* pp. 134-138 ; James R. ANTHONY, *op. cit.,* pp. 449-465.

24. Henri PRUNIÈRES, *op. cit.,* et Margaret M. MC GOWAN, *op. cit.*

25. BASSOMPIERRE, *Journal de ma vie...,* éd. Chanterac, *op. cit.,* Paris, 1873, t. II, p. 2.

26. Nanie BRIDGMAN, « L'aristocratie française et le ballet de cour », dans *Cahiers de l'association internationale des études françaises,* n° 9, juin 1957, pp. 9-21, p. 10.

27. Jean HÉROARD, *op. cit.,* t. II, p. 231.

28. Margaret M. MC GOWAN, *op. cit.,* p. 105, n. 27.

29. ID., *ibid.,* p. 178.

30. ID., *ibid.,* p. 112, n. 47.

31. Cité par James R. ANTHONY, *op. cit.,* p. 51.

32. Cité par Henri PRUNIÈRES, *L'Opéra italien en France avant Lulli,* Paris, 1913, 431 p., p. XLVI.

33. Marie-Françoise CHRISTOUT, « *Ercole Amante, L'Hercule amoureux* à la salle des machines, aux Tuileries », dans *XVIIe siècle,* janvier-mars 1984, n° 142, pp. 5-15, n. 15, publiée dans le n° 143 (lettre du 8 juillet 1659).

34. Lettre du 8 août 1659 citée par James R. ANTHONY, *op. cit.,* p. 72.

35. Henri PRUNIÈRES, *L'Opéra italien..., op. cit.,* chap. II : « Les premiers opéras représentés à Paris (1643-1646) ».

36. *Mazarin, homme d'État..., op. cit.,* p. 202, n° 601.

37. Marie-Françoise CHRISTOUT, *Le Ballet de cour de Louis XIV, 1643-1672, mises en scène,* Paris, 1967, 270 p., pp. 67-71.

38. Cité par Henri PRUNIÈRES, *L'Opéra italien..., op. cit.,* p. 168.

39. James R. ANTHONY, *op. cit.,* p. 72.

40. Cité par Henri PRUNIÈRES, *L'Opéra italien..., op. cit.,* p. 302.

41. La formule est de Mme Madeleine LAURAIN-PORTEMER, « Le Palais Mazarin à Paris et l'offensive baroque de 1645-1650 d'après Romanelli, Pierre de Cortone et Grimaldi », dans *Gazette des Beaux-Arts,* mars 1973, t. LXXXI, pp. 151-168.

42. Jacques THUILLIER, « Doctrines et querelles artistiques en France au XVIIe siècle. Quelques textes oubliés ou inédits », dans *Archives de l'art français,* t. XXIII, 1968, pp. 136-137.

43. Madeleine LAURAIN-PORTEMER, « Mazarin militant de l'art baroque au temps de Richelieu (1634-1642) », dans *Bulletin de la société de l'histoire de l'art français,* 1975, pp. 65-100.

44. Cité par Madeleine LAURAIN-PORTEMER, « Le Palais Mazarin... », *art. cit.,* p. 161.

45. ID., *ibid.,* p. 162.

46. Mme DE MOTTEVILLE, citée par Louis HAUTECŒUR, *L'Histoire des châteaux du Louvre et des Tuileries,* Paris, 1927, 239 p., p. 7.

47. François GÉBELIN, *L'Époque Henri IV et Louis XIII,* Paris, 1969, 186 p., pp. 141-142.

CHAPITRE XI : LA CULTURE DES « IGNORANTS »

1. Charles SOREL, *Histoire comique de Francion*, éd. Yves Giraud, Paris, 1979, 445 p., p. 400.
2. Agrippa D'AUBIGNÉ, *Œuvres*, éd. E. Reaume et F. de Caussade, Paris, 1873-1892, 6 vol., t. I, p. 328.
3. Cité par Marc FUMAROLI, *L'Age de l'éloquence. Rhétorique et « res literaria » de la Renaissance au seuil de l'époque classique*, Genève, 1980, 882 p., p. 522, n. 212.
4. Henri-Jean MARTIN, *Livre, pouvoirs et société à Paris au XVIIe siècle, 1598-1701*, Genève, 1969, 2 vol., 1091 p., t. I, p. 433.
5. Cité par Antoine ADAM, *Histoire de la littérature française au XVIIe siècle*. I. *L'époque de Henri IV et de Louis XIII*, Paris, 1948, 615 p., p. 24.
6. Marc FUMAROLI, *op. cit.*, pp. 520-522 et du même, « Le langage de cour en France. Problèmes et points de repère », dans *Europäische Hofkultur...*, *op. cit.*, t. IX, pp. 23-32, p. 27.
7. ID., *L'Age de l'éloquence...*, *op. cit.*, p. 522, n. 213. Au siècle précédent, François de la Noue suggérait la fondation aux frais de l'État d'académies ou collèges destinés aux enfants nobles (*Discours politiques et militaires*, *op. cit.*, pp. 133-159). Voir René BADY, *L'Homme et son « institution » de Montaigne à Bérulle, 1580-1625*, Paris, 1964, 586 p., pp. 387-388.
8. Cité par Marc FUMAROLI, *op. cit.*, p. 597.
9. Henri-Jean MARTIN, *op. cit.*, pp. 477-481.
10. ID., *ibid.*, p. 529.
11. Marc FUMAROLI, *op. cit.*, p. 602.
12. Antoine ADAM, *Théophile de Viau et la libre pensée française en 1620*, Paris, 1935, 473 p., p. 88.
13. Charles SOREL, *op. cit.*, pp. 257-262.
14. Antoine ADAM, *Théophile de Viau...*, *op. cit.*, p. 292.
15. Henri-Jean MARTIN, *op. cit.*, t. I, pp. 431-432. Le comte de Cramail est évoqué par Jean ORCIBAL, *Les Origines du jansénisme : II, Jean Duvergier de Hauranne, abbé de Saint-Cyran et son temps (1581-1638)*, Louvain, Paris, 1947, 685 p., pp. 157 et *sq*.
16. Cité par Marc FUMAROLI, *op. cit.*, p. 541.
17. ID., *ibid.*, pp. 596-597.
18. ID., *ibid.*, pp. 311-326.
19. ID., *ibid.*, pp. 530, 571.
20. ID., *ibid.*, p. 693.
21. Ferdinand BRUNOT, *Histoire de la langue française des origines à nos jours*. III. *La formation de la langue classique, 1600-1660*, 1re partie, Paris, 1966, 419 p., chap. premier : « La langue au début du XVIIe siècle. Malherbe », p. 6, et chap. IV : « La théorie du bon usage ».
22. ID., *ibid.*, p. 21.
23. Cité par Marc FUMAROLI, *op. cit.*, p. 541, n. 281.
24. ID., *ibid.*, p. 608.
25. ID., *ibid.*, p. 533, n. 245.
26. ID., *ibid.*, pp. 572, 684.
27. Cité par Gaston GUILLAUME, *J.-L. Guez de Balzac et la prose française*, Paris, 1927, 561 p., pp. 99-101.
28. CORNEILLE, *Œuvres complètes*, éd. G. Couton, Paris, Bibl. de la Pléiade, 1980, 2 vol., t. I, p. 780, v. 47-50.
29. ID., *ibid.*, v. 63.
30. Marc FUMAROLI, « Pierre Corneille », dans *Histoire littéraire de la France* (sous

la direction de Pierre ABRAHAM et Roland DESNÉ), t. III, *1600-1660* (sous la direction d'Anne UBERSFELD et Roland DESNÉ), Paris, 1975, 477 p., pp. 367-405, surtout p. 374.

31. PASCAL, *Œuvres complètes*, éd. Jean Mesnard, Paris, 1964, 2 vol. in-12, t. I, p. 1075.

32. Maurice LEVER, *Le Roman français au XVIIe siècle*, Paris, 1981, 277 p., pp. 12-14.

33. La formule est de Mlle de Gournay, citée par Antoine ADAM, *op. cit.*, p. 133 et par Maurice LEVER, *op. cit.*, p. 66.

34. Charles SOREL, *De la Connaissance des bons livres*, pp. 11 et 133, cité par J. CHUPEAU, « Le roman dans la première moitié du XVIIe siècle », dans *Histoire littéraire de la France*, t. III, *op. cit.*, p. 263.

35. John LOUGH, « Représentations théâtrales à la cour depuis Henri IV », dans *Cahiers de l'association internationale des études françaises*, juin 1957, n° 9, pp. 161-171.

36. John LOUGH, *Paris Theatre Audiences in the seventeenth and eighteenth Centuries*, Londres, 1957, 293 p., p. 41.

37. Jean DUBU, « La condition sociale de l'écrivain de théâtre au XVIIe siècle », dans *XVIIe siècle*, 1958 (2e trim.), n° 39, pp. 149-183, p. 172.

38. Cité par Antoine ADAM, *op. cit.*, p. 198.

39. Alexandre HARDY, cité par John LOUGH, *Paris theatre*..., *op. cit.*, p. 117.

40. ID., *ibid.*, p. 118.

41. ID., *ibid.*, p. 127.

42. Cité par Gabriel HANOTAUX et le duc DE LA FORCE, *Histoire du cardinal de Richelieu*, t. VI, Paris, 1947, 446 p., p. 250.

43. Henri-Jean MARTIN, *op. cit.*, p. 542.

TROISIÈME PARTIE
LA COUR RAYONNANTE

CHAPITRE XII : LA COUR GALANTE

1. Mme DE MOTTEVILLE, *op. cit.*, pp. 509-510.

2. Cité par Georges MONGRÉDIEN, *Louis XIV*, Paris, 1963, 392 p., p. 129.

3. Cité par Georges MONGRÉDIEN, *Madeleine de Scudéry et son salon*, Paris, 1946, 235 p., p. 164.

4. MOLIÈRE, *Œuvres complètes*, éd. G. Couton, Paris, Bibl. de la Pléiade, 1983, 2 vol., t. II, p. 591.

5. Jean-Michel PELOUS, *Amour précieux, amour galant (1654-1675). Essai sur la représentation de l'amour dans la littérature et la société mondaines*, Paris, 1980, 524 p., p. 232.

6. MOLIÈRE, *La Princesse d'Élide*, dans *op. cit.*, t. I, pp. 776-777, cité par Jean-Michel PELOUS, *op. cit.*, p. 232.

7. Marquis DE SAINT-MAURICE, *Lettres sur la cour de Louis XIV*, éd. Lemoine, Paris, 1911-1912, 2 vol., 538 et 703 p., t. I, p. 253.

8. Mme DE LA FAYETTE, *Histoire de Madame Henriette d'Angleterre, suivie de Mémoires de la cour de France pour les années 1688 et 1689*, éd. Gilbert Sigaux, Paris, 1982, 253 p., pp. 24, 32.

9. SAINT-SIMON, *Mémoires*, éd. A. de Boislisle, Paris, 1879-1928, 41 vol., in-8, t. XVI, p. 427 et t. XXVIII, p. 150, n. 5. La comtesse de Soissons est Olympe Mancini (1639-1708), nièce du cardinal Mazarin ; elle a épousé en 1657 Eugène-

Maurice de Savoie, prince de Carignan, comte de Soissons. Mlle de Tonnay-Charente est Françoise Athénaïs de Rochechouart (1641-1707), bientôt (en 1663) marquise de Montespan.

10. Mme DE LA FAYETTE, *op. cit.*, pp. 39-40.
11. ID., *ibid.*, p. 41.
12. ID., *ibid.*, p. 43.
13. Mme DE MOTTEVILLE, *op. cit.*, p. 519.
14. Mme DE LA FAYETTE, *op. cit.*, p. 50.
15. Pierre GAXOTTE, *Molière*, Paris, 1977, 374 p., pp. 191-192.
16. LOUIS XIV, *Mémoires*, éd. Jean Longnon, Paris, 1978, 288 p., p. 75.
17. Jean-Baptiste PRIMI VISCONTI, *Mémoires sur la cour de Louis XIV*, éd. Jean Lemoine, Paris, 1908, 443 p., p. 115.
18. SAINT-MAURICE, *op. cit.*, t. II, p. 24, p. 349. Marquise DE SÉVIGNÉ, *Correspondance*, éd. Roger Duchêne, Paris, Bibl. de la Pléiade, 1972-1978, 3 vol. in-12, t. I, pp. 179 et 311.
19. Duchesse DE MONTPENSIER, *Mémoires (1627-1686)*, éd. Michaud et Poujoulat, t. XXVIII, Paris, 1866, pp. 1-530, p. 281.
20. Jules LAIR, *Louise de la Vallière et la jeunesse de Louis XIV d'après des documents inédits*, Paris, 1907, 488 p., pp. 55 et *sq*.
21. MOLIÈRE, *op. cit.*, t. I, pp. 631-633.
22. Pierre VERLET, *Le Château de Versailles*, Paris, 1985, 740 p., p. 39.
23. François BLUCHE, *La Vie quotidienne au temps de Louis XIV*, Paris, 1984, 398 p., p. 28.
24. Sophie COUTIN, *Les Déplacements de Louis XIV, 1661-1682*, Nanterre, 1985, in-4, mém. dactyl.
25. Jusqu'en 1693, le roi demeure à la tête de ses armées.
26. Comte de COLIGNY, *Mémoires*, éd. M. Monmerqué, Paris, 1841, 152 p., p. 123, lettre du 15 mai 1667.
27. SAINT-MAURICE, *op. cit.*, t. I, p. 71 (16 juin 1667) ; t. II, p. 92 (8 juin 1671) ; t. I, p. 62 (11 juin 1667) ; t. I, pp. 79-80 (3 juillet 1667) ; t. I, p. 95 (23 juillet 1667) ; t. I, p. 430 (30 mai 1670).
28. Georges LACOUR-GAYET, *Le Château de Saint-Germain-en-Laye*, Paris, 1935, 214 p., p. 177, 152 (cit. de Saint-Simon), 153 (cit. de Guy Patin). Voir la notice de Nicole FALKAY, « Le château de Saint-Germain », dans *Colbert, 1619-1683*. Hôtel de la Monnaie, Paris, 4 octobre-30 novembre 1983, Paris, 1983, 542 p., pp. 339-342.
29. Louis HAUTECŒUR, *L'Histoire des châteaux du Louvre et des Tuileries*, Paris, 1927, 239 p., chap. premier : « Le retour du Roi (1652) ».
30. Charles PERRAULT, *Mémoires*, éd. Paul Lacroix, Paris, 1878, 132 p., pp. 44 et 56-57.
31. Victor-L. TAPIÉ, *Baroque et classicisme*, Paris, 1972, 527 p., p. 215.
32. Cité par Nicole FELKAY et Dietrich FELDMANN dans la notice « Le Louvre » du *Colbert, 1619-1683, op. cit.*, p. 283.
33. SAINT-MAURICE, *op. cit.*, t. I, p. 149.
34. CHANTELOU, *Journal de voyage du cavalier Bernin en France*, Paris, 1981, 345 p., p. 185 (13 septembre 1665).
35. Cité par Pierre VERLET, *op. cit.*, p. 57 et dans *Colbert, 1619-1683, op. cit.*, p. 307.
36. Cité par Alfred MARIE, *La Naissance de Versailles. Le château, les jardins*, Paris, 1968, 2 vol., 356 p., t. II, p. 327.
37. Cité dans *Colbert, 1619-1683, op. cit.*, p. 308.
38. Cité par Pierre VERLET, *op. cit.*, p. 81.
39. Luc BENOIST, *Histoire de Versailles*, Paris, 1980, 128 p., p. 45.
40. Pierre VERLET, *op. cit.*, pp. 103 et 102.

41. Hubert BEYLIER, « Le permis de construire à Versailles sous l'Ancien Régime », dans *Bulletin de la société de l'histoire de Paris et de l'Ile-de-France,* 101e et 102e années, 1974-1975, pp. 175-212.
42. Abbé DE CHOISY, *Mémoires...,* éd. Georges Mongrédien, Paris, 1979, 412 p., p. 86.
43. SAINT-MAURICE, *op. cit.*, t. I, p. 274 (4 janv. 1669), p. 227 (21 sept. 1668).
44. LA FONTAINE, « Le songe de Vaux », dans *Œuvres complètes,* éd. René Gros et Jacques Schiffrin, Paris, Bibl. de la Pléiade, 1963-1968, 2 vol., t. II, p. 82.
45. ID., *ibid.*, t. II, p. 524 (lettre à M. de Maucroix).
46. LOUIS XIV, *Mémoires, op. cit.*, p. 133.
47. Marie-Christine MOINE, *Les Fêtes à la cour du roi-soleil,* Paris, 1984, 256 p., pp. 26-29.
48. Pierre VERLET, *op. cit.*, p. 58.
49. MOLIÈRE, *op. cit.*, t. I, pp. 751-766.
50. ID., *ibid.*, t. I, p. 826.
51. Pierre VERLET, *op. cit.*, pp. 70-71.
52. Marie-Christine MOINE, *op. cit.*, pp. 52-53.
53. SAINT-MAURICE, *op. cit.*, t. I, pp. 207, 205.
54. ID., *ibid.*, t. I, p. 202.
55. Mme DE SÉVIGNÉ, *op. cit.*, t. I, pp. 138 (10 déc. 1670), 667 (12 janv. 1674), 686 (29 janv. 1674).
56. Pierre VERLET, *op. cit.*, pp. 70, 119.
57. LOUIS XIV, *op. cit.*, p. 132.

CHAPITRE XIII : LA COUR À VERSAILLES

1. Marquis DE SOURCHES, *Mémoires... sur le règne de Louis XIV,* éd. Cosnac et Pontal, Paris, 1882-1893, 13 vol. in-8, t. I, p. 101.
2. ID., *ibid.*, t. I, p. 99.
3. François BLUCHE, *Louis XIV, op. cit.*, pp. 495 et *sq.*
4. Hélène HIMELFARB, « Versailles, fonctions et légendes », dans *Les Lieux de mémoire* (sous la direction de Pierre Nora), t. II, *La Nation,* 2e vol., Paris, 1986, pp. 193-292, p. 251.
5. François BLUCHE, *Louis XIV, op. cit.*, p. 253.
6. PRIMI VISCONTI, *op. cit.*, p. 271 et princesse PALATINE, cités par Arthur de BOISLISLE dans l'édition des *Mémoires* de Saint-Simon, *op. cit.*, t. XXVIII, p. 160.
7. Hugh MURRAY BAILLIE, « Etiquette and the Planning of the State Apartments in Baroque Palaces », dans *Archaelogia,* t. CI, 1967, pp. 169-199.
8. Pierre VERLET, *op. cit.*, p. 209.
9. ID., *ibid.*, p. 218.
10. Cité par ID., *ibid.*, p. 219.
11. Nicodème TESSIN, cité par Pierre VERLET, *ibid.*, p. 234.
12. SOURCHES, *op. cit.*, t. I, p. 354.
13. SAINT-SIMON, *Mémoires,* éd. Boislisle, *op. cit.*, t. XXVIII, p. 126.
14. Princesse PALATINE, *Lettres de Madame, duchesse d'Orléans...,* éd. O. AMIEL, Paris, 1981, 498 p., p. 257, lettre du 22 mai 1707.
15. Gerold WEBER, « Le domaine de Marly », dans *Monuments historiques,* no 122, août-septembre 1982, pp. 82-96.
16. Marquis DE DANGEAU, *Journal...,* éd. Soulié et Dussieux, Paris, 1854-1860, 19 vol. in-8, t. V, p. 303.
17. Princesse PALATINE, *op. cit.*, p. 77.

18. Georges LIZERAND, *Le Duc de Beauvillier, 1648-1714*, Paris, 1933, 627 p., p. 321.
19. RACINE, *Œuvres*, éd. Paul Mesnard, Paris, 1885-1888, 8 vol., t. VI, pp. 609-610.
20. DANGEAU, *op. cit.*, t. IV, p. 320.
21. Catherine GARRIGUES, *Grâces et faveurs à la cour de Louis XIV dans le Journal du marquis de Dangeau*, Besançon, 1986, 3 vol., 894 p. (mém. dactyl.), pp. 305-385.
22. Jean-Pierre LABATUT, *Louis XIV, roi de gloire*, Paris, 1984, 393 p., p. 323 (d'après le *Journal* du marquis de Dangeau, année 1714).
23. *Voyage de Lister à Paris en 1698*, Paris, 1873, 344 p., p. 185.
24. SOURCHES, *op. cit.*, t. II, p. 68.
25. DANGEAU, *op. cit.*, t. IV, p. 481.
26. ID., *ibid.*, t. III, p. 358.
27. SAINT-SIMON, cité par Pierre VERLET, *op. cit.*, p. 201.
28. Yves BOTTINEAU, « La cour de Louis XIV à Fontainebleau », dans *XVIIe siècle*, 1953-1954, nº 24, pp. 697-734.
29. DANGEAU, *op. cit.*, t. I, p. 70.
30. ID., *ibid.*, t. VIII, p. 173.
31. Jacques LEVRON, *La Vie quotidienne à la cour de Versailles aux XVIIe et XVIIIe siècles*, Paris, 1984, 353 p., p. 100. Chiffre accepté par H. HIMELFARB, *art. cit.*, p. 243.
32. François BLUCHE, *La Vie quotidienne au temps de Louis XIV*, *op. cit.*, p. 24.
33. DANGEAU, *op. cit.*, t. IX, p. 248.
34. Jacques LEVRON, *op. cit.*, p. 106.
35. SAINT-SIMON, *op. cit.*, éd. Boislisle, t. XXVIII, p. 131.
36. Alfred et Jeanne MARIE, *Mansart à Versailles*, Paris, 1972, 2 vol., 655 p., p. 536.
37. SAINT-SIMON, cité par le duc DE LA FORCE, *Lauzun, un courtisan du grand Roi*, Paris, 1919, 252 p., p. 230.
38. Antoine FURETIÈRE, *Dictionnaire universel...*, La Haye et Rotterdam, 1690, 3 vol. in-fol.
39. DANGEAU, *op. cit.*, t. III, p. 27.
40. SAINT-SIMON, *Mémoires*, éd. Yves Coirault, Paris, Bibl. de la Pléiade, 1983-19.., en cours de publication, t. I, p. 687.
41. Hélène HIMELFARB, *art. cit.*, p. 243.
42. Cité par Alfred et Jeanne MARIE, *Mansart à Versailles*, *op. cit.*, p. 121.
43. Maréchal DE TESSÉ, *Lettres...*, éd. Rambuteau, Paris, 1888, 505 p., p. 415.
44. Françoise CHANDERNAGOR, *L'Allée du Roi...*, Paris, 1981, 574 p., p. 570.
45. RACINE, *op. cit.*, t. VII, p. 172, lettre du 26 octobre 1696.
46. Pierre VERLET, *op. cit.*, p. 285.
47. Mme DE SÉVIGNÉ, *op. cit.*, t. II, pp. 351-352, 29 juillet 1676.
48. SAINT-SIMON, *Mémoires*, éd. Yves Coirault, *op. cit.*, t. I, pp. 36-37 ; SOURCHES, *op. cit.*, t. I, p. 154.
49. Princesse PALATINE, *op. cit.*, p. 283 (9 novembre 1709).
50. DANGEAU, *op. cit.*, t. I, p. 405.
51. Cité par Pierre VERLET, *op. cit.*, p. 170.
52. DANGEAU, *op. cit.*, t. VI, p. 70.
53. ID., *ibid.*, t. I, p. 153.
54. Cité par Pierre VERLET, *op. cit.*, p. 193.
55. SOURCHES, *op. cit.*, t. I, pp. 273-274.
56. SOURCHES et DANGEAU ont été ici nos guides. Sourches, t. I, pp. 167-168, 181, 191, 218, 220, 222, 226, 230, 247-249, 269, 273, 288-290 ; Dangeau, t. I, p. 125, 147, 149, 172, 186.

57. Marie-Christine MOINE, *op. cit.*, p. 21.
58. Mme DE SÉVIGNÉ, *op. cit.*, t. III, p. 219 (22 juillet 1685).
59. ID., *ibid.*, t. II, pp. 322-323 (18 juin 1676).
60. PRIMI VISCONTI, *op. cit.*, p. 300.
61. LA BRUYÈRE, *Œuvres complètes,* éd. Benda, Paris, Bibl. de la Pléiade, 1951, 739 p., p. 397 (De la mode, 16).
62. SOURCHES, *op. cit.*, t. I, pp. 436-438 ; abbé DE CHOISY, *op. cit.*, pp. 152-153.
63. Mme DE LA FAYETTE, *op. cit.*, p. 141.
64. Cité par Raymond PICARD, *La Carrière de Jean Racine*, Paris, 1956, 708 p., p. 403.
65. SAINT-SIMON, *Mémoires,* éd. Yves Coirault, t. I, pp. 432-433.
66. *Id.*, *ibid.*, t. I, p. 436.
67. SOURCHES, *op. cit.*, t. V, p. 368.
68. SAINT-SIMON, *Mémoires,* éd. Yves Coirault, *op. cit.*, t. I, p. 438.
69. Princesse PALATINE, *op. cit.*, p. 166.
70. ID., *ibid.*, p. 210.
71. DANGEAU, *op. cit.*, t. XIII, p. 287.
72. Cité par Jacques LEVRON, *Les Courtisans,* Paris, 1961, 189 p., p. 115.
73. Princesse PALATINE, *op. cit.*, p. 328.
74. SAINT-SIMON, *Mémoires,* éd. Yves Coirault, *op. cit.*, t. I, pp. 53, 229-230.
75. Alfred et Jeanne MARIE, *Versailles au temps de Louis XIV*. Troisième partie : « Mansart et Robert de Cotte », Paris, 1976, 566 p., pp. 190-191.
76. SOURCHES, *op. cit.*, t. VI, pp. 218-219.
77. Comtesse DE CAYLUS, *Souvenirs...*, éd. Bernard Noël, Paris, 1965, 210 p., p. 111.
78. François BLUCHE, *La Vie quotidienne de la noblesse française au XVIIIe siècle*, Paris, 1973, 270 p., p. 251.
79. Roger MARCHAL, *Mme de Lambert et son milieu,* thèse de doctorat d'État, Nancy II, 1985, 4 vol. dactyl., 1 206 p., pp. 150 et 327.
80. DANGEAU, *op. cit.*, t. XIV, p. 349.
81. Ezéchiel SPANHEIM, *Relation de la cour de France en 1690...*, éd. Schefer, Paris, 1882, 462 p., p. 155.
82. Cité par Jean-Christian PETITFILS, *Le Régent*, Paris, 1986, 728 p., p. 287.
83. François HÉBERT, *Mémoires du curé de Versailles François Hébert, 1686-1704*, éd. G. Giraud, Paris, 1927, XXVIII-330 p., pp. 21, 23.
84. Louis HAUTECŒUR, *Histoire de l'architecture classique en France,* t. III : *Première moitié du XVIIIe siècle. Le style Louis XV*, Paris, 1950, 673 p., pp. 29, 39.

CHAPITRE XIV : LA MÉCANIQUE DE LA COUR

1. François BLUCHE, *La Vie quotidienne au temps de Louis XIV, op. cit.*, p. 44.
2. Jacqueline BOUCHER, « L'évolution de la maison du roi... », *art. cit.*, pp. 366-368.
3. François BLUCHE et Pierre DURYE, *L'Anoblissement par charges..., op. cit.*, t. I, p. 42.
4. DANGEAU, *op. cit.*, t. VIII, p. 249 (1er déc. 1701) ; t. VII, p. 225 (4 janv. 1700) ; t. II, p. 117 (7 mars 1688) ; t. XI, p. 43 (26 fév. 1706).
5. SOURCHES, *op. cit.*, t. II, p. 147 (mars 1688).
6. DANGEAU, *op. cit.*, t. II, p. 132 (24 avril 1688).
7. SOURCHES, *op. cit.*, t. IV, p. 461 et note 2.
8. Roland MOUSNIER, *La Vénalité des offices sous Henri IV et Louis XIII*, Paris, 2e éd. 1971, 724 p., p. 125.

9. DANGEAU, *op. cit.*, t. I, p. 168 (8 mai 1685).
10. ID., *ibid.*, t. VI, p. 218.
11. ID., *ibid.*, t. XIII, p. 295 (9 déc. 1710); SOURCHES, *op. cit.*, t. XII, p. 411 (12 déc. 1710).
12. DANGEAU, *op. cit.*, t. XII, p. 429 (2 juin 1709).
13. SAINT-MAURICE, *op. cit.*, t. I, p. 157.
14. SAINT-SIMON, cité par DANGEAU, *op. cit.*, t. I, p. 258.
15. DANGEAU, *op. cit.*, t. I, p. 349 (15 juin 1686); t. I, pp. 45, 48; t. I, p. 215; t. II, p. 322 (Lauzun); t. XII, p. 288 et t. XV, p. 99 (Boufflers et Villars).
16. SAINT-SIMON, *Mémoires,* éd. Boislisle, *op. cit.*, t. XXVIII, p. 49 et t. XIII, p. 439.
17. ID., *ibid.*, t. XIII, p. 111.
18. ID., *ibid.*, t. XIII, p. 393.
19. ID., *ibid.*, éd. Yves Coirault, *op. cit.*, t. IV, pp. 1081-1082.
20. ID., *ibid.*, t. I, p. 1054.
21. ID., *ibid.*, t. III, p. 703.
22. ID., *ibid.*, éd. Boislisle, *op. cit.*, t. XXVIII, p. 342.
23. ID., *ibid.*, t. XXVIII, p. 348.
24. DANGEAU, *op. cit.*, t. III, p. 437.
25. SAINT-SIMON, *Mémoires,* éd. Boislisle, *op. cit.*, t. XXVIII, p. 354.
26. Cité par Boislisle dans son édition des *Mémoires* de SAINT-SIMON, *op. cit.*, t. XXVIII, p. 351 (lettre du 10 oct. 1707).
27. SAINT-SIMON, *Mémoires,* éd. Yves Coirault, *op. cit.*, t. III, p. 763.
28. ID., *ibid.*, éd. Boislisle, *op. cit.*, t. XXVIII, p. 360; DANGEAU, *op. cit.*, t. XIV, p. 441 (10 juillet 1713).
29. SAINT-SIMON, *Mémoires,* éd. Yves Coirault, *op. cit.*, t. II, pp. 174, 585.
30. PRIMI VISCONTI, *op. cit.*, p. 44.
31. SAINT-SIMON, *Mémoires,* éd. Yves Coirault, *op. cit.*, t. I, pp. 319-320 et pp. 1054-1055.
32. Princesse PALATINE, *op. cit.*, p. 244 (2 août 1705).
33. Henri BROCHER, *A la cour de Louis XIV. Le rang et l'étiquette sous l'Ancien Régime*, Paris, 1934, 154 p.
34. SAINT-SIMON, cité par Henri BROCHER, *op. cit.*, p. 135.
35. SAINT-SIMON, cité par Henri BROCHER, *op. cit.*, p. 129.
36. SAINT-SIMON, *Mémoires,* éd. Yves Coirault, *op. cit.*, t. III, pp. 58 et *sq.*, 421-423.
37. ID., *ibid.*, t. III, p. 25. Madame Palatine insiste sur le rang de *petit-fils de France* de son fils Philippe d'Orléans (*op. cit.*, p. 256 - 27 mars 1707 - et p. 334 - 27 déc. 1713).
38. SAINT-SIMON, *Mémoires,* éd. Yves Coirault, *op. cit.*, t. III, p. 758.
39. SOURCHES, *op. cit.*, t. XII, p. 165 et DANGEAU, *op. cit.*, t. XIII, pp. 115-117 et 124. Voir la lettre de Madame Palatine, *op. cit.*, p. 334 (27 déc. 1713).
40. Jean-Pierre LABATUT, *Les Ducs et Pairs en France au XVIIe siècle*, Paris, 1972, 456 p., p. 341.
41. François BLUCHE, *Louis XIV, op. cit.*, pp. 739-740 et 873-874.
42. Princesse PALATINE, *op. cit.*, pp. 344-345.
43. SAINT-MAURICE, *op. cit.*, t. I, p. 375.
44. Jacques LEVRON, *La Vie quotidienne à Versailles..., op. cit.*, p. 69.
45. DANGEAU, *op. cit.*, t. I, p. 426.
46. SAINT-SIMON, *Mémoires,* éd. Yves Coirault, *op. cit.*, t. I, p. 450.
47. ID., *ibid.*, t. III, pp. 26-28.
48. Cité par Norbert ELIAS, *La Société de cour,* Paris, 1985, 331 p., p. 116.
49. LOUIS XIV, *Mémoires, op. cit.*, p. 53.

50. SAINT-MAURICE, *op. cit.*, t. I, p. 197.
51. PRIMI VISCONTI, *op. cit.*, p. 262.
52. ID., *ibid.*, p. 270.
53. ID., *ibid.*, p. 176.
54. CHOISY, *op. cit.*, p. 141.
55. Norbert ELIAS, *op. cit.*, p. 134.
56. MONTESQUIEU, *Lettres persanes...*, éd. Jacques Roger, Paris, 1964, 253 p., p. 56.

CHAPITRE XV : GRANDEUR ET SERVITUDES DES COURTISANS

1. CHOISY, *op. cit.*, p. 131.
2. SAINT-SIMON, *Parallèle des trois premiers rois Bourbons,* dans *Papiers en marge des Mémoires,* éd. F. R. Bastide, Paris, 1954, 1389 p., p. 907.
3. François BLUCHE, *Louis XIV*, *op. cit.*, p. 522.
4. Mme DE SÉVIGNÉ, *op. cit.*, t. I, p. 314 (5 août 1671).
5. SAINT-SIMON, *Additions au journal de Dangeau,* dans DANGEAU, *op. cit.*, t. IV, p. 413 (19 déc. 1693).
6. SPANHEIM, *op. cit.*, p. 148.
7. DANGEAU, *op. cit.*, t. IX, p. 1 (1er oct. 1702).
8. SAINT-MAURICE, *op. cit.*, t. I, p. 219 ; ORMESSON, *op. cit.*, t. II, p. 555.
9. SAINT-MAURICE, *op. cit.*, t. I, p. 240.
10. François BLUCHE et Jean-François SOLNON, *La Véritable Hiérarchie sociale de l'ancienne France. Le tarif de la première capitation (1695),* Genève, 1983, 210 p., p. 55.
11. SAINT-MAURICE, *op. cit.*, t. I, p. 276.
12. SOURCHES, *op. cit.*, t. I, p. 61.
13. ID., *ibid.*, t. II, pp. 104-105.
14. SAINT-SIMON, *Mémoires,* éd. Yves Coirault, *op. cit.*, t. III, p. 25.
15. ID., *ibid.*, éd. Boislisle, t. XIII, p. 526.
16. PRIMI VISCONTI, *op. cit.*, p. 203.
17. SAINT-MAURICE, *op. cit.*, t. I, p. 406.
18. Princesse PALATINE, *op. cit.*, p. 320.
19. SOURCHES, *op. cit.*, t. I, p. 137.
20. Mme de CAYLUS, *op. cit.*, pp. 105-107.
21. Duc DE LA FORCE, *Le Grand Conti,* Paris, 1922, 342 p., pp. 67-71 ; SAINT-SIMON, *Mémoires,* éd. Yves Coirault, *op. cit.*, t. I, pp. 262-264.
22. CHOISY, *op. cit.*, p. 189.
23. SAINT-MAURICE, *op. cit.*, t. I, p. 387 ; t. II, p. 240.
24. Jean MEYER, *Le Régent, 1674-1723,* Paris, 1985, 281 p., pp. 68, 83, 94; SAINT-MAURICE, *op. cit.*, t. II, p. 488.
25. François BLUCHE, *Louis XIV*, *op. cit.*, p. 528.
26. SAINT-SIMON, *Mémoires,* éd. Yves Coirault, *op. cit.*, t. I, p. 190.
27. Cité par François BLUCHE, *La Vie quotidienne au temps de Louis XIV*, *op. cit.*, p. 35.
28. Princesse PALATINE, *op. cit.*, pp. 157, 167 ; voir François BLUCHE, *Louis XIV*, *op. cit.*, pp. 754-761.
29. SAINT-SIMON, *Mémoires,* éd. Yves Coirault, *op. cit.*, t. III, p. 157 ; Princesse PALATINE, *op. cit.*, p. 297 (23 déc. 1710); voir l'analyse d'Emmanuel LE ROY LADURIE, « Système de la cour (Versailles, vers 1709) », dans *Le Territoire de l'historien,* Paris, 1973-1978, 2 vol., t. II, pp. 275-299.
30. SAINT-SIMON, *Mémoires,* éd. Yves Coirault, *op. cit.*, t. IV, p. 219.

31. François BLUCHE, *Louis XIV*, *op. cit.*, pp. 844-846.
32. SAINT-SIMON, cité par Jean MEYER, *Le Régent*, *op. cit.*, p. 118.
33. Cité par le marquis DE SÉGUR, *La Jeunesse du maréchal de Luxembourg, 1628-1668*, Paris, s.d., 531 p., p. 428.
34. SAINT-MAURICE, *op. cit.*, t. II, pp. 280, 237 ; PRIMI VISCONTI, *op. cit.*, p. 250.
35. SAINT-MAURICE, *op. cit.*, t. I, pp. 266 et *sq.*
36. Mme DE SÉVIGNÉ, *op. cit.*, t. I, p. 85.
37. DANGEAU, *op. cit.*, t. VII, p. 42.
38. Mme DE SÉVIGNÉ, *op. cit.*, t. II, pp. 287-288 (6 mai 1676) ; t. II, p. 986 (25 juin 1680) ; t. III, p. 82 (17 avril 1682) ; t. III, p. 433 (18 déc. 1688) ; t. III, p. 984 (5 nov. 1691).
39. ID., *ibid.*, t. III, p. 447 (27 déc. 1688).
40. Mme DE LA FAYETTE, *op. cit.*, p. 70.
41. Princesse PALATINE, *op. cit.*, p. 77 (20 déc. 1687) ; SOURCHES, *op. cit.*, t. I, pp. 110-112, 148, 153 ; DANGEAU, *op. cit.*, t. I, p. 83.
42. BUSSY-RABUTIN, *Histoire amoureuse des Gaules*, éd. Antoine Adam, Paris, 1967, 187 p.
43. SAINT-MAURICE, *op. cit.*, t. II, p. 237.
44. PRIMI VISCONTI, *op. cit.*, p. 35.
45. LOUIS XIV, *Mémoires*, *op. cit.*, p. 49.
46. Michel ANTOINE, *Le Conseil du roi sous le règne de Louis XV*, Paris, Genève, 1970, 666 p., p. 53.
47. SAINT-SIMON, *Mémoires*, éd. Yves Coirault, *op. cit.*, t. III, pp. 87-88.
48. ID., *ibid.*, t. I, pp. 362-363.
49. SAINT-MAURICE, *op. cit.*, t. II, p. 435.
50. ID., *ibid.*, t. I, p. 293.
51. ID., *ibid.*, t. I, p. 223.
52. ID., *ibid.*, t. I, p. 242.
53. ID., *ibid.*, t. I, pp. 214-215.
54. Mme de SÉVIGNÉ, *op. cit.*, t. III, p. 496 (4 février 1689).
55. SAINT-MAURICE, *op. cit.*, t. I, p. 330.
56. PRIMI VISCONTI, *op. cit.*, p. 27.
57. André CORVISIER, *Louvois*, Paris, 1983, 558 p., pp. 185, 195-196, 156.
58. Cité par Norbert ELIAS, *op. cit.*, p. 133.
59. SAINT-SIMON, *Mémoires*, éd. Yves Coirault, *op. cit.*, t. I, p. 644.
60. SAINT-MAURICE, *op. cit.*, t. II, pp. 180-181.
61. Mme DE LA FAYETTE, *op. cit.*, pp. 132-133.
62. SAINT-SIMON, *Mémoires*, éd. Boislisle, *op. cit.*, t. XXVIII, p. 148. Voir l'exemple des Antoine, dans Yvonne BEZARD, « Les porte-arquebuse du Roi », dans *Revue de l'histoire de Versailles et de Seine-et-Oise*, 26e année, 1924, pp. 142-174.
63. CHOISY, *op. cit.*, pp. 120-121.
64. SAINT-SIMON, *Mémoires*, éd. Yves Coirault, *op. cit.*, t. I, pp. 808-810 ; éd. Boislisle, *op. cit.*, t. XVI, p. 202, t. XXVIII, p. 148.
65. CHOISY, *op. cit.*, p. 123.
66. DANGEAU, *op. cit.*, t. VII, p. 5 (8 janvier 1699).
67. SAINT-SIMON, *Mémoires*, éd. Yves Coirault, t. III, pp. 135-136.
68. SOURCHES, *op. cit.*, t. XI, p. 77, n. 3 (11 mai 1708).
69. SAINT-SIMON, *Mémoires*, éd. Yves Coirault, *op. cit.*, t. I, p. 610.
70. Cité par Raymond PICARD, *La Carrière de Jean Racine*, *op. cit.*, p. 490.
71. François BLUCHE, *La Vie quotidienne au temps de Louis XIV*, *op. cit.*, p. 40 ; SAINT-SIMON, *Mémoires*, éd. Yves Coirault, *op. cit.*, t. I, p. 824.
72. SAINT-SIMON, *Mémoires*, éd. Boislisle, *op. cit.*, t. XXVIII, p. 143.
73. PRIMI VISCONTI, *op. cit.*, p. 73.

74. Ces quelques chiffres sont extraits de la thèse de Jean-Pierre LABATUT, *Les Ducs et Pairs…*, *op. cit.*, pp. 260, 276 et de DANGEAU, *op. cit.*, t. XIII, p. 374, t. III, p. 230.
75. DANGEAU, *op. cit.*, t. XV, p. 155 (29 mai 1714).
76. SOURCHES, *op. cit.*, t. I, p. 21 (25 sept. 1681).
77. PRIMI VISCONTI, *op. cit.*, p. 193.
78. Jean MEYER, *Le Poids de l'État*, Paris, 1983, 304 p., p. 48.
79. DANGEAU, *op. cit.*, t. VIII, p. 195 ; t. VII, p. 78 ; t. XIV, pp. 319-320 ; t. II, p. 6. SOURCHES, *op. cit.*, t. II, p. 5 ; t. II, p. 166 ; t. XIII, p. 557 ; t. VI, p. 74. CHOISY, *op. cit.*, p. 30. DANGEAU, *op. cit.*, t. VIII, p. 161.
80. SAINT-SIMON, *Mémoires*, éd. Yves Coirault, *op. cit.*, t. II, p. 347.
81. DANGEAU, *op. cit.*, t. XV, p. 434 (12 juin 1715) ; t. II, p. 106 ; t. IV, p. 320 ; t. V, p. 192, 253, 301 ; t. VI, p. 314 ; t. VIII, p. 285 ; t. XIV, pp. 56, 252. SOURCHES, *op. cit.*, t. I, p. 290 ; t. VI, p. 113.
82. Princesse PALATINE, *op. cit.*, p. 298.
83. SAINT-SIMON, *Mémoires*, éd. Boislisle, *op. cit.*, t. XXVIII, p. 132.
84. LOUIS XIV, *Mémoires*, *op. cit.*, p. 105.
85. Cité par Henri BROCHER, *op. cit.*, p. 48. SAINT-SIMON, *Mémoires*, éd. Yves Coirault, *op. cit.*, t. I, p. 538.
86. SAINT-SIMON, *Mémoires*, éd. Yves Coirault, *op. cit.*, t. II, p. 175.
87. Cité par CHANTELOU, *op. cit.*, p. 251.
88. PRIMI VISCONTI, *op. cit.*, p. 35.
89. François BLUCHE, *Louis XIV*, *op. cit.*, p. 521.
90. Marquis DE SÉGUR, *La Jeunesse du maréchal de Luxembourg*, *op. cit.*, p. 480 et *Le Maréchal de Luxembourg et le prince d'Orange, 1668-1678*, Paris, s.d., 600 p., p. 162.
91. François BLUCHE et Jean-François SOLNON, *op. cit.*, p. 61.
92. Mme DE SÉVIGNÉ, *op. cit.*, t. I, p. 698 (5 sept. 1674).
93. André CORVISIER, « Les gardes du corps de Louis XIV », dans *XVIIe siècle*, 1959, n° 45, pp. 265-291, p. 275, n. 37.
94. SAINT-SIMON, *Mémoires*, éd. Yves Coirault, *op. cit.*, t. II, p. 731.
95. François BLUCHE, *Louis XIV*, *op. cit.*, p. 806.
96. SOURCHES, *op. cit.*, t. II, p. 229.
97. Mme DE SÉVIGNÉ, *op. cit.*, t. III, p. 1013.
98. Princesse PALATINE, *op. cit.*, pp. 282, 280.
99. François BLUCHE, *La Vie quotidienne au temps de Louis XIV*, *op. cit.*, p. 229.
100. SAINT-MAURICE, *op. cit.*, t. II, p. 404.
101. François BLUCHE, *Louis XIV*, *op. cit.*, p. 660.
102. Cité par André CORVISIER, *Louvois*, *op. cit.*, p. 334.
103. SAINT-SIMON, *Mémoires*, éd. Boislisle, *op. cit.*, t. XXVIII, pp. 106-110.
104. SOURCHES, *op. cit.*, t. III, p. 58 ; DANGEAU, *op. cit.*, t. II, p. 355.
105. DANGEAU, *op. cit.*, t. VII, p. 317, 31 mai 1700.
106. PRIMI VISCONTI, *op. cit.*, p. 259.

CHAPITRE XVI : LA COUR, FOYER DE CIVILISATION

1. L'expression est empruntée au *Libro del Cortegiano* de B. Castiglione et reprise par Alain COUPRIE, « Courtisanisme et christianisme au XVIIe siècle », dans *XVIIe siècle*, octobre-décembre 1981, n° 133, pp. 371-391. Voir Alain COUPRIE, *De Corneille à La Bruyère : images de la cour*, thèse de doctorat d'État, Paris, 1983, 3 vol., 878 p. dactyl.
2. LA FONTAINE, *Les Obsèques de la lionne*.

3. LA BRUYÈRE, cité par Alain COUPRIE, *op. cit.*, p. 608.
4. Gabriel GILBERT, *Le Courtisan parfait*, tragi-comédie (1668), cité par André BLANC, « L'image de la cour dans le théâtre comique français sous le règne de Louis XIV », dans *Revue d'histoire du théâtre*, 1983-1984, pp. 402-412, p. 409.
5. LA BRUYÈRE, *op. cit.*, p. 242 (De la cour, 83).
6. Alain COUPRIE, *op. cit.*, p. 589 ; LA BRUYÈRE, *op. cit.*, p. 223 (De la cour, 27).
7. LA BRUYÈRE, *op. cit.*, p. 247 (De la cour, 101).
8. ID., *ibid.*, p. 221 (De la cour, 22).
9. Pierre RICHELET, *Dictionnaire de la langue française, ancienne et moderne*, Lyon, 1759, 3 vol. in-fol., t. I, p. 619.
10. Nicolas FARET, *L'Honneste Homme ou l'art de plaire à la court*, éd. Maurice Magendie, Paris, 1925, in-8, LII-120 p.
11. André LÉVÊQUE, « *L'honnête homme* et *l'homme de bien* au XVIIe siècle », dans *Publications of the Modern Language Association of America*, vol. LXXII, 1957, pp. 620-632.
12. Abbé GÉRARD, cité par Daniel MORNET, *Histoire de la littérature française classique, 1660-1700 : ses caractères véritables, ses aspects inconnus*, Paris, 1947, 427 p., p. 105.
13. SAINT-SIMON, *Mémoires*, éd. Boislisle, *op. cit.*, t. XXVIII, p. 299.
14. FURETIÈRE, *Le Roman bourgeois*, Paris, 1968, XXIV-311 p., p. 30.
15. Jacques ESPRIT, *La Fausseté des vertus humaines* (1678), cité par Daniel MORNET, *op. cit.*, pp. 105-106.
16. Baltasar GRACIAN, *L'Homme de cour*, trad. Amelot de la Houssaye, Paris, 1924, 269 p., p. 215.
17. Le chevalier de Méré à Mme de Lesdiguières, cité par Maurice MAGENDIE, *La Politesse mondaine...*, *op. cit.*, t. II, p. 737.
18. NIETZSCHE, *Aurore*, trad. Julien Hervier, Paris, 1970, 787 p., p. 346.
19 SAINTE-BEUVE, *Œuvres*, éd. Maxime Leroy, Paris, Bibl. de la Pléiade, 1951, 2 vol. t. II, p. 1032.
20. R. P. Dominique BOUHOURS, *Entretiens d'Ariste et d'Eugène*, éd. Radouant, Paris, 1920, in-12, p. 188.
21. Roger ZUBER et Micheline CUÉNIN, *Littérature française. 4. Le classicisme, 1660-1680*, Paris, 1984, 351 p., p. 16.
22. R. P. BOUHOURS, *op. cit.*, p. 190.
23. MOLIÈRE, *La Critique de l'École des femmes*, scène VI, dans *Œuvres complètes*, éd. G. Couton, Paris, Bibl. de la Pléiade, Paris, 1983, 2 vol., t. I, p. 661.
24. Chevalier de MÉRÉ, cité par Jean-Pierre DENS, « L'art de la conversation au XVIIe siècle », dans *Les lettres romanes*, t. XXVII, n° 3, août 1973, pp. 215-224, p. 221.
25. Baltasar GRACIAN, *op. cit.*, p. 114.
26. Charles PERRAULT, *Parallèle des Anciens et des Modernes*, Paris, 1697, 4 vol., t. II, pp. 59-60, cité par Ferdinand BRUNOT, *Histoire de la langue française des origines à nos jours*, t. IV, *La langue classique* (1660-1715), Paris, nouv. éd. 1966, première partie, p. 51.
27. Marc FUMAROLI, « *Animus* et *anima* : l'instance féminine dans l'apologétique de la langue française au XVIIe siècle, dans *XVIIe siècle*, n° spécial, *Les pouvoirs féminins au XVIIe siècle*, 36e année, n° 144, juil.-sept. 1984, pp. 233-240.
28. Ferdinand BRUNOT, *op. cit.*, t. IV, première partie, p. 225.
29. Cité par Norbert ELIAS, *La Civilisation des mœurs*, Paris, 1982, 447 p., pp. 179 et 182.
30. Cité par Sylvie WEIL, *Trésors de la politesse française*, Paris, 1983, 255 p., pp. 53-54.
31. Pierre VERLET, *op. cit.*, p. 32.

32. Notice de Nicole FELKAY, dans *Colbert, 1619-1683, op. cit.*, p. 244. Louis HAUTECŒUR, *Histoire de l'architecture classique en France,* t. II, *Le règne de Louis XIV*, Paris, 1948, 2 vol. in-4, vol. I, p. 415.
33. *Colbert, 1619-1683, op. cit.*, p. 247.
34. Cité par J. MELET-SANSON, dans *Colbert..., op. cit.*, p. 447.
35. Cité par Jeanne FATON, dans *L'Estampille,* n° 196, oct. 1986, p. 20.
36. *Voyage de Lister..., op. cit.*, p. 31.
37. Pierre VERLET, *op. cit.*, p. 159.
38. Pierre FRANCASTEL, « Versailles et l'architecture urbaine au XVIIe siècle », dans *Annales,* 10e année, oct.-déc. 1955, pp. 465-479.
39. Yves BOTTINEAU, *L'Art baroque,* Paris, 1986, 635 p., pp. 557-558.
40. Bernard TEYSSÈDRE, *L'Art au siècle de Louis XIV*, Paris, 1967, 382 p., p. 169; Victor-L. TAPIÉ, *Baroque et Classicisme,* Paris, 1972, 527 p., p. 254.
41. Cité par Pierre VERLET, *op. cit.*, p. 126.
42. Anthony BLUNT, *Art et Architecture.., op. cit.*, p. 284.
43. Pierre VERLET, *op. cit.*, p. 100.
44. Yves BOTTINEAU, *L'Art baroque, op. cit.*, p. 559.
45. Christophe PINCEMAILLE, « La guerre de Hollande dans le programme iconographique de la grande galerie de Versailles », dans *Histoire, économie et société,* 4e année, 3e trimestre 1985, pp. 313-333.
46. NIVELON, cité dans *Charles Le Brun, 1619-1690, peintre et dessinateur* (exposition château de Versailles, juillet-octobre 1963), LXXV-451 p., éd. Jacques THUILLIER, p. XXXI.
47. *Le Mercure galant,* 1690, cité par Roger-Armand WEIGERT, *L'Époque Louis XIV*, Paris, 1962, 186 p., pp. 14-15.
48. Jennifer MONTAGU, « Le Brun », dans *Encyclopedia Universalis,* Paris, t. X, p. 1059.
49. André CORVISIER, *Louvois, op. cit.*, p. 390.
50. Pierre FRANCASTEL, *La Sculpture de Versailles. Essai sur les origines et l'évolution du goût français classique,* Paris, 1930, 310 p., p. 219.
51. Roger-Armand WEIGERT, *L'Époque Louis XIV, op. cit.*, p. 99.
52. L'argumentation de Charles Perrault est présentée par Bernard TEYSSEDRE, *Roger de Piles et les débats sur le coloris au siècle de Louis XIV,* Paris, 1965, 686 p., p. 385.
53. Pierre VERLET, *op. cit.*, p. 234.
54. Cité par ID., *ibid.*, p. 195.
55. ID., *ibid.*, p. 212.
56. ID., *ibid.*, p. 140.
57. François BLUCHE, *Louis XIV, op. cit.*, pp. 533-534.
58. Louis HAUTECŒUR, *Histoire de l'architecture..., op. cit.*, 2e vol., p. 597 et François GÉBELIN, *Les Châteaux de France,* Paris, 1962, 184 p., pp. 136-138.
59. Louis RÉAU, *L'Europe française au siècle des Lumières,* Paris, 1938, 455 p. et XXXII pl.
60. Pierre VERLET, *op. cit.*, p. 136.
61. FÉLIBIEN, *Description du château de Versailles, de ses peintures et d'autres ouvrages,* Paris, 1696.
62. Mme CAMPAN, *Souvenirs, portraits, anecdotes,* publiés par Barrière à la suite des *Mémoires sur la vie de Marie-Antoinette,* Paris, 1867, 488 p., pp. 371-372.
63. BUSSY-RABUTIN, *Mémoires,* éd. L. Lalanne, Paris, 1857, 2 vol., t. II, pp. 216-217, cité par Raymond PICARD, *La Carrière de Jean Racine, op. cit.*, p. 65.
64. François BLUCHE, « A propos du *mécénat* de Louis XIV », dans *Antologia di Belle Arti,* nouv. série, n° 27-28, 1985, pp. 98-102, p. 99.

65. Cité par Maurice DESCOTES, *Le Public de théâtre et son histoire,* Paris, 1964, 362 p., p. 129.
66. Alfred MARIE, « Les théâtres du château de Versailles », dans *Revue de la société d'histoire du théâtre,* 3e année, II, 1951, pp. 133-152 et 237-247.
67. François MOUREAU, « Les Comédiens-Italiens et la cour de France (1664-1697) », dans *XVIIe siècle,* no 130, janv.-mars 1981, pp. 63-81, p. 70.
68. ID., « Thalie délaissée et Momus disgracié : deux années de spectacles à la cour (1696-1697) », dans *Bulletin de la faculté des lettres de Mulhouse,* fasc. V, 1973, pp. 15-28, pp. 16-17.
69. DANGEAU, *op. cit.*, t. II, pp. 80-81.
70. ID., *ibid.*, t. I, pp. 28 (18 juin 1684), 66, 159, 219.
71. Princesse PALATINE, *op. cit.*, p. 220.
72. ID., *ibid.*, p. 112 (23 déc. 1694).
73. John LOUGH, *op. cit.*, p. 129.
74. Spire PITOU, « The Comédie-Française at Versailles : 1701-1715 », dans *Studi francesi,* nouv. série, 51, année XVII, fasc. III, sept.-déc. 1973, pp. 450-464, p. 453.
75. John LOUGH, *op. cit.*, p. 130.
76. Cité par Eugène DESPOIS, *Le Théâtre français sous Louis XIV,* Paris, 1882, 419 p., p. 284.
77. Cité par John LOUGH, *op. cit.*, p. 119.
78. Cité par Pierre GAXOTTE, *Molière, op. cit.*, p. 93.
79. Cité par John LOUGH, *op. cit.*, p. 137.
80. François MOUREAU, « Thalie délaissée... », *art. cit.*, pp. 23-24.
81. Cité par John LOUGH, *op. cit.*, p. 131.
82. Raymond PICARD, *La Carrière de Jean Racine, op. cit.*, p. 140.
83. W. G. MOORE, « Le goût de la cour », dans *Cahiers de l'association internationale des études françaises,* no 9, juin 1957, pp. 172-182, pp. 174-175.
84. Pierre MÉLÈSE, « Molière à la cour », dans *XVIIe siècle,* 1973, no 98-99, pp. 57-65, p. 63.
85. Cité par Pierre MÉLÈSE, *Le Théâtre et le Public à Paris sous Louis XIV, 1659-1715,* Paris, 1934, 446 p., p. 278.
86. Cité par W. G. MOORE, *art. cit.*, p. 178.
87. W. G. MOORE, *ibid.*, p. 177.
88. Cité par Pierre GAXOTTE, *Molière, op. cit.*, p. 182.
89. Roger ZUBER, *op. cit.*, p. 244.
90. Cité par Alain COUPRIE, « Les marquis dans le théâtre de Molière », dans *Thématique de Molière* (sous la direction de Jacques Truchet), Paris, 1985, 296 p., pp. 47-87, p. 47.
91. MOLIÈRE, *Les Fâcheux,* acte I, scène 6, v. 273-286, dans *Œuvres complètes, op. cit.*, t. I, pp. 499-500, cité par Alain COUPRIE, *op. cit.*, p. 429.
92. Cité par Pierre GAXOTTE, *Molière, op. cit.*, p. 154.
93. Cité par Chantal MASSON, « Journal du marquis de Dangeau, 1684-1720. Extraits concernant la vie musicale à la cour », dans *Recherches sur la musique française classique,* II, 1961-1962, pp. 193-223.
94. Princesse PALATINE, *op. cit.*, p. 117 (24 mars 1695).
95. Philippe BEAUSSANT, *Versailles, Opéra,* Paris, 1981, 134 p., p. 108.
96. Cité par Félix RAUGEL, « La musique à la Chapelle du château de Versailles sous Louis XIV », dans *XVIIe siècle,* no spécial *Versailles et la musique française,* mars 1957, no 34, pp. 19-25, p. 20.
97. Cité par Marcelle BENOIT, *Les Musiciens du roi de France (1661-1733),* Paris, 1982, 128 p., p. 14.
98. ID., *ibid.*, p. 32.
99. Cité par James R. ANTHONY, *op. cit.*, p. 20.

100. *Colbert, 1619-1683, op. cit.*, p. 349.
101. Jérôme DE LA GORCE, « L'Opéra français à la cour de Louis XIV », dans *Revue d'histoire du théâtre,* 1983-1984, 35e année, pp. 387-401, p. 390.
102. Ariane DUCROT, « Les représentations de l'Académie royale de musique à Paris au temps de Louis XIV (1671-1715), dans *Recherches,* X, 1970, pp. 19-55, pp. 26-29.
103. Mme DE SÉVIGNÉ, *op. cit.*, t. I, p. 661 (8 janv. 1674).
104. Cité par Robert FAJON, *L'Opéra à Paris du Roi-Soleil à Louis le Bien-Aimé,* Genève-Paris, 1984, 440 p., p. 79.
105. SOURCHES, *op. cit.*, t. I, p. 168 (5 janv. 1685).
106. *Mercure galant* de février 1690, cité par Ariane DUCROT, *art. cit.*
107. Jérôme DE LA GORCE, *art. cit.*, p. 395.
108. Robert FAJON, *op. cit.*, p. 81.

QUATRIÈME PARTIE
LA COUR DÉCLINANTE

CHAPITRE XVII : « L'AUTOMNE DE VERSAILLES »

1. Princesse PALATINE, *op. cit.*, p. 352.
2. BARBIER, *Chronique de la Régence et du règne de Louis XV (1718-1763)* ou *Journal de Barbier,* Paris, 1866, 8 vol. in-18, t. I, pp. 147-148.
3. MARAIS, *Journal et Mémoires sur la Régence et le règne de Louis XV (1715-1737),* éd. Lescure, Paris, 1863, 4 vol. in-8, t. II, pp. 298, 288, 294-295, 299.
4. ID., *ibid.*, t. II, pp. 320, 319, 132, 416, 426 ; t. III, pp. 84 et 154 ; t. IV, p. 168.
5. LÉVIS, *Souvenirs et portraits, 1780-1789,* Paris, 1813, 268 p., p. 142.
6. CROŸ, *Journal inédit, 1718-1784,* éd. vicomte de Grouchy et Paul Cottin, Paris, 1906, 4 vol., t. I, p. 161.
7. Mme CAMPAN, *Mémoires sur la vie de Marie-Antoinette,* éd. F. Barrière, Paris, 1867, 488 p., p. 158.
8. ID., *ibid.*, p. 49.
9. Cité par Philip MANSEL, *Louis XVIII,* Paris, 1982, 525 p., p. 14.
10. BARBIER, *op. cit.*, t. IV, pp. 13-20.
11. Jacques LEVRON, *La Vie quotidienne à Versailles..., op. cit.*, p. 217.
12. LUYNES, *Mémoires sur la cour de Louis XV (1735-1758),* éd. L. Dussieux et E. Soulié, Paris, 1860-1865, 17 vol. in-8, t. I, p. 151 (25 déc. 1736); Yves BOTTINEAU, *L'Art de cour dans l'Espagne de Philippe V, 1700-1746,* Bordeaux, 1962, 687 p. + 134 p., p. 191.
13. KAUNITZ-RITTBERG, « Mémoires sur la cour de France, 1752 », éd. vicomte du Dresnay, dans la *Revue de Paris,* 1904, 11e année, vol. IV, pp. 441-454 et 827-847, pp. 844-845 ; à Vienne, on sert l'empereur à genoux (LUYNES, *op. cit.*, t. II, p. 319, janvier 1739).
14. LUYNES, *op. cit.*, t. I, p. 102 (10 octobre 1736).
15. BARBIER, *op. cit.*, t. II, pp. 37-41 (mars-mai 1728).
16. CHATEAUBRIAND, *Mémoires d'outre-tombe,* éd. Maurice Levaillant et Georges Moulinier, Paris, Bibl. de la Pléiade, 1951, 2 vol., t. I, p. 129.
17. DUFORT DE CHEVERNY, *Mémoires...*, éd. Robert de Crèvecœur, Paris, 1909, 2 vol. in-8, t. I, p. 262. Pierre de NOLHAC, *Versailles au XVIIIe siècle,* Paris, 1926, IV-369 p., p. 104.
18. Pierre VERLET, *op. cit.*, pp. 479, 442, 455-488.

19. BARBIER, *op. cit.*, t. III, p. 209 (juillet 1740). Voir aussi CROŸ, *op. cit.*, t. III, p. 133 et MARAIS, *op. cit.*, t. III, pp. 14, 32.
20. CROŸ, *op. cit.*, t. I, pp. 71-74, 96, 116, 72, 196.
21. KAUNITZ, *op. cit.*, pp. 449-450, 444.
22. TESSIN, *Tableaux de Paris et de la cour de France, 1739-1742*, éd. Gunnar von Proschwitz, Göteborg, Paris, 1983, 385 p., pp. 57-59.
23. DUFORT, *op. cit.*, t. I, p. 101. Voir Président HÉNAULT, *Mémoires...*, Paris, 1911, in-8, pp. 223-224.
24. KAUNITZ, *op. cit.*, pp. 828, 831-832.
25. Cité par Daniel MEYER, *Quand les rois régnaient à Versailles*, Paris, 1982, 250 p., p. 191.
26. Comtesse de BOIGNE, *Mémoires... récits d'une tante*, éd. J.-Cl. Berchet, t. I : *Du règne de Louis XVI à 1820*, Paris, 1979, 541 p., p. 37.
27. Abbé de VÉRI, *Journal de l'abbé de Véri*, éd. J. de Witte, Paris, 1928-1930, 2 vol. in-8, t. I, p. 242 (janv.-mars 1775).
28. Mme de BOIGNE, *op. cit.*, p. 56.
29. Baronne d'OBERKIRCH, *Mémoires... sur la cour de Louis XVI et la société française avant 1789*, éd. S. Burkard, Paris, 1970, in-8, p. 208.
30. CAMPAN, *op. cit.*, p. 93.
31. ID., *ibid.*, pp. 97-98.
32. BOMBELLES, *Journal du marquis de Bombelles*, éd. J. Grassion et F. Durif, Genève, 1978-1982, 2 vol., t. I, pp. 299-300.
33. CAMPAN, *op. cit.*, p. 126.
34. BOMBELLES, *op. cit.*, t. I, p. 173 ; t. II, p. 76 ; t. I, pp. 105-106 ; t. II, p. 247.
35. Marquis d'ARGENSON, *Mémoires et journal inédit...*, éd. marquis d'Argenson, Paris, 1857, 5 vol. in-12, t. III, pp. 296-297.
36. Comtesse de GENLIS, *Dictionnaire critique et raisonné des étiquettes de la cour...*, Paris, 1818, 2 vol., 409 et 402 p., t. I, pp. 9-14.
37. Marquise DE LA TOUR DU PIN, *Mémoires, 1778-1815*, éd. Ch. de Liedekerke Beaufort, Paris, 1983, 491 p., pp. 59.
38. Cité par Lucien PEREY, *La Fin du* XVIIIe *siècle. Le duc de Nivernais, 1754-1798*, Paris, 1891, 475 p., p. 146.
39. CROŸ, *op. cit.*, t. II, pp. 95-96.
40. LUYNES, *op. cit.*, t. XIV, p. 163.
41. Cité par Pierre GAXOTTE, *Louis XV*, Paris, 1980, 398 p., p. 243.
42. BARBIER, *op. cit.*, t. VI, pp. 18 et 28 ; t. V, p. 148 ; t. VII, p. 259.
43. CROŸ, *op. cit.*, t. II, p. 441.
44. BARBIER, *op. cit.*, t. III, pp. 266 et 288.
45. LUYNES, cité par Pierre GAXOTTE, *Louis XV*, *op. cit.*, p. 177.
46. Mme d'OBERKIRCH, *op. cit.*, p. 159.
47. CAMPAN, *op. cit.*, pp. 173-174.
48. Prince de LIGNE, *Fragments de l'histoire de ma vie*, éd. F. Leuridant, Paris, 1928, t. I, 324 p., p. 115.
49. BOMBELLES, *op. cit.*, t. I, p. 200 ; t. II, p. 75.
50. CROŸ, *op. cit.*, t. I, p. 131.
51. ID., *ibid.*, t. II, p. 483.
52. Daniel MEYER, *op. cit.*, pp. 119-120 ; CAMPAN, *op. cit.*, p. 173.
53. Mme de BOIGNE, *op. cit.*, p. 35.
54. Mme de LA TOUR DU PIN, *op. cit.*, pp. 76-80.
55. CROŸ, *op. cit.*, t. IV, p. 137.
56. VÉRI, *op. cit.*, t. I, pp. 42-43.
57. Mme de BOIGNE, *op. cit.*, p. 57.

58. Félix, comte de France d'HEZECQUES, *Souvenirs d'un page de la cour de Louis XVI*, Brionne, reprint 1983, 360 p., pp. 224-225.
59. SÉNAC DE MEILHAN, *Le Gouvernement, les mœurs et les conditions en France avant la Révolution*, éd. Lescure, Paris, 1862, 503 p., p. 90.

CHAPITRE XVIII : LA COUR ET LA VILLE

1. Duchesse de BRANCAS, *Mémoires*, éd. E. Asse, Paris, 1890, 233 p., p. 17.
2. MERCIER, *Tableau de Paris...*, Amsterdam, 1782-1783, 8 vol. in-8, t. IV, pp. 110 et 119.
3. ALLONVILLE, *Mémoires secrets de 1770 à 1830*, Paris, 1838-1841, 6 vol. in-8, t. I, p. 380.
4. TOCQUEVILLE, *L'Ancien Régime et la Révolution*, éd. J.-P. Mayer, Paris, 1967, 378 p., p. 158.
5. Cité par Lucien PEREY, *op. cit.*, p. 142.
6. ALLONVILLE, *op. cit.*, t. I, p. 392 ; BOMBELLES, *op. cit.*, t. II, p. 111 ; OBERKIRCH, *op. cit.*, p. 190.
7. Lire Villedeuil.
8. ALLONVILLE, *op. cit.*, t. I, p. 373.
9. Mme de GENLIS, *op. cit.*, pp. 203 et *sq.* François BLUCHE, *La Vie quotidienne de la noblesse française au XVIIIe siècle*, Paris, 1973, 270 p., pp. 94-95.
10. Duc de NIVERNAIS, cité par Lucien PEREY, *op. cit.*, p. 143.
11. BOMBELLES, *op. cit.*, t. I, p. 224.
12. LÉVIS, *op. cit.*, pp. 94-95, 62, 54.
13. OBERKIRCH, *op. cit.*, pp. 208-209.
14. ALLONVILLE, *op. cit.*, t. I, pp. 390-391.
15. OBERKIRCH, *op. cit.*, pp. 208-209.
16. ALLONVILLE, *op. cit.*, t. I, pp. 377-378.
17. ID., *ibid.*, t. I, p. 377 ; LÉVIS, *op. cit.*, p. 55 ; BOMBELLES, *op. cit.*, t. I, p. 242 (7 juillet 1783) ; OBERKIRCH, *op. cit.*, p. 399.
18. BARBIER, *op. cit.*, t. V, p. 24, février 1751.
19. CROŸ, *op. cit.*, t. I, p. 18 ; BARBIER, *op. cit.*, t. III, p. 157 (26 janvier 1739) ; LUYNES, *op. cit.*, t. III, p. 205. Ce chapitre était rédigé quand nous avons eu connaissance de la thèse de 3e cycle de Marie-Christine MOINE, *Les Fêtes de cour et Menus-plaisirs du Roi sous le règne de Louis XV, 1715-1774*, Paris IV, sous la direction de M. le professeur Jean Meyer, septembre 1985, 2 vol. dactyl.
20. François SOUCHAL, *Les Slodtz, sculpteurs et décorateurs du Roi (1685-1764)*, Paris, 1967, 764 p. et 92 pl., pp. 459-461.
21. LUYNES, *op. cit.*, t. VI, pp. 318-319.
22. BARBIER, *op. cit.*, t. IV, p. 17.
23. LUYNES, *op. cit.*, t. VI, pp. 323-325.
24. ID., *ibid.*, t. VI, p. 300 ; Alfred et Jeanne MARIE, *Versailles au temps de Louis XV, 1715-1745*, Paris, 1984, 617 p., p. 557.
25. Sylvie BOUISSOU, « Les Boréades de Jean-Philippe Rameau : un passé retrouvé », dans *Revue de musicologie*, t. 69, 1983, n° 2, pp. 157-185.
26. CROŸ, *op. cit.*, t. II, p. 392.
27. ID., *ibid.*, t. II, pp. 412-413.
28. Pierre VERLET, *op. cit.*, p. 372 et Alain-Charles GRUBER, *Les Grandes Fêtes et leurs décors à l'époque de Louis XVI*, Genève-Paris, 1972, 244 p. + LXXVII pl., p. 52.
29. Pierre VERLET, *op. cit.*, p. 382.
30. FRÉNILLY, *Souvenirs du baron de Frénilly, pair de France...*, éd. A. Chuquet, Paris, 1908, 558 p., p. 43.

31. Norbert DUFOURCQ, *La Musique à la cour de Louis XIV et de Louis XV, d'après les Mémoires de Sourches et Luynes, 1681-1758,* Paris, 1970, 183 p., p. 45, p. 48. Voir LUYNES, *op. cit.*, t. I, pp. 168, 422, 402.

32. Cité par Norbert DUFOURCQ, *op. cit.*, pp. 108, 114, 118-119, 107, 114. Voir LUYNES, *op. cit.*, t. VII, pp. 432, 472 ; t. VIII, pp. 330 et 368 ; t. IX, p. 186.

33. Cité par Adolphe JULLIEN, *La Ville et la Cour au XVIIIe siècle, Mozart, Marie-Antoinette, les philosophes,* Paris, 1881, 208 p., pp. 64-65.

34. Henri de CURZON, *Grétry,* s.d., 128 p., pp. 44, 71-72 ; Corinne PRÉ, « L'opéra-comique à la cour de Louis XVI », dans *XVIIIe siècle,* n° 17, 1985, pp. 221-228 ; Jacques-Gabriel PROD'HOMME, *Christoph-Willibald Gluck,* Paris, 1985, 413 p., p. 180.

35. Cité par Jacques-Gabriel PROD'HOMME, *op. cit.*, p. 257.

36. Cité par Bernard CHAMPIGNEULLE, *L'Age classique de la musique française,* Paris, 1946, 351 p., pp. 296-297.

37. Le mot de Bachaumont est cité par Jacques-Gabriel PROD'HOMME, *op. cit.*, p. 256. Voir Adolphe JULLIEN, *op. cit.*, p. 95. Mme d'OBERKIRCH, *op. cit.*, p. 167.

38. Wolfgang-Amadeus MOZART, *Correspondance,* t. I, *1756-1776,* Paris, 1986, 448 p., p. 64. James R. ANTHONY, *La Musique en France à l'époque baroque,* Paris, 1981, 556 p., p. 288. Norbert DUFOURCQ, *La Musique à la cour..., op. cit.*, p. 59 (renvoie à Luynes, *op. cit.*, t. II, p. 65, 16 mars 1738). ID., *La Musique française,* Paris, 1970, 448 p., pp. 215 et *sq.*

39. Norbert DUFOURCQ, *La Musique à la cour..., op. cit.*, pp. 64, 48-49, 86, 88 (cit. de Luynes), 97, 107 (cit. de Luynes). Philippe BEAUSSANT, *Rameau de A à Z,* Paris, 1983, 393 p., p. 18, pp. 379-382. Cuthbert GIRDLESTONE, *Jean-Philippe Rameau. Sa vie, son œuvre,* Paris, 1962, 654 p., p. 534.

40. GRIMM, DIDEROT, RAYNAL, MEISTER, *Correspondance littéraire, philosophique et critique,* éd. Tourneux, Paris, 1877-1882, 16 vol. in-8, t. X, p. 85 (15 octobre 1752).

41. Norbert DUFOURCQ, *La Musique à la cour..., op. cit.*, p. 48. ID., « La musique française au XVIIIe siècle. État des questions, chronologie, sources et bibliographie, problèmes », dans *XVIIIe siècle,* n° 2, 1970, pp. 303-319. Voir Mme d'OBERKIRCH, *op. cit.*, p. 314.

42. Françoise DARTOIS-LAPEYRE, « L'opéra-ballet et la cour de France », dans *XVIIIe siècle,* n° 17, 1985, pp. 209-219, p. 215.

43. MERCIER, *op. cit.*, t. IV, p. 261 ; t. I, p. 62. Pierre LARTHOMAS, *Le Théâtre en France au XVIIIe siècle,* Paris, 1980, 128 p., pp. 19-20.

44. Henri LAGRAVE, *Le Théâtre et le Public à Paris de 1715 à 1750,* Paris, 1972, 717 p.

45. LUYNES, *op. cit.*, t. VIII, pp. 449-451 (16 février 1748). Voir Adolphe JULLIEN, *La Comédie à la cour. Les théâtres de société royale pendant le siècle dernier. La duchesse du Maine et les grandes nuits de Sceaux. Mme de Pompadour et le théâtre des Petits Cabinets. Le théâtre de Marie-Antoinette à Trianon,* Paris, s.d., 323 p., pp. 146, 154. Maurice DESCOTES, *op. cit.*, pp. 173-185.

46. Danielle GALLET, *Madame de Pompadour ou le pouvoir féminin,* Paris 1985, 300 p., p. 63.

47. MARIE-ANTOINETTE, *Correspondance secrète entre Marie-Antoinette et le comte de Mercy-Argenteau,* éd. Arneth et Geffroy, Paris, 1875, 3 vol., t. III, p. 31 (18 mars 1777), t. II, p. 3 (17 juillet 1773). Voir Anne GIERICK, *Theater am Hof von Versailles zur Zeit der Marie Antoinette, 1770-1780,* Vienne, 1968. Cette thèse contient un répertoire des spectacles à la cour, 1770-1789, et celui de la présence de la reine aux spectacles de Paris de juin 1770 au 20 février 1792.

48. Mme CAMPAN, *op. cit.*, p. 176.

49. Spire PITOU, « The Comédie française and the Palais-Royal interlude of 1716-

1723 » dans *Studies on Voltaire and the Eighteenth Century,* vol. LXIV, 1968, pp. 225-264 ; ID., « The Players' return to Versailles, 1723-1757 », dans *Studies on Voltaire...,* vol. LXXIII, 1970, pp. 7-145.

50. PIDANSAT DE MAIROBERT, cité par Maurice Descotes, *op. cit.*, p. 178.

51. LA HARPE, *Molière à la nouvelle salle* (1782), cité par John LOUGH, *Paris Theatre Audiences in the seventeenth and eignteenth Centuries,* Londres, 1957, 293 p., p. 236.

52. BACHAUMONT, *Journal ou Mémoires secrets pour servir à l'histoire de la république des Lettres depuis 1762,* Londres, 1777-1789, 36 vol. in-12, cité par John Lough, *op. cit.*, p. 249.

53. GRIMM, *op. cit.*, t. IX, p. 333 (15 juin 1771).

54. BACHAUMONT, *op. cit.*, t. VI, p. 108 (16 mars 1772), cité par Bruno RIONDEL, *La Cour et la Ville d'après les Mémoires secrets de Bachaumont,* Besançon, 1986, 168 p. (mém. dactyl.), p. 85. Mme CAMPAN, *op. cit.*, p. 131. BACHAUMONT, *op. cit.*, t. XXX, p. 45 (8 nov. 1785), cité par Bruno RIONDEL, *op. cit.*, p. 84. GRIMM, *op. cit.*, t. XIV, p. 262 (nov. 1785), cité par Anne MORIS, *La Cour et la Ville d'après la correspondance littéraire de Grimm,* Besançon, 1985, 140 p. (mém. dactyl.), p. 125. GRIMM, *op. cit.*, t. XIII, p. 367 (oct. 1783), t. X, p. 335 (janv. 1774), t. XI, p. 361 (oct. 1776).

55. Roger MARCHAL, *op. cit.*, pp. 90, 614, 309.

56. Daniel ROCHE, *Le Siècle des Lumières en province. Académies et académiciens provinciaux, 1680-1789,* Paris-La Haye, 1978, 2 vol. in-8°, t. I, p. 291. Robert DARNTON, *Bohème littéraire et révolution. Le monde des livres au XVIIIe siècle,* Paris, 1983, 208 p., pp. 18 et 38, n. 35. GRIMM, *op. cit.*, t. VIII, p. 342 (15 avril 1769). S. FIETTE, « La correspondance de Grimm et la condition des écrivains dans la seconde moitié du XVIIIe siècle », dans *Revue d'histoire économique et sociale,* t. XLVII, fasc. 4, 1969, pp. 473-505, p. 495. GRIMM, *op. cit.*, t. VI, p. 243 (1er avril 1765).

57. Jean ORIEUX, *Voltaire ou la royauté de l'esprit,* Paris, 1966, 827 p., p. 273.

58. Mme DU HAUSSET, *Mémoires... sur Louis XV et madame de Pompadour,* éd. Jean-Pierre Guicciardi, Paris, 1985, 271 p., pp. 98-99.

59. Mme de POMPADOUR, *Lettres... depuis 1746 jusqu'à 1762,* Londres, 1773 ; la lettre à Diderot appartient à la 3e partie (1753-1761), pp. 98-99. Danielle GALLET, *op. cit.*, p. 180.

60. Cité dans l'édition des *Mémoires* de TALLEYRAND par Paul-Louis et Jean-Paul COUCHOUD, Paris, 1982, 827 p., p. 79, n. 41.

61. GRIMM, *op. cit.*, t. VI, p. 388 (1er août 1765), t. II, p. 438 (1er déc. 1754).

62. TALLEYRAND, *Mémoires, op. cit.*, p. 75.

CHAPITRE XIX : L'ÂGE DES PRIVILÈGES

1. Comte Valentin ESTERHAZY, *Mémoires,* éd. Ernest Daudet, Paris, 1905, 360 p., pp. 126, 188.

2. François BLUCHE, *Les Honneurs de la cour,* Paris, 1957, 2 vol., in-4, non paginé.

3. Mme d'OBERKIRCH, *op. cit.*, pp. 336-337.

4. Alexandre de TILLY, *Mémoires du comte Alexandre de Tilly,* éd. Melchior-Bonnet, Paris, 1965, in-8, 467 p., pp. 314, 442-443, n. 2 et 3.

5. Mme DE LA TOUR DU PIN, *op. cit.*, pp. 75-76 ; Mme d'OBERKIRCH, *op. cit.*, pp. 336-337, 339-340.

6. Mme de GENLIS, *op. cit.*, t. II, pp. 70-75.

7. TILLY, *op. cit.*, pp. 314-315 ; François BLUCHE, *La Vie quotidienne de la noblesse française au XVIIIe siècle, op. cit.*, p. 241.

8. Cité par Lucien PEREY, *op. cit.*, pp. 146-148.
9. BOMBELLES, *op. cit.*, t. I, p. 226.
10. CROŸ, *op. cit.*, t. I, pp. 61, 121, 156, 360, t. II, p. 271.
11. BOMBELLES, *op. cit.*, t. I, p. 302.
12. Mme du HAUSSET, *op. cit.*, p. 125.
13. CROŸ, *op. cit.*, t. I, p. 84.
14. BOMBELLES, *op. cit.*, t. II, pp. 39-40, t. I, p. 231.
15. Cité par le comte de SAINT-PRIEST, *Mémoires*, éd. Barante, Paris, 1929, 2 vol., t. I, pp. 193-194.
16. CROŸ, *op. cit.*, t. I, p. 242.
17. Cité par Lucien PEREY, *op. cit.*, pp. 149-151.
18. SAINT-PRIEST, *op. cit.*, t. I, pp. 7-8.
19. CROŸ, *op. cit.*, t. I, pp. 325, 390, 202.
20. ID., *ibid.*, t. I, pp. 84, 212.
21. Les citations qui suivent sont extraites de CROŸ, *op. cit.*, t. I, pp. 57, 62, 71, 75, 80, 83, 95, 123-124, 128, 131, 204, 227-229, 241, 250, 253, 313, 437-438, 515; t. II, pp. 7, 21, 52, 87, 89, 91.
22. Ce titre de duc à brevet n'est que de courtoisie.
23. BOMBELLES, *op. cit.*, t. I, p. 138.
24. BARBIER, *op. cit.*, t. I, p. 133 (8 mars 1722), t. II, p. 428 (oct. 1733).
25. BOMBELLES, *op. cit.*, t. I, pp. 70, 289.
26. Daniel DESSERT, *Argent, pouvoir et société au Grand Siècle*, Paris, 1984, 824 p., pp. 341 et *sq*.
27. Yves DURAND, *Les Fermiers généraux au XVIIIe siècle*, Paris, 1971, 664 p., pp. 333-335, 222, 62, 493-494.
28. SÉNAC DE MEILHAN et COLLÉ sont cités par Yves DURAND, *op. cit.*, p. 72.
29. *État nominatif des pensions sur le trésor royal imprimé par ordre de l'assemblée nationale*, t. I, Paris, 1789.
30. Jean EGRET, *Necker, ministre de Louis XVI*, Paris, 1975, 478 p., pp. 415-420.
31. LUYNES, *op. cit.*, t. VI, pp. 437-438 (10 mai 1745), t. X, p. 351 (18 oct. 1750).
32. ARGENSON, *op. cit.*, t. IV, pp. 222-223.
33. Philip MANSEL, *op. cit.*, pp. 32, 35.
34. LUYNES, *op. cit.*, t. XIV, pp. 295-296.
35. Guy CHAUSSINAND-NOGARET, *La Noblesse au XVIIIe siècle. De la féodalité aux Lumières*, Paris, 1976, 240 p., p. 79.
36. CROŸ, *op. cit.*, t. I, p. 138 (juillet 1750).
37. Hippolyte TAINE, *Les Origines de la France contemporaine. L'Ancien Régime*, Paris, 1879, 553 p., pp. 87-88.
38. LUYNES, *op. cit.*, t. X, p. 204 (14 février 1750), t. IX, p. 229 (24 sept. 1748).
39. DUFORT DE CHEVERNY, *op. cit.*, t. I, p. 66.
40. François BLUCHE, *La Vie quotidienne de la noblesse...*, *op. cit.*, p. 98-99; Guy CHAUSSINAND-NOGARET, *op. cit.*, p. 84; Jean MEYER, *La Noblesse bretonne*, éd. abrégée, Paris, 1972, 372 p., p. 239.
41. Mme d'OBERKIRCH, *op. cit.*, p. 115.
42. Vicomte FLEURY, *Le Prince de Lambesc, grand écuyer de France*, Paris, 1928, 251 p., p. 191.
43. LUYNES, *op. cit.*, t. I, pp. 146-147, 260, 120.
44. BARBIER, *op. cit.*, t. III, pp. 196-197.
45. Herbert LUTHY, *La Banque protestante en France de la Révocation de l'édit de Nantes à la Révolution*, Paris, 1959-1961, 2 vol. in-8, t. II, p. 375, n. 7; BOMBELLES, *op. cit.*, t. I, p. 78, n. 21; LÉVIS, *op. cit.*, p. 157; Guy CHAUSSINAND-NOGARET, *op. cit.*, p. 84; CROŸ, *op. cit.*, t. II, p. 108.
46. LUYNES, *op. cit.*, t. I, p. 330 (août 1737).

47. BARBIER, *op. cit.*, t. IV, p. 360 (août 1749), t. VI, pp. 198-199 (sept. 1755), t. VII, p. 155 (avril 1759); Yves DURAND, *op. cit.*, p. 108.
48. Comte Louis Philippe de SÉGUR, *Mémoires, souvenirs et anecdotes*, éd. Barrière, Paris, 1859, 2 vol., t. I, p. 80.
49. Cité par François BLUCHE, *La Vie quotidienne de la noblesse..., op. cit.*, p. 149.
50. ID., *ibid.*, pp. 147-148.
51. SÉGUR, cité par l'abbé de Véri, *op. cit.*, t. II, p. IV, n. 1.
52. SÉGUR, *Mémoires..., op. cit.*, t. I, pp. 33-34.
53. François BLUCHE, *La Vie quotidienne de la noblesse..., op. cit.*, p. 136.
54. CROŸ, *op. cit.*, t. I, pp. 406, 425, 435, 428; BARBIER, *op. cit.*, t. VII, p. 47; LUYNES, *op. cit.*, t. II, p. 105 (18 avril 1738); André CORVISIER, *Armées et Sociétés en Europe de 1494 à 1789*, Paris, 1976, 222 p., p. 115. Charles KUNSTLER, *La Vie quotidienne sous Louis XV*, Paris, 1953, 348 p., p. 212.
55. BOMBELLES, *op. cit.*, t. I, p. 159 (13 oct. 1782).
56. François BLUCHE, *La Vie quotidienne de la noblesse..., op. cit.*, pp. 150-151.
57. CROŸ, *op. cit.*, t. IV, pp. 195-197.
58. BARBIER, *op. cit.*, t. II, p. 428 (oct. 1733).
59. Cité par Émile-G. LÉONARD, *L'Armée et ses Problèmes au XVIIIe siècle*, Paris, 1958, 360 p., pp. 172, 245-246.
60. TILLY, *op. cit.*, p. 102.
61. Jean CHAGNIOT, « L'armée de Louis XVI », dans *Actes du colloque international de Sorèze*, Sorèze, 1977, pp. 35-48, p. 44.
62. ESTERHAZY, *Mémoires, op. cit.*, p. 183.
63. André CORVISIER, « Hiérarchie militaire et hiérarchie sociale à la veille de la Révolution », dans *Revue internationale d'histoire militaire*, n° 30, 1970, pp. 77-91, p. 89.

CHAPITRE XX : LE PROCÈS DE LA COUR

1. Cité par Pierre VERLET, *op. cit.*, p. 560.
2. Cité par Philip MANSEL, *op. cit.*, p. 15.
3. TILLY, *op. cit.*, pp. 141-142.
4. Henri CARRÉ, *La Noblesse de France et l'opinion publique au XVIIIe siècle*, Paris, 1920, 650 p., p. 231. ALLONVILLE, *op. cit.*, t. I, p. 346.
5. Denis Pierre Jean PAPILLON DE LA FERTÉ, *Journal, 1756-1780*, éd. E. Boyse, Paris, 1887, 454 p., pp. 64-65, 47.
6. BARBIER, *op. cit.*, t. VIII, p. 57 (octobre 1762).
7. BOMBELLES, *op. cit.*, t. I, p. 89 (8 déc. 1781).
8. BARBIER, *op. cit.*, t. IV, p. 475 (oct. 1750) et t. II, p. 360, t. IV, p. 234.
9. Pierre VERLET, *op. cit.*, p. 570. Michel MORINEAU, « Budgets de l'État et gestion des finances royales en France au XVIIIe siècle », dans *Revue historique*, n° 536, oct.-déc. 1980, pp. 289-336, p. 296. Paul BRUNOY, « Un budget de réformes au XVIIIe siècle. Les derniers comptes de l'Ancien Régime. La maison du roi », dans *La Nouvelle Revue*, 12, 3e série, t. 26, 1912, pp. 171-195.
10. Pierre VERLET, *op. cit.*, p. 571.
11. BARBIER, *op. cit.*, t. III, p. 288 (juin 1741), t. V, p. 148 (janvier 1752), t. IV, p. 395.
12. Pierre VERLET, *op. cit.*, p. 572. René-Marie RAMPELBERG, *Le Ministre de la maison du roi, 1783-1788. Baron de Breteuil*, Paris, 1975, 341 p., pp. 71-72. Hippolyte TAINE, *op. cit.*, pp. 120, 123.
13. BARBIER, *op. cit.*, t. VI, p. 588 (oct. 1757).
14. CROŸ, *op. cit.*, t. II, pp. 514 et 502, t. III, p. 51.

15. BOMBELLES, *op. cit.*, t. I, p. 185 (6 janvier 1783), t. II, p. 82 (21 nov. 1785).
16. Baron de BESENVAL, *Mémoires*, éd. F. Barrière, Paris, 1857, 440 p., p. 158.
17. Hippolyte TAINE, *op. cit.*, pp. 166-167 ; MARIE-ANTOINETTE, *Correspondance...*, *op. cit.*, t. I, p. 277 (29 février 1772) ; Pierre VERLET, *op. cit.*, p. 570 ; HÉZECQUES, *op. cit.*, p. 212 ; Jacques LEVRON, *op. cit.*, p. 302.
18. ALLONVILLE, *op. cit.*, t. I, p. 255 ; VÉRI, *op. cit.*, t. II, p. 107 ; Jean BUVAT, *Journal de la Régence (1715-1723)*, éd. E. Campardon, Paris, 1865, 2 vol., t. I, pp. 247-248, 252 (février 1717).
19. KAUNITZ, *op. cit.*, pp. 840-841 ; Louis CHANOINE-DAVRANCHES, *La Dépense de la maison du roi sous Louis XV*, Rouen, 1910, 95 p., pp. 52 et *sq.*
20. BOMBELLES, *op. cit.*, t. II, p. 108 (31 janvier 1786) ; Pierre VERLET, *op. cit.*, p. 571.
21. CROŸ, *op. cit.*, t. II, p. 36 (février 1762) ; VÉRI, *op. cit.*, t. I, p. 163 (juillet-août 1774).
22. BUVAT, *op. cit.*, t. I, p. 49 (sept. 1715).
23. Michel MORINEAU, *art. cit.*, p. 306.
24. BARBIER, *op. cit.*, t. VI, p. 186, t. VI, p. 201, t. VII, p. 76 (août 1758).
25. LUYNES, *op. cit.*, t. XVII, pp. 37-38, 46 (1758) ; BARBIER, *op. cit.*, t. VII, pp. 158-159 (1759) ; Mme S. HONORÉ, *Catalogue général des livres imprimés de la Bibliothèque nationale. Actes royaux*, t. VI, pp. 79-80 ; Michel MORINEAU, *art. cit.*, p. 306.
26. VÉRI, *op. cit.*, t. I, pp. 115 et 119.
27. Edgar FAURE, *La Disgrâce de Turgot*, Paris, 1961, 610 p., pp. 156-157, pp. 180-191.
28. CROŸ, *op. cit.*, t. III, p. 233 ; Mme S. HONORÉ, *op. cit.*, t. VI, pp. 651-652 ; Jean CHAGNIOT, *art. cit.*, p. 44.
29. HÉZECQUES, *op. cit.*, pp. 158, 130, 136.
30. Jean EGRET, *La Pré-révolution française, 1787-1788*, Paris, 1962, 400 p., p. 83.
31. Cité par Jean EGRET, *Necker...*, *op. cit.*, p. 102.
32. Mme S. HONORÉ, *op. cit.*, t. VI, pp. 705, 805-806, 824, 825.
33. Archives nationales, 01 749, n° 40.
34. BESENVAL, *op. cit.*, p. 158, cité par Jean EGRET, *Necker*, *op. cit.*, p. 67.
35. VÉRI, *op. cit.*, t. II, p. 296.
36. Mme S. HONORÉ, *op. cit.*, t. VI, pp. 847-848.
37. *Correspondance secrète inédite sur Louis XVI, Marie-Antoinette, la Cour et la Ville de 1777 à 1792*, éd. M. de Lescure, Paris, 1866, 2 vol., t. I, p. 314.
38. VÉRI, *op. cit.*, t. II, pp. 304-305, 315, 354.
39. Comtesse de SABRAN, citée par Jean EGRET, *La Pré-révolution...*, *op. cit.*, p. 74.
40. BOMBELLES, *op. cit.*, t. II, p. 181.
41. BESENVAL, *op. cit.*, pp. 305-306.
42. VÉRI, *op. cit.*, t. II, p. 270.
43. Jean EGRET, *La Pré-révolution...*, *op. cit.*, p. 74.
44. Michel MORINEAU, *art. cit.*, pp. 313, 315, 318.
45. Cardinal de BERNIS, *Mémoires...*, éd. Philippe Bonnet, Paris, 1980, 363 p., pp. 58 et 62.
46. Pierre GAXOTTE, *Le Siècle de Louis XV*, Paris, Club des amis du livre, 1963, 2 vol., t. I, p. 229.
47. CROŸ, *op. cit.*, t. I, p. 277.
48. Pierre GAXOTTE, *Le Siècle de Louis XV*, *op. cit.*, t. I, p. 248.
49. Cité par Yves DURAND, *op. cit.*, p. 74 et n. 1.
50. CROŸ, *op. cit.*, t. I, pp. 388, 415.
51. Danielle GALLET, *op. cit.*, pp. 185 et *sq.*

52. Marquis de VALFONS, *Souvenirs... 1710-1756,* Paris, s.d., in-8, pp. 256-257.
53. CROŸ, *op. cit.*, t. I, p. 28.
54. ID., *ibid.*, t. II, p. 138.
55. CROŸ, *op. cit.*, t. II, p. 439 ; SÉNAC DE MEILHAN, cité par Pierre GAXOTTE, *Le Siècle...*, *op. cit.*, t. II, p. 280.
56. TALLEYRAND, *op. cit.*, p. 77.
57. MERCIER, *op. cit.*, t. IV, pp. 249-250.
58. FRÉNILLY, *op. cit.*, p. 123 et LUYNES, *op. cit.*, t. II, p. 53 (mars 1738).
59. ARGENSON, *op. cit.*, t. III, pp. 248-249.
60. Cité par PEREY, *op. cit.*, p. 305.
61. Jean MEYER, *La Vie quotidienne en France au temps de la Régence*, Paris, 1979, 437 p., pp. 99 et *sq.*
62. BERNIS, *op. cit.*, pp. 52-53 ; BARBIER, *op. cit.*, t. IV, p. 496 (déc. 1750).
63. Mme d'OBERKIRCH, *op. cit.*, p. 352.
64. Mme CAMPAN, *op. cit.*, p. 118.
65. ID., *ibid.*, p. 219.
66. VÉRI, *op. cit.*, t. II, p. 180 ; la citation de l'ambassadeur MERCY-ARGENTEAU est dans MARIE-ANTOINETTE, *op. cit.*, t. II, p. 365 (16 août 1775).
67. BOMBELLES, *op. cit.*, t. II, p. 20 (15 janvier 1785).
68. Lettre de MERCY-ARGENTEAU, dans MARIE-ANTOINETTE, *op. cit.*, t. III, p. 382 (17 décembre 1779).
69. François FURET et Denis RICHET, *La Révolution française*, Paris, 1965, 2 vol., t. I, p. 51.

Sources et bibliographie sommaire

La nature et l'ampleur du sujet de ce livre — embrassant trois siècles d'histoire de France — ont conduit à solliciter les travaux d'historiens, d'historiens de l'art, de la littérature, de la musique et de la danse. Leur énumération ne peut prétendre à l'exhaustivité. L'utilité des sources imprimées et des ouvrages est d'ailleurs inégale. Certains ont été de précieux guides, des références constantes ; d'autres n'ont livré que de rares renseignements. Aussi ne trouvera-t-on ici qu'une bibliographie sommaire, celle des livres et articles directement utilisés. Le lecteur curieux lira dans les notes les références aux études spécialisées et découvrira l'origine de telle ou telle citation.

SOURCES IMPRIMÉES

ALLONVILLE (Armand-François, comte d'), *Mémoires secrets de 1770 à 1830*, Paris, 1838-1841, 6 vol. in-8°.

ANSELME DE SAINTE-MARIE (Pierre de Guibours, dit le P.), *Histoire généalogique et chronologique de la maison royale de France et des grands officiers de la couronne*, Paris, 1726-1733, rééd. 1967, 9 vol., in-fol.

ARGENSON (René-Louis de Voyer, marquis d'), *Mémoires et journal inédit...*, éd. marquis d'Argenson, Bibl. Elzevirienne, Paris, 1857, 5 vol. in-12.

AUBIGNÉ (Agrippa d'), *Œuvres*, éd. H. Weber, Paris, Bibl. de la Pléiade, 1969.

AUGEARD (Jacques-Mathieu), *Mémoires secrets...*, éd. Evariste Bavoux, Paris, 1866, in-8°.

BACHAUMONT (Louis Petit de), *Mémoires secrets pour servir à l'histoire de la république des Lettres en France...*, Londres, 1777-1789, 36 vol. in-12.

BARBIER (Edmond-Jean-François), *Chronique de la Régence et du règne de Louis XV (1718-1763)*, ou *Journal de Barbier*, Paris, 1866, 8 vol. in-18.

BARTHÉLEMY (Éd. de), *Nouvelles de la Cour et de la Ville concernant le monde, les arts, les théâtres et les lettres (1734-1738)*, Paris, 1879, in-8°.

BASSOMPIERRE (François de), *Journal de ma vie. Mémoires*, éd. Chanterac, Paris, 1870-1877, 4 vol. in-8° ; *Mémoires*, éd. Michaud et Poujoulat, Paris, 1866, t. XX de la *Nouv. collect. des mémoires relatifs à l'histoire de France...*, in-8°, pp. 1-368.

BEAUVAIS-NANGIS (Nicolas de Brichanteau, marquis de), *Mémoires*, éd. Monmerqué et Tallandier, Paris, 1862, in-8°.

BERNIS (François Joachim de Pierre, cardinal de), *Mémoires...*, éd. Philippe Bonnet, Paris, 1980.

BESENVAL (Baron Pierre Victor de), *Mémoires*, éd. F. Barrière, Paris, 1857, in-16.
BOIGNE (Adèle d'Osmond, comtesse de), *Mémoires... récits d'une tante*, éd. J.-Cl. Berchet, t. I : *Du règne de Louis XVI à 1820*, Paris, 1979.
BOILEAU (Nicolas), *Œuvres complètes*, éd. F. Escal, Paris, Bibl. de la Pléiade, 1966.
BOMBELLES (Marc-Marie, marquis de), *Journal*, éd. Jean Grassion et Frans Durif, Genève, 1978-1982, 2 vol.
BOUHOURS (R. P. Dominique), *Entretiens d'Ariste et d'Eugène*, éd. Radouant, Paris, 1920, in-12.
BOUILLÉ (François Claude Amour, marquis de), *Mémoires*, éd. F. Barrière, Paris, 1858, in-16.
BOUILLON (Henri de la Tour d'Auvergne, duc de), *Mémoires du vicomte de Turenne...*, éd. G. Baguenault de Puchesse, Paris, 1902, in-8°.
[BOURGEOIS DE PARIS], *Journal d'un bourgeois de Paris sous le règne de François Ier (1515-1536)*, éd. L. Lalanne, Paris, 1854, in-8°.
BRANCAS, voir VILLARS-BRANCAS.
BRANTÔME (Pierre de Bourdeille, abbé de), *Œuvres complètes*, éd. L. Lalanne, Paris, 1864-1882, 11 vol. in-8°.
BUSSY-RABUTIN (Roger de Rabutin, comte de Bussy, dit), *Histoire amoureuse des Gaules*, éd. A. Adam, Paris, 1967.
— *Correspondance avec sa famille et ses amis (1666-1693)*, éd. L. Lalanne, Paris, 1858-1859, 6 vol. in-12.
— *Mémoires*, éd. L. Lalanne, Paris, 1882, 2 vol. in-12.
BUVAT (Jean), *Journal de la Régence (1715-1723)*, éd. E. Campardon, Paris, 1865, 2 vol. in-8°.
CAMPAN (Mme..., née Jeanne-Louise-Henriette Genet), *Mémoires sur la vie de Marie-Antoinette*, éd. F. Barrière, Paris, 1867, in-12.
CAMPION (Henri de), *Mémoires contenant divers éléments des règnes de Louis XIII et de Louis XIV*, éd. Marc Fumaroli, Paris, 1967.
CASTIGLIONE (Baldassar), *Le Livre du Courtisan*, éd. Alain Pons, Paris, 1987.
CASTILLON et MARILLAC, *Correspondance politique de MM. de Castillon et de Marillac, ambassadeurs de France en Angleterre (1537-1542)*, éd. Jean Kaulek, Paris, 1885, in-8°.
Catalogue général des livres imprimés de la Bibliothèque nationale. Actes royaux, par Albert Isnard, Mme Honoré et Mlle Garrigoux, Paris, 1910-1960, 7 vol.
CATHERINE DE MÉDICIS, *Lettres...*, éd. H. de la Ferrière et G. Baguenault de Puchesse, Paris, 1880-1909, 10 vol. in-4°, onzième vol. et index général par A. Lesort, Paris, 1943.
CAYLUS (Marthe-Marguerite Le Valois de Vilette de Marçay, comtesse de), *Souvenirs de Mme de Caylus...*, éd. B. Noël, Paris, 1965.
CHANTELOU (Paul Fréart de), *Journal de voyage du cavalier Bernin en France*, Paris, 1885, rééd. 1981.
CHATEAUBRIAND (Vicomte François-René-Auguste de), *Essai sur les Révolutions. Génie du christianisme*, Paris, Bibl. de la Pléiade, 1978.
— *Mémoires d'outre-tombe*, éd. M. Levaillant et G. Moulinier, Paris, Bibl. de la Pléiade, 1951, 2 vol.
CHÂTILLON (Odet de Coligny, cardinal de), *Correspondance... 1537-1568*, éd. L. Merlet, première partie, Paris, 1885, in-8°.
CHOISEUL (Étienne-François, comte de Stainville puis duc de), *Mémoires*, éd. Philippe Bonnet, Paris, 1982.
CHOISY (François-Timoléon, abbé de), *Mémoires...*, éd. Georges Mongrédien, Paris, 1979.
CIMBER (L.) et DANJOU (L. F.), *Archives curieuses de l'Histoire de France...*, 1re série, t. III et VIII, Paris, 1834-1841, in-8°.

COLIGNY (Jean de Saligny, comte de), *Mémoires,* éd. M. Monmerqué, Paris, 1841, in-8°.
CORNEILLE (Pierre), *Œuvres complètes,* éd. G. Couton, Paris, Bibl. de la Pléiade, 1980, 2 vol.
[Musée de l'histoire de France. Archives nationales] *La cour de France au XVIIIe siècle,* Paris, 1971-1972, 40 p.
CROŸ (Emmanuel, duc de), *Journal inédit, 1718-1784,* éd. vicomte de Grouchy et P. Cottin, Paris, 1906, 4 vol. in-8°.
DANGEAU (Philippe de Courcillon, marquis de), *Journal...,* éd. Soulié et Dussieux, Paris, 1854-1860, 19 vol. in-8°.
DESJARDINS (Abel), *Négociations diplomatiques de la France avec la Toscane,* Paris, 1859-1875, 6 vol. in-4°.
DES URSINS (Anne-Marie de la Trémoille, princesse), *Lettres inédites...,* éd. Geffroy, Paris, 1859, in-8°.
DU BELLAY (Joachim), *Les Regrets,* dans *Poètes du XVIe siècle,* éd. A.-M. Schmidt, Paris, Bibl. de la Pléiade, 1964.
DU BELLAY (Martin et Guillaume), *Mémoires...,* éd. V.-L. Bourrilly et F. Vindry, Paris, 1908-1919, 4 vol. in-8°.
DU CHESNE (André), *Les antiquitez et recherches de la grandeur et majesté des roys de France,* Paris, 1609, in-4°.
DUCLOS (Charles Pinot), *Considérations sur les mœurs de ce siècle,* Paris, 1751, in-12.
— *Mémoires pour servir à l'histoire des mœurs du XVIIIe siècle,* Paris, 1751, 2 vol. in-12.
DUFORT DE CHEVERNY (Jean-Nicolas, comte), *Mémoires...,* éd. R. de Crèvecœur, Paris, 1909, 2 vol. in-8°.
DU HAUSSET (Nicole Collesson, dame), *Mémoires de Madame Du Hausset sur Louis XV et Madame de Pompadour,* éd. J.-P. Guicciardi, Paris, 1985.
DURANTON (Henri), *Journal de la Cour et de Paris depuis le 28 novembre 1732 jusqu'au 30 novembre 1733,* éd. Henri Duranton, Saint-Étienne, 1981.
DU TILLET (Jean), *Recueil des roys de France, leurs couronne et maison...,* Paris, 1607, in-4°.
ESTERHAZY (Comte Valentin), *Mémoires,* éd. E. Daudet, Paris, 1905, in-8°.
— *Lettres... à sa femme,* éd. E. Daudet, Paris, 1907, in-8°.
ESTIENNE (Henri), *Deux dialogues du nouveau langage françois italianizé, et autrement desguizé, principallement entre les courtisans de ce temps : de plusieurs nouveautez, qui ont accompagné ceste nouveauté de langage : de quelques courtisanismes modernes, et de quelques singularitez courtisanesques,* Genève, 1579, in-16.
État nominatif des pensions sur le trésor royal imprimé par ordre de l'assemblée nationale, Paris, 1789, in-8°.
FARET (Nicolas), *L'honneste homme ou l'art de plaire à la court,* éd. Maurice Magendie, Paris, 1925, in-8°.
FÉLIBIEN (André), *Description du château de Versailles, de ses peintures et d'autres ouvrages faits pour le Roy,* Paris, 1696, in-12.
FERRIÈRE (Claude-Joseph de), *Dictionnaire de droit et de pratique...* Paris, 4e éd. 1768, 2 vol. in-4°.
FLEURANGES (Robert de la Marck, seigneur de), *Histoire des choses mémorables advenues des règnes de Louis XII et de François Ier (1499-1521),* éd. Michaud et Poujoulat, Paris, 1866, t. V de la *Nouv. collect. des mémoires relatifs à l'histoire de France...,* in-8°.
FRÉNILLY (Auguste-François Fauveau, baron de), *Souvenirs du baron de Frénilly, pair de France ; 1768-1828,* éd. A. Chuquet, Paris, 2e éd. 1908, in-8° ; publiés sous le titre de *Mémoires du baron de Frénilly, souvenirs d'un ultraroyaliste,* par Frédéric d'Agay, Paris, 1987.

FURETIÈRE (Antoine), *Dictionnaire universel...*, La Haye et Rotterdam, 1690, 3 vol. in-fol.

— *Le Roman bourgeois*, éd. de l'Académie française, Paris, 1968.

GAETA (Franco), *Relations des ambassadeurs vénitiens*, publiées par F. Gaeta, Paris, 1969.

GENLIS (Stéphanie-Félicité du Crest de Saint-Aubin, comtesse de), *Dictionnaire critique et raisonné des étiquettes de la cour...*, Paris, 1818, 2 vol. in-8°.

GODEFROY (Théodore), *Le Cérémonial français*, Paris, 1649, 2 vol. in-fol.

GRACIAN (Baltasar), *L'Homme de cour*, trad. Amelot de la Houssaye, Paris, 1924, in-12.

GRIMM, DIDEROT, RAYNAL, MEISTER, *Correspondance littéraire, philosophique et critique*, éd. Tourneux, Paris, 1877-1882, 16 vol. in-8°.

GRISELLE (Eugène), *État de la maison du Roi Louis XIII... comprenant les années 1601 à 1665, Supplément à la maison du Roi Louis XIII comprenant le règlement général... de tous les états de sa maison...*, publiés par E. Griselle, Paris, 1912, in-8°.

GUIFFREY (Jules), *Comptes des bâtiments du Roi sous le règne de Louis XIV...*, Paris, 1881-1901, 5 vol. in-fol.

HÉBERT (François), *Mémoires du curé de Versailles François Hébert, 1686-1704*, éd. G. Giraud, Paris, 1927, in-8°.

HÉNAULT (Président Charles-Jean-François), *Mémoires...*, éd. F. Rousseau, Paris, 1911, in-8°.

HENRI III, *Lettres de Henri III, roi de France*, éd. Pierre Champion, Michel François, Bernard Barbiche, Henri Zuber, Paris, 1959-1984, 4 vol.

HENRI IV, *Recueil des lettres missives*, éd. J. Berger de Xivrey, Paris, 1843-1860, 7 vol. in-4° et 2 vol. de supplément par J. Guadet, Paris, 1872-1876.

HÉROARD (Jean), *Journal... sur l'enfance et la jeunesse de Louis XIII (1601-1628)*, éd. E. Soulié et Éd. de Barthélemy, Paris, 1868, 2 vol. in-8°.

HÉZECQUES (Félix, comte de France d'), *Souvenirs d'un page de la cour de Louis XVI*, Brionne, rééd. 1983.

KAUNITZ-RITTBERG (Wenceslas-Antoine-Dominique, comte puis prince de) « Mémoires sur la cour de France, 1752 », éd. Vicomte du Dresnay, dans *Revue de Paris*, 1904, 11e année, vol. IV, pp. 441-454 et 827-847.

LABORDE (Léon, marquis de), *Les Comptes des bâtiments du roi, 1528-1571*, Paris, 1877-1880, 2 vol. in-fol.

LA BRUYÈRE (Jean de), *Œuvres complètes*, éd. Benda, Paris, Bibl. de la Pléiade, 1951.

LA FAYETTE (Marie-Madeleine Pioche de la Vergne, comtesse de), *Histoire de Madame Henriette d'Angleterre*, suivie de *Mémoires de la cour de France pour les années 1688 et 1689*, éd. G. Sigaux, Paris, 1982.

LA FERRIÈRE (Hector de), *Le XVIe siècle et les Valois d'après les documents inédits du British Museum et du Record Office*, Paris, 1879, in-8°.

LA FONTAINE (Jean de), *Œuvres complètes*, éd. R. Gros et J. Schiffrin, Paris, Bibl. de la Pléiade, 1963-1968, 2 vol.

LA FORCE (Jacques Nompar de Caumont, duc de), *Mémoires authentiques...*, éd. marquis de la Grange, Paris, 1843, 3 vol. in-8°.

LA NOUE (François de), *Discours politiques et militaires*, éd. F. E. Sutcliffe, Genève-Paris, 1967.

LA TOUR DU PIN (Henriette-Lucy Dillon, marquise de), *Mémoires, 1778-1815*, éd. Ch. de Liedekerke Beaufort, Paris, 1983.

LESCURE (M. de), *Correspondance secrète inédite sur Louis XVI, Marie-Antoinette, la Cour et la Ville de 1777 à 1792*, publiée par M. de Lescure, Paris, 1866, 2 vol. in-8°.

L'ESTOILE (Pierre de), *Journal pour le règne de Henri III (1574-1589)*, éd. L.-R. Lefèvre, Paris, 1943.

— *Journal pour le règne de Henri IV*. I. *1589-1600*, éd. L.-R. Lefèvre, Paris, 1948.
LÉVIS (Gaston, duc de), *Souvenirs et portraits, 1780-1789*, Paris, 1813, in-8°.
LIGNE (Charles-Joseph-Lamoral, prince de), *Fragments de l'histoire de ma vie*, éd. F. Leuridant, Paris, 1928, 2 vol. in-8°.
LISTER (Martin), *Voyage de Lister à Paris en 1698*, Paris, 1873, in-8°.
LOUIS XIV, *Manière de montrer les jardins de Versailles*, éd. R. Girardet, Paris, 1951.
— *Mémoires*, éd. J. Longnon, Paris, 1978.
LOUIS-PHILIPPE, *Mémoires de Louis-Philippe duc d'Orléans écrits par lui-même*, Paris, 1873, 2 vol. in-12.
LUCINGE (René de), *Lettres sur la cour de Henri III en 1586*, éd. A. Dufour, Genève, 1966.
LUYNES (Charles-Philippe d'Albert, duc de), *Mémoires...*, Paris, 1860-1865, 17 vol. in-8°.
MACHIAVEL (Nicolas), *Œuvres complètes*, éd. Éd. Barincou, Paris, Bibl. de la Pléiade, 1952.
MAINTENON (Françoise d'Aubigné, marquise de), *Lettres à d'Aubigné et à Mme des Ursins*, éd. G. Truc, Paris, 1921, in-12.
— *Lettres historiques et édifiantes adressées aux dames de Saint-Louis*, éd. Lavallée, Paris, 1856, 2 vol. in-12.
MALHERBE (François de), *Œuvres*, éd. L. Lalanne, Paris, 1862-1869, 5 vol. in-8°.
MARAIS (Mathieu), *Journal et Mémoires sur la Régence et le règne de Louis XV (1715-1737)*, éd. Lescure, Paris, 1863, 4 vol. in-8°.
MARGUERITE DE VALOIS, *Mémoires*, éd. Y. Cazaux, Paris, 1971.
MARIE-ANTOINETTE, *Correspondance secrète entre Marie-Antoinette et le comte de Mercy-Argenteau*, éd. Arneth et Geffroy, Paris, 1875, 3 vol. in-8°.
MARILLAC, voir CASTILLON.
MAROT (Clément), *Œuvres complètes*, éd. A. Grenier, Paris, 1938-1951, 2 vol. in-16.
MERCIER (Louis-Sébastien), *Tableau de Paris...*, Amsterdam, 1782-1783, 8 vol. in-8°.
MÉRÉ (Antoine Gombaud, chevalier de), *Œuvres complètes*, éd. Ch.-H. Boudhors, Paris, 1930, 4 vol. in-8°.
MOLIÈRE (Jean-Baptiste Poquelin, dit), *Œuvres complètes*, éd. G. Couton, Paris, Bibl. de la Pléiade, 1983, 2 vol.
MONGLAT (François de Paule de Clermont, marquis de), *Mémoires...*, éd. Michaud et Poujoulat, Paris, 1866, vol. XXIX de la *Nouv. collec. des mémoires relatifs à l'histoire de France*, pp. 1-365, in-8°.
MONGRÉDIEN (Georges), *Louis XIV*, Paris, 1963 (coll. « Le Mémorial des siècles »).
MONTAIGNE (Michel Eyquem de), *Œuvres complètes*, éd. A. Thibaudet et M. Rat, Paris, Bibl. de la Pléiade, 1962.
MONTBAREY (Alexandre de Saint-Maurice, prince de), *Mémoires autographes*, Paris, 1826-1827, 3 vol. in-8°.
MONTESQUIEU (Charles-Louis de Secondat, baron de), *Lettres persanes...*, éd. J. Roger, Paris, 1964.
MONTPENSIER (Anne-Marie-Louise d'Orléans, duchesse de), *Mémoires, 1627-1686*, éd. Michaud et Poujoulat, Paris, 1866, vol. XXVIII de la *Nouv. coll. des mémoires relatifs à l'histoire de France*, pp. 1-530, in-8°.
MOTTEVILLE (Françoise Langlois, dame de), *Mémoires* (1615-1666), éd. Michaud et Poujoulat, Paris, 1866, vol. XXIV de la *Nouv. coll. des mémoires relatifs à l'histoire de France*, pp. 1-572, in-8°.
NARBONNE (Pierre), *Journal des règnes de Louis XIV et Louis XV (1701-1744)*, Versailles, 1866, in-8°.
NEMOURS (Marie d'Orléans de Longueville, duchesse de), *Mémoires...*, éd. Michaud

et Poujoulat, Paris, 1866, vol. XXIII de la *Nouv. coll. des mémoires relatifs à l'histoire de France*, pp. 604-660, in-8°.

NEUILLY (Ange-Achille-Charles Brunet, comte de), *Dix années d'émigration. Souvenirs et correspondance*, éd. M. de Barberey, Paris, 1865, in-8°.

NEVERS (Louis de Gonzague, prince de Mantoue, duc de), *Mémoires*, (1574-1595), éd. Le Roi de Gomberville, Paris, 1665, 2 vol. in-4°.

OBERKIRCH (Henriette-Louise de Waldner de Freudstein, baronne d'), *Mémoires... sur la cour de Louis XVI et la société française avant 1789*, éd. S. Burkard, Paris, 1970.

ORMESSON (Olivier Le Fèvre d'), *Journal...*, éd. A. Chéruel, Paris, 1860-1861, 2 vol. in-4°.

PAPILLON DE LA FERTÉ (Denis-Pierre-Jean), *Journal, 1756-1780*, éd. E. Boyse, Paris, 1887, in-8°.

PARIS (Louis), *Négociations, lettres et pièces diverses relatives au règne de François II, tirées du portefeuille de Sébastien de l'Aubespine, évêque de Limoges*, Paris, 1841, in-8°.

PASQUIER (Étienne), *Les Recherches de la France*, Paris, 1630, in-fol.

— *Lettres historiques pour les années 1556-1594*, éd. D. Thickett, Genève-Paris, 1966.

PERRAULT (Charles), *Mémoires*, éd. P. Lacroix, Paris, 1878, in-8°.

POMPADOUR (Jeanne-Antoinette Poisson, marquise de), *Lettres... depuis 1746 jusqu'à 1762*, Londres, 1773, in-12.

PRIMI VISCONTI (Jean-Baptiste), *Mémoires sur la cour de Louis XIV*, éd. J. Lemoine, Paris, 1908, in-8°.

PRINCESSE PALATINE (Élisabeth-Charlotte de Bavière, duchesse d'Orléans, dite la), *Lettres de Madame, duchesse d'Orléans...*, éd. O. Amiel, Paris, 1981.

RACINE (Jean), *Œuvres*, éd. P. Mesnard, Paris, 1885-1888, 8 vol. in-8°.

*Relations des ambassadeurs vénitiens sur les affaires de France au XVI*e *siècle*, voir TOMMASEO.

RETZ (Jean-François Paul de Gondi, cardinal de), *Œuvres*, éd. M.-T. Hipp et M. Pernot, Paris, Bibl. de la Pléiade, 1984.

RICHELET (Pierre), *Dictionnaire de la langue française, ancienne et moderne...*, Lyon, 1759, 3 vol. in-fol.

RICHELIEU (Armand du Plessis, cardinal, duc de), *Mémoires*, éd. Michaud et Poujoulat, Paris, 1866, 3 vol. in-8°, vol. XXI, XXII, XXIII de la *Nouv. coll. des mémoires relatifs à l'histoire de France*.

ROLAND (Marie-Jeanne Philipon, Mme), *Mémoires...*, éd. P. de Roux, Paris, 1966.

RONSARD (Pierre de), *Œuvres complètes*, éd. G. Cohen, Paris, Bibl. de la Pléiade, 1950, 2 vol.

SAINT-GELAYS (Mellin de), *Œuvres complètes*, éd. P. Blanchemain, Paris, 1873, 3 vol. in-16.

SAINT-MAURICE (Thomas-François Chabod, marquis de), *Lettres sur la cour de Louis XIV...*, éd. J. Lemoine, Paris, 1911-1912, 2 vol. in-8°.

SAINT-PRIEST (François-Emmanuel Guignard, comte de), *Mémoires*, t. I. *Règnes de Louis XV et de Louis XVI*, éd. baron de Barante, Paris, 1929, in-8°.

SAINT-SIMON (Louis de Rouvroy, duc de), *Mémoires*, éd. A. de Boislisle, Paris, 1879-1928, 41 vol. in-8° ; éd. G. Truc, Paris, Bibl. de la Pléiade, 1953-1961, 7 vol. ; éd. Y. Coirault, Paris, Bibl. de la Pléiade, 1983-19..., en cours de publication.

SAULX-TAVANNES (Gaspard et Guillaume de), *Mémoires (1515-1595)*, éd. Michaud et Poujoulat, Paris, 1866, vol. VIII de la *Nouv. coll. des mémoires relatifs à l'histoire de France*, pp. 1-504, in-8°.

SÉGUR (Louis-Philippe, comte de), *Mémoires ou souvenirs et anecdotes*, éd. F. Barrière, Paris, 1859, 2 vol. in-12.

SÉNAC DE MEILHAN (Gabriel), *Le Gouvernement, les mœurs et les conditions en France avant la Révolution*, éd. Lescure, Paris, 1862, in-18.
SÉVIGNÉ (Marie de Rabutin Chantal, marquise de), *Correspondance*, éd. R. Duchêne, Paris, Bibl. de la Pléiade, 1972-1978, 3 vol.
SOREL (Charles), *Histoire comique de Francion* (livres I à VII), éd. Y. Giraud, Paris, 1979.
SOURCHES (Louis-François du Bouchet, marquis de), *Mémoires du marquis de Sourches sur le règne de Louis XIV*, éd. Cosnac et Pontal, Paris, 1882-1893, 13 vol. in-8°.
SPANHEIM (Ezéchiel), *Relation de la cour de France en 1690...*, éd. Schefer, Paris, 1882, in-8°.
STAAL-DELAUNAY (Marguerite Jeanne Cordier, baronne de), *Mémoires sur la société française au temps de la Régence*, éd. G. Doscot, Paris, 1970.
TALLEMANT DES RÉAUX (Gédéon), *Historiettes*, éd. A. Adam, Paris, Bibl. de la Pléiade, 1960-1961, 2 vol. in-12.
TALLEYRAND (Charles-Maurice de), *Mémoires*, éd. P.-L. et J.-P. Couchoud, Paris, 1982, 2 vol.
TESSÉ (René de Froulay, maréchal de), *Lettres...*, éd. Rambuteau, Paris, 1888, in-8°.
TESSIN (Charles-Gustave, comte de), *Tableaux de Paris et de la cour de France, 1739-1742. Lettres inédites*, éd. Gunnar von Proschwitz, Göteborg, Paris, 1983.
DE THOU (Jacques-Auguste), *Histoire universelle depuis 1543 jusqu'en 1607*, Londres, 1734, 16 vol. in-4°.
TILLY (Alexandre de), *Mémoires...*, éd. Melchior-Bonnet, Paris, 1965.
TOCQUEVILLE (Alexis de), *L'Ancien Régime et la Révolution*, éd. J.-P. Mayer, Paris, 1967.
TOMMASSEO (N.), *Relations des ambassadeurs vénitiens sur les affaires de France au XVIe siècle*, recueillies et traduites par M. N. Tommasseo, Paris, 1838, 2 vol. in-4°.
VALFONS (Charles Mathéi de la Calmette, dit le marquis de), *Souvenirs... 1710-1786*, Paris, s.d., in-8°.
VÉRI (Joseph-Alphonse, abbé de), *Journal...*, éd. J. de Witte, Paris, 1928-1930, 2 vol. in-8°.
VIEILLEVILLE (François de Scepeaux, sire de), *Mémoires...*, éd. Petitot, Paris, 1822, in-8°.
VILLARS-BRANCAS (Marie-Angélique Fremyn de Moras, duchesse de), *Mémoires*, éd. E. Asse, Paris, 1890, in-16.
VOLTAIRE (François-Marie Arouet, dit de), *Le Siècle de Louis XIV...*, dans *Œuvres historiques*, éd. R. Pomeau, Paris, Bibl. de la Pléiade, 1957.
— *Essais sur les mœurs et l'esprit des nations...*, éd. R. Pomeau, Paris, 1963, 2 vol.

OUVRAGES ET ARTICLES CONSULTÉS

ABRAHAM (Pierre) et DESNÉ (Roland), sous la direction de, *Histoire littéraire de la France*, Paris, 1974-1980, 12 vol., t. II, III et IV.
ADAM (Antoine), *Théophile de Viau et la libre pensée française en 1620*, Paris, 1935, in-8°.
— *Histoire de la littérature française au XVIIe siècle*, t. I : *L'époque d'Henri IV et de Louis XIII*, Paris, 1948, in-8° ; t. II : *L'époque de Pascal*, Paris, 1954.
— *L'Age classique I, 1624-1660. Littérature française*, Paris, 1968.
ADHÉMAR (Jean), « Le mécénat de François Ier », dans *Revue de l'université de Bruxelles*, 8e année, 1955-1956, t. VIII, pp. 244-253.
ANTHONY (James R.), *La Musique en France à l'époque baroque*, Paris, 1981.

ANTOINE (Michel), *Le Conseil du Roi sous le règne de Louis XV*, Genève-Paris, 1970.
— *Le gouvernement et l'administration sous Louis XV. Dictionnaire biographique*, Paris, 1978.
APOSTOLIDÈS (Jean-Marie), *Le roi-machine. Spectacle et politique au temps de Louis XIV*, Paris, 1981.
AUERBACH (Erich), « La Cour et la Ville », dans *Vier Untersuchungen zur Geschichte der Französischen Bildung*, Berne, 1951, pp. 12-50.
AUGÉ-CHIQUET (Mathieu), *La vie, les idées et l'œuvre de Jean-Antoine de Baïf*, Paris, 1909, in-8°.
BABELON (Jean-Pierre), *Henri IV*, Paris, 1982.
BALMAS (Enea), *La Renaissance II — 1548-1570. Littérature française*, Paris, 1974.
BARET (Eugène), *De l'Amadis de Gaule et de son influence sur les mœurs et la littérature au XVIe et au XVIIe siècle*, Paris, 1873, in-8°.
BATIFFOL (Louis), *Le roi Louis XIII à vingt ans*, Paris, 1910, in-8°.
— *Au temps de Louis XIII*, Paris, s.d., in-8°.
— *La vie intime d'une reine de France au XVIIe siècle*, Paris, s.d., in-8°.
— *La duchesse de Chevreuse. Une vie d'aventures et d'intrigues sous Louis XIII*, Paris, 1913, in-8°.
— *Le Louvre sous Henri IV et Louis XIII. La vie de la cour de France au XVIIe siècle*, Paris, 1930, in-12.
BEAUSSANT (Philippe), *Versailles, Opéra*, Paris, 1981.
— *Rameau de A à Z*, Paris, 1983.
BEC (Christian), MAMCZARZ (Irène), *Le théâtre italien et l'Europe, XVe-XVIIe siècles*, Paris, 1983.
BÉGUIN (Sylvie), *L'École de Fontainebleau, le maniérisme à la cour de France*, Paris, 1960.
BELLENGER (Yvonne), *La Pléiade*, Paris, 1978.
BENOIST (Luc), *Histoire de Versailles*, Paris, 1980.
BENOIT (Marcelle), *Les musiciens du roi de France (1661-1733)*, Paris, 1982.
BEZARD (Yvonne), *Les porte-arquebuse du Roi*, Versailles, 1925, in-8°.
BILLACOIS (François), *Le duel dans la société française des XVIe-XVIIe siècles. Essai de psychosociologie historique*, Paris, 1986.
BLANC (André), « L'image de la cour dans le théâtre comique français sous le règne de Louis XIV », dans *Revue d'histoire du théâtre*, 1983-1984, pp. 402-412.
BLUCHE (François), *La vie quotidienne de la noblesse française au XVIIIe siècle*, Paris, 1973.
— *La vie quotidienne au temps de Louis XVI*, Paris, 1980.
— *La vie quotidienne au temps de Louis XIV*, Paris, 1984.
— *Louis XIV*, Paris, 1986.
— *Les honneurs de la Cour*, Paris [1957], 2 vol.
BLUNT (Anthony), *Art et architecture en France, 1500-1700*, Paris, 1983.
BOQUET (Guy), « Les Comédiens italiens à Paris sous Louis XIV », dans *Revue d'histoire moderne et contemporaine*, t. XXVI, juillet-septembre 1979, pp. 422-438.
BOTTINEAU (Yves), « La cour de Louis XIV à Fontainebleau », dans *XVIIe siècle*, 1953-1954, n° 24, pp. 697-734.
— *L'art de cour dans l'Espagne de Philippe V, 1700-1746*, Bordeaux, 1962.
— *L'art d'Ange-Jacques Gabriel à Fontainebleau, 1735-1774*, Paris, 1962.
— *L'art baroque*, Paris, 1986.
BOUCHER (Jacqueline), *Société et mentalités autour de Henri III*, Lille III, 1981, 4 vol.
— « L'évolution de la maison du Roi : des derniers Valois aux premiers Bourbons », dans *XVIIe siècle*, 34e année, n° 137, oct.-déc. 1982, pp. 359-379.
BOURCIEZ (Édouard), *Les mœurs polies et la littérature de cour sous Henri II*, Paris, 1886, in-8°.

BOUTIER (Jean), DEWERPE (Alain), NORDMAN (Daniel), *Un tour de France royal. Le voyage de Charles IX (1564-1566)*, Paris, 1984.
BRIDE (Claudine), *Agrippa d'Aubigné et la cour de France*, Besançon, 1985, mém. dactyl.
BRIDGMAN (Nanie), « L'aristocratie française et le ballet de cour », dans *Cahiers de l'association internationale des études françaises*, n° 9, juin 1957, pp. 9-21.
BROCHER (Henri), *Le rang et l'étiquette sous l'ancien régime. A la cour de Louis XIV*, Paris, 1934, in-18.
BROSSARD (Yolande de), « La vie musicale en France d'après Loret et ses continuateurs, 1650-1688 », dans *Recherches sur la musique française classique*, X, 1970, pp. 117-193.
BRUNEL (Georges), *Boucher*, Paris, 1986.
BRUNOT (Ferdinand), *Histoire de la langue française des origines à nos jours*, Paris, rééd. 1966, t. II à IV en 5 vol.
BURNAND (Robert), *La cour des Valois*, Paris, 1938, in-12.
BUTLER (Rohan), *Choiseul. Vol. 1, Father and Son, 1719-1754*, Oxford, 1980.
CAMPARDON (Émile), *Madame de Pompadour et la cour de Louis XV au milieu du XVIIIe siècle*, Paris, 1867, in-8°.
CARMONA (Michel), *Marie de Médicis*, Paris, 1981.
— *Richelieu*, Paris, 1983.
— *La France de Richelieu*, Paris, 1984.
CARRÉ (Henri), *La noblesse de France et l'opinion publique au XVIIIe siècle*, Paris, 1920, in-8°.
CASTELOT (André), *Marie-Antoinette*, Paris, 1962.
CHAGNIOT (Jean), *Paris et l'armée au XVIIIe siècle. Étude politique et sociale*, Paris, 1985.
CHAMARD (Henri), *Histoire de la Pléiade*, Paris, 1939-1940, 4 vol. in-8°.
CHAMPION (Henri), *Ronsard et son temps*, Paris, 1925, in-8°.
CHANDERNAGOR (Françoise), *L'allée du Roi...*, Paris, 1981.
CHARTROU (Josèphe), *Les entrées solennelles et triomphantes à la Renaissance (1484-1551)*, Paris, 1928, in-8°.
CHASTEL (André), sous la direction de, *L'art de Fontainebleau* (actes du colloque international), Paris, 1975.
— *Fables, formes, figures*, Paris, 1978, 2 vol.
CHÂTELET (Albert), THUILLIER (Jacques), *La peinture française*. t. I : *De Fouquet à Poussin ;* t. II : *De Le Nain à Fragonard*, Genève, 1963-1964. 2 vol.
CHAUNU (Pierre), *La civilisation de l'Europe classique*, Paris, 1966.
— *La civilisation de l'Europe des Lumières*, Paris, 1971.
— *L'État*, dans *Histoire économique et sociale de la France*, Paris, t. I, premier vol., 1977.
CHAUSSINAND-NOGARET (Guy), *La noblesse au XVIIIe siècle. De la féodalité aux Lumières*, Paris, 1976.
CHÉRUEL (Adolphe), *Histoire de France pendant la minorité de Louis XIV*, Paris, 1879-1880, 4 vol. in-8°.
CHEVALLIER (Pierre), *Louis XIII, roi cornélien*, Paris, 1979.
— *Henri III, roi shakespearien*, Paris, 1985.
CHRISTOUT (Marie-Françoise), *Le ballet de cour de Louis XIV, 1643-1672, mises en scène*, Paris, 1967.
CIORANESCU (Alexandre), *Le masque et le visage. Du baroque espagnol au classicisme français*, Genève, 1983.
CLARE (Lucien), *La quintaine, la course de bague et le jeu de têtes. Étude historique et ethno-linguistique d'une famille de jeux équestres*, Paris, 1983.
CLÉMENT (Louis), *Henri Estienne et son œuvre française*, Paris, 1899, in-8°.

Les Clouet et la cour des rois de France. De François Ier à Henri IV, catalogue de l'exposition de la Bibliothèque nationale, Paris, 1970.
CLOULAS (Ivan), *Catherine de Médicis*, Paris, 1979.
— *La vie quotidienne dans les châteaux de la Loire au temps de la Renaissance*, Paris, 1983.
— *Henri II*, Paris, 1985.
Colbert, 1619-1683, Paris, 1983.
CONSTANT (Jean-Marie), *Les Guise*, Paris, 1984.
— *La vie quotidienne de la noblesse française aux XVIe-XVIIe siècles*, Paris, 1985.
CORVISIER (André), *Armées et sociétés en Europe de 1494 à 1789*, Paris, 1976.
— *Louvois*, Paris, 1983.
COUPRIE (Alain), *De Corneille à La Bruyère : images de la cour*, Paris IV, 1983, 3 vol., thèse dactyl.
COUTIN (Sophie), *Les déplacements de Louis XIV, 1661-1682*, Nanterre, 1985, mém. dactyl.
COX-REARICK (Janet), *La collection de François Ier*, Paris, 1972.
CROUZET (Denis), « Recherches sur la crise de l'aristocratie en France au XVIe siècle : les dettes de la maison de Nevers », dans *Histoire, économie et société*, 1-1982, pp. 7-50.
CROZET (René), *La vie artistique en France au XVIIe siècle (1598-1661). Les artistes et la société*, Paris, 1954.
CUÉNIN (Micheline), *Le duel sous l'ancien régime*, Paris, 1982.
DARTOIS-LAPEYRE (Françoise), « L'opéra-ballet et la cour de France », dans *XVIIIe siècle*, n° 17, 1985, pp. 202-219.
DECRUE DE STOUTZ (Francis), *La cour de France et la société au XVIe siècle*, Paris, 1888, in-8°.
— *Anne de Montmorency, grand maître et connétable de France à la cour, aux armées et au conseil du roi François Ier*, Paris, 1885, in-8°.
— *Anne de Montmorency, connétable et pair de France sous les rois Henri II, François II et Charles IX*, Paris, 1889, in-8°.
DELUMEAU (Jean), *La civilisation de la Renaissance*, Paris, 1967.
DESCOTES (Maurice), *Le public de théâtre et son histoire*, Paris, 1964.
DESJARDINS (Albert), *Les sentiments moraux au XVIe siècle*, Paris, 1887, in-8°.
DESPOIS (Eugène), *Le théâtre français sous Louis XIV*, Paris, 1882, in-12.
DESSERT (Daniel), *Argent, pouvoir et société au Grand Siècle*, Paris, 1984.
— *Fouquet*, Paris, 1987.
DETHAN (Georges), *Mazarin, un homme de paix à l'âge baroque, 1602-1661*, Paris, 1981.
— *Gaston d'Orléans, conspirateur et prince charmant*, Paris, 1959.
DICKENS (A. G.), éd., *The Courts of Europe. Politics, Patronage and Royalty, 1480-1800*, Londres, 1977.
DIMIER (Louis), *Le Primatice, peintre, sculpteur et architecte des rois de France*, Paris, 1900, in-8°.
— *Le château de Fontainebleau*, Paris, 1930, in-12.
DODU (Gaston), *Les Valois, histoire d'une maison royale (1328-1589)*, Paris, 1934, in-8°.
DORIVAL (Bernard), « Art et politique en France au XVIIe siècle : la galerie des Hommes illustres du Palais Cardinal », dans *Bulletin de la société de l'histoire de l'art français*, Paris, 1974, pp. 43-60.
DOTTIN (Georges), *La chanson française de la Renaissance*, Paris, 1984.
DOUCET (Roger), *Les institutions de la France au XVIe siècle*, Paris, 1948, 2 vol.
DUCHÊNE (Roger), *Madame de Sévigné ou la chance d'être femme*, Paris, 1982.

DUCROT (Ariane), « Les représentations de l'académie royale de musique à Paris au temps de Louis XIV (1671-1715) », dans *Recherches...*, X, 1970, pp. 19-55.
DUFOURCQ (Norbert), *La musique française*, Paris, 1970.
— « La musique française au XVIIIe siècle. État des questions, chronologie, sources et bibliographie, problèmes », dans *XVIIIe siècle*, n° 2, 1970, pp. 303-319.
— *La musique à la cour de Louis XIV et de Louis XV, d'après les mémoires de Sourches et Luynes, 1681-1758*, Paris, 1970.
— « Le XVIIe siècle français vu à travers quarante années de musicologie », dans *XVIIe siècle*, 35e année, n° 139, avril-juin 1983, pp. 195-217.
— « Les fêtes de Versailles. La musique », dans *XVIIe siècle*, n° 98-99, année 1973, pp. 67-75.
DULONG (Claude), *Anne d'Autriche, mère de Louis XIV*, Paris, 1980.
DURAND (Yves), *Les fermiers généraux au XVIIIe siècle*, Paris, 1971.
DURON (Jean), « L'année musicale 1688 », dans *XVIIe siècle*, 35e année, n° 139, avril-juin 1983, pp. 229-241.
L'École de Fontainebleau, catalogue de l'exposition du Grand Palais, Paris, 1972.
EGRET (Jean), *Necker, ministre de Louis XVI*, Paris, 1975.
— *La Pré-révolution française, 1787-1788*, Paris, 1962.
EHRMANN (Jean), *Antoine Caron, peintre à la cour des Valois, 1521-1599*, Genève, 1955.
ELIAS (Norbert), *La société de cour*, Paris, rééd. 1985.
— *La civilisation des mœurs*, Paris, 1982.
ESTRÉE (Paul d'), *Le maréchal de Richelieu (1696-1788), d'après les mémoires contemporains et des documents inédits*, Paris, s.d., in-8°.
Europäische Hofkultur im 16. und 17. Jahrhundert, Hamburg, 1981, 3 vol.
FAIVRE (Christophe), *Essai de répertoire de la noblesse de cour sous le règne de Louis XIV, d'après le Journal de Dangeau, 1684-1702*, Besançon, 1986, mém. dactyl.
FAJON (Robert), *L'opéra à Paris du Roi-Soleil à Louis le Bien-Aimé*, Genève-Paris, 1984.
FAURE (Edgar), *La disgrâce de Turgot*, Paris, 1961.
FLEURY (Vicomte), *Le prince de Lambesc...*, Paris, 1928, in-12.
FOISIL (Madeleine), *Le sire de Gouberville*, Paris, 1981.
FORMEL (François), *Le souci généalogique chez Saint-Simon*, Paris, 1983-1984, 4 vol.
FORSTER (Robert), *The House of Saulx-Tavannes...*, Baltimore, 1971.
FRANCASTEL (Pierre), *La sculpture de Versailles. Essai sur les origines et l'évolution du goût français classique*, Paris, 1930, in-4°.
— « Versailles et l'architecture urbaine au XVIIe siècle », dans *Annales*, 10e année, oct.-déc. 1955, pp. 465-479.
FRANKLIN (Alfred), *La civilité, l'étiquette, la mode, le bon ton du XIIIe au XIXe siècle*, Paris, 1908, 2 vol. in-8°.
FRÉMY (Édouard), *L'académie des derniers Valois*, Paris, 1887, in-8°.
FUMAROLI (Marc), *L'âge de l'éloquence. Rhétorique et « res literaria » de la Renaissance au seuil de l'époque classique*, Genève, 1980.
— « *Aulae Arcana*. Rhétorique et politique à la cour de France sous Henri III et Henri IV », dans *Journal des Savants*, avril-juin 1981, pp. 137-189.
— « *Animus* et *anima* : l'instance féminine dans l'apologétique de la langue française au XVIIe siècle », dans *XVIIe siècle*, n° spécial, *Les pouvoirs féminins*, n° 144, juil.-sept. 1984, pp. 233-240.
— *La peinture française du XVIIe siècle dans les collections américaines. Introduction :* « Des leurres qui persuadent les yeux », Paris, 1982, pp. 1-33.
La Galerie François Ier au château de Fontainebleau, n° spécial de la *Revue de l'art*, 16-17, Paris, 1972.
GALLET (Danielle), *Madame de Pompadour ou le pouvoir féminin*, Paris, 1985.

GALLET (Michel), BOTTINEAU (Yves), *Les Gabriel*, Paris, 1982.
GARNIER (Armand), *Agrippa d'Aubigné et le parti protestant. Contribution à l'histoire de la Réforme en France*, Paris, 1928, 2 vol. in-8°.
GARRIGUES (Catherine), *Grâces et faveurs à la cour de Louis XIV dans le journal du marquis de Dangeau*, Besançon, 1986, mém. dactyl.
GARRISSON (Janine), *Henry IV*, Paris, 1984.
GAXOTTE (Pierre), *Le siècle de Louis XV*, Paris, rééd. 1974.
— *Louis XV*, Paris, 1980.
— *Molière*, Paris, 1977.
GÉBELIN (François), *Les châteaux de la Renaissance*, Paris, 1927, in-4°.
— *L'époque Henri IV et Louis XIII*, Paris, 1969.
— *Les châteaux de France*, Paris, 1962.
GIRDLESTONE (Cuthbert), *Jean-Philippe Rameau. Sa vie, son œuvre*, Paris, 1962.
GOUBERT (Pierre), ROCHE (Daniel), *Les Français et l'Ancien Régime*, Paris, 1984, 2 vol.
GROS (Étienne), *Philippe Quinault, sa vie et son œuvre*, Paris, 1926, in-8°.
GRUBER (Alain-Charles), *Les grandes fêtes et leurs décors à l'époque de Louis XVI*, Genève-Paris, 1972.
— « L'œuvre de Pierre-Adrien Pâris à la cour de France, 1779-1791 », dans *Bulletin de la société de l'histoire de l'art français*, année 1973, pp. 213-227.
GRUSSI (Olivier), *La vie quotidienne des joueurs sous l'ancien régime à Paris et à la Cour*, Paris, 1985.
HAUTECŒUR (Louis), *L'histoire des châteaux du Louvre et des Tuileries*, Paris, 1927, in-fol.
— *Histoire de l'architecture classique en France*, t. II. *Le règne de Louis XIV*, Paris, 1948, 2 vol. ; t. III. *Première moitié du XVIIIe siècle. Le style Louis XV*, Paris, 1950 ; t. IV. *Seconde moitié du XVIIIe siècle. Le style Louis XVI, 1750-1792*, Paris, 1952.
HERBET (Félix), *Le château de Fontainebleau*, Paris, 1937, in-8°.
HIMELFARB (Hélène), « Versailles, fonctions et légendes », dans *Les lieux de mémoire*, sous la direction de Pierre Nora, t. II. *La Nation*, 2e vol., Paris, 1986, pp. 193-292.
JACKSON (Catherine Charlotte, lady), *The Court of France in the Sixteenth Century, 1514-1559*, Londres, 1886, 2 vol. in-8°.
JACQUART (Jean), *François Ier*, Paris, 1981.
JACQUOT (Jean), sous la direction de, *Les fêtes de la Renaissance*, Paris, 1956-1960, 2 vol.
— *Arts du spectacle et histoire des idées. Recueil offert en hommage à Jean Jacquot*, Tours, 1984.
JESTAZ (Bertrand), *L'art de la Renaissance*, Paris, 1984.
JOURDA (Pierre), *Marguerite d'Angoulême, duchesse d'Alençon, reine de Navarre, 1492-1549*, Paris, 1930, 2 vol. in-8°.
JULLIEN (Adolphe), *La ville et la cour au XVIIIe siècle, Mozart, Marie-Antoinette, les philosophes*, Paris, 1881, in-8°.
— *La comédie à la cour. Les théâtres de société royale pendant le siècle dernier...*, Paris, s.d., in-8°.
KIMBALL (Fiske), *Le style Louis XV. Origine et évolution du roccoco*, Paris, 1949, gr. in-4°.
KNECHT (R. J.), *Francis I*, Cambridge, 1982.
— « The Court of Francis I », dans *European Studies Review*, vol. 8, janvier 1978, n° 1, pp. 1-22.
LABATUT (Jean-Pierre), *Les ducs et pairs en France au XVIIe siècle*, Paris, 1972.
— *Louis XIV, roi de gloire*, Paris, 1984.

— *Noblesse, pouvoir et société en France au XVIIe siècle* (recueil d'articles), Limoges, 1987.
LACOUR-GAYET (Georges), *Le château de Saint-Germain-en-Laye*, Paris, 1935, in-12.
LA FORCE (Auguste-Armand-Nompar, duc de), *Lauzun, un courtisan du Grand Roi*, Paris, 1919, in-8°.
— *Le Grand Conti*, Paris, 1933, in-12.
— *Louis XIV et sa cour*, Paris, 1956.
LA GORCE (Jérôme de), « L'opéra français à la cour de Louis XIV », dans *Revue d'histoire du théâtre*, 1983-1984, 34e année, pp. 387-401.
LAGRAVE (Henri), *Le théâtre et le public à Paris de 1715 à 1750*, Paris, 1972.
LAIR (Jules), *Louise de la Vallière et la jeunesse de Louis XIV...*, Paris, 1907, in-8°.
LA LAURENCIE (Lionel), *Lully*, Paris, 1911, rééd. 1977.
— *Les créateurs de l'opéra français*, Paris, 1930, rééd. 1977.
LAURAIN-PORTEMER (Madeleine), « Le Palais Mazarin à Paris et l'offensive baroque de 1645 à 1650 d'après Romanelli, Pierre de Cortone et Grimaldi », dans *Gazette des Beaux-Arts*, t. LXXXI, mars 1973, pp. 151-168.
— « Mazarin, militant de l'art baroque au temps de Richelieu, 1634-1642 », dans *Bulletin de la société de l'histoire de l'art français*, 1975, pp. 65-100.
LAVAUD (Jacques), *Un poète de cour au temps des derniers Valois. Philippe Desportes (1546-1606)*, Paris, s.d., in-8°.
LAVISSE (Ernest), *Histoire de France depuis les origines jusqu'à la Révolution*, Paris, 1900-1911, 9 tomes en 18 vol., t. V, VI, VII, VIII, IX.
LEBÈGUE (Raymond), « La comédie italienne en France au XVIe siècle », dans *Revue de littérature comparée*, 24e année, 1950, pp. 5-24.
Charles LE BRUN..., voir THUILLIER.
LEMOINE (Jean), *Madame de Montespan et la légende des poisons*, Paris, 1908, in-4°.
LÉONARD (Émile-G.), *L'armée et ses problèmes au XVIIIe siècle*, Paris, 1958.
LE ROY LADURIE (Emmanuel), « Système de la cour (Versailles, vers 1709) », dans *Le territoire de l'historien*, Paris, 1978, t. II, pp. 275-299.
— sous la direction de, *Les monarchies*, Paris, 1986.
LESURE (François), *Musique et musiciens français du XVIe siècle*, Genève, 1976.
LÉVÊQUE (André), « *L'honnête homme* et *l'homme de bien* au XVIIe siècle », dans *Publications of the Modern Language Association of America*, vol. LXXII, 1957, pp. 620-632.
LEVER (Évelyne), *Louis XVI*, Paris, 1985.
LEVER (Maurice), *Le sceptre et la marotte. Histoire des Fous de cour*, Paris, 1983.
— *Le roman français au XVIIe siècle*, Paris, 1981.
LEVRON (Jacques), *La vie quotidienne à la cour de Versailles aux XVIIe et XVIIIe siècles*, Paris, 1965.
— *Les courtisans*, Paris, 1960.
LIZERAND (Georges), *Le duc de Beauvillier, 1648-1714*, Paris, 1933, in-12.
LOUGH (John), *Paris Theatre Audiences in the Seventeenth and Eighteenth Centuries*, Londres, 1957.
— « Représentations théâtrales à la cour depuis Henri IV », dans *Cahiers de l'association internationale des études françaises*, juin 1957, n° 9, pp. 161-171.
Louis XV. Un moment de perfection de l'art français, Paris, 1974.
MC GOWAN (Margaret M.), *L'art du ballet de cour en France, 1581-1643*, Paris, 1978.
MAGENDIE (Maurice), *La politesse mondaine et les théories de l'honnêteté en France au XVIIe siècle...*, Paris, [1925], 2 vol. in-8°.
MALO (Henri), *Le grand Condé*, Paris, 1980.
MANSEL (Philip), *Louis XVIII*, Paris, 1982.
MARCHAL (Roger), *Madame de Lambert et son milieu*, Nancy II, 1985, 4 vol., thèse d'État dactyl.

MARCHAND (abbé Ch.), *Charles Ier de Cossé, comte de Brissac et maréchal de France, 1507-1563,* Paris, 1889, in-8°.
MARIE (Alfred), *La naissance de Versailles. Le château, les jardins,* Paris, 1968, 2 vol.
— (Alfred et Jeanne), *Versailles. Son histoire. II. Mansart à Versailles,* Paris, 1972, 2 vol.
— *Versailles au temps de Louis XIV. III. Mansart et Robert de Cotte,* Paris, 1976.
— *Versailles au temps de Louis XV, 1715-1745,* Paris, 1984.
— « Les théâtres du château de Versailles », dans *Revue de la société d'histoire du théâtre,* 3e année, II, 1951, pp. 133-152 et 237-247.
MARIÉJOL (Jean-H.), *La vie de Marguerite de Valois, reine de Navarre et de France, 1553-1615,* Paris, 1928, in-8°.
— *Catherine de Médicis,* Paris, rééd. 1979.
MARION (Marcel), *Dictionnaire des institutions de la France aux XVIIe et XVIIIe siècles,* Paris, rééd. 1968.
MARTIN (Henri-Jean), *Livre, pouvoirs et société à Paris au XVIIe siècle, 1598-1701,* Genève, 1969, 2 vol.
MASSIP (Catherine), *La vie des musiciens de Paris au temps de Mazarin (1643-1661). Essai d'étude sociale,* Paris, 1976.
MASSON (Chantal), « Journal du marquis de Dangeau, 1684-1720. Extraits concernant la vie musicale à la cour », dans *Recherches sur la musique française classique,* II, 1961-1962, pp. 193-223.
MATHIEU (Gisèle), *Les thèmes amoureux dans la poésie française, 1570-1600,* Lille III, 1976.
Mazarin, homme d'État et collectionneur, 1602-1661, Bibliothèque nationale, Paris, 1961.
MÉLÈSE (Pierre), *Le théâtre et le public à Paris sous Louis XIV, 1659-1715,* Paris, 1934, in-8°.
— « Molière à la cour », dans *XVIIe siècle,* nos 98-99, 1973, pp. 57-65.
MÉTHIVIER (Hubert), *La Fronde,* Paris, 1984.
MEYER (Jean), *Noblesses et pouvoirs dans l'Europe d'ancien régime,* Paris, 1973.
— *La vie quotidienne en France au temps de la Régence,* Paris, 1979.
— *Colbert,* Paris, 1981.
— *Le poids de l'État,* Paris, 1983.
— *Le Régent, 1674-1723,* Paris, 1985.
MEYER (Daniel), *Quand les rois régnaient à Versailles,* Paris, 1982.
MOINE (Marie-Christine), *Les fêtes à la cour du Roi-Soleil,* Paris, 1984.
MOLINIER (H.-J., abbé), *Mellin de Saint-Gelays (1490 ?-1558). Étude sur sa vie et sur ses œuvres,* Paris, 1910, in-8°.
MONGRÉDIEN (Georges), *La journée des Dupes,* Paris, 1961.
— « Molière et Lulli », dans *XVIIe siècle,* nos 98-99, 1973, pp. 3-15.
MOORE (W. G.), « Le goût de la cour », dans *Cahiers de l'association internationale des études françaises,* juin 1957, n° 9, pp. 172-182.
MOREL (Jacques), *La Renaissance,* III, *1570-1624. Littérature française,* Paris, 1973.
MORINEAU (Michel), « Budgets de l'État et gestion des finances royales en France au XVIIIe siècle », dans *Revue historique,* n° 536, oct.-déc. 1980, pp. 289-336.
MORIS (Anne), *La Cour et la Ville au XVIIIe siècle d'après la correspondance littéraire de Grimm,* Besançon, 1985, mém. dactyl.
MORNET (Daniel), *Histoire de la littérature française classique, 1660-1700 : ses caractères véritables, ses aspects inconnus,* Paris, 1947.
MOUGEL (François-Charles), « La fortune des Bourbon-Conty : revenus et gestion, 1655-1791 », dans *Revue d'histoire moderne et contemporaine,* t. XVIII, janvier-mars 1971, pp. 30-49.
MOUREAU (François), « Thalie délaissée et Momus disgracié : deux années de

spectacles à la cour (1696-1697) », dans *Bulletin de la faculté des lettres de Mulhouse*, fasc. V, 1973, pp. 15-28.
— « Les comédiens italiens et la cour de France (1664-1697), dans *XVIIe siècle*, n° 130, janvier-mars 1981, pp. 63-81.
MOUSNIER (Roland), *La vénalité des offices sous Henri IV et Louis XIII*, Paris, 2e éd. 1971.
— *Le conseil du Roi de Louis XII à la Révolution*, Paris, 1970.
— *Les institutions de la France sous la monarchie absolue*, Paris, 1974-1975, 2 vol.
— et MESNARD (Jean), sous la direction de, *L'âge d'or du mécénat (1598-1661)*, Paris, 1985.
MURAT (Inès), *Colbert*, Paris, 1980.
MURRAY BAILLIE (Hugh), « Etiquette and the Planning of the State Apartments in Baroque Palaces », dans *Archaeologia*, t. CI, 1967, pp. 169-199.
NÉRAUDAU (Jean-Pierre), *L'Olympe du Roi-Soleil. Mythologie et idéologie royale au Grand Siècle*, Paris, 1986.
NOLHAC (Pierre de), *Ronsard et l'humanisme*, Paris, 1921, in-8°.
— *Versailles et la Cour de France*, Paris, 1925-1930, 10 vol. in-8°.
ORIEUX (Jean), *Bussy-Rabutin. Le libertin galant homme, 1618-1693*, Paris, 1958.
— *Voltaire ou la royauté de l'esprit*, Paris, 1966, in-8°.
PAILLARD (Ch.), « La mort de François Ier et les premiers temps du règne de Henri II d'après Jean de Saint-Mauris, ambassadeur de Charles Quint à la cour de France (avril-juin 1547) », dans *Revue historique*, 10e année, t. V, sept.-déc. 1877, pp. 84-120.
PAILLARD (C.), « Additions critiques à l'histoire de la conjuration d'Amboise », dans *Revue historique*, t. XIV, sept.-déc. 1880, pp. 61-108 et pp. 311-355.
PARIS (Paulin), *Études sur François Ier, roi de France, sur sa vie privée et son règne*, Paris, 1885, 2 vol. in-8°.
PELOUS (Jean-Michel), *Amour précieux, amour galant (1654-1675). Essai sur la représentation de l'amour dans la littérature et la société mondaines*, Paris, 1980.
PEREY (Lucien), *Un petit-neveu de Mazarin. Louis Mancini-Mazarini, duc de Nivernais*, Paris, 1890, in-8°.
— *La fin du XVIIIe siècle. Le duc de Nivernais, 1754-1798*, Paris, 1891, in-8°.
PETITFILS (Jean-Christian), *Le Régent*, Paris, 1986.
PICARD (Raymond), *La carrière de Jean Racine*, Paris, 1956.
PINCEMAILLE (Christophe), « La guerre de Hollande dans le programme iconographique de la grande galerie de Versailles », dans *Histoire, économie et société*, 4e année, 3e trimestre 1985, pp. 313-333.
PINTARD (René), *Le libertinage érudit dans la première moitié du XVIIe siècle*, Genève-Paris, nouv. éd. 1983.
PITOU (Spire), « The Comédie-Française and the Palais Royal Interlude of 1716-1723 », dans *Studies on Voltaire and the Eighteenth Century*, vol. LXIV, 1968, pp. 225-264.
— « The Player's Return to Versailles, 1723-1757 », dans *Studies on Voltaire and the Eighteenth Century*, vol. LXXIII, 1970, pp. 7-145.
— « The Comédie-Française at Versailles : 1701-1715 », dans *Studi francesi*, nuova serie, 51, anno XVII, fascicolo III, settembre-decembre 1973, pp. 450-464.
POISSON (Georges), *Monsieur de Saint-Simon*, Paris, 1973.
PRÉ (Corinne), « L'opéra-comique à la Cour de Louis XVI », dans *XVIIIe siècle*, n° 17, 1985, pp. 221-228.
PROD'HOMME (Jacques-Gabriel), *Christophe-Willibald Gluck*, Paris, 1985.
PRUNIÈRES (Henri), *Le ballet de cour en France avant Benserade et Lully*, Paris, 1914, rééd. 1983.
— *L'opéra italien en France avant Lulli*, Paris, 1913, in-8°.

— « Ronsard et les fêtes de cour », dans *Revue musicale*, année 1924, pp. 27-44.
— « La musique de la Chambre et de l'Écurie sous le règne de François Ier, 1516-1547 », dans *L'année musicale*, 1re année, 1911, pp. 215-251.
RAMPELBERG (René-Marie), *Aux origines du Ministère de l'Intérieur. Le ministre de la maison du Roi. 1783-1788. Baron de Breteuil*, Paris, 1975.
RATEL (Simone), « La cour de la reine Marguerite », dans *Revue du XVIe siècle*, t. XI, 1924, pp. 1-29, 193-207 et t. XII, 1925, pp. 1-43.
RÉAU (Louis), *L'Europe française au siècle des Lumières*, Paris, 1938, in-8°.
RIONDEL (Bruno), *La Cour et la Ville d'après les Mémoires secrets de Bachaumont*, Besançon, 1986, mém. dactyl.
ROCHE (Daniel), « Aperçu sur la fortune... des princes de Condé... », dans *Revue d'histoire moderne et contemporaine*, t. XIV, 1967, pp. 217-243.
ROEDERER (Pierre-Louis, comte), *Mémoire pour servir à l'histoire de la société polie en France*, Paris, 1835, in-8°.
ROMIER (Lucien), *La carrière d'un favori. Jacques d'Albon de Saint-André, maréchal de France (1512-1562)*, Paris, 1909, in-8°.
— *Les origines politiques des guerres de religion. I. Henri II et l'Italie (1547-1555)*, Paris, 1913, in-8°.
— *Catholiques et Huguenots à la cour de Charles IX*, Paris, 1924, in-8°.
— *Le royaume de Catherine de Médicis. La France à la veille des guerres de religion*, Paris, 1925, 2 vol. in-8°.
RUBLE (Baron Alphonse de), *Le duc de Nemours et Mlle de Rohan (1531-1592)*, Paris, 1883, in-8°.
— *La première jeunesse de Marie Stuart*, Paris, 1891, in-8°.
RULE (John C.), *Louis XIV and the Craft of Kingship*, John C. Rule éd., Ohio State U.P., 1969, in-8°, en particulier l'article d'Orest Ranum, « The Court and Capital of Louis XIV : some definitions and reflections », pp. 264-285.
SABATIER (Robert), *Histoire de la poésie française. La poésie du XVIe siècle*, Paris, 1975.
SAMOYAULT-VERLET (C.) et SAMOYAULT (J. P.), *Le château de Fontainebleau sous Henri IV*, Paris, 1978, Le Petit Journal des grandes expositions, nouv. série, n° 61.
SAULNIER (Verdun-Louis), *Le prince de la Renaissance lyonnaise, initiateur de la Pléiade. Maurice Scève...*, Paris, 1949, 2 vol.
— *Du Bellay, l'homme et l'œuvre*, Paris, 1951.
SEALY (Robert J.), *The Palace Academy of Henry III*, Genève, 1981.
SÉGUR (Marquis de), *La jeunesse du maréchal de Luxembourg, 1628-1668*, Paris, s.d., in-8°.
— *Le maréchal de Luxembourg et le prince d'Orange, 1668-1678*, Paris, s.d., in-8°.
SERROY (Jean), *La France et l'Italie au temps de Mazarin*, textes recueillis et publiés par Jean Serroy, Grenoble, 1986.
SMITH (Pauline M.), *The Anti-Courtier Trend in Sixteenth Century French Literature*, Genève, 1966.
SOUCHAL (François), *Les Slodtz, sculpteurs et décorateurs du Roi (1685-1764)*, Paris, 1967.
STANTON (Domna C.), *The Aristocrat as Art. A Study of the « Honnête Homme » and the « Dandy » in Seventeenth — and Nineteenth — Century « French Literature »*, New York, 1980.
TAINE (Hippolyte), *Les Origines dè la France contemporaine. L'Ancien Régime*, Paris, 8e éd. 1879, in-8°.
TAPIÉ (Victor-L.), *Baroque et classicisme*, Paris, 1972, nouv. éd. 1980, avec une préface de Marc Fumaroli.
TERRASSE (Charles), *François Ier, le roi et le règne*, Paris, 1943-1970, 3 vol.
TEYSSÈDRE (Bernard), *L'Art au siècle de Louis XIV*, Paris, 1967.
THIERRY (André), *Agrippa d'Aubigné, auteur de l'Histoire universelle*, Lille III, 1982.

THUILLIER (Jacques), voir CHÂTELET.
— « Peinture et politique : une théorie de la galerie royale sous Henri IV », dans *Études d'art français offertes à Charles Sterling*, Paris, 1975, pp. 175-205.
— « La fortune de la Renaissance et le développement de la peinture française, 1580-1630. Examen d'un problème », dans *L'Automne de la Renaissance, 1580-1630*, études réunies par Jean Lafond et André Stegmann, Paris, 1981, pp. 357-370.
— *Charles Le Brun, 1619-1690, peintre et dessinateur*, Versailles, 1963.
VACCARO (Jean-Michel), *La musique de luth en France au XVIe siècle*, Paris, 1981.
VAISSIÈRE (Pierre de), *Henri IV*, Paris, 1928.
— *Messieurs de Joyeuse (1560-1615). Portraits et documents inédits*, Paris, 1926, in-8°.
— *Gentilshommes campagnards de l'ancienne France...*, Paris, 1903, in-8°.
VANUXEM (Jacques), « La scénographie des fêtes de Louis XIV auxquelles Molière a participé », dans *XVIIe siècle*, n°s 98-99, année 1973, pp. 77-89.
VERLET (Pierre), *Le château de Versailles*, Paris, 1985.
— *Versailles et la musique française*, n° spécial de la revue *XVIIe siècle*, n° 34, mars 1957.
VORSANGER (Michel), *Quand Louis XIV disgraciait*, Nanterre, 1983, mém. dactyl.
VRIGNAULT (Henri), *Généalogie de la maison de Bourbon*, Paris, 1957.
WEBER (Gerold), « Le domaine de Marly », dans *Monuments historiques*, n° 122, août-septembre 1982, pp. 81-96.
WEIGERT (Roger-Armand), *Jean I Berain, dessinateur de la chambre et du cabinet du Roi (1640-1711)*, Paris, 1936, in-4°.
— *L'époque Louis XIV*, Paris, 1962.
WERNER (Karl Ferdinand), *Hof, Kultur und Politik im 19. Jahrhundert*, Bonn, 1985.
YATES (Frances A.), *The French Academies of the Sixteenth Century*, Londres, 1947.
ZUBER (Roger) et CUÉNIN (Micheline), *Le classicisme, 1660-1680. Littérature française*. 4, Paris, 1984.

Index

ABATE (Nicolo dell'), v. 1509-v. 1571, peintre et décorateur : 68, 85, 219.
ABBAS, 1587-1628, chah de Perse : 10.
ACHILLE, héros grec : 9.
ADÉLAÏDE (Marie Adélaïde de France, appelée en 1737 Madame), 1732-1800, fille de Louis XV : 445, 459, 493, 506, 523.
ADHÉMAR (Jean Balthazar de Montfalcon, comte d'), 1731-1791, diplomate, chevalier d'honneur de Madame Élisabeth : 436, 497.
AIGUILLON (Henri de Lorraine, duc d'), 1578-1621, grand chambellan : 179.
ALAMANNI (Luigi), 1495-1556, poète florentin : 78, 120.
ALBARET (comte d') : 463.
ALBE (Fernand Alvarez de Tolède, duc d'), 1508-1582, général et ministre espagnol : 56.
ALBON, voir SAINT-ANDRÉ.
ALBRET (Maison d') : 214.
ALENÇON, voir aussi HERCULE FRANÇOIS DE VALOIS.
ALENÇON (Charles, duc d'), 1489-1525, premier prince du sang en 1515, mari de Marguerite d'Angoulême : 111, 136, 537.
ALENÇON (Françoise d'), † 1550 : 189.
ALEXANDRE LE GRAND, † 323 av. J.-C., roi de Macédoine : 9, 383.
ALINCOURT (François Camille de Neufville, marquis d'), petit-fils du maréchal de Villeroy : 423.
ALLONVILLE (Armand-François, comte d'), 1762-1832, mémorialiste : 448, 449, 451.
AMBASSADEURS DU MAROC : 307.
AMBASSADEURS DE MOSCOVIE : 303.
AMBASSADEURS DE PERSE : 307.
AMBASSADEURS DU ROI DE SIAM : 307.
AMBOISE (Georges, cardinal d'), 1460-1510, archevêque de Rouen : 85.
AMYOT (Jacques), 1513-1593, humaniste : 94, 119, 380.
ANDRÉ : 120.
ANDROUET DU CERCEAU (Jacques Ier), 1510-ap.1584, graveur, architecte, ornemaniste : 65, 69, 84, 85, 88, 89.
ANDROUET DU CERCEAU (Jean), 1585-1649, architecte du roi : 217.
ANDROUET DU CERCEAU (Jacques II), v. 1550-1614, architecte : 215, 267.
ANGLEBERT (Jean-Baptiste Henri d'), v. 1628-1691, claveciniste : 411.
ANGOULÊME (Henri d'), 1551-1586, fils naturel de Henri II : 96, 106.
ANGOULÊME (Charles, *bâtard* de Valois, duc d'), 1573-1650, fils naturel de Charles IX : 223.
ANGOULÊME (Louis Antoine d'Artois, duc d'), 1775-1844, fils du comte d'Artois (Charles X) : 508.
ANJOU, voir HERCULE FRANÇOIS DE VALOIS, HENRI III.
ANJOU (Philippe de France, duc d'),

DAMPIERRE (M. de) : 148.
DAMVILLE (Charles de Montmorency, duc de), † 1612, fils du connétable, amiral de France : 190.
DANCOURT (Florent Carton de), 1661-1725, auteur et acteur comique : 400, 402, 404, 466, 467.
DANÈS (Pierre), 1497-1577, helléniste, précepteur de François II : 77.
DANGEAU (Philippe de Courcillon, marquis de), † 1720, mémorialiste : 287-289, 291, 295, 296, 299, 300, 303, 309, 311, 312, 317, 319, 323, 344, 365, 371, 372, 399, 400, 408, 417, 424.
DANTE ALIGHIERI, poète italien : 79, 81.
DAUPHINE, voir MARIE ANNE CHRISTINE DE BAVIÈRE, et la duchesse de BOURGOGNE.
DAUVERGNE (Antoine), 1713-1797, compositeur : 462.
DAVID (Louis), 1748-1825, peintre : 221.
DAVY DU PERRON (Jacques), 1556-1618, poète, grand aumônier de France, cardinal : 106.
DÉAGEANT (Guichard), 1574-1645, intendant puis contrôleur général des finances : 192, 197.
DEBRIE, comédienne : 400.
DELALANDE (Michel-Richard), 1657-1726, surintendant de la musique de la Chambre : 294, 408-411, 415, 455, 459, 461.
DELAMAIRE (Pierre Alexis), 1676-1745, architecte : 314.
DEL BENE (Bartolomeo) : 78.
DELILLE (Jacques, abbé), 1738-1813, poète : 472.
DELLA PALLA (Giovanni Battista) : 84.
DELPHINON (Baptiste), violoniste de la Chambre : 123.
DELUMEAU (Jean), historien : 152.
DERUET (Claude), † 1661, peintre : 221.
DES CARS (François Pérusse, comte) : 480.
DESCARTES (René), 1596-1650, philosophe : 245, 248.
DESJARDINS (Martin Van den Bogaert, dit Martin), sculpteur : 388.
DESMARETS (Nicolas), † 1721, ministre de Louis XIV, neveu du grand Colbert : 348, 355.
DESMARETS (Madeleine Béchameil, Mme), † 1725, femme du précédent : 299, 355.
DESMARETS (Henry), 1662-1741, compositeur : 415.
DES MARETS DE SAINT-SORLIN (Jean), 1595-1676, poète : 247.
DESPORTES (Philippe), 1546-1606, poète : 18, 76, 94-96, 98-103, 105, 106, 224, 238.
DESTOUCHES (Philippe Néricault), 1680-1754, auteur comique : 466, 467.
DESTOUCHES (André Cardinal), 1672-1749, compositeur : 308, 309, 416, 417, 455, 462.
DES URSINS (Anne Marie de la Trémoille, princesse), † 1722 : 313, 366.
DES YVETEAUX (Nicolas Vauquelin, sieur), 1567-1649, poète, précepteur de Louis XIII : 175.
DIANE DE FRANCE, 1538-1619, fille légitimée de Henri II : 26, 31, 125.
DIANE DE POITIERS, 1499-1566, dite la grande sénéchale de Normandie, duchesse de Valentinois : 24, 28-31, 63, 68, 73, 88, 146, 148, 540.
DIDEROT (Denis), 1713-1784, philosophe : 462, 472.
DILLON (Édouard), 1750-1839, diplomate : 499.
DIOBONO (Pompeo), baladin : 126.
DIOCLÉTIEN, empereur romain : 10.
DIODORE DE SICILE, historien grec : 92.
DOMITIEN, empereur romain : 157.
DONNEBAUT, comédienne : 400.
DORAT (Jean), v. 1510-1588, poète et helléniste : 94, 96, 125.
DORIGNY (Michel), 1617-1665, peintre : 235.
DORON (Claude), v. 1530-v. 1600, lecteur de Henri III : 106.

O (Gabriel Claude de Villiers, marquis d'), gouverneur du comte de Toulouse : 294, 326.
OBERKIRCH (Henriette-Louise de Waldner de Freudstein, baronne d'), 1754-1803, mémorialiste : 440, 446, 450, 461, 477, 478, 494.
OLONNE (Catherine Henriette d'Angennes, comtesse d'), † 1714 : 352.
ORBAY (François d'), 1634-1697, architecte : 265, 267, 269.
ORLÉANS (Maison d') : 206, 364.
ORLÉANS (duc d'), voir aussi MONSIEUR.
ORLÉANS (Louis Ier duc d'), 1372-1407, frère de Charles VI : 76.
ORLÉANS (Charles d'), 1391-1465, comte d'Angoulême, fils du précédent, père de Louis XII : 61.
ORLÉANS (Gaston de France, duc d'), 1608-1660, dit Monsieur, frère de Louis XIII : 178, 183, 184, 190, 191, 200, 201, 203-205, 207-209, 211, 218, 225, 227, 234, 235, 239, 242, 331, 346.
ORLÉANS (Marguerite de Lorraine-Vaudemont, duchesse d'), 1615-1672, Madame, femme du précédent : 184.
ORLÉANS (Philippe de France, duc d'Anjou puis duc d'), voir MONSIEUR.
ORLÉANS (Marie Louise d'), 1662-1689, reine d'Espagne, fille du précédent : 331.
ORLÉANS (Anne Marie d'), 1669-1728, duchesse de Savoie, sœur de la précédente : 331.
ORLÉANS (Élisabeth Charlotte d'), 1676-1744, duchesse de Lorraine, sœur des précédentes : 331.
ORLÉANS (Philippe II d'Orléans, duc de Chartres puis duc d'), 1674-1723, le Régent, fils de Monsieur : 295, 302, 307, 313, 320, 323, 331-333, 345, 346, 348, 349, 362, 364, 392, 401, 409, 417, 421-423, 442, 490, 525, 541.
ORLÉANS (Françoise-Marie de Bourbon, Mademoiselle de Blois, duchesse de Chartres puis d'), 1677-1749, femme du précédent : 288, 295, 307, 332, 333, 345, 349, 409, 541.
ORLÉANS (Louis, duc d'), 1703-1752, dit Louis le Génovéfain, fils des précédents : 331, 364, 442.
ORLÉANS (Louis Philippe Ier, duc d'), 1725-1785, fils du précédent : 442, 466, 483.
ORLÉANS (Louis Philippe Joseph, duc d'), 1747-1793, fils du précédent : 442, 453, 478.
ORLÉANS (Louise Marie Adélaïde de Bourbon, Mademoiselle de Penthièvre, duchesse d'), 1755-1821, femme du précédent : 435.
ORLÉANS (Élisabeth d'), voir GUISE.
ORLÉANS (Marie Louise Élisabeth d'), voir BERRY.
ORMESSON (Olivier Lefèvre d'), † 1686, rapporteur du procès Fouquet : 205.
ORMESSON (Henry François de Paule Lefèvre d'), 1751-1808, contrôleur général des finances (1783) : 450.
ORRY (Philibert), 1689-1747, ministre de Louis XV : 521.
OSMOND (Éléonore Dillon, marquise d'), 1753-1831 : 445.
OSSONE (Gaspard Tellez-Giron, duc d') : 312.
OSSUN (Geneviève de Gramont, comtesse d'), 1751-1794, dame d'atour de Marie-Antoinette : 523.
OVIDE, poète latin : 92, 234.

PALATINE, voir MADAME PALATINE.
PALLADIO (Andrea di Pietro, dit), 1508-1580, architecte : 89, 287.
PAPILLON DE LA FERTÉ (Denis Pierre Jean), 1727-1794 : 457, 504.
PARABOSCO (Girolamo), v. 1524-v. 1557 : 79.
PARFAIT, officier de bouche : 165.
PÂRIS (les frères) : 485, 491, 521.
PASCAL (Blaise), 1623-1662, savant et philosophe : 245.
PASCHAL (Charles) : 144.

gouvernante des enfants de France, femme du précédent : 436, 437, 451, 473, 516, 526, 527.
POLIGNAC (Diane Louise Augustine de), 1742-1818, dame d'honneur de la comtesse d'Artois puis de Madame Élisabeth : 436, 526, 527.
POLYBE, historien grec : 81.
POMPADOUR (Jeanne Antoinette Poisson, marquise de) 1721-1764 : 429-431, 438, 440, 449, 459, 460, 463, 465, 466, 470-472, 477, 481-488, 492, 506, 511, 518, 520-522, 524.
POMPONNE (Simon Arnauld, marquis de), 1618-1699, ministre de Louis XIV : 355, 398.
PONS (Charles Louis de Lorraine, prince de), 1696-1755, lieutenant général : 493.
PONTCHARTRAIN (Louis Phelypeaux, comte de), † 1727, ministre et secrétaire d'État, chancelier de France : 348, 355, 395.
PONTCHARTRAIN (Jérôme Phelypeau, comte de), † 1747, ministre, fils du précédent : 348.
PONTORMO (Jacopo Carucci, dit), 1494-1556, peintre toscan : 84.
POQUELIN (Jean Baptiste), voir MOLIÈRE.
POT (Guillaume), seigneur de Rhodes, grand maître des cérémonies : 33.
POURBUS (François), 1570-1622, peintre : 180, 220.
POUSSIN (Nicolas), 1594-1665, peintre : 220, 222, 223, 234, 266.
POYET (Guillaume), v. 1474-1548, président au Parlement, chancelier de France : 136.
PRASLIN (César Gabriel de Choiseul-Chevigny, comte de Choiseul puis duc de), 1712-1785, ministre de Louis XV : 484.
PRÉVERT (Jacques), 1900-1977, poète : 509.
PRÉVOST D'EXILLES (Antoine François, dit l'abbé), 1697-1763, aumônier du prince de Conti, écrivain : 470.
PRIMATICE (Francesco Primaticcio, dit le), 1504-1570, stucateur, dessinateur, peintre, architecte : 67, 68, 77, 83-85, 89, 219, 221.
PRIMI VISCONTI (Jean Baptiste), mémorialiste : 281, 306, 336, 339, 344, 349, 363, 367, 372.
PRINCE (Monsieur le), voir CONDÉ.
PROVENCE (Louis Stanislas Xavier de France, comte de), 1755-1824, Monsieur, futur Louis XVIII, frère de Louis XVI : 433, 434, 442, 444, 458, 493, 507, 512.
PROVENCE (Marie Josèphe de Savoie, comtesse de), 1753-1810, Madame, femme du précédent : 425, 434, 435.
PUGET (Pierre), 1620-1694, sculpteur : 392.
PUYLAURENS (Antoine de Lage, comte puis duc de), † 1635 : 227.
PUYZIEULX (Louis Philogène Brûlart, comte de Sillery puis marquis de), 1702-1770, ministre de Louis XV : 486.

QUÉLUS, voir CAYLUS.
QUESNEL (Nicolas), 1551-1631 : 221.
QUINAULT (Philippe), 1635-1688, poète et librettiste : 275, 397, 409, 414, 461.

RABELAIS (François), 1495-v. 1553, écrivain : 64, 88, 95, 120.
RACAN (Honorat de Bueil, seigneur de), 1589-1670, poète : 224, 243, 247.
RACINE (Jean), 1639-1699, poète, dramaturge, historiographe du roi : 118, 277, 288, 297, 305, 308, 361, 378, 380, 397, 398, 401-404, 413, 467, 471.
RAISIN (Françoise Pitel de Longchamp, dite Mlle), 1661-1721, comédienne : 399.
RAMBOUILLET (Catherine de Vivonne, marquise de), « l'incomparable Arthénice » : 105, 181, 248, 312.
RAMBURES (marquis de) : 423.

Table des matières

PREMIÈRE PARTIE

L'INVENTION DE LA COUR

DEUXIÈME PARTIE

LA COUR BALBUTIANTE

TROISIÈME PARTIE

LA COUR RAYONNANTE

QUATRIÈME PARTIE

LA COUR DÉCLINANTE

ANNEXES

Achevé d'imprimer en août 1987
sur presse CAMERON
dans les ateliers de la S.E.P.C.
à Saint-Amand-Montrond (Cher)
pour le compte de la librairie Arthème Fayard
75, rue des Saints-Pères - 75006 Paris

ISBN 2-213-02015-9

35-66-7787-01

Dépôt légal : août 1987.
N° d'Édition : 6018. N° d'Impression : 1450-1069.

Imprimé en France

35-7787-1